Second International Musicological Congress

on

CHOPIN AND HIS WORK
IN THE CONTEXT OF CULTURE

Warszawa, October, 10–17, 1999

Chopin and his Work in the Context of Culture

Studies edited by:
Irena Poniatowska

Collaboration:
Zofia Chechlińska
Wojciech Nowik
Jan Stęszewski
Mieczysław Tomaszewski

Volume I

Polska Akademia Chopinowska
Narodowy Instytut Fryderyka Chopina
Musica Iagellonica
2003

Cover layout:
.Alina Mokrzycka-Juruś

Linguistic Consultation:
John Comber (English)
Maria Poniatowska-Bylina (French)
Maria Przybyłowska and Weronika Wojna (German)

Translations of the summaries into Polish and elaboration of the Round Table
discussion — Irena Poniatowska

Photographs of the opening ceremony of the Congress — Lech Charewicz

ISBN 83-7099-127-0

The book has been published with the financial assistance of:
        Ministry of Culture
        State Committee of Scientific Research
        Culture Foundation

Musica Iagellonica
ul. Westerplatte 10
31-033 Kraków, POLAND

Musica Iagellonica
Internet bookstore at
www.mi.pl

CONTENTS

VOLUME I

PART I
CHOPIN IN THE ENTOURAGE OF PERSONS
AND THOUGHTS OF THE EPOCH

PART II
CHOPIN'S OUTPUT
AND ITS MUSICOLOGICAL INTERPRETATIONS

Volume 2

Part III
The Work of Chopin
in Pianistic Interpretations

Master Classes

Part IV
The Resonance of Chopin's Output
and its Social Reception

Supplementary Texts

Round Table

PROGRAMME
OF THE 2ND INTERNATIONAL MUSICOLOGICAL CONGRESS
'CHOPIN AND HIS WORKS IN THE CONTEXT OF CULTURE'
WARSAW 10–17 OCTOBER, 1999

10.10.1999, SUNDAY

19.00 - *Stanisław Bunin - Recital at The National Philharmonic*

11.10.1999, MONDAY

Royal Castle - Grand Room - Plenary Session
PLENARY SESSION CHAIRED BY IRENA PONIATOWSKA

9.30 - *concert of Polish choral music - Catholic Theological Academy Choir, dir. Fr. K. Szymonik*

10.00 - *opening ceremony and speeches*

10.30 - *break*

11.00 - lecture, Mieczysław Tomaszewski (Kraków), *Autour du phénomène de la musique de Chopin. De la provenence à la résonnance*

11.45 - lecture, Jim Samson (Bristol), *Chopin and the Structures of History*

Royal Castle – Concert Hall – 3rd Thematic Area
SESSION CHAIRED BY MIROSŁAW PERZ

15.00 - John Rink (London), *Chopin and Performance Studies*

15.30 - James Methuen Campbell (Corsham, England), *Currents in the Approach to the Interpretation of Chopin's Music, as Exemplified by the Rise and Fall of the Pianist as Chopin Specialist*

16.30 - *break*

17.00 - Lidia Kozubek (Warszawa), *Die Melodieführung in ausgewählten 'Nokturnen' von F. Chopin*

17.30 - Kazimierz Morski (Katowice), *Die Überlieferung der kompositorischen Idee von Chopin am Beispiel der Etüden und Preludien*

18.00 - *discussion*

Royal Castle – Cinema Hall – 1st Thematic Area
SESSION CHAIRED BY DANIÈLE PISTONE

15.00 - Gabriel Ladaique (Nancy), *De l'apport de la connaissance historique des ancêtres de F. Chopin*

15.30 - Czesław Sieluzycki (Warszawa), *Chopins Vorfahren und Verwandte in der Seitenlinie mütterlicherseits*

16.00 - Henri Musielak (Aniche, France), *La mort de Frédéric François Chopin. Le détournement de sa succesion et ses consequences*

16.30 - *break*

17.00 - Claudia Colombati (Macerata-Roma), *La formation da la conscience musicale, esthétique, philosophique et patriotique de Chopin*

17.30 - Mathew Riley (Bucks, England), *Chopin and Musical Rhetoric*

18.00 - *discussion*

* * *

19.30 - *Murray Perahia - Recital at The National Philharmonic*

12.10.1999, TUESDAY

Royal Castle – Concert Hall – 3rd Thematic Area
SESSION CHAIRED BY RUDOLF BOCKHOLDT

9.30   - Krystyna Juszyńska (Łódź), *The Elements of Shaping Piano Interpretation on the Basis
of Different Performances of Chopin's 'Ballade in G minor' Op. 23*

10.00 - Bengt Edlund (Lund, Sweden), *An Etude on Fingerings and Musical Essence*

10.30 - Wolfgang Dömling (Hamburg), *Versteckte Polyphonie im Klaviersatz Chopins als
Problem für die Interpretation*

11.00 - *break*

11.30 - Tomi Mäkelä (Magdeburg), *Pedagogische Rezeption und soziale Funktion von Chopin
in Jahren 1830. und 1840. in Deutschland*

12.00 - Ewa Talma-Davous (Paris), *Georges Mathias (1826-1910)*

12.30 - *discussion*

SESSION CHAIRED BY PETER ANDRASCHKE

15.00 - Krzysztof Grabowski (Paris), *Les élèves de F. Chopin en tant qu'éditeurs de ses oeuvres*

15.30 - Irina Nikolskaya (Moskva), *Chopin's Works in Performing Art of Anton Rubinstein*

16.00 - Piero Rattalino (Milano), *Busoni and Chopin*

16.30 - *discussion*

Royal Castle – Cinema Hall – 1st Thematic Area
SESSION CHAIRED BY JEAN-JACQUES EIGELDINGER

9.30   - Serge Gut (Paris), *Les impulsions artistiques du Paris romantique sur l'oeuvre de Chopin – 1831–1838*

10.00 - Jeffrey Kallberg (Philadelphia), *Arabian Nights: Chopin and Orientalism*

11.00 - *break*

11.30 - Klaus W. Niemöller (Köln), *'Ich hatte mehrere Jahre in Paris... fast täglich mit Chopin
verkehrt'. Chopin und Ferdinand Hiller, eine Freundschaft*

12.00 - Sophie Ruhlmann (Cour Cheverny, France), *Chopin et les instrumentistes à archet:
quelques récentes découvertes. Synthèse et réflexions*

12.30 - *discussion*

SESSION CHAIRED BY ZOFIA HELMAN

15.00 - Renata Suchowiejko (Kraków), *La presse et les musiciens polonais à Paris à l'époque de Chopin. Le contexte socio-politique*

15.30 - Françoise Berger (Paris), *Histoire d'une amitié: F. Chopin et Pauline Viardot*

16.00 - *discussion*

* * *

17.30 - *exposition at The National Library (transcriptions of Chopin's works) and concerto of Olga Pasiecznik (Soprano) and Ewa Pobłocka (Accompaniment) in The Polish Radio*

13.10.1999, WEDNESDAY

Royal Castle – Concert Hall – 2nd Thematic Area
SESSION CHAIRED BY MIECZYSŁAW TOMASZEWSKI

9.30 - Eero Tarasti (Helsinki), *Body and Transcendence in the Chopinian Aesthetics*

10.00 - Anatole Leikin (Santa Cruz), *Genre Connotations, Thematic Allusions and Formal Implications in Chopin's 'Nocturne' Op. 27 No. 1*

10.30 - Jan Stęszewski (Poznań), *Polnische Analysen der musikalischen Volkstradition im Schaffen von Chopin*

11.00 - *break*

11.30 - Artur Szklener (Kraków), *Various Foreground Forms of Similar Middle Ground Pattern in Music of F. Chopin*

12.00 - Arnfried Edler (Hannover), *Aspekte der Gattungsgeschichte in Chopins Klaviermusik*

12.30 - *discussion*

SESSION CHAIRED BY KLAUS WOLFGANG NIEMÖLLER

15.00 - Jean-Jacques Eigeldinger (Genève), *Hexameron ou l'image de Chopin dans une 'Galerie des Pianistes'*

15.30 - Petra Bockhold (Hameln, Deutschland), *Wie Chopin seine Kompositionen beginnt*

16.00 - Rudolf Bockhold (Hameln, Deutschland), *Wie Chopin seine Kompositionen schliesst*

16.30 - *discussion*

Royal Castle – Cinema Hall – 4th Thematic Area
SESSION CHAIRED BY SERGE GUT

9.30 - Daniele Pistone (Paris), *Frédéric Chopin dans la critique musicale française à la fin du XX siècle*

10.00 - Irena Poniatowska (Warszawa), *Sur les interprétations polysémiques des 'Préludes' de Chopin*

10.30 - Jolanta Bauman-Szulakowska (Cieszyn), *La réception et la transformation du style de F. Chopin dans la musique française jusqu'à la moitié du XXe siècle*

11.00 - *break*

11.30 - Zofia Helman (Warszawa), *Rachmaninov: Variations sur le thème du 'Prélude en ut mineur' de Chopin*

12.00 - Marie-Claire Mussat (Rennes), *Le pianiste-compositeur Henri Kowalski (1841-1916): un 'chopinophile' engagé*

12.30 - *discussion*

SESSION CHAIRED BY JEFFREY KALIBERG

15.00 - Peter Andraschke (Freiburg), *Zur literarischen Rezeption Chopins bei Gottfried Benn und Hans Magnus Enzesberger*

15.30 - Walentyna Węgrzyn-Klisowska (Warszawa), *Schlesische Druck-Ausgaben und handschriftliche Bearbeitungen von F. Chopins Kompositionen im XIX Jahrhundert*

16.00 - Maja Trochimczyk (Los Angeles), *From Art to Kitch?: Reflections on Imitating Chopin's Style*

16.30 - *discussion*

✴ ✴ ✴

17.15 - *exposition at The Chopin Society*

14.10.1999, THURSDAY

Royal Castle – Concert Hall – 2nd Thematic Area
SESSION CHAIRED BY EERO TARASTI

9.30 - Juri Cholopov (Moskwa), *Besonderheiten der Chopins Harmonik im ästhetischen Kontext der Frühromantik*

10.00 - Jarosław Mianowski (Poznań), *Die 24 Präludien von Chopin in der Perspektive der Charakteristiken der Tonarten aus dem XIX Jahrhundert*

10.30 - Michael Heinemann (Berlin), *Hommage à Bach - Chopins 1. 'Klavier-Sonate' Op. 4*

11.00 - *discussion*

MASTER CLASSES

15.00 - Dominique Merlet (Conservatoire in Geneva)

5.45 - Andrzej Jasiński (Academy of Music in Katowice)

16.30 - *break*

17.00 - Wiktor Merzhanov (Moscow Conservatoire)

Royal Castle – Cinema Hall – 2nd Thematic Area
SESSION CHAIRED BY JIM SAMSON

9.30 - Michał Bristiger (Warszawa), *Zwei Arten die Musik von F. Chopin in den 20. Jahren des XX Jahrhunderts zu beobachten: L. Bourguès, A. Denéréaz (1921) und L. Sabaneev (1927)*

10.00 - Zbigniew Skowron (Warszawa), *In Search of Chopin's Immanent Aesthetic. The Romantic Background of Some Narrative Elements in the Chosen Ballades*

10.30 - Harald Krebs (Victoria, Canada), *Metrical Dissonance in the Music of Chopin*

11.00 - *discussion*

* * *

12.00 - *presentation of Chopin's autographs at The National Library*
19.00 - *Royal Castle, Janusz Olejniczak - Recital on the Pleyel Piano*[*]

15.10.1999, FRIDAY

Royal Castle – Concert Hall – 2nd and 4th Thematic Area
SESSION CHAIRED BY ANDRZEJ CHODKOWSKI

9.30   - Helmut Loos (Chemnitz), *Chopin und Schumann*

10.00 - Maria Zduniak (Wrocław), *Die Korrespondenz von Breitkopf und Härtel über die erste kritische Ausgabe der sämtlichen Werke von Fryderyk Chopin*

10.30 - Halina Goldberg (Bloomington), *Does Four Equal Twelve? Chopin's Works with the Orchestra as Arranged for the Salon*

11.00   - *break*

11.30 - Wojciech Nowik (Warszawa), *Chopin's Counter-Type Sonata - a Structural Mistake or an Innovatory Idea*

12.00 - Tetiana Zolozova (Kiev), *Les particularités de la forme sonate chez F. Chopin*

12.30 - *discussion*

SESSION CHAIRED BY JAN STĘSZEWSKI

15.00 - David Kasunic (Princeton), *Chopin's Operas*

15.30 – Bożena Schmid-Adamczyk (Genève-Valldemossa), *Frédéric Chopin, sa relation avec 'Robert le Diable' et l'origine de 'Duo à quatre mains'*

16.00 - *break*

16.30 - Nadia Hrčková (Bratislava), *Chopin und die zeitgenösische Musikkultur. Einige Beispiele*

17.00 - Zofia Chechlińska (Warszawa), *Chopin's Warsaw Polonaises: Between Traditional and Individual Concepts*

17.30 - *discussion*

Royal Castle – Cinema Hall – 4th Thematic Area
SESSION CHAIRED BY ANATOLE LEIKIN

9.30   - Joachim Draheim (Karlsruhe), *Hommage à Frédéric Chopin. (Von Robert Schumann bis Max Reger)*

10.00 - Atsuko Okada (Tokyo), *Chopin's Great Influence on Scriabin - Concerning the Pianistic Vocabulary*

---

[*] *The opening concert of Catholic Theological Academy Choir with the works of Polish religious music from 13. to 20. century and of Janusz Olejniczak on the Pleyel-piano were organised by the Polish Chopin Academy.*
The concerts of Stanisław Bunin and Murray Perahia were organised by the National Philharmonics in collaboration of Polish Chopin Academy.

10.30 - Magdalena Dziadek (Cieszyn), *Aesthetic, Ideological and World Outlook Bases of the Young-Polish Discours on Chopin*

11.00 - *break*

11.30 - Andrzej Tuchowski (Zielona Góra), *Between Romanticism and Musical Constructivism: Chopin and Lutosławski*

12.00 - Jadwiga Paja-Stach (Kraków), *Hommage à Chopin of Andrzej Panufnik in the Context of His Works Based on Polish Folk Musik*

12.30 - *discussion*

SESSION CHAIRED BY HARALD KREBS

15.00 - Francis Claudon (Dijon-Paris), *Chopin et Lamartine ou l'élégie moderne*

15.30 - Raoul Meloncelli (Roma), *L'influence de Chopin et son style sur la musique italienne de piano au XIXe siècle*

16.00 - *break*

16.30 - Sandra Rosenblum (Belmont, USA), *Chopin's Music in Nineteenth Century America. Its Introduction, Dissemination and Aspects of Reception*

17.00 - Susumu Tamura (Tokyo), *Reception of Chopin's Music in Japan*

17.30 - Omar Hajami (Casablanca)- a short message of the Association Marocaine des Amis de Frédéric Chopin in Casablanca

17.30 - *discussion*

※ ※ ※

19.30 - *Dan Tai Song - Recital at The National Philharmonic*

16.10.1999, SATURDAY

Royal Castle – Concert Hall – 2nd Thematic Area
SESSION CHAIRED BY HELMUT LOOS

9.30 - Hartmuth Kinzler (Osnabrück), *Über die pianistische Erfindung musikalischer Strukturen in Chopins Jugendwerken unter besonderer Berücksichtigung der beiden Fassungen des 'C-dur-Rondos' Op. 73*

10.00 - Danuta Jasińska (Poznań), *Le style brillant à l'époque de Chopin et dans sa musique*

10.30 - Bertil Wikman (Tullinge, Sweden), *The Interpretative Musical Form of Chopin's 'Nocturne' Op. 27 No. 2*

11.00 - *break*

11.30 - Maria Sołtys (Lviv), *Ein unbekantes Autograph von Chopin in dem handschriftlichen Album polnischer Komponisten*

12.00 - Elżbieta Zwolińska (Warszawa), *Aus dem Repertoire des jungen Chopin: 'Klavierkonzert cis-Moll' Op. 55 von Ferdinand Ries*

12.30 - *discussion*

SESSION CHAIRED BY ZOFIA CHECHLIŃSKA

15.00 - Anna Nowak (Bydgoszcz), *The Romantic Idiom of Musical Dialogue in Fryderyk Chopin's Piano Concertos*

15.30 - Barbara Milewski (Princeton), *Chopin and Folk Music?*

16.00 - Helena Hryszczyńska (Warszawa), *Schubert-Nourrit-Chopin*

16.30 - *discussion*

Royal Castle – Cinema Hall – 4th Thematic Area
SESSION CHAIRED BY WOJCIECH NOWIK

15.00 - Valeria Shulgina (Kiev), *Uncommon Collection of Chopin's Music Publications at Vernadsky Library of Ukraine*

15.30 - Luba Kiyanovska (Lviv), *Das Schaffen von Fryderyk Chopin in der Reflexion der ukrainischen Komponisten und Schriftsteller*

16.00 - Raquel Bustos (Santiago de Chile), *Chopin in Chile*

16.30 - *discussion*

17.10.1999, SUNDAY

9.00 - *A Holy Mass at the 'Wizytki' Church, where Chopin occasionally played on the organ for 2 years. The Mass will be celebrated by Fr. Jan Twardowski*

10.15 - *Round Table in the Senate Hall at the Warsaw University: Chopin - Romanticism*

18.00 - *concert at The National Philharmonic - cond. J. Krenz*

21.00 - *W. A. Mozart's 'Requiem' at the St. Cross Church*

ALLOCUTIONS DE BIEN VENU

(Prof. Irena Poniatowska, Présidente de l'Académie Polonaise Chopin:)

Mesdames, Messieurs,

Au nom de l'Association « Académie Polonaise Chopin » qui est l'organisateur principal du Second Congrès Musicologique International — « Chopin et son oeuvre dans le contexte de la culture », j'ai le plaisir de souhaiter la bienvenue à tous les invités présents à cette session plénière d'inauguration. Dans cette magnifique Grande Salle au Château Royal de Varsovie, notre Congrès a débuté par un concert de la musique polonaise, exécuté par le Choeur de l'Académie de Théologie de Varsovie sous la direction du père Professeur Kazimierz Szymonik. Nous lui en remercions chaleureusement.

Je vais mener l'inauguration de notre Congrès dans deux langues: en polonais et en français, pour honorer Chopin, qui se servait de ces deux langues.

Je voudrais maintenant demander cordialement à Madame le Docteur Aleksandra Woźnicka de la Chancellerie du Président de la République Polonaise, de lire le message que le Président de la RP Monsieur Aleksander Kwaśniewski a adressé aux participants du Congrès. Ensuite je vais prier de prendre la parole Monsieur Arkadiusz Rybicki, Vice-Ministre de la Culture, ainsi que Monsieur le Professeur Andrzej Rottermund, directeur du Château Royal qui est aussi co-organisateur du Congrès.

(Prof. Irena Poniatowska, Prezes Polskiej Akademii Chopinowskiej:)

Szanowni Państwo,

W imieniu stowarzyszenia „Polska Akademia Chopinowska", które jest głównym organizatorem II Międzynarodowego Kongresu Muzykologicznego „Chopin i jego twórczość w kontekście kultury", witam wszystkich zaproszonych gości na inauguracyjnym, plenarnym posiedzeniu Kongresu. We wspaniałej Sali Wielkiej Zamku Królewskiego Kongres rozpoczął się koncertem muzyki polskiej w wykonaniu Chóru Akademii Teologicznej w Warszawie pod dyr. ks. Prof. Kazimierza Szymonika, za który pięknie dziękujemy. Inaugurację Kongresu będę prowadzić w 2 językach — polskim i francuskim, by uhonorować Chopina, który posługiwał się tymi językami.

Bardzo proszę Panią dr Aleksandrę Woźnicką, reprezentującą Kancelarię Prezydenta RP, o odczytanie przesłania Prezydenta RP Pana Aleksandra Kwaśniewskiego do uczestników Kongresu. Następnie proszę Pana Arkadiusza Rybickiego, Wiceministra Kultury oraz Pana Profesora Andrzeja Rottermunda, gospodarza Zamku Królewskiego, który jest także współorganizatorem Kongresu, o zabranie głosu.

(Aleksander Kwaśniewski, Président de la République Polonaise:)

Aux participants du
II Congres International Chopin

Mesdames, Messieurs,
150 ans s'écoule depuis la mort du plus grand artiste dans l'histoire de la musique polonaise. Et nous — héritiers de Son message artistique — nous cherchons toujours une clé magique à la lecture complète du génie qui demeure dans un phénomène appelé, par un autre romantique, un grand poète polonais, Cyprian Kamil Norwid — le Piano de Chopin.

Chopin a élevé le national à une dimension universelle. Sa musique est devenue la propriété du monde entier. C'est pourquoi après 150 ans le temps est venu pour la Pologne d'inviter tous les scientifiques, chercheurs et pédagogues intéressés par Chopin a résumer le savoir sur l'oeuvre de Chopin, l'interprétation de son oeuvre et la réception de sa musique.

39 ans s'est écoulé du I Congres, exactement l'âge qu'a vécu Chopin. Cependant la popularisation de l'oeuvre de Chopin nécessite son enrichissement sur la base de nouvelles idées, qui naissent non seulement de l'intuition artistique, mais se manifestent en liaison directe avec les recherches, la philosophie de l'art et une méthodologie moderne. C'est pourquoi l'actuel II Congres doit être considéré comme un événement d'une importance majeure.

La relation envers les oeuvres de Chopin changeait durant l'histoire, le répertoire chopinien se modifiait également au cours des décennies. Aujourd'hui, grâce aux recherches, toute la création artistique de Chopin a été soumise aux jugements de valeur et toute est exécutée. Comme écrivait Jarosław Iwaszkiewicz, l'éloignement de Chopin de l'idéal courant de la forme ne pouvait être accepté que par les générations postérieures, car c'est uniquement le temps qui permet de découvrir toute la splendeur et l'inspiration dans une nouvelle parure des sons.

De nos jours Chopin est devenu un des compositeurs les plus populaires. Le phénomène d'une certaine simplicité particulière, et en même temps du raffinement de sa musique fait réfléchir de nombreux chercheurs, sociologues, psychologues et critiques musicaux. Sa profondeur émotionnelle parle à tout le monde. Et, d'un autre côté, Chopin reste un phénomène par excellence original, non seulement vu l'élément national dans son art, mais aussi vu l'originalité de son talent à l'échelle de toute une époque, voire même parmi les créateurs de toute l'ére moderne.

Il a placé l'héritage national à la première place, mais il l'a exprimé dans un langage compréhensible pour tous. Il s'est élevé au dessus des racines nationales pour parler une langue nouvelle, moderne.

Chopin était justement ainsi, et c'est pourquoi aujourd'hui les musicologues, pédagogues et artistes rassemblés commencent un cycle de débats, de discussions, consacré non seulement aux sources, à la biographie et aux oeuvres de Chopin, aux questions relatives au style, mais aussi à la problématique de ce qu'est Chopin, de ce qu'il signifie dans la culture du monde entier, du comment il était et il est interprété par les représentants de différentes cultures. Car, telle est l'idée conductrice du Congres: « Chopin et ses oeuvres dans le contexte de la culture ».

Mesdames, Messieurs, je vous souhaite en tant que participants du II Congres International Chopin de vous rapprocher aux réponses recherchées.

Je voudrais remettre entre les mains de Madame Prof. Irena Poniatowska, Présidente du Directoire de l'Académie Polonaise Chopin, l'expression de reconnaissance et de remerciements pour les initiateurs et les organisateurs de ce débat international de prime importance.

Je vous souhaite de fructueuses sessions, je souhaite que vous gardiez dans la mémoire des impressions les plus agréables de ces jours passées ensemble dans la ville natale de Chopin.

Signé: Aleksander Kwaśniewski

(Aleksander Kwaśniewski, Prezydent Rzeczpospolitej Polskiej:)

Do uczestników
II Międzynarodowego Kongresu Chopinowskiego

Szanowni Państwo,
Mija 150 lat od śmierci największego w historii muzyki polskiej twórcy. A my — spadkobiercy Jego artystycznego przesłania — ciągle szukamy magicznego klucza do pełnego odczytania geniuszu tkwiącego w zjawisku nazwanym przez innego romantyka, wielkiego polskiego poetę Cypriana Kamila Norwida — „Fortepianem Chopina".

Chopin, to co narodowe, podniósł do wymiaru uniwersalnego. Jego muzyka stała się własnością całego świata. Dlatego po 150 latach przyszła pora na zaproszenie przez Polskę wszystkich zainteresowanych Chopinem uczonych, pedagogów, by podsumować wiedzę, interpretację i recepcję dzieł Chopina.

Od I Kongresu dzieli nas 39 lat, tyle, ile żył Chopin. Jednak popularyzacja dzieła Chopina wymaga wzbogacenia jej o nowe idee, które rodzą się nie tylko z artystycznej intuicji, ale ujawniają się w ścisłym powiązaniu z badaniami, z filozofią sztuki i nowoczesną metodologią. Dlatego obecny II Kongres należy uznać za wydarzenie ogromnej wagi.

Stosunek do dzieł Chopina zmieniał się w ciągu dziejów, zmieniał się również wykonywany repertuar chopinowski. Dziś, dzięki badaniom, przewartościowana została cała twórczość Chopina i cała jest wykonywana. Jak pisał Jarosław Iwaszkiewicz, oddalenie się Chopina od obiegowego ideału formy mogło być zaakceptowane dopiero przez następne generacje, gdyż czas tylko potrafi odkryć całą piękność i natchnienie w nowej szacie dźwiękowej.

Obecnie Chopin stał się jednym z najbardziej popularnych kompozytorów. Nad fenomenem swoistej prostoty, a zarazem wykwintności jego muzyki zastanawiają się uczeni, socjologowie, psychologowie i krytycy. Jej głębia emocjonalna trafia do każdego. A z drugiej strony Chopin pozostaje zjawiskiem na wskroś oryginalnym, nie tylko ze względu na pierwiastek narodowy w jego sztuce, ale z uwagi na indywidualność talentu w skali całej epoki, czy nawet twórców ery nowożytnej.

Dziedzictwo narodowe postawił na najwyższym piedestale, ale wyraził je w języku zrozumiałym dla wszystkich. Wzniósł się ponad narodowe korzenie by przemówić językiem nowym, współczesnym.

Takim był właśnie Chopin i dlatego dziś zgromadzeni muzykolodzy, pedagodzy, artyści rozpoczynają cykl debat, dyskusji, nie tylko nad źródłami do biografii i jego dzieł, czy nad zagadnieniami stylu, ale nad problemem: co Chopin znaczy w kulturze całego świata, jak był i jest interpretowany przez przedstawicieli różnych kultur. Takie jest bowiem główne hasło Kongresu: „Chopin i jego twórczość w kontekście kultury".

Szanowni Państwo, życzę Państwu, uczestnikom II Międzynarodowego Kongresu Chopinowskiego, zbliżenia się do poszukiwanych odpowiedzi.

Na ręce Pani prof. Ireny Poniatowskiej, Przewodniczącej Zarządu Polskiej Akademii Chopinowskiej, kieruję wyrazy uznania i podziękowania dla inicjatorów i organizowanych tej ważnej międzynarodowej debaty.

Życzę Państwu owocnych obrad oraz zachowania w pamięci jak najprzyjemniejszych wrażeń ze wspólnie spędzonych w rodzinnym mieście Chopina dni.

Podpisano : Aleksander Kwaśniewski

(Arkadiusz Rybicki, Vice-Ministre de la Culture de la République Polonaise:)

Mesdames, Messieurs,

notre rencontre au Château Royal de Varsovie possède pour la ville de Varsovie et pour la culture polonaise une valeur exceptionnelle. Nous avons aujourd'hui parmi nous les musicologues et les musiciens du monde entier, réunis autour d'un motif commun – l'amour et l'admiration pour la musique de Frédéric Chopin. Devant un auditoire si savant, devant les connaisseurs les plus éminents de la musique de Chopin, je ne me sens pas habilité à parler des qualités particulières et spécifiques de cet art – durant les jours à venir nous allons très certainement entendre ici de nombreuses conclusions profondes et révélatrices, permettant de mieux comprendre la maestria de ce grand compositeur. Son héritage, bien que pas très important en nombre d'ouvrages, comporte une telle richesse d'idées, de découvertes, de solutions étonnantes et novatrices, que son profond apprentissage peut remplir plus qu'une seule vie de chercheur d'un contenu tout à fait fascinant.

La musique, de sa nature même, se rend difficilement à toute description rationnelle. Nous savons à quel point sont importants, pour la bonne connaissance et encore plus pour la pratique musicale, un savoir de fond et la maîtrise du métier menée à la perfection. Néanmoins, l'excellent savoir et savoir faire ne constituent qu'une prémisse, nécessaire mais première seulement, sur la voie menant à un vrai art, et la musique de Frédéric Chopin nous laisse sentir cela avec une force particulièrement grande. Il n'est pas possible de fonder une mesure, de trouver une explication pleine et logique de la fantaisie, de l'intuition, de la sensibilité, de la nostalgie, du bon goût, de la compassion, du charme des souvenirs de la maison natale, de la joie venant de l'amitié, du caractère dramatique d'une tragédie commune. Nous retrouvons tout cela dans la musique de Chopin – même si chacun la lit sans doute à sa propre manière.

Pourtant c'est le caractère direct et universel de l'influence de cette musique qui est le plus étonnant et toujours intriguant. Depuis plus de 150 ans cet art relie les hommes de différentes cultures et traditions, et avec une facilité surprenante et ravissante dépasse les barrières du temps et de l'espace, de la mentalité et des mœurs.

Aujourd'hui, quand l'Europe cherche avec persévérance le chemin vers l'unité rêvée, la musique de Chopin peut constituer une source d'espoir, car elle témoigne du fait que le génie humain est en mesure de nous unir dans la perception commune de la beauté, qu'il peut créer un espace d'harmonie, d'estime et de solidarité.

Je suis ravi que le II-nd Congrès International Frédéric Chopin a réuni un nombre si signifiant de représentants de la science et de l'art. En effet, 39 ans s'est écoulé depuis la rencontre scientifique précédente de ce rang – c'est la durée de la vie de Chopin ... Je tiens ici à remercier l'Académie Polonaise Chopin et son président Madame le Professeur Irena Poniatowska pour cette initiative et l'organisation du Congrès; je remercie également le Château Royal de Varsovie et son directeur Monsieur Andrzej Rottermund pour l'hospitalité. Je vous souhaite, à vous tous, Mesdames et Messieurs, des débats fructueux et des souvenirs inoubliables de la ville natale de Frédéric Chopin.

(Arkadiusz Rybicki, Wiceminister Kultury Rzeczpospolitej Polskiej:)

Szanowni Państwo,
nasze spotkanie na Zamku Królewskim ma dla Warszawy i dla polskiej kultury wyjątkowe znaczenie. Przybyli tu dziś uczeni i artyści z całego świata złączeni jednym wspólnym motywem – miłością i podziwem dla muzyki Fryderyka Chopina. W gronie najświetniejszych znawców nie wypada mi mówić o szczególnych i specyficznych zaletach tej sztuki – z pewnością w ciągu najbliższych dni padnie tu wiele głębokich i odkrywczych stwierdzeń, pozwalających lepiej zrozumieć mistrzostwo tego wielkiego kompozytora. Jego spuścizna, choć pod względem ilości dzieł niezbyt wielka, zawiera takie bogactwo idei, odkrywczych pomysłów, zaskakujących rozwiązań, że jej bliskie poznanie wypełnić może fascynującą treścią niejedno życie.

Muzyka, z samej swojej natury, z trudem poddaje się racjonalnemu opisowi. Wiemy, jak ważna dla jej zrozumienia, a zwłaszcza uprawiania, jest gruntowna wiedza i do perfekcji doprowadzone opanowanie warsztatu. A jednak doskonała znajomość rzeczy to konieczna, ale tylko pierwsza przesłanka na drodze do prawdziwego artyzmu i muzyka Fryderyka Chopina pozwala nam to odczuć z wyjątkową siłą. Nie sposób ustanowić miary, znaleźć logiczne i pełne wyjaśnienie fantazji, intuicji, wrażliwości, tęsknoty, dobrego smaku, współodczuwania, uroku wspomnienia domu rodzinnego, radości przyjaźni, dramatyzmu wspólnie przeżywanej tragedii. Wszystko to znajdujemy w muzyce Chopina – choć zapewne każdy odczytuje ją na swój sposób.

Jednak najbardziej zagadkowa i niezmiennie intrygująca jest bezpośredniość i powszechność jej oddziaływania. Od z górą 150 lat sztuka ta łączy ludzi różnych kultur i tradycji, z zachwycającą łatwością przekracza bariery czasu i przestrzeni, mentalności i obyczaju.

Dziś, kiedy Europa wytrwale szuka drogi do wymarzonej jedności, muzyka Chopina może być źródłem nadziei, gdyż dowodzi, że geniusz ludzki jest w stanie nas połączyć we wspólnym przeżyciu piękna, może stworzyć przestrzeń harmonii, szacunku i solidarności.

Cieszę się, że II Międzynarodowy Kongres Chopinologiczny zgromadził tak wielu wspaniałych ludzi nauki i sztuki. Od poprzedniego spotkania naukowego tej rangi minęło 39 lat – tyle trwało życie Fryderyka Chopina... Dziękuję Polskiej Akademii Chopinowskiej i jej prezesowi pani profesor Irenie

Poniatowskiej za inicjatywę i organizację Kongresu, dziękuję Zamkowi Królewskiemu w Warszawie i dyrektorowi Andrzejowi Rottermundowi za gościnę. Wszystkim Państwu życzę owocnych obrad i nieza-pomnianych przeżyć w rodzinnym mieście Fryderyka Chopina.

(Prof. Andrzej Rottemund, Directeur du Château Royal:)

Nous avons aujourd'hui une occasion exceptionnelle. Après 39 ans à compter du premier Congrès Chopin, voilà que se rencontrent au Château Royal de Varsovie d'éminents musicologues et autres chercheurs qui s'occupent de la vie et de l'oeuvre du plus grand compositeur polonais Frédéric Chopin. Ils se réunissent pour montrer leurs acquis et succès dans ce domaine, et, en même temps, rendre hommage au compositeur dans cette année du 150-ème anniversaire de la mort du génie du piano.

En tant que maître de ces lieux, je voudrais exprimer mon grand contentement que le Second Congrès International Chopin se tient au Château, dans lequel Chopin n'a jamais joué, mais qui ouvre une perspective architecturale sur les directions de promenades de Chopin à Varsovie.

« Il y a à Varsovie une rue que Chopin aurait pu appeler la rue de son amour. Il habitait cette rue ou ses environs proches toutes ces années varsoviennes, c'est ici qu'avait déménagé le Lycée du Palais Saski, c'est ici que se trouvait l'Université. Cette rue s'appelait Krakowskie Przedmieście... A la fin de cette rue, en face de l'ancien Château Royal se trouvait le Conservatoire »... (je cite d'après Kazimierz Wierzyński *Życie Chopina* [*La vie de Chopin*]).

C'est également au Château, que l'on a fait venir, en 1807, pour la visite de l'Empereur Napoléon Ier, le célèbre piano de Elsner, piano acheté à crédit dans la société parisienne des frères Erard. Frédéric Chopin lui-même a certainement joué sur cet instrument lors de ses études, au début des années vingt du XIXe siècle, au Conservatoire de Varsovie, chez Józef Elsner. Jerzy Gutkowski a décrit ce fait dans un article « Piano-forte Pana Elsnera » [Le Piano de Mr. Elsner] paru dans *Kronika Zamkowa* (N° 3, 1986).

Le Château a, de nos jours et vu son tragique histoire, une mission particulière de la protection de l'héritage culturel polonais. C'est pourquoi nous nous engageons dans toute action qui propage et universalise cet acquis.

L'année Chopin, nous avions participé avec le Sénat Français et l'Ambassade de la République de Pologne à Paris à la reconstruction du monument de Frédéric Chopin au Jardin du Luxembourg à Paris. Aujourd'hui, nous continuons notre mission, en ouvrant nos portes aux sessions du Second Congrès International consacré à Chopin.

(Prof. Andrzej Rottemund, Dyrektor Zamku Królewskiego:)

Mamy dzisiaj okazję szczególną. Po 39 latach od pierwszego Kongresu Chopinologicznego spotykają się na Zamku Królewskim w Warszawie wybitni muzykolodzy i inni badacze zajmujący się życiem i dziełem największego polskiego kompozytowa Fryderyka Chopina, aby przedstawiając swoje dokonania twórcze w tym przedmiocie uczcić 150 rocznicę śmierci geniusza fortepianu.

Jako gospodarz tego miejsca chcę dać wyraz mego wielkiego zadowolenia, że II Międzynarodowy Kongres Chopinowski odbywa się w Zamku, w którym Chopin wprawdzie nigdy nie zagrał, ale który otwiera perspektywę architektoniczną na warszawskie szlaki kompozytora.

„Jest w Warszawie ulica, którą Chopin mógł nazwać ulicą swojej miłości. Przemieszkiwał przy niej lub w najbliższym sąsiedztwie wszystkie lata warszawskie, tu przeniosło się liceum z Pałacu Saskiego, tu stał uniwersytet. Nazywała się Krakowskie Przedmieście... Na końcu tej ulicy, na przeciw dawnego Zamku Królewskiego stało Konserwatorium"... (cytuję Kazimierza Wierzyńskiego: Życie Chopina).

Do Zamku także w 1807 roku, na przyjazd Cesarza Napoleona sprowadzono słynne pianoforte Elsnera, fortepian kupiony na kredyt w paryskiej firmie braci Erard. Zapewne grał na nim sam Fryderyk Chopin studiując w latach dwudziestych XIX wieku w Konserwatorium Warszawskim u Józefa Elsnera. Pisał o tym Jerzy Gutkowski w artykule „Piano-forte Pana Elsnera" (Kronika Zamkowa nr 3 z 1986 r.).

Zamek ma dzisiaj, ze względu na swoje losy, szczególną misję ochrony polskiego dziedzictwa kulturalnego. Dlatego angażujemy się w każde działanie, które może propagować to dziedzictwo.

W roku chopinowskim współdziałaliśmy z Senatem Francji i Ambasadą Polską w Paryżu w rekonstrukcji popiersia Fryderyka Chopina w Ogrodzie Luksemburskim w Paryżu. Dzisiaj kontynuujemy swoją misję otwierając progi Zamku dla obrad Kongresu Chopinowskiego.

20 listopada tego roku otwarta zostanie na Zamku wystawa „Romantyzm. Malarstwo w czasach Fryderyka Chopina". Po raz pierwszy polskie malarstwo pierwszej połowy XIX w. pokazane będzie w szerokim kontekście malarstwa europejskiego. Na wystawie zaprezentujemy dzieła malarzy współczesnych Chopinowi, znanych mu i bliskich jak Delacroix, tworzących razem z nim artystyczny puls życia epoki.

Problemy dotyczące Chopina i jego epoki będą szeroko i kompetentnie podejmowane podczas obrad Kongresu. Życzę Państwu odkrycia wielu nowych aspektów ważnych dla twórczości Fryderyka Chopina ... „sercem Polaka, a talentem świata obywatela" ... wg słów Norwida.

(Prof. Irena Poniatowska :)

Je désire souhaiter la bienvenue à l'Attaché Culturel de l'Ambassade de France, Monsieur Claude Bouheret, ainsi qu'au Conseiller de l'Ambassade de Suède en Pologne, Monsieur Jan Amberg. Je souhaite également la bienvenue au Président de la Société Chopin à Paris, Monsieur Antoine Paszkiewicz.

Mes paroles de bienvenue vont aussi aux autres co-organisateurs du Congrès: représentants de la Bibliothèque Nationale avec Monsieur le Directeur Michał Jagiełło, représentants de l'Institut de Musicologie de l'Université de Varsovie, de l'Institut de l'Art de l'Académie Polonaise des Sciences, de la Filharmonie Nationale, de la Radio Polonaise, et à Madame Elżbieta Artysz, Secrétaire Générale de la Fédération Internationale des Sociétés Chopin. Je souhaite la bienvenue aux représentants d'autres institutions, bonjour à tous ceux qui sont avec nous aujourd'hui.

Après ces mots de bienvenue, je voudrais saluer chaleureusement parmi nous les descendants de la famille de Frédéric Chopin et de George Sand: Madame Krystyna Gołębiewska, de la lignée de la soeur de Chopin — Ludwika; Monsieur Konrad Krzyżanowski de la lignée de la mère de Chopin; et Madame Christiane Smeth-Sand de la lignée de Georges Sand. Leur présence fait que nous allons sentir plus profondément les liens avec Frédéric Chopin durant les sessions de notre Congrès.

Ce Congrès constitue une grande fête chopinienne, non seulement scientifique, mais aussi artistique car elle est accompagnée par les concerts d'éminents artistes et de belles expositions, et d'anniversaire, car nous célébrons les 150-ème anniversaire de la mort du compositeur. D'où le caractère exceptionnel et symbolique. Il y a eu des conférences ou symposiums consacrés à Chopin, mais un Congrès Chopin n'a pas eu lieu depuis 39 ans, exactement le nombre d'années qu'a vécu Frédéric Chopin. Le I Congrès consacré à Chopin avait eu lieu en 1960, l'année du 150-ème anniversaire de sa naissance. Le présent Congrès va par conséquent constituer un récapitulatif de quatre décades de recherches relatives à l'oeuvre de Chopin, qui se sont intensifiées durant les toutes dernières années, suite au développement de la méthodologie des sciences humaines, mais également suite à l'apparition de nouvelles perspectives de recherche, de nouvelles destinations des pénétrations scientifiques dans le domaine des sources et éditions des oeuvres de Chopin, de sa correspondance, ainsi que des interprétations d'exécution et de la réception des oeuvres de Chopin, qui a embrassé le monde entier. Il nous faut, d'un côté, des approches comprenant 150 ans de la réception de Chopin dans des pays respectifs, et d'autre part, les outils de recherche, rendant plus objectifs les descriptions des exécutions diverses, qui sont perpétuées dans les enregistrements. Les traditions d'interprétation et l'influence de Chopin sur la musique, la littérature et l'art, ainsi que sur la conscience de l'homme ont créé une espèce d'idiome national de l'art musical polonais, qui grâce à Chopin est devenu une valeur universelle. Ce phénomène reste toujours non approfondi.

Nous allons poursuivre des sessions et des discussions, qui vont avoir lieu en même temps dans deux salles du Château, dans quatre groupes thématiques:
1. Chopin dans le cercle de personnages et de pensées de l'époque.
2. L'oeuvre de Chopin et ses interprétations musicologiques.
3. L'oeuvre de Chopin et ses interprétations pianistiques.
4. La résonance de la création artistique et la réception sociale des oeuvres de Chopin.

Le couronnement du Congrès va revêtir la forme d'une table ronde qui se tiendra dans la Salle du Sénat de l'Université de Varsovie et portera sur: « Chopin, le romantisme, la romanticité ».

La session plénière d'aujourd'hui sera consacrée aux deux communications — celle du Professeur Mieczysław Tomaszewski « Autour du phénomène de la musique du Chopin. De la provenance à la résonance » et celle du Professeur Jim Samson « Chopin and the structures of history ». Après les communications je vous invite à visiter l'exposition des photos de Monsieur Janusz Woliński « Chopin au pays natal » ici au Château Royal.

(Prof. Irena Poniatowska :)

Witam attaché kulturalnego Ambasady Francuskiej Pana Claude Bouheret oraz przedstawiciela Ambasady Szwedzkiej Pana Jana Amberga. Witam tez prezesa Société Chopin w Paryzu Pana Antoine Paszkiewicza.

Gorąco witam pozostałych współorganizatorów Kongresu, przedstawicieli Biblioteki Narodowej z Panem dyr. Michałem Jagiełłą, przedstawicieli Instytutu Muzykologii UW, Instytutu Sztuki PAN, Filharmonii Narodowej, Polskiego Radia S.A., witam sekretarza generalnego Międzynarodowej Federacji Towarzystw Chopinowskich Panią Elżbietę Artysz.

Witam także reprezentantów innych instytucji, witam najgoręcej wszystkich przybyłych.

Po tych powitaniach pragnę jak najserdeczniej pozdrowić w naszym gronie potomków rodziny Chopina i George Sand — Panią Krystynę Gołębiewską z linii siostry Chopina — Ludwiki, Pana Konrada Krzyzanowskiego z linii matki Chopina oraz Panią Christiane Smeth-Sand z linii George Sand. Ich obecność sprawia, że silniej będziemy odczuwać więzy z Chopinem w czasie obrad Kongresu.

Kongres jest wielkim świętem chopinowskim, nie tylko naukowym i artystycznym, towarzyszą mu bowiem koncerty wybitnych artystów i piękne wystawy, ale także rocznicowym, celebrującym stupięćdziesięciolecie śmierci kompozytora. Stąd jego wyjątkowy i symboliczny charakter. Odbywały się konferencje poświęcone Chopinowi, ale Kongresu chopinowskiego nie było 39 lat, tyle ile żył Chopin, gdyż I Kongres poświęcony Chopinowi odbył się na stupięćdziesięciolecie jego urodzin w 1960 r. Obecny Kongres będzie zatem podsumowaniem czterech dekad badań nad twórczością Chopina, które uległy w ostatnim czasie intensyfikacji na skutek rozwoju metodologii nauk humanistycznych, były też wskazaniem nowych perspektyw badawczych, zarysowaniem kierunków penetracji naukowej w dziedzinie źródeł i wydań dzieł Chopina, także jego korespondencji, oraz interpretacji wykonawczych i recepcji twórczości Chopina, która objęła swym zasięgiem cały świat. Potrzebne są z jednej strony ujęcia dotyczące 150 lat recepcji Chopina w poszczególnych krajach, a z drugiej — narzędzia badawcze, obiektywizujące opis różnorodnych wykonań, które są utrwalone w nagraniach. Tradycje interpretacyjne i oddziaływanie Chopina na muzykę, literaturę, sztukę i na świadomość społeczną ukształtowały swoisty idiom narodowy polskiej sztuki muzycznej, który dzięki Chopinowi zyskał walor uniwersalny. Fenomen ten — jak dotychczas — pozostaje niezgłębiony.

Czekają nas obrady i dyskusje odbywające się jednocześnie w 2 salach Zamku, w 4 grupach tematycznych:

1. Chopin w kręgu ludzi i myśli epoki,
2. Twórczość Chopina i jej interpretacje muzykologiczne,
3. Dzieło Chopina w interpretacjach pianistycznych,
4. Rezonans twórczości i społeczna recepcja muzyki Chopina.

Zwieńczeniem Kongresu będzie round table w Sali Senatu Uniwersytetu Warszawskiego na temat „Chopin, romantyzm, romantyczność". Dzisiejsze plenarne posiedzenie wypełnią 2 wykłady — Pana Prof. Mieczysława Tomaszewskiego „Wokół zjawiska muzyki Chopina. Od proweniencji do rezonansu", oraz Pana Prof. Jima Samsona „Chopin i struktury historii".

Po wykładach zapraszam w Zamku Królewskim na Wystawę Fotografii Pana Janusza Wolińskiego „Chopin w kraju rodzinnym".

Autour du phénomène de la musique de Chopin. De la provenance à la résonnance

Mieczysław Tomaszewski
(Kraków)

PREMIÈRES IMPRESSIONS. Au début il y avait l'admiration et l'émotion. Après, suivait le plus souvent l'étonnement. Witold Lutosławski, à qui on a posé la question concernant sa relation à la musique de Chopin, a trouvé de façon spontannée des commentaires aux deux oeuvres qui lui sont venues à l'esprit : « Je considère le *Prélude en fa dièse mineur* comme un miracle absolu. La *Sonate en si bémol mineur*, sa première partie, est pour moi une puissance — comme une sculpture dans un bloc de roche »[1].

Il y a précisément un demi-siècle qu'un auteur anglais de monographie de Chopin, Artur Hedley, a admis avec étonnement : « Nous nous retrouvons face à un vrai phénomène : un petit nombre d'oeuvres du plus reservé, modéré et exclusif des musiciens ne cesse d'attirer aussi bien des hommes que des femmes, de toutes les nationalités et des plus divers types d'esprit. L'artiste, qui de son vivant évitait les foules, est devenu le prophète pour son pays et une incarnation la plus excellente de l'esprit de la poésie dans la musique — pour le reste du monde. [...] Le charme dure et chaque récital chopinien remplit les salles de concert d'une foule d'auditeurs fidèles »[2]. L'étonnement de Hedley devant le paradoxe d'un impact exceptionnel de la musique de Chopin a été partagé par Artur Rubinstein. « J'ai rencontré des symptômes de l'incompréhension de Bach, dans certains milieux — confessait-il dans l'introduction au livre de Kazimierz Wierzyński — j'ai vu peu d'enthousiasme pour Mozart en Italie, une antipathie bizarre face au Brahms dans les pays latins, une aversion face au Tchaïkowski en France — Chopin règne partout. C'est le plus national des compositeurs et il est en même temps le plus universel »[3].

En feuilletant les pages des textes écrits pendant plus de 150 ans par les compositeurs et pianistes, les théoriciens et les historiens de la musique, les écrivains et critiques — nous tombons sur une multitude d'appellations à travers lesquelles — après une rencontre avec la musique de Chopin — on essayait de nomer ses propriétés exceptionnelles.

Le mot qui a depuis le début dominé tous les autres a été le mot « originalité » — y compris ces nombreux synonymes : caractère différent, autre, à part, nouveau, extraordinaire, inégalé, qui ne se repète jamais.

---

[1] « Potrzeba natchnienia. Z Witoldem Lutosławskim rozmawia Tadeusz Kaczyński » [Besoin d'inspiration. Conversation de Witold Lutosławski et Tadeusz Kaczyński], *Odra*, 1990 N° 11, p. 66.

[2] Arthur Hedley, *Chopin* (1947), Łódź 1949, p. 159.

[3] Artur Rubinstein, *Przedmowa* [Préface], in : *Życie Chopina* [La vie de Chopin], New York 1953, p. 5.

Maurycy Mochnacki a appelé le *Larghetto* du *Concerto en fa mineur* après sa première exécution à Varsovie (en 1830) — « Une oeuvre originale d'un génie musical exceptionnel »[4]. Dans l'archi-célèbre (par les mots : « Hut ab, ihr Herren, ein Genie... ») compte-rendu de Robert Schumann, les *Variations de « Don Giovanni »* apparaissent comme une oeuvre déjà « hinreichend Chopinisch » ; le génie jaillit ici — comme dit l'auteur du *Carnaval* — « de chaque mesure »[5]. François-Joseph Fétis, en rendant compte du concert, pendant lequel Chopin a « non seulement étonné, mais éveillé l'admiration » de l'élite artistique parisienne, n'en revient pas de son étonnement : « Il y a de l'âme dans ces chants, de la fantaisie dans ces traits, et de l'originalité dans tout. »[6]. Dans le compte rendu célèbre de Franz Liszt — du concert donné dans la même salle, Pleyel, neuf ans plus tard — nous pouvons lire : « A des pensées nouvelles il a su donner une forme nouvelle. »[7]. Hector Berlioz a synthétisé son opinion sur le créateur des *Mazurkas* et *Etudes* dans une phrase : « La grâce le plus originale, l'imprévu du tour mélodique, la hardiesse des l'harmonies et l'indépendance de l'accent rythmique — s'y trouvent réunis à un système entier d'ornementation dont il fut l'inventeur et qui est resté inimitable »[8]. Enfin — Heinrich Heine a distingué le caractère exceptionnel de Chopin par la distanciation de celui-ci de la génération de grands virtuoses avec Liszt et Moscheles en tête, qui l'entouraient. « Er ist der große Tondichter, den man eigentlich nur in Gesellschaft von Mozart oder Beethoven oder Rossini stellen sollte » — « Il est un compositeur qu'on peut à vrai dire mettre uniquement en compagnie de Mozart ou Beethoven ou Rossini »[9].

C'étaient six voix choisis non sans coïncidence. Ces paroles ont été dit par des témoins directs, des personnalités possédant une autorité jusqu'à aujourd'hui incontestée, ayant durant leur temps et dans leur milieux des fonctions de créateurs d'opinions. Cette originalité soulignée par eux tous d'une seule voix était suivie depuis le début par des qualificatifs supplémentaires. Chez les uns elles véhiculait un sens superlatif, chez d'autres neutre, chez d'autres encore — très péjoratif. C'était donc une musique appelée courageuse et hardie, nouvelle et fraîche, audacieuse et sauvage, bizarre et excentrique, étrangère et « fast exotisch ». Elle ravissait, mais aussi choquait. Encore Bülow entendait dans l'*Etude en si mineur* une « sauvagerie asiatique », Niecks, dans la *Fantaisie en fa mineur* — une « excentricité entraînante », et Kleczynski dans le *Prélude en la mineur* « Le caractère très bizarre »[10]. Chez Schumann, comme nous le savons, il y a eu une rétrogradation spéctaculaire des opinions. L'originalité du cycle des *Préludes* a suscité les paroles suivantes : « Er ist und bleibt der kühnste und stolzeste Dichtergeist der

[4]   Maurycy Mochnacki, *Kurier Polski*, Warszawa 18. III. 1830.

[5]   Robert Schumann, « Ein Opus II », *Allgemeine Musikalische Zeitung*, Leipzig 7. XII. 1831.

[6]   François-Joseph Fétis, « Concert de M. Chopin de Varsovie », *Revue Musicale*, Paris 3. III. 1832.

[7]   Franz Liszt, « Concert de Chopin », *Revue et Gazette Musicale de Paris*, 2. V. 1841.

[8]   Hector Berlioz, « Mort de Chopin », *Journal des Débats*, Paris 27. X. 1849.

[9]   Heinrich Heine, « Musikalische Saison in Paris », 1843 II (G. Müller, *Heinrich Heine und die Musik*, Leipzig 1987, p. 146).

[10]   Jan Kleczyński, « Chopin w celniejszych swoich utworach » (1883) [Chopin dans ses oeuvres plus remarquables], in : *O wykonywaniu dzieł Chopina. Odczytów dwie serie* [De l'interprétation des oeuvres de Chopin. Deux series de conférences]. Kraków 1960, p. 102 : « Nie grywać, bo dziwaczne! » [A ne pas jouer, car bizarre].

Zeit » — « Il est et restera le plus audacieux et le plus fier esprit poétique de son temps »[11]. Cependant, l'extravagance de la finale de la *Sonate en si bémol mineur* a dépassé les limites de la tolérance ; il s'est écrié : « der Musik ist das nicht »[12], car précisément, pour Schumann, ce n'était plus de la musique.

VU PAR LES GÉNERATIONS POSTÉRIEURES

L'histoire de la réception de la musique de Chopin est devenue durant ces dernières années un sujet non seulement à la mode, mais d'une grande importance. Les recherches menées par Zofia Chechlińska et Irena Poniatowska, par les chercheurs autour de Danièle Pistone et Francis Claudon, et avant tout par Jim Samson[13] et ses collaborateurs, ont apporté des matériaux significatifs pour d'autres réflexions et généralisations. Elles permettent de réfléchir, premièrement sur quoi repose cette originalité si soulignée et mise en exergue, c'est-à-dire » quelles caractéristiques spécifiques pour la musique de Chopin se sont trouvées dans le champ d'intérêt. Et deuxièmement — lesquelles d'entre elles nous pouvons considérer comme traits carcatéristiques distingués.

Le registre des définitions verbales, qui ont servi — dans le processus de verbalisation — à caractériser les oeuvres de l'auteur de la *Sonate en si bémol mineur* en comprend un nombre relativement grand, allant de la mise d'accent sur l'intimité et la subtilité (Heine : « Raphaël du piano »[14]) à l'étonnement sur l'intensité extraordinaire des moyens d'expression (Schumann : « So fängt nur Chopin an, und so schliesst nur er : mit Dissonanzen, durch Dissonanzen, in Dissonanzen »[15]). Il constitue un ensemble de propriétés — leur structure hiérarchisée — visiblement différente de ceux que l'histoire de la réception a reservé pour l'oeuvre d'éminents prédécesseurs de Chopin, ses contemporains et les successeurs, Mozart, Beethoven, Schumann, Liszt, Brahms ou Mahler.

Si l'on appliquait face à ce registre dont nous venons de parler, une opération de réduction appelée « mise avant la parenthèse » — on pourrait essayer de lire l'ensemble de ces qualités distinguées, et pratiquement déjà des valeurs, derrière lesquelles nous pouvons entrevoir à chaque fois la personnalité et une certaine attitude du créateur. La personnalité créatrice de Chopin, quand on la regarde dans cette perspective, paraît être déterminé par un groupe de quelques valeurs suivants, créant ensemble sa vision du monde, pas seulement esthétique.

---

[11] R. Schumann, « Fantasien, Kapricen usw. für Pianoforte », *Neue Zeitschrift für Musik*, 1839 (J. Häusler, éd., Schriften über Musik und Musiker, Stuttgart 1982, p. 163).

[12] R. Schumann, « Neue Sonaten für das Pianoforte », *op. cit.*, p. 192.

[13] Zofia Chechlińska, « Chopin w kontekście polskiej kultury muzycznej XIX wieku » [Chopin dans le contexte de la culture musicale polonaise du XIXe siècle], *Rocznik Chopinowski* 20,1988 (1992) ; Irena Poniatowska, « Chopin — paradygmaty interpretacji » [Chopin — paradigmes de l'interprétation], *Rocznik Chopinowski* 16,1984 ; Danièle Pistone (éd.), *Les traces de F. Chopin*, Paris 1984 ; Francis Claudon (éd.), *La fortune de F. Chopin*, I. Paris 1993 ; Jim Samson, « Chopin Reception : Theory, History, Analysis », *Musica Iagellonica* I, Kraków 1995.

[14] H. Heine, « Musikalische Saison in Paris », IV. 1841, op. cit., p. 119.

[15] R. Schumann, « Neue Sonaten... », op. cit., p. 189.

Le sentiment de liberté. La valeur dominante. A coté de l'estime pour la tradition — le refus d'imiter. « Je ne serai pas la copie de Kalkbrenner » — écrivait-il face aux étourdissements de Paris, en accentuant « une pensé et une volonté peut être trop hardies : de se créer son propre monde »[16]. « Il suit un nouveau chemin, son propre chemin » — pouvait écrire en 1834 un critique dans la « Gazette Musicale »[17]. Dans le mouvement romantique Chopin a pris une position nettement distinctive et individuelle. Maria Piotrowska a trouvé une définition particulièrement juste : « une indépendance particulière d'esprit »[18].

La vérité d'expression. La présence de la vérité dans la musique de Chopin a déjà été mentionné et accentué par Mochnacki[19], le manque de la fausseté souligné par Mendelssohn[20]. Stanisław E. Koźmian écrivait dans la notice nécrologique : « Le trait caractéristique le plus marquant de ses oeuvres est la vérité »[21]. Niecks appelait Chopin « le plus subjectif de tous les compositeurs » (« der subiektivste aller Tondichter »[22]. Comme l'a constaté Alfred Einstein : « ce qui frappe dans cette musique — malgré sa provenance aussi variée, universelle — est uniquement un accent personnel »[23].

La solidarité avec le sort de la nation et de la patrie. A vrai dire c'est une consciente identification : « Tu sais combien je souhaiterais sentir et je suis arrivé en partie au sentiment de notre musique nationale »[24]. Dans « La Presse » parisienne du mars 1842 on pouvait lire : « en Chopin nous avons deux personnes : le patriote et l'artiste. L'âme de la première ravive le génie de la seconde ». Wilhelm von Lenz a noté : « Dans sa musique il donnait la Pologne »[25]. Norwid a été encore plus concis : « Et là c'était la Pologne du Zénith »[26].

Le caractère poétique. Le refus d'un quelconque caractère prosaïque, de l'ordinaire, de la banalité. La façon de mener la mélodie pleine de surprises, un *inganno* harmonique, un *rubato* rythmique, la génèse d'improvisation de l'écriture, la beauté des tonalités d'aliquote, dénudant « l'âme du piano ». Aucun des compositeurs romantiques n'a reçu autant de qualifications relatives à cette valeur.

L'excellence du « métier ». Parmi les compositions éditées — une absence presque totale d'oeuvres médiocres. Il a ordonné de jeter dans le feu 65 oeuvres — moins bonnes ou pas encore terminées. Retenons l'admiration de Norwid devant

---

[16] Chopin à J. Elsner, Paris 14. XII. 1831, Les letters de Chopin sont citées d'après Bronisław E. Sydow (éd.) *Korespondencja Fryderyka Chopina*, vol. 1–2, Warszawa 1955.
[17] *Gazette Musicale*, Paris 15. V. 1834.
[18] Maria Piotrowska, « Późny Chopin. Uwagi o dziełach ostatnich » [Chopin tardif. Les remarques sur les oeuvres dernières], in : M. Gołąb (éd.), *Przemiany stylu Chopina* [Les transformations du style de Chopin], Kraków 1993, p. 159.
[19] M. Mochnacki, *Kurier Polski*, Warszawa, le 24. III. 1830.
[20] Feliks Mendelssohn à Fanny Hensel, Leipzig 6. X. 1835.
[21] Stanisław E. Koźmian, *Tygodnik Literacki*, Poznań XI 1849 ?.
[22] Friedrich Niecks, Friedrich Chopin als Mensch und Musiker, Leipzig 1890 ?.
[23] Alfred Einstein, *Muzyka w epoce romantyzmu* [La musique à l'age du romantisme], éd. polonaise, Kraków 1983, p. 229.
[24] Chopin à Tytus Woyciechowski, Paris 25. XII. 1831.
[25] Wilhelm von Lenz, *Die grossen Pianoforte-Virtuosen unserer Zeit aus persönlicher Bekanntschaft*, Berlin 1872, p. 86.
[26] Cyprian Kamil Norwid, *Fortepian Szopena*, V (1865).

« de la perfection Périclésienne »[27] ; l'extase de Szymanowski devant le caractère unique et inimitable du « métier »[28]. La phrase suivante vient d'André Gide, qui comprenait Chopin, comme peu le faisaient : « S'il est sans doute de plus grands musiciens, il n'en est pas de plus parfait »[29].

La musique — « la forme de l'amour ». C'est la paraphrase d'encore une formulation de Norwid [30]. Nous avons droit de supposer, si l'on juge par le contexte, qu'elle a été inspiré par le phénomène de Chopin. Les témoignages de l'époque — par la voix de Heine, Schumann, Mickiewicz — parlent il est vrai du moment dans lequel le compositeur était en même temps l'exécutant de ses propres oeuvres, mais paraissent avoir une signification dépassant ce moment. Marquis de Custine écrivait en 1837 : « L'art comme vous le sentez pourra seul réunir les hommes divisés par le positif de la vie ; on s'aime, on s'entend dans Chopin »[31].

L'unité dynamique des oppositions. Pour George Sand Chopin a été « un résumé de ces inconséquences magnifiques que Dieu seul peut se permettre de créer et qui ont leur logique particulière »[32]. La confidence de George Sand concernait le caractère d'une personne, mais elle rime aussi avec le caractère de la musique. Le moment de la présence créatrice de formes *coincidentiae opositorum* apparaît comme un refrain dans de nombreuses dires et témoignages, de Wilhelm von Lenz à Artur Rubinstein. Selon Lawrence Kramer « l'incompatibilité immuable entre la mélodie et l'harmonie » constitue le moyen Chopinien de manifester une incompatibilité fondamentale, existante entre l'héritage classique et l'innovation romantique [33].

ESSAI D'UN SYNDROME

C'est de cette manière que semble paraître le resultat de la « lecture » — à travers l'histoire de la réception — du phénomène de la musique de Chopin dans la sphère de ses principes fondamentales, se traduisant d'une façon particulièrement hiérarchique. Dans la sphère des concrétisations détaillées, c'est-à-dire dans des oeuvres et genres définis, nous avons affaire à une réalité musicale articulée par des ensembles de qualités et valeurs déjà d'un autre type.

On les appelle de différentes manières (ceci dépend du point de vue et du caractère de l'interprétation) : trope structural, catégories expressives, types musico-esthétiques, « tons », *topos*, genres, idiomes stylistiques. Ils peuvent posséder un caractère musico-autothélique, hétéronomique ou trans-musical.

Je choisis la dernière expression — l'idiome stylistique. On peut le définir comme une certaine unité élémentaire du style individuel, unité à caractère structural et ex-

---

[27] C. K. Norwid, ibidem, IV.

[28] Karol Szymanowski, « Fryderyk Chopin », *Skamander*, 1923, no. 28 et 29/30.

[29] André Gide, *Notes sur Chopin,* Paris 1948.

[30] C. K. Norwid, *Promethidion* (1851).

[31] Astolphe de Custine à Chopin, 1837.

[32] George Sand, *Histoire de ma vie* (1854), éd. polonaise : *Dzieje mojego życia*, Warszawa 1968, p. 347.

[33] Lawrence Kramer, « Romantic Meaning in Chopin's Prelud in A Minor », *19th Century Music*, 1985, N°2 (J. Rink, « Ballady Chopina. Dialektyka metod analitycznych » [Les ballades des Chopin. La dialectique des méthodes analytiques], *Rocznik Chopinowski* 21,1995, p. 63).

pressif, parfois défini encore sémantiquement, étant pourtant le plus souvent le support du sens transmusical. Le nombre d'idiomes n'est évidemment pas limité. Ils créent ensemble une structure ouverte que l'on pourrait appeler syndrome. Un syndrome de qualités constitutives d'un style donné.

En voulant saisir et embrasser tout ce qui pour le style individuel de Chopin était considéré durant des années de réception comme constructif — il fallait distinguer douze idiomes structuraux et expressifs, combinés — d'une manière d'ailleurs assez libre — en six « paires ». Les idiomes respectifs se complètent dans ces « paires » ou s'opposent. Chacun d'entre eux semble avoir la force de susciter un phénomène que Kurt Huber a défini comme une « expérience sphérique (« Sphären-Erlebnis »), qui « transporte » l'auditeur dans une sphère donnée de la réalité extra-historique[34]. Or, si l'on croit Hermann Scherchen, « la grandeur d'une oeuvre d'art se vérifie, si cette oeuvre est capable de nous porter hors de notre existence temporelle, au délà de ses frontières »[35].

Première paire d'idiomes : *rubato / maestoso*.

1. *R u b a t o*. L'idiome appelé ici de cette manière se traduit à travers la musique empreinte de folklore ; par ailleurs ne portant pas forcement une telle indication d'exécution du compositeur. Par un telle musique, dans laquelle, comme le dit Kleczyński « perce un élément populaire », qui possède souvent une « qualité de gaillarderie [*risoluto*] et d'humour [*scherzando*] »[36]. Il s'agit donc avant tout des mazurkas, mais pas uniquement. Aussi des rondos et des finales de concertos sous forme de rondo. Il s'agit de la musique qui se caractérise sans aucune ambiguïté, comme l'a défini Moscheles : « nationale Färbung », une couleur nationale », et en même temps, il est clair — une provenance populaire :

Ex. 1. Chopin : *Mazurka en ut majeur* op. 24/2, m. 1–16

---

[34]   Kurt Huber, *Musikästhetik*, Ettal 1954.
[35]   Herman Scherchen, *Vom Wesen der Musik*, Zürich 1946.
[36]   J. Kleczyński, « Chopin w celniejszych swoich utworach », *op. cit.* et « O wykonywaniu dzieł Chopina » [De l'interprétation des oeuvres de Chopin] (1879), in : *O wykonywaniu dzieł Chopina. Odczytów dwie serie, op. cit.*, p. 131 et 36.

La résonance a été assez large, non seulement en Pologne. Ici elle a pris au XIXe siècle la forme de la « mazurkomanie »[37]. Karol Szymanowski a demontré que le recours à cet idiome ne doit pas forcement sonner banal :

Ex. 2. K. SZYMANOWSKI : *Mazurka* op. 50/1, m. 1–16

2. *Maestoso*. C'est le mot à l'aide duquel Chopin définissait le caractère de ses polonaises, mais aussi — des premières parties de deux concertos. L'idiome, dans lequel la voie est donnée à l'élément impétueux national — mais qui nous « transporte » non pas dans la sphère de la chaumière, du populaire, mais dans la sphère du manoir, de la noblesse. Il est question de la musique, dont Liszt dit qu'elle « émane la force et le calme, la fermeté et la gravité cérémonielle »[38], et à laquelle pensait probablement Heine quand il écrivait : « Polen gab ihm seinen chevaleresken Sinn und seinen geschichtlichen Schmerz » — « La Pologne lui a donné un esprit de chevallerie et les souffrances de son histoire »[39].

La provenence de l'idiome nous mène vers les élégies (duma) historiques de Franciszek Lessel et des polonaises de Karol Kurpiński[40]:

---

[37] Voir : Mieczysław Tomaszewski, « Chopin w oczach naśladowców, następców i kontynuatorów » [Chopin vu par les imitateurs, successeurs et continuateurs], in : *Kompozytorzy polscy o Chopinie* [Les compositeurs polonais sur Chopin], Kraków 1959, p. 20–29.

[38] Franz Liszt, *Chopin* (1852), Lwów 1924, p. 12.

[39] H. Heine, *Revue et Gazette Musicale de Paris*, 1838 no 5 de 4. II.

[40] Voir : M. Tomaszewski, « Chopin, Kurpiński i pieśń powszechna » [Chopin, Kurpiński et le chant populaire], in : Irena Poniatowska et Danièle Pistone (éd.), *Chopin w kręgu przyjaciół–Chopin parmi ses amis V*, Warszawa 1999, p. 13–36.

Ex. 3. K. KURPIŃSKI : *Polonais en ut majeur, trio,* m. 33–42.

La résonnance a embrassé la musique de l'Europe de l'est ; il a apparu le plus pro-
fondement dans l'oeuvre de I. J. Paderewski (*Fantaisie polonaise*) et de J. Zarębski[41] :

Ex. 4. J. ZARĘBSKI : *Polonaise en fa dièse majeur* op. 6, m. 12–27

Dans la seconde paire on a mis face à face deux idiomes clairement opposés : *semplice* et *brillant*.

3. *S e m p l i c e*. On peu définir de cette manière la musique possédant un caractère liant la simplicité avec la sonorité et une certaine dose d'intimité. Elle est le plus
souvent diatonique et à caractère de cantabile, possède une amplitude de la voix

41   Voir : Z. Chechlińska, *op. cit.,* p. 66.

humaine, loin de toute fioriture de style. Transfère dans les mondes arcadiens et idylliques :

Ex. 5. CHOPIN : *Prélude en la majeur* op. 28/7, m. 1–8

Il apparaît dans les trios des scherzos et dans les seconds thèmes de l'allegro de sonate, dans certains préludes. Il est considéré parfois comme une musique « naive » (Leichtentritt[42]), « innocente » (Huneker[43]). C'est un idiome hérité par Chopin, principalement de Mozart :

Ex. 6. MOZART : Concerto pour piano en ré majeur KV. 466, I., m. 77–85

Après Chopin, il va apparaître parfois dans les miniatures lyriques de Grieg ; il semble présent aussi dans certaines miniatures infantines de Bartok et Lutosławski.

---

[42] Hugo Leichtentritt, *Analyse von Chopins Klavierwerken*, II, Berlin 1922, p. 46.
[43] James Huneker, *Chopin : the Man and his Music* (1900), édition polonaise : *Chopin. Człowiek i artysta*, Lwów-Poznań 1922, p. 230.

4. *Brillant* ce qui veut dire avec éclat, éblouissament, brillamment. Un mot donné par Chopin de manière généreuse dans sa jeunesse, quand il était entraîné par la bravoure, la virtuosité pianistique, l'orgie de l'ornementation, la folie des figurations, quand il écrivait la musique de laquelle il pouvait dire lui-même : « rien sauf les paillettes, les bijoux de pacotille, pour le salon, pour les dames »[44]. L'idiome règnant avant tout dans les variations, rondos, valses, mais aussi dans certaines parties d'oeuvres de concert. La finale des *Variations* de « *Don Giovanni* » a été appelé par John Rink « un concours de la pyrotechnie de virtuosité »[45] :

Ex. 7. CHOPIN : *Variations en si bémol majeur* op. 2, Alla polacca, m. 70–75

Il s'agit d'un idiome à la mode à cette époque, représentatif pour le style et l'école portant ce même nom. Chopin l'a repris, comme nous le savons, avant tout des mains de J. N. Hummel, promoteur de l'écriture qui nécessitait « perlende Schnellkraft in Fingern » — « une rapidité perlée et de la force dans les doigts »[46]. Repris, développé, mené jusqu'au sommet et rejetté. Il a trouvé un héritier dans Liszt, auteur des *Etudes d'exécution transcendentes* :

---

[44] Chopin à Tytus Woyciechowski, Warszawa 21. X. 1829.
[45] John Rink, « Tonal architecture in the early music », in : J. Samson (éd.), *The Cambridge Companion to Chopin*, Cambridge 1992, p. 83.
[46] Johann Nepomuk Hummel, *Ausführliche theoretisch-praktische Anweisung zum Piano-Forte Spiel*, Wien 1828, p. 48. Cit. d'après : Danuta Jasińska, « Problem stylu brillant w twórczości Chopina » [Le problème du style brillant dans les oeuvres de Chopin], in : M. Gołąb (éd.), *Przemiany stylu Chopina, op. cit.*, p. 18.

Ex. 8. : F. LISZT : *Feux follets*, m. 95–101

La troisième paire d'idiomes nous amène sur le territoire *par excellence* romantique. Premièrement Bürger, ensuite Schiller et Goethe, enfin Mickiewicz, ont mis côte à côte, dans un ensemble qui se complète mutuelllement deux catégories génologiques : *ballades et romances.*

5. L'idiome *de romance*, s'est manifesté chez Chopin avant tout, quoique pas uniquement, dans les nocturnes. Surtout dans ceux écrites dans le mètre « de romance » sur 6/8 et définies de plus comme *sostenuto,* se jouant entre *dolce* et *espressivo,* voir même — *appassionato* :

Ex. 9. CHOPIN : *Nocturne en ré bémol majeur* op. 27/2, m. 25–34

Ici aussi, comme dans l'idiome *semplice,* le piano chante. Ce n'est cependant pas un chant, mais un air, flottant expressivement, abondamment ornamenté. Bien que le modèle vienne, comme nous le savons, de John Field, le *bel canto* de Bellini a pourtant eu une influence notoire sur le façonnement de cet idiome. Les connotations sont lues comme transposant dans la sphère de la nuit et d'une situation tendre et affectueuse ; ils sont devenu un sujet de prédilection de J. Kallberg[47]. Dans cet idiome aussi la résonnance idéale est apparue chez Liszt :

Ex. 10. LISZT : *Consolation en ré bémol majeur*, m. 1–10

6. L'idiome *de ballade*, outre les ballades, ce qui va de soi, est visible dans certaines parties des scherzo, sonates et grandes polonaises. Dit tout d'abord à voix basse le plus souvent (*sotto* ou *mezza voce*), il introduit une aura de mystère. Eveille une impression irrésistible que cette musique a « quelque chose à nous communiquer » :

Ex. 11. CHOPIN : *Sonate en si bémol mineur* op. 35, p. I, m. 106–121

[47] Jeffrey Kallberg, « The Harmony of the Tea Table : Gender and Ideology in the Piano Nocturne », in : *Chopin at the Boundaries*, Cambridge Mass. 1996.

C'est un idiome aperçu il y a longtemps, défini comme *Balladenton* (C. Dahlhaus). Durant les dernières années on assiste à une grande croissance de l'intérêt, aussi bien pour le genre même (synthèse de J. Samson[48]), qu'avant tout pour le secret des capacités de narration de la musique sans paroles, qu'essaie de déchiffrer p. a. Eero Tarasti[49]. La question relative à l'inspiration nous amène dans diverses directions. Avant tout à Mickiewicz, mais également vers le chant pré-romantique (Schubert) et l'opéra (Meyerbeer[50]). La question concernant la résonance cause un certain embarras : l'idiome s'éteint avec son écho dans les ballades de Liszt et Brahms. Par contre le ton narratif de poèmes pianistiques de Chopin se déplace dans le poème symphonique.

Je parlerai maintenant en bref de trois paires d'idiomes restantes. La première de ces paires juxtapose — ou plutôt heurte — deux idiomes assez particuliers, et en même temps extrêmement contrastés, caractéristiques pour l'oeuvre de Chopin : *onirique* et *extatique*. Ils créent une paire ressemblant la célèbre paire de catégories structuralo-expressives de Lutosławski, son *hésitant* et *direct*[51], l'attente et — l'accomplissement, hésitation et — la réalisation de l'objectif.

7. L'idiome *onirique* apporte une musique en apparence statique, un spécifique « day dream » harmonique, se déroulant entre l'état de veille et de sommeil, dont nous nous souvenons ne serais-ce que des parties du début de *larghetto* de deux *Concertos*, mais aussi de la *Berceuse* et de l'archi-subtile *Prélude en ut dièse mineur* opus 45 (Ex. 12).

Il n'y a pas très longtemps J. -J. Eigeldinger dans un magnifique essai consacré à cette oeuvre[52] a isolé cette catégorie si profondément chopinienne, en appuyant sur son anticipation dans l'*adagio* du début de la *Sonate* de Beethoven appelée « *lunaire* » et l'écho — dans le *Clair de lune* de Debussy.

8. L'idiome *extatique* est présent dans les climaxs et « apothéoses » des ballades et sonates, grandes polonaises et Barcarolles — représente une musique extrêmement dynamique et dirait-on explosive, transformant complètement les thèmes exposés auparavant :

[48] Jim Samson. *Chopin : The four Ballades,* Cambridge 1992.

[49] Eero Tarasti, « Zu einer Narratologie Chopins », in : H.-K. Metzger et R. Riehn (éd.), *Musik-Konzepte 45 : Fryderyk Chopin,* München 1985, p. 58–79.

[50] Voir : Anselm Gerhard, « Ballade und Drama. F. Chopins Ballade op. 38 und die französische Oper um 1830 ». *Archiv für Musikwissenschaft* no. 48,1991/2.

[51] W. Lutosławski, *II° Symphonie.*

[52] Jean-Jacques Eigeldinger, `Chopin and « La Note bleue' : an Interpretation of the Prelude op. 45 », *Music and Letters* 78/2,1997.

Ex. 12. CHOPIN : *Prélude en ut dièse mineur* op. 45, m. 63–74

Ex. 13. CHOPIN : *Ballade en fa mineur* op. 52, m. 195–210

Le modèle de cet idiome peut être retrouvé dans la musique de la finale de la *VII Symphonie* de Beethoven. Sa résonance se sentira sans doute le plus puissamment chez l'auteur de l'*Extase* — Skriabin. Le duo suivant possède également un caractère antithétique : idiome *de chorale* est ici mis en face de l'idiome *démoniaque*.

9. L'idiome *de chorale* se caractérise, ce qui est naturel, par une particulière lapidarité de la forme et la concentration de l'écriture ; et en ce qui concerne l'expression — par la gravité et la profondeur, le calme et le silence. Il transporte dans la sphère d'un *religioso* largement compris.

Nous le trouvons dans les chorales de deux *Nocturnes en sol mineur*, dans les *Préludes en ut mineur* et *mi majeur*, le *Largo en mi bémol majeur*, ainsi que le *Lento sostenuto* de la *Fantaisie en fa mineur* :

Ex. 14. CHOPIN : *Fantaisie en fa mineur* op. 49, m. 199–212

La provenance de l'idiome de chorale mène évidemment du coté de la musique ecclésiastique (Chopin avait, comme nous le savons, la fonction d'organiste « licéen » dans l'église des Visitandines), et certainement aussi vers les chorales de Bach. Un écho lointain de cet idiome est audible même chez Szymanowski (Ex. 15).

10. L'idiome *démoniaque*. C'est une appellation provoquée par la fréquence et l'obstination à carcatériser de cette manière — dans l'histoire de la réception — certains moments de la création artistique de l'auteur du *Scherzo en si mineur* et de la *Ballade en fa majeur*. Il est porteur d'un ensemble de qualités opposées à l'idiome de chorale : une radicale dispersion texturale et « l'ébouriffication » de la forme, la trangressivité de l'expression déterminée par une dynamique extrême et un tempo rapide. Il évoque des connotations de la sphère de *Los Caprichos* de Goya et la scène mémorable du *Freischütz* de Weber (Chopin : « cette bizarre romantisme »[55]), joue bien avec le climat de *Robert le Diable*. L'écho de l'idiome est audible chez Ravel dans le *Gaspard de la nuit* (Ex. 16).

---

[55] Chopin à Jan Białobłocki, Warszawa *ca.* 20. VI. 1826.

Ex. 15. K. SZYMANOWSKI : *Stabat Mater, 4. Spraw, niech płaczę*, m. 1–17

Ex. 16. CHOPIN, *Scherzo en ut dièse mineur* op. 39, m. 1–28

Venons en à la dernière paire embrassant des idiomes très « polonais » : *melancolico* et *eroico*. Face à une perception et une vision élégiaque des malheurs personnels et nationaux — se tient l'élan héroïque. Face à une méditation réflexive — la volonté d'agir.

11. *Melancolico*. Si l'on croit Liszt, et il est difficile de ne pas le croire, le compositeur seul a exprimé la catégorie d'expression, si souvent présente chez lui, à l'aide du mot polonais « żal » (regret, peine, chagrin), et a expliqué à Liszt qu'il exprimait une « peine inconsolable — après une perte irréparable »[54]. Il se manifestait le plus souvent dans les miniatures lyriques, préludes et études.

Ex. 17. CHOPIN : *Etude en ut dièse mineur* opus 25/7, m. I–10

La présence de la catégorie *melancolico*, c'est-à-dire de ce « żal », se sent aussi dans certaines mazurkas, valses élégiaques et polonaises. Chopin lui-même a donné ce nom « mélancolique » aux deux polonaises (éditées comme opus 26). Peut ici servir de modèle la *Polonaise en la mineur* — les célèbres nostalgiques « Adieux à la patrie » de Michał Kleofas Ogiński. La résonance s'est fait sentir dans la musique postromantique, particulièrement chez Tchaïkowski et Mahler.

12. *Eroico*. L'idiome héroïque se manifestait également dans les études et les préludes, ensuite — dans les polonaises et parties centrales de certains nocturnes. Dans le sentiment universel — de Leichtentritt à Samson[55] — il a trouvé une incarnation la plus complète dans deux *Etudes : en la mineur*, 11-ème de l'opus 25 et *en ut mineur*, 12-ème de l'opus 10 (Ex. 18).

On cherchait la provenance de l'héroïsme chopinien avant tout chez Beethoven, p. ex. dans l'*Appassionata*. L'écho — et d'ailleurs assez fidèle — est apparu chez Skriabin (Ex. 19).

[54] F. Liszt, *Chopin, op. cit.*, 1924, p. 10.
[55] H. Leichtentritt, *op. cit.*, II, p. 194 ; J. Samson, *The Music of Chopin*, London 1985, p. 72.

Ex. 18. CHOPIN : *Etude en ut mineur* op. 10/12, m. 10–18

Ex. 19. A. SKRIABIN : *Etude en ré dièse mineur* opus 8/12, m. 1–9

LA CADENCE

L'intérêt de la théorie et de l'histoire de la musique par l'oeuvre de Chopin a tou-jours été important, bien qu'il fût possible des fluctuations significatives, caractéristi-ques pour un lieu et temps donnés, et soumis aussi à des préjugés et faux jugements. Ne serais-ce à ceux dans lesquels on reprochait au créateur de la *Sonate en si bémol mi-neur* la manque de capacités nécesaires à la construction d'une grande forme organi-quement cohérente, ou à ceux qui inscrivaient ses miniatures pour piano dans le cercle de la musique « de salons » ou « maladive ». Aujourd'hui de telles voix — comme celui de Hermann Kretzschmar, qui condamne comme étant nuisible « le culte ardent — selon ses mots — de Chopin, qui règne parmi les jeunes dames allemandes, pas-sionnées du jeu pianistique »[56], font déjà bien partie de l'histoire.

La fin de ce siècle a apporté, une croissance pourrait-on dire déchaînée de l'intérêt pour la musique et la personnalité de Chopin dans la musicologie mondiale. Ce qui est important, ce fin de siècle a en même temps éveillé le sentiment de la nécessité de changer le paradigme règnant en ce qui concerne les recherches relatives à l'oeuvre de Chopin. On s'est souvenu que la musique constituait pour lui, comme il l'a exprimé : « l'expression de la pensée » et « la manifestation de notre sentiment par les sons »[57]. Que, dans l'Ecole Principale, affiliée près de l'Université de Varsovie, il a étudié — comme on a inscrit dans les documents — « la théorie de la musique, la basse géné-rale et l'harmonie — considérés sous l'aspect grammatical, [mais aussi] rhétorique et esthétique ». Que, comme le témoignent les élèves, Chopin considérait que chaque oeuvre posée sur le pupitre doit être avant « analysée aussi bien du point de vue de sa forme que du genre de sentiment et du processus psychologique, qu'il demontre »[58].

Il est devenu clair que le phénomène de la musique de Chopin ne peut pas être réduit à un jeu pur des formes et des sonorités. Que des résultats, excellents et intéressants, qu'apportait l'examen de la seule structure des oeuvres, doivent être élargis et approfon-dis, en rejetant le dogme hanslickien d'autothélisme et les tendances d'extrême réduction introduites par divers formes du décontextualisme. De part et d'autre des voix se sont élévés, desquels nous pouvons lire une tendance directrice : la nécessité d'un regard plus plein, plus intégral, sur une oeuvre que l'on prend comme objet d'analyse et d'interprétation :

« L'isolement de la forme musicale en soi est aussi bien infructueux que stérile » (Kramer, 1985). « Il faut créer des instruments, des outils qui permettraient d'examiner ces qualités, qu'il n'est pas possible d'expliquer ni par de simples juxtaposi-tions de tableaux, ni par une description verbale » (Samson, 1992). « Les analiticiens ont encore beaucoup à faire s'ils souhaitent définir »l'essence » [...], cette spécifique expression incarnée d'une façon absolument unique dans les oeuvres » (Rink, 1995)[59].

---

[56] Wojciech Nowik, « Nowe spojrzenie na muzykę Chopina » [Un nouveau regard sur la musique de Chopin], *Rocznik Chopinowski* 22/23, 1998, p. 531.

[57] Chopin, *Esquisses pour une Méthode de Piano. Textes réunis et présentés par Jean-Jacques Eigeldinger*. Paris 1993, p. 48.

[58] Raul Koczalski, *Frédéric Chopin. Conseils d'interprétation. Introduction par J.-J. Eigeldinger*. Paris 1998, p. 63.

[59] L. Kramer, « Romantic Meaning » … *op. cit.*, p. 63 ; J. Samson, *The four Ballades, op. cit.*, p. 68 ; J. Rink, « Ballady Chopina i dialektyka metod analitycznych », *op. cit.*, p. 66.

Fort heureusement, le sentiment auquel parvient la chopinologie mondiale, qu'il n'y a pas de possibilité de s'approcher et de comprendre le phénomène de la musique de Chopin sans prendre en considération de la charge d'expression et de sens plus profonds portés par elle, ne quittait pas ceux pour qui cette musique a été composé — pour ses auditeurs.

« Aujourd'hui j'ai terminé la *Fantaisie* et le ciel est beau — écrivait Frédéric Chopin de Nohant, en octobre 1841. Mon coeur est triste, mais ça ne fait rien. S'il avait été autrement, peut être mon existence n'aurait servi à rien à personne »[60]. Ces mots laissent à réfléchir.

Traduction : Maria Poniatowska-Bylina

STRESZCZENIE

WOKÓŁ FENOMENU MUZYKI CHOPINA. OD PROWENIENCJI DO REZONANSU

Próby uchwycenia istoty tego, co w muzyce Chopina było nowe, odróżniające, wyjątkowe i unikalne są widoczne już w pierwszych recenzjach. Mochnacki i Schumann, Fétis, Heine i Liszt rozpoczęli słowne formułowanie oryginalności idiomu sztuki chopinowskiej. Próby te trwają do dziś, znacząc ponad stupięćdziesięcioletnią historię recepcji muzyki Chopina ogromną ilością przybliżeń analitycznych i syntetycznych, różnorodnością interpretacji słownych oraz także oddziaływań w świecie dźwięku.

Przedstawiony tekst zawiera jeszcze jedną próbę interpretacji muzyki Chopina, syntetyzującą dotychczasowe analizy. Jest to syndrom właściwości uważanych za *par excellence* chopinowskie, który zdaje się mieć formę struktury otwartej i dynamicznej, przejawiając zarazem charakter antytetyczny. Składa się nań szereg złożony z par idiomów stylistyczno-ekspresywnych. Sześć z nich można uznać za najbardziej podstawowe: 1. idiom *rubato* i *maestoso*, 2. idiom *semplice* i *brillant*, 3. idiom nokturnowy i balladyczny, 4. idiom oniryczny i ekstatyczny, 5. idiom chorałowy i demoniczny oraz 6. idiom *malinconico* i *eroico*.

---

[60] Chopin à J. Fontana, Nohant 20. X. 1841

CHOPIN AND THE STRUCTURES OF HISTORY

Jim Samson
(LONDON)

COMPOSITIONAL AND CONTEXTUAL HISTORIES. As my title implies, I am concerned today both with Chopin and with historiography. All history is a dialogue with the past, and as we enter into that dialogue we engage in various rationalizations of the past. We sift, order, and structure the chronicle to generate a narrative. Where music histories are concerned even the components of the chronicle must be open to debate. Texts, sounds, activities: all are primary data—objects, facts and events that are variously foregrounded, ordered and interpreted. One starting point is to place the musical work centre stage, prioritising the cultural form in which art music has most often been presented in the West. But that invites an analytical enquiry. If we want to make history we need to fill the spaces between works, to find strategies for connecting them. Two such strategies, conversely related, have been prominent in nineteenth-century histories. One is intertextuality, privileged in the nineteenth century by the historicism of the age. The other is individuation, an historical process that reached a determinate stage in the nineteenth century. Harold Bloom suggests that the two are locked together in symbiosis—the weight of the past and the quest for a voice, dependency and originality.[1] To my mind, this story helps us to appreciate Chopin's historical significance. In his music the past—by which I mean especially Bach and Mozart—is remodelled from a strategic distance rather than as an immediate inheritance. And since his immediate inheritance—popular concert music of the 1820s—has not been canonised, Chopin resists easy assimilation by something we might call an evolving tradition, and emerges today as a voice unlike any other. In these terms, his own subsequent influence on later music continues a history that he himself inaugurated.

My two strategies—intertextuality and individuation—have something in common, despite their surface opposition; and that is their covert identification of the artwork and its author. If we invoke either strategy or both, the locus of a music history already shifts from the work to its composer. Indeed this congress is a monument to just this kind of composer-centredness. Now to identify the work with its composer may seem a minimal rationalisation. But actually the work may exemplify things other than its composer. Its performer, for instance. Even the most basic ontology recognises that the written score underdetermines a musical work. The great performers,

---

[1] Harold Bloom, *The Anxiety of Influence*, Oxford 1973.

like the great composers, can stake their claim on our reading of music history, not just as faithful servants of the text, but perhaps even more for their redemptive qualities, their capacity to complete the incomplete, improve the mediocre, give expression to the expressionless. Those qualities can, however, become reified. Indeed that reification could almost serve as a definition of romantic virtuosity (which I distinguish both from baroque virtuosity and from post-classical virtuosity). I suggest that the Chopin work is a key component of another nineteenth-century history then—the history of romantic virtuosity. And here the story is indeed one of reification and appropriation—a disturbance of the composer's own essentially eighteenth-century equilibrium between virtuosity and work character.

We began with the musical work. However, in order to discuss works in historical terms we make concepts of them; we group them into classes—they are part of a composer's ouevre, then a performer's repertory. In the latter case our approach already begins to shift from a consideration of the work itself towards a consideration of the uses to which it is put and the responses it engenders. And there are of course other groupings—the work is part of a tradition, a style, a medium, a genre—and these categories make their own claims on the historian. But again we find ourselves sliding from the compositional towards the contextual. What, after all, is a tradition? It is very largely a product of reception history, contained within rather than prior to the discourses about it.[2] Likewise style, medium and genre; indeed as soon as we begin to work with them, we become aware that these are thick categories; they cannot be fully explained as aggregates of musical works, and therefore as components of compositional history. They take us into the social domain. We might indeed have begun there—not with music, but with 'musical life', to cite a much-used if mysterious term. We might have begun, in short, with context. Our subject matter then would range widely across the many and varied practices involved in making music, promoting music, listening to music, and thinking about music in Chopin's world. It would embrace performance, teaching and manufacturing sites; taste-creating (one might say tradition-carrying) institutions such as journals and publishing houses; ideas about the nature and purpose of music; responses by listeners from particular social and cultural communities.

On the face of it that is a whole other history. And even if the two histories shade into one another (as my discussion of work-based categories suggests) they have very different starting points; they ask different questions of the past. In a word, the one focuses on works (inviting questions about aesthetic value), the other on practices (inviting questions about social or ideological function). The mediation of these two histories—compositional and contextual—is, it seems to me, the greatest single challenge facing any music historian. I don't pretend to have easy answers, but I think it may be worth at least trying to clarify the issue by proposing three distinct levels on which social content might be made available to the music historian, three levels of mediation, if you like. These levels, corresponding more-or-less to categories familiar

---

[2] For a discussion of this point, see Michel Foucault, *The Archaeology of Knowledge*, tr. A. M. Sheridan Smith, London 1972.

to semiology, are the social cause of a work, the social trace imprinted on its materials, and the social production of its meanings.

The first, the province of a traditional social history of music, explains the work with reference to the conditions of its production. Put simply, we investigate the external motivation for a work, and the environmental and circumstantial factors that may have shaped it. None of which commits us to any single ideological position. Chopin has been well served by this approach. His music is explained with reference to pedagogy, the practices and genres of early 19thC concert life, the demands of changing taste-publics, the contrasted cultures of Warsaw, Paris and Berry, the profiles of personality, the vagaries of biography; in short a whole range of factors that make up the complex ecology within which he made decisions about the shape and character of individual pieces. Of course very real historical questions arise here over causes and effects. The briefest of examples. Chopin rejected the genres and the surface idioms of popular concert music for rather specific career reasons. That rejection resulted in new-found presence and greatness. But it hardly explains the presence and greatness.

The second level (social trace) is more elusive, concerned not with immediate shaping influences but with a deeper level of causality. This is really the terrain of a sociology of musical materials, and it is naturally subject to the interpretative license of particular positions in critical theory. The core assumption is that changes in the nature of musical materials—in what is often misleadingly called 'musical language'—do not occur in a vacuum, unrelated to the broader sweep of political, social and intellectual histories. Rather that these changes, appropriately interpreted, can actually function as a mode of cognition, a way of understanding the world, since they encode its history at very deep levels. Music in this sense is a cypher; it possesses what Adorno described as a 'riddle character'.[3] In these terms—we might argue—Chopin 's historical role was to trace a journey from the 'real' piano of a mercantile concert life to the 'ideal' piano of a symbolic aesthetic universe. That journey resulted in deviations from compositional norms under an idiomatic imperative, and those deviations in their turn became a foundation layer of what we now call musical modernism. Chopin in this sense inaugurates a history that was in essence closed by Debussy.

Enquiries into these first two levels congeal the musical work into a stable configuration. The third level (social production of meanings) proposes rather an unstable work, one whose identity can slip away from us as it encounters the different preconceptions of particular cultural communities. This is really the province of reception histories. Again Chopin has been well served, with dedicated reception histories, from Lissa onwards, allowing us to observe how the music can be heard 'with a different ear', how susceptible it be to appropriation.[4] French Chopin reception will act as our brief example, since it has been examined by several commentators. Thus we note how a very particular view of Chopin emerged in France, forged in large part out of ideological rivalries between two specific journals, each with its own agenda. We note how

---

[3] Theodore Adorno, *Aesthetic Theory*, G. Adorno and R. Tiedemann (eds.), tr. C. Lernhardt, London 1984.

[4] Zofia Lissa, 'The Musical Reception of Chopin's Works', in: D. Żebrowski (ed.), *Studies in Chopin*, tr. E. Tarska, H. Oszczygieł and L. Wiewiórkowski, Warszawa 1973.

this view increasingly acquired nationalist overtones. Chopin's music was translated by critics—and increasingly too by such powerful institutions as the Paris Conservatoire—into a survival kit for French composers. He was presented as a bulwark against encroaching German influences (and Germany, it should be noted in passing, was making its own claims on Chopin, largely through the canonizing efforts of Breitkopf and Härtel). We note, in short, how Chopin was increasingly viewed in France as a vital missing link connecting the clavecinistes to the great pianist-composers of the *fin de siècle*. When Debussy decided in the end to dedicate his *Etudes* to the memory of Chopin rather than Couperin, he placed a symbolic seal on this reading.[5] Thus are traditions constructed, and style-historical readings activated, by ideological imperatives. Other examples from Chopin reception could equally make the point.

TWO HISTORICAL PLOTS

I have discussed how components of the chronicle are rationalised and mediated in music history. Already this involves emplotment. But in this section I want to refer to two, even more fundamental, rationalisations of plot that have dominated music histories. The first is implicit in that case-study of French Chopin reception. I mean here the notion of centres and peripheries, mainstreams and tributaries. We may note the rival appropriations of Chopin by France and Germany. We might go further and observe the impotence of Poland in the nineteenth century. In another essay I have explored yet further, drawing attention to a polarity of response in England and Russia, two socially polarised countries on the edge of Europe, where we view separately, and with particular clarity, the two strands which were held in a sort of forcefield in France and Germany. Contrast the promotion of Chopin as modernist in Russia with the commodification—one might say domestication—of his music in mercantile England.[6] What I'm really suggesting with all of this is that Chopin reception in the late nineteenth century can act as a kind of paradigm of a much wider rationalisation of music history based on geographical difference, on north and south, east and west, nation and region. It includes understandings of an 'other', and of a music at the edge. Such ideas carry covert (and often overt) value judgments.

   Let us focus the issue with an extreme example. Edward Said has famously argued that Europe constructed the orient to its (that is to Europe's) own specifications.[7] An obvious 'other' here, but arguably the same analysis can be applied to the orient within—the cultures of gypsies and jews—as well as to those less obvious 'others', the cultures around the edge of Europe—though in passing I would warn against subsuming music history too readily under sociological categories of marginalization or for that matter theoretical categories of post-colonialism. Richard Taruskin offers us a useful model, arguing that European musicians have constructed their own Rus-

---

[5] *Lettres de Claude Debussy a son editeur, publiées par Jacques Durand*, Paris 1927, pp. 141, 146 and 148.

[6] Jim Samson, 'Chopin Reception: Theory, History, Analysis', in: J. Rink and J. Samson (eds.), *Chopin Studies 2*, Cambridge 1994, pp. 1–17.

[7] Edward Said, *Orientalism*, New York 1978.

sia, as well as their own orient, and going on to demonstrate that our evaluations of Russian music are not at all congruent with those of Russian musicians.[8] This bears (though the issue is less clear-cut) on constructions of eastern Europe. And even on questions of national identity. One approach here is to opt for a kind of assimilationist history, which has been the tendency of commentators on northern Europe. Consider here recent commentaries on Sibelius by James Hepokoski and Tim Howell.[9] They have very different takes on Sibelius, but they are at least agreed that to discuss him as a Finnish or Scandanavian musician is to court provincialism. In these analyses Sibelius is claimed, as it were, by a kind of canon of pan-European modernism. He is no more Finnish than Stravinsky is Russian. Yet here again Taruskin cautions us. While he is wary of European constructions of Russia, Taruskin is no less wary of a simple appropriation of Stravinsky by western traditions. Indeed his monumental study of the composer is at pains to achieve a balance of identity and difference.

Likewise with Chopin and Poland. I am frankly suspicious of how individual cultural identities have been constructed in eastern Europe through so-called 'national' musical styles. It seems to me that what often happens here is that a cluster of generalised folk idioms (modal types, bourdon drones, ornamentations, rhythmic patterns, and so on) serves as an all-purpose musical signifier of nationalism, and specificity resides in a poetics of intention and reception. If this is true, it rather demotes the significance of the folk music, the very quality that has traditionally made it so much easier to speak of nationalism in eastern than in northern Europe. It suggests, in other words, that the really interesting questions may lie elsewhere. I won't pursue this today, beyond insisting that clarity can only be achieved by approaching the question of Chopin and Poland in the terms of my three levels of mediation between music and the social world. I suggest that the balance of identity and difference shifts subtly and significantly as we move from social cause through social trace to social production of meanings.

The second of my two rationalisations of plot concerns the periodization of history. It is easy of course to dismiss this as a kind of naive reductionism—or even as a mere strategy of presentation. But I suggest that even our individual perceptions of temporality involve retentions connected to the 'now-moment', allowing closures and completions to punctuate the temporal continuum. Thus, there is a sense in which even at the most immediate hour-by-hour level, we translate experienced life into constructed history. The real question is how far this inflates to larger levels—our own biography, for instance (the school years), the recent past (the nineties; the sixties), a more remote past (the age of revolutions). In all these cases we combine classificatory convenience (a well-defined unit) and interpretative coherence (a strongly characterized unit). Of course this is prey to over-rationalisation; I am thinking of the sleight-of-hand adopted by structuralist historians such as Braudel, but I do find it interesting that several music historians, including Dahlhaus, have

---

[8] Richard Taruskin, *Stravinsky and the Russian Traditions: A Biography of the Works through Mavra*. 2 vols., Oxford 1996; *Defining Russia Musically: Historical and Hermeneutical Essays*, Princeton 1997.
[9] James Hepokoski, *Sibelius Symphony No. 5*, Cambridge, 1993; Tim Howell, 'Sibelius Studies and Notions of Expertise', *Music Analysis* 14: 2–3, 1995, pp. 315–339.

invoked Braudel's rather slippery formulation 'the non-contemporaneity of the contemporaneous'.[10]

Now Chopin's mature creative life is enclosed, roughly speaking, by two key dates
in the periodisation of socio-political as also music history—1830 and 1848. Of
course we can say that these dates have a purely symbolic value. Yet paradoxically, it is
that very symbolism that returns us to a sense of historical immediacy, certainly
where socio-political history is concerned. As for music history: well, it was around
the mid century that Romanticism in music was first identified as a definable period
term in something like our modern sense; contemporary early 19thC perceptions were
really very different. It was in 1848, for instance, that Kahlert defined a modern,
'Romantic' music (meaning post-Beethoven, around 1830) through its separation
from a Classical golden age.[11] And later in the nineteenth century that separation of
Classical and Romantic periods was made even cleaner, as music history was subjected
to the quasi-scientific study of styles, notably in the work of Guido Adler. Here too
it was in the post-Beethoven generation that the Romantic movement crystallised.
Beethoven and Schubert were viewed as 'transitional' within Adler's scheme, but were
linked essentially to so-called Viennese classicism.

This brings home to us that at the heart of the whole approach lies an essentialist
reading of history. The periodisation is applied once a period-defining theme has
been identified. And paradoxically the identification of that theme usually implies an
evolutionary process, where the story unfolds as an organic development from creation to dissolution, and where the supposed climax of the development is represented
as a kind of ideal, a 'point of perfection'. This ideal in turn allows us to generate an
essence that is taken to characterize the period as a whole. In many accounts of nineteenth-century music that essence is taken to be Romanticism, and for this reason
historians of nineteenth-century music history have frequently used the term Romanticism as their principal point of reference. Given that, it is surely of interest that
recent music historians, like their colleagues in literature and the visual arts, have
located an end point for musical Romanticism around the middle rather than the end
of the century, and in some cases they have coined the term 'Neo-Romanticism' as a
description of its second half.[12]

Conventional periodisations of Chopin (his music and its reception) are seduc-
tively congruent with this periodisation of Romanticism in music, roughly speaking
1830–1848. Thus, his maturity (and I am aware that I am here adopting Adler's particular rationalisation, with all its organicist imagery) coincides with the crystallization
of Romanticism in music. Indeed Chopin pre- and post-1830 might serve as a good
test case for the assumptions of structuralist historians; very briefly that there are
elements of relative stability that define an historical period, overriding elements of

[10]   Carl Dahlhaus, *Foundations of Music History*, tr. J. B. Robinson, Cambridge 1983.
[11]   C. A. T. Kahlert, 'Über den Begriff der klassischen und romantischen Musik', *Allgemeine musikalische
Zeitung* 50: 18, 1848, pp. 289–295.
[12]   C. Dahlhaus, 'Neo-Romanticism', in: *Between Romanticism and Modernism: Four Studies in the Music of the Later
Nineteenth Century*, Berkeley and Los Angeles 1980; Peter Rummenhöller, *Romantik in der Musik: Analysen,
Portraits, Reflexionen*, München 1989.

change; that a period, like a structure or a system, will change fundamentally only when there have been functional changes to the nature of its components or to their interaction; that even where such changes are cumulative rather than abrupt, at some stage they coalesce into a new, relatively stable, configuration. This, we might argue, describes Chopin in 1830. In any event the changes in his music at that time can be viewed in part as highly conditional responses to an emergent romanticism, admitting compositional criteria derived unmistakably from the idealist view of music that prevailed after 1830. And I include here notions of originality, subjectivity and nationality. I say a conditional response because Chopin remained at the same time committed to an essentially classical view of the musical work, grounded in the immanent, the real, even the rule-bound—due partly to his training here in Warsaw, where both technical and aesthetic studies were rooted in 18thc traditions. So much for 1830. What about that mid-century caesura. Well, I suggest that it is above all from the mid century, in other words after his death, that Chopin was translated from a pianist-composer into a composer. This coincides with the much larger institutionalization of a work concept peculiar to instrumental music, above all through the rise of the piano recital.

This reading is supported incidentally by Dahlhaus's bold generalisation about changing historical phases in the theory of art, where he allows the perspective of composer-centredness to make room at the mid century for a perspective based on the structure of self-contained works. He then sees this as extended into twentieth-century structuralist thought, before yielding to more recent hermeneutical approaches.[13] So Dahlhaus's analysis strengthens the sense emerging from recent historical writing (especially Peter Rummenholler) that the mid-century represents the key moment in a major change of orientation from practices to works. (This, incidentally, runs counter to Lydia Goehr's thesis in her influential book *The Imaginary Museum of Musical Works*).[14] Accordingly the mid century is the most plausible point from which we can trace the beginnings of a kind of dialectic or 'interference' between history and aesthetics that remains part of our culture today. I mean by this that notions of historical 'becoming' are constantly compromised by the atemporal 'being' represented by individual masterworks. Or to put it more colloquially: how are we to do historical justice to the works of Chopin, given that they are a vital, living part of our present?

THEN AND NOW

That last question is in turn part of a larger, key question of historiography. Just how do we square the perceptions of the present-day subject, coloured as they are by the mode of thought of the present, and structured by the kinds of rationalisations of history I have been describing, with the self-perceptions of historical subjects? To generalize wildly, the present-day subject will incline to a reductionist view of the past, allowing an analytical quest for common principles to subordinate constitutive

---

[13] C. Dahlhaus, *Foundations of Music History, op. cit.*, pp. 20–23.

[14] Lydia Goehr, *The Imaginary Museum of Musical Works: An Essay in the Philosophy of Music*, Oxford 1992.

diversity (both of music and of musical life) to an identity principle. Hence the rationalisations of category, level and plot in my exposition. We may present the position polemically. In today's world the Chopin work will be viewed as a unified statement, and then drawn into a notionally unified style system. This perspective tells us above all else about what the past might mean to our world, and as such it carries with it a kind of authenticity—the authenticity of an active present. We read our history backwards from the standpoint of canonised music and an avant garde.

The alternative would be to try to read it forwards from the perspective of the historical subject. Of course this perspective is never really fully recoverable. But through an exercise of historical imagination (as much as an archaeological quest) we can make some attempt to recapture the 'present' of the historical subject; indeed we must make the attempt if we are to avoid collapsing history into analysis. We must allow a voice, in other words, to both the present-day and the historical subject. That enables me to refine my opening remarks on history as a dialogue. In reality it is a dialogue between an active present and a recovered past. Moreover our dialogue with the past—with the historical subject—is like any other dialogue; a knowledge of where our respondent comes from influences the kinds of questions we ask. And as in any other dialogue we understand what motivates the answers partly from the answers themselves. Through a kind of feedback process we learn to ask productive rather than unproductive questions of the past. That is what hermeneutics is all about really. It does not mean we abandon our rationalisations of history; rather that we check them constantly against the responses of our historical subject.

My own recent work on Chopin has been concerned with just this kind of dialogue between now and then, between works and practices, between structures and materials. And since what I have been demonstrating so far are the rationalisations of an active present, it may be useful to conclude by saying something about the recovered past. In looking at early 19thC pianism, I have found it useful to draw on Alasdair MacIntyre's concept of a practice.[15] Tracing the history of a practice means more than just documenting the institutions of music-making. Unlike an institution a practice has an ethos; it exercises virtues as well as skills. It builds the performer—the act of performance—centrally into the historical study of a repertory. My starting point, then, is the premise that the pianistic culture that supported Chopin was in a special sense a performance culture, in that it was centred on, and invested in, the act of performance rather more than the object of performance. From there I go on to investigate the nature of a pre-recital practice, and that includes of course the role of the performer (what I call 'recovering the practice'), and to explore the performance-orientated musical materials characteristic of the practice (what I call 'recovering the repertory').

Recovering the practice means above all recovering a pre-recital practice. And here you will note that I am already periodizing. However my periodizing here grows out of the history of a specific practice and has little to do with grand narratives of music history, based on style systems and notional traditions. I should add in parenthesis

---

[15] Alasdair MacIntyre, *After Virtue*, London 1981.

that I am sometimes tempted to argue for an alternative history of nineteenth-century music, one that centres on practices rather than composers, works, and institutions. If I profile the 'age of the recital', I locate the practice of pianism within a complex network of social and cultural agencies, grounded by the institution (the recital), focused on an object, albeit an ideal aesthetic object (the musical work), and cemented by an ethos (its adequate interpretation). Chopin reception is of course a key component of that practice. If I profile the pre-recital age, I find pianism grounded by different institutions (the benefit concert, the salon); supported by different agents (notably the piano manufacturer and the music publisher); focused on an event (the performance) rather than an object and concept (the work and its interpretation); and held together by a different ethos, which I would describe as a balance between the mercantile and the aesthetic values of a developing instrument. The Chopin style is a product of that practice.

Recovering the repertory is a more complex business. Rather than identifying musical structures, I seek to identify the musical materials of post-classical pianism. And here there are useful comparisons with popular music, another performance-and genre-orientated culture where a work concept is only weakly developed. I suggest that for both repertories pattern perception is achieved not so much by relating materials to larger units that define them as patterns, though that does of course occur, than by matching them with analogous materials across a wider repertory. In popular music research the term 'signifying' is used to describe a set of strategies playing on pre-existing materials. That is actually a rather good description of the composer-performer's activity within an early nineteenth-century practice, where improvisation and composition are rather closely linked. Moreover, as in some popular music studies, I find it useful to propose ideal types of musical material derived inductively from the wider repertory, rather as analysis often identifies ideal types of musical form. I stress that they are viewed as ideal types, and it goes without saying that there will be a considerable overlap in function between them.

I propose three main ideal types. They are largely embodied in musical figures, each of which can signify a dimension of the larger practice—codifying the practice, if you like, through a material content that freely crosses the boundaries of individual works. The first would be genre markers. These have perhaps the deepest resonance, signifying many different aspects of the practice—and I should say that I am including within this the use of the generic fragments as topoi (it goes without saying that Chopin is rich in this). They overlap with my second ideal type, musical-rhetorical figures. I would simply want to emphasize here that the tonal types and *figurae* classified by theorists (however imperfectly) for seventeenth- and eighteenth-century repertories continued to play a role in nineteenth-century music, and that if anything a post-classical practice tended to congeal them. (I refer you to Peter Williams's discussion of *passus duriusculus* in Chopin and elsewhere).[16] My third ideal type is idiomatic figures, which stand in a way for what I have called instrumental thought, for the instrument itself. I am struck again by similiarities in popular music studies. Compare my ideal types with

---

[16] Peter Williams, *The Chromatic Fourth During Four Centuries of Music*, Oxford 1998.

Philip Tagg's semiotic typology: my genre markers correspond to his genre synecdoche, my musical-rhetorical figures with his episodic markers, and my idiomatic figures with his kinetic or tactile anaphones. What is perhaps interesting here is that, unlike mine, Tagg's typology is largely based on empirical research.[17]

In this way I try to 'recover' (in the spirit of a critical hermeneutics) the practice that nurtured Chopin, and to find ways of discussing his music beyond reducing it to stylistic generalities on the one hand and separating it into discrete works on the other. Putting it negatively, that means filtering out attitudes and values that are deeply ingrained in our way of thinking today; tempering the rationalisations of the present-day subject. Putting it positively, it means making a genre- and performance-orientated culture concrete through useful generalizations about its musical materials; allowing a voice to the historical subject.

And now just a few concluding remarks. It goes without saying that Chopin was a highly individual composer. Yet that individuality was hammered out from the performance-orientated materials of an art of conformity—and in response to a work-concept already established in other practices. Partly this meant a reinvestment in the individuality of earlier masters, especially of course Bach and Mozart. But partly it was a matter of promoting an image of the instrument itself that was already part of the ethos of post-classical pianism. The piano may have been the most potent symbol of a mercantile culture, but it was also and increasingly viewed as a universal and all-inclusive medium of musical experience, capable of saying all in its own terms, embodying in itself (in its very name) the symbolic power of contrast.

It would be easy enough to demonstrate that my ideal types of musical materials were transformed by the ascendancy of this second image of the piano in alliance with a work-concept. That's the perspective of the present-day subject. Briefly, the effect was to problematize generic meanings, to dissolve musical-rhetorical figures into something approaching an indivisible expressive continuum; and most important of all, to transform idiomatic figures from a performance-orientated surplus to a work-orientated essence in what amounted to a conquest of virtuosity by the musical work. I should say in parenthesis that Chopin and Liszt, the paradigmatic composers for the piano, did this in very different ways, Chopin absorbing a limited repertory of figures into a work-concept grounded in baroque traditions, Liszt exploding the figures into events, effectively reconstituting the work-concept as a kind of narrative of virtuosities. It is really a contrast between a neo-baroque virtuosity and a romantic virtuosity. This, as I have suggested, is the perspective of the present-day subject, the perspective of now. But it is no less important to invoke the perspective of the historical subject, the perspective of then—to demonstrate, in other words, that, even when transcended, the figures were remembered, and that that memory, distinguishing Chopin in an essential way from other canonic repertory of the mid nineteenth century, might stand for what I like to describe as the hidden trace of the performer in the work.

---

[17] Philip Tagg, 'Towards a Sign Typology of Music', *Proceedings of the European Association for Music Analysis*, Trento 1992.

STRESZCZENIE

CHOPIN I STRUKTURY HISTORII

Autor rozważa różne sposoby rozumienia miejsca Chopina w historii muzyki. W przedstawionym tekście ukazuje pewne strategie, które wyzyskujemy w naszych dążeniach do racjonalizowania muzycznej historii i różne sposoby odczytywania dzieła Chopina, które są ich rezultatem: kompozytorskie i kontekstualne, narracyjne i strukturalne, wykonawcze i tekstowe, dzieła muzycznego i praktyki. Ta ostatnia antynomia stanowi główny problem. Przywołuje ona współczesne dyskusje w muzykologii anglo-amerykańskiej, dotyczące zmian w czasie „pojęcia dzieła", dyskusje będące w pewnym sensie echem problemów podejmowanych w muzykologii niemieckiej lat 70. Ponadto autor oświetla pojęcie „praktyki", która odgrywała pewną rolę w badaniach nad muzyką popularną, ale była mniej dominująca w badaniach nad europejską muzyką artystyczną. Autor sugeruje, że historia muzyki jest przede wszystkim historią praktyki.

I

CHOPIN IN THE ENTOURAGE OF PERSONS AND THOUGHTS OF THE EPOCH

DE L'APPORT DE LA CONNAISSANCE HISTORIQUE DES ANCÊTRES PATERNELS DE FRÉDÉRIC CHOPIN

Gabriel Ladaique
(NANCY)

La connaissance historique des ancêtres paternels est difficile à entreprendre : Nicolas, le père, décède à Varsovie en 1844, Frédéric meurt à Paris en 1849, on ne sait rien de leurs parents.

En 1926, enfin, le livret de retraite de Nicolas est retrouvé à Varsovie : Nicolas révèle aux autorités russes en 1837 qu'il est « fils de François et de Marguerite, né à Marainville en France le 17 avril 1770 ». La nouvelle fait sensation en France comme en Pologne. Edouard Ganche, l'éminent chopinologue français, demande à l'Abbé Evrard, curé de Xaronval-Marainville le 6 décembre 1926 de chercher. Le travail est mené avec une telle rapidité que les journaux français et polonais, belges, canadiens, roumains et suisses publient les découvertes faites avant la fin de l'année. La brouille éclate alors entre les deux chercheurs et Ganche écrit le 15 janvier 1927 à son ami de Poznan : L'Abbé Evrard a fermé la possibilité de compléter la généalogie et de faire des recherches ultérieures ». Que de documents détruits et que de temps perdu de 1849 à 1926, de 1927 à 1980, année à laquelle commencent officiellement nos recherches.

Sur la feuille qui vous a été offerte, que voyons-nous? A droite, Nicolas, père de Frédéric, François le grand-père, Nicolas l'arrière grand-père, François l'ancêtre qui épousa en 1705 Cathérine OUDOT, née à Xirocourt, 35 km au sud de Nancy.

L'acte fondamental est le mariage de 1705 conclu à Romont. Le marié se nomme CHAPIN, François Chapin fils du feu Antoine. Il n'a pas l'usage d'écrire ; il est natif de Saint Crespin, village du Dauphiné en France.

Le village de Saint Crespin situé à 650 kilomètres au sud de Nancy, construit à 950 mètres d'altitude domine la Durance ; il occupe un site fortifié. Via d'anciens chemins pour mulets, on parvient au hameau des Chapins. Là, à 1300 mètres d'altitude, nous découvrons six maisons, des fermes solidement construites aux XVème et XVIème siècles en face du Mont-Pelvoux (3954 m.) et de la Barre des Ecrins (4103 m.). Quand l'église de Saint Crespin avait été édifié en 1444, la famille CHAPIN (CHAPPENC en prononciation locale) vivait déjà là.

François qui se marie en 1705 en Lorraine est fils d'Antoine, lui même fils de Chaffrey né vers 1600, futur consul du village et des hameaux dominant le bourg. Chaffrey est assez fortuné ; il vit avec ses quatre enfants au hameau des Chapins. Antoine, né vers 1640, c'est le cadet, le pauvre ; il a épousé une fille sans fortune ; déprimé, il fait rédiger en 1684 son testament « léguant à Marie, sa fille 40 écus pour ses noces futures, à Marie DURRAFFOURT, sa femme, 120 livres, à Simon, son fils âgé de 14 ans son héritage ». Valet de ferme, employé de basses tâches, il rompt avec sa vie misérable et quitte définitivement sa terre natale avec le jeune François âgé de huit ans.

François est bien un CHAPIN. Il a connu la pauvreté, la tourmente ; au cours de sa longue route, il peut méditer l'adage du pays dauphinois : « quand ma bourso fao tin tin, tout le moundé es mon cousin, quand ma bourse baïssio, tout le moundé me laissio ». Antoine et François sont partis, non pas vers le Sud, ce qui eût semblé logique, mais vers le Nord, suivant la route du trafic conduisant vers le Lyonnais, la Bourgogne, la Franche-Comté, la Lorraine.

En 1705, le mariage conclu, François CHAPIN et Catherine OUDOT viennent s'établir au village de Xirocourt (30 km. au sud de Nancy) ; n'ayant pas l'usage d'écrire, la phonétique locale s'impose ; ces CHAPIN se nommeront CHOPIN. Ce nom de famille bien français est très ancien, ainsi que l'attestent des archives normandes de 1279, il était courant dans le Nord, en Normandie, Vendée, Bourgogne, à Paris comme à Lyon.

A Xirocourt naîtront quatre garçons prénommés Claude, François, Dominique et Nicolas. A la mort de leur père survenue en 1714 — il avait 38 ans — ils sont âgés de 9 ans, 7 ans, 3 ans et 21 mois.

L'étude biographique de ces quatre CHOPIN permet de dégager quelques constantes familiales :

1. Les CHOPIN sont mobiles, leur installation précaire, ils sont discrets.
2. Les CHOPIN sont des artisans ruraux, ils disposent d'un atelier.
3. Les CHOPIN travaillent tous la vigne, à la fin de leur vie.
4. Les CHOPIN épousent souvent des orphelines.
5. Les CHOPIN savent écrire et compter. Ils exercent les métiers de tisserand, menuisier, forgeron.
6. Les CHOPIN sont attirés par la Vallée du Madon, entre Mirecourt et Haroué, face à la montagne de Sion-Vaudémont.
7. Les CHOPIN sont travailleurs ; gais de nature, ils ne font pas fortune.

Nicolas CHOPIN (1712–1772), c'est le cadet, c'est le grand-père de Nicolas qui partira vers la Pologne. Etabli à Ambacourt, il fera le commerce des oeufs et volailles avec Mirecourt ; demeurant dans un village de vignerons, il fréquentera la ville des luthiers-dentellières. Il écrit non sans peine la lettre S — marié trois fois en trois lieux différents, il sera père de 10 enfants, dont 5 survivront.

François, le grand-père de Frédéric (1738–1814), c'est l'aîné de cinq survivants. Il naît en 1738. Sa maman née Elisabeth BASTIEN, issue d'une famille rurale ruinée, orpheline de père et de mère à son mariage, avait éduqué quatre frères et soeurs. Elle engendrera quatre garçons, mais décédera en donnant naissance au quatrième. Agé de 9 ans, François enterre sa mère et son petit frère, à 10 ans il enterre son frère Claude et son père se remarie. Il lui reste son jeune frère Dominique.

François et Dominique seront d'abord élevés par la famille maternelle BASTIEN ; adolescents, ils apprendront le métier, guidés par l'oncle de Mirecourt, Dominique CHOPIN, maître-menuisier et bourgeois de la ville. Ils fréquenteront ensuite le

« Gymnasium Tantimontaneum », Lycée religieux formant des maîtres d'école, animé par des Chanoines du Chapitre de Remiremont.

François est âgé de 26 ans quand il épouse à Diarville en 1769 Marguerite DE-FLIN, fille de maître drapier, orpheline de père. Le mariage conclu, le foyer s'établit à Marainville : ainsi se justifie la déclaration figurant dans le dossier de retraite de 1837 : « Nicolas est fils de François et Marguerite, né à Marainville ».
Mais pourquoi ce choix de Marainville? Cinq raisons apparaissent :

1. Il n'y avait plus de charron au village.
2. François CHOPIN était ami intime du curé NOEL ; celui-ci travaillait également le bois, la vigne ; c'était un ancien de Tantimont.
3. Marguerite était grande amie de l'épouse du maire, fermier des terres du château.
4. La famille DEFLIN possédait quelques biens en ce lieu.
5. Marainville était siège d'une Seigneurie érigée en comté en 1728. S'il n'y avait pas eu de châtelains à Marainville nous ne serions pas là aujourd'hui.

La seigneurie avait été reprise en 1707 par le Lorrain Antione ROYER, à son retour de Vienne. Le comte LOCQUET de GRANDVILLE, originaire de Saint-Malo, valereux général de la guerre de succession d'Autriche, reprit ce bien en 1731. Charles Joseph de RUTANT, chambellan du roi Stanislas, brigadier des armées du roi de France, bientôt Lieutenant général au Service de S. A. Electeur de Saxe lui avait succédé en 1752.

Le couple CHOPIN engendra cinq enfants à Marainville de 1769 à 1775, dont trois survécurent, prénomés Anne, Nicolas et Marguerite.

Dès 1775, la population du village se montra inquiète. La comtesse de Marainville était décédée sans enfant et Mr. le Compte qui n'était qu'un usurfruitier venait de se remarier à Paris. François CHOPIN avait alors délaissé son métier de charron pour exécuter la charge de syndic du village ; il devenait ainsi l'un des trois notables à coté du maire et du curé de la paroisse. Elu syndic de 1775 à 1785, il percevait les revenus, organisait le tirage de la milice, il engageait et surveillait les dépenses. Il notera en 1783 qu'il « était allé lui-même casser la pierre sur la route pour l'entretien de la chaussée » et son sucesseur notera : « François CHOPIN a fait différents petits voyages et bien de dépenses qu'il ne porte pas en dépenses et il a même négligé ses propres affaires pour suivre de près celles de la communauté ».
Que dire alors de la première éducation donnée à Nicolas CHOPIN? Elle devait être marquée par la présence à la maison de la grand'mère maternelle, de la mère et des soeurs et par l'exiguïté d'une moitié de maison comprenant deux pièces et un atelier. L'oraison funèbre de Nicolas mentionnera que « Nicolas né dans les environs de Nancy avait passé ses jeunes années dans une famille connue pour sa piété » ; le curé NOEL tenait une place amicale en cette demeure.
Deux règents d'école accueilleront le jeune Nicolas : Alexis BOURCIER, fils de vigneron — François CHOPIN avait été son témoin de mariage — et surtout Joseph HILAIRE, fils et petit-fils de fameux maîtres luthiers de Poussay. Poussay, proche de Mirecourt, était célèbre pour son illustre chapître de Chanoinesses aux noms prestigieux : de BEAUVAU, du CHATELET, de CHOISEUL, de CUSTINE, de MONT-MORENCY, de ROSIERS...

Sorti de l'école du village, Nicolas avait fréquenté le Lycée de Tantimont situé à deux kilomètres de Marainville et tenu par des chanoines écolâtres et bibliothécaires.

L'avenir du comté apparut bien incertain au décès du comte survenu en 1779. Les trois héritiers demeurant à Saint-Malo, Rennes et Paris avaient décidé de vendre le château moyennant 300.000 livres. Un seul acquéreur se présenta à Nancy en 1780 ; il se nommait Michel Jean comte PAC. L'acte de vente fut ratifié à Paris le 12, à Rennes le 17, à Saint-Malo le 19 janvier 1781.

Qui était PAC ? Né en 1730 en Lithuanie, staroste de Ziołów au palatinat de Brześć Litewski, chambellan du roi Auguste III, général polonais en 1786, il avait adhéré à la Confédération de Bar (1768), dont il avait été nommé l'un des Maréchaux. A ce titre, il avait rencontré le Prince de ROHAN, ambassadeur de France à Vienne et évêque coadjuteur de Strasbourg et il avait pu apprécier les services rendus à la Confédération par le Vosgien Baron de VIOMENIL. La Confédération avait échoué et PAC s'est réfugié à l'Ambassade de Vienne puis retiré en Bavière, ensuite en Suisse. A la fin de l'année 1774 il avait rencontré à Paris le comte Michał WIELHORSKI et son épouse née OGIŃSKA, il avait rejoint Strasbourg, invité par le même Prince de ROHAN nommé Cardinal et Grand Aumônier de France.

PAC souscrit alors deux actes importants : au début de l'année 1780 il sous-loue le modeste château de Lingolsheim proche de Strasbourg ; à la fin de l'année il acquiert le comté de Marainville. Deux raisons avaient motivé ce choix : tout d'abord la bonne conservation de tous les documents de la Confédération en un lieu sûr, puis le souci d'accueillir dignement et dans le secret ses amis « à la polonaise ». PAC n'était pas marié, il se déplaçait beaucoup ; il fallait donc engager des intendants-régisseurs de grande confiance. Pour Lingolsheim, PAC avait choisi le foyer TRAUTWEIN marié à KEITH, pour Marainville, il choisit Adam WEYDLICH qui avait épousé en 1777 à Paris Françoise Nicole SCHELLING.

Qui était Adam WEYDLICH ? Il écrit lui-même en 1783 qu'il est « intendant-régisseur de S. E. Mgr le comte PAC, grand Maréchal de la Confédération générale du grand Duché de Lithuanie, général major de la garde noble de Pologne ». Le maître d'école de Diarville écrit que « WEYDLICH est ancien Secrétaire à Paris de la Confédération de Pologne, qu'il demeure au château de Marainville, qu'il est l'époux de Dame Françoise Nicole SCHELLING, fille d'officier du Roi suivant Sa Majesté ».

Pourquoi s'intéresser à cette Dame? Dans son araison funèbre de Nicolas prononcée en 1844, Mgr. DEKERT précise que « Nicolas CHOPIN est arrivé en Pologne en 1787, en compagnie d'une dame, vis-à-vis de laquelle il se comporta en vrai fils jusqu'à sa mort ». Cette Dame était née SCHELLING. Ses parents s'étaient unis à Paris en 1754. Le contrat de mariage stipulait que Henry SCHELLING, tailleur privilégie suivant la Cour, demeurant à Paris, rue de la Comédie française, épousait Nicole DROIT, fille d'un maître charcutier de la rue Dauphine ; il précisait que le marié était « fils de Michel SCHELLING, maréchal à Ludenscheit... et de Marie.. du nom de famille de laquelle dite dame, il n'a point quant à présent mémoratif ». Un maréchal? Ignorant sa mère? A Ludenscheid (à l'Est de Dusseldorf) , nous découvrons que la famille s'appelait SCHILLING, qu'un maréchal était un reidemeister, un maître étireur de fil de fer, et que Marie se nommait Maria VENHOFFE.

Les parents de la future Françoise Nicole devaient se révéler très rapides dans les affaires. Ils avaient emprunté et acquis d'abord deux vastes maisons-hôtels sis à Boulogne (près de Saint Cloud), puis en 1768 l'hôtel de Tréville, proche du jardin du Luxembourg. Le décès de la maman, survenu en 1775, entraîna un long inventaire terminé le 18 janvier 1777. Deux jours plus tard, le contrat de mariage WEYDLICH et SCHELLING était signé en présence du comte BRZOSTOWSKI [il s'agit certainement du comte Adam Brzostowski (1722–1790) châtelain de Połock, confédéré de Bar, réd. I. P.] , de l'abbé LUBORSKI, chanoine de Gniezno, du sieur KUCHARSKI, « tous Polonais, amis du futur mari ».

Françoise SCHELLING dira plus tard que les affaires ont obligé son père à entreprendre un long voyage en Pologne ; des lettres datées de 1783 signalent qu'Henry SCHELLING est absent depuis cinq ans ; il est passé en pays étranger sans sonner des nouvelles. Par suite de cette absence le foyer WEYDLICH et SCHELLING devra gérer les hôtels de la famille, notamment l'Hôtel de Tréville nommé maintenant Hôtel de l'Empereur compte tenu des visites « incognito » de l'empereur Joseph II. En 1781, la liquidation de la communauté parentale était prononcé : le prince DELABORCIŃSKI [?], le sieur LASZORSKI, des notables anglais, portugais, le chargé d'affaires du Roi de Pologne, l'Ambassadeur de la Cour de Berlin, le conseiller privé de Saint- Petersbourg, le margrave de Hesse-Cassel devaient de fortes sommes...

L'été 1782 s'achevait quand les WEYDLICH enfin libres, vinrent habiter le château de Marainville. Ils firent connaissance du maire, du curé, du syndic et c'est ainsi que les ainés des CHOPIN furent tout d'abord naturellement invités. A 200 mètres de la chaumière, ils découvraient le château et ses six hectares de parc ; ils étaient admis dans une demeure princière où l'on observait les règles du savoir-vivre et du savoir-faire « à la parisienne » et « à la polonaise ». Madame WEYDLICH, souvent seule attendait la naissance de son premier enfant ; elle avait pour amie Thérèse CHOPIN, la demi-soeur de François, la marraine de Nicolas, elle était agée de 28 ans, Thérèse en avait 34.

Tout se passa bien jusqu'en 1785, jusqu'au jour où l'on apprit avec émotion que le comte PAC avait décidé à Nancy se « se défaire du Comté ». En fait, PAC n'avait pas payé le château..., il rétrocédait alors Marainville aux anciens propriétaires. Il allait répartir vers Strasbourg, emmenant les documents, laissant des factures et des vignerons impayés..., il est à noter qu'au même moment Son Eminence Cardinal de ROHAN, protecteur de PAC, était arrêté et embastillé, suite à l'Affaire du Collier de la Reine.

Les WEYDLICH n'accompagnèrent pas le comte PAC en Alsace. Ils vécurent dans la discrétion à Viéville à 7 km de Marainville. C'est là que vivait Thérèse CHOPIN. Adam WEYDLICH se rendait souvent à Paris chez le sieur KUCHARSKI, Polonais de la paroisse St. Sulpice, il préparait son départ pour Varsovie.

Nicolas CHOPIN préparait son brevet d'Etudes Secondaires au Lycée de Tantimont, il se rendait souvent à Viéville. Pourquoi quittera-t-il en 1787 sa Lorraine natale ? Les crises survenant en Lorraine, l'avenir familial très limité, la menace de l'orage révolutionnaire et surtout l'offre providentielle de partir justifient cette décision. Fin septembre, Madame WEYDLICH, son fils aîné, né à Marainville en 1783 et

Nicolas CHOPIN prirent le chemin de Strasbourg ; ils rejoignirent les TRAUT-WEIN et entreprirent un long voyage.

L'adaptation polonaise est bien connue. Dès son arrivée, Nicolas CHOPIN fut embauché comme teneur de grand livre à la Manufacture des Tabacs de Varsovie dirigée par Adam WEYDLICH en personne ! La Manufacture ferma ses portes en 1790 ; Nicolas se fit alors précepteur dans de grandes familles de la capitale et enseigna dans des pensionnats privés ; il logeait toujours en 1792 chez les WEYDLICH au 406, Faubourg de Cracovie, « dans une maison de pierre, propriété des Missionnaires de Sainte-Croix..., le très réputé Corps des Cadets occupait le 394 !

En 1794, CHOPIN entend l'appel de KOŚCIUSZKO ; il est choisi centenier de la Garde. L'insurrection échoua ; il se rendit alors à Kiernozia (70 km à l'ouest de Varsovie) en tant que gouverneur-précepteur de la famille ŁACZYŃSKI. Il éduqua en ce lieu de 1795 à 1802 Teodor (futur aide de camp de DUROC, maréchal de la maison de l'Empereur Napoléon) et surtout Maria (future Maria WALEWSKA).

1802 : Ludwika GERING, originaire de Toruń, seconde épouse du comte Kacper SKARBEK propose à Nicolas CHOPIN le poste de précepteur-gouverneur à Żelazowa Wola ; celui-ci accepte. C'est là qu'il fera connaissance de Justyna qu'il épousera en 1806, c'est là que naîtres Frédéric en 1810, c'est là qu'il rencontrera le grand ami LINDE, proviseur du Lycée.

La carrière publique de Nicolas est bien connue, la vie du pensionnat également, l'étude de la bibliothèque est riche d'enseignements. Le couple Nicolas et Justyna possède des talents indiscutables d'éducateurs. Chacun apporte sa culture d'origine dont il partage les richesses.

L'oraison funèbre évoquera la vivacité du caractère de Nicolas, ses vues intéressantes sur l'avenir, elle soulignera la gaieté de l'enseignant liée à une moralité sans reproche, le grand sérieux de l'éducateur et sa parfaite application dans son travail. Et Nicolas soulignera lui-même la qualité de cet enseignement auprès de son fils : « Tu sais que j'ai fait tout ce qui a dépendu de moi pour seconder tes dispositions et développer ton talent, que je ne t'ai contrarié en rien » ; il ajoutait quelques mois plus tard : « Ces Messieurs ignorent que tu as reçu une bonne éducation et que tu ne fus pas occupé qu'à déchiffrer des notes ». Il rappelait souvent que le but à atteindre, c'était que « les enfants se suffisent et soient aimés, qu'ils marchent dans la voie de la vertu ». Comme le soulignait NIEWIADOWSKI, « Frédéric avait hérité de son père un esprit clair et lucide, un jugement droit et pénétrant et un certain sens pratique qui, malgré l'attrait qu'exerçait sur lui la vie mondaine, lui avait toujours interdit de gâcher ses dons, de disperser ses efforts, de se relâcher dans son travail ».

Les correspondances échangées après le départ de Frédéric (1830) entre le père et le fils révèlent bien la constante dignité des parents : 1833 : « Nous nous soutenons comme nous pouvons... nous sommes contents de notre médiocrité, nos besoins étant très bornés » ; 1834 : « Nous nous contentons du peu que nous gagnons..., quand je regardre autour de moi, je suis content de notre sort » ; 1841 : « Cela va bien doucement... Il n'y a que notre coeur qui soit toujours le même, il conserve toute sa vigueur pour aimer nos enfants... Quant à nous nos infirmités nous tourmentent, mais du moins elles n'augmentent pas considérablement ».

Les deux lettres de 1842 ont valeur de testament : « Voilà 72 ans qui finissent ! Que pendant le peu de temps qui me reste je puisse encore goûter le plaisir de lire quelques unes de tes lettres. Parle-moi de toi » ; « Je sors peu, excepté dans notre petit jardin, où nous avons quelques grappes de raisin que j'ai soignées et qui ont parfaitement mûri, ce qui m'a rappelé le bon temps des vendanges... Porte-toi bien... Ta mère et nous, t'embrassons tendrement en te pressant contre notre coeur avec toutes les forces qui nous restent ».

Nicolas — tel un juste — décéda le 3 mai 1844 au domicile des BARCIŃSKI (Antoni était le mari d'Isabelle CHOPIN) . C'était un vendredi à trois heures de l'après-midi, jour anniversaire de la Constitution de 1791. La déclaration de décès indique que : « Nicolas CHOPIN est ancien professeur, âgé de 75 ans, Français de naissance, fils de parents inconnus ».

Dans un long courrier adressé à Frédéric, Isabelle et son mari décrivaient la fin édifiante de ce père ; ils mentionnaient que le dernier jour, « Nicolas parlait et même était gai, ce qu'il ne cherchait pas à cacher » ; l'oraison funèbre ajoute que dans les moments ultimes, Nicolas « suivait la progression de sa fin ». Et Justyna évoquera dans la lettre qu'elle écrivit le 13 juin 1844 à George SAND le « souvenir ineffaçable de la vie exemplaire de son digne mari ».

Nicolas CHOPIN, c'est un Gaulois issu de cette vieille marche de Lorraine. Il incarne fort bien l'esprit de sa terre natale : fidélité dans les amitiés, tenacité entraînante, entêtement discret. Lui et son fils engagés dans l'histoire agitée des révolutions proclament leur soif de liberté et d'indépendance.

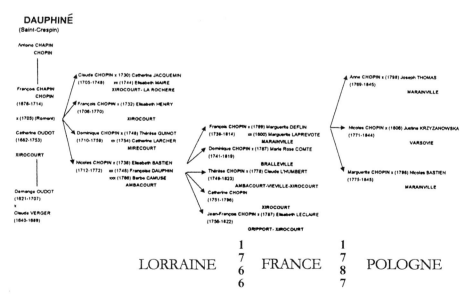

Tableau généalogique dressé par Gabriel Ladaique.

STRESZCZENIE

O WKŁADZIE W HISTORYCZNĄ ZNAJOMOŚĆ MĘSKICH PRZODKÓW FRYDERYKA CHOPINA

Przedstawiony tekst jest odpowiedzią bezpośrednią na liczne pytania dotyczące Mikołaja, ojca Fryderyka. Jacy byli jego przodkowie, jakie były korzenie rodziny, jaką kulturę wyniósł Mikołaj z Lotaryngii? Kim była dama, która towarzyszyła Mikołajowi w 1787 r. w podróży do Warszawy? Dlaczego i jak wyjechali? Jaka była droga, którą przebył Mikołaj jako guwerner, nauczyciel, mąż, obywatel francuski w Polsce? Odpowiedzi na te pytania muszą być wszakże zdecydowane i naukowe. Dotyczą tematu, zupełnie niedostępnego badaniom przed podjęciem ich przez autora i zaprezentowaniem w dysertacji obronionej na Sorbonie w 1986 r. W postaci książkowej ukazała się ona (po uzupełnieniu badań) w 1999 r. pt.: *Les origines lorraines de Frédéric Chopin* [Lotaryńskie korzenie Fryderyka Chopina]. Jest to ważne opracowanie z punktu widzenia pogłębienia znajomości biografii Fryderyka Chopina.

CHOPINS VORFAHREN UND VERWANDTE AUS DER SEITENLINIE DER MUTTER

Czesław Sielużycki
(WARSZAWA)

Große Komponisten kamen nicht von irgendwo her. Ihre Leistungen wurden in einem nicht geringen Maße vom Milieu, in dem sie aufgewachsen sind, und von ihrer Bildung determiniert. Aber ihre besonderen Fähigkeiten, ihr Vorstellungsvermögen, ihre Intuition und Expressionsmöglichkeiten sowie ihre Ausdauer mussten ihnen eingeboren sei, weil sie schon im Kindesalter schöpferisch waren. Der kaum achtjährige Chopin war sich schon seiner Fähigkeiten bewusst, indem er in einer Geburtstagskarte an seinen Vater schrieb, dass es ihm leichter gewesen wäre, seine Gefühle mit Tönen als mit Worten auszudrücken. Es ist auch bekannt, dass er schon ein Jahr früher (1817) seine ersten Tänze, Variationen und Märsche — vergleichbar mit Werken zeitgenössischer Komponisten — schuf.

Die Genetiker bezeichnen den höchsten Grad der schöpferischen Geisteskraft (Genius) als besondere Art der „Anhäufung von Prädispositionen der Vorfahren", die häufig schon in beschränktem Maße bei einem der Grossväter, beim Vater und/oder bei Verwandten der Seitenlinie anzutreffen sind. Bekannt sind auch Faktoren, die dazu beitragen und zu denen eine starke nationale, kulturelle oder gesellschaftliche Differenzierung von Elternzügen zählt; so ist es auch im Fall Chopins. Man kann also nur bedauern, dass die Chopinologen des vergangenen Jahrhunderts, für welche die Archive offen standen, dieses Thema kaum aufgegriffen hatten, wobei jedoch ihre Nachfolger diese Lücke teilweise schlossen. Es geschah jedoch sehr spät, insbesondere was die Vorfahren und Verwandte Chopins mütterlicherseits betrifft. Bekanntlich war Justyna Chopin eine geborene Krzyżanowska. Das landadelige Krzyżanowski-Geschlecht stammte aus den südöstlichen Randgebieten Polens. Im 14. Jh. übersiedelten die meisten Vertreter dieser Familie nach Zentralpolen — hauptsächlich nach die Umgegend Kujawy.

In der untersuchten (leider zu kurzen) direkten Linie der mütterlichen Vorfahren des Komponisten gebührt seinem Grossvater Jakub Krzyżanowski ein Ehrenplatz; diese Gestalt wurde in den Biographien Chopins in der Regel nur kurz erwähnt. Er wurde ca. 1744 geboren und war einige Jahre jünger als der ebenso erwähnenswerte Grossvater väterlicherseits, François Chopin aus dem lothringischen Marainville. Der Vater Jakubs war wahrscheinlich Franciszek Krzyżanowski, ein Adeliger des Wappens Świnka, polnisch-tatarischer Herkunft. Meine bisherigen Untersuchungen haben nicht bestätigt, dass dieser Geschlechtszweig von den jüdischen Dissidenten — Frankisten abstammte. Franciszek soll auf eigenem Grund und Boden in der Wojewodschaft Bydgoszcz in Szubin gewirtschaftet haben. Ausser Jakub, dem späteren Gründer der älteren Linie der Familie Krzyżanowski in Kujawy, hatte Franciszek noch zwei Söhne: Józef (?) und Maciej.

Diese gaben den Seitenlinien den Anfang, der Posener und Radomer Linie, aus denen zahlreiche Tanten und Onkel von Chopin hervorgegangen sind (siehe Ahnentafel).

Der im Schrifttum als Fronvogt bezeichnete Jakub wurde mit ca. 30 Verwalter und Pächter der weit ausgedehnten Ländereien der Grafenfamilie Jan und Konstancja (geb. Bruchental) Skarbek. Die Güter befanden sich in Kujawy (in der Gabelung der Flüsse Weichsel und Noteć) und auf anliegenden Gebieten (in der Nähe von den Städten Płock und Piotrków). Jakub gewann die Anerkennung der Grafenfamilie Skarbek und heiratete wahrscheinlich 1774 Antonina Kołomińska, die „im Gefolge der Konstancja" um aus Pommern gekommen war. Die Eheleute wohnten im (bis heute erhaltenen) Hof in Izbica Kujawska. Hier wurde ihr Sohn Wincenty Krzyżanowski und dann die Tochter Marianna geboren; beide wurden in der dortigen Kirche getauft. Schliesslich (1782) kam im nahe gelegenen Dorf Długie die Tochter Justyna, die spätere Mutter Fryderyks, zur Welt.

Die Tätigkeit des begabten und gewandten Verwalters trug zum vorteilhaften materiellen Status der beiden eng befreundeten Familien bei, auch in späteren Jahren, als die jüngeren Sprossen der Familie Skarbek das Erbe in Izbica übernahmen: Eugeniusz (der Taufpate von Justyna) und der berühmte Kacper, ehemaliger Rittmeister, Freimaurer und Günstling des polnischen Königs Stanisław August. Es stimmt also nicht, dass auf die Gestaltung der Persönlichkeit von Justyna die Armut Einfluss hatte. Im Gegenteil: Der ehrwürdige Vorfahre des künftigen Genius konnte ihr eine standesgemässe Ausbildung und Erziehung gewährleisten; sie lernte Französisch und spielte Klavier. In ihrem Elternhaus fanden oft prunkvolle Empfänge, Tanz und Musik statt, ausgeführt von einer fest engagierten Kapelle. Eine allgemeine Verarmung erfolgte zwar, aber erheblich später, nachdem Preussen die westlichen Teile Polens besetzte (nach 1795) und als der *homo ludens* Kacper trunksüchtig wurde und sein väterliches Erbe verlor. Fryderyk übernahm von der Mutter mehrere Eigenschaften, vor allem aber „die vornehmen Gefühle und Instinkte".

Über Antonina Krzyżanowska — die Grossmutter Chopins — wurde noch vor kurzem geschrieben: „Wir wissen nichts über sie". Gleichzeitig wurde jedoch darauf hingewiesen, dass sie in ihrer Jugend mit ihrer Cousine (?) Ludwika Fengerówna (der späteren Skarbek) schon in Thorn befreundet war. Man kann daraus schliessen, dass sie dort etwa 1750 geboren wurde. Ihre Funktion in Izbica, an der Seite von Konstancja Skarbek, war der Rolle und späteren Funktion der Justyna in Żelazowa Wola sehr ähnlich; sie beruhte auf der Verwaltung des Hauses (und vorübergehend auch der landwirtschaflichen Güter in Długie und Sarnów) sowie auf der Erziehung der eigenen Kinder und derjenigen Skarbeks.

Leider verschwinden seit 1799, infolge unaufgeklärter Ereignisse, die Spuren des Ehepaars Jakub und Antonina Krzyżanowski sowie ihrer zwei Nachkommen Wincenty i Marianna und teilweise auch der Familie Skarbek. Kacper und Ludwika ziehen dann mit mehreren Kindern in ein erheblich bescheideneres Landgut Żelazowa Wola, wo dann später Fryderyk Chopin geboren wurde. Zusammen mit ihnen verlässt die verwaiste achtzehnjährige Justyna die verkaufte Länderei Izbica. Das mit ihnen verschwägerte und dank den Verdiensten ihres Vaters in Obhut genommene adelige Fräulein nimmt die Tochter der Marianna, die kleine Bielska (die einzige Cousine Chopins) mit sich. Einige Jahre später wird die „Zuzia" Bielska die Kinder des Ehepaars Chopin betreuen und die hauseigene Pension verwalten.

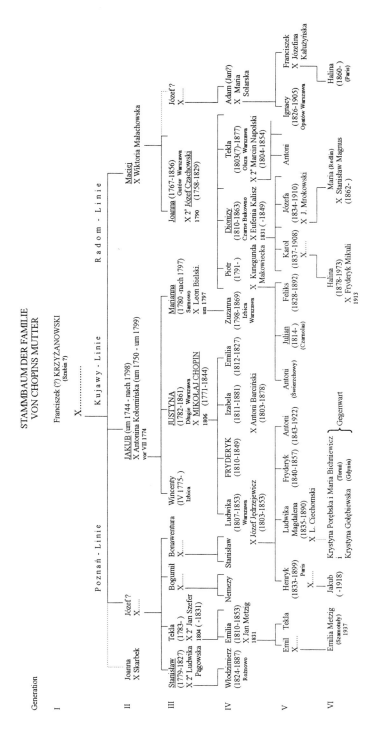

STAMMBAUM DER FAMILIE
VON CHOPINS MUTTER

Bearb. von Cz. Sieluzycki (1992), hauptsächlich nach T. Żychliński

An Persönlichkeiten mit überdurchschnittlichen Charakter- und Geisteigenschaften fehlte es nicht in den Seitenlinien der Krzyżanowski-Familie, d.h. unter den Nachkommen von Józef (?) und Maciej. Deren bedeutende Anzahl (die auf der Ahnentafel sichtbar gemacht wurde) steht in keinem Verhältnis zur Anzahl der Verwandten, die in der Korrespondenz des Komponisten und in seinen Biographien erwähnt wurden. Das lässt sich wohl durch die Tatsache erklären, dass „die Familiengenealogie bei den Chopins eine *melodia prohibita* war", hauptsächlich um die ländliche Herkunft von Mikołaj zu verschweigen; die Familienkontakte waren auch keineswegs infolge der Zerstreuung von Familienangehörigen in den damaligen Teilungsgebieten Polens leicht. Trotzdem kannte Fryderyk im Heimatland einige Cousins der Radomer Linie wie Piotr, Tekla und Julian Czachowski. Mit dem letzgenannten („unserem Neffen") wohnte der künftige Komponist sogar unter einem Dach, da Julian Zögling der elterlichen Pension Chopins war. Aber eine besonders wichtige Gestalt in dieser ehrbaren, patriotischen Familie war wohl Dionizy Czachowski (1810–1863). Der reiche Gutsbesitzer mit mehreren Kindern, dazu Partisanen-Oberst, gehörte zu den berühmten Helden des Aufstands von 1863 und war fast gleichgestellt dem Anführer Langiewicz. Anlässlich seiner Hochzeit soll er von seinem gleichaltrigen Cousin Chopin ein später verlorengegangenes Musikstück mit einer Widmung erhalten haben.

Unter den Posener Familienmitgliedern befand sich ein dem Dionizy gewissermassen gleichgestellter Enkel von Józef (?) — Włodzimierz Krzyżanowski (1824–1887). Ebenfalls reich, wirtschaftete er zusammen mit seiner Frau und Verwaltern auf der Familienerbschaft in Rożnowo in der Nähe von Posen. Auf Appel des Präsidenten Lincoln trat er der amerikanischen Armee bei und brachte es bis zum General, als dritter nach Kościuszko und Puławski. Von Alaska, wo er der erste Gouverneur war, schrieb er Briefe nach Polen, darunter an die „liebe Tante" Justyna Chopin in Warschau.

Abschliessend sei vermutlich, dass auch die Krakauer Krzyżanowskis entfernte Verwandte von Chopin sein sollen und zwar Halina (Pianistin) und Ignacy (Pianist und Komponist), der in Paris und London mit Chopin in Kontakt trat.

Eine eingehendere Bearbeitung des hier dargelegten Themas und volles Schrifttum dazu ist in der von mir verfassten polnischen Arbeit über die Familien Skarbeks und Krzyżanowskis im „Rocznik Chopinowski" 1997 Nr. 22/23, Seite 334 ff. (herausgegeben von der Fryderyk-Chopin-Gesellschaft in Warschau) zu finden.

Ausgewählte Quellen:
1. *Akta kanclerskie Królestwa Polskiego* [Die Kanzler-Akten des Königreichs Polen] 1764/25, 1786/22–23. A.G.A.D. Warszawa
2. André Clavier, „Dans l'entourage de Chopin", in: *Chopins Milieu*, Lens 1984.
3. Paweł Dzianisz, *Okolica Chopina* [Die Umgebung Chopins], Gdynia 1964.
4. Otto Siebmacher, *Neues Wappenbuch des blühenden Adels*, München 1863, Band 1.
5. Kacper Nieciecki, *Herbarz Polski* [Polnisches Wappenbuch] Leipzig 1841, Band 8, S. 376.
6. Teodor Żychliński, *Złota Księga Szlachty Polskiej* [Goldenes Buch des polnischen Adels] Bände I, XXV, XXXI.

1. Jetziger Zustand des Herrenhof Familie Skarbeks in Izbica

2. Die römisch-katholische Kirche, wo die Kinder Skarbeks und Krzyżanowskis getauft wurden

3. Chopins posener Cousin V.S. General Włodzimierz Krzyżanowski

4. Chopins Verwandte und Altersgenosse, der berühmte Partisanen-Oberst Dionizy Czachowski

STRESZCZENIE

PRZODKOWIE I KREWNI POBOCZNI CHOPINA ZE STRONY MATKI

Wielcy kompozytorzy nie pojawiali się znikąd. Ich kreatywność determinowało środowisko, wykształcenie, często przykład; głównie jednak — szczególnego rodzaju wrodzone „nawarstwienie się niektórych predyspozycji przodków", zwłaszcza w przypadku znaczniejszego zróżnicowania cech rodzicielskich. Chopin już w wieku 8 lat uświadomił to sobie, stwierdzając (w laurce na imieniny ojca), że łatwiej by mu było wyrazić uczucia za pomocą dźwięków, niż słów. Badanie matczynego rodowodu Chopina podjęto dopiero w latach 70. XX wieku. Stąd niedostatek adekwatnych przekazów, konieczność odwołań do tradycji chopinowskiej i innych źródeł, a w konsekwencji (inaczej niż w genealogii Mikołaja Chopina) nikłość informacji o nielicznych wstępnych, natomiast znacznie lepsze wyniki, jeśli idzie o zaskakująco licznych zstępnych (zob. tabela).

Zapewne mentalnym prekursorem Fryderyka, wnoszącym owe predyspozycje ugruntowane wolteriańskim wychowaniem, był jego ojciec; wszelako i w rodzinie matki, Justyny, po której Fryderyk „wziął wykwint uczuć i instynktów", nie brakowało postaci wybitnych, a nawet historycznych. Ojcem Justyny był Jakub Krzyżanowski, szlachcic, sprawny rządca (lub dzierżawca) rozległych dóbr hr. Skarbków w woj. kujawsko-pomorskim. Wg jego własnego przekazu wcześniej gospodarzył wraz z ojcem (Franciszkiem?) w powiecie szubińskim; jego żoną była Antonina Kołomińska (babka Fryderyka). Justyna swe młode lata spędziła w siedzibie Skarbków w Izbicy Kujawskiej, gdzie otrzymała wychowanie dworskie. W 1800 r. w związku z zubożeniem swych opiekunów i osieroceniem, przeniosła się wraz z nimi i siostrzenicą Zuzanną Bielską do Żelazowej Woli.

Jakub miał dwóch braci: Macieja i Józefa (?), założycieli pobocznych linii Krzyżanowskich. W linii poznańskiej na szczególną uwagę zasługuje stryjeczny brat Justyny Włodzimierz, miejscowy dziedzic, który został generałem amerykańskim i pierwszym gubernatorem Alaski. Jego odpowiednikiem w linii radomskiej był stryjeczno-cioteczny brat Chopina Dionizy Czachowski, majętny ziemianin, a jednocześnie pułkownik-partyzant zasłużony w Powstaniu Styczniowym, nieomal na równi z Langiewiczem. Chopin znał tylko kilku ze swych licznych krewnych*.

* Obszerne studium na temat pobocznych krewnych ze strony matki i bibliografia — zob. „Rocznik Chopinowski" 22/23 (1996–97), s. 334–360.

LA MORT DE FRÉDÉRIC FRANÇOIS CHOPIN.
LE DÉTOURNEMENT DE SA SUCCESSION ET SES CONSÉQUENCES

Henri Musielak

(ANICHE)

L a vie de Chopin a suscité trop de biographies dont les auteurs ont souvent négligé d'établir les faits relatés et il s'avère que des idées reçues engendrées par des légendes ont encore cours aujourd'hui. Au nombre de celles que l'on continue à entretenir, il y a la localisation erronée de son dernier appartement au n° 12 de la place Vendôme où il s'est éteint. C'est ainsi qu'à l'approche du cent cinquantième anniversaire de sa mort et à l'occasion des « Journées du Patrimoine », on a fait visiter le salon du premier étage qui se trouve en façade de l'immeuble, en affirmant que Chopin y a passé les quatre derniers mois de sa vie, alors qu'il n'a vécu qu'un mois à peine à cet endroit de Paris. Son appartement se trouvait dans l'aile gauche sur la cour intérieure et non pas là où on a apposé une plaque commémorative[1]. Et Tad Szulc dans son livre consacré à Chopin à Paris prétend comme Bernard Gavoty que, de sa fenêtre, Chopin pouvait voir la colonne de la Grande Armée[2]. Pourtant, déjà en 1978, George Marek et Maria Gordon-Smith avaient tenu compte d'une première étude des documents de la succession de Chopin qui venait de paraître[3]. Si Tad Szulc

---

[1] Comme il ressort notamment du procès-verbal des scellés dressé par le juge de paix le jour du décès (H. Musielak, « Documents de la succession de Frédéric François Chopin », in : *Sur les traces de Frédéric Chopin*. Textes réunis par Danièle Pistone, Paris 1984, pp. 90 à 93). Il faut noter que, dans l'arrêté pris par le Ministre de l'Instruction Publique et des Beaux Arts en date du 2 mai 1927, le salon du premier étage a été inscrit sur l'Inventaire supplémentaire des Monuments Historiques pour l'intérêt architectural et décoratif, et non pas comme lieu historique où Chopin aurait fini ses jours. L'emménagement de Chopin dans le nouvel appartement de la place Vendôme a eu lieu dans la semaine du lundi 24 au samedi 29 septembre 1849, compte tenu des dimanches (cf les lettres de Jane Stirling à Louise Jędrzejewicz, la sœur de Chopin, publiées par H. Wróblewska-Straus : *Rocznik Chopinowski*, N° 12, pp. 69, 72). Chopin a failli loger à cet endroit de Paris quelques années plus tôt. En 1841, il avait chargé son ami Julien Fontana de chercher pour lui un autre lieu d'habitation (*Correspondance de Frédéric Chopin*. Recueillie, révisée, annotée et traduite par Bronislas Edouard Sydow en collaboration avec Suzanne et Denise Chainaye et Irène Sydow. Paris [réimpression 1981], Tome III, p. 75. Dans les notes suivantes de la présente étude, cet ouvrage de référence sera indiqué en abrégé : *Correspondance...*).

[2] T. Szulc, *Chopin w Paryżu*. Życie i epoka. Warszawa 1999, p. 377. (Edition anglaise : *Chopin in Paris. The Life and Times of the Romantic Composer*. [Sans lieu de parution], 1988). B. Gavoty, *Chopin*. Paris 1974, p. 443. Cet ouvrage est surtout une compilation de troisième ou quatrième main.

[3] Voir au préalable : H. Musielak, « O dokumentach dotyczących spadku po Fryderyku Chopinie. Uwagi korektorskie autora » [A propos des documents de la succession de Frédéric Chopin. Mises au point de l'auteur], *Ruch Muzyczny* 1980, N° 14, pp. 18, 19. Ensuite : Id., « Dokumenty dotyczące spadku po F. Chopinie (I). Akt zgonu — Protokół nałożenia pieczęci — Ostatnie mieszkanie » [Documents de la succession de F. Chopin (I). L'acte de décès — Le procès-verbal des scellés — Le dernier appartement],

avait lu, ne fût-ce que le texte liminaire de leur biographie du musicien (qu'il mentionne du reste dans sa bibliographie par ailleurs incomplète), il aurait évité cette malencontreuse méprise[4].

Les derniers moments de Chopin, sa mort causée par la maladie, l'autopsie et l'embaumement qui ont été pratiqués, les circonstances dans lesquelles s'est ouverte sa succession, son détournement sont autant d'éléments de la biographie du musicien dont il convient de tenter l'étude.

De tous les témoignages que nous avons des derniers moments de Chopin, on s'accorde souvent à dire que c'est celui de Charles Gavard qui semble le plus authentique. Encore faudrait-il savoir s'il a rédigé ses notes tout de suite après la mort de Chopin ou beaucoup plus tard. Que sont-elles devenues ? On n'en connaît pas le texte original dans son intégralité. L'auteur les avait confiées à Maurycy Karasowski qui les a utilisées dans une traduction allemande, Frederick Niecks a fait de même dans une traduction anglaise[5]. Les autres témoignages ne concordent pas sur plusieurs points, ils sont même contradictoires. C'est ainsi que nous avons plusieurs versions de la fin de la vie du musicien[6]. Il y a celle de l'abbé Alexandre Jełowicki, un ami retrouvé qui l'a ramené à la religion de son enfance[7], sans doute avec l'aide de sa sœur Louise et du Dr Jean Cruveilhier[8], et il y a aussi notamment, le témoignage de son élève Adolphe Gutmann, récusé quelque trente années plus tard par la nièce de Chopin qui se trou-

---

Ruch Muzyczny, 1978, N° 14, pp. 3–7, 20. — Id., « Dokumenty dotyczące spadku po F. Chopinie (II). Pełnomocnictwo rodziny Chopinów dla Ludwiki — Sprawa testamentu » [Documents de la succession de F. Chopin (II). La procuration de la famille Chopin pour Louise — Le problème du testament] , *Ruch Muzyczny*, 1978, N° 15, pp. 16–18, 20. — Id., « Dokumenty dotyczące spadku po F. Chopinie (III). Protokół licytacji i sprawozdanie ze sprzedaży licytacyjnej — Podsumowanie » [Documents de la succession de F. Chopin (III). Le procès-verbal de vente et le compte rendu de la vente — Conclusion], *Ruch Muzyczny*, 1978, N° 16, pp. 14–17.

[4] *Chopin. A Biography* by George Marek and Maria Gordon-Smith. New York, San Francisco, London 1978, pp. viii, ix, 238. (Edition polonaise : Warszawa 1990, pp. 7, 8, 272, 318, 319).

[5] M. Karasowski, *F. Chopin. Sein Leben, seine Werke und Briefe*. Dresden 1881; F. Niecks, F. *Chopin as a man and musician*. London 1888. Cités par Mergier et Bourdeix (*Jules Janin : 735 lettres de sa femme*. T.I, Paris 1973, p. 604). Ces auteurs font remarquer l'absence des marques habituelles de citation (guillemets). Comme nombre de biographes de Chopin, ils ont ignoré que Karasowski et Niecks ont pris quelque liberté avec les textes comme l'a démontré K. Kobylańska (*Korespondencja Chopina z rodziną*) [Correspondance de Chopin avec sa famille], Warszawa 1972, pp. 13 et ss.).

[6] Voir notamment : J. Iwaszkiewicz, *Chopin*. Paris 1966, pp. 285 et ss.

[7] Même si Alexandre Jełowicki est sujet à controverse, il est difficile de suivre J. Iwaszkiewicz lorqu'il écrit à propos de sa lettre adressée à Mme Grocholska « portant la date, fausse, du 21 octobre » (sic !) : « Il suffit de jeter un regard sur le portrait de l'abbé Jełowicki pour, même sans être physionomiste, commencer à se méfier du personnage, et ne pas trop prendre ses révélations à cœur (*op. cit.*, pp. 286 — 289). Chopin connaissait Jełowicki. En 1836, pour Noël, Jełowicki et Januszkiewicz avaient invité Chopin et le poète Mickiewicz à passer ensemble la traditionnelle soirée du 24 décembre (F. German, « Chopin i Mickiewicz », *Rocznik Chopinowski*, N° 1, p. 231). Chopin était-il tellement éloigné de la religion de son enfance ? On sait que G. Sand jugeait Chopin « enfermé dans le dogme catholique » (« *Histoire de ma vie* » *in Oeuvres autobiographiques*, G. Lubin (éd), vol. 1–2, Paris, 1970–71, t. 2, p. 445, cité par J.-J. Eigeldinger, cf. infra, note 10).

[8] Au nombre des patients célèbres du Dr Cruveilhier, il faut citer Talleyrand. Il a cherché à réconcilier le vieux diplomate avec l'Eglise romaine (Dr L. Delhoume, *L'Ecole de Dupuytren — Jean Cruveilhier*. Paris 1937, pp. 213, 214).

vait à Paris en 1849 avec sa mère . Ce qu'elle a écrit en 1882 dans *Le Courrier de Varso-vie* est en contradiction avec le témoignage de la fille de George Sand, Solange Clésin-ger[9]. En effet, la fille de Louise Jędrzejewicz, sœur de Chopin affirmera que Gutmann était absent de Paris au moment où Chopin agonisait, pourtant, selon Solange, il était bien ce jour-là place Vendôme. Elle l'appela pour maintenir Chopin dans une position qui l'empêcherait de suffoquer. Elle rapporte que Chopin lui avait dit : « Ne reste pas là. Cela va être vilain. Il ne faut pas que tu le voies »[10]. N'est-il pas vraisemblable que la nièce du musicien, âgée de quatorze ans[11] ait été éloignée de la chambre du mourant pour lui éviter d'assister à une scène aussi pénible ? Elle était sans doute au chevet de son oncle à d'autres moments de la journée, mais à cette heure avancée de la nuit, elle devait dormir dans une autre pièce de l'appartement. Du reste, aucun témoignage ne mentionne la présence de l'adolescente au moment de la mort de Chopin. Cela peut expliquer qu'elle n'ait même pas vu Gutmann.

Chopin est mort le mercredi 17 octobre 1849, sans doute peu avant deux heures du matin puisque la courte lettre adressée par Louise à son mari (complétée par un long post-scriptum de la princesse Marceline Czartoryska) est datée avec précision : « Dans la nuit du mardi [16] au mercredi 17 [octobre] à deux heures »[12]. Paradoxale-ment, Charles Gavard donne sur ce point important une information à la fois diffé-rente et très approximative puisque, selon lui, Chopin est mort entre trois et quatre heures du matin[13].

Mais de quoi est mort Chopin ? Edouard Ganche écrivait qu'il était d'une évi-dence absolue que les trente ou quarante médecins appelés par Chopin le jugèrent tuberculeux[14]. Etait-ce exact ? On a même prétendu qu'on « était dans la crainte des microbes de sa maladie [...et qu'on] ne voulait pas s'occuper de lui de peur d'attraper son mal »[15]. George Sand avait eu raison d'écrire déjà dix ans avant la mort du musi-

---

[9] Lettre de Ludwika Ciechomska, née Jędrzejewicz, nièce de F. Chopin, à la rédaction du *Kurier Warszawski* (26. VII/9. VIII. 1882).

[10] « Frédéric Chopin. Souvenirs inédits par Solange Clésinger », publiés par J.-J. Eigeldinger (*Revue Musicale de Suisse Romande*, 1978, N° 5, p. 231). La présence de Solange à la mort de Chopin est attestée par ailleurs dans la réponse au questionnaire envoyé par Franz Liszt à Louise (M. Karłowicz, *Souvenirs inédits de Frédéric Chopin*. Paris-Leipzig 1904, p. 203).

[11] Ludka, la nièce de Chopin était née le 22 juillet 1835.

[12] « Z wtorku na środę 17 [października], druga [godz.] w nocy » ; L. Binental, *Chopin. Życiorys twórcy i jego sztuka* (Esquisse biographique du créateur et son art), Warszawa 1937, fac-similé en horstexte après la p. 124.

[13] Cité notamment par Edouard Ganche (*Frédéric Chopin. Sa vie et ses œuvres*. Paris 1923, p. 418). On remarquera que Jełowicki, dans sa lettre à Mme Grocholska écrit que Chopin est mort à 2 heures du matin (*Correspondance, op. cit.*, p. 445). Quelques mois plus tard, le 31 janvier 1850, Jane Stirling annonçant à Louise la mort de l'épouse d'Auguste Franchomme lui répétait ce que celui-ci lui a dit : « Elle a fini à 2 heures comme C[hopin]. Elle avait des étouffements comme lui les cinq dernières heures » (*Rocznik Chopi-nowski*. N° 12, p. 82).

[14] E. Ganche, *Souffrances de Frédéric Chopin*. Paris 1935, p. 199. Voir aussi : J. A. Kuzemko, « Chopin's Illnesses », *Journal of the Royal Society of Medicine*. Vol. 87. Dec. 1994, pp. 769–772.

[15] F. de Saint-Simon, *La Place Vendôme*. Paris 1982, p. 388. A propos de cette publication où l'on trouve sur Chopin les choses les plus fantaisistes et les plus aberrantes voir : *Sur les traces de Frédéric Chopin*, pp. 91, 92 (ut supra, note 1).

cien : « [Chopin] peut dormir dans un lit que l'on ne brûlera pas [...] »[16]. Effectivement, son lit et son matelas, ainsi que sa garde-robe furent vendus aux enchères publiques après son décès[17] ! Au nombre des publications médicales consacrées aux
maladies de Chopin, il y a un article qui a échappé à l'attention de ceux qui se sont
intéressés à cette question. Son auteur, le Dr Rentchnick, médecin suisse, a essayé de
se replacer dans les conditions de l'exercice de la médecine entre 1810 et 1850. Il
écrit : « Il nous a semblé qu'il était pratiquement impossible de faire le diagnostic
différentiel entre la tuberculose pulmonaire et la bronchectasie du point de vue clini-
que et qu'il était facile de se tromper lors de l'examen anatomo-pathologique ». Par
ailleurs, il ne retient pas le diagnostic de maladie fibro-kystique proposé par O'Shea[18].
Et dans un entretien, le Dr Rentchnick me disait que l'observation du cœur ne pouvait
expliquer l'origine des lésions pulmonaires. « Il était impossible — disait-il — de
déterminer un diagnostic ». Dans une étude plus récente, Adam Kubba et Madeleine
Young présentent un résumé intéressant des symptômes de la maladie de Chopin. Ils
concluent avec prudence que « le diagnostic pourrait être limité, soit à une forme
atténuée de la mucoviscidose, soit à un déficit en alpha $_1$ AT parce que ces deux maladies pourraient expliquer sa mauvaise santé chronique et son décès prématuré ». Ils
ajoutent que « les arguments en faveur de la deuxième maladie sont un peu plus
convaincants que ceux en faveur de la première »[19].

---

[16]   Lettre de G. Sand à Mme Marliani le 26 février 1839, cité par E. Ganche (*Frédéric Chopin. Sa vie et ses
œuvres, op. cit.*, p. 225). Encore vers le milieu du siècle, « la transmissibilité de la phtisie par contagion est
repoussée par la plupart des médecins [...] ». (H. Crosilhes, *Hygiène et maladies de la poitrine et de la voix*. Paris
1847, p. 51). Mais le Dr Cruveilhier écrira un peu plus tard que si la transmission par contagion des
tubercules pulmonaires ne lui paraît pas positivement démontrée, « il faut dans la pratique se comporter
comme si la tuberculisation était contagieuse. » (J. Cruveilhier, *Traité d'anatomie pathologique générale*. Paris
1852, t. II, p. 554).
[17]   Voir notre dernier article (p. 16, col. 3), paru en 1978 dans *Ruch Muzyczny* (ut supra note 3 in fine).
Vingt ans plus tard, A. Delapierre publie dans *Rocznik Chopinowski* (N° 22/23) des documents de la succession de Chopin sans faire mention dans sa bibliographie des publications antérieures qui leur ont été
consacrées et en particulier à l'article paru dans : *Sur les traces de Frédéric Chopin*. La publication tardive
d'André Delapierre n'apporte aucun commentaire juridique. Son auteur est certes touchant lorsqu'il
s'émeut à la lecture de la mention dans le compte rendu de la vente après décès du lit et du matelas sur
lequel est mort Chopin ! Mais il ne tire aucun enseignement des textes. Il ne s'intéresse même pas à la
localisation du dernier appartement de Chopin. Il publie la totalité du dossier de la vente après décès
malgré l'interdiction formelle de Maître Etienne Ader, commissaire-priseur, successeur de celui qui a
procédé à la vente du mobilier de Chopin.
[18]   P. Rentchnick, « Pathographies (87) : Chopin », *Médecine et Hygiène, Journal suisse d'informations médicales*.
Genève (13 avril 1988), N° 1744, pp. 1180–1193 ; J. G. O'Shea, « Was Frederic Chopin's Illness Actually
Cystic Fibrosis ? », *The Medical Journal of Australia*, 1987, pp. 147, 586–589.
[19]   A. Kubba, M. Young, « The Long Suffering of Frederic Chopin », *Chest. The Official Journal of the American College of Chest Physicians*. Vol. 113 (I). January 1998, pp. 210–216. Les auteurs de cette étude ont
ignoré le tabagisme passif chez Chopin en présence duquel G. Sand fumait. Il arrivait qu'elle ne quittait
pas des lèvres son cigare pendant toute la soirée si l'on en croit le témoignage d'une élève de Chopin,
l'épouse du Dr Hoffmann. Il faut dire par ailleurs que, comme le certificat de décès remis à l'office de
l'état civil pour l'établissement de l'acte de décès original n'a pas été conservé, on ne peut prétendre
comme ils le font que la cause de la mort figurant sur ce certificat précisait : « Tuberculose des poumons
et du larynx ».

Dans une lettre adressée à Auguste Léo, Albert Grzymała écrivait : « Il a ordonné qu'on l'ouvre, persuadé qu'il a été que la médecine n'a rien connu à sa maladie »[20]. On sait que c'est le Dʳ Jean Cruveilhier que Chopin a consulté dans les derniers mois de sa vie. Cet éminent professeur d'anatomo-pathologie avait été appelé auprès de patients célèbres[21]. On n'a pas trace de sa première visite, l'agenda de Chopin pour 1849 n'est pas complet[22]. Il manque en effet les pages relatives à la période du 6 au 29 juin et à celle du 1ᵉʳ au 14 juillet. A la date du mardi 17 juillet, Chopin a bien noté la deuxième visite de ce médecin (« Cruveilhier 2 [gi] raz »). Le Dʳ Cruveilhier a revu son patient les 20, 25 et 29 juillet, puis, en août, les 1ᵉʳ, 8, 11, 18, 22, 26 et 29. Le jeudi 30 août, Chopin a eu la visite des Dʳˢ Cruveilhier, Louis et Blache[23]. On ne sait pas si le Dʳ Cruveilhier est revenu le lendemain (mention raturée dans l'agenda). A la date du 6 septembre, il y a le nom de « Bequerele » (sic). On retrouve encore ce nom (sans le « e » final) aux dates du 9 et du 12 septembre. Le Dʳ Alfred Becquerel était médecin des hôpitaux, professeur agrégé à la Faculté de Médecine[24]. Il avait épousé une des filles du Dʳ Cruveilhier. Nous ne savons rien sur la période du 13 au 20 septembre (il manque les pages correspondantes dans l'agenda). Nous retrouvons le nom de Cruveilhier aux dates des 21, 25 et 28 septembre. On retrouve aussi celui du Dʳ Blache le 29 septembre. Pour ce qui est du mois suivant, nous avons la dernière trace écrite de la main de Chopin d'une visite du Dʳ Cruveilhier (la dix-huitième) à la date du lundi 1ᵉʳ octobre. C'est qu'il manque dans l'agenda deux pages relatives à la période du 7 au 10 octobre, pendant laquelle le Dʳ Cruveilhier est sans doute venu voir Chopin. Il est probablement venu le 12 bien qu'aucune mention ne soit portée dans l'agenda à cette date : Chopin allait au plus mal. L'abbé Jełowicki rapporte que le Dʳ Cruveilhier l'a appelé d'urgence ce soir-là[25]. A la date du dimanche 14 octobre, on trouve une croix de St André (x). Elle est probablement de la main de Chopin. Il est difficile de savoir ce qu'elle signifie. N'oublions pas que c'était à moins de trois jours de sa mort. Selon Grzymała, « la dernière agonie, après la confession et les Saints Sacrements a duré trois jours et trois nuits »[26].

---

[20]   *Correspondance...*, op. cit., p. 444.

[21]   Au nombre des patients connus comme Talleyrand qui l'avaient consulté, il faut citer Alfred de Vigny et Chateaubriand. Mᵐᵉ Jacqueline Granier dont le Dʳ Jean Cruveilhier est le trisaïeul m'a dit qu'il avait été également appelé auprès de la reine Victoria.

[22]   Cet agenda de Chopin est conservé à Varsovie dans la Collection de la Société Frédéric Chopin (TiFC) sous la cote : M 380.

[23]   Dans sa lettre à Auguste Franchomme (17 septembre), Chopin écrit que les Dʳˢ Cruveilhier, Louis et Blache, réunis en consultation ont décidé qu'il devait « se loger au midi et rester à Paris » (*Correspondance...*, op. cit., pp. 438–439). Effectivement l'appartement où Chopin allait s'installer, situé dans l'aile gauche sur la cour intérieure du Nº 12 de la place Vendôme est bien orienté au sud. Mais le soleil n'est apparu sporadiquement que pendant la première période après son arrivée. Le ciel était toujours couvert dans la journée pendant la semaine qui a précédé sa mort d'après le « Journal des observations météorologiques faites à l'Observatoire de Paris ». (cote : F 2 — 5).

[24]   *Almanach Général de Médecine pour la ville de Paris –1849*, p. 198.

[25]   Lettre à Mme Grocholska (*Correspondance...*, op. cit., p. 447).

[26]   Lettre à A. Léo (*Correspondance...*, op. cit., p. 442).

Les biographes du musicien ont écrit qu'après sa mort, le 17 octobre, Auguste Clésinger prit le masque de Chopin, que le Dr Cruveilhier pratiqua une autopsie partielle et que le corps fut embaumé, sans s'interroger sur les conditions dans lesquelles ces opérations pouvaient être réalisées du point de vue légal. C'est qu'une ordonnance du préfet de police du 6 septembre 1839 stipulait en son article Ier : « [...]. Il est défendu de procéder au moulage, à l'autopsie, à l'embaumement [...] avant qu'il se soit écoulé un délai de vingt-quatre heures depuis la déclaration du décès à la mairie et sans qu'il ait été adressé une déclaration préalable au commissaire de police [...] ». Il n'est donc pas possible que Clésinger ait pu prendre le moulage du visage de Chopin immédiatement après sa mort, comme l'écrivent ses biographes, sans enfreindre l'article 5 de cette ordonnance : « Les infractions aux dispositions qui précèdent seront constatées par des procès-verbaux qui seront adressées à la préfecture de police pour être transmis aux tribunaux compétents ». Par conséquent, si l'autopsie partielle a eu lieu dans l'appartement de la place Vendôme, elle n'a pu être faite au plus tôt, avant le jeudi 18 octobre vers la mi-journée pour respecter le délai de vingt-quatre heures. Par contre, si elle a été pratiquée dans un amphithéâtre de dissection ou un hôpital, le délai de vingt-quatre heures n'était pas applicable en vertu de l'article 6 de l'ordonnance. En 1849, le Dr Cruveilhier qui exerçait à l'Hôpital de la Charité, pratiquait ses autopsies à la Salpêtrière. C'est là qu'ont pu se dérouler ces différentes opérations dès le mercredi 17 octobre[27].

Tous les biographes ont déploré l'absence de document relatif à l'ouverture du corps de Chopin. L'un d'eux, Edouard Ganche, qui fréquentait les amphithéâtres de dissection au début du XXème siècle et qui entretenait une correspondance avec des médecins et des chirurgiens, ne semble pas avoir interrogé le fils ni le petit-fils du Dr Jean Cruveilhier, tous deux médecins[28]. Il est surprenant que, de son côté, le Dr Léon Delhoume, auteur d'une biographie du Dr Jean Cruveilhier, parue en 1937, n'ait publié aucun document de première main sur Chopin alors qu'il l'a fait pour d'autres de ses illustres patients. Il se contente de citer E. Ganche sans même faire allusion à

---

[27]   Art. 6 de l'ordonnance du préfet de police du 6 septembre 1839 : « Les dispositions de la présente ordonnance ne sont pas applicables aux opérations [de moulage, d'autopsie et d'embaumement] qui sont pratiquées dans les hôpitaux ou dans les hospices et dans les amphithéâtres de dissection légalement établis. » (A. Lutaud, *Manuel de médecine légale*, 5ème édit., Paris 1893, p. 167). Le Dr Cruveilhier a sans doute tenu compte des circonstances atmosphériques pour prendre sa décision. D'après les relevés consignés dans un registre conservé à l'Observatoire de Paris (ut supra, note 23), le mardi 16 octobre, le ciel était d'abord couvert et le temps pluvieux dans l'après-midi. En fin de journée, c'est à dire *au moment où Chopin agonisait il y avait du brouillard*, ce qui peut expliquer la difficulté qu'il avait à respirer. La température était ce jour-là de 6,1° (minimum) à 9,8° (maximum). Par contre, le lendemain, mercredi 17 octobre, il y a eu des éclaircies, avec, par moments, du soleil et la température a oscillé entre 7° et 16,2°. Cette augmentation de la température a pu inciter le Dr Cruveilhier à ne pas différer l'autopsie partielle de manière à ce que l'embaumement puisse être opéré sans tarder (ut infra, note 40).

[28]   E. Ganche s'était établi à Paris en 1903. Le Dr Edouard Cruveilhier, professeur agrégé, chirurgien des Hôpitaux de Paris, né en 1835, est mort en 1906. Son fils, le Dr Louis Cruveilhier, de l'Institut Pasteur, n'est décédé qu'en 1952. Par conséquent, E. Ganche aurait pu rencontrer le fils et le petit-fils du célèbre anatomo-pathologiste. C'est en juin 1944 que la maison où ce dernier s'était retiré jusqu'à sa mort en 1874 à Sussac, non loin d'Oradour-sur-Glane, a été bombardée par l'occupant allemand. Ses archives et sa bibliothèque ont été détruites.

l'autopsie[29] ! Mais peut-on dire qu'il y a eu, à proprement parler, autopsie ? Dans son *Traité d'anatomie descriptive*, le Dr Cruveilhier expose la façon de procéder pour étudier la conformation extérieure du cœur par l'injection de suif, de cire ou de gélatine dans : « 1° les cavités droites, par l'artère pulmonaire ou par l'une des veines-caves en ayant soin de lier l'autre ; 2° les cavités gauches, par l'artère aorte ou par l'une des veines pulmonaires ». Et pour avoir une idée générale de la conformation intérieure du cœur, on devait soumettre cet organe à des coupes successives[30]. Or, il fallait avant tout prélever le cœur pour qu'il puisse être porté à Varsovie[31]. Le Dr Cruveilhier a pu seulement procéder à un examen superficiel. Il s'ensuit donc qu'il n'était pas possible de faire l'autopsie de Chopin « par utilité pour la science » comme l'écrivait Mme Marliani à George Sand le 18 octobre 1849[32]. On connaît la réponse à la question 11 de Franz Liszt (« De quelle année date sa maladie de poitrine ? ») adressée moins d'un mois après la mort de Chopin à sa sœur Louise : « L'autopsie n'a rien révélé sur le principe de sa mort. La poitrine a paru être moins compromise que le cœur »[33]. Par contre, dans une lettre à George Sand, datée du 27 octobre, Mme Marliani écrivait : « J'ai vu la sœur de Chopin [...], son frère a bien succombé comme le disait le Dr Cruveilhier à une maladie de poitrine, les deux poumons étaient rongés »[34]. Il est vrai que, dans son *Traité d'anatomie pathologique générale*, le Dr Cruveilhier écrivait : « N'oublions jamais, dans l'appréciation des faits relatifs aux maladies du cœur, l'étroite solidarité qui existe entre toutes les cavités du cœur, d'une part, et d'une autre part, entre la circulation et la respiration [...], les poumons et le cœur constituent un cercle vicieux pathologique, tant est étroite la connexion de ces organes [...]. Le moindre désordre dans la circulation du cœur détermine un désordre correspondant dans les fonctions respiratoires »[35]. On peut se demander s'il serait possible aujourd'hui de faire un diagnostic rétrospectif à partir du cœur de Chopin s'il est en parfait état de conservation comme il l'était en 1945 selon Bronislas Edouard Sydow[36]. J'ai posé la question au Dr Axel Kahn de l'Institut Cochin de Génétique Moléculaire à Paris (INSERM). Ce généticien connu m'a répondu : « S'il était possible d'isoler de l'ADN dans un état suffisant de conservation pour réaliser des tests génétiques à partir du cœur de Frédéric Chopin, on pourrait tester certaines hypothèses

---

[29]   Dr Léon Delhoume, *L'Ecole de Dupuytren — Jean Cruveilhier*. Paris 1937, pp. 228, 229. L'auteur a dédié cette biographie au Dr Louis Cruveilhier, petit-fils de l'illustre médecin. Il est décevant qu'il n'ait pas mis à profit les archives qui existaient encore à Sussac.

[30]   J. Cruveilhier, *Traité d'anatomie descriptive*. 3ème édit. Paris 1851, t. II, pp. 513, 522.

[31]   F. Chopin avait dit à sa sœur Louise : « Je sais que Paskévitch (gouverneur de la Pologne du Congrès) ne vous permettra pas de transporter mon corps à Varsovie, portez-y au moins mon cœur. » (Z. Jachimecki, *Frédéric Chopin et son œuvre*. Préface d'Edouard Ganche. Paris 1930, p. 39).

[32]   G. Lubin, « Autour de la mort de Chopin », *La Revue des Deux Mondes*. Avril 1962, N° 7, p. 440.

[33]   M. Karłowicz, *Souvenirs inédits de Frédéric Chopin, op. cit.*, p. 203.

[34]   G. Lubin, *op. cit.*, p. 442.

[35]   J. Cruveilhier, *Traité d'anatomie pathologique générale, op. cit.*, t. II, p. 717.

[36]   A l'occasion du retour en 1945 de l'urne contenant le cœur de Chopin à l'église Ste Croix à Varsovie, B.E. Sydow écrit dans un compte rendu conservé à la Société Chopin (TiFC) que ce cœur qui était démesurément gros était en parfait état de conservation. Selon le Dr Huguin (Perpignan), un médecin aurait éventuellement pu constater l'absence ou l'existence de calcification du péricarde.

d'affections génétiques [...] ». Mais il ajoute : « De toute façon, la découverte d'ADN microbien dans un prélèvement ancien pourrait être due à une contamination ».

Après l'autopsie partielle pratiquée par le Dr Cruveilhier, il a été procédé à l'embaumement du corps, ce qui a permis de fixer les funérailles et l'inhumation au 30 octobre c'est à dire treize jours après le décès. Dans sa « lettre-confession » qu'elle destinait à son mari, Louise écrivait que son frère avait demandé à son entourage de le « ganaliser ». Elle ne savait pas alors ce que cela voulait dire. Elle a cru comprendre qu'il s'agissait de l'ouverture du corps[37]. Selon le Dr Czesław Sielużycki, le terme « ganalizować » (« ganaliser ») veut dire : « faire une autopsie dans l'intérêt de la science »[38], mais il ne donne pas l'étymologie de ce mot qui ne se trouve dans aucun dictionnaire médical polonais du XIXème siècle[39]. Chopin avait l'habitude de créer des néologismes en polonisant des mots français. Le verbe *ganalizować* vient vraisemblablement du nom de l'embaumeur parisien Jean-Nicolas *Gannal* (1791–1852) qui était très connu à cause du procédé qu'il utilisait et pour lequel il avait déposé un brevet. On peut dire que ce n'est sans doute pas un hasard si Chopin a prononcé ce mot en présence de ses amis avant de mourir[40]. Demander à être embaumé (ou autopsié comme l'a compris Louise, semble-t-il) était une garantie de ne pas être enterré vivant, crainte répandue au XIXème siècle[41]. Albert Grzymała écrit dans sa lettre à Au-

---

[37] « On ciągle prosił znajomych swoich aby go niezapomnieli *ganalizować* [c'est moi qui souligne / H.M.] niezrozumiałam wówczas o co rzecz szła, chciał aby go otwierano. » (K. Kobylańska, « Spowiedź Ludwiki » [« La confession » de Louise], *Ruch Muzyczny*, N° 20 (1968, p. 18, col. 3).

[38] C. Sielużycki, « O zdrowiu Chopina » [La santé de Chopin], *Rocznik Chopinowski*, N° 15, p. 111 ; id., *Chopin geniusz cierpiący* [Chopin, génie souffrant], Podkowa Leśna 1999, p. 95. Par ailleurs, dans ces publications, l'auteur ignore le nom du Dr Becquerel, qui se trouve aussi dans l'agenda de Chopin et dont il a été question plus haut (cf. note 24).

[39] Selon Mme Joanna Mackiewicz de la Bibliothèque Centrale de Médecine (Główna Bliblioteka Lekarska) à Varsovie, que j'ai interrogée à ce sujet.

[40] Nous ne savons pas qui a procédé à l'embaumement du corps de Chopin. Il est dommage que M. Karłowicz qui a eu entre les mains « tous les comptes des dépenses de l'enterrement » (*op. cit.*, p. 223) n'ait pas cru utile d'en donner quelques détails. Jusque vers le milieu du XIXème siècle, on pratiquait encore « l'embaumement à l'égyptienne » qui consistait à éviscérer le corps et à le remplir de produits qui devaient assurer sa conservation. C'est ainsi que fut embaumé Talleyrand en 1838. Le Dr Sucquet et J. N. Gannal pratiquaient « l'embaumement vasculaire » qui consistait à injecter dans le circuit sanguin un produit de conservation, méthode déjà utilisée au XVIIème siècle mais peu répandue. Dans le cas de Chopin, la méthode vasculaire posait problème puisque le cœur avait été prélevé : le circuit sanguin se trouvait donc interrompu. M. Charles Largefeuille, chargé de cours, diplômé du British Institute of Embalmers à Knowle m'a précisé que, dans ce cas, il fallait injecter le liquide de conservation (dans la composition duquel entrait du chlorure de zinc), au minimum dans les deux sens (vers le bas, c'est à dire vers les pieds et vers le haut, c'est à dire vers la tête), dans les artères fémorales, les axillaires et les carotides primitives ».

[41] La crainte d'être enterré vif n'était pas chose rare au XIXème siècle comme me l'avait dit en 1975, au cours d'un entretien, le Prof. Jacques Müller, directeur de l'Institut Médico-Légal de Lille. Dans sa *Nouvelle Notice sur les embaumements* (Paris 1859), le Dr Félix Gannal, fils de Jean-Nicolas Gannal, faisait allusion aux « inhumations prématurées dont les journaux rendent compte d'une manière si dramatique » (p.12). Je n'ai trouvé aucune trace de l'embaumement de Chopin aux Archives de la Préfecture de Police de Paris, mais une fiche isolée relative à l'embaumement de l'un de ses illustres compatriotes, Joachim Lelewel, le 30 mai 1861 par le Dr Félix Gannal.

guste Léo que « le troisième jour [c'est à dire le vendredi 19 octobre], le corps embaumé et complètement vêtu était exposé au milieu des fleurs »[42]. C'est précisément ce jour-là qu'Albert Graefle fait le dessin au crayon puisqu'il y porte l'indication : « Chopin. A. Graefle le 19 Octob. 1849 fait d'après nature »[43]. Nous ne savons pas pendant combien de jours le corps embaumé de Chopin resta exposé dans son appartement où ses amis, ses élèves, ses nombreuses connaissances et ses admirateurs ont pu se recueillir avant qu'il ne soit mis en bière et transporté à la crypte de l'église de la Madeleine dans l'attente de ses funérailles le 30 octobre[44].

Pendant tout ce temps, la sœur de Chopin devait faire face à une situation très difficile, mais des amis dévoués l'ont aidée à la fois pour effectuer les formalités administratives (déclaration du décès à la mairie, requête d'apposition des scellés à la justice de paix, achat d'un terrain pour la sépulture) et organiser les obsèques, etc... Quant à elle, il fallait qu'elle demande aux artisans qui avaient travaillé à l'aménagement de l'appartement d'arrêter leurs comptes. Il fallait aussi qu'elle mette au courant de la situation sa famille à Varsovie qui devait lui faire parvenir une procuration en bonne et due forme[45].

C'est très probablement Thomas Albrecht, Consul de Saxe, ami et voisin de Chopin qui, en cette matinée du 17 octobre, s'est rendu à la mairie du 2ème (ancien) arrondissement qui se trouvait au n° 3 de la rue Chauchat pour y déclarer le décès à l'office de l'état civil puisque la justice de paix était installée dans le même bâtiment et que c'est lui qui a demandé (avec l'accord de la sœur de Chopin) l'apposition de scellés, tous les héritiers n'étant pas présents au lieu du décès (art. 819 du Code Civil). Sur quoi, le juge a rendu une ordonnance de laquelle il ressortait qu'il allait « se transporter le jour même, 17 octobre, au domicile de M. Chopin ». Il s'y est présenté à l'heure de midi[46]. Cette procédure ne s'est terminée qu'à 19 heures. Elle ne nécessitait certes pas une durée aussi longue pour un appartement de sept pièces, mais elle a été interrompue à deux reprises. En effet, à la fin du procès-verbal des scellés, on lit ceci : « Nous avons vaqué à ces opérations depuis l'heure susdite [c'est à dire midi] jusqu'à celle de sept [c'est à dire 19 heures] de relevée par triple vacation ». On

---

[42]   *Correspondance, op. cit.*, p. 444.

[43]   Ce dessin d'Albert Graefle a été reproduit dans l'album *Les Portraits de Fryderyk Chopin*, par M. Idzikowski et B.E. Sydow. Kraków 1953, planche 41.

[44]   Dans une lettre datée du 22 octobre 1850, Jane Stirling écrivait à Louise : « Je ne me rappelle plus des dates et voudrais maintenant les savoir. Quel jour fut-il transporté à la Madeleine ? » (E. Ganche, *Dans le Souvenir de Frédéric Chopin*. Paris 1925, p.123). Peut-être retrouvera-t-on un jour les lettres de Louise adressées à Jane Stirling !

[45]   La procuration de la famille Chopin pour Louise et le problème du testament ont fait l'objet du deuxième des trois articles consacrés aux documents de la succession de F. Chopin, (*Ruch Muzyczny*, 1978, N° 15, voir note 3).

[46]   Comme je l'ai expliqué dans mon article « Documents de la succession de Frédéric François Chopin » (ut supra, note 1), « Le juge de paix, accompagné de son greffier est allé de pièce en pièce […] en commençant par la chambre à coucher [à l'entresol] et en terminant par [la chambre de domestique et] la cuisine [au rez-de-chaussée] de l'appartement » (p. 88). La plupart du temps, il précise que les fenêtres donnent sur la cour de la maison (p. 92).

99071

4 mètre

+ 4m 20
5m 20 c

opposition

2ᵉ Division.
99071

1ᵉʳ BUREAU.

Nᵒ **553**.

BON
de
CONCESSION PERPÉTUELLE.

Préfecture

DU DÉPARTEMENT DE LA SEINE.

Il est accordé une concession d _quatre_

mètre**s** de terrain, dans le Cimetière de *l'Est*
au C *E. herbault, deutrue-
Rochechouart, 22, agissant au nom de
frs du Défunt ci-après nommé*,
pour y fonder la sépulture particulière et perpétuelle
de *frédéric Chopin, décédé
le 17 8bre 1849, r. de vendome
12.*

L'acquéreur est prévenu qu'il est dans l'obligation de remettre, sans aucun délai,
le présent Bon au Conservateur au Cimetière ; de prendre possession du terrain qu'il a acquis et dont l'emplacement sera déterminé par cet Agent, suivant les
dispositions qui régissent cet établissement, et enfin de faire marquer le terrain d'un
signe durable portant le Nᵒ de la concession.

Paris, le *18 — 8bre*   184**9**.

Le Préfet de la Seine,

Le Chef du Bureau,

Inscrit à la caisse sous le Nᵒ *5181.*
Le Caissier,

1. *Bon de concession perpetuelle* établi le 18 octobre 1849, portant acquisition de 4m² de terrain au Cimetière
de l'Est (dit du Père La Chaise) pour y fonder la sépulture de Frédéric Chopin

est tenté de croire que ces interruptions ont été motivées par la visite incessante de nombreux amis de Chopin accourus à la nouvelle de sa mort, même si sa dépouille n'était pas momentanément dans l'appartement (dans l'hypothèse où l'autopsie et l'embaumement ont eu lieu dans un amphithéâtre de dissection), mais ces visiteurs ne l'auront appris que sur place. Il est également vraisemblable que le juge devait vaquer à d'autres occupations déjà prévue pour ce jour là[47]. En ce qui concerne le procès-verbal des scellés, on y relève deux anomalies d'ordre juridique. D'une part, il est dit dans la requête que Chopin est décédé « laissant sa mère absente ». L'utilisation de ce terme prête à confusion. En droit, l'absence est la situation d'un individu dont l'existence est incertaine, ce qui n'était pas le cas de la mère de Chopin vivant à Varsovie. Il aurait fallu dire : « laissant sa mère non présente ». Par ailleurs, le juge de paix n'a pas précisé l'heure à laquelle il a interrompu la procédure, et ce, à deux reprises (puisqu'il y a eu trois vacations), ni l'heure à laquelle il l'a poursuivie, formalité exigée par le décret du 10 brumaire de l'an 14 (art. 914 du Code de Procédure Civile).

Le soir de ce 17 octobre, avant de terminer sa procédure, le juge de paix a reçu le serment des comparants, c'est à dire de Louise Jędrzejewicz née Chopin et de Thomas Albrecht « de n'avoir rien pris, ni détourné, ni su ni vu qu'il ait été rien pris ou détourné des objets mobiliers, titres, papiers et renseignements dépendant de lad[ite] succession »[48]. Or, lorsque Chopin eut rendu le dernier soupir, avant de se disperser, ses amis avaient recommandé à sa sœur Louise d'enlever le plus possible d'objets et de papiers car des scellés seraient apposés. Elle avait mis en lieu sûr tout ce qu'elle pouvait déplacer[49]. Il paraît difficile qu'elle ait pu entreposer beaucoup de ces objets dans la chambre qu'elle occupait, mais l'appartement de Chopin était contigu à celui de Thomas Albrecht qui se trouvait en façade donnant sur la place Vendôme et dont il n'était séparé que par un couloir. Une étude intéressante, de Teresa Czerwińska donne une idée de l'importance de tout ce qui a échappé à la succession[50] si bien qu'il faut se demander si tous les objets appartenant à Chopin, si tous ses papiers, ses manuscrits, ses livres se trouvaient place Vendôme au moment de sa mort. Il y avait passé moins d'un mois. A-t-on eu le temps de déménager complètement tout ce qui pouvait encore se trouver sinon au n° 74 de la rue de Chaillot où il avait passé les mois d'été, du moins au n° 9 du Square d'Orléans ?[51] Il y a donc eu faux serment. L'art. 366 du

---

[47] « Le juge de paix avait de multiples fonctions [...] : conciliateur, juge de simple police, juge rendant des actes de juridiction gracieuse : conseils de famille, [...] déclarations de tutelles, émancipations, adoptions [...] ». (N. Felkay, « Aux Archives de Paris. Notes sur le fonds des justices de paix », *Annales Historiques de la Révolution Française*. N° 201, juillet-septembre 1970, pp. 531 et ss.).

[48] Le procès-verbal des scellés ne fait aucune mention des manuscrits musicaux de Chopin.

[49] K. Kobylańska, « Spowiedź Ludwiki », *op. cit.*, p. 18, col. 3

[50] T. Czerwińska, « Faksymilia autografów czterech kompozytorów — pozostałość po kolekcji Fryderyka Chopina » [Fac-similés d'autographes de quatre compositeurs ayant fait partie de la collection de Frédéric Chopin], *Rocznik Chopinowski*, N° 22/23. pp. 299 à 317.

[51] Chopin avait demandé à sa sœur de remettre mille francs de gratification à Mme Etienne, la concierge du Square d'Orléans (K. Kobylańska, « Spowiedź Ludwiki » [La confession de Louise], *op. cit.*, col. 1). Etait-ce seulement pour des services rendus dans le passé ? Ne lui demandait-on pas de veiller encore sur l'appartement ? Dans le procès verbal d'apposition des scellés, il est fait mention d'un piano à queue Pleyel, mais pas de piano droit ou carré qui se trouvait dans le cabinet de Chopin, Square d'Orléans et

Code Pénal punissait le parjure d'un emprisonnement d'une année au moins et de cinq ans au plus, et d'une amende de cent francs à trois mille francs. Mais, comme il s'agissait d'un serment extrajudiciaire, cet article n'était certes pas applicable dans le cas du faux serment prêté lors de la clôture du procès-verbal d'apposition des scellés. En fait, il s'agissait plutôt de recel et l'art. 801 du Code Civil stipulait que « l'héritier qui s'est rendu coupable de recélé ou qui a omis, sciemment et de mauvaise foi, de comprendre dans l'inventaire des effets de la succession, est déchu du bénéfice d'inventaire ». Cela veut dire que, vis à vis des créanciers, Louise s'exposait à devoir répondre personnellement des dettes, mais cela n'a pas été le cas.

Nous savons qu'après la mort de Chopin, sa sœur Louise a placé dans la chambre qu'elle occupait la cassette où se trouvaient les lettres de George Sand et l'argent liquide que Chopin utilisait pour les dépenses courantes. La somme était assez importante puisque dès le lendemain, elle a retiré de cette cassette six mille francs pour les frais des funérailles[52]. C'est précisément le lendemain de la mort de Chopin qu'un collaborateur de Pleyel, « E. Herbault[53] dem[euran]t rue Rochechouart, 22, agissant au nom des h[éritie]rs du défunt [...] » fit l'acquisition de 4 m² de terrain dans le Cimetière de l'Est, dit du Père La Chaise « pour y fonder la sépulture particulière et perpétuelle de Frédéric Chopin, décédé le 17 8[bre] 1849, r[ue] de Vendôme 12 » (sic). Nous publions pour la première fois ce *Bon de concession perpétuelle*, délivré le 18 octobre 1849 ainsi que celui qui fut délivré l'année suivante, le 21 septembre 1850, portant acquisition de 1,20 m² supplémentaire par adjonction, soit au total 5,20 m² , de manière à y ériger le monument funéraire réalisé par Auguste Clésinger. A cette époque, le prix d'une concession perpétuelle de 2 m² était fixé à 500 francs ; on peut donc présumer que la concession Chopin a été acquise pour la somme de 1.300 francs[54].

---

dont plusieurs de ses élèves confirment l'existence : Lenz, Mikuli, O'Meara (E. Ganche, *Frédéric Chopin. Sa vie et ses œuvres*. Paris 1923, pp. 340, 346). Le tableau de Félix Barrias (« La mort de Chopin ») représentant Delphine Potocka devant un piano droit dans la chambre à coucher de Chopin, avec une sœur de la Charité ne correspond pas à la réalité. Cette œuvre tardive n'a aucune valeur documentaire contrairement aux aquarelles de Théophile Kwiatkowski.

[52]   Quelques mois plus tôt, Mlle Stirling et sa sœur Mme Erskine avait fait remettre à Mme Etienne vingt cinq mille francs que celle-ci oublia de donner à Chopin comme il le lui avait été demandé. Dans une lettre à Grzymała, datée du 28 juillet à Chaillot, Chopin lui raconte comment cet argent fut retrouvé (*Correspondance...*, *op. cit.*, pp. 429–432). Chopin n'accepta qu'une partie de cette somme : quinze mille francs que lui remit Mme Erskine comme il l'a noté dans son agenda à la même date du 28 juillet.

[53]   E. Herbault est la première connaissance que fit Chopin en arrivant à Paris en 1831 (*Correspondance...*, *op. cit.*, p. 336). Son nom se trouve inscrit à la fin de l'agenda de Chopin (cf note 22) avec l'adresse : 31, rue de La Condamine. Il ne faut sans doute pas le confondre avec Jean-Jacques Herbault qui a donné au Conservatoire de Paris en 1891 ou 1892 un des exemplaires positifs tirés de l'original du masque mortuaire du musicien réalisé par A. Clésinger.

[54]   Selon une information obtenue en 1976 de la Sous-Direction des Pompes Funèbres et des Cimetières (Préfecture de Paris). Dans le dossier *Chopin*, outre ces deux documents, il y a notamment un papier « emplacement de la sépulture » portant la date fausse de l'inhumation (29 au lieu de : 30 octobre 1849)... On y trouve également la généalogie de la descendance française de Frédéric Chopin, complétée par Roger de Garate en mai 1959.

Louise a convoqué les artisans des différents corps de métiers qui étaient intervenus pour les travaux dans l'appartement de la place Vendôme pour leur demander un état des frais engagés en leur donnant l'assurance que toutes les factures seraient honorées. Elle tenait à ce qu'elles soient réglées avant la vente publique aux enchères. Mais, tout compte fait, il n'y avait pas suffisamment d'argent pour régler la totalité des dépenses. Mme Erskine et Mme Obrescoff s'étaient proposées de lui prêter de l'argent. Ainsi, tout a été payé à l'exception de la facture du tapissier Perrichet (1.965 francs) qu'on lui a déconseillé de régler avant la vente aux enchères pour qu'on ne lui demande pas d'où elle tenait l'argent. De plus, cela l'aurait gênée que l'on pense que c'est elle qui a payé alors qu'elle avait pris l'argent dans la cassette de son frère ![55] Quant à la dette déclarée, elle s'élevait à 7.365,55 francs. Outre la facture du tapissier Perrichet de 1.965 francs et une autre facture de 190, 25 francs pour ouvrage de serrurerie, il y avait encore une somme de 5.210,30 francs que Louise disait avoir avancée pour frais de dernière maladie, embaumement, inhumation (c'est à dire les funérailles) et pour l'achat d'une concession à perpétuité au Cimetière du Père La Chaise, dont il a été question. Le produit net de la vente a été de 6.142,40 francs. Le commissaire-priseur a remis cette somme à Louise Jędrzejewicz née Chopin le 5 décembre 1849. Nous ne savons pas combien d'argent Louise avait emprunté. Et après son départ de Paris le 2 janvier 1850, il y a eu d'autres dépenses que la sous-location de l'appartement de la place Vendôme n'a pas compensées (Chopin avait payé aux propriétaires la somme de 1.750 francs pour six mois de loyer d'avance)[56]. Nous ne savons pas non plus combien a coûté le transport par mer jusqu'à Varsovie du piano à queue, racheté par J. Stirling à Pleyel ainsi que l'envoi à Varsovie de caisses de livres, d'objets, de meubles divers dont il est en partie question dans les lettres de J. Stirling à Louise[57]. Comme on le voit, les dépenses ont été importantes. On peut se demander si la situation financière difficile dans laquelle s'est trouvée la famille du musicien après sa mort n'a pas été une des raisons pour autoriser Julien Fontana à publier des œuvres de Chopin à titre posthume pour compenser, ne serait-ce qu'en partie le passif[58].

Avant de mourir, Chopin avait dit : « Je demande au nom de l'attachement qu'on me porte que toutes [mes compositions] soient brûlées, le commencement d'une méthode excepté que je lègue à Alkan et Reber pour en tirer quelques utilités, le reste

---

[55]   K. Kobylańska, « Spowiedź Ludwiki », *op. cit.*, p. 19, col. 1

[56]   H. Musielak, « Documents de la succession... », pp. 99–100. Voir aussi : *Rocznik Chopinowski*, N° 12, pp. 77, 93, 101, 118.

[57]   *Rocznik Chopinowski*, N° 12, p. 104. Il est très probable que, dans sa générosité, Jane Stirling ait voulu prendre à sa charge au moins une partie des frais d'expédition puisqu'elle demande à Louise combien coûtent les caisses... En ce qui concerne le piano à queue Pleyel qui se trouvait place Vendôme, on en a la trace dans un registre (inventaire) de la manufacture Pleyel à la date du 10 octobre 1849. Il ressort des indications portées sur ce registre que ce piano a été vendu à J. Stirling à la date du 11 décembre 1849 pour un montant de 1.500 francs alors que sa valeur estimée avait été de 2.200 francs. Je remercie M. Chapey, archiviste de la Maison Pleyel de m'avoir éclairé sur les mentions contenues dans le registre concerné (cf. H. Musielak, «Documents de la succession...», *op. cit.*, p. 88, note 13).

[58]   Selon E. Ganche (*Dans le Souvenir de Frédéric Chopin, op. cit.*, p. 221), l'éditeur Brandus avait offert 15.000 francs pour les œuvres de piano.

sans exception doit être consumé par le feu [...] »[59]. Comment Louise a-t-elle pu passer outre la demande expresse d'un frère qu'elle adorait ? Dans le questionnaire qui lui avait été adressé par Franz Liszt et auquel Jane Stirling avait été chargée de donner suite, il lui avait été répondu ceci : « Chopin a laissé des dispositions précises qui condamnent au feu ses compositions inédites »[60]. Dans une lettre adressée à Auguste Léo, le 8 novembre 1849 Albert Grzymała écrivait : « Je suis très content de votre sentiment sur cette disposition du compositeur de faire détruire tout ce qui n'était pas achevé dans son portefeuille. — Disposition qui contrarie beaucoup les soi-disant amis et éditeurs, mais qui est essentielle pour sa réputation »[61]. Lorsque la nouvelle du projet de l'édition posthume par J. Fontana s'est répandue, des oppositions se sont manifestées, notamment celle de la princesse Marceline Czartoryska et de Camille Pleyel. Ce dernier devait adresser à Louise Jędrzejewicz le 12 décembre 1853 une lettre dans laquelle il écrivait notamment : « Mes souvenirs sont parfaitement d'accord avec les motifs si bien déduits de la princesse Czartoryska pour vous détourner de donner votre consentement à aucune espèce de publication posthume de votre bien-aimé et à jamais regretté frère. [...] Ce serait agir contre la volonté sacrée d'un mourant, volonté si formellement exprimée, que de donner votre concours à une publication de ce genre, et je suis convaincu qu'après y avoir mûrement réfléchi, vous n'hésiterez pas à revenir sur la décision contraire qu'il paraît que vous auriez prise »[62].

Quant à Jane Stirling, si elle prend parti pour Louise, elle ne semble pas faire entièrement confiance comme elle à Julien Fontana. Dans une lettre du 11 décembre 1853, elle dit regretter de ne pas avoir pu rencontrer Fontana et écrit : « Je ne sais pas ce que vous avez autorisé », et elle ajoute plus loin : « Je voudrais bien avoir l'autorisation de votre main de voir ce que fait M. F[ontana] »[63]. Rien n'y fit. J. Fontana eut gain de cause auprès de Louise et put seul décider de tout. Il n'ignorait sans doute pas le détournement de succession opéré après la mort de Chopin et sa dernière volonté concernant une publication de ses œuvres. Il cherche à se justifier en écrivant dans la préface à son édition en 1855 des *Œuvres posthumes pour piano de Frédéric Chopin* : « À son heure suprême, Chopin nous aurait-il confié lui-même ses compositions inédites, comme il l'avait fait antérieurement ? Nous ne saurions le décider. Loin de la France, à l'époque de sa mort, nous n'avons pu assister à ses derniers moments [...] ».

---

[59]   Lettre de Grzymała à Léo (*Correspondance*, op. cit., p. 443). La sœur de Chopin n'a pas respecté sa volonté. Elle a remis le commencement de la méthode de piano à la princesse Marceline Czartoryska. Et dans une lettre à sa famille (28 décembre 1849), Tellefsen, élève de Chopin « relate la volonté expresse du défunt qui le désigne pour terminer la rédaction d'une méthode de piano ébauchée. » (J.-J. Eigeldinger, « Présence de Thomas D. A. Tellefsen dans le corpus annoté des *Œuvres* de Chopin », *Revue de Musicologie*, Paris 1997, t. 83, N° 2, p. 248).

[60]   M. Karłowicz, *Souvenirs inédits*, op. cit., p. 203. Dans sa « lettre-confession » (ut supra, note 49) qui ne manque pas de détails sur les recommandations de Chopin, fort curieusement, Louise ne fait aucune allusion à sa demande expresse de brûler ses œuvres inachevées !

[61]   Lettre de Grzymała à Léo, datée du 8 novembre 1849, (*Correspondance...*, op. cit., p. 454).

[62]   E. Ganche, *Dans le Souvenir...*, op. cit., p. 219.

[63]   *Rocznik Chopinowski*, N° 12, p. 174.

1ᵐ 20ᶜ par add⁰ⁿ à 4ᵐ

Préfecture
DU DÉPARTEMENT DE LA SEINE.

1ᵉʳ BUREAU.

Nᵒ 471.

BON
de
CONCESSION PERPÉTUELLE.

Il est accordé une concession de *Un mètre vingt centimètre* mètre de terrain dans le Cimetière d à M. *E. Herbault, concᵗ rue Rochechouart, 91, agissant au nom des héritiers du défunt ci-après,*

pour y fonder la sépulture particulière et perpétuelle de *Frédéric Chopin, dᵉ le 17 8ᵇʳᵉ 1849, rue de Vendôme, 12, et ce par addᵒⁿ à 4ᵐ acquis par arrêté du 13 9ᵇʳᵉ 1849, Nᵒ 553.*

L'acquéreur est prévenu qu'il est dans l'obligation de remettre, sans aucun delai, le présent Bon au Conservateur du Cimetière; de prendre possession du terrain qu'il a acquis et dont l'emplacement sera déterminé par cet Agent, suivant les dispositions qui régissent cet établissement, et enfin de faire marquer le terrain d'un signe durable portant le Nᵒ de la concession.

Paris, le 21 — 7ᵇʳᵉ 185*0*.

Le Chef du Bureau.

Le Préfet de la Seine,

Inscrit à la Caisse sous le Nᵒ

Le Caissier.

Typ. VINCHON. — 2559.

2. *Bon de concession perpétuelle* établi l'année suivante, le 21 septembre 1850, portant acquisition de 1 m² 20 supplémentaire par adjonction, soit au total 5 m² 20 de manière à y ériger le monument funéraire réalisé par A. Clésinger.

Edouard Ganche qui admettait tout à fait que des œuvres offertes par Chopin à ses amis et élèves, telle, par exemple, la *Fantaisie-Impromptu* puissent être publiées, s'insurgeait contre « la divulgation et la commercialisation de tout ce qui fut trouvé dans ses papiers ». De plus, il reprochait à Fontana d'avoir touché à l'œuvre de Chopin « par ses apports, éliminations, adjonctions, par ses corrections immanquablement maladroites ou vulgaires »[64].

En définitive, E. Ganche terminait le dernier chapitre de son livre : *Dans le Souvenir de Frédéric Chopin*, consacré aux manuscrits et aux œuvres posthumes par des lignes qui sont plus qu'un réquisitoire. Il se défend de juger mais il voit une justice immanente dans « ce qu'il advint. En 1855, les œuvres posthumes de Chopin furent mises en vente et la sœur aînée du musicien mourut. Franchomme perdit sa femme dès 1850, puis son fils René, — un Mozart enfant — disait Jane Stirling. Fontana vit sa femme mourir, il se ruina, perdit le sens de l'ouïe, devint misérable et se suicida. Ne pourrait-on pas croire qu'ils étaient châtiés pour avoir attenté à l'œuvre divine d'un homme de génie, d'un homme-dieu ? »[65]

Il ne nous incombe pas de faire aujourd'hui le procès de ceux qui ont transgressé les dernières volontés de Chopin. Cent cinquante années se sont écoulées depuis sa mort et il y a prescription. Mais ne fallait-il pas — pour la recherche de la vérité historique — mettre en lumière des faits, les établir, pour faire front à des affirmations sans fondement et tenter aussi de mettre fin à des légendes parfois tenaces, entretenues par certains auteurs de biographies ? On peut regretter de ne pas connaître les pages qu'Albert Grzymała a écrites sur Chopin et qui n'ont pas été publiées. On peut toutefois s'en faire une idée à la lecture des deux lettres qu'il a adressées à Auguste Léo. Quelques lignes méritent d'être citées : « On se demande pourquoi les œuvres de l'artiste sont immortelles, pourquoi le génie qui les a fait naître doit disparaître à l'aurore de la vie [...]. Jamais l'Antiquité, même la plus stoïque n'a laissé d'exemple d'une mort plus belle et d'une âme plus grande, plus chrétienne et plus pure ». Et comment ne pas terminer cette étude en soulignant l'expression heureuse d'Albert Grzymała lorsqu'il écrit à propos de la mort de Chopin : « *Il a passé dans une autre vie* »[66].

---

[64] E. Ganche, *Dans le Souvenir...*, op. cit., p. 223.

[65] *Ibidem*, p. 228.

[66] Lettre à Léo, écrite entre la mort et les funérailles de Chopin (*Correspondance...*, op. cit., pp. 442, 443).

* * *

Je remercie M. Dominique Gérardin , Conservateur de la Bibliothèque de la Faculté de Médecine de Lille de son accueil. Je remercie également pour leur aide : Mme C. de Boël (Bibliothèque Municipale de Lille), Mme Bui (Archives de l'Assistance Publique — Hôpitaux de Paris), Mlle B. Molitor (Bibliothèque Interuniversitaire de Médecine de Paris), Mlle J. Alexandre (Bibliothèque de l'Observatoire de Paris), la Bibliothèque Municipale de Douai.

Eglise de la Madeleine à Paris où
se sont déroulées les funérailles de
Chopin le 30 octobre 1849

Photo : Maria Wichłacz-Musielak

Vue du tombeau de Chopin au cimetière
du Père La Chaise prise le 30 octobre 1999

Photo : Henri Musielak

Streszczenie

Śmierć Fryderyka Franciszka Chopina.
Usunięcie części ruchomości spadkowych i jego skutki

Biografowie Chopina często powtarzali to, co pisali ich poprzednicy. Między niesprawdzonymi twierdzeniami była lokalizacja jego ostatniego mieszkania przy placu Vendôme pod numerem 12. Nadal się podaje, że mieściło się ono w frontowej części gmachu, a w rzeczywistości Chopin wprowadził się do siedmiopokojowego mieszkania znajdującego się w lewym skrzydle oficyny z oknami wychodzącymi ku południowi na wewnętrzne podwórze: pięć pokoi na antresoli, dwa na parterze (przyp. 1–4). Różne są relacje z ostatnich chwil Chopina, który zmarł 17 października 1849 r. Jednym z niezbadanych do końca zagadnień jest jego choroba. Do niedawna twierdzono, że zmarł na gruźlicę. G. Sand pisała 10 lat przed śmiercią Chopina, że może on spać w łóżku, którego się nie spali. A łóżko jego z materacem zostało sprzedane na licytacji publicznej (przyp. 16, 17). Spośród licznych prac poświęconych chorobom Chopina nie zwrócono dotąd uwagi na artykuł szwajcarskiego lekarza, dr Rentchnicka, który oparł się na stanie wiedzy medycznej z lat 1810–1850. Dochodzi on do wniosku, że łatwo można było się pomylić przy badaniu anatomiczno-patologicznym. Poza tym nie zgadza się z hipotezą mukowiscydozy, wysuniętą przez J. G. O'Shea (przyp. 18). Ostatnio z podobną hipotezą wystąpili dr A. Kubba i M. Young, mówiąc ostrożnie o łagodnej postaci mukowiscydozy, lub jeszcze innej choroby genetycznej (przyp. 19). Odnośnie do lekarzy Chopina, w ostatnim okresie swego życia konsultował on się nie tylko u znanego dr Cruveilhier'a, ale także u jego zięcia, dr Alfreda Becquerel'a. Nazwisko to pominęli wszyscy badacze chorób Chopina, łącznie z Cz. Sielużyckim (przyp. 38).

Jeśli chodzi o zdjęcie maski pośmiertnej, sekcję zwłok i zabalsamowanie ciała Chopina, nie wzięto pod uwagę rozporządzenia prefekta policji z 1839 r., nakazującego termin 24 godzin od oficjalnego stwierdzenia śmierci — przed rozpoczęciem powyższych operacji — chyba że są prowadzone w prosektorium przy szpitalu. Zmiana pogody i wzrost temperatury maksymalnej z dnia 16 października (9,8 stopni) na dzień następny tj. 17 października (16,2 stopnie) wpłynęły prawdopodobnie na decyzję dr Cruveilhier'a. Mógł on niebawem przeprowadzić sekcję zwłok, by można było niezwłocznie zabalsamować ciało (przyp. 27). Chopin prosił swoich znajomych, „by go nie zapomnieli ganalizować". Siostra jego Ludwika nie wiedziała „o co rzecz szła". Cz. Sielużycki błędnie rozumie wyraz „ganalizować" jako „dokonanie autopsji na użytek nauki" (przyp. 38). Słowa „ganalizować" nie ma w żadnym słowniku lekarskim (przyp. 39), najprawdopodobniej pochodzi ono od nazwiska słynnego podówczas balsamisty Jean-Nicolas Gannal'a (przyp. 40). Chopin tworzył różne neologizmy.

W załatwianiu formalności związanych ze śmiercią Chopina pomogli Ludwice jego przyjaciele — T. Albrecht i E. Herbault, który nabył koncesję wieczystą na cmentarzu Père Lachaise (zob. pierwszą publikację zachowanego zaświadczenia, ilustr. nr 1). Wiadomo, że po śmierci Chopina Ludwika usunęła część przedmiotów należących do spadku (m. in. kompozycje, listy, papiery, itp.). Wydaje się, że było tego dość dużo (przyp. 50). Nie tylko z Tomaszem Albrechtem Ludwika złożyła przysięgę, że niczego nie usunęła, ale w dodatku, nie wypełniła ostatniej woli zmarłego ukochanego brata. Wbrew protestom Marceliny Czartoryskiej i Kamila Pleyela, Ludwika z całą rodziną upoważniła J. Fontanę do przygotowania wydania pośmiertnego utworów Chopina. Wydatki były duże i rodzina kompozytora szukała choć częściowej rekompensaty, podejmując taką decyzję. E. Ganche bardzo surowo ją ocenił i widział karę Boską w tym, co nastąpiło. Ludwika zmarła, jak również żona Fontany, a on sam stracił słuch i popełnił samobójstwo w wigilię Bożego Narodzenia.

Upłynęło sto pięćdziesiąt lat i można już mówić o przedawnieniu spraw. Należało jednak ustalić prawdę historyczną. Szkoda, że nie odnaleziono dotychczas rękopisu Grzymały, poświęconego biografii kompozytora. Szlachetne są jego wypowiedzi w dwóch ostatnich listach, skierowanych do Augusta Léo po śmierci Chopina: „Nawet Starożytność, nawet epoka stoików nie dała nam przykładu śmierci piękniejszej: wspanialszej, bardziej chrześcijańskiej, czystej duszy, [Chopin] przeszedł do innego życia".

CONSCIENCE ESTHÉTICO-MUSICALE ET GENÈSE CRÉATIVE DANS LA PENSÉE DE FRYDERYK CHOPIN

Claudia Colombati
(ROMA)

La grande question qui unit les Romantiques des premières décennies du XIXème siècle, bien que chacun avec sa propre singularité individuelle et géniale, fut certainement une attitude esthétique et créative tournée, et cela dans certains cas même d'une façon obsessive, vers les nouvelles conquêtes artistiques tout en respectant pourtant le passé, ou même en faisant souvent un culte. Ce que F. Liszt affirme dans son essai passionné et fondamental en faveur de « Berlioz et sa Symphonie 'Harold en Italie' » (1834) n'apparaît pas emblématique : « Im Reich der Ideen gibt es innere Kriege, welche den atheniensischen ähnlich sind. Während derselben wurde jeder, der sich nicht offen zu einer Partei bekannte und bei den Kämpfen, sowie bei den von ihnen herbeigeführten Nachteilen ein nur tatenloser Zuschauer blieb, öffentlich als ein Verräter des Vaterlandes erklärt. »[1] Il répondait aux « détenteurs du « pouvoir artistique » : « Der Künstler kann das Schöne außerhalb der Regeln der Schule verfolgen, ohne befürchten zu müssen, es dadurch zu verfehlen »[2] déterminant, grâce à un jugement drastique la « liberté » compositive : « Da jedoch in der Kunst keine Sekte ein Dogma auf Grund einer Offenbarung beanspruchen und aufrecht erhalten kann, und ihr gegenüber einzig und allein die Tradition maßgebend ist, da die Musik insbesondere im Gegensatz zur Malerei und Skulptur ein absolutes Vorbild weder anerkennt noch festhält, so hängt in Streitsachen zwischen Orthodoxen und Häresiarchen die Entscheidung nicht nur von dem Gerichtshof der bestehenden und der ehemaligen Wissenschaft ab, sondern auch von dem Kunstsinn und dem Gerechtigkeitsgefühl der heranwachsenden Generation. »[3] Ils appartinrent tous à ce « groupe » des « hérétiques », de façons différentes et parfois aussi opposées, désirant ardemment tracer une voie artistique qui conservât les splendeurs sacrées des modèles idéaux, souvent seulement intériorisés, mais qui, en même temps, laissât le signe indélébile de synthèses musicales grandioses, en amplifiant symboliquement et d'une façon évocatrice les « limites » de la miniature et en enrichissant les grandes formes de puissances émotives culminées. Cela eut lieu avec des valeurs différentes qui sont dues aussi au lieu de naissance et au milieu d'étude et de croissance artistique ce qui per-

---

[1] Franz Liszt, « Berlioz und seine Harold-Symphonie » , I, Aus den Annalen des Fortschritts, traduction en allemand de L. Ramann, in : *Gesammelte Schriften* IV, p. 85. Breitkopf & Härtel, Leipzig 1880–93 (rist. Hildesheim et Wiesbaden 1978).

[2] F. Liszt, *op. cit.*, p. 85

[3] F. Liszt, *op. cit.*, p. 86

met de pouvoir comprendre, à côté des polémiques parisiennes intenses de F. Liszt et de H. Berlioz, les réflexions animées à la façon de Schumann insérées dans le monde romantique « fantastique » allemand et les allusions chopiniennes, timides mais résolues, provenant de la lointaine Varsovie ; les paroles par lesquelles il décrit à Tytus Woyciechowski, en 1830 déjà, ses intentions artistiques au sujet de l'*Adagio* du *Concert en mi mineur*, sont bien connues : « Il est peut-être mauvais, mais pourquoi craindre d'écrire mal et en dépit de sa science puisque, seul, le résultat peut faire apparaître la faute [...] Tu en déduiras, à coup sûr, mon inclination à faire mal contre ma volonté »[4] C'est certainement à Paris que ses convictions non seulement se renforcèrent, mais continuèrent de s'incarner dans ses oeuvres malgré les nombreuses sollicitations à s'occuper de genres de composition qui n'étaient pas, pour lui, comme une seconde nature.

« Qu'est-ce donc que la musique? » se demandait F. Liszt — « Was ist denn schließlich die Musik? Wir unseresteils gestehen, wobei wir uns auf ihre Geschichte und die vielen verschiedenen Formen berufen, welche sie im Lauf derselben angenommen hat, daß wir bei Beantwortung dieser Frage nicht von ihren drei wesentlichen Elementen : Rhythmus, Melodie, Harmonie zu abstrahieren vermögen. [...] Jedes Werk, in welchem der lebendige Hauch einer der drei schöpferischen Gewalten zu spüren ist, ist eine in ihrem Bereiche berechtigte Schöpfung und nimmt unstreitbar den Vorrang vor dem ganzen Schwarm von gewöhnlichen Produktionen ein [...] »[5]. Dans cette optique, les grands romantiques se rapportèrent à la tradition, surtout 'classique' suivant une nécessité artistique éthico-esthétique qui en justifia les convictions[6]. Si, dans les terres slaves, l'époque romantique fut culturellement comprise comme le bassin de recherche d'une identité nationale et messianique, en Allemagne elle aiguisa la nécessité d'une revisitation cultivée des origines mythiques et historiques avec la sublimation du « populaire » qui en fut la conséquence[7]. A Vienne l'âge d'or du Wienerklassik et des équilibres du style forme-sonate s'estompait peu à peu, alors que la France poursuivait un élan littéraire et théâtral dans lequel cohabitaient les manières classiques et l'esprit révolutionnaire ; en Italie, l'on craignait le « chaos » et la « barbarie » des bourrasques nordiques et l'on essayait de protéger la clarté ancienne désormais passée. Chopin eut certainement, à Varsovie, des possibilités plus importantes de se mesurer avec les tendances nationales et les tendances orientales, par rapport aux tendances poético-philosophiques allemandes, mais aussi avec le courant qui envahit l'époque napoléonienne, qui a été défini en tant que néoclassicisme, qui est évident chez David ou chez Ingres, mais qui approfondit ses valeurs dans l'œuvre de W. Goethe, sous certains aspects beethovéniens, de tension idéale vers un

---

[4] Frédéric Chopin, Lettre à Tytus Woyciechowski, à Poturzyn, Varsovie, le 15 mai 1830, samedi, *Correspondance de Frédéric Chopin*, éd. et traduite par B. E. Sydow en collab. avec D. Chainaye, vol. 1–3, Paris 1981, p. 166.

[5] F. Liszt, *op. cit.*, p. 93–94.

[6] Claudia Colombati, « Romanticismo o Romanticismi? Illusione disillusione di un'epoca », III, in : *Musica e Libertà*, Rome 1983, Ed. Atend.

[7] C. Colombati, « Il Nazionalismo e la Musica nel XIX secolo », *Annali*, XXIX, Facoltà di Lettere e Filosofia, Università degli Studi di Macerata, Macerata 1996.

passé mythique et héroïque, mais surtout qui fut évident dans la musique italienne, de l'œuvre de G. Spontini à celle de G. Rossini ; le croisement entre la sensibilité romantique profonde allemande et la clarté équilibrée italienne avait eu lieu dans les contemplations lunaires extatiques : c'est en ce sens que N. Paganini aussi, ainsi que V. Bellini et que F. Chopin y appartinrent. Toutefois, chez le compositeur polonais, à côté des modes de chant de son pays et de son admiration pour la clarté classique, le lien avec J.S. Bach était invétéré dans l'essence la plus profonde de sa musique, comme s'il s'agissait d'une greffe de genèses créatives. La sonorité intérieure idéale, était-ce cela? Pouvait-elle incarner l'essence des « arrière pensées » elles-mêmes?

Le fait qu'un musicien comme F. Chopin puisse, à côté de son admiration pour J.S. Bach, pour W.A. Mozart, pour quelques oeuvres de Schubert, être attiré, même si ce fut au cours de ses années de jeunesse, aussi par celle de N. Hummel, de J. Field et de d'autres auteurs contemporains, si ce n'est parce qu'il était motivé par une recherche évolutive incessante de ces genres qui devaient le rendre « unique », pourrait sembler une incohérence. Cela éclaire ce que M. Mila affirme à propos d'un « langage chopinien qui semble sorti complet et intact de rien », son auteur étant certainement conscient des racines d'un passé idéal héréditaire profondes qui existent dans le substrat musical de F. Chopin, mais aussi de la force innovatrice grâce à laquelle il sut conjuguer la puissance expressive des formes précédentes avec ce qui était en train d'évoluer et de se répandre dans le monde musical[8]. Le « genre » chopinien se serait donc présenté avec la plasticité des grandes formes et, en même temps, avec le charme des tendances poétiques romantiques : le génie devine toujours une « actualité » qui a ses racines dans le passé et qui forge les modèles futurs, voilà en quoi consiste son caractère « classique ».

F. Liszt définit, dans les écrits cités, un des détails qui fut souvent référé à l'œuvre de Chopin par ses contemporains et qui rentre dans la logique de la créativité esthétique, l'étrangeté : « Fremdartigkeit wird immer das erhabene beneidenswerte Unglück eines jeden musikalischen Genies sein — nicht an und für sich und als solches, sondern als untrennbar von der wirklichen Erfindung. Genie und Erfindung ist eines. Erfindung und Neuerung aber gehen über das Bekannte hinaus, so daß sie vielen Augen als fremd erscheinen. » Toutefois « Nur feine Intelligenzen vermögen es zu erkennen, und nur der Zukunft ist es vorbehalten, das von ihnen Erkannte zu bestätigen. [...] Hat die Zukunft dasselbe als eine Notwendigkeit des Genies erkannt, so gibt sie ihm den Namen 'Originalität'[...]. Unter dieser neuen Bezeichnung erkennt man dann allgemein in ihr jene seltene, kostbare, nie zu erlernende Fähigkeit, durch welche jeder Federstrich gewisser Künstler zu einer Art nun als ihre 'Manier' hochgepriesenen Monogramms wird, an dem man sie sogleich erkennt. »[9] Nous avons l'impression de retrouver dans ces phrases le jugement que R. Schumann exprime à plusieurs reprises sur F. Chopin ; presque chacun de ses articles sur les oeuvres de Chopin commence en effet par une observation qui souligne son unicité créative : « Chopin könnte jetzt alles

[8] Roman Vlad, « Posizione storica di Chopin », in : *Chopin, Opera Omnia*, Monfalcone 1985 ; aussi in : Massimo Mila, *Breve Storia della Musica*, Torino 1971, p. 9.

[9] F. Liszt, *op. cit.*, p. 96–97.

ohne seinen Namen herausgeben, man würde ihn doch gleich erkennen »[10], ou bien lorsqu'il écrit à propos de l'op. 35 : « Die ersten Takte der genannten Sonate sich ansehen und noch zweifeln zu können, von wem sie sei, wäre eines guten Kennerauges wenig würdig »[11], et autre part lorsqu'il met l'accent justement sur son originalité : « Denn sicherlich wohnt ihm jene bedeutende Originalkraft inne, die, sobald sie sich zeigt, keinen Zweifel über den Namen des Meisters zuläßt ; dabei bringt er auch eine Fülle neuer Formen, die in ihrer Zartheit und Kühnheit zugleich Bewunderung verdienen. Neu und erfinderisch immer im Aeußerlichen, in der Gestaltung seiner Tonstücke, in besonderen Instrumenteffekten, bleibt er sich aber im Innerlichen gleich, daß wir fürchten, er bringe es nicht höher, als er es bis jetzt gebracht. »[12]

Grâce à sa sensibilité et à son acuité particulière R. Schumann remarquait la caractéristique justement plus originale et déterminante de la pensée musicale de Chopin en distinguant une unité spirituelle, ou mieux une idée ontologique primaire, exprimée dans le devenir des formes nouvelles selon l'Einbildung schellingnien, le fait que l'infini se conforme dans le fini, ce qui est une conception de la musique vue comme devenir de l'être.

F. Chopin occupe donc une place unique dans l'histoire du Romantisme car, dans la conception créative qui lui est propre, sa forme idéale se structure comme « genre », chacun desquels est composé, dans son unicité, à travers un enchaînement synthétique des éléments tirés de d'autres genres qui deviennent ses tournures de style structurelles particulières et uniques. Si les Classiques, en effet, se reconnaissent dans l'idée de la forme, les Romantiques affirment une « liberté formelle » qui a souvent donné origine à des malentendus concernant le style, mais qui, chez Chopin, au contraire, est réalisée en tant que nécessité expressive implicite dans sa créativité elle-même, une idée gestaltique dans laquelle le « poème pianistique » est non seulement entrevu, mais affirmé d'une façon distincte par rapport au « poème symphonique ». Dans un de ses aspects les plus spécifiques, la 'classicité' chopinienne consisterait justement dans la tension vers la forme et dans l'affirmation de l'organicité qui le garderait loin de la tendance à la 'Formlosigkeit' latente dans l'esprit romantique. Il est clair aussi que, dans la conception chopinienne, la dichotomie romantique entre la musique absolue et 'à programme', un motif esthétique déjà controversé par ses contemporains, mais surtout vivant dans la seconde moitié du XIXème siècle — est résolu par le choix incontesté de l'autonomie du langage musical là où, même quand des éléments au caractère 'improvisateur' apparaissent, ils sont tout de même toujours le résultat d'un choix profond réalisé avec une précision de composition extrême. Il déverse ainsi, asémantiquement, la diversité des contenus poético-existentiels éventuels dans l'idée musicale dénotée et exprimée cryptiquement avec la sémantique pure du langage musical. E. Bosquet avait parlé de ce résultat chopinien en l'interprétant toutefois en apportant une plus grande attention à l'évocation psychologique et sonore : « Il

---

[10] Robert Schumann, « Kürzere Stücke für Pianoforte. F. Chopin (1841) », in : *Gesammelte Schriften über Musik und Musiker*, Bd. 2, Leipzig 1891, p. 342.
[11] R. Schumann, « Sonate von Chopin, Op. 35 », in : « Neue Sonaten für Pianoforte (1841) » , *op. cit.*, Bd. 2., p. 316.
[12] R. Schumann, « Kürzere Stücke für Pianoforte. F. Chopin », in : *op. cit.*, Bd. 2, p. 342.

agrandit d'autre part le pouvoir sonore de l'instrument sans jamais verser dans l'orchestral. Abordons à présent la grande création par Chopin du poème pianistique et de sa forme nouvelle et adéquate, réplique au clavier du poème symphonique créé par son ami Berlioz à l'orchestre. [...] » Mais « Chez Chopin, les quatre *Ballades*, la *Barcarolle*, la *Polonaise-fantaisie* etc. ..., sont des poèmes pianistiques plus essentiellement psychologiques, plus purement expressifs, dépouillés de toute préoccupation littéraire et toujours subordonnés à la musique pure ».[13]

Nocturne, Polonaise, Ballade, Scherzo, Prélude, Fantaisie, et aussi Sonate et Etude portent déjà implicitement le caractère énigmatique de l'expression derrière laquelle Chopin sait révéler des secrets que seulement qui peut en avoir l'intuition à la possibilité de scruter : quelques-unes de ses réflexions elles-mêmes sont emblématiques comme par exemple celles référées au IIIe et au IVe partie de la *Sonate* op. 35 ; avec son caractère essentiel laconique, il avait synthétisé le Final par ce « discours de la main gauche à l'unisson avec la main droite »[14] après la marche, cœur émotif et originaire du grand poème de la mort, sans aucune concession à des fantaisies ou à des explications bien qu'il ait été troublé par deux fois, à Majorque et en Ecosse, par la vision de « créatures maudites ». Un autre exemple est celui qui a à faire avec la composition du *Nocturne en sol mineur* op. 15 n. 3 dont Kleczynski rappelait la première intitulation : « il ne s'agissait pas d'un Nocturne, mais d'un 'morceau caractéristique' paraphé : « Après une représentation d'Hamlet » : « Primitivement l'œuvre portait la mention : « Après une représentation d'Hamlet ». Mais Chopin renonça à cette indication en disant : « Laissez-les deviner par eux-mêmes [...] »[15] ; en fait le caractère atypique même du schéma de ce *Nocturne* semble confirmer le témoignage de l'auteur — presque un développement de poème : A B C D avec le caractère choral soumis du 'religieux' (32 mesures) —, mais tout signe littéraire possible est voilé dans la structure musicale. Si B. Pasternak avait affirmé que *Hamlet* était le drame d'un haut destin et que le monologue célèbre était presque la preuve discontinue « d'un orgue avant le début d'un requiem »[16], l'hypothèse d'une indication probable dans « Orgelton » sous l'épisode « religieux du Nocturne dans une première écriture » prend une valeur suggestive[17]. « Quand les idées sont justes, l'élaboration n'a aucune importance » avait déclaré L. van Beethoven à Schindler en insistant sur l'identité fondamentale qu'il y a entre l'intuition et l'expression et « cela signifie que, dans l'idée, le devenir de celle-ci est virtuellement compris, comme, dans l'embryon, la vie et comme, dans l'homme qui naît, son destin »[18] et encore comme l'idée renferme virtuellement en elle-même le devenir mélodieux, harmonieux et rythmique de toute la composition, « l'impulsion vitale qui génère la forme » (sic).

---

[13] Emile Bosquet, « Chopin précurseur le poème pianistique », *Annales Chopin*, 3, Warszawa 1958, pp. 64–65.

[14] F. Chopin, Lettre à Julian Fontana, à Paris, jeudi, (8 août 1839) Nohant, *Correspondance*, II, *op. cit.*

[15] Jan Kleczyński, *Chopins Grössere Werke*, Leipzig, 1989, p. 26 et suivantes ; cfr. Giovanni Morelli, « Après une représentation d'Hamlet », in *Chopin Opera Omnia*, *op. cit.*, p. 134.

[16] Boris Pasternak, « Note su Shakespeare », in *Il Teatro di William Shakespeare*, I, Torino 1960, G. Einaudi, p. XII.

[17] G. Morelli, *op. cit.*, p. 134.

[18] Cfr. Luigi Magnani, *Beethoven nei suoi Quaderni di conversazione*, Bari 1970, pp. 97 et 92, p. 97, n. 8, da J.-G. Prod'homme, *Les cahiers de conversation de Beethoven*, Paris 1946, p. 314.

Schumann avait, en écrivant à propos de deux Concertos pour piano et orchestre de Chopin, déjà exprimé un jugement hardi à propos de l'esthétique chopinienne : « Wie vordem, z. B. Hummel der Stimme Mozarts folgte, daß er die Gedanken des Meisters in eine glänzende fliegende Umhüllung kleidete, so Chopin der Beethovens. Oder ohne Bild : wie Hummel den Stil Mozarts dem einzelnen, dem Virtuosen zum Genuß im besonderen Instrument verarbeitete, so führte Chopin Beethovenschen Geist in den Konzertsaal. [...] Seinen Unterricht aber hatte er bei den Ersten erhalten, bei Beetho-ven, Schubert, Field. Wollen wir annehmen, der erste bildete seinen Geist in Kühnheit, der andere sein Herz in Zartheit, der dritte seine Hand in Fertigkeit. »[19] Il reconnais-sait en effet, chez Chopin, trois aspects importants, négligeant dans cet écrit toute allusion aux influences mozartiennes et à son lien profond avec Bach, qui sont cer-tainement encore plus difficiles à reconnaître dans la poétique chopinienne aussi à cause de son attitude créative et programmatique différente qu'il convient de rapporter à un passé historique et idéal existant dans leurs conceptions respectives : sur les juge-ments des Romantiques engagés 'programmatiquement', comme justement R. Schu-mann et F. Liszt, pesait certainement, entre autres, l'influence de l'interprétation des 'Classiques' de E.T.A. Hoffmann. Mais il avait aussi vu dans la relation compositeur-interprète inhérente à la poétique chopinienne, une présence du pianisme beethovénien captée à la manière de Field. Dans le domaine des études sur l'évolution stylistique chopinienne, J. Chominski avançait la thèse de conceptions évolutives libres du style classique jaillies dans l'époque romantique sous la poussée d'un individualisme fort, destinées donc à consolider des choix personnels « im Einklang mit den eigenen psy-chischen Neigungen » : « All das — affirme-t-il — scheint gegensätzliche Richtungen zu schaffen ; in Wirklichkeit aber laufen sie in einem Punkt zusammen, nämlich im Streben, die Ausdrucksmittel zu bereichern »[20]. Il explique pourtant par la suite com-ment « Trotz seines grossen Interesses für das europäische Kunstschaffen » prend déjà forme, chez Chopin, dans la période de Varsovie, et d'une façon très claire « das Bedürfnis ab, nationale Kunst zu schaffen » (sic), hypothèse d'ailleurs partagée dans de nombreuses études sur ce thème, mais qui, justement à la lumière d'une optique esthé-tique différente qui prenne en considération l'originalité musicalement sémantique du choix du 'genre', semble se déplacer davantage sur le caractère universel des danses elles-mêmes composées pendant toute son existence, comme surtout les ponaises et les mazurkas, allant d'une tendance de l'Europe élégante et cosmopolite, à une sublimation poétique aussi bien du genre que de l'idée.

Chominski développe une idée semblable lorsqu'il écrit : « Er bemüht sich, einen Weg zu finden, der zur Synthese der klassischen Form mit dem Volkstanz führen würde » (sic), éloignant de nouveau ainsi une volonté programmatique que le compo-siteur n'avait jamais déclarée ouvertement et permettant de considérer celui-ci de nouveau parmi les Romantiques européens occidentaux : la greffe du facteurs de la

---

[19] R. Schumann, « Kritische Umschau I. Konzerte für Pianoforte (1836) » , in : *Gesammelte Schriften über Musik und Musiker*, in Auswahl herausgegeben und eingeleitet von Paul Bekker, Berlin, 1922, p. 150.
[20] Józef M. Chomiński, « Die Evolution des Chopinschen Stils », in : *The Book of the First International Musicological Congress devoted to the Works of Frederick Chopin*, Warszawa 16–22 February 1960, Warszawa 1963, pp. 44–45.

danse dans le langage musical avait en effet désormais pris la signification de 'sublimation du populaire' et, pour cela, aussi du caractère national ; cela avait eu lieu pour
les Lieder de F. Schubert et dans les oeuvres des musiciens comme C.M. von Weber,
F. Mendelssohn, R. Schumann, presque un nouveau 'topoi' poétique dans l'emploi de
tournures de style expressives caractéristiques. Z. Drzewiecki définissait lui aussi les
polonaises et les mazurkas chopiniennes « stylizowane poematy taneczne » (les poèmes, de danse stylisés)[21]. Ch. Rosen écrit : « Les mazurkas de Chopin se distinguent
du reste de l'abondante production inspirée par la musique populaire qui pénètre dans
toutes les formes de la musique romantique.[...] Le compositeur polonais emploie
seulement des fragments mélodiques, des formules qui appartiennent au patrimoine
polonais, des rythmes nationaux typiques et mélange le tout à sa façon, faisant preuve
d'une grande originalité.[...] » « Nous ne saurons jamais exactement ce que Chopin a
pris de la tradition folklorique et dans quelle mesure, et ce qui, au contraire, est dû à
son invention, mais cela n'a pas d'importance : son originalité se révèle dans ce qu'il a
choisi de la tradition ainsi que dans ce qu'il a imaginé. Les danses populaires lui don-
nèrent la possibilité d'essayer de nouvelles harmonies, de profiter de l'effet émotion-
nel de la répétition obsessive et de développer une nouvelle forme de 'volé' »[22].

Le choix des instruments se tournant presque exclusivement vers le piano détermine, de plus, des 'genres' spécifiques qui concourent à rendre le rôle de celui-ci légendaire à l'époque romantique et la concentration de l'idée créativo-interprétative réside
justement dans cette relation étroite entre la fantaisie-genre, instrument-technique,
compositif-exécutif. Il est entre autres intéressant de remarquer que le terme 'fantasia'
— appliqué par exemple par Beethoven dans les deux *Sonates* de l'op.27 « Sonata quasi
una fantasia » — à l'époque classico-romantique, était ensuite ajouté au titre ou le
remplaçait, pendant la période d'or du Romantisme, pour décrire l'équivalent d'un
poème symphonique pour piano : c'est ainsi qu'il apparaît dans la *Sonate « Après une
lecture de Dante, fantasia quasi Sonata »* de F. Liszt. Outre pour la *Fantasia* op. 49, où « fantasia » devient dans la conception chopinienne non seulement un titre, mais réellement
un genre unique avec des caractères semblables à la ballade, Chopin propose de nouveau ce terme dans la *Polonaise-Fantaisie* dans l'intention de souligner, à la manière
classique, que le genre de la Polonaise est la base de l'œuvre et cela justement parce que
dans de nombreux passages, la danse est presque un fond sonore, une réminiscence de
l'enchevêtrement des genres et des tournures de style qui la constituent. Il s'agit donc
d'un véritable poème héroïque, défini dans la sémantique musicale précise et ayant une
forme purement chopinienne dans la grande mosaïque de ses 'morceaux uniques'[23]. La

---

[21] Zbigniew Drzewiecki, « Próba charakterystyki polskiego stylu wykonawczego dzieł Fryderyka Chopina » [L'essai de caractériser le style d'interprétation polonais des oeuvres de F. Chopin], *Rocznik Chopinowski*, I, Warszawa 1956, p. 260.

[22] Charles Rosen, *La generazione romantica*, Milano, 1997, pp. 459–60.

[23] En ce qui concerne l'*Impromptu-Fantasie* (1834–35) op. 66 (posth.) cfr. Jan Ekier, *Chopin Impromptus*,
Vorwort, Wiener Urtext Edition, Musikverlag Ges. m. b. H & Co., K. G. Wien 1977, pp. II–III : « Von allen
Werken, die Chopin nicht im Druck herausgegeben hat, ist das Impromptu cis-Moll — genannt 'Fantasie-
Impromptu' — das bedeutendste. [...] » Fontana (1852) « [...] Kannte wahrscheinlich nur die Bezeichnung
'Fantasie', für dieses Stück, und als er unter den Manuskripten die Kopie oder ein Autograph mit dem Titel
'Impromptu' fand, bildete er für seine Ausgabe von 1855 die Kombination 'Fantasie-Impromptu' ».

question, si dans le choix des genres, l'influence de 'topoi' poético-littéraire existait, est souvent posée. Ce que R. Schumann écrit sur la nouveauté des formes-genres de Chopin est bien connu : « Wir haben noch der Ballade als eines merkwürdigen Stückes zu erwähnen. Chopin hat unter demselben Namen schon eine geschrieben, eine seiner wildesten eigentümlichen Kompositionen ; die neue ist anders, als Kunstwerk unter jener ersten stehend, doch nicht weniger phantastisch und geistreich. [...] Er sprach damals auch davon, daß er zu seinen Balladen durch einige Gedichte von Mickiewicz angeregt worden sei. Umgekehrt würde ein Dichter zu seiner Musik wieder sehr leicht Worte finden können ; sie rührt das Innerste auf. »[24] Si l'idée d'un appui possible quant au contenu dans l'individuation de l'esthétique créative singulière chopinienne a toujours été attirante, il est vrai aussi que, bien que latentes dans ses souvenirs, les références littéraires ou poétiques résonnèrent en lui plus en tant qu'expression d'une sonorité idéale et intérieure étroitement liée à la structure qu'en tant que vraie relation de contenu-forme. Dans une oeuvre de Bellini, — écrit encore Rosen — le sentiment qui mène l'auditeur aux pleurs dépend de l'habileté dont fait preuve le compositeur pour soutenir la longue ligne mélodique. La force poétique de Chopin dépend d'une façon analogue de son contrôle de toutes les parties à l'intérieur d'une écriture polyphonique élaborée.[25] En appelant la plupart des genres composés par F. Chopin des 'poèmes pianistiques' l'on évite la tentation nostalgique d'un recours à des textes éventuels car le genre choisi constitue le topos d'un poème idéal dans lequel, par le Tondichter pianistique, l'on entrevoit même dans la valeur de ses timbres, dans les échos lointains des accents épiques brefs de la fanfare la transcription intérieure idéale de l'orchestre. Il n'y a pas même un titre qui soit donc déterminant dans le contexte chopinien ; celui-ci se trouve dans le choix lui-même du genre avec ses significations culturelles et symboliques et cette absence contribue aussi à diversifier la poétique chopinienne de celle des autres romantiques. « Pastoralsinfonie, Keine Malerei » précise L. van Beethoven dans un carnet de 1808 ou encore avant, en 1807, il avait écrit : « Toute peinture, quand elle est poussée trop au-delà dans la musique instrumentale, se perd [...]. Même sans description, l'on reconnaîtra le tout davantage en tant que sensation qu'en tant que peinture »[26] affirmant ainsi sa distance de la Programmusik ; la *Wanderer-Phantasie* op.15 de F.Schubert constituait le premier « poème symphonique pour piano » — selon B.Paumgartner — qui exerça une grande influence dans le milieu romantique ; dans celle-ci, le « Wanderer-Thema » — écrit l'auteur — « diffuse, comme une idée de base, sa lumière du point central de l'Adagio sur l'œuvre tout entière, sans qu'elle doive toutefois être considérée une Fantasia variée sur ce thème fondamental. Le thème du Lied lui-même apparaît déjà ici comme un produit secondaire par rapport à ce rythme primordial qui, comme un premier agent, met le mouvement créatif du système tout entier en route »[27]. L'inspiration poétique était

---

[24]   R. Schumann, « Kürzere Stücke für Pianoforte. F. Chopin (1841) », in : *Gesammelte Schriften, op. cit.*, Bd. 2, Leipzig 1892, pp. 342–343.

[25]   Ch. Rosen, *op. cit.*, p. 519.

[26]   Cfr. L. Magnani, *op. cit.*, p. 133, cfr. Albert Leitzmann, *L. van Beethoven, Bericht der Zeitgenossen, Briefe und persönliche Aufzeichnungen*, Leipzig 1921, II, p. 241, n. 4.

[27]   Bernhard Paumgartner, *F. Schubert*, Milano 1981, p. 250.

donc projetée dans une nouvelle vision d'élaboration et dans une nouvelle forme poétique pianistique qui annonce le 'poème pianistique' chopinien.

L'époque romantique est riche en présences créatives et en oeuvres qui nous illuminent dans ce sens : cela est valable, par exemple, pour *Les Romances sans paroles* de F. Mendelssohn, où toutefois, dans le titre lui-même, un programme, bien qu'asémantique, est déjà exposé, et pour la musique de F. Liszt où au contraire le 'programme' devient une véritable catégorie esthétique.

A la base de la pensée musicale chopinienne nous pouvons toutefois identifier un retour d'éléments que nous reconnaissons dans quelques topoi fondamentaux, presque une clef créatrice intime : ceux-ci sont un rappel du passé à l'intérieur du présent, le souvenir-mémoire, l'épico-héroïque, le lyrisme extatique souvent étroitement lié à un sentiment intense du crépuscule qui précède le nocturne et qui le relie idéalement à la vision de Hölderlin. C'est probablement sur ces nucléus esthétiques et émotionnels que se démêle la liaison mystérieuse idée-structure, en tant que facteurs portants de constantes exprimées, à travers justement une sémantique purement musicale, dans les genres et dans les structures de style particuliers ; ce qui détermine la perfection extraordinaire d'œuvres si originales se retrouve donc dans la logique compositive intérieure stricte — et de dérivation classique — grâce à laquelle elle porte à la lumière des intuitions et des liens du for intérieur.

Le 'poème pianistique' chopinien se définit et se différencie du 'poème symphonique' lisztien, entre autres déjà manifeste dans les idées programmatiques elles-mêmes et dans les modèles d'art présents dans l'évolution compositive de son oeuvre pianistique, pour une volonté très ferme de ne pas insérer des éléments extra musicaux ou de les dissimuler dans la structure. Liszt réalisera lui-même plus tard (1852–1853) une conception analogue dans sa *Sonate* géniale en si mineur en conservant pourtant toujours l'idée de la forme-sonate (par les 4 mouvements compris dans un seul mouvement de sonate) ; bien qu'en l'absence d'une idée programmatique, elle est envahie d'un caractère narratif présent dans les différents caractères expressifs qui s'alternent et la sous-entendent en tant que 'poème'. Et ne pourrait-on pas aussi considérer le Lied schubertien comme une abstraction musicale de contenus poétiques? F. Liszt fait, dans ce sens, l'hypothèse de la réalisation d'une « épopée philosophique » à côté du credo dans la musique « à programme » : « Das Programm trägt die Fähigkeit in sich, der Instrumentalmusik Charakterarten zu übermitteln, welche den verschiedenen poetischen Formen fast identisch sind. Es kann ihr die Haltung der Ode, des Dithyrambus, der Elegie, mit einem Wort jeder lyrischen Poesie geben. Und selbst, wenn die Instrumentalmusik diessen verschiedenen Gattungen besonders eigenen Stimmungen längst ausgesprochen hat, so kann sie durch eine Feststellung des Stoffes, aus der Annäherung gewisser Ideen, der Wahlverwandtschaft gewisser Figuren, aus der Trennung oder Verbindung, der Aneinanderreihung oder Verschmelzung gewisser poetischer Bilder und Schlüsse neue, ungeahnte Vorteile gewinnen. Und endlich kann das Programm noch außerdem für die Musik das Äquivalent einer Dichtungsart ermöglichen, welche dem Altertum nicht bekannt war und ihr Dasein einer charakteristisch modernen Gefühlsweise verdankt [...] »[28].

---

[28] F. Liszt, *op. cit.*, p. 127–128.

R. Schumann, écrivant à propos de la II *Ballade* de F. Chopin, avait souligné la présence, admise par le compositeur, de la poésie de Mickiewicz, vu qu'il avait deviné dans cette oeuvre une 'arrière pensée' qui renvoyait à un texte, et qu'il avait entrevu, selon sa vision fantastique, le 'poème pianistique'.

Le compositeur allemand avait en effet, lui aussi, représenté une opinion importante dans la polémique surgie entre la musique absolue et celle à programme : « Verschließe sich also der Künstler mit seinen Wehen ; wir würden schreckliche Dinge erfahren, wenn wir bei allen Werken bis auf den Grund ihrer Entstehung sehen könnten. [...] Was überhaupt die schwierige Frage, wie weit die Instrumentalmusik in Darstellung von Gedanken und Begebenheiten gehen dürfte, anlangt, so sehen hier viele zu ängstlich. [...] Unbewußt neben der musikalischen Phantasie wirkt oft eine Idee fort, neben dem Ohre das Auge, und dieses, das immer tätige Organ, hält dann mitten unter den Klängen und Tönen gewisse Umrisse fest, die sich mit der vorrückenden Musik zu deutlichen Gestalten verdichten und ausbilden können. Je mehr nun der Musik verwandte Elemente die mit den Tönen erzeugten Gedanken oder Gebilde in sich tragen, von je poetischerem oder plastischerem Ausdrucke wird die Komposition sein, — und je phantastischer oder schärfer der Musiker überhaupt auffaßt, um so mehr sein Werk erheben oder ergreifen wird »[29]. De plus, dans la conception du compositeur allemand, une idée appartenant à la psychologie de la forme, presque l'intuition d'une intériorité gestaltiste de l'Erlebnis sonore, là où le son peut apparaître « avec des caractères de forme sur un fond sonore ou avec des caractères de fond par rapport auquel les autres sons assument la fonction de figure », permettant à l'élément imaginaire aussi de participer à la vision artistique, se trouvait anticipée [30]; une représentation intérieure donc de la forme sonore que l'imaginaire modifie quant aux éléments.

Bien que dans une esthétique compositive différente de celle de F. Chopin, R. Schumann reste plus proche de lui que ne l'était F. Liszt par le fait de reconnaître une idée à la base des formes sonores que l'on peut rapporter à un texte poétique d'une façon moins évidente. Ce que R. Schumann dit lui-même des critiques, avec une attitude presque pareille à celle que F. Chopin a eue envers lui à l'époque de la publication de l'op. 2, est significatif ; il écrivait en effet à propos de la *Grande Ouverture de Waverley* — op. 2 aussi — de E. Berlioz : « Man wird fragen, zu welchem Capitel, welcher Scene, weshalb, zu welchem Zweck? Denn Kritiker wollten immer gern wissen, was ihnen die Componisten selbst nicht sagen können, und Kritiker verstehen oft kaum den zehnten Theil von dem, was sie besprechen. Himmel, wann endlich wird die Zeit kommen, wo man uns nicht mehr fragt, was wir gewollt mit unsern göttlichen Compositionen [...] »[31] F. Chopin avait au contraire écrit à Tito, d'un ton moqueur : « Parlant de la deuxième variation, il dit qu'on y voit courir Don Juan et Leporello.

---

[29] R. Schumann, « Symphonie von H. Berlioz. Épisode de la vie d'un artiste. Grande Symphonie fantastique op. 14 (1835) », Partition de piano par F. Liszt, in : *Gesammelte Schriften*, op. cit., Bd. 1, Leipzig 1892, pp. 148–149.

[30] Guido Petter, (voce) « Psicologia della Forma », in : *Enciclopedia Filosofica*, III, Centro di Studi Filosofici di Gallarate, Firenze 1957, p. 1727.

[31] R. Schumann, « H. Berlioz, Conzertouvertüren für Orchester (1839). Ouvertüre zu Waverley », in : *Gesammelte Schriften*, op. cit., Bd. 2, Leipzig 1892, p. 178.

Dans la troisième Don Juan serre Zerline dans ses bras tandis qu'à la main gauche, Mazetto est pris de colère. Enfin il déclare qu'à la cinquième mesure de l'*Adagio*, Don Juan baise Zerline en *ré bémol majeur*. « Où ce ré bémol majeur se trouve-t-il sur Zerline, me demandait hier Plater ? »[32].

Toutefois la poétique des désirs ardents philosophico-littéraires du compositeur allemand enfonçait ses racines dans l'imaginaire fantastique du monde germanique qui était resté, pour Chopin, plus étranger à cause de sa spécificité. Les « Poèmes musicaux' de l' « artiste » — d'après l'expression d'A. Gide — devaient porter le souvenir indélébile des légendes nationales et, plus tard, l'empreinte de la lyrique et de la dramaturgie française.

Sa puissante capacité de synthèse expressive lui permet de développer la forme, en modifiant aussi la structure des sons ou en la proposant de nouveau modifiée en d'autres genres, pour adhérer à l'idée esthétique, aux topoi symboliques fondamentaux. Des genres qui renferment la génialité de sa musique en une mosaïque de 'morceaux uniques', si l'on peut en effet reconnaître la dérivation de modèles préexistants, il est vrai aussi qu'ils apparaissent désormais comme des oeuvres profondément différentes : c'est ce qui a lieu pour les Nocturnes qui fondent, dans la dimension créative chopinienne, toute une tradition nocturne, de l'élément crépusculaire, « moment privilégié » de mélancolie, selon une expression de V. Jankélevitch, à l'oscillation hypnotique qui existe aussi dans la *Berceuse* et dans la *Barcarolle*, des visions dramatiques qui animent souvent les parties centrales à l'évocation de l'obscurité envisagée comme complice de sa solitude. L'auteur y reconnaît une interchangeabilité de genres semblables qui fait penser justement à la *Berceuse*, à la *Barcarolle*, au nocturne, à la *Marche funèbre* et aussi sous certains aspects à la ballade, basée sur des structures de style déterminées : « Ainsi s'explique le lieu de la nuit, de la musique et du temps. »[33]

Les 4 *Ballades* représentent une synthèse fantastique de l'épique légendaire repensé sur le fil de la mémoire existentielle ; lyrico-dramatiques, elles s'élèvent sous une forme historique et emblématique dans le domaine d'une tension romantique justement augmentée par l'équilibre « classique » des parties qui en constituent la structure. Le « Balladenton » (... il était une fois...), entre épique et narratif, possède aussi l'élément rapsodique qui le caractérise[34]. Le manque de titre, qui est voulu, condense la présence possible d'un « programme » dans la création du genre : une sémanticité de l'asémanticité musicale obtenue par la confluence à l'intérieur de genres variés et de structures de style particulières. Mais la poésie elle-même — contrairement à la littérature — a une asémanticité propre là où elle remplace à la parole la parole symbolique. F. Petrarca raconte le changement de son sentiment d'amour et G. Leopardi emploie le mot « vague » dans des acceptions différentes ; ainsi Chopin, grâce à certaines structures de style lyrico-extatiques ou héroïco-dramatiques qui lui sont propres, qui différencient et en même temps unissent avec un fil intérieur fin ses oeuvres tout en évoquant une unité originale. Les *4 Scherzos* apparaissent comme quatre mor-

---

[32] F. Chopin, « Lettre à Tytus Woyciechowski, 12 décembre 1831 », *Correspondance, op. cit.*, I, p. 43.

[33] Vladimir Jankélévitch, *Le Nocturne*, Paris 1957, cfr. pp. 23–40.

[34] Cfr. Serge Gut, « Interférence entre le langage et la structure dans la « Ballade en sol mineur » opus 23 de Chopin », in : *Chopin Studies*, 5, Warszawa 1995, p. 64.

ceaux uniques dans l'histoire de la musique et ne ressemblent qu'à eux-mêmes en suivant justement la technique esthético-compositive[35]. Ce sont de grands poèmes pour piano qui alternent, à travers une structure de la forme et une application différente de différents genres, le facteur dramatique, lyrique, de virtuose, en faisant bien peu transparaître l'acception du terme 'scherzo' comme il est communément compris. Dans la même tradition antique italique et italienne, l'on pouvait par ce mot entendre dérision, sarcasme, masque, énigme, il suffit de penser à la conception transmise dans la vision shakespearienne de la figure du jeune, noble Mercutio dans *Roméo et Juliette*. Et l'acception chopinienne semble être telle, dans l'incipit de l'op. 31 qu'elle se trouve parmi les énigmes poétiques et philosophiques universelles. Combien et quelles apparitions présente, d'elle-même, la mort? L'élément lui-même du choral qui se caractérise surtout dans l'op. 39 semble assumer désormais le rôle idéalisé de médiation, entre autres présent dans de nombreuses autres oeuvres avec une signification semblable. Les *Préludes* représentent par contre, le « Cycle » et F. Chopin semble unir, dans celui-ci, les expériences les plus intimes et contrastantes de l'existence, là où la miniature, si l'on peut parler de miniature dans la conception chopinienne — ainsi que pour les Mazurkas — assume une dimension ne pouvant plus être évaluée avec des mesures réelles. Dans la mesure où une récolte si magnifique est définie par le terme de « cycle », d'après les points de vue de différentes analyses, le fil conducteur qui se trouve à la base reste toutefois arraché à un programme narratif spécifique, comme cela a lieu au contraire dans la conception créative de d'autres compositeurs, surtout chez Schumann (*Papillons* ou *Humoreske*, o *Davidsbündlertänze*...), mais en se synthétisant en une séquence énigmatique, un poème de l'existence dans la quintessence de la musique[36].

Les mots de R. Schumann, d'A. Gide, les nombreuses interprétations sont bien connues, mais il semble surtout qu'à la base l'on retrouve le même rapport entre la structure implacable et différentes possibilités d'expression, un microcosme à l'intérieur d'un macrocosme constitué de l'ensemble des oeuvres de Chopin. Si les *Etudes* de F. Chopin paraissaient très différentes, grâce à un rapport incomparable entre la technique et l'expression, par rapport aux recueils des compositeurs surtout préromantiques et de la première partie du Romantisme, les *24 Préludes* étaient destinés à être entièrement réalisés, comme les deux *Sonates* op. 35 et 58, quand la maturation de la forme dans son équation interne avec l'expressivité, se serait présentée.

R. Schumann écrivait à propos de l'op. 35 : « So fängt nur Chopin an, und so schließt nur er : mit Dissonanzen durch Dissonanzen in Dissonanzen. Und doch, wie viel Schönes birgt auch dieses Stück! Daß er es 'Sonate' nannte, möchte man eher eine Caprice heißen, wenn nicht einen Uebermut, daß er gerade vier seiner tollsten Kinder zusammenkoppelte, sie unter diesem Namen vielleicht an Orte einzuschwärzen, wohin sie sonst nicht gedrungen wären »[37].

---

[35] Cfr. Zofia Chechlińska, « Scherzo as a Genre — Selected problems », in : *Chopin Studies*, 5, op. cit., p. 165.
[36] Cfr. Ch. Rosen, *op. cit.*, p. 115.
[37] R. Schumann, « Neue Sonaten (1841). Sonate von Chopin, op. 35 », in : *Gesammelte Schriften*, op. cit., Bd. II, Leipzig 1892, p. 316.

Le compositeur allemand reconnaît comme toujours la verve géniale de F. Chopin et même quand celui-ci précède les temps par la création des formes nouvelles ; ses mots sur la *Marche* et le *Finale* sont bien connus et emblématiques, ainsi qu'à propos d'autres oeuvres comme les *Scherzos* ou les *Préludes* : « Denn was wir im Schlußsatze unter der Aufschrift « Finale » erhalten, gleicht eher einem Spott als irgend Musik [...] So schließt die Sonate, wie sie angefangen, rätselhaft, einer Sphinx gleich mit spöttischem Lächeln »[38]. Si alors le problème théorique de la forme-sonate — mis en discussion par A.B. Marx — n'était pas encore senti à ce point, R. Schumann tend davantage à entrevoir dans la réalisation chopinienne une grande forme « poético-musicale ». Il est intéressant de remarquer comment, par rapport à une conception « sonatistique », il préfère reconnaître dans la conséquentialité des *Impromptus* op. 142 de F. Schubert une Sonate hypothétique. Pour l'artiste romantique, et le compositeur allemand appartient certainement à ceux-ci, la « crise de la forme » représenta une erreur, « une irruption du laid » — ou du grotesque — comme une « intrusion de la vie dans l'art », une violation des modèles classiques souvent de dérivation réelle et populaire, une tentation à la fois crainte et recherchée, devinée dans la dimension d'une nouvelle esthétique[39]. Mais F. Chopin ne craignait désormais plus la confrontation avec les grandes « genres constitués » dans la sécurité de l'évolution de sa poétique créative. De plus R. Schumann avait, tout comme F. Liszt, déploré l'état stérile auquel était parvenue la Sonate[40]. En excluant l'existence d'un modèle absolu, les

---

[38] R. Schumann, *ibidem*, p. 318.

[39] Cfr. Ch. Rosen, *op. cit.*, p. 475 et M. Ferraris, S. Girone, F. Vercellone, « Estetica », V, in *La Filosofia — Le discipline filosofiche*, III, (diretta da P. Rossi), Mi 1996, pp. 498–500.

[40] R. Schumann, *Gesammelte Schriften*, *op. cit.*, Bd. 2, Leipzig 1891, nn. 68 e 95. Aux numéros 68 et 95 de ses écrits, le compositeur revient plusieurs fois sur le problème de la Sonate en tant que genre et en tant que forme, aussi bien par rapport à la réception de l'époque qu'aux valeurs compositives : N. 68, « Sonaten für das Clavier » : « Sonderbar, daß es einmal meist Unbekanntere sind, die Sonaten schreiben : sodann, daß gerade die älteren noch unter uns lebenden Componisten, die in der Sonatenblüthezeit aufgewachsen, und von denen als die bedeutendsten freilich nur Cramer und Moscheles zu nennen wären, diese Gattung am wenigsten gepflegt. Was die ersteren, meist junge Künstler, zum Schreiben anregt, ist leicht zu errathen ; es giebt keine würdigere Form, durch die sie sich bei der höheren Kritik einführen und gefällig machen könnten ; die meisten Sonaten dieser Art sind daher auch nur als eine Art Specimina, als Formstudien zu betrachetn ; aus innerem starken Drang werden sie schwerlich geboren. Schreiben aber die älteren Componisten keine mehr, so müssen sie ebenfalls ihre Gründe dazu haben, die zu errathen wir Jedem überlassen. [...] So stand es vor zehn Jahren um die Sonate, so steht es noch jetzt. Einzelne schöne Erscheinungen dieser Gattung werden sicherlich hier und da zum Vorschein kommen und sind es schon ; im Uebrigen aber, scheint es, hat die Form ihren Lebenskreis durchlaufen, und dies ist ja in der Ordnung der Dinge, und wir sollen nicht Jahrhunderte lang dasselbe wiederholen und auch auf Neues bedacht sein. Also schreibe man Sonaten oder Phantasien (was liegt am Namen!), nur vergesse man dabei die Musik nicht, und das andere erfleht von eurem guten Genius. » pp. 155–156. N. 95, « Neue Sonaten » für Pianoforte : « Unsere letzte Sonatenschau schloß im Dezember 1839. Nur weniges in diese edle Gattung Einschlagendes ist seitdem erschienen, und freilich, scheint es, hat sie mit drei starken Feinden zu kämpfen — dem Publicum, den Verlegern und den Componisten selbst. Das Publicum kauft schwer, der Verleger druckt schwer und die Componisten halten allerhand, vielleicht auch innere Gründe ab, dergleichen Altmodisches zu schreiben. Die es trotzdem thun, sollen uns doppelt werth sein. [...] Es giebt eine Classe von Sonaten, über die sich am schwiersten reden läßt ; es sind jene richtiggesetzten, ehrlichen, wohlgemeinten, wie sie die Mozart-Haydnsche Schule zu hunderten hervorrief, von denen noch jetzt hier und da Exemplare zum Vorscheinen kommen. Tadelte man sie, man müßte den gesunden Menschen-

espoirs étaient donc tournés vers une nouvelle vision de celle-ci, que justement F. Chopin devait réaliser. Dans la conception même de H. Riemann de la forme musicale comprise comme unité dans la variété, la limite s'élargissait : « une Sonate n'adopte pas toujours la forme-sonate et celle-ci, du reste, peut être employée dans les morceaux les plus variés »[41]. Dans la vision chopinienne donc, les modèles du passé, comme les innovations des contemporains, sont pesés et remis en ordre selon une manière personnelle de se rapporter à eux-mêmes ; il n'y a pas de doute que les deux pôles dominant les premières décennies du XIXes siècle entre un potentiel héroïque positif et un conflit successif entre renoncement et rébellion se reflétèrent dans l'inspiration chopinienne, interrompus par des pauses de lyrisme et convergents en synthèses magnifiques ; leur domaine n'était plus ni le salon noble ni le salon bourgeois, mais l'espace de celui qui pouvait le comprendre.

Si l'histoire de la musique est donc aussi l'histoire des genres et des formes choisies ou créées par les compositeurs dans l'évolution du langage musical, souvent des pierres milliaires entre la tradition et l'innovation, F. Chopin en fait partie et y joue un rôle unique ; et encore, si la philosophie de la musique représente la recherche elle-même de celle-ci, de sa genèse et de son essence, dans ce cas aussi F. Chopin en fait partie en grand protagoniste grâce à la synthèse magnifique de ses sublimations musicales. On n'a que rarement voulu rapprocher le compositeur polonais à la pensée philosophique, avec des exceptions dans le domaine de l'esthétique.

Si les grandes affinités qui unirent L. van Beethoven à E. Kant, à F. Schelling ou à Hegel sont toujours bien connues, parmi les Romantiques celles-ci se révélèrent toutefois davantage parmi les musiciens et les poètes. Les aspirations à l'absolu de Schumann elles-mêmes ne trouvent pas de correspondance avec les pensées sur la musique d'un philosophe emblématique du XIXe siècle que fut A. Schopenhauer.

Dans une vision classique de la musique, loin des aspirations romantiques, il avait toutefois alimenté l'art du XIXe siècle de sa pensée en contribuant à créer la conscience musicale créative contemporaine ; son idéal esthétique le portait à avoir de l'admiration pour W.A. Mozart en particulier, pour G. Rossini et pour la *Norma* de V. Bellini, et à repousser, au contraire, la musique des Romantiques en reconnaissant « la hauteur et l'abîme de la musique » « dans sa simplicité elle-même »[42]. Donc, bien que, justement, la philosophie de Schopenhauer ait contribué à répandre dans les âmes cultivées de l'époque la tension pessimiste vers des « absolus » impossibles à atteindre et vers des énigmes existentielles inépuisables, ce monde musical qui s'inspirait à cette dimension ne coïncidait pas avec l'idée de celle-ci qu'en avait le philosophe. L. van Beethoven avait écrit avec une affinité d'esprit : « Toujours plus

---

verstand tadeln, der sie gemacht ; sie haben natürlichen Zusammenhang, wohlanständige Haltung. [...] Aber freilich, heutigen Tages aufzufallen, ja nur zu gefallen, dazu gehört mehr als bloß ehrlich zu sein. Und hätte denn Beethoven so umsonst gelebt? Wer lesen kann, der hält sich nicht mehr bei dem Buchstabiren auf ; wer Shakespeare versteht, ist über den Robinson hinüber ; kurz, der Sonatenstil von 1790 ist nicht der von 1840 : die Ansprüche an Form und Inhalt sind überall gestiegen. » pp. 314–315

[41] Hugo Riemann, « Forma », *Lessico*, II, *Dizionario Enciclopedico Universale della Musica*, réd. A. Basso, UTET, Torino 1983, p. 260.

[42] Arthur Schopenhauer, *Scritti sulla musica e le arti*, (a cura di) F. Serpa ; cfr. Introduzione, pp. XXX–XXXII.

simple! »[43]. Il le rapprochait au contraire, naturellement, à l'amour partagé par F. Chopin pour les compositeurs eux-mêmes et pour le même idéal esthétique : l'émotion éprouvée par le compositeur alors qu'il écoute des mélodies de Rossini et de Bellini dans les grandes interprétations belcantistiques sont bien connues. Sans vouloir attribuer au musicien des attitudes philosophiques, qui ne faisaient pas partie de sa poétique purement musicale, ces réflexions contribuent à éclairer sa position dans le domaine romantique, dans les affinités et dans les contrastes avec d'autres personnages contemporains. La musique — écrivait le philosophe — n'exprime pas « die Erscheinung, sondern allein das innere Wesen, das Ansich aller Erscheinung, den Willen selbst [...]. Sie drückt daher nicht diese oder jene einzelne und bestimmte Freude, diese oder jene Betrübniß, oder Schmerz, oder Entsetzen, oder Jubel, oder Lustigkeit, oder Gemüthsruhe aus ; sondern die Freude, die Betrübniß, den Schmerz, das Entsetzen, den Jubel, die Lustigkeit, die Gemüthsruhe selbst, gewissermaßen in abstracto, das Wesentliche derselben, ohne alles Beiwerk, also auch ohne die Motive dazu. Dennoch verstehn wir sie, in dieser abgezogenen Quintessenz, vollkommen. »[44] Une idée donc de l'expressivité de la musique de nature proprement musicale et invétérée aux lois de la forme et de sa structure. Selon le commentaire de L. Serpa, il était vrai que « Schopenhauer a fourni au romantisme la théorie de la vérité universelle de la musique et qu'il a (donc) fondé les raisons de sa responsabilité expressive immense, mais il a exclu que cette responsabilité puisse être référée à des contenus spécifiques, bien que hauts et nobles. Si on pouvait redonner une nouvelle exposition conceptuelle de la musique, celle-ci expliquerait tout le monde, elle ne serait rien d'autre que de la philosophie ». Alors, si la musique peut refléter « l'énergie universelle et le processus créatif tout entier qu'elle a en elle » en ce sens qu'elle possède en elle-même « les degrés qui correspondent à ce processus de création »[45] voilà alors ce qui est mis en corrélation avec le processus compositif dans son acception de musique pure : F. Chopin, musicien, semble réaliser instinctivement une conception semblable dans le choix des genres et des formes structurelles (formes abstraites selon Riemann) qui les constituent en une unicité originale et expressive ; l'idée se réalise dans la forme comme métaphore poético-musicale d'un destin individuel ; la synthèse de genres utilisés comme structures de style à l'intérieur et constitutifs d'un genre-forme plus vaste expriment l'unité musicale magnifique du multiple de l'un, du devenir imprimé gestaltiquement. De plus, le dépassement de la sémanticité elle-même de la parole semble avoir lieu chez F. Chopin aussi dans la relation entre son-temps (durée-mémoire) et associations évocatoires, ce qui est un fait que le philosophe considère analoguement en visant à l'autonomie linguistique de la musique comme phénoménologie des sons avec leurs propriétés signifiantes, leurs relations réciproques, leurs tensions évolutives propres à reproduire « l'écoulement entier du principe universel » : « Denn überall drückt die Musik nur die Quintessenz des Lebens und seiner Vorgänge aus, nie diese selbst

---

[43] Walter Riezler, *Beethoven*, Milano 1977, p. 245.

[44] A. Schopenhauer, *Die Welt als Wille und Vorstellung I, Sämtliche Werke*, Mannheim 1988, p. 308–309.

[45] A. Schopenhauer, *Scritti sulla musica...*, Introduzione (F. Serpa), *op. cit.*, p. XXIX.

[...]. »[46] L'aspect conflictuel des grandes synthèses dramatiques sont exprimées ainsi : « Alle möglichen Bestrebungen, Erregungen und Aeußerungen des Willens, alle jene Vorgänge im Innern des Menschen, welche die Vernunft in den weiten negativen Begriff Gefühl wirft, sind durch die unendlich vielen möglichen Melodien auszudrücken, aber immer in der Allgemeinheit bloßer Form, ohne den Stoff, immer nur nach dem Ansich, nicht nach der Erscheinung, gleichsam die innerste Seele derselben, ohne Körper. [...] Man könnte demnach die Welt eben so wohl verkörperte Musik, als verkörperten Willen nennen : daraus also ist es erklärlich, warum Musik jedes Gemälde, ja jede Scene des wirklichen Lebens und der Welt, sogleich in erhöhter Bedeutsamkeit hervortreten läßt ; freilich um so mehr, je analoger ihre Melodie dem innern Geiste der gegebenen Erscheinung ist. »[47] Ainsi, donc, asémantiquement, l'on peut comprendre le mystère de l'expression musicale à travers les structures de styles propres : la mélodie nocturne, l'élément héroïque, l'accent épique, l'ironie, la méditation et le souvenir. « Solche einzelne Bilder des Menschenlebens, der allgemeinen Sprache der Musik untergelegt, sind nie mit durchgängiger Nothwendigkeit ihr verbunden, oder entsprechend ; sondern sie stehn zu ihr nur im Verhältniß eines beliebigen Beispiels zu einem allgemeinen Begriff : sie stellen in der Bestimmtheit der Wirklichkeit Dasjenige dar, was die Musik in der Allgemeinheit bloßer Form aussagt. Dem die Melodien sind gewissermaßen, gleich den allgemeinen Begriffen, ein Abstraktum der Wirklichkeit. »[48]

Donc, dans la perspective historico-esthétique, ou bien l'on considère F. Chopin dans le cadre général du Romanticisme européen et de ses similitudes et différences bien connues, ou bien on lui reconnaît une place unique parmi les « grands suggestivismes » que l'on peut rattacher à une poétique expressive nouvelle comme la poétique créative de la forme : il résulte alors qu'il est l'inventeur du poème pianistique et l'interprète de l' « héroïsme de poète ».

---

[46] A. Schopenhauer, *Die Welt als Wille...*, *op. cit.*, p. 309.
[47] A. Schopenhauer, *ibidem*, p. 310.
[48] A. Schopenhauer, *ibidem*, pp. 310–311.

STRESZCZENIE

ŚWIADOMOŚĆ ESTETYCZNO-MUZYCZNA I GENEZA TWÓRCZA MYŚLI FRYDERYKA CHOPINA

Kwestia estetyczno-twórcza, wspólna dla genialnych indywidualności romantycznych pierwszej połowy XIX wieku, opierała się na tendencjach inspirowanych zdobyczami artystycznymi, uwzględniającymi również często kult przeszłości. Dyskutowano w jaki sposób można by było wywieść „piękno" poza reguły akademickie, określając przy tym „wolność kompozycji" w różnoraki sposób, wedle wartości związanych także z miejscem urodzenia twórcy i rozwoju artystycznego. Taka koncepcja znajduje swoje odzwierciedlenie w wypowiedziach F. Liszta, pełnych intensywności, w żywych refleksjach R. Schumanna, tak jak i w wyrazistych sformułowaniach Chopina. Nowatorski geniusz staje się symbolem „oryginalności stylu"; swoją szczególną bystrością umysłu R. Schumann wyczuł w twórczości Chopina jedność duchową, „ideę ontologiczną", wyrażającą się w urzeczywistnianiu struktury formy. Podczas gdy klasycy identyfikowali się z ideą formy, romantycy uznali „wolność formalną", która często powodowała nieporozumienia stylistyczne i interpretacyjne, ale która u Chopina była realizowana jako konieczność ekspresyjna zawarta w samej jego twórczości, wolność ujętą w „rodzaju", rozumianym jako idealna forma w swojej jedności, w „ideę gestaltyczną", w której nie tylko zauważa się, lecz także potwierdza „poemat pianistyczny", w odróżnieniu od „poematu symfonicznego". W jednym ze swoich szczególnych aspektów „klasyczność" chopinowska polegałaby właśnie na realizacji formy romantycznej i na określeniu tej organiczności, która dzieli ją od „Formlosigkeit", istniejącej w duchu romantycznym. W chopinowskiej myśli muzycznej dychotomia romantyczna pomiędzy muzyką absolutną i muzyką programową znajduje swoje urzeczywistnienie w autonomii języka muzycznego, realizowanego z niezwykłą głębią i wyjątkową precyzją kompozytorską. Nadaje ona inny charakter ewentualnej treści poetycko-egzystencjalnej w zanotowanej idei muzycznej i często tajemnie wyrażanej w czystej semantyce muzycznej. Odnosi się wrażenie, jakby kompozytor zbliżał się do myśli A. Schopenhauera, szczególnie tam, gdzie filozof uważa, że tajemnice ekspresji muzycznej można pojmować asemantycznie, przez symbole: element heroiczny, akcent epicki, ewokacja, melodia typu nokturnowego. Kwestia wpływu „osnowy" poetycko-literackiej na wybór rodzaju ukazuje się jeszcze wyraźniej jako ekspresja idealnego wewnętrznego obrazu dźwiękowego, ściśle związanego ze strukturą, jako prawdziwej relacji — treść-forma. Nazywając „poematami pianistycznymi" większość Chopinowskich genres, w których miniatura zostaje poszerzona o obszary wewnętrzne, unika się pokusy odwoływania się do interpretacji tekstowych, jako że wybrany rodzaj stanowi sam w sobie „topos" poematu idealnego. Brak tytułów lub odniesień wzmacnia tę koncepcję: chodzi o semantyczność treści lub programu zawartego w istocie asemantyki muzycznej i uzyskanego przy syntetycznym współistnieniu różnych rodzajów immanentnych i niepowtarzalnych symboli. W perspektywie historyczno-estetycznej F. Chopinowi przyznaje się, poza tym, jedyne miejsce pośród „subiektywistów", jako twórcy nowej poetyki ekspresyjnej nazwanej „poetyką formy". Dzięki swojej oryginalnej wizji inspiracyjnej i twórczej, jest Chopin twórcą poematu pianistycznego, w którym, w odróżnieniu od poematów symfonicznych Liszta, z żelazną konsekwencją kompozytorską unika on wprowadzania elementów pozamuzycznych, lub — jeśli już — to ukrywa je w strukturze muzycznej.

Attentive Listening: The Rhetorical Relationship Between Virtuoso Pianist and Audience During Chopin's Formative Years

Matthew Riley
(London)

Recent years have witnessed an increasing awareness of the importance of the popular concert music of the 1820s and early 1830s in forming Chopin's musical personality. In particular, Jim Samson has stressed that Chopin never entirely abandoned the gestures and formal principles of this style but, in his later large-scale forms, often brought them into a synthesis with the methods of the Austro-German sonata tradition.[1] The sharp alternation of lyrical melody and virtuoso figuration, and the succession of a series of discrete musical 'topics' drawn from popular genres or styles of the day, retained a central place in his music. Yet, as John Rink has shown, they gradually came to be underpinned by overarching tonal structures which lent a sense of coherence and 'goal-directed' motion seldom found in the works of his immediate precursors.[2]

However, Chopin's relationship with the institution of the public concert was always somewhat ambivalent. While he had originally aspired to the career of a virtuoso pianist-composer in the mould of Hummel or Kalkbrenner, he experienced periodic disenchantment with the idea, culminating in his bitter disappointment at the reception of his E minor concerto at a concert in Paris in April 1835. Increasingly, he chose to perform in more private settings.

I shall elucidate some of the positive and negative aspects of Chopin's relationship with the practice of virtuoso pianism by considering this component of early nineteenth-century musical culture as a form of communication between performer and audience, that is, as a kind of rhetoric. In particular, I shall consider some writings of the time by Carl Czerny which explicitly describe the virtuoso pianist as an orator, and which even identify certain musical gestures and formal procedures that are said to have specific persuasive effects on a large audience. I shall point to examples of such procedures in Chopin's early compositions, especially the *Fantasy on Polish Airs* Op. 13. However, I shall also stress that a public rhetoric such as this would probably not have been entirely suited to Chopin's musical personality, and that even in slightly later works such as the two concertos, the rhetorical devices described by Czerny are much less in evidence.

---

[1] Jim Samson, *Chopin: The Four Ballades*, Cambridge 1992, p. 3.
[2] John Rink, *The Evolution of Chopin's Structural Style and its Relation to Improvisation*, PhD diss., University of Cambridge, 1989.

The comparison between music and rhetoric is quite ancient, although by the early nineteenth-century it was gradually losing its prestige among theorists. The analogy is nevertheless extremely useful with regard to the virtuoso piano music of the 1820s, since there was a particularly pressing need for the performer to please and compel the new, 'anonymous', middle-class audience which now filled European concert halls. Jim Samson has likened the pianist-composer of this era to an entrepreneur who, together with associated publishers and piano makers, sought to exploit the commercial opportunities offered by a mass market.[3] And the imperative to make an impression on a large audience of widely varied taste and musical experience is arguably recognisable in the very structure of the music. The performer would display skill in a range of musical styles, some lyrical, some dazzling and brilliant, others conveying some national or regional flavour. Sets of variations, rondos and potpourris constructed in a somewhat sectional manner, were appropriate vehicles for achieving this aim. They allowed the player to dwell on one topic or style for a certain period of time before swiftly proceeding to the next.

The analogy between music and rhetoric has, of course, been conceived in many different ways. Czerny frequently describes the effects that a virtuoso pianist can make on an audience in terms of the *attention* of the listeners. In this respect, he stands at the end of a tradition of German music theory from the late eighteenth-century, in which the conjunction of music, rhetoric and attention was extensively discussed. I shall briefly consider some aspects of this tradition, before explaining what Czerny says, and arguing that he adapts the eighteenth-century models to a specific nineteenth-century context.

In late eighteenth-century German theory, the devices of traditional rhetoric such as figures, the laws of arrangement (*dispositio*), and effective period structure, were frequently explained in terms of a putative effect on the listener's attention. I have elsewhere described this discourse as a 'musical rhetoric of attention'. The concept of attention (*Aufmerksamkeit*) was central to the psychological theories of the time, and was discussed in detail by leading figures of the German Enlightenment.[4] Attention was seen as the fundamental faculty of the human mind: all forms of thinking, perceiving, remembering and imagining were treated simply as different kinds of attention. For a persuasive rhetoric, then, knowledge of the faculty of attention and how to affect it was of great importance. Indeed, it is not just musical but also eighteenth-century verbal rhetorics which discuss this matter, and they do so in far more detail than the ancient treatises of classical rhetoric, which in other respects serve as their models.[5]

A good example of the kind of devices to be found in this musical rhetoric of attention is the account of music-rhetorical figures by the Göttingen music historian and theorist Johann Nikolaus Forkel. In the Introduction to the first volume of his *Allgemeine Geschichte der Musik*, published in 1788, Forkel lists a number of figures, in a

---

[3] J. Samson, *op. cit.*, p. 2.
[4] The most extensive account of attention is found in Georg Friedrich Meier, *Anfangsgründe aller schönen Wissenschaften*, Halle 1748–50, § 283 ff.
[5] See Thomas Carr Jnr., *Descartes and the Resilience of Rhetoric*, Carbondale, Illinois 1990, pp. 125–167.

manner similar to the theoretical writings of the German Baroque period. However, he stresses that all the figures ultimately serve to affect the attention. Especially effective among these are what he calls 'alle neue, unerwartete Wendungen und plötzliche Uebergänge in der Modulation'.[6]

The idea of using novelty and the unexpected in order to catch the attention is of course not unfamiliar. But in the eighteenth century, the goal of art was certainly not to seduce the listener or to exploit the weakness of the human mind. Writers on aesthetics consistently sought to establish a complementary relationship between external stimuli and the subject's own self-conscious attentive striving. This was consistent with the tradition of Leibnizian philosophy within which they worked; a tradition that emphasised the ethical importance of always striving to increase one's own mental activity.

Carl Czerny's treatise on improvisation, *Systematische Anleitung zum Fantasieren auf dem Pianoforte* Op. 200, was first published in 1829. Although Czerny was not himself renowned as an improviser, the Vienna of his day was the undisputed capital of virtuoso pianism and he was the pupil of Beethoven and the teacher of Liszt, two outstanding improvisers. Czerny emphasises that for public improvisation, the performer must possess a formidable array of skills: not only natural aptitude, but also a thorough training in harmony and modulation, and a perfectly honed technique. The later stages of the treatise are clearly focused on virtuoso improvisation before a large public gathering of people.

In keeping with his title, Czerny adopts a systematic approach. He starts with the various types of improvised Prelude that can precede a larger integral work, and continues with cadenzas and fermatas before reaching his main topic: large-scale improvisation, which he calls 'Fantasieren'. He makes further divisions within the latter category. Some fantasies rely on a single theme, while others are based on a combination of several. In addition, the *potpourri* draws on a variety of motives without developing a single one to any great extent. In each case, Czerny lists examples by composers such as Mozart, Beethoven, Hummel, Clementi, Dussek, Kalkbrenner, and even himself.

This extensive typology serves a definite purpose. Czerny constantly refers to the criterion of *suitability*: the performer must assess a given set of circumstances and select an appropriate type of improvisation. Thus, if a prelude is needed, one must take account of the overall character, length, and specifically the opening bars of the piece that is to follow. For a longer improvisation, one must be aware of the nature of the audience: whether it is a select group of connoisseurs or a large public gathering, for instance. These kinds of choices are familiar from rhetorical theory, in which they are known as matters of *decorum*. The orator must choose a style of speaking which will fit both the content of the speech and the character of the audience.

The first time Czerny explicitly mentions oratory is at the start of his discussion of large-scale improvisation. He says that a pianist improvising before a sizeable audience can be compared to an orator giving an impromptu speech. He claims that many

---

[6] 'all new, unexpected turns and sudden transitions in the modulation', Johann N. Forkel, *Allgemeine Geschichte der Musik* vol. I, facs. reprint Graz 1967, *Einleitung*, § 118.

principles of oratory correspond with those of musical improvisation. These include the need for complete technical control, a store of ideas from familiar repertory committed to memory, and the ability to add attractive decoration if this is appropriate.

I shall focus on Czerny's comments concerning the third type of fantasy-like improvisation, the *potpourri*. He explains that when the pianist is before a large audience, perhaps in a theatre, a fantasy which uses only one or two motives is inappropriate. The anxiety of performing in a public setting may affect the player's inventiveness and concentration, which are needed if a whole piece is to be developed from just a few ideas. The fear of boring the audience with so little material may also contribute to anxiety. Moreover, Czerny points out that the performer will be dealing with a very mixed public, many of whom will be entertained only by familiar tunes and a glittering style. Thus the *potpourri*—a 'mixed bag' of tunes that are already well familiar to the audience—is the most suitable genre of fantasy in this case.

Czerny repeatedly stresses the importance of sustaining the interest of the large, heterogeneous audience. It is now that he introduces the concept of attention:

'Das unerwartete Einfallen in ein neues Thema kann die erschlaffte Aufmerksamkeit wieder neu wecken. Durch stete Abwechselung neuer Bilder, wie in der Optik, kann ein solches Improvisation zu einer Länge ausgesponnen werden, welche sonst in jeder andern Kunstleistung unschicklich und ermüdend wäre...'[7]

Later, he remarks that the performer must know

'Ob und wie bald die Aufmerksamkeit der Zuhörer wieder durch ein neues Motiv geschärft werden muß, um sie nie erkalten zu lassen. Diese letztere kann freilich viele Erfahrung und Übung geben.'[8]

What is Czerny saying here? In the *potpourri*, the improviser can draw on a number of popular tunes. By suddenly introducing a new one, the audience's attention can be aroused. By doing this repeatedly, the player can sustain the attention over a considerable period of time. Indeed, Czerny suggests that a very experienced improviser will actually monitor the mood of the audience while playing. When their attention seems to be slackening, the player will introduce a new motive. Thus there is an element of 'feedback' between audience and music during the very process of its creation.

Czerny returns to the issue of attention in a later work, his *Letters on Thorough-Bass*, translated and published in England a decade after the *Systematische Anleitung*. In an appendix entitled 'On Expression and Refined Execution', he explains that the audience will always express their approval of cadenzas or other virtuoso passages occurring near the end of a piece. But they may do so at other times, too:

'When, after difficult or noisy passages, there suddenly follows a beautiful melody, an elegant shake or *cadenza*, a graceful embellishment, or in general any soft passage, there the features of the auditors brighten up; their attention is again awakened;

---

[7] 'The unanticipated entrance into a new theme can reawaken flagging attention. Through the continual alternation of new images, just as with visual effects, such an improvisation can be spun out to a length which would be unsuccessful and tiresome in every other kind of artistic endeavour...', Carl Czerny, *Systematische Anleitung zum Fantasieren auf dem Pianoforte*, facs. reprint Wiesbaden 1993, p. 75.

[8] 'whether and how soon the attention of the listeners must again be sharpened through a new motive, in order never to allow it to cool down. The latter, however, requires much experience and practice.', *Ibid.*, p. 75.

and the general satisfaction manifests itself in a universal murmur of approbation, or in flattering exclamations of pleasure. This you must very often have noticed at public concerts.'[9]

Observe that it is a transition from loud to soft music that arouses the attention of the listeners; the effect resides in novelty and surprise rather than the sheer loudness of the notes themselves.

This passage, of course, does not specifically refer to the *potpourri*, or indeed improvisation at all. In fact, I would argue that Czerny's comments concerning surprise effects and the listeners' attention have relevance for the repertory of popular concert music as a whole. They offer an appropriate theoretical explanation for the highly sectional construction of large-scale works in the virtuoso style. From this perspective, these pieces obey a quite legitimate structural principle. In order to sustain the interest of a large and perhaps musically inexpert audience, they draw on a range of easily comprehensible topical units, but suddenly alternate between them at regular intervals so that the listeners never become bored.

This idea can be compared with what Carl Dahlhaus has called the 'shock dramaturgy' of the grand opera of the 1830s. Dahlhaus sees a logical dramaturgical principle governing the abrupt switches between conventional devices such as mass choral scenes, quiet prayers, coloratura displays, and violent orchestral effects. 'Tableau' and 'shock' are just opposite sides of one and the same coin. There may be no dramatic progress within a given tableau. The drama moves on only when a shock event propels us from one tableau to another.[10]

The devices mentioned by Czerny have clear antecedents in eighteenth-century theory; just recall Forkel's figures for the attention: 'new, unexpected turns and sudden transitions in the modulation'. But the emphasis is now firmly placed on stimulation. Czerny does not count on any reciprocal activity on the part of the listeners. Indeed, he demands nothing *of* the listeners. They are treated as passive recipients, and it is the task of the pianist to keep on stimulating them at regular intervals. The music itself, moreover, exists primarily as a rhetorical instrument or 'means' for achieving an external goal, namely, the entertainment of a large audience. This is a significant modification of the eighteenth-century 'rhetoric of attention' and it is easy to detect here the financial interest of the virtuoso pianist of the 1820s, as well as the associated publishers.

At first, it seems rather difficult to imagine Chopin playing the role of Czerny's public improviser: monitoring the audience and adapting the very structure of his music to the limited concentration spans of inexpert listeners. Accounts of Chopin's public appearances often commented that he conveyed a sense of distance and detachment from the audience. Unlike many other pianist-composers of the time, he seemed unwilling to engage in showmanship. As early as August 1829, in response to his first concert in Vienna, the *Allgemeine Theaterzeitung* observed that he lacked what it called the 'rhetorical à plomb' which, it continued, Viennese pianists considered es-

---

[9] C. Czerny, *Letters on Thorough-Bass*, tr. J. A. Hamilton, London 1840, p. 102.
[10] Carl Dahlhaus, *Nineteenth-Century Music*, tr. J. B. Robinson, Berkeley 1989, pp. 125–127.

sential to success.[11] Chopin himself, of course, harboured serious doubts about his suitability as a public performer from quite an early stage and was sometimes highly dissatisfied with the response of his audience.

On the other hand, he did not entirely abandon ambitions in this direction until at least the mid 1830s, and in the early years it seemed his most promising career path. Among the works written in Warsaw in the virtuoso style, the *Fantasy on Polish Airs* Op. 13 strongly resembles the *potpourri* as described by Czerny. The piece has three discrete, contrasting main sections, each of which relies on a single tune, and which succeed one another rather abruptly. There is little motivic development within the sections. Instead, the piano elaborates the tunes through virtuoso figuration, or simply transforms the mood, thus creating short sequences of variations within each section. There are four definite transitional moments, including one from the Introduction to the first main section, and one linking two distinct parts of the second section. All of these transitions conform to a similar pattern: a steady decrease in tempo and dynamics is followed by the sudden entrance of a new theme. This certainly recalls Czerny's idea that the attention of a large audience can be maintained only if the performer keeps introducing new themes in an unexpected manner.

Op. 13 has a high concentration of these rhetorical devices, but, as I have argued, they are a relatively common feature of much virtuoso piano music of this time, and it is no surprise to find them occurring in many of Chopin's early virtuoso compositions, such as the Rondos Opp. 1 and 5. It is of course possible to attribute some of these sudden transitions to the composer's inexperience, but I would argue that, like the 'shock dramaturgy' of grand opera, they can also be explained as manifestations of a legitimate structural principle.

However, Chopin's slightly later works in the public virtuoso style, the two concertos, are less reminiscent of Czerny's rhetoric. Indeed, in these pieces Chopin seems increasingly inclined to minimise the immediate contrast between discrete sections. The genre of the concerto as it stood in the early 1830s certainly offered ample opportunity for arresting, attention-grabbing moments. There were typically three distinct types of section: solo, tutti and the so-called 'Spielepisode'. Chopin's immediate precursors in the concerto form, such as Hummel and Kalkbrenner, took full advantage of the potential for sharp contrasts between these sections. A tutti might be followed by a display of virtuosity from the soloist, or a lyrical solo by a torrent of passagework. The case is rather different in Chopin's concertos, however. As the *Powszechny dziennik krajowy* remarked in response to the first performance of the *F Minor Concerto* in March 1830, 'each tutti is perfectly structured to blend imperceptibly with the solo passages in such a way that the delighted listener can scarcely distinguish the one from the other'.[12] This blurring of sectional boundaries is especially noticeable in the first movement of the *E minor Concerto* Op. 11. For example, the first solo section ends loudly, and is marked *con forza*, while the immediately following 'Spielepisode' is

---

[11] *Allgemeine Theaterzeitung und Originalblatt für Kunst, Literatur und geselliges Leben* 22/100 (August 20, 1829), pp. 408–409.
[12] Quoted in J. Rink, *Chopin: The Piano Concertos*, Cambridge 1997, p. 16.

marked *piano* and *tranquillo*. The new section begins almost as though it were an echo of the preceding bar. In both concertos, the solo entrance that follows the second tutti of the first movement is also relatively unobtrusive, blending into the quiet preceding music. So Chopin preserves the 3-fold functional division into solo, tutti and 'Spielepisode', but frequently minimises the contrasts at boundary points between the representative sections. The result, particularly in the first movement of Op. 11, is that the music seems conceived in broad spans; there is a far greater formal sweep at the level of the whole movement than in earlier works such as Op. 13. Conversely, there are relatively few 'shock' events, despite the opportunities for them afforded by the genre of the virtuoso concerto.

This comparison between passages from Op. 13 and the concertos provides a glimpse of tendencies that have wider application in Chopin's later music. First, in the concertos he modifies certain formal principles of the virtuoso style while remaining within the overall framework of that style. Secondly, we find here a greater emphasis on the integrity of the whole movement than in Op. 13. This trend continues in his later large-scale pieces. Increasingly it becomes convincing from an aesthetic point of view to consider them as complete wholes, and as ends in themselves, rather than as rhetorical means for achieving an external goal such as the entertainment of a large audience or the promotion of the composer himself as a virtuoso pianist. This interpretation would be consistent with Chopin's growing disenchantment with the practice of performing to large, public audiences.

To conclude, Czerny's rhetoric of attention offers an appropriate theoretical explanation of certain formal processes common to the virtuoso piano music of Chopin's formative years, including some of his own early works, especially the Fantasy Op. 13. The model is rather less successful, however, for his slightly later works, such as the concertos. Its chief value, then, lies in the fact that it characterises a form of musical communication which was common and prestigious in Chopin's time, but which was ultimately unsuited to his musical temperament.

STRESZCZENIE

RETORYCZNA RELACJA MIĘDZY PIANISTĄ-WIRTUOZEM I SŁUCHACZAMI PODCZAS LAT KSZTAŁTOWANIA SIĘ CHOPINA-PIANISTY

Autor naświetla ambiwalentny stosunek Chopina do instytucji publicznego koncertu i praktyki wirtuozowskiej pianistyki lat 1820. i 1830. Skupia się na komentarzach C. Czernego, który wyjaśnia szeroko rozbudowaną formę improwizowanego *potpourri*, jako następstwa „retorycznych" pomysłów, aby ciągle odświeżać uwagę masowego słuchacza. Kilka wirtuozowskich kompozycji Chopina, zwłaszcza *Fantazja na tematy polskie* op. 13, realizuje ten model. Jednak, kiedy Chopin rozwiał swe iluzje odnośnie do kariery wirtuoza, to w późniejszych dziełach zasada retoryki Czernego została przez niego zarzucona.

LES IMPULSIONS ARTISTIQUES DU PARIS ROMANTIQUE SUR L'OEUVRE DE CHOPIN (1831–1838)

Serge Gut
(PARIS)

Schématiquement, la vie de Chopin peut se diviser en trois grandes périodes, séparées par deux intermèdes et suivies d'une coda : 1. La jeunesse en Pologne de la naissance en 1810 jusqu'au départ de Varsovie en 1830. Le premier intermède est celui du séjour à Vienne en 1830–1831. 2. La première période parisienne jusqu'au départ pour Majorque, de septembre 1831 à novembre 1838. Le second intermède comprend le séjour à Majorque de novembre 1838 à février 1839. 3. La seconde période parisienne, avec de longs séjours à Nohant, placée sous l'étoile de George Sand et allant de mars 1839 à la séparation en juillet 1847. Coda : les deux dernières années en Angleterre et à Paris, de juillet 1847 à la mort de Chopin en octobre 1849.

Par ce court résumé, on comprend déjà toute l'importance que représente la date de septembre 1831. Il s'agit d'une césure fondamentale, la plus importante qui ait eu lieu dans la vie du compositeur : voici un jeune homme à peine sorti de l'adolescence, brusquement arraché au foyer familial, à ses amis, à sa culture et à son pays, projeté dans un monde étranger dans lequel il doit s'affirmer. Le choc psychologique fut immense. Le choc artistique ne le fut pas moins. Il devait conditionner toute la première période parisienne du compositeur. C'est ce que je vais tâcher de démontrer.

Auparavant, toutefois, il faut revenir sur la genèse du voyage à Paris. Celui-ci est envisagé dès le premier janvier de l'année 1831, puisque ce jour-là il écrit à Jean Matuszynski : « Peut-être partirais je dans un mois pour Paris »[1]. Mais six mois plus tard, il est toujours à Vienne car on fait des difficultés pour lui établir son passeport pour Paris[2]. Il arrive enfin dans la capitale en septembre où, tout d'abord, il ne compte pas rester bien longtemps. Mais très vite, il sera si favorablement impressionné que, le 18 novembre, il écrit à un ami : « Je [...] suis content de ce que j'ai trouvé dans cette ville : les premiers musiciens et le premier Opéra du monde. [...] Sans doute, resterai-je à Paris plus longtemps que je pensais »[3]. Et plus loin, toujours dans la même lettre, il précise : « Je pense rester ici pendant trois ans »[4]. Par la suite, tout en affirmant régulièrement sa nostalgie, plus jamais Chopin ne fera une allusion à un

---

[1] *Correspondance de Frédéric Chopin*, Recueillie, révisée, annotée et traduite par Bronislas Edouard Sydow en collaboration avec Suzanne et Denise Chenaye. Vol. 1–3, Paris 1981, vol 1, p. 250. Cité par la suite : *Correspondance...*

[2] Cf. la lettre qu'il envoie à ses parents le 25 juin (*ibid.,* p. 264).

[3] *Correspondance...*, vol. II, p. 14.

[4] *Ibid.,* p. 17.

éventuel retour au pays. Le charme de Paris avait opéré. En fait, on peut même parler d'une véritable fascination. Il est vrai que la capitale française, tête d'un état déjà fortement centralisé de plus de trente deux millions d'habitants, était alors une ville fort importante qui agissait comme un aimant. A titre de comparaison, rappelons que les villes les plus importantes d'Europe centrale, Vienne, la vieille cité impériale, et Berlin, la capitale de la Prusse, comptaient respectivement 320000 et 300000 habitants. Paris, avec près de 800000 habitants, donnait l'impression d'une ville considérable , la plus importante du continent si l'on excepte Londres qui, avec un million et demi d'habitants, était déjà une sorte de mégapole.

Il est bien évident que dans une ville aussi importante, on rencontrait tout ce que l'on voulait. C'est ce que confirme Chopin dès sa première lettre parisienne : « On trouve à la fois le plus grand luxe et la plus grande saleté, la plus grande vertu et le plus grand vice ; [...] du bruit, du fracas et de la boue plus qu'il n'est possible de se l'imaginer. On disparaît dans ce paradis et c'est bien commode : personne ne s'y informe du genre de vie qu'on mène »[5]. Et à peine un mois plus tard, le 12 décembre, Chopin confirme à son ami Titus Woyciechowski : « On y respire doucement mais peut-être est-ce pourquoi on y soupire davantage. Paris, c'est tout ce que l'on veut. À Paris, on peut s'amuser, s'ennuyer, rire, pleurer, faire tout ce qui vous plaît ; nul ne vous jette un regard car il y a des milliers de personnes qui y font la même chose et chacun à sa manière. »[6] Mais la fascination ne dure qu'un court instant. Ce sont d'autres raisons, plus profondes, qui ont captivé le compositeur. On pourrait mentionner l'importance de la colonie polonaise qui — dans cette ville cosmopolite qu'était Paris — permit à Chopin de se reconstituer en partie une certaine atmosphère de la terre natale. On pourrait également rappeler la parfaite connaissance de la langue française qui, sans doute plus que l'atavisme paternel, facilita grandement son assimilation. Mais dans le présent exposé, on retiendra essentiellement les raisons artistiques, car ce sont elles qui, en définitive, furent les plus fortes et qui imprégnèrent le plus profondément sa veine créatrice.

Trois domaines devaient marquer particulièrement le maître polonais : la musique lyrique à l'Opéra et au Théâtre italien, le très haut niveau de la virtuosité pianistique et l'atmosphère artistique *sui generis* des salons parisiens. Ils seront examinés successivement dans cet ordre, ainsi que les influences respectives qu'ils exercèrent sur le style musical de Chopin.

Dans le Paris des années 1830, il n'y avait pas un, mais trois théâtres lyriques, ce qui représentait alors un cas absolument unique et remarquable. Il y avait l'Opéra — qu'à l'étranger on appelait le « Grand Opéra » -, le Théâtre italien et l'Opéra-comique. Les deux premières de ces institutions avaient une réputation internationale et devaient combler au-delà de toute attente la passion de Chopin pour le *bel canto* et pour les effusions lyriques.

L'Opéra était spécialisé dans un répertoire de langue française ; aussi, quand des auteurs étrangers voulaient y donner leurs oeuvres, ils composaient en général direc-

---

[5] *Correspondance...*, vol. II, p. 15–16.
[6] *Ibid.*, p. 39.

tement sur des livrets écrits en français, comme ce fut le cas pour Rossini, Meyerbeer et Donizetti. L'orchestre comptait environ quatre-vingts musiciens et passait — avec celui de la Société des concerts du Conservatoire — comme la meilleure formation symphonique de la capitale[7]. La troupe comprenait quelques trente chanteurs. L'éclat de la mise en scène était incomparable. Le 21 novembre 1831 fut créé *Robert le diable* de Meyerbeer qui eut un succès phénoménal et inaugurait le genre du grand opéra historique à la française. C'était peu après l'arrivée de Chopin à Paris qui se précipita pour écouter l'oeuvre et rapporta le 12 décembre à son ami Titus Woyciechowski : « Je doute qu'on ait atteint jamais au théâtre le degré de magnificence auquel est parvenu *Robert le Diable,* le tout dernier opéra en cinq actes de Meyerbeer, l'auteur du *Crociato.* C'est le chef-d'oeuvre de l'école nouvelle. On y voit des diables, choeurs immenses, chantant dans des tubes et des âmes sortant du tombeau [...] par groupe de cinquante ou soixante. [...] On voit sur les bancs des moines et des fidèles en foule avec des encensoirs et, ce qui est le plus extraordinaire, l'orgue dont la voix, venant de la scène, charme, étonne et couvre presque celle de l'orchestre. Meyerbeer s'est immortalisé. »[8] Adolphe Nourrit, qui chantait dans le rôle principal, devait rapidement devenir un ami intime de Chopin.

Depuis le XVIe siècle, Paris avait l'habitude d'entretenir une troupe italienne qui, dans les années 1830, devait atteindre un éclat incomparable. Jamais, par la suite, une telle splendeur ne se retrouvera. C'était la chasse gardée de la musique italienne et Rossini y obtint des triomphes qui mirent Chopin dans le plus profond enchantement. Certes, l'orchestre — de niveau très honorable — ne pouvait en aucune façon rivaliser avec celui de l'Opéra[9]. Mais dans le domaine vocal, c'était un feu d'artifice perpétuel. Écoutons ce que nous en dit Chopin : « Jamais je n'avais entendu le *Barbier* comme la semaine dernière avec Lablache, Rubini et la Malibran (Garcia). Jamais je n'avais entendu chanter *Othello* [de Rossini] comme par Rubini, Pasta et Lablache, ni l'*Italienne* comme par Rubini, Pasta, Lablache et Mme Raimbeaux. A Paris, j'ai tout comme je ne l'ai jamais eu. Tu ne peux imaginer ce qu'est Lablache. Pasta, dit-on, a perdu, mais je n'avais encore rien entendu de plus sublime. La Malibran subjugue par sa voix miraculeuse. Elle éblouit comme personne. Merveille des merveilles! Rubini, ténor excellent, chante à pleine voix, jamais de tête. [...] Son *mezzo voce* est incomparable. »[10] Et le 14 décembre, Chopin résume ainsi son opinion : « En un mot, c'est ici seulement que l'on peut savoir ce que c'est que le chant. »[11] Quand deux ans plus

---

[7] Pour des informations complémentaires, cf. Jean-Michel Nectoux, « Trois orchestres parisiens en 1830 : L'Académie royale de musique, le Théâtre-italien et la Société des concerts du Conservatoire », in *Music in Paris in the Eighteen-Thirties — La Musique à Paris dans les années mil huit cent trente,* éd. par Peter Bloom, Stuyvesant 1987, p. 471–505.

[8] *Correspondance...,* vol. II, p. 45–46.

[9] Cf. J. M. Nectoux, *op. cit.,* p. 478–479. Chopin en avait déjà fait la remarque : « L'orchestre est admirable mais sans comparaison pourtant avec le véritable Opéra français (l'académie royale). » (*Correspondance...,* vol. II, p. 45).

[10] *Ibid.,* p. 44–45.

[11] *Ibid.,* p. 54. Dans cette même lettre, écrite à son professeur de Varsovie Joseph Elsner, Chopin précise : « Rossini est *régisseur* de son opéra [les Italiens] dont la scène est la mieux montée d'Europe. Lablache, Rubini, Pasta [...], la Malibran, Devrient-Schröder, Santini, etc., charment la haute société trois fois par

tard, Bellini vint s'établir à Paris et que ses opéras connurent des triomphes sans précédent aux Italiens, Chopin devint un partisan fanatique de cette musique et, aussi, un ami intime du compositeur.

Rapidement, Chopin devait revenir de son enthousiasme meyerbeerien. Le côté superficiel de cet art tape-à-l'oeil et ses effets souvent grandiloquents ne pouvaient avoir d'emprise durable sur un compositeur aussi raffiné et délicat que le maître polonais. En revanche, la suavité mélodique italienne et les ornements mélismatiques sortant de gosiers aussi prestigieux que ceux de Rubini ou de la Malibran firent une impression durable et profonde sur notre compositeur qui en appréciait l'art subtil en fin connaisseur. Son ambition fut de reproduire au clavier cette fluidité du flot mélodique. Sans doute Chopin avait-il déjà eu l'occasion d'entendre le *bel canto* italien à Varsovie, puis à Berlin et à Vienne ; mais c'est à Paris qu'il en assimila véritablement la richesse et la virtuosité. Ce sont les chanteurs incomparables entendus aux Italiens qui lui apprirent l'art d'enchaîner les sons à la façon d'un violoniste[12]. Du reste, son élève Frédéric Niecks nous rapporte qu'il « conseillait à ses élèves, avec la plus grande insistance, d'entendre de bons chanteurs, et même d'apprendre à chanter eux-mêmes »[13]. C'est particulièrement avec le genre des *Nocturnes* que le compositeur a réalisé au maximum cette subtile transposition du mélisme chantant au piano. A ce sujet, il est symptomatique de remarquer que tous les Nocturnes pourvus d'un numéro d'opus ont été composés à Paris. Si les trois morceaux de l'opus 9 ne font qu'amorcer ce phénomène de transfert mélodique, c'est avec les trois pièces de l'opus 15, composées vers 1832, que la transformation stylistique du maître romantique est frappante. La deuxième d'entre elles, le célèbre Nocturne en Fa# majeur, est à cet égard éloquent, avec son motif mélodique de départ sans cesse repris, mais chaque fois avec une variante mélismatique lui conférant une fraîcheur nouvelle. En voici le début (exemple N° 1).

L'aisance dans le maniement ornemental de la mélodie s'accuse et devient plus subtil dans le recueil suivant de Nocturnes, celui de l'opus 27, composé entre 1833 et 1836. En particulier le second du lot, celui en Ré b majeur, est très instructif à cet égard[14].

---

semaine. Nourrit, Levasseur, Derivis, Mme Cintri-Damoreau, Mlle Dorus relèvent le niveau du Grand Opéra. » (*ibid.*, p. 54). En fait, Chopin a eu de la chance en arrivant à Paris en 1831. En effet, l'Académie royale [l'Opéra] était dans une mauvaise période depuis plusieurs années quand Louis Véron fut nommé le 1er mars 1831 et lui insuffla une nouvelle vie. Il ferma l'établissement, fit entièrement rénové l'intérieur et quand l'Académie royale rouvrit, ce fut devant une salle splendide et avec des premiers rôles de grand renom. L'Opéra rayonna alors d'un éclat sans égal. Il en fut en partie de même pour les Italiens. Nommé en 1830, le nouveau directeur Édouard Robert s'affaira pour obtenir les plus célèbres chanteurs. Il n'y réussit que partiellement pour la saison qui s'ouvrit le 2 octobre 1830. Mais pour la saison suivante, il put offrir une pallette inégalée de chanteurs, faisant des Italiens le haut lieu européen du *bel canto*.

[12] Dans sa préface aux *F. Chopin's Pianoforte Werke*, Karl Mikuli nous dit : « Sous ses doigts, le piano n'avait pas à envier au violon son archet, ni leur vivante colonne d'air aux instruments à vent : les sons s'enchaînaient avec le fondu de l'art vocal le plus accompli. » Cité d'après Jean-Jacques Eigeldinger, *Chopin vu par ses élèves*, Neuchâtel 1979, p. 314.

[13] D'après Camille Bourniquel, *Chopin*, Paris 1978, p. 106.

[14] A ma connaissance, c'est Józef. M. Chomiński qui a le mieux saisi, chez Chopin, cette transformation stylistique faite à partir de ses nocturnes. Cf. *Fryderyk Chopin*, Leipzig 1980 [traduction alle-

Exemple I

* * *

La virtuosité pianistique fut l'autre grand pôle d'attraction que Paris exerça sur Chopin dans le domaine musical. En effet, si Vienne et Londres avaient été entre 1780 et 1820 les centres prédominants de l'activité pianistique, un brusque redressement en faveur de Paris s'amorce dans les années 1820 pour faire, à partir de 1830 environ, de la capitale française la Mecque incontestée de tous les virtuoses du clavier[15]. C'est-à-dire, juste au moment où le maître polonais arrive sur les bords de la Seine. Pour bien saisir l'importance de Paris dans le domaine de la virtuosité pianistique, on considérera le tableau suivant où j'ai rassemblé tous les pianistes éminents y ayant séjourné entre 1830 et 1838 :

mande], p. 84–86. Citons particulièrement : « Ce sont pourtant avant tout les nocturnes dans lesquels on peut constater ce processus de transformation d'un moyen de bravoure purement extérieur en un élément intégral de mélodisme fortement expressif » (p. 84).

[15] On trouvera de nombreux renseignements sur les rôles respectifs de Vienne, Londres et Paris dans Serge Gut, « Franz Liszt et la virtuosité pianistique à Paris dans les années 1830 », in *Musicologie au fil des siècles, Hommage à Serge Gut*, Paris 1998, p. 304–311.

VIRTUOSES	PARIS
J.B. CRAMER (1771–1858)	1832–1845
Fr. KALKBRENNER (1785–1849)	1823–1849
J.P. PIXIS (1788–1874)	1823–1840
H. HERZ (1803–1888)	1820–1846
F. MENDELSSOHN (1809–1847)	1831–1832
Fr. CHOPIN (1810–1849)	1831–1849
F. HILLER (1811–1885)	1828–1836
Fr. LISZT (1811–1886)	1823–1844
S. THALBERG (1812–1871)	1835–1837
Ch. ALKAN (1813–1888)	1824–1888

Le pianiste qui impressionna tout d'abord le plus fortement Chopin fut Kalk-brenner. Dans sa première lettre envoyée de Paris, le 18 novembre, Frédéric écrit : « Je suis fort lié avec Kalkbrenner, le premier pianiste d'Europe »[16]. Et quelques semaines plus tard, le 12 décembre, il confirme : « Tu ne saurais croire combien j'étais curieux de Herz, de Liszt, de Hiller, etc. Ce sont tous des zéros en comparaison de Kalkbrenner. J'ai, je te l'avoue, joué comme Herz et je voudrais jouer comme Kalkbrenner. Si Paganini est la perfection même, Kalkbrenner est son égal mais d'une toute autre manière. »[17] Mais quelques mois plus tard, il devait mettre Liszt sur le même pied que Kalkbrenner : « Restent [à Paris] Bertini et Schunke qui ne valent rien en comparai-son de Liszt et de Kalkbrenner. »[18] Chopin devait se lier d'amitié avec ce dernier, pour autant que le rapport entre les générations le permettait. En revanche, avec Liszt et Hiller qui étaient de son âge, il tissa des liens étroits et chaleureux. Il lui arriva même de jouer ensemble avec eux[19]. Toutefois, la grande difficulté pour Chopin fut, parmi la multitude de ces virtuoses célèbres, de se créer sa propre place au soleil. Ce sujet ne sera pas abordé, car il n'est pas l'objet de la présente étude[20]. Par contre, l'influence de la virtuosité transcendante sur les créations de Chopin doit retenir notre attention. On sait que notre jeune virtuose avait déjà eu la révélation du jeu de Paganini à Var-sovie en 1829 et que celui-ci exerça une grande influence sur sa technique pianistique. On en trouve le reflet dans le premier recueil d'*Études*, celui de l'opus 10[21]. Commen-

---

[16]　*Correspondance...*, vol. II, p. 17.

[17]　*Ibid.*, vol. II, p. 40.

[18]　*Ibid.*, vol. II, p. 68 (lettre du 15 avril 1832 envoyée à Józef Nowakowski).

[19]　Rappelons le célèbre concert donné le 15 décembre 1833 où Chopin joue avec Hiller et Liszt le *Concerto à trois clavecins* de Bach avec beaucoup de succès. En 1834, Chopin devait également entreprendre avec Hiller un voyage en Allemagne. Pour les concerts donnés en commun avec Liszt, cf. Serge Gut, « Frédéric Chopin et Franz Liszt. Une amitié à sens unique », in : *Sur les traces de Frédéric Chopin*, Paris 1984, p. 53–68.

[20]　Pour des renseignements exhaustifs sur ce sujet, cf. Jean-Jacques Eigeldinger, « Les premiers concerts de Chopin à Paris (1832–1838) », in : *Music in Paris...* [*op. cit.*, cf. note 7], p. 251–295.

[21]　J. M. Chomiński attire à juste titre l'attention sur l'influence de Paganini sur l'opus 10 (cf. *op. cit.*, p. 63–64), de même que Jim Samson (*The Music of Chopin*, Londres 1985, p. 45–46).

cée à Varsovie en 1829 et terminée à Paris dans l'hiver 1832–1833, cette superbe collection d'études ne doit sans doute rien — ou fort peu — aux influences parisiennes. Il n'en va pas de même pour le second recueil, celui de l'opus 25 composé entre 1833 et 1837. Sans doute la virtuosité pianistique de l'opus 10 était telle qu'elle pouvait difficilement être surpassée. Il semble bien, pourtant, que certaines pièces de l'opus 25 se hissent à une virtuosité encore plus éblouissante[22] et trahissent parfois l'influence de Liszt. Je pense en particulier à la sixième Étude, en tierces perpétuelles, véritable feu d'artifice avec ses fusées chromatiques montantes et descendantes, aux sonorités fluides et étincelantes, pratiquant — ce qui est rare chez Chopin — les doubles chevauchements de doigtés sans doute repris au maître hongrois[23] :

Exemple 2, Mesures 5 et 6

Il faudrait aussi citer la onzième *Étude*, surnommée *Ouragan d'hiver*, à la virtuosité éblouissante, fougueuse et passionnée, aux accents orchestraux rares chez Chopin et, à nouveau, certainement influencés par Liszt. On pourrait faire des remarques semblables pour la dernière Étude du recueil[24].

* * *

On en vient à la troisième grande sphère d'influence parisienne, celle des salons. Son rôle sur les créations de Chopin n'est plus aussi directe que celui des deux sphères précédentes ; il est plus diffus, mais non moins important. Assez rapidement, dès la seconde moitié de l'année 1832, alors que la terrible épidémie de choléra qui avait

---

[22] C'est également ce que pense Jim Samson, *op. cit.*, p. 71 : « The Op. 25 Studies [...] consolidate this achievement [des Études de l'op. 10], exploring much of the same ground, but extending the paths a little and taking in some new scenery on the way. In particular the left hand is involved to a much greater extent than in Op. 10. ».

[23] On n'oubliera pas que l'opus 10 est dédié à Franz Liszt pour lui rendre hommage sur sa façon d'interpréter le premier recueil d'études. Chopin écrit à Hiller le 20 juin 1833 : «... parce que Liszt en ce moment joue mes Études et me transporte hors de mes idées honnêtes. Je voudrais lui voler la manière de rendre mes propres Études. » (*Correspondance...*, vol. II, p. 93). Rappelons que 1833 est l'année d'édition du premier recueil. Quant à l'opus 25, il est dédié à la comtesse d'Agoult, ce qui est un hommage indirect à Liszt. On sait que le propre recueil des *Grandes Études* de ce dernier parut en 1837, la même année que l'opus 25 de Chopin. Et il était à sa façon une sorte de réplique à l'opus 10 du maître polonais. De son côté, celui-ci n'ignorait pas l'essentiel du contenu du recueil du maître hongrois et, manifestement, en tint compte dans son second recueil. Il y a là une émulation au plus haut niveau entre deux grands compositeurs et amis. Ce fait justifie une étude comparée de la technique pianistique de ces deux compositeurs. Elle a été tentée, entre autres, par François Labatut, *Les études de Chopin et de Liszt : analyse comparée de la difficulté pianistique*, mémoire de musicologie, Paris 1984, Université de Paris-Sorbonne, et par Irène Bourdat, *Étude comparée de la technique pianistique de Chopin et Liszt*, mémoire de musicologie, Paris 1989, Université de Paris-Sorbonne.

[24] Cette Étude n'a certainement pas été composée à Stuttgart en 1831 comme on l'affirme souvent, même si elle est inspirée par la prise de Varsovie par les Russes. Le balayage du clavier par les deux mains simultanément représente une technique pianistique acquise par Chopin ultérieurement.

frappé Paris fût terminée, Chopin fut admis dans les cercles les plus exclusifs de l'aristocratie, de la diplomatie et de la politique. Presque chaque soir il sortait, soit pour aller à l'Opéra, ou aux Italiens, ou .pour honorer une invitation, mais plus souvent encore pour se rendre dans un des grands salons parisiens où on l'attendait : chez les Rotschild, chez la princesse Beauvau, la princesse Belgiojoso, le prince de Noailles, le marquis de Custine, la comtesse de Perthuis ; quand ce n'était pas dans un salon d'un compatriote, comme chez le prince Radziwill, la princesse Czartoryska, la comtesse Potocka, et bien d'autres encore. Dans une lettre écrite à la mi-janvier 1833, Chopin nous confirme cette ascension sociale : « Je me trouve introduit dans le grand monde, au milieu d'ambassadeurs, de princes, de ministres, je ne sais par quel miracle car je n'ai rien fait pour m'y pousser. Mais c'est, dit-on, pour moi chose indispensable que d'y paraître car c'est de la, affirme-t-on, que vient le bon goût. »[25] En fait, Chopin, élégant, raffiné, toujours habillé à la dernière mode, portant gants blancs et belle cravate, était merveilleusement à son aise dans ces temples du bon goût et de la distinction suprême. Chez lui, le parfait dandy parisien représentait l'autre pôle de sa nature profondément polonaise. Et comme le remarque justement Chomiński, c'est avec ses Valses qu'il traduit de la manière la plus adéquate cette atmosphère *sui generis* des salons parisiens. Sans doute avait-il déjà composé des valses à Varsovie, mais les premières valses traitées en tant que danses stylisées, comme les *Grandes Valses brillantes* de l'opus 18 et de l'opus 34 sont des produits parisiens, dédiés à de grandes dames de l'aristocratie[26]. A cet égard, la *Grande Valse brillante* de l'opus 18 est remarquablement significative. Dès le début, l'atmosphère brillante et insouciante, mais raffinée et de bon goût de la haute société, est magnifiquement reproduite :

Exemple 3

* * *

Ce sont là les trois impulsions fondamentales de Paris sur l'oeuvre de Chopin. Si je n'ai pas même effleuré l'influence des écrivains et poètes, c'est qu'elle semble bien avoir été très réduite. Ceci est d'autant plus curieux que Paris comptait alors plu-

---

[25] *Correspondance...*, vol. II, p. 83.
[26] Cf. J. M. Chomiński, *op. cit.*, p. 93–94 et aussi Jim Samson, *op. cit.*, p. 120–124.

sieurs personnalités remarquables dans le domaine de la littérature et que plusieurs d'entre elles étaient liées d'amitié avec le maître polonais. Mais celui-ci ne s'intéressait nullement à leurs oeuvres et, du reste, lisait fort peu, pour ne pas dire pratiquement rien. Toutefois, si la plupart de ses compositions dégagent une atmosphère poétique indéniable et rentrent dans la catégorie de ce que les musicologues allemands appellent la *poetische Musik,* ce ne peut être que par un phénomène d'osmose et, en ce sens, on ne peut qu'approuver la constatation suivante de Chomiński : « L'atmosphère dans laquelle Chopin créa ses oeuvres parisiennes est d'importance fondamentale. Sans l'influence de la poésie, ses poèmes pianistiques comme les ballades, les scherzos, les impromptus ou les nocturnes n'auraient pas vu le jour. »[27]

Si l'influence parisienne sur Chopin dans le domaine poétique a été fort faible, elle a été pratiquement nulle dans le domaine de l'harmonie et dans celui de l'architecture musicale. On reste toujours stupéfait devant les trouvailles harmoniques et la subtilité des structures compositionnelles[28] des oeuvres parisiennes du maître polonais. Il s'agit là sans aucun doute d'influences mitteleuropéennes.

On en revient donc aux trois sphères qui viennent d'être décrites. Si j'ai tenté de rattacher chacune d'elles à un genre musical où elle était magnifiée au maximum, il est bien certain qu'en général ces influences se croisent, s'interpénètrent et s'infiltrent subtilement, sans qu'il soit même possible, dans certains cas, de les repérer à l'analyse. Elles viennent s'ajouter à d'autres composantes que Heine a bien résumé quand il a voulu décrire la création chopinienne : « La Pologne lui a donné son sentiment chevaleresque et la souffrance historique ; la France, sa facilité, son élégance et sa grâce ; l'Allemagne sa profondeur rêveuse. »[29] En fait, le fondement de toute la musique de Chopin est sa profonde ferveur polonaise ; mais celle-ci, pendant le séjour parisien, a été transcendée pour atteindre à l'universel. Personne n'a mieux décrit ce processus que celui qui fut, si l'on excepte Liszt, le plus grand admirateur de Chopin à son époque, c'est-à-dire Schumann. Celui-ci remarqua dès 1836 ce phénomène de transfiguration : « ...Chopin, dans ses dernières compositions, paraît enfiler une route non différente, mais plus élevée sur la direction et le but présumable de laquelle nous avons attendu d'être d'abord plus au fait pour en rendre compte à nos frères étrangers... »[30]. Puis, après avoir rappelé la forte composante polonaise de son art, qui fait

---

[27]   *Op. cit.,* p. 76. En revanche, il est difficile d'être d'accord avec l'auteur quand il dit « que les grands poètes de ce temps-là lui ont fait impression et ont laissé sur lui des traces » (p. 75). De même, quand Chomiński revient sur ce sujet dans la section intitulée « *Dichterische inspiration : die Ballade* » (p. 98–101), une grande prudence semble s'imposer. Quelle différence entre l'attitude de Liszt et Schumann d'un côté, très imprégnés de littérature, et celle de Chopin de l'autre, qui y est pratiquement indifférent.

[28]   J'ai tenté de démontrer la subtilité structurelle de la 1ère Ballade dans mon article « Interférences entre le langage et la structure dans la *Ballade en sol mineur* opus 23 de Chopin », in : *Chopin Studies 5*, Warszawa 1995, p. 64–72.

[29]   Cité d'après J. M. Chomiński, *op. cit.,* p. 91.

[30]   Traduction française d'après Robert Schumann, *Sur les musiciens,* Paris 1979, p. 211. Original allemand dans Robert Schumann, *Gesammelte Schriften über Musik und Musiker,* Leipzig 1974, p. 92 : «... weil Chopin in seinen letzten Kompositionen nicht einen anderen, aber einen höheren Weg einzuschlagen scheint, über dessen Richtung und mutmassliches Ziel wir erst noch klarer zu werden hofften, auswärtigen geliebten Verbündeten davon Rechenschaft abzulegen... ».

que « les oeuvres de Chopin sont des canons enfouis sous les fleurs »[31], il fait un développement qu'il me paraît bon de citer en entier :

« Tel est le caractère d'âpre et rude nationalité que portent toutes les premières compositions de Chopin.

Mais l'art exigeait plus de lui. Le petit intérêt particulier de la motte de terre sur laquelle il est né a dû être sacrifié à l'intérêt cosmopolite, et déjà, dans ses oeuvres récentes, on voit la physionomie trop spéciale du Sarmate se perdre, et son expression dès lors se rapprochera peu à peu de cette physionomie idéale universelle, dont les divins Grecs ont été depuis longtemps reconnus pour les créateurs, qui fait que, tout en suivant une voie différente, nous finissons toujours par nous retrouver nous-même dans Mozart.

J'ai dit « peu à peu », parce qu'il ne reniera pas complètement son origine, ni ne le doit. Mais plus il s'en éloignera, plus son importance dans la marche générale de l'art grandira. »[32]

On peut, me semble-t-il, résumer ces justes considérations en une phrase conclusive : la Pologne a donné à Chopin sa forte empreinte nationale, mais Paris a transformé le national en universel. Bien entendu, la condition préliminaire indispensable pour ce processus fut l'immense génie du compositeur.

STRESZCZENIE

IMPULSY ARTYSTYCZNE ROMANTYCZNEGO PARYŻA W DZIELE CHOPINA (1831–1838)

Przybycie Chopina do Paryża we wrześniu 1831 r. zbiega się z początkiem niecodziennego wrzenia kulturalnego i artystycznego, które zapoczątkowało francuski romantyzm. Po zwięzłym opisie istotnych, charakterystycznych cech tego okresu, poruszone są trzy zagadnienia, które w sposób szczególny zaznaczają swój wpływ na Chopina: muzyka liryczna w Operze i w Teatrze Włoskim, wirtuozowstwo pianistyczne, które osiągnęło niezrównany poziom i salony paryskie, które cechowała artystyczna atmosfera *sui generis*. Znaczące oddziaływania tych trzech domen na styl muzyczny Chopina są analizowane wnikliwie, zwłaszcza oddziaływanie bel canta na noktturny, wirtuozerii na etiudy i salonów na walce. W konkluzji autor dochodzi do syntezy przedstawionych trzech impulsów, doprowadzających do transformacji sztuki Chopina, w której element narodowy ulega transcendencji, by stać się uniwersalnym.

---

[31] *Ibid.*, p. 213. Original allemand, *ibid.*, p. 93 : « Chopins Werke sind unter Blumen eingesenkte Kanonen ».

[32] *Ibid.*, p. 214. Original allemand, *ibid.*, p. 93–94 : « Solche Gepräge der schärfsten Nationalität tragen sämtliche frühere Dichtungen Chopins. Aber die Kunst verlangte mehr. Das kleine Interesse der Scholle, auf der er geboren, musste sich dem weltbürgerlichen zum Opfer bringen, und schon verliert sich in seinen neueren Werken die zu spezielle sarmatische Physiognomie, und ihr Ausdruck wird sich nach und nach zu jener allgemeinen idealen neigen, als deren Bildner uns seit lange die himmlischen Griechen gegolten, so dass wir auf einer andern Bahn am Ende uns wieder in Mozart begrüssen. Ich sagte : « Nach und nach » ; denn gänzlich wird und soll er seine Abstammung nicht verleugnen. Aber je mehr er sich von ihr entfernt, um so mehr seine Bedeutung für das Allgemeine der Kunst zunehmen wird. ».

HISTORIE D'UNE AMITIÉ
PAULINE VIARDOT[1] — FRÉDÉRIC CHOPIN

Françoise Berger
(PARIS)

Il est d'autant plus aisé de pénétrer dans le cercle des amis de Pauline Garcia que celle-ci a conservé avec un soin tout particulier les lettres de ses amis et de ses admirateurs. Ces documents se trouvent à la Bibliothèque Nationale, à Paris, don de sa petite-fille Marcelle Maupoil. Ces missives témoignent de la richesse de l'existence de Pauline Viardot et de son influence incontestable dans le domaine musical et littéraire. « Elle correspondait avec toute l'Europe » écrit Saint Saëns[2].

Jean-Nicolas Bouilly (inspirateur du Fidélio de Beethoven) la met en garde contre le danger des passions et lui indique sa voie « dans la noble famille des arts ». Un peu plus tard, Alfred Musset, amoureux éconduit, écrit au mari de la jeune femme, Louis Viardot : « ... son chant vaut toutes les poésies du monde... ». Liszt qui fut son professeur de piano, ne cessera au cours des années de lui exprimer son enthousiasme.

De Weimar, il lui adresse ses regrets de ne pouvoir l'applaudir plus souvent : « je serais presque tenté de vous en vouloir, dit-il, d'avoir de nouveau passé sous mon clocher sans daigner vous y arrêter, et de si bien compter votre temps que vous ne tenez plus compte de votre ancien ami. [...] Quand entendrai-je chanter Gluck , Meyerbeer, et surtout vous même car l'empreinte que vous donnez aux belles choses vous les créez effectivement ? »[3].

Pourtant, les livres d'*Histoire de la Musique* ne lui accordent qu'une place restreinte. Le *Dictionnaire musical* de Combarieu lui consacre un article qui résume en ces termes sa carrière et son existence.

> « Pauline Viardot sœur de Maria Félicité Garcia créatrice du Rôle de Fidès dans le *Prophète* née le 18/07/1821, elle eut d'abord son père pour professeur.
> Débuta à Bruxelles le 13/12/1837 dans un concert de charité, et à Paris l'année suivante dans un concert organisé par son beau-frère de Bériot.
> Après avoir chanté en Allemagne et en Angleterre, elle entre au Théâtre-Italien de Paris pour y jouer le rôle de Desdémone dans l'Opéra de Rossini. Epouse Louis Viardot, directeur de ce théâtre (1841) et entre à l'Opéra en 1849.
> Avec le Sapho de Gounod et l'Orphée de Gluck (Théâtre lyrique 1856), Pauline connaît ses plus grands triomphes.

---

[1] Née Pauline Garcia.
[2] Camille Saint-Saëns, *L'écho de Paris*, 5 février 1911.
[3] Archives privées.

Elle se retire bientôt après, vit à Baden-Baden, puis s'installe à Paris dès 1871.
Actrice de premier ordre, elle offre, en outre, de grandes aptitudes vocales. Elle réunit la
vigueur de contralto et l'éclat du soprano, notamment dans le medium.
Excellente musicienne, compositrice à ses heures, parlant cinq ou six langues, femme du
monde accomplie, elle laisse à tous ceux qui l'ont entendue ou connue des souvenirs em-
prunts d'une vive émotion et d'un enthousiasme rare ».

Liszt, en auditeur attentif et passionné, nous fait revivre les temps forts de deux représentations auquel il a assisté. « Ses coquetteries sont pleines de grâce, elle a le charme d'une jouvencelle récalcitrante, sans insolence, ses gestes sont vifs et décidés mais pleins de modestie, sa moue distinguée, elle sait duper et brocarder avec la dernière élégance, en matière de friponnerie. Tout cela confère à son personnage un mélange de ruse et de bonté d'âme qui rend la passion amoureuse du comte fort explicable. Elle fait de ces quelques mots : « Voici ma victoire ! : » un chef d'œuvre de finesse et d'espièglerie enfantine en donnant à son chant une tournure piquante et câline. Pendant le grand air de Bartolo, au lieu de s'en aller comme on le voit faire très souvent, elle reste en scène et capte l'attention des spectateurs par son jeu de physionomie, un jeu charmant, exemplaire, sans rien d'outré... ». « L'interprète profite largement de la liberté que lui offre la scène de la leçon de musique qu'elle recrée à sa guise : Tout le premier acte n'est qu'un long triomphe pour Mme Viardot. (...) Au second acte elle se surpasse elle-même dans l'art du chant, quand elle déploie la richesse inépuisable de ses coloratures et la profondeur de ses pensées dans des chansons espagnoles et dans la célèbre Mazurka de Chopin. Elle use de sa voix comme d'un stylet d'or pour tracer dans les airs des arc-en-ciel les plus audacieux, puis elle s'élance du grave vers l'aigu avec la légèreté d'une hirondelle, et se repose sur un trille comme sur une branche dont les gouttes de rosée retombent en cadences hardies, telles des perles. Elle fait aussi la joie de notre public en lui offrant un échantillon de son talent pianistique ; saisissant au vol quelques idées charmantes, elle préluda et improvisa avant même qu'on ait eu le temps de s'en aviser. Chaque note ici est à la hauteur de tout le rôle ; seule conclusion digne de cet ensemble parfait, les variations finales de la Cenerentola, véritable toile d'araignée de sonorités aveugles, où étincellent cent perles de rosée. »

Dans le rôle de Norma, la cantatrice joue sur un autre registre et aborde le pathétique avec autant de conviction : « Madame Viardot chant[e] la prière de Casta Diva avec un tel repentir, une telle ferveur, le cœur si serré, qu'à l'instant nous autres spectateurs nous vibrâmes tous à l'unisson, car cette première scène, nous ne l'av[ons] vraiment jamais vue ainsi. Les mêmes accents retenti[ssent] à la fin de ce tableau, et elle leur donn[e], grâce à son art si personnel de l'interprétation, une telle puissance que sa voix surpass[e] toutes les autres, comme le cœur palpitant de la prêtresse. Son duo avec Adalgisa était entremêlé de cadences qui donnaient un brillant relief aux différentes étapes de cet affrontement. Elle se distingu[e] tout particulièrement dans le trio final, par son art si original (...) de lancer les premiers mots, comme entrecoupés par la colère et les sanglots étouffés ». Au second acte elle trouve des accents poignants et personnels pour traduire l'angoisse et les tremblements pleins de frayeur grâce à de longues tenues, des traits éperdus de rage et de vocalises sarcastiques.

Elle se surpasse dans la scène final où elle donne aux mots « A cette heure » le poids et la gravité de la plus solennelle tragédie. Son jeu de scène est intelligent, d'un intérêt toujours renouvelé, ses gestes nobles et fiers. Elle répond aux exigences du livret et en accroît l'intensité par son éloquence. Elle fait progresser par degrés la tension dramatique des derniers instants, jusqu'au moment où elle aperçoit sur la main de son père des larmes qu'elle n'attendait plus... ».

Personne mieux que Pauline Viardot, conclue Liszt, n'a été capable de « faire vibrer les ressorts les plus secrets du personnage »[4].

Quand elle meurt, le 18 mai 1910, peu de gens se souviennent l'avoir entendue. Il ne nous reste que des écrits, des souvenirs, des impressions. L'étude des différents témoignages ne peut nous fournir qu'une approche approximative certes, mais qui nous renseigne à la fois sur l'évolution de la cantatrice et sur la manière dont son chant est perçu.

Passionnée par les arts et les sciences, la diva cependant est au centre d'une société cultivée à qui elle accorde volontiers sa sympathie et ouvre ses demeures successives.

« Elle possède fort bien de nombreuses langues vivantes et quelques langues mortes, note Liszt, formation qui lui procure l'intérêt durable et l'amitié fervente de toute une série d'artistes et d'écrivains célèbres, comme l'orientaliste Renan, l'historien H.Martin, l'Italien Manin, G. Sand, Ary Scheffer, Eugène Delacroix, Chorley, Musset, Rossini, Meyerbeer, Gounod, Les deux comtes Wielhorsky,Chopin Adélaïde, Ristori, parmi tant d'autres »[5].

Diva inoubliable. Pourtant, dans la conclusion de son ouvrage, Madame Fitzlyon s'écrie : « C'est à travers Tourgueniev qui a toujours été disposé à tout sacrifier pour elle que l'on se souviendra de son nom, définitivement »[6].

S'interroger sur les relations qu'ont entretenu ces deux jeunes artistes revient à poser le problème de la véracité des sentiments qui leur ont été attribué.

En effet, certains contemporains contestent la connivence qui les unit et occultent ainsi l'osmose esthétique qui résulte de cette relation. Pour s'en assurer, il convient tout d'abord de poser les fondements de cette amitié, évoquer ensuite leurs rencontres à Paris et à Nohant, et conclure par les fruits de cette amitié.

I. TRIPTYQUE ARTISTIQUE PROPICE À LA RENCONTRE

A — UN CONTEXTE FAMILIAL FAVORABLE

Quand Pauline Viardot naît, le 18 juillet 1821, son père est déjà un célèbre musicien, reconnu dans toutes les capitales d'Europe. Il est, aux dires de ses contemporains, l'incarnation la plus saisissante sur une scène d'Opéra du comte Almaviva, dans le Don Juan de Mozart.

Pauline est baptisée à l'Eglise Saint Roch, rue de St Honoré le 29 août de la même année. Elle a pour parrain le compositeur italien Fernando Paër, directeur de la musique de la chambre du roi, Sa marraine, la Princesse Prascovia Galitzin, tient à cette époque un salon fort réputé à Paris. (Son mari est issu d'une illustre famille russe)

---

[4] Franz Liszt, « Pauline Garcia», in : *Neue Zeitschrift für Musik*, 28 janvier 1859, N° 5.
[5] *Ibid.*
[6] Heinrich Heine *« Lutèce » lettres sur la vie politique, artistique et sociale de la France*, Paris 1855, p. 411.

Dans son appartement du Palais Royal, Manuel Garcia dirige la plus célèbre école de chant de France dans laquelle ses enfants et ses élèves se côtoient joyeusement. Son enseignement rappelle les principes du bel canto dont il est le fidèle interprète. Il est utile de rappeler qu'a cette époque, la notion d'interprétation vocale est légèrement différente de la nôtre. Il ne s'agit pas de respecter scrupuleusement la musique de chaque compositeur, mais d'improviser lorsque le compositeur l'autorise. Le chanteur doit apporter des éléments nouveaux mais toujours soumis à une technique musicale rigoureuse.

Ernest Legouvé dans Etudes et souvenirs rapporte ce propos de Nourrit « Manuel Garcia prétend qu'un chanteur doit savoir improviser dix, vingt fois de suite, car pour être un vrai chanteur, il faut être un vrai musicien ».

Baignée dans la musique pendant toute son enfance, Pauline exacerbe la rigueur et l'affection de sa famille. A 3 ans, elle assiste à son premier Opéra. Marcos Vega lui donne ses premières leçons de piano à Mexico. A Paris au conservatoire, Reicha lui enseigne le contrepoint et la composition. Pauline passe 3 ans avec Meysenberg à faire uniquement des exercices de doigté dit Escudier. Elle travaille ensuite avec Frantz Liszt de 1830 à 1832 les œuvres de Bach et de Schubert. Liszt retouche légèrement sa transcription des quatuors de Beethoven pour quatre mains.

Très jeune, elle voyage. Dans une interview qu'elle accorde à Adolphe Busson du Journal le Figaro du 29 mai 1910, Pauline confie : « C'est pendant la longue traversée sur un bateau à voile, car il n'y a en avait pas d'autres en ce temps là, que j'ai appris la musique, sans piano, à une voix, et ensuite à deux ou trois voix. Je possède encore les manuscrits des petits canons écrits par mon père pour moi dans diverses langues, nous les avons chantés tous les jours et surtout le soir sur le pont, au grand bonheur de l'équipage ».

Elle commence sa carrière de chanteuse en 1836 et chante pour la première fois à Paris en 1839. « Elle n'est pas une rose, car elle est laide mais d'une laideur qui est noble et je dirais presque belle. [Elle] a enthousiasmé le peintre Delacroix », écrit Henri Heine.

En 1839, après avoir expérimenté les différentes voies et formes d'écriture à Nohant, Chopin retrouve les salons parisiens et renoue ainsi avec un public d'initiés dans sa quête d'originalité créative, ce qui le conduit à rencontrer Pauline Viardot qui n'est alors pour lui que la sœur de la célèbre cantatrice Maria Malibran.

Le petit Frédéric, lui aussi, grandit dans une atmosphère de haute culture, de vie mondaine raffinée, et de profond patriotisme polonais, malgré l'origine française de son père. Sa sœur Ludwika lui enseigne le piano. Constatant les facultés exceptionnelles de leur fils, Justyna et Nicolas Chopin décide de confier le jeune prodige à un musicien professionnel : Żywny.

Il fait ses études de composition au conservatoire supérieur de Varsovie avec Joseph Elsner et arrive en France en Septembre 1831. Frédéric a une grande culture littéraire, une parfaite connaissance de la poésie et de la langue allemande, et dessine fort bien. Pauline de par son héritage parental se prédestine également à une activité virtuose. Elle ne se rappelle pas avoir appris la musique. « Dans cette famille, la musique est l'air qu'on respire, chacun transmet son talent musical avec rigueur et affection »[7].

---

[7] Archives privées.

Chopin gardera toujours son engouement pour le polonais tandis que Pauline restera en émoi lorsqu'elle entendra le chant espagnol la Contrabandista dont le mouvement, le caractère et le sens est le résumé de la vie d'artiste de son père. Comme l'enfance de Chopin, celle de Pauline est marquée par la disparition d'êtres chers : celle de Maria Malibran, morte à 27 ans à l'apogée de sa gloire, puis celle de son père en 1832 alors qu'elle n'a que 11 ans. La mort de Maria crée un traumatisme dans la vie de la future cantatrice qui admire éperdument sa sœur aînée.

Dès lors, l'éducation qu'ont reçu Pauline et Frédéric cataphorise leur complicité future. Toutefois, Pauline pense ne pas disposer des mêmes aptitudes originelles que Chopin ; elle doit recourir à de nombreux exercices pour acquérir un timbre de voix égal à la technicité pianistique de Chopin dans ses œuvres.

B — DES ASPIRATIONS ARTISTIQUES COMMUNES

1. UNE MEME CONCEPTION DE LEUR ART. Tous deux prêchent pour une sublimation de leur art au rang de la divination puisque ce dernier constitue la pierre de touche de leur existence, ils n'évoluent que par lui et pour lui. Ils le place au delà de l'activité humaine naturelle dans le sens de ce qui réfère à la nature et à tout ce qui touche aux activités habituelles des hommes. C'est pourquoi Chopin « en parle peu et rarement, mais dans une netteté admirable et dans une grande pureté de jugement »[8]. Liszt confie dans sa biographie de Pauline que la jeune femme « s'est élevée à la hauteur des poètes de l'art. »[9] Elle est transcendée par le pouvoir que peut exercer cet art sur qui le comprend. Wagner ne reste pas insensible aux plaintes des interprètes allemands de Tristant et Iseult devant les difficultés d'interprétation de ses œuvres et pourtant avoue-t-il, Pauline « m'a [...] déchiffré toute la partition manuscrite à livre ouvert ! ». Cette artiste à la fois géniale et cultivée, [qui] nous offre le spectacle rare d'un cœur de femme enthousiasmé par l'art pour l'art, un cœur profondément saisi par tous les sons qui lui confère le charme et la magie », écrit Liszt[10].

Saint Saëns poursuit : « Un des traits les plus stupéfiants du talent de Pauline Viardot est son pouvoir d'adaptation aux différents styles. Elle a commencé dans la musique ancienne italienne dont elle m'a fait découvrir les beautés. Elle a continué avec Gluck, Glinka qu'elle chante en russe. Rien ne lui est étranger elle est chez elle partout ». Et de conclure : « Pauline sait le plus grand secret des artistes : avant d'exprimer, elle sent »[11].

2. UNE MÊME QUÊTE DE LA PERFECTION. Si Pauline ne bénéficie pas des mêmes talents techniques que Frédéric, elle en possède néanmoins un qui lui permet de magnifier les œuvres qu'elle interprète car elle a une facilité exemplaire à s'investir dans l'esprit des auteurs ; elle est seule avec eux dans sa pensée, et si elle accepte un trait, si elle prononce une phrase, elle en rétablit le sens corrompu, elle en retrouve la lettre

---

[8] George Sand, *Impressions et souvenirs*, Paris 1873, p. 88
[9] F. Liszt, « Pauline Garcia », *op. cit.*
[10] *Ibid.*
[11] George Sand, collection privée.

perdue. »[12] Pauline s'intéresse au sens caché des phrases musicales et tente de restituer cette double lecture par sa voix. Elle possède ainsi un don de transparence, d'humilité, garantissant sa propre perfection. « Avec sa nature espagnole, son éducation française et sa sympathie pour l'Allemagne elle unit en elle les spécificités des différentes nationalités de sorte qu'aucun de ces pays ne peut prétendre être plus important que l'autre. Au contraire, sa patrie est l'art qu'elle a choisi et qu'elle aime »[13].

Dans ses compositions, Chopin semble moins assuré puisqu'il : « s'enferm[e] dans sa chambre des journées entières, marchant, brisant ses plumes, répétant et changeant cent fois une mesure, l'écrivant et l'effaçant autant de fois... pour en revenir à l'écrire telle qu' il l'avait tracée du premier jet ». Il n'en demeure pas moins que sa création reste « spontanée, miraculeuse. Il la trouve sans la chercher, sans la prévoir. Elle vient sur son piano, soudaine, complète, sublime, ou elle se chante dans sa tête pendant une promenade et il a hâte de se la faire entendre à lui-même en la jetant sur l'instrument. »[14]

En parlant de Pauline George Sand nous confie : « Elle s'est consacrée à son métier avec le feu sacré, elle fixe sans cesse avec gravité son idéal artistique et s'est vouée au culte de la beauté avec l'enthousiasme d'une adolescente. »[15]

Ce culte de la perfection que vouent les deux musiciens s'accomplit donc dans leurs œuvres et leurs interprétations (sans négliger l'improvisation). Mais « la dernière chose à laquelle ils aspirent, c'est la simplicité, dernier sceau de l'art »[16].

3. DES GOÛTS IDENTIQUES

a. Le même amour du piano et de la composition

La fluidité des sons et la précision de toucher dont fait preuve celle qui est surnommée la « Fourmi » par son père en raison de son assiduité au travail permet à Frantz Liszt de voir en elle une future virtuose : « la légèreté de son toucher, sonore sans être pesant, le fini et une parfaite précision dans les passages difficiles.. » préfigurent des qualités pianistiques que madame Garcia préfère passer sous silence en conseillant à Pauline sur un ton injonctif de devenir chanteuse : « ferme ton piano, tu seras chanteuse désormais », s'exclame-t-elle. Ainsi, la capacité de Pauline à « retrouver le style des œuvres [pour les] interprét[er] à la perfection »[17] ne s effectue qu'à travers les œuvres chantées. Elle en est profondément déçue. Tout comme Chopin, elle éprouve à l'égard du piano un sentiment irrésistible de complicité et de compréhension, qualité qu'elle n'hésite pas à reproduire dans le chant. Elle parvient à suppléer l'orchestre dans la scène de la leçon du Barbier de Séville aux Italiens le 9 novembre 1839 ce qui deviendra une tradition pour de nombreuses générations d'artistes.

Elle compose avec douceur, laquelle s'exprime par une finesse harmonique que pouvait lui envier plus d'un compositeur comme le souligne Saint Saëns : « Elle [a]

---

[12]   George Sand, collection privée.
[13]   F. Liszt, collection privée.
[14]   George Sand, Impressions et souvenirs, op. cit.
[15]   Collection privée.
[16]   Frédérique Muller, « Souvenirs cités par André Cœuroy », in : Chopin, Paris 1951, p. 169.
[17]   Louise Héritte Viardot, collection privée.

appris les secrets de la Composition : sauf le maniement de l'orchestre, elle les conn[ait] tous »[18].

Deux recueils de lieders composés à Vienne (avec parmi eux Cagna Espagnola en Mer et la Luciole) dédiés à Meyerbeer et Berlioz attirent l'attention des amateurs. Quant à Chopin, sa pensée ne peut se traduire qu'en musique et pour un seul instrument : le piano.

b. Amour du Bel canto italien

C'est à Paris que Chopin a la révélation des chanteurs du Théâtre italien (Pasta, Malibran, Rubini, Tamburini, Lablache) et avec eux celle de Bellini (La somnambule, les Puritains, la Norma). L'intérêt que porte Frédéric à l'opéra italien perdure tout au long de sa vie. Le Bel Canto des maîtres du 18e siècle suscite son admiration. Celle-ci l'incite à reproduire des émotions particulières, le plus souvent effectuées par la main droite dans ses mélodies. Son amitié pour Bellini, Rossini et Cherubini le conduise à parfaire ses techniques de composition.

Notons que la barcarolle op. 60 représente à un ultime degré la stylisation d'un duo Belcantiste, comme le note J.-J. Eigeldinger. Bellini constitue sans doute la dernière influence assimilée et transmuée par Chopin au milieu des années 30[19].

C'est à la source de la tradition italienne que l'on trouve l'origine du tempo rubato. Maria von Grewingk nous livre dans un livre édité à Ruga en 1928 les modalités de ce bel canto pianistique dues à une élève de Chopin.

> « Son jeu est entièrement calqué sur le style vocal de Rubini, de la Malibran, de la Grisi... Il le dit lui-même. Mais c'est avec une « voix » proprement pianistique qu'il cherche à rendre la manière, particulière à chacun de ces artistes. Il ne faut pas croire que cela se fasse chez lui au détriment de son propre jeu [...] Pour se conformer au principe qui consiste à imiter les grands chanteurs en jouant du piano, il a le secret d'exprimer la respiration à l'instrument. En chaque endroit qui exigerait une inspiration, le pianiste qui n'est plus un profane [...] doit veiller à lever le poignet pour le laisser retomber sur la note chantante avec la plus grande souplesse imaginable. Mais lorsqu'on y a réussi, on rit de joie en entendant la belle sonorité et Chopin s'écrie : « C'est cela, parfait, merci ! »[20].

Pour conclure ce paragraphe n'oublions pas cette définition de Ravel en parlant de Chopin : « Ce grand slave, italien d'éducation ». « La braise héritée de ses origines méridionales s'identifie chez Pauline par droit de naissance avec l'école italienne », écrit Saint Saens.

Rossini, peu de temps après le décès de Manuel Garcia, redouble de sévérité envers « sa petite Pauline » exige d'elle le maximum de tenu vocal afin de respecter la tradition Garcia. Manuel travaille beaucoup avec Rossini qui l'a en haute estime.

c. Le même amour de Mozart

Chopin aime le Mozart du Requiem familier à Delacroix et la production du compositeur postérieur à 1781–1782 (celle des années où dans l'œuvre on se rend compte

---

[18]   C. Saint-Saëns, op. cit.
[19]   Jean-Jacques Eigelginger, L'univers musical de Chopin, Paris 2000, p. 107.
[20]   Ibid., p. 68.

de la révélation de Bach). Chopin s'en inspira et loin d'accuser les contours de ces œuvres joue sur les valeurs lâchant le mot-clef de sa conception : « J'indique à l'auditeur le soin de parachever le tableau »[21].

L'œuvre de Mozart constitue l'évangile musical de Chopin ; il ne cesse de l'étudier et garde toujours auprès de lui la partition du célèbre Requiem ainsi que celle de Don Juan considéré par tous deux comme le beau Idéal.

Pauline découvre d'ailleurs cet opéra à l'âge de 7 ans. Son père, sa mère et sa sœur jouent alors les rôles principaux. (Louis Viardot en possède la partition manuscrite que Pauline offrira à la Bibliothèque du Conservatoire). Elle confie, plus tard, dans une lettre adressée à son ami Julien Rietz, avoir « chant[é] Zerline avec toute la religion qu['elle] porte dans [s]on âme pour Mozart »[22]. Une anecdote rapportée par St Saëns qui montre la multiplicité de son talent et sa compréhension de l'œuvre de Mozart.

> « Un soir qu'ils ont des invités, elle leur propose de chanter une aria de Mozart qu'elle a découverte. Elle interprète donc cette longue aria, avec récitatif, arioso et allegro final. Elle est couverte de félicitations. Elle a tout simplement écrit cette aria pour l'occasion. « J'en ai vu la partition, rapporte St Saëns, le plus fin des experts se serait laissé prendre »[23].

Toutefois, ce couple partage d'autres affinités musicales ; ils évoluent dans le même monde. Chopin se définit lui-même comme un musicien et rien d'autre. La musique constitue son seul et unique mode d'expression, comme le souligne Michel Lévy dans ses Impressions : « Il a infiniment d'esprit, de finesse et de malice, mais [...] il s'enferme dans tout ce qu'il y a de plus étroit dans le convenu. Etrange anomalie!, s'exclame t-il. Son génie est le plus original et le plus individuel qui existe. Mais il ne veut pas qu'on le lui dise. » Le talent de Pauline se mesure quant à lui à la richesse de sa culture, à son intelligence et à la perfection de son timbre qui est admirablement dosé puisqu'il n'est ni trop clair, ni trop voilé. George Sand reste d'ailleurs en émoi devant les tons du medium de la jeune femme : « Ils ont je ne sais quoi de doux et de pénétrant qui remue le cœur », s'étonne-t-elle.

d. Une amie commune : George Sand

Les amitiés féminines de George Sand sont rares, mais elle se montre fascinée par la gloire naissante de Pauline Garcia. Relation unique de part et d'autre : « Il me semble que j'aime Pauline du même amour sacré que j'ai pour mon fils et ma fille, et à cette tendresse indulgente, illimitée, presque aveugle, je joins l'enthousiasme qu'inspire le génie »[24]. Elle est l'artisan de son mariage avec Louis Viardot, son vieil ami. Elle imagine un monde idéal où les créateurs de toute sorte, sont libres de s'adonner à leurs inspirations. Avec Pauline, c'est toute une vision de l'Europe musicale du XIXe siècle qu'aura George Sand. Grâce à elle, Pauline et Frédéric vont pouvoir participer à de merveilleux moments artistiques.

---

[21] Ibid., p. 57.

[22] The Musical Quaterly, tome I, 1915, p. 526.

[23] C. Saint-Saëns, op. cit.

[24] George Sand, Journal intime, Paris 1926, p. 104.

II. LEURS RENCONTRES

A — À PARIS

Pauline fait la connaissance de Frédéric chez la princesse Czartoryska qui habite alors l'île Saint-Louis. Ecoutons ses propos rapportés par Louise Viardot, sa fille : « Je rencontrai chez elle et entendis pour la première fois Chopin dont le jeu me fit une très grande impression. J'ignore ce qu'il joua, mais lorsque je sortis de la maison, j'étais comme hypnotisée. Jamais je n'oublierai l'effet qu'il me produisit ; et je le vois encore, assis au piano, avec son visage pâle, fin et morbide. »[25] Chopin aime jouer en public mais il ne diffuse son talent que devant des petits comités car c'est un « homme du monde intime [. ..], des salons de 20 personnes » ; [26] son génie prend alors toute sa dimension. Pauline prône un public « ignorant, mais intelligent, [...] sympathique, en un mot le peuple! »[27] Sous la monarchie de juillet on dîne dès 17 heures. Les repas sont l'occasion de retrouver les amis les plus fidèles. Les jours fastes de l'année 1840 amènent Delacroix et Pauline. La soirée alors se prolonge comme celle du 31 août, évoqué dans *Impressions et Souvenirs* ou la réflexion esthétique de Delacroix conduit et développe la méditation musicale de Chopin.

Tandis que Louis discute politique avec George, « Pauline vient au piano avec Chopin ; [ils]chantent, jouent Mozart, Haendel, les plus grands maîtres italiens du siècle dernier et les mélodies populaires »[28]. Chopin sait réjouir ses auditeurs lorsqu'il improvise. « Rien ne ressemble à la jouissance qu'il nous procure quand il s'assied au piano »[29], commente Heine. La quête de « l'absolue note bleue » dont parle George Sand trouve son exploitation dans l'ambivalence d'improvisation du compositeur. Chopin compose parfois avec sérénité et parfois avec dissipation comme le souligne son amie : « Sa musique [peut] vous met[tre] dans l'âme des découragements atroces quelques fois »[30].

Mais Paris n'apprécie pas à sa juste valeur Pauline de 1841 à 1843, il lui préfère la Grisi, « Talent très satisfaisant mais point musicienne, chantant d'après les leçons d'un maître et en écolière », avoue le baron de Trémon[31]. « Quand à Chopin, sa vie s'écoul[e] avec les sons et il ne [veut] pas s'arrêter et nous n'av[ons] pas la force de l'arrêter ! La fièvre qui le brûle nous envahit tous »[32].

Chopin et Pauline se retrouvent aussi lors de cérémonies officielles comme à la nef des Invalides, le 15 décembre 1840, où la jeune femme chante le Requiem de Mozart pour célébrer le retour des cendres de Napoléon. George et Chopin font partie des privilégiés à assister à cette cérémonie. L'amitié se confirme entre la jeune

---

[25]   Collection privée.
[26]   George Sand, « Histoire de ma vie », in : *Œuvres autobiographiques*, éd. Georges Lubin, vol. 2, Paris 1971, p. 441.
[27]   Lettre de Pauline à George Sand cité par Thérèse Marix-Spire, *Lettres inédites de George Sand et Pauline Viardot*, Paris 1959, p. 48.
[28]   Archives Christiane Sand.
[29]   H. Heine, *De tout un peu*, Paris, 1890, p. 30.
[30]   George Sand, « Histoire de ma vie », *op. cit.*, 5ᵉ partie, p. 442.
[31]   Bibliothèque Nationale, Ms. 12761, f° 314–315.
[32]   Ernest Legouvé, *Soixante ans de souvenir*, Paris, 1841. Page détachée de manuscrit, collection privée.

cantatrice et ce musicien hors pair. En 1841, c'est le mariage de Pauline avec Louis Viardot directeur du Théâtre Italien.

De Londres le 20 Avril 1841 Pauline écrit : « Je suis enchantée de ce que le bond Chip Chip se soit décidé à se faire entendre, mais je suis désolée de ne pouvoir tenir une petite place dans son programme ; le méchant, pourquoi attend-il à ce que je sois absente pour donner un concert ? C'est un vilain tour qu'il me joue là, et qu'il faudra réparé tôt ou tard... P.S. Compliments et amitiés aux amis. Je tire les blonds cheveux du blond Chip. »[33]

En 1841, Chopin est prêt à se défaire de son concert en raison de l'absence de Pauline. Tandis que celle-ci écrit à George : « Dites à Chip Chip qu'il faudra qu'il me rende en détail ce concert qu'il m'a escroqué ». [34] Mais en 1842, les deux artistes sont ensemble dans les salons Pleyel et Pauline y intèrpéte une de ces compositions accompagnée par Chopin. Il s'agit d'une adaptation de la fable « Le Chêne et le Roseau » de Jean de Lafontaine. Le titre de cette fable est particulièrement évocateur lorsqu'il est confronté à une lettre de Pauline reçue par George Sand, un jour de 1842 : « Je viens rappeler à ma Ninoune que sa fifille l'attend pour dîner avec tutti quanti ; que le Roseau Chopin n'oublie pas le chêne »[35].

Pauline regrette toutefois que Chopin ne compose pas d'œuvre pour elle et adresse à son amie George une requête écrite : « Dites à Chopin et qu'il faut qu'il me compose quelque chose pour moi, quelque chose que je puisse chanter avec des paroles de n'importe quel pays. »[36] Chopin, à défaut d'exhausser ce souhait donne en 1844 un concert privé dans son appartement du square d'Orléans. Latouche, ému par tant de génie recourt à la plume pour éterniser cette soirée :

> « Il [a] céd[é], le pâle jeune homme qui cache tant de forces d'inspiration sous son aspect valétudinaire, et le premier effet de son mérite [a été] de faire douter de la nature même de l'instrument où se pos[ent] ses doigts. Ces sons qui descendent si directement d'en haut, qu'ils attirent instinctivement au ciel les yeux de l'auditeur. Est-ce d'un vulgaire piano qu'on les obtient ? C'est le souffle de la flûte, c'est la vibration de la harpe, c'est l'accent de la voix humaine, c'est la musique sans passer par aucun appareil de l'art.
> Pour charmer une fille des champs, qui, à la manière d'Apollon chez Admète, a gardé, dit-elle, les brebis aux bords de l'Indre, entre les genêts fleuris de la vallée Noire, le Polonais trouv[e], sur le plus savant des claviers, les rustiques chansons du Berry, tantôt la phrase finale et plaintive du laboureur sur la colline, tantôt la première partie d'une mélodie que la fileuse emporte avec elle derrière le bois. Voilà la bourrée des noces, voilà la cornemuse des tondailles. Peut-on dessiner un pays tout entier avec plus d'éloquence harmonique ? Mais paix, nous sommes sur les champs de bataille d'Ostrolenka. Entendez-vous la prière de l'armée polonaise avant de combattre ? Comment Dieu [peut-il] refuser la victoire à des soldats qui la demand[ent] ainsi ?
> Les larmes gagn[ent] la mobile et pieuse assistance. L'artiste le sen[t], et, pour ne pas attrister en finissant cette soirée d'élite, il rev[ient] sur la terre, sur la terre espagnole : car ce talent est universel. Ecoutez la guitare des sérénades, imitation qui va jusqu'à reproduire le frôlement sur le manche, au lieu de la corde, du pouce inhabile d'un ménétrier ou des doigts distraits de l'amant »[37].

---

[33] T. Marix-Spire, *op. cit.*, p.108.

[34] *Ibid.*

[35] *Ibid.*, p. 140.

[36] Archives privées.

[37] François Ségu, « Hyacinte de Latouche et son intervention dans les arts », article manuscrit collection privée.

Chopin détient donc un pouvoir sur son auditoire mais il refuse de l'apprivoiser ; il préfère le nier. En effet, il cherche toujours à briser cette émotion qu'il considère comme étant trop douloureuse et fait suivre toutes ses séances d'improvisation par des séances d'imitation. Ainsi, « comme pour enlever l'impression et le souvenir de sa douleur aux autres et à lui-même, il se tourn[e] vers une glace, à la dérobée, arrang[e] ses cheveux et sa cravate, et se montr[e] subitement transformé »[38].

En 1841, on va écouter Pauline au Théâtre Italien. Berlioz déclare : « Son talent est si parfait et si diversement varié ; elle évolue sur tant de sommets de l'Art ; elle unit tant de savoir à tant de captivante personnalité qu'elle provoque en même temps l'étonnement et l'émotion profonde. Elle frappe et attendrit, elle s'impose et persuade. Sa voix d'une étendue tout à fait extraordinaire obéit aux vocalisations les plus savantes et, dans les larges récitatifs elle montre un art dont il n'y a aujourd'hui que bien peu d'exemples »[39].

Le 20 février 1842 Pauline chante au conservatoire, George, Chopin et Delacroix ont les mains gonflées tant la fifille, comme l'appelle George Sand, a bien joué. Ils se rendent tous à l'hôtel Lambert où sont pensionnaires les jeunes filles de la bourgeoisie polonaise pour jouer ou participer aux ventes de charité et aux bals traditionnels qui ont lieu presque tous les ans. Lorsqu'on le peut, on se rend au bois de Boulogne pour une promenade.

B — À NOHANT

George Sand invite ses amis à venir « bayer aux corneilles … dormir au soleil » dans sa demeure de Nohant où elle passe avec Chopin la période estivale et le début de l'automne. Presque chaque année, Pauline et son mari viennent y passer une quinzaine de jours. Les hôtes parisiens se mêlent alors aux amis d'enfance d'Aurore, pour qui la porte est toujours ouverte.

En 1841, la perspective de communier dans la musique avec une interprète dont il apprécie tant le talent le réjouit ! Il aime l'âme forte et généreuse de la cantatrice. Pauline est arrivée pour assister « au grand événement du déballage d'un précieux colis dans la chambre du musicien : un piano Pleyel qui a mis 5 jours pour arriver. »[40] Le soir venu, entre « chien et loup », « Pauline lit avec Frédéric des partitions entières au piano »[41]. Sur le pupitre se trouvent les œuvres de Scarlatti, Pergolèse, Haendel et les psaumes de Marcello, ainsi que les opéras italiens. Ils déchiffrent les vieilles partitions de George Sand mais c'est toujours à la partition de Don Juan que le musicien demande à revenir.

Au dîner, les conversations sont animées. Hélas, le temps passe trop vite et les Viardot doivent regagner Paris. Chopin exprime ce regret à Fontana lorsqu'il lui écrit :

---

[38]   Collection Christiane Sand.

[39]   Cité dans *La Malibran et Pauline Viardot*, de Suzanne Desternes et Henriette Chaudet, écrit avec la collaboration d'Alice Viardot, Paris 1969, p.92.

[40]   George Sand, *Impressions et souvenirs, op. cit.*

[41]   George Sand, *Correspondance*, éd. George Lubin, 26 vol., Paris 1964–1995, tome 5, p. 401, lettre du 13 Août 1841.

écrit : « Nous avons fait moins de musique que bien d'autres choses. »[42] George partage ce sentiment et leur écrit en septembre : « Il faut nous revenir. Nous ne sommes pas du tout satisfaits de ces pauvres petits deux ou trois jours que vous nous avez donnés à la volée. »[43] On ramène des plantes de Nohant pour la Mamita (mère de Pauline) avec laquelle Frédéric aime avoir de longues conversations sur le théâtre. En effet, ce dernier apprécie beaucoup l'art dramatique ; « Il [a pu] applaudi[r] et savoure[r] » l'Antigone de Sophocle de même qu'il a admiré la prestation de Rachel dans Athalie.

Alors que les Viardot parcourent les routes espagnoles, les hôtes de Nohant sont tous occupés à parler de Pauline et de sa carrière. George poursuit l'écriture de Consuelo et Delacroix lui écrit : « C'est votre type le plus pur... Couvez la bien cette adorable fille de vos plus belles inspirations »[44] tandis qu'à Grenade Louis et Pauline lisent le livre en pleurant à chaudes larmes.

Elisa Fournier évoque dans une lettre à sa mère datée du 9 juillet 1846 la soirée passée à Nohant.

> « Les fenêtres sont grandes ouvertes. Il fait beau, le soleil se couche Chopin s'est mis au piano. C'est prodigieux de simplicité, de douceur, de bonté et d'esprit. Il a imité sur le piano les petites musiques qu'on enferme dans des tabatières, des tableaux... et cela avec une vérité telle que si nous n'avions pas été dans le même appartement que lui, nous n'aurions jamais pu croire que ce fût un piano qui résonnait sous ses doigts. Tout ce perlé, cette finesse, cette rapidité des petites touches d'acier qui fait vibrer un cylindre imperceptible était rendu avec une délicatesse sans pareille, puis tout à coup une cadence sans fin et si faible qu'on l'entendait à peine se faisait entendre et c'était instantanément interrompue par la machine qui probablement avait quelque chose de dérangé. Il nous a joué un de ces airs, la tyrolienne, je crois dont une note manquait au cylindre et toujours cette note accrochait chaque fois qu'elle eût dû être jouée... »[45]

En juillet 1842, George encourage fortement Pauline dans sa carrière — « Vous êtes la première, la seule, la grande., la vraie cantatrice, et cela sera un jour prouvé aussi bien aux vulgaires qu'aux connaisseurs et aux sympathiques. Ces deux dernières classes d'auditeurs, vous les aurez toujours ; mais vous êtes la prêtresse de l'idéal en musique et vous avez pour mission de le répandre, de le faire comprendre. »[46] — elle lui confie que Chopin l'« appelle à grand cri pour [qu'elle] lui rend[e] la faculté musicale qu'il prétend avoir perdue »[47].

Le 12 septembre 1842, Pauline arrive enfin avec Louis son mari et bien sûr la petite Louise, leur fille. C'est l'anniversaire de Sol. « On a dansé toute la soirée jusqu'à une heure du matin »[48], écrit George Sand. La maîtresse de maison déborde d'enthousiasme : « La vie est bonne à tous. Tout le monde travaille : on s'aime, on

---

[42] *Correspondance de Frédéric Chopin*, éd. et traduite par Bronislas E. Sydow, Suzanne et Denise Chenaye, Irène Sydow, 3 vol., Paris 1981, t. 3, p. 69.
[43] Collection privée.
[44] Eugène Delacroix, *Correspondance générale*, 5 vol., Paris, A. Joubin, lettre de mai 1843.
[45] Collection privée.
[46] George Sand, *Correspondance, op. cit.*, tome 5, p. 705, lettre du 28 Juin 1842.
[47] *Ibid.*, p. 765.
[48] *Ibid.*

s'estime, on crée, on se divertit. » Le climat instauré par George Sand dans cette demeure de campagne rend propice toute forme de création artistique. Charles Duvernet
dans ses mémoires témoigne de cette réalité : « J'ai eu souvent le bonheur d'entendre à
Nohant des artistes distingués, notamment Chopin et Madame Viardot. Elle s'[est
mise] au piano un soir et, au premier son de sa voix, j'[ai été] si ému que sans m'en
apercevoir, deux larmes [ont] sillonn[ées] mes joues. » [49]

C'est à l'occasion du mariage dans le Berry de Françoise — la fidèle servante de
George que Chopin s'émerveille une nouvelle fois devant « la bourrée du Marsillat ».
Les invités apprécient également l'interprétation de Pauline de la ballade des trois
petits fendeux, un chef d'œuvre selon Chopin. Ils partagent, une fois encore, le même
amour des danses populaires.

Le 21 mai 1843, George, Frédéric et la petite Louise Viardot arrivent dans le Berry, alors que Vienne applaudit la diva dans Norma : « Le plus beau succès que je n'ai
jamais eu », témoigne-t-elle[50]. Alors qu' à Nohant « Louisette danse, rit, jabote, parle
polonais avec Chopin, Berrichon avec Françoise, et sanscrit avec Pistolet, mange, dort
et fait notre bonheur... On adore votre fille presque autant que vous »[51].

En 1844 Pauline chante à Saint Petersbourg et Moscou, ils font la connaissance
d'Yvan Tourgueniev qui voue une admiration sans limite à Pauline. Avec l'argent
qu'elle a gagné elle achète le château de Courtavenel en Seine et Marne.

Ils ne se retrouvent à Nohant qu'en 1845 lorsque Pauline, en raison des crues de
l'Indre séjourne trois semaines chez ses amis. Il est rapporté qu' « un dimanche, c'était
la Sainte Anne [... les deux amis ont] dans[é] devant l'Eglise sur le gazon »[52]. En
outre, Chopin profite de Nohant pour expérimenter des mélodies qu'il n'écrira jamais.

Pourtant, elles séduisent largement son auditoire comme le témoigne Aurore Sand :

> « Quel soir, en quel mois, vers 1845, Chopin, au piano, dans le salon de Nohant, im-
> provisa une des ces ravissantes rêveries qu'il n'écrivit jamais mais qui inspira la « jeu-
> nesse » qui l'écoutait ?
>
> Sa musique qui, au dire d'un certain clan d'admirateurs ne peut ni ne doit inspirer la
> danse, inspira si bien les enfants de la maison, alors qu'ils étaient en état de ressentir
> tout ce que le rythme et la mesure peut suggérer d'émotions et devenir un art visuel et
> plastique enfanté par la musique, que Maurice Sand sensible et doué de toutes manières,
> Solange, exubérante et coquette, Augustine, jolie et toujours prête à se plier aux jeux des
> autres, Eugène Lambert fantaisiste et humoriste, se mirent à mimer, chacun transporté
> par un élan juvénile et artistique, en évoluant autour du salon et devant le piano.
> Chopin regarda...
>
> Chopin, par les évocations de son génie donnait la vie à une création qu'il n'a ni pré-
> vue, ni voulue mais qui le charma au point que durant trois soirs de suite, il vit représen-
> ter ce que sa pensée engendrait.
>
> Cette pantomime ou chaque acteur se costumait, courait, dansait, improvisant sur l'air
> entendu devenait une telle joie, une telle ardeur, que Chopin lui-même s'enfiévrait. « Il
> les conduisait à sa guise », écrit George Sand « et les faisait passer, selon sa fantaisie du

---

[49] Michel Poupet, « Pauline Viardot à Nohant, d'après les Souvenirs inédits de Charles Duvernet », in :
Cahiers Ivan Tourguéniev , Pauline Viardot, Maria Malibran, N° 3, p.163.
[50] Louise Héritte Viardot, collection privée.
[51] George Sand, Correspondance, op. cit., tome 6, p. 180.
[52] Correspondance de Frédéric Chopin, op. cit., tome 3, p. 210.

plaisant au sévère, du burlesque au solennel, du gracieux au passionné. On improvisait des costumes afin de jouer successivement plusieurs rôles.

Dès que l'artiste les voyait paraître, il adaptait merveilleusement son thème et son accent à leur caractère. Ceci se renouvela pendant trois soirées et puis le maître partant pour Paris, nous laissa tout excités, tout exaltés, et décidés à ne pas laisser perdre l'étincelle qui nous avait électrisés.

Après la représentation, on soupait dans la grande salle à manger qui donne sur le jardin. À Nohant, les deux jeunes filles de la maison, Solange et Augustine, prenaient des leçons de Chopin. L'enfant gâtée, Solange qui commençait tout et ne continuait rien, malgré les répétitions qu'elle avait à Paris de Mlle de Rozières, ne continua pas d'étudier après son mariage. Augustine voulait devenir assez forte en exécution pour professer. Elle fut donc, pendant les années que Chopin passa à Nohant, une élève attentive et sérieuse. « Le Maître », me dit-elle, lorsque je la vis vers la fin de sa vie, « avait un toucher à nul autre pareil.

L'instrument ne comptait pas : il en obtenait des sons qui ne semblaient pas venir du piano. Son jeux était doux, comme voilé et si délicat que certaines notes résonnaient comme si elles fussent soupirées. Jamais les accords plaqués n'avaient un éclat bruyant : ils étaient doux malgré la force qu'on ressentait par leur résonance. Le piano, sous ses mains petites, assez courtes et nerveuses, prenait une expression tout à fait différente de celle qu'obtient n'importe quel exécutant. Il est inutile de chercher à comparer son jeu à celui d'un autre pianiste, et en voulant, non pas l'imiter mais chercher à entrer dans sa manière de jouer, il faut chercher à exprimer sa musique avec une délicatesse qui n'a rien de mièvre mais qui ressemblerait à une expression au delà de l'instrument et dont l'instrument doit être l'interprète discret et obéissant. »[53]

Nous ne saurions mieux terminer cette lecture qu'en reproduisant l'opinion de George Sand, sur Chopin : « Son génie est plein de mystérieuses harmonies de la nature traduites par des équivalents sublimes dans sa pensée musicale et non pas une répétition servile de sons extérieurs. »[54]

Lors de leur ultime rencontre à Nohant, Chopin demande à Pauline de « chanter pour [s]es parents ces mélodies espagnoles qu[elle a] composées l'an dernier à Vienne », lors de son prochain passage à Varsovie.

« Je les aime tant — prétexte-t-il — et je doute qu'on puisse ouïr ou rêver quelque chose de plus parfait en ce genre ». A sa famille il écrit : « ces chants nous réuniront », « je les ai toujours écoutés avec ravissement »[55]

En 1846, George Sand écrit à Pauline : « Delacroix qui est ici et Chopin me charge de vous dire que vous avez en eux d'humbles serviteurs, adorateurs, admirateurs qui voudraient pouvoir être dans un petit coin du théâtre de Berlin, fusse au poulailler, quand vous chanterez ces belles choses. »[56] Dans cette même lettre, elle manifeste son regret de ne pouvoir accueillir ses amis quand elle le veut. Oui, la vie d'artiste est belle, mais incomplète, puisqu'il faut que chacun soit à son affaire et aille de son côté accomplir sa tâche, sans pouvoir jouir de celle des autres, et sans retremper dans des émotions selon son cœur et sa passion. L'idéal serait de se réunir quand on veut, et pas quand on peut. »

---

[53] Collection privée de Christiane Sand.

[54] *Ibid.*

[55] *Correspondance de Frédéric Chopin*, op. cit., tome 3, p. 202.

[56] T. Marix-Spire, *Lettres inédites*, op. cit., p. 228.

1847 marque la rupture, mais les Viardot restent objectifs face aux événements :

« Il est toujours aussi bon, aussi dévoué, vous adorant comme toujours, ne se réjouissant que de votre joie, ne s'affligeant que de vos chagrins. »[57]

Louis Viardot rend compte également de l'attitude de Chopin : « Je dois, par esprit de justice et de vérité, vous affirmer que l'inimitié dont vous croyez qu'il vous poursuit avec ingratitude ne s'est pas montrée, du moins avec nous, dans une seule parole, dans un seul geste... »

Au cours de son séjour à Londres, Chopin sort beaucoup et très vite, il est accepté dans les salons londoniens où les deux amis se retrouvent. Au début de la saison 1848 Pauline participe à un concert de Chopin à Covent Garden, elle chante ses mazurkas, accompagnée par Chopin lui-même. Ils sont ensemble à l'après-midi musical de Lord Falmouth et partagent même un moment de musique chez la reine. À Mlle de Rozières, le 1er juin 1848, Chopin souligne : « J'ai revu aussi Madame Viardot, bien charmante ici. Elle a eu la gracieuseté de chanter mes mazurkas au concert de son théâtre. »[58] Pauline et Louis admirent et aiment Chopin, cet être « sans plaisanterie et sans exagération, ce qu'il y a de plus pur et de meilleur sur la terre ». Pauline Viardot écrit à George Sand, lors de la mort de Frédéric Chopin : « Quant à moi, ma Ninounne, j'ai eu tant de chagrin de la mort du pauvre petit Chopin que je ne savais pas par quel bout commencer ma lettre... J'ai appris sa mort par des étrangers qui sont venus me demander en grande cérémonie de prendre part au Requiem qui devait être exécuté à la Madeleine pour Chopin. C'est alors que j'ai senti combien d'affection je lui portais... C'était une noble créature. Je suis heureuse de l'avoir connu et d'avoir obtenu un peu de son amitié... »[59]

III — LES FRUITS DE CETTE AMITIÉ

A — LES CHANTS POPULAIRES

« Il est bien certain, et chacun le sait, que chaque pays a ses harmonies, ses plaintes, ses cris, ses chuchotements mystérieux et cette langue matérielle des choses n'est pas un des moindres signes caractéristiques dont le voyageur est frappé. »[60]

Les romans de George Sand s'imprègnent du parfum de la terre et sont pleins de sympathie pour les paysans. Lorsque dans la campagne berrichonne, elle écoute chanter les chansons, c'est le charme de la mélodie qui, principalement, opère sur elle. Comme le dira Sylvie Delaigue-Moins : Georges Sand aime « cette grande cornemuse qui braille aux oreilles » et les chansons de sa province. Frédéric Chopin s'est intéressé aux rythmes populaires. Il les a recueilli lors de ses séjours dans la campagne polonaise et leur a donné un nouvel éclat dans ses compositions. Quant à Pauline Viardot, elle a aimé entendre son père la bercer aux sons des chants Espagnols. En 1841, elle

---

[57] *Correspondance de Frédéric Chopin*, op. cit., tome 3, p. 306.

[58] *Ibid.*, p. 346.

[59] *Ibid.*, p. 450.

[60] George Sand, *Un hiver à Majorque*, reprint Palma de Mallorca 1971, p. 58.

rend la romancière attentive au récitatif du laboureur, essayant de noter la variété infinie que le grave caprice de son improvisation impose au vieux thème fondamental. Et George écrit : « J'ai vu Chopin, un des plus grands musiciens. de notre époque, et Madame Pauline Viardot, la plus grande musicienne qui existe, passer des heures à transcrire quelques phrases de nos chanteuses et de nos sonneurs de cornemuse. »[61]

Chopin aime particulièrement cette bourrée du Marsillat où se trouve un trille affreusement faux... un chef d'œuvre[62].

B - LES MAZURKAS (TRANSCRIPTION)

Pauline aurait aimé que Chopin écrive une œuvre pour elle, ce qui n'a jamais été fait. Aussi transcrit-elle quelques mazurkas, quoique Jean-Jacques Eldinger, dans son livre Chopin vu par ses élèves pense que l'arrangement par Chopin de l'accompagnement de la cavatine « Casta diva » de Norma « soit vraisemblablement destiné à Pauline Viardot, qui a chanté le rôle pour la première fois à Saint Petersbourg en novembre 1844 ».

Pauline a transcrit plusieurs mazurkas de Chopin pour chant et piano avec des paroles de Louis Pomey, Présentons les 6 mazurkas suivantes :

Transcription de Viardot		Mazurka de F. Chopin
N° et titre	Opus et tonalité	Date de composition et de publication
Seize ans	50/2 (La bémol maj)	1841–1842 ; 1842
Aime-moi	33/2 (Ré maj)	1837–1838 ; 1838
Plainte d'amour	6/1 (Fa dièse min)	1830 ; 1832
Coquette	7/1 (Si bémol maj)	1830–1831 ; 1832
L'Oiselet	68/2 (La min)	1827 ; 1855
Séparation (Duo)	24/1 (Sol min)	1834–1835 ; 1836

Comme le souligne Carolyn Shuster[63], seule la première des 6 mazurkas, intitulée « Seize ans », a été écrite par Chopin postérieurement à sa rencontre avec Pauline Viardot en 1839–1840. Elle est la seule à posséder une introduction. La date de cette pièce coïncide avec les visites de Pauline à Nohant. Nous ne pouvons pas savoir si ces musiciens ont collaboré à la réalisation de leurs versions respectives.

C - LA BERCEUSE

Pauline ne sacrifie pas sa carrière aux instincts maternels et obtient de George Sand la promesse de garder sa fille durant 4 mois en 1843. « Louisette avait alors dix-sept mois. Maigre et dépourvue de dents elle n'en séduisait pas moins son entourage. »

---

[61] Collection Christiane Sand.

[62] *Ibid.*

[63] Carolyn Shuster, « Les mazurkas de Chopin », *Revue de Musicologie*, 1989 N° 75/2, p. 269.

À Solange, George Sand écrit : « La petite Viardot est charmante et nous amuse beaucoup », puis à Madame Marliani : « Nous l'aimons beaucoup ».

L'utilisation du « nous » dans ces courtes phrases souligne à quel point Chopin s'est entiché de la petite fille. À la mère, Sand écrit : « Elle est gaie comme un pinson, fraîche comme une rose, babillarde comme une linotte et douce comme un petit mouton... Elle jabote le plus drôlement du monde, elle m'appelle maman, ne vous déplaise, et dit « petit Chopin » à désarmer tous les Chopins de la terre. Aussi...elle est d'une insigne coquetterie avec lui et le compromet ouvertement. Il n'y a pas de grimaces, de gestes comiques et de singerie qu'elle ne lui fasse à dîner »[64]. L'enthousiasme de ce témoignage laisse penser que bien d'autres scènes aussi touchantes se sont déroulées durant le séjour de Louisette à Nohant. Chopin ramène la berceuse dans ses cartons à Paris en septembre 1843. L'après- midi du 2 février 1844, malgré ses problèmes de santé et malgré ses leçons, Chopin donne un concert chez lui. Les invités appartiennent tous au milieu de l'émigration polonaise : Madame Hoffina (née Tanska), le poète Stefan Witnicki et Bohdan Zaleski, JosephTomazewski et sa femme, etc... Zaleski, dans son journal, relate cet après-midi là : « Chopin s'est approché, pâle, défait mais de bonne humeur, inspiré, il m'a accueilli avec tendresse et s'est mis au piano... Il a joué au tout début un merveilleux prélude, puis. une berceuse, une mazurka, la berceuse à nouveau »...

Elle a été éditée en 1845 et avec la dédicace suivante : « À Mademoiselle Elise Gavard, son vieux professeur et ami FF Chopin ». Le manuscrit a été donné par Elise elle-même à la Bibliothèque du conservatoire.

Jules Janin note dans les lettres à son épouse qu'il y aurait deux manuscrits[65]. Dans l'étude d'Edmond Gauche Frédéric Chopin, 3 manuscrits commentés par Alfred Cortot (BN), Gauche nous dit que le manuscrit de la Berceuse appartient à Alfred Cortot et ajoute qu'il porte la mention : « Donné à Monsieur Cortot ce manuscrit ayant appartenu à Madame Pauline Viardot. Signé Auguste Mangeot ». (Mangeot était alors le Directeur de l'Ecole Normale de Musique dont Cortot était professeur).

Tout cela méritait d'être approfondi. Le manuscrit dédié à Cortot par Pauline Viardot n'est pas celui de la Berceuse dans sa version définitive. C'est une esquisse, une succession de motifs séparés et non une transcription continue. Ce n'est qu'un schéma ou un des schémas de l'œuvre future.

Chopin détruit généralement « ces pattes d'araignées ». Il oublie le document et le laisse traîner ; mais Pauline, qui aime fouiller dans le grenier — et plus particulièrement dans les partitions — lorsqu'elle est à Nohant, a la bonne idée de se saisir de ce « chiffon de papier » et demande à Chopin d'achever l'œuvre[66].

Quant à la personne ayant signé la note écrite sur l'esquisse, il ne s'agit pas de Monsieur Mangeot comme le signale Ganche, mais de Monsieur Maupoil, mari de la petite fille de Pauline Viardot. Cette esquisse a voyagé et s'est retrouvée chez Monsieur et Madame C. dans l'Illinois aux États-Unis au moment de la Grande Guerre.

---

[64] George Sand, *Correspondance, op. cit.*, tome 6, p. 162.
[65] Collection privée.
[66] Collection privée.

Elle a ensuite été achetée par un amateur de Zurich qui a choisi un antiquaire berlinois pour la vendre. La Société Chopin de Varsovie s'en est alors porté acquéreur. C'est là qu'elle se trouve actuellement. Cette esquisse sera publiée prochainement.

Un travail d'authentification scientifique s'impose ; il sera fait ultérieurement.

De cette amitié St Saëns en a bénéficié plus particulièrement par le témoignage de Pauline sur le jeu de Chopin, écoutons le :

> « En tant que grande amie de Chopin elle a mémorisé très précisément et a donné des indications très précises sur sa façon de le jouer. Grâce à elle j'ai ainsi compris que l'exécution des œuvres du grand musicien est beaucoup plus simple qu'on ne le croit généralement et qu'elle est aussi éloignée du maniérisme sans goût que de la froide simplicité. Par elle j'ai eu accès au secret du vrai tempo rubato sans que la musique de Chopin soit défigurée sous les contorsions par lesquelles on en fait une caricature »[67].

Les musiciens actuels ne comprennent pas la perfection de la simplicité.

CONCLUSION

Après avoir chanté le requiem à la Madeleine, Pauline n'oubliera pas Frédéric. Elle adresse une lettre, datée du 21 novembre 1857 à Tourgeniev, par laquelle nous apprenons qu'elle est engagée pour la saison d'hiver à Varsovie. Elle y rencontre la mère du compositeur et Isabelle, sa sœur. Elle chante l'Italienne à Alger, les Mazurkas, des airs russes et ces fameuses chansons espagnoles, déjà évoquées, et qui doivent réunir Chopin avec ses parents, tenant ainsi la promesse faite à Frédéric en 1845. Bien plus tard, lorsqu'elle est installée aux Frênes, Bernard Faurie se souvient d'une soirée au Chalet Tourgeniev : « Nous étions dans le crépuscule et les fenêtres, qui donnaient dans l'immense parc baigné par le clair de lune, étaient grandes ouvertes. La grande artiste ne se lassait pas de nous jouer les nocturnes et les Etudes de Chopin. »[68] Ne revivait-elle pas là les chaleureuses soirées de jadis... ?

---

[67] *Musikalische Reminiszenzen. Mit einer Studie von Romain Roland : Camille Saint Saëns.* Traduction allemande par Eva Zimmermann, éd. par Reiner Zimmermann, Leipzig 1978.
[68] Alexandre Rozanov, « Pauline Viardot », in : *Cahiers Ivan Tourgueniev, Pauline Viardot, Maria Malibran*, N° 4, p. 84.

Dessins de Maurice Sand relatant les inondations de 1845 lors du retour sur Paris de Pauline Viardot
(Collection Christiane Smets-Sand)

Paris, 9 Avril.

Première page d'une lettre de Pauline Viardot à George Sand du 9 Avril 1847 (Collection privée)

STRESZCZENIE

HISTORIA PRZYJAŹNI: FRYDERYK CHOPIN I PAULINA VIARDOT

Paulina Viardot utrzymywała — można rzec — uprzywilejowane kontakty z Chopinem, zarówno w planie artystycznym, jak i czysto ludzkim. Poznali się w Paryżu, dzięki George Sand i wykazywali to samo uwielbienie dla opery włoskiej i Mozarta. Cóż jednak oznaczała ich przyjaźń? Czy tak — jak to mówiła George Sand — rozpoznać w niej można było muzykę i poezję? W niniejszym tekście postawiona jest kwestia relacji między Pauliną Viardot a Fryderykiem Chopinem, które trwały do 1849 roku i które nabierały inspirującego charakteru w czasie ich spotkań.

CHOPIN, LES INSTRUMENTISTES À ARCHET ET LA MUSIQUE DE CHAMBRE

Sophie Ruhlmann
(COUR CHEVERNY)

Dans la *Revue et Gazette musicale*, Maurice Schlesinger relatait au sujet du dernier concert de Chopin à Paris le 16 février 1848 : « le programme annonçait d'abord un Trio de Mozart, que Chopin, Alard et Franchomme ont exécuté de manière qu'on désespère de l'entendre jamais aussi bien ». Cette image de Chopin, interprète du maître vénéré aux côtés des deux grandes figures, qui resteraient liés de façon indissociable au répertoire des chefs-d'oeuvre de la musique de chambre, porte en elle une histoire, celle du goût de Chopin pour l'univers des instruments à archet, de fait l'histoire de sa relation avec des hommes et des oeuvres. Le soir de cet ultime concert parisien, Chopin présentait sa propre *Sonate* pour piano et violoncelle, singulièrement dernier opus donné à la publication et qui devait clore la production voulue par le musicien. Juxtaposée à la première, cette deuxième image de Chopin, compositeur de musique de chambre, porte en elle une autre histoire parallèle, celle de l'amitié avec Franchomme, qui avait rendu possible dans la *Sonate en sol mineur* l'accomplissement d'une exploration musicale, certes en retrait par rapport à la prospective et au grand oeuvre réalisés pour le piano, mais toujours présente et amorcée de longue date.

L'intérêt de Chopin pour les instruments à cordes n'a pas lieu de surprendre ; sa nature de musicien l'ouvrait d'évidence à l'appréciation et la connaissance de toute la musique ; dès, la jeunesse, il acquit en effet une culture musicale très diversifiée ; il convient aussi de rappeler que le maître de piano de ses jeunes années, le pittoresque Żywny, était violoniste de formation et que son père, Nicolas Chopin, né en Lorraine à quelques kilomètres de Mirecourt, deuxième centre de la lutherie européenne après Crémone, pratiquait le violon, dont il avait appris le jeu à Marainville, vraisemblablement sous la conduite de son régent d'école, lui-même issu d'une famille de luthiers[1].

Les relations de Chopin avec les instrumentistes à archet commencèrent à l'aube de sa carrière. Lors de son premier concert le 24 février 1818, l'enfant Chopin et son beau col de dentelle recevait le parrainage des frères Kaczyński, Piotr violoniste et Jozef violoncelliste. Tout au long de la période varsovienne, il resterait lié à ces musiciens, et plus particulièrement avec le violoncelliste. Il les retrouvait dans des soirées musicales, et occasionnellement il s'associait à eux, comme dans *La Rubinelle* de Hummel jouée fin mars 1830 chez le général Diakow.

---

[1]   G. Ladaique, *Les Origines lorraines de Frédéric Chopin*, Sarreguemines 1999, pp. 94–96.

À cette époque Chopin, au coeur d'une intense activité d'écriture et d'exécution de sa musique, conviait Józef Kaczyński et les violonistes Józef Bielawski ou Stanisław Serwaczyński aux répétitions de ses concertos avant de les présenter au public, mais aussi à des sessions de travail pour essayer ses nouvelles productions en matière de musique de chambre. Le 22 août 1830, dans l'appartement familial, devant quelques intimes, Chopin donnait avec Kaczyński sa *Polonaise brillante* pour violoncelle et piano, précédée de *Introduction*, fraîchement écrite pour ce dernier, ainsi que son Trio op. 8, la partie de violon tenue par Bielawski. Celui-ci, premier violon du Théâtre national, professeur au Conservatoire et par ailleurs à la tête d'une formation de quatuor, participa comme soliste aux concerts du jeune compositeur, le 19 décembre 1829 à l'ancienne Ressource et le 23 mars 1830 au Théâtre national, lors de la deuxième présentation du *Concerto en fa mineur*. À cette dernière occasion, le violoniste interprétait un *Air varié* de Charles de Bériot- le maître de l'école belge de violon que Chopin connaîtrait plus tard à Paris. Bien sûr, Bielawski, comme musicien de l'orchestre du Théâtre national, fut partie prenante dans les différentes exécutions des deux *Concertos* de Chopin, sous la conduite de Kurpiński, aussi bien pour les prestations probatoires à la maison avec le quatuor, que pour les présentations publiques en concert.

L'origine de la *Polonaise brillante* reste liée à l'éminente personnalité du prince Antoni Radziwiłł (1775–1833), gouverneur de Poznanie pour le roi de Prusse, mécène, compositeur, chanteur et violoncelliste amateur de talent. Radziwiłł reste connu comme le premier musicien à avoir mis en musique le *Faust* de Goethe, sous forme de vingt-cinq scènes dramatiques, composées entre 1810 et 1830 ; le prince devait d'ailleurs montrer son manuscrit quasi achevé à Chopin qui déclara avoir « trouvé beaucoup de choses très bien conçues, géniales même »[2]. Écrite chez le prince à Antonin au cours de l'automne 1829, la *Polonaise,* pièce de circonstance « pour les salons et pour les dames » selon les mots mêmes de Chopin, était destinée à la princesse Wanda afin qu'elle pût la jouer avec son père. Or, ce morceau augmenté en avril 1830 de l'*Introduction* composée pour Kaczyński, devait être finalement dédié au violoncelliste autrichien Josef Merk, l'ami du deuxième séjour viennois. Il est intéressant de remarquer qu'Auguste Franchomme, en une sorte de quatrième parrainage violoncellistique, donnerait avec une amplification de la partie de violoncelle une édition révisée de cette pièce, après l'avoir à son tour jouée souvent en compagnie de Chopin, et de fait arrangée sous son contrôle.

C'est donc le *Trio* op. 8, antérieur à la *Polonaise* et présenté lors de cette visite à Antonin, qui fut dédié au prince musicien Radziwiłł. On peut rappeler que Beethoven avait dédié au même son *Ouverture « Namensfeier »* op. 115 et ses *Vingt cinq Airs écossais* op. 108, et Mendelssohn son *Quatuor avec piano en ut mineur*.

Dans le cadre des concerts à Varsovie, Chopin entendit les grands virtuoses de l'archet, Paganini bien sûr en 1829, au cours d'une série de concerts mémorables et dans le célèbre duel contre Karol Lipiński, qui s'était lui-même déjà produit dans les années précédentes. Auparavant il avait été possible pour Chopin de découvrir les violoncellistes allemands Bernhard et Karl Romberg. À quoi, s'ajoutaient les prestations régulières des

---

[2] *Correspondance de Frédéric Chopin*, éd. et traduite par Bronislas E. Sydow, Susanne et Denise Chainaye, Irène Sydow, Paris 1981, t. I : « L'Aube 1816–1831 », p. 140.

nombreux violonistes de la ville. Comme partout en Europe, la musique de chambre, comme son appellation l'indique, se faisait en petite société chez des artistes, des amateurs éclairés. Toutefois, dans les années 1817–18, des sessions publiques étaient organisées sous le titre de *Concerts du dimanche* par le chanteur Louis Feuillide et le pianiste Karol Arnold, avec la participation du quatuor de Jozef Bielawski. On y interprétait des quatuors de Haydn, Mozart ou Spohr, des concertos de Dussek, de Field[3]. Rappelons que Louis Feuillide et Karol Arnold comptaient aussi parmi les artistes qui soutinrent le très jeune Chopin lors du concert du 24 février 1818. Plus tard, en 1829, Chopin suivait les soirées de musique de chambre que proposait chaque vendredi le pianiste Josef Kessler. Les meilleurs musiciens y apportaient leur participation. Chopin décrit ainsi le rituel musical : « On s'y rassemble pour jouer. Rien n'est décidé d'avance : on interprète ce qui se présente. Ainsi l'avant-dernier vendredi furent exécutés le *Concerto en do dièse mineur* de Ries ; le *Trio en mi majeur* de Hummel, le dernier *Trio* de Beethoven (Il y a longtemps que je n'ai rien entendu d'aussi grand. Beethoven s'y moque du monde entier) ; [...] et, enfin, des chants ou plutôt des parodies de chant, ce qui fut vraiment merveilleux. »[4] Une autre fois, Chopin se délectait à l'audition d'un *Octuor* de Spohr, compositeur qu'il admirait beaucoup et dont il donnait le *Quintette en ut mineur* pour piano et instruments à vent lors d'une soirée chez Jozef Cichocki.

Pendant le séjour viennois de 1829, Chopin avait noué d'excellentes relations avec deux personnalités étroitement liées à Beethoven et Schubert, décédés depuis peu, le célèbre violoniste Ignaz Schuppanzigh, qui devait lui-même mourir l'année suivante, et son élève, le non moins célèbre violoniste et compositeur Josef Mayseder. Au cours de sa deuxième résidence à Vienne, il se liait à deux autres grands amis de Schubert, que l'on ne peut dissocier, le violoniste tchèque Josef Slavik et le pianiste Karl Maria von Bocklet. Schubert écrivit sa *Fantaisie en ut majeur pour piano et violon* (D. 934) à l'intention de ces deux interprètes, qui avaient donné l'oeuvre en première exécution le 20 janvier 1828. Une fois encore pour Chopin, l'amitié allait tenter de féconder une oeuvre. Il décidait d'écrire avec Slavik un duo pour le violon et le piano- forme instrumentale dont il avait déjà le projet à Varsovie. Ce serait des variations sur un thème de Beethoven ; hélas, à ce jour, rien ne semble avoir subsisté de cette composition, sans doute inachevée, jusqu'au thème de Beethoven resté lui aussi non identifié. Chopin confiait au sujet de Slavik : « C'est un grand artiste, un violoniste génial. Lorsque j'aurai fait la connaissance de Merk, quel trio nous formerons! »[5] Quant à Josef Merk, Chopin écrivait peu après leur rencontre : « Il m'a déclaré qu'il aime jouer avec moi et moi aussi j'aime jouer avec lui ; alors ensemble nous devons produire bonne impression. C'est le premier grand violoncelliste que j'ai l'occasion d'admirer de près. »[6] A ce moment de détresse morale, loin des siens et de la Pologne plongée dans la tragédie,

---

[3] Hanna Pukińska-Szepietowska, « Życie koncertowe w Warszawie (lata 1800–1830) » [La vie de concert à Varsovie (1800–1830], in : *Szkice o kulturze muzycznej XIX w.* [Les esquisses sur la culture musicale du XIXe siècle], T. II, Warszawa 1973, pp. 46 et 75–77.

[4] Chopin à Tytus Woyciechowski, Varsovie le 20 octobre 1829 in : *Correspondance...*, « L'Aube 1816– 1831 », *op. cit.*, p. 136.

[5] Chopin à sa famille, Vienne, le 22 décembre 1830, *ibidem*, p. 232.

[6] Chopin à sa famille, Vienne, le 28 mai 1831, *ibidem*, p. 262.

s'exprime clairement chez Chopin, qui de toute façon ne supportait pas de rester seul, le désir de communiquer, d'échanger, non seulement sur le plan humain mais surtout dans la musique. À quoi s'ajoutait le fait qu'il découvrait là des partenaires de tout premier ordre, de grands artistes en mesure à ce niveau d'excellence de l'enrichir. Durant ce séjour viennois, il accompagna aussi, bien sûr des chanteurs, et des instrumentistes à vent, comme le corniste Lewy avec lequel il se plut à jouer. Toute sa vie, Chopin aima accompagner et montra dans cet exercice un talent merveilleux.

À la périphérie des cercles de ces musiciens plus ou moins connus et impliqués de manière plus ou moins importante auprès de Chopin et de sa création, émerge une multitude de personnages secondaires, réduits parfois à de simples noms, cités au fil de la correspondance du compositeur, passant tels des ombres dans les biographies. Or après enquête, il se révèle que beaucoup de ces figures cachent des musiciens amateurs et singulièrement surtout des violonistes et des violoncellistes. Pour exemples, ainsi en est-il d'Antoni Sierakowski, député, chambellan, et violoniste distingué, cité une seule fois dans une lettre de Chopin, écrite depuis Prague le 22 août 1829, et qui reçut le compositeur dans son domaine de Waplewo (Waplitz) près de Gdansk (à l'époque Dantzig) en 1827[7]. Ainsi en est-il pour la période française de la vie de Chopin, de l'avocat et avoué Jules Forest, père d'Adèle Forest, jeune pianiste, dédicataire par Chopin et Franchomme du *Grand Duo Concertant sur Robert le Diable de Meyerbeer*, et chez lequel Chopin séjourna, au moins deux fois en compagnie de Franchomme, à Tours et en sa propriété du Coteau à Azay-sur-Cher. De fait, lors de mes propres recherches, il m'a été donné de découvrir que Jules Forest était violoncelliste amateur, qu'il s'essayait à la composition et qu'enfin il présidait la Société philharmonique de Tours. Dans le peu malheureusement qui subsiste de la correspondance de Jules Forest, pour le seul mois de juillet 1839, il se trouve deux lettres, l'une du violoniste virtuose, ami de Liszt et de Chopin, Heinrich Ernst, sollicitant de pouvoir donner un concert à Tours, et l'autre du violoncelliste allemand Bernhard Romberg jointe à l'autographe musical d'un *Allegretto pour violoncettobasso*, dédié à Jules Forest, en remerciement de la bonté de ce dernier pour lui[8].

En revanche, nulle trace, nulle citation, à ma connaissance, dans aucun ouvrage relatif à Chopin et à quelques autres de ses contemporains, de Carl Friedrich Canstatt, né en Allemagne à Regensburg le 11 juillet 1807 et mort des suites de la tuberculose à Erlangen le 10 mars 1850. Pourtant, un article présentant des extraits de la correspondance de ce personnage fut publié en 1916 dans la *Neue Musik-Zeitung* de Stuttgart par les soins de sa petite-fille Tony Canstatt[9]. Carl Canstatt fut un grand médecin

---

[7] « Graf von Sierakowski (Anton) auf Waplitz, Deputierter aus dem adlig Marienburgschen Kreise. Er ist geboren am 19. Mai 1783 in Krakau, gestorben am 25. Juni 1842 in Marienburg und bestattet in der Familienkapelle zu Waplitz. Er war königlicher Kammerherr. Mit Leib und Seele Kunstfreund, namentlich Musiker, hat er die Geige sehr schön gespielt und vices komponiert und drucken lassen. Der berühmte Komponist Chopin war sein Freund und Gast in Waplitz. » Andrzej Bukowski, *Pomorskie wojaże Chopina*, Gdańsk 1993, p. 22.

[8] Collection particulière, France.

[9] *Eine Glanzzeit des Musiklebens zu Paris und Brüssel in den Dreißigerjahren des Jahrhunderts. (Aus den Erinnerungen meines Großvaters)* Von Tony Canstatt, cahiers 21 et 22 de la revue *Neue Musik-Zeitung* de Stuttgart, en date des 3 et 24 août 1916, respectivement pages 327 et 346.

allemand, spécialisé en premier lieu dans l'ophtalmologie. Mais le souci d'améliorer toujours sa formation scientifique, allié au travers des circonstances de la vie à une rare expérience de praticien dans les divers domaines de la médecine, fit de lui un remarquable clinicien, au point qu'à la fin de sa carrière, il recevait le poste de professeur de pathologie à l'université d'Erlangen. Il s'illustra en outre dans l'écriture de multiples articles scientifiques, publiés à l'échelon international, et d'un ouvrage fondamental de pathologie et de thérapie. Cependant, Carl Canstatt s'adonnait à une autre passion, celle de la musique et du violoncelle qu'il pratiquait au meilleur niveau. Dans les années 1824–30, alors qu'il menait à bien ses études de médecine à l'université de Vienne, il poursuivait le perfectionnement de sa pratique instrumentale et devenait élève de Josef Merk. Ce dernier, satisfait par les progrès du jeune homme et l'estimant capable d'une expérience professionnelle, lui obtint un pupitre à l'orchestre de l'Opéra. Ne demeurant pas continûment à Vienne mais faisant de nombreux retours en Allemagne, Canstatt était absent de la capitale autrichienne lors du passage de Chopin en août 1829. C'est un peu plus tard à Paris, chez Maurice Schlesinger lors d'une soirée musicale le 24 mars 1832 que Carl Canstatt devait faire la connaissance du compositeur et de son art. Venu en France pour tester les possibilités de s'engager dans une carrière de violoncelliste, Canstatt fut introduit dans la vie musicale par un ancien condisciple à l'université de Vienne, le docteur Jules Sichel, ophtalmologiste renommé, installé depuis peu à Paris. Jules Sichel avait cette particularité de bon aloi d'être un cousin de Ferdinand Hiller. Soucieux de prestige social, profitant des relations de Hiller, Sichel tenait un salon, organisait des soirées au cours desquelles les meilleurs musiciens venaient se produire ; ainsi, fin mars 1836, l'épouse de Canstatt en visite à Paris, assistait chez Sichel à un concert réunissant Chopin, Hiller et le violoniste Wilhelm Bernhard Molique, ancien élève de Spohr et chef d'orchestre à Stuttgart, qui se trouvait dans la capitale pour quelques concerts[10]. Dès les premiers jours, Canstatt devint le protégé de Mendelssohn, alors à Paris. Les lettres du jeune médecin violoncelliste relatent ses rencontres avec Liszt, Paganini, Meyerbeer, expriment une admiration enflammée pour Mendelssohn, Hiller, pour Baillot et Franchomme, avec lequel il se lie et joue les *Grands Duos* de Romberg. Mais l'épidémie de choléra mettait vite un terme à cet enchantement et la médecine rattrapait Carl Canstatt pour ne plus le lâcher. Peu après, il quittait Paris pour Bruxelles où il continuait d'assumer à la fois la pratique médicale et la musique ; il sympathisait avec le grand violoncelliste Servais, devenait un familier de Charles de Bériot et des dames Garcia, c'est-à-dire, madame Garcia mère, la Malibran et Pauline. Or le 5 août 1833, Canstatt écrivait depuis Bruxelles : « La semaine dernière le Polonais Chopin était ici. J'ai eu une immense joie de le revoir et de l'entendre de nouveau. » C'est ainsi que se livrait la surprise de ce déplacement jusque-là inconnu de Chopin. Voyageant pour son plaisir, le compositeur ne donna aucun concert officiel, mais accepta de jouer pour Canstatt et aussi chez un ami de ce dernier, Carteret Ellis, marchand anglais installé à Bruxelles, qui deviendrait par la suite une relation de Franchomme. À

---

[10] Laura Canstatt à sa mère, Julie Diruf, Bruxelles le 1er avril 1836. Collection Hans Dörge (Stutgartt, Allemagne).

cette occasion, Canstatt confiait à Chopin pour Franchomme des variations de Servais, en échange de quoi, Chopin promettait le *Grand Duo concertant sur Robert le Diable*. Mais pour prendre plus ample connaissance de cette correspondance de Carl Canstatt, et de quelques documents iconographiques, je renvoie à un article signé par moi et dans lequel je donne le texte original des lettres en langue allemande, article publié à Varsovie dans le nouveau volume 24/25 des *Rocznik Chopinowski*.

Chopin, qui à Vienne avait considéré Josef Merk comme le premier grand violoncelliste qu'il eût jamais côtoyé, devait devenir à Paris l'ami, le frère, d'un artiste plus grand encore : Auguste Franchomme. Les dix-sept années du lien exceptionnel entre les deux musiciens sont d'une telle richesse qu'il m'a été possible d'y consacrer un ouvrage paru dans la collection dirigée par Irena Poniatowska, « Chopin dans le cercle des amis »[11]. Leurs profondes et très multiples affinités se situaient sur le plan des personnalités humaines et sur le terrain des prédilections artistiques et musicales. Ils partageaient notamment les mêmes conceptions esthétiques en faveur de la mesure et de la perfection classique. Reprise des variations inabouties avec Slavik, le *Grand Duo concertant sur Robert le Diable*, composé en collaboration, inaugurait leur amitié fraternelle. À la fin des soirées, Chopin et Franchomme jouèrent souvent cette pièce de salon[12], conforme aux pots-pourris sur des airs d'opéra en vogue, que les éditeurs, en l'occurrence ici Schlesinger, pouvaient diffuser auprès d'une plus vaste clientèle, élargie aux amateurs. Quinze ans plus tard, d'une toute autre envergure, la *Sonate* de l'op. 65 de Chopin, dédiée à Franchomme, se révélait, au travers de l'équilibre maîtrisé entre les deux entités instrumentales, comme l'accomplissement de ce long dialogue entre les deux amis.

Musicien de chambre dans diverses sociétés jusqu'à l'association de toute sa vie avec le violoniste Delfin Alard dans la prestigieuse Société Alard et Franchomme, musicien d'orchestres, au Théâtre-Italien, à la Chambre du Roi et à la Société des Concerts du Conservatoire, Franchomme[13] appartenait à l'univers de la musique symphonique et instrumentale du grand répertoire des maîtres anciens et classiques, Bach, Haendel, Haydn, Mozart, Beethoven, à ce monde des musiciens interprètes au service des chefs-d'oeuvre de l'histoire. Il traduisait dans son art et dans l'enseignement qu'il transmettait les conceptions de l'idéal classique et du « beau style » à l'oeuvre au sein du Conservatoire, sous l'influence du grand violoniste Pierre Baillot, dont l'immense stature artistique et l'humanisme rayonnaient sur toute la vie musicale et intellectuelle.

---

[11] Sophie Ruhlmann, *Chopin i Franchomme*, in *Chopin w kręgu przyjaciół* [Chopin parmi ses amis], éd. Irena Poniatowska, vol. 2, Warszawa 1996.

[12] Auguste Franchomme à Jules Forest, Paris le 29 décembre 1833, *ibidem*, p. 108.

[13] Sur la personnalité artistique du violoncelliste cf. Sophie Ruhlmann « Auguste Franchomme : portrait d'un jeune virtuose sous le règne de Louis-Philippe... », in *Défense et illustration de la virtuosité*, textes réunis et présentés par Anne Penesco, Lyon, 1997, pp. 123–140. Carl Canstatt, présenté plus haut, écrivit au sujet du musicien : « Ce Franchomme m'a rendu le coeur lourd. On pourrait abandonner l'archet pour la vie quand on l'entend jouer. En regard, Romberg, Bohrer et Merk ne sont rien. Tu ne peux te représenter aucun jeu plus pur, plus fini, plus agréable, plus juste, aucun son plus beau, aucune pureté plus grande, aucun coup d'archet plus soigné, comme chez ce Franchomme qui a tout en son pouvoir. J'en suis tombé dans la stupéfaction. À côté de cela une taille de gamin! Petit, et la plus haute perfection d'exécution, un Mayseder sur son violoncelle. » cf. supra note 9 et autographe, collection Hans Dörge (Stuttgart).

Dès son arrivée à Paris, Chopin avait reçu le soutien et l'amitié de Baillot et des membres de son quatuor, comme son second violon et gendre Eugène Sauzay, intime de Franchomme, et son violoncelliste, le franco-polonais Louis Norblin, maître de Franchomme et ancien ami d'Elsner. Lors de son premier concert chez Pleyel, Chopin était accompagné par Baillot, Norblin, Vidal et Théophile Tilmant. Impossible d'imaginer plus beau parrainage! Et bien sûr, il assistait aux splendides séances du quartettiste. À la suite de Baillot, plusieurs musiciens professionnels souhaitèrent, en réaction à l'hégémonie de l'opéra et des virtuoses, propager le goût de la bonne musique, c'est-à-dire de la musique instrumentale considérée comme plus difficile. Ainsi, fin 1834, Chopin, Liszt, Franchomme et de nombreux confrères se réunirent autour d'Henri Bertini dans l'essai d'un éphémère Cercle musical. Ce furent en fait des sociétés de quatuor comme celles des frères Dancla, d'Alard et Chevillard puis d'Alard et Franchomme, qui assumèrent cette mission, tendant, selon Maurice Bourges, « à ouvrir une voie nouvelle de communication entre le public et les oeuvres peu populaires du génie »[14]. Étant donné la fondation tardive de la Société Alard et Franchomme, Chopin fut contemporain des seuls huit premiers concerts. En compagnie de George Sand et de Delacroix, il assistait au moins à la seconde séance pour un *Quatuor* de Haydn et le *Trio en si bémol majeur* « à l'Archiduc » de Beethoven. Dans le cadre des sociétés de dilettantes, Chopin était un familier de certaines prestations, comme auditeur et comme participant, en particulier dans les salons de grands amateurs, tels le baron de Trémont, capable de pratiquer tous les instruments à archet, ou le pharmacien Paul-Antoine Cap, violoncelliste, élève de Franchomme. Ces personnalités d'une culture remarquable organisaient chez elles chaque semaine des séances de quatuors et *quintetti* devant une assistance réunissant Auber, Cherubini, Rossini, Meyerbeer et le très classicisant Onslow dont étaient données en création les dernières compositions. Dans ce milieu de stricte obédience classique, on pratiquait Haydn, Mozart, Beethoven, sauf les derniers ouvrages considérés comme les chefs-d'oeuvre « de l'extravagance et de l'ineptie »![15] pour emprunter à Onslow, avis largement partagé, notamment par Alard et Franchomme qui ne donnaient pas les derniers quatuors du maître de Bonn, et par Chopin. On peut mentionner pour exemple que peu avant son concert devant Louis-Philippe aux Tuileries en février 1838, Chopin avait fait la répétition d'un de ses concertos chez le baron de Trémont, qui était, notons-le, filleul du roi.

Deux autres figures de violoncellistes compositeurs comptèrent parmi les amis de Chopin, le Tchèque Josef Dessauer auquel il dédia ses *Polonaises* de l'op. 26 et le Polonais Jozef Brzowski qui séjourna à Paris dans les années 1836–37. Dans les concerts, Chopin fut entouré d'une pléiade d'instrumentistes à cordes installés à Paris ou de passage ; il fut lié de près ou de loin avec bon nombre d'entre eux : Habeneck, Maurin, Chevillard, Uhran, les Dancla, Artôt, Batta, Cuvillon, Bériot, Ernst qui l'assista lors de son concert d'avril 1841. La récente découverte d'un compte-rendu de Berlioz, accessible maintenant dans la publication en cours de l'intégrale de sa critique musicale sous

---

[14] Maurice Bourges, « Compte-rendu, Première matinée de musique instrumentale de chambre, donnée par M. M. Alard, Hallé et Franchomme » in : *Revue et Gazette musicale de Paris*, N° 7, 14 février 1847, p. 57.

[15] Georges Onslow à M. Cap, Clermont-Ferrand, le 20 avril 1832, Bibliothèque Nationale de France, Département Musique, *Lettres autographes*, vol. 81, N° 291.

la direction de Robert Cohen et Yves Gérard, a révélé une nouvelle prestation de Chopin lors d'une soirée chez Maurice Schlesinger en février 1834 ![16]. Chopin y présenta un nouveau concerto, dont la discussion sur l'identité reste ouverte entre le fa mineur ou le « troisième concerto » comme l'a démontré John Rink dans son ouvrage sur les *Concertos* de Chopin[17]. Or, en première partie de concert, le très talentueux quatuor des frères Müller, musiciens allemands de Brunswick, interprétait plusieurs quatuors de Beethoven. Dans sa critique, Berlioz parle de l'effet extraordinaire produit par cette quadrinité instrumentale et s'exclame : « Voilà l'idéal du quatuor. »

De cette fréquentation de Chopin avec ces hommes de l'archet, il résulta combien de timbres de violon ou de violoncelle dans son piano ; et en retour combien de transcriptions de ses oeuvres par Franchomme, Servais, Bériot, Ernst ou Dancla, et plusieurs générations de musiciens après eux. Dans les pièces d'essence vocale, comme les nocturnes, en particulier le mi bémol majeur de l'op. 9, et certaines mazurkas, le passage de la cantilène, du piano au violon ou au violoncelle, peut, il est vrai, aisément s'opérer.

Enfin, approfondir un tel environnement, définir les conceptions de ces figures de premier ou de second plan que Chopin avait choisi de fréquenter, renforce ce que nous savions sur le compositeur, sur ses goûts, ses orientations, et ajoute de la cohérence sur certaines de ses positions. Depuis Varsovie et Vienne jusqu'à Paris, se dessine une continuité d'amitiés musicales, associées à des oeuvres, en particulier dans cette sphère de la musique de chambre, dite musique absolue, que Chopin connaissait en maître et à laquelle s'appliquait aussi cette déclaration qui lui était habituelle : « Il n'y a qu'une école, l'allemande »[18]. Affirmation soutenue évidemment, et illustrée, hors violon et violoncelle, par des personnalités proche de Chopin, comme Pleyel, Kalkbrenner, Moscheles ou Hiller. Du *Trio en sol mineur* op. 8 à la *Sonate*, dans la même tonalité, op. 65, l'évolution de l'empreinte d'un certain geste beethovénien doit être considérée comme le résultat d'une expérience et d'une vision de Chopin, après tant d'heures d'écoute, de participation active, de lecture des partitions et d'échanges, auprès de ces artistes, pour beaucoup d'entre eux, les plus autorisés. D'un langage d'une modernité sans pareille par sa différence avec tout ce qu'il avait composé auparavant, la *Sonate en sol mineur* représente de fait à elle seule le dernier style de Chopin, riche d'anticipations postromantiques. Étonnamment, le corpus de la musique publiée par le compositeur s'achève avec une oeuvre de musique de chambre, porteuse d'un nouveau dépassement et d'un avenir hélas foudroyé. Tout cela avait été rendu possible par cette extraordinaire capacité du génie de Chopin à l'hybridation, à élaborer un corps transcendé et homogène à partir des multiples éléments de la culture de son époque, comme la musique savante et la musique populaire, la voix humaine et les voix des instruments à cordes, qui sont aussi de grands chanteurs, selon le célèbre principe universel énoncé par le chimiste Lavoisier que rien ne se perd, rien ne se crée, mais que tout se transforme.

---

[16] Hector Berlioz, *Critique musicale*, travail collectif, international (France, Canada, USA), édité sous la direction de H. Robert Cohen et Yves Gérard, vol. 1, 1823–1834, Paris 1996, pp. 177–178.

[17] John Rink, *Chopin : The Piano Concertos*, Cambridge 1997, p. 111, note 14, pp. 88–92.

[18] Wilhelm von Lenz, *Les grands Virtuoses du Piano, Liszt–Chopin–Tausig–Henselt*, traduit et présenté par Jean-Jacques Eigeldinger, Paris 1995, p. 79.

STRESZCZENIE

CHOPIN, INSTRUMENTALIŚCI SMYCZKOWI I MUZYKA KAMERALNA

Przez całe życie Chopin manifestował, tak jak w odniesieniu do głosu ludzkiego i śpiewu, swe umiłowanie instrumentów smyczkowych, które zresztą też potrafią „śpiewać". Zwłaszcza wiolonczela była instrumentem, którym się Chopin najbardziej interesował po fortepianie. Poszukiwania dźwiękowe, dokonane przez kompozytora w dziedzinie wiolonczeli i w sferze muzyki kameralnej, wnoszą dwa aspekty, ściśle nakładające się na siebie — dotyczący relacji z niektórymi skrzypkami i wiolonczelistami i związany ze stykaniem się z repertuarem kameralnym — dzięki lekturze, słuchaniu utworów i wykonawstwu.

To przede wszystkiem przyjaźń była czynnikiem, z którego rodziły się niektóre utwory. Dzieła kameralne Chopina, *Introdukcja i Polonez* op. 3, *Trio g-moll* op. 8, *Wielkie duo koncertujące na temat Roberta Diabła* Meyerbeera i *Sonata g-moll* na fortepian i wiolonczelę op. 65 powstały w większym lub mniejszym stopniu ze związku Chopina z osobowościami takimi jak: Antoni Radziwiłł, wiolonczeliści — Józef Kaczyński, Josef Merk i największy z nich, przyjaciel Chopina Auguste Franchomme.

W Warszawie, Wiedniu, Paryżu, przez swe powiązania z licznymi i wybitnymi instrumentalistami smyczkowymi, jak Józef Bielawski, także Ignaz Schuppanzigh i Josef Slavik, związani z Beethovenem, Schubertem, jak też Pierre Baillot i jego słynny kwartet, Delfin Alard i Auguste Franchomme, Chopin słyszał w ramach koncertów i prywatnych spotkań u wielkich melomanów repertuar muzyki kameralnej Haydna, Mozarta, Boccheriniego, Beethovena, Spohra i in. W towarzystwie przyjaciół Chopin sam interpretował pewne utwory, jak *Quintette c-moll* na fortepian i instrumenty dęte L. Spohra, *Trio* Mozarta.

Badania ujawniły kilka nowych postaci wokół Chopina. Chodzi zwłaszcza o skrzypków i wiolonczelistów, także o lekarza i wiolonczelistę niemieckiego Carla Canstatta (1807–1850), protegowanego przez Mendelssohna i Hillera, którego Chopin poznał w marcu 1832 r. w Paryżu i któremu złożył wizytę w Brukseli, podczas nieznanego dotychczas wyjazdu w sierpniu 1833 r.

Od *Tria* op. 8 do *Sonaty* op. 65 ewolucja zapożyczeń pewnej gestyki beethovenowskiej winna być traktowana jako rezultat doświadczenia i określonej wizji Chopina, po wielu godzinach słuchania, czy też czynnego udziału, lektury partytur i wymiany poglądów ze wspomnianymi artystami. Zadziwiające, że korpus muzyki opublikowanej przez Chopina kończy się dziełem muzyki kameralnej, *Sonatą na fortepian i wiolonczelę*, która jest nosicielką nowego brzmienia i zwiastunem przyszłości, która — niestety — dla samego Chopina była już zamknięta.

„Ich hatte mehrere Jahre in Paris… fast täglich mit Chopin verkehrt". Chopin und Ferdinand Hiller, eine Freundschaft

Klaus Wolfgang Niemöller
(Köln)

Die im Titel dieses Beitrages zitierte Passage stammt aus Ferdinand Hillers Schrift über seinen Freund Felix Mendelssohn-Bartholdy von 1874, in dem er „Briefe und Erinnerungen" mitteilt. Hiller weilte im Dezember 1839 bei Mendelssohn in Leipzig, und dieser hatte gerade sein „großes" *d-Moll-Klaviertrio* op. 49 vollendet und spielte es Hiller vor. Hiller berichtet: „Gewaltig impressionirte mich das Feuer und Leben, der Fluß, die Meisterschaft in einem Wort, die sich in jedem Tact geltend macht. Doch hatte ich ein kleines Bedenken. Gewisse Clavierfiguren, namentlich die auf gebrochenen Accorden beruhenden, erschienen mir — etwas altmodisch, um es gerade heraus zu sagen. Ich hatte mehrere Jahre in Paris mit Liszt, fast täglich mit Chopin verkehrt und der pianistische Erfindungsreichthum der neueren Zeit war mir zur Gewohnheit geworden. Als ich Mendelssohn in diesem Sinne einige Bemerken machte, einige Abänderungen vorschlug, wollte er anfänglich nichts davon wissen. — Wir berieten, probierten am Clavier hin und wieder und ich hatte den kleinen Triumph, Mendelssohn für meine Ansicht schließlich zu gewinnen."[1] Diese Episode, drei Jahre nach Hillers Rückkehr aus Paris, wo er sieben Jahre, von 1828–1836 gelebt hatte, gibt zwei charakteristische Hinweise: einmal auf den Freudeskreis um Chopin, zu dem auch Mendelssohn während seines Paris-Aufenthaltes von Dezember 1831 bis April 1832 gehörte, zum andern auf die Rezeption des Chopin'schen Klavierstils.

Während das Verhältnis bekannterer Komponisten und Musiker zu Chopin in Paris immer schon Aufmerksamkeit fand, gilt das nicht für einen musikalischen Künstler, dessen Werke nach seinem Tode 1885 im öffentlichen Musikleben keine Rolle mehr spielten, dessen Name jedoch zu seinen Lebzeiten von hoher Achtung begleitet war und dessen Wirken insgesamt z. T. weitreichende Auswirkungen hatte[2]. Sein Name begegnet nämlich immer wieder im Umkreis der bedeutendsten Komponisten seiner Zeit, eben auch von Chopin[3]. Er gehörte zu der Generation romantischer Kom-

---

[1] Ferdinand Hiller, *Felix Mendelssohn-Bartholdy. Briefe und Erinnerungen*, 2. Auflage, Köln 1878, S. 131f.; Friedrich Niecks, *Friedrich Chopin als Mensch und als Musiker*. Aus dem Englischen übertragen von W. Langhans, 2. Bd., Leipzig 1890, S. 123.

[2] Reinold Sietz, *Aus Ferdinand Hillers Briefwechsel (1826–1861). Beiträge zu einer Biographie Ferdinand Hillers* (Beiträge zur rheinischen Musikgeschichte, Bd. 28), Köln 1958; Derselbe, „Ferdinand Hiller", in: *Die Musik in Geschichte und Gegenwart*, Bd. 6, Kassel 1957, Sp. 399–409.

[3] Eine Lithographie Hillers publizierte Ernst Burger, *Frédéric Chopin. Eine Lebenschronik in Bildern und Dokumenten*, München 1990, S. 119.

Komponisten, die um 1810 geboren wurde: 1809: Mendelssohn, 1810 Chopin und Schumann, 1811 Liszt und am 24. Oktober Ferdinand Hiller, 1813 Richard Wagner. Nimmt man den älteren Hector Berlioz (geb. 1803) hinzu, so ist von einer Künstlergruppe zu sprechen, die untereinander gerade mit Chopin ein Netz persönlicher Bekanntschaft, ja Freundschaft verband. Bereits 1910 hat der Herausgeber der *Rheinischen Musik- und Theater-Zeitung* Dr. Gerhard Tischer in einem Artikel „Unbekannte Briefe von Wagner, Liszt, Berlioz, Robert und Clara Schumann und H. Heine" auf die Bedeutung von Hiller hingewiesen, denn die „fast sensationelle Publikation" dieser bisher unbekannten Briefe machten Funde möglich, die Tischer im Briefwechsel von Ferdinand Hiller, dem jeweiligen Adressaten fand[4]. Beispielsweise wird in einem Brief Liszts aus Genf 1836 die Gemeinsamkeit der Pariser Jahre deutlich, die neben Grüßen an Heine gerade auch Chopin einschloß. Liszt erkundigt sich bei Hiller nach Chopin und bittet, ihn bei Chopin in Erinnerung zu bringen, da er von ihm seit seiner Abreise noch keine zwei Zeilen erhalten habe. Am Vorabend habe er noch die *Etude Es-Dur* im Konzert gespielt. Die freundschaftliche Vertrautheit kommt in der Frage zum Ausdruck, ob Hiller ihn nicht mit Chopin besuchen wolle, damit das Wiedersehen nicht Jahre daure: „Pourquoi ne viendrai-tu pas avec Chopin faire un tour à Genève auf printemps." Einen weiteren charakteristischen Beleg für den Freundeskreis um Chopin, der Hiller einschloß, finden wir in einem Billet von Berlioz Anfang Mai 1834 an Chopin, in dem er launig italienisch-französisch „Chopinetto mio" zu einem Ausflug zum Montmartre einlädt: „Spiro che Hiller, Liszt et [Alfred] de Vigny serano accompagnés de Chopin."[5]

Zu diesem Kreis muß man in gewisser Weise auch Heinrich Heine rechnen, der bei seiner Ankunft in Paris 1831 Hiller Grüße von seiner Familie überbrachte. 1885 erschien in der *Neuen Musik-Zeitung* von Gustav Karpeles ein Bericht über „Hiller und Heine", der über die Gäste der musikalischen Abende bei Hiller berichtet: „In seinem gemütlichen Heim in der Rue St. Florentin gab der deutsche Musiker sehr oft reizende Soireen, bei denen Heine nie fehlte. Hier horchte er mit Entzücken den Klängen Chopin's und Thalberg's, hier wurde er mit den hervorragendsten Komponisten und Musikern bekannt, mit Cherubini, Baillot, Nourrit, Onslow u. A., denn Heine liebte die Musik ganz außerordentlich."[6] Es war Hiller, der Heine Cherubini vorgestellt hatte[7]. In den weiteren Kreis der Musiker ist auch Meyerbeer einzubeziehen, der ebenfalls Hillers Soireen besuchte. Er notierte in seinen Taschenkalender bereits 1829 einen Besuch Hillers, 1835 „Heute speiset Hiller bei mir", aber auch im November 1836: „38. R. du Montblanc 1/2 10 Chopin". Und es war ein Brief Hillers an Meyerbeer vom 14. Oktober 1836 bereits aus Frankfurt, dem wir entnehmen: „Manche angenehme Künstlerbesuche wurden mir den Sommer über zuteil — Rossini,

[4] Gerhard Tischer, „Unbekannte Briefe von Wagner, Liszt, Berlioz, Robert und Clara Schumann und H. Heine", in: *Rheinische Musik- u. Theater-Zeitung*, Jg. XI, Nr. 25, 18. Juni 1910, S. 455–465.

[5] Hector Berlioz, *Correspondance générale II (Oeuvres littéraires)*, Paris 1975, S. 180, Nr. 396; E. Burger, *op. cit.*, S. 108, Facsimile.

[6] Gustav Karpeles, „Hiller und Heine", in: *Neue Musik-Zeitung*, VI. Jg., Köln 1885, Nr. 23, S. 290.

[7] Frederick Niecks, *Friedrich Chopin als Mensch und als Musiker*, deutsche Übersetzung W. Langhans, 2 Bd: Leipzig, 1890, S. 236.

Felix, Chopin, Pixis etc..."[8] Aus zahlreichen weiteren Quellen zeichnet sich so ein Bild der Musikerkreise in Paris um Chopin und Hiller. Als Hiller 1833 nach dem Tode seines Vaters in Deutschland weilte, schrieben ihm am 20. Juni 1833 Chopin und Liszt einen geistreich-launigen gemeinsamen Brief, den auch Franchomme unterzeichnete, und in dem Hiller von Heine und Berlioz Grüße ausgerichtet wurden[9] Nach dem Zeugnis des englischen Pianisten Osborne sahen sich Chopin und Hiller fast jeden Tag, „da Chopin sich stets in bester Stimmung befand, wenn Hiller bei ihm war."[10]

Am 15. Februar 1855 schickte Liszt aus Weimar an Hiller in Leipzig eine Einladung zum Konzert mit Berlioz, auch mit dem wehmütigen Hinweis nach dem frühen Tod von Mendelssohn und Chopin: „Von der alten romantischen Büderschaft von Paris, die mit Mendelssohn und Chopin, aus fünf Mitgliedern bestand, gibt es nur noch uns drei, Berlioz und Dich, die in diesem irdischen Jammertal verblieben sind" („De notre ancienne confrérie romantique de Paris qui, avec Mendelssohn et Chopin, se composait de cinque membres, il n'y a que nous trois, Berlioz et toi, qui soyons resté dans ce bas monde")[11].

Hiller kann zurecht als ein Vertrauter Chopins gelten. Liszt bestätigte ausdrücklich ihre Freundschaft[12]. Der erste Eindruck Chopins, den er brieflich am 12. Dezember 1831 seinem Freund Tytus Woyciechowski mitteilte, war: „Der brave Hiller ist ein Bursche von gewaltigem Talent [...], ein Mensch voller Poesie, Feuer und Geist."[13] Mag auch Hillers Erinnerungen an Chopin Jahrzehnte später, wie er sie 1877 in *Briefe an eine Ungenannte* formuliert hat, emotional verklärt sein, im Kern treffen sie das freundschaftliche Verhältnis beider[14]: „Ja, verehrteste Freundin, ich glaube wohl sagen zu dürfen, daß Chopin mich liebte, — aber i c h war in ihn verliebt. Ich wüßte wenigstens kaum, wie ich die Neigung, die er mir eingeflößt, anders bezeichnen könnte. Seine Gegenwart beglückte mich, — nie wurde ich's müde, ihn sprechen zu hören; hatte ich ihn länger, als es sein mußte, nicht gesehen, so fühlte ich wahrhafte Sehnsucht nach ihm; ich verließ in aller Frühe meine Wohnung, um ihn zu finden, ehe er seine Unterrichtsstunden begann." Abwechselnd verkehrten sie in französischer und deutscher Sprache miteinander, auch wenn Chopin sie nicht fließend sprach, während Hiller ein ziemlich perfektes Französische gelernt hatte.

Angesichts der engen Freundschaft Hillers mit Chopin verwundert es nicht, daß bereits 1854 Julian Fontana für seine Ausgabe der nachgelassenen Werke Chopins

---

[8] Giacomo Meyerbeer, *Briefwechsel und Tagebücher*, ed. Heinz Becker, Bd. 2, 1825–1836, Berlin 1970, S. 98, 459, 490, 555, 557.

[9] F. Niecks, *op. cit.*, Bd. I, 1890, S. 262f.

[10] *Ebenda*, S. 257.

[11] R. Sietz, *Aus Ferdinand Hillers Briefwechsel*, op. cit., S. 106. Die Übersetzung von „confrérie" mit „Verein" erweckt unzutreffende Assoziationen zum deutschen Vereinswesen („Musikverein") des 19. Jahrhunderts. Mieczysław Tomaszewski, *Frédéric Chopin und seine Zeit* (= Große Komponisten und ihre Zeit), Laaber 1999, S. 237.

[12] Franz Liszt, *F. Chopin*, Paris 1852, deutsch Kassel 1856, S. 106.

[13] Frédéric Chopin, *Briefe*, hrsg. Krystyna Kobylańska, Berlin 1983, S. 128; *Correspondance de Frédéric Chopin. II: L'ascension 1831–1840*, ed. Bronislas Édouard Sydow, Paris 1954, S. 43.

[14] Ferdinand Hiller, *Briefe an eine Ungenannte*, Köln 1877, S. 149–152.

einige davon Hiller zur Beurteilung vorspielte[15]. Hiller wurde sowohl von Karol Mikuli für seine 1880 erscheinende Gesamtausgabe als auch von Eduard Niecks für seine umfangreiche dokumentarische Monographie über Chopin konsultiert[16]. Niecks hebt die „in ihrer Art einzige Sammlung von Briefen seiner zahlreichen Freunde in der Kunst- und Literatur-Welt" an Hiller hervor, die im Historischen Archiv der Stadt Köln aufbewahrt werden. Aus ihnen konnte Niecks zwei Briefe veröffentlichen[17]. Darüber hinaus heißt es immer wieder „Von Hiller hörte ich", wenn es um Personen des Bekanntenkreises um Chopin ging. Zum Nachlaß Ferdinand Hillers im Historischen Archiv der Stadt Köln gehört auch sein Autographen-Album. Hier hat Chopin mit „Paris 1832" und der Devise „Souviens toi de ton amis Fr. Chopin" in zierlicher Schrift auf kleinformatiges blaues Notenpapier eine „Mazurek" eingetragen, die erste der vier *Mazurken* op. 6[18]. (Abbildung 1) Im Vergleich mit den späteren Ausgaben gibt es kleine Unterschiede schon zu Beginn: Die Baßstimme beginnt im Autograph erst eine Viertelnote später. Das *Cis* zu Taktbeginnt fehlt und die beiden nachfolgenden Akkorde sind erst noch zweistimmig. Hiller besaß ursprünglich auch eine frühe Niederschrift der *Mazurka* op. 59, Nr. 3, auf der — nicht von Chopins Hand — eingetragen wurde: „p[our] Mr. Hiller"[19]. Ebenfalls 1832 trug Hiller sich seinerseits zur Erinnerung in Chopins Album ein[20]. Chopin *Trois Nocturnes pour le piano* sind dann „dediés à son ami Ferdinand Hiller". Ein Exemplar der französischen Erstausgabe bei Maurice Schlesinger trägt den handschriftlichen Eintrag „à mon cher Ferdinand [Hiller] FF Chopin. Paris 1834"[21]. Hiller seinerseits widmete sein in Leipzig bei Fr. Hofmeister erschienes 3. Buch der *Trois Caprices* op. 14 seinem Freunde Chopin[22]. Nach Zeugnis der Chopin-Schüler Karol Mikuli und Friderike Streicher ließ Chopin auch „die neuen und neuesten Compositionen von Hiller, Thalberg und Liszt" einstudieren[23].

Um 1830 gehörte Hiller in Paris zweifelsohne zu der heute so berühmten Phalanx von jungen aufstrebenden Musikern und Virtuosen[24]. Bereits dem in einer wohlhabenden jüdischen Kaufmannsfamilie in Frankfurt groß gewordenen Jüngling attestierten Ignaz Moscheles und Louis Spohr eine besondere musikalische Begabung. Mit 14 Jahren kam er 1825 in die Schule von Johann Nepomuk Hummel in Weimar. Am 30. März 1826 durfte er Goethe vorspielen. Nachdem er das erste *Allegro* des *a-Moll-Konzertes* von Hummel vorgetragen hatte, „phantasierte" er frei über ein Thema aus *Don Giovanni*[25]. Hiller war auch später einer der letzten Repräsentanten konzert-

[15] *Frédéric Chopin Thematisch-bibliographisches Werkverzeichnis* von Krystyna Kobylańska, München 1979, S. 177.

[16] *Ebenda*, S. XVI — Niecks, Chopin I, 1890, S. VI.

[17] *Ebenda*, S. 236f.

[18] R. Sietz, „Das Autographen-Album Ferdinand v. Hillers im Kölner Stadt-Archiv", in: *Jahrbuch des Kölnischen Geschichtsvereins* 28 (1953), S. 276f.; *Frédéric Chopin Werkverzeichnis, op. cit.*, 1979, S. 9.

[19] *Frédéric Chopin Werkverzeichnis, op. cit.*, v1979, S. 129.

[20] Frédéric Chopin, *Correspondance, op. cit.*, 1954, S. 69.

[21] E. Burger, *Frédérick Chopin, op. cit.*, 1990, S. 125, Abb. 264.

[22] Hans Hering, *Die Klavierwerke F. v. Hillers*, Diss. Köln, Düsseldorf 1928, S. 89.

[23] F. Niecks, *op. cit.*, Bd. II, 1890, S. 206 u. 368.

[24] Danièle Pistone, "Pianistes et concerts parisiens au temps de Frédéric Chopin", in: *Les pianistes-virtuoses à Paris autour de Chopin* (= *Chopin parmi ses amis* V, red. I. Poniatowska, D. Pistone), Warszawa 1999, S. 40–51.

[25] F. Hiller, *Briefe an eine Ungenannte, op. cit.*, S. 21.

mäßiger Improvisation. 1839/40 fantasierten so Mendelssohn und Hiller zu gegenseitig deklamierten Gedichten von Schiller, Goethe Uhland[26]. In Weimar legte Hiller
das Autographen-Album an, in dem sich auch Chopins Mazurka befindet. Der erste
Eintrag ist von Goethe am 10. Februar 1827, u. a. mit den Zeilen:

> „Wer mit holden Tönen kommt,
> Er ist überall willkommen"[27].

Goethe nahm auch Bezug auf die Reise Hillers mit seinem Lehrer Hummel nach
Wien, wo er noch den kranken Beethoven und Schubert persönlich erlebte. Hummel
war es auch, der Hiller nach Paris u. a. an Friedrich Kalkbrenner und den großen
Geiger Francois Baillot empfahl, Spohr vermittelte die Bekanntschaft mit Pixis.
Nachdem Hiller im Oktober 1828 nach Paris gekommen war, wo er auch in der Ban-
kiersfamilie Leo Verwandte hatte, fand er sehr bald Eingang in die musikalisch inte-
ressierten gesellschaftlichen Kreise. Im Salon der Mad. Freppa sah er Chopin zum

---

[26]   F. Hiller, *Mendelssohn, op. cit.*, S. 152f.
[27]   F. Hiller, *Briefe an eine Ungenannte, op. cit.*, S. 25.

ersten Mal[28]. Nachdem 1833 seine verwitwete Mutter nach Paris gekommen war, unterhielt diese auch einen Salon, in dem u. a. Bellini verkehrte. Hiller als Pianist brachte aus seiner deutschen Schulung Werke Beethovens und sogar Bachs in das Pariser Konzertkleben ein, vor allem in Kammermusik-Soireen, die Baillot gab. Nachdem Hiller bereits im April 1829 Berlioz neben Bachschen Fugen (die Berlioz gar nicht gefielen) Beethoven „à la perfection" vorgespielt hatte[29], führte er im Oktober in einem von Berlioz veranstalteten Konzert vor illustrem Publikum als Pariser Erstaufführung Beethovens 5. *Klavierkonzert* auf[30]. Wohl auch der Einsatz für Bach brachte ihm ab 1. Januar 1830 bereits durch A. Choron eine Verpflichtung als Professor für Orgelspiel an Chorons angesehener „Institution Royale de Musique Religieuse". Bald jedoch betätigte er sich nur als freier Pianist und Komponist.

Nachdem Hiller bereits im Januar 1830 im Conservatoire ein Konzert gegeben hatte[31], fand sein großes Orchester-Konzert vom 4. Dezember 1831 ein größeres Echo. Berlioz schrieb an Hiller am 1. Januar 1832 aus Rom, er habe den „sehr guten Bericht" im „Globe" darüber gelesen[32]. Im bereits erwähnten Brief vom 16. Dezember schrieb Chopin an Titus Woyciechowski, daß eine Sinfonie und ein Concerto von Hiller in einem Konztert drei Tage zuvor mit großer Wirkung gespielt wurden[33]. Aufgeführt wurden seine 2. *Symphonie in a-Moll*, das *Klavierkonzert in As-Dur* op. 5 und eine *Ouverture* zu *Faust*[34]. Durch Heines ungewöhnlich ausführlichen Bericht an das „Morgenblatt für gebildete Stände" wurde Hillers Name in Deutschland bekannt[35]. Heine greift das Urteil Chopins über die Sinfonie auf, in ihr eifre Hiller Beethoven nach. Wohl deshalb nannte Heine in seinem Brief vom 2.11.1833 Hiller seinen „kleinen Beethoven"[36], eine Bezeichnung, die man am 5.1. 1834 auch in der Gazette musicale de Paris lesen konnte)[37]. Heine urteilte abschließend: „Das Charakteristische der Hillerschen Musik ist eben, daß sie Charakter hat, und zwar ganz den freien, offenen, wahrheitlichen, tüchtigen, ernsthaft jugendlichen Charakter des Komponisten selbst." Bereits eingangs schrieb Heine:"... und so war für F. Hiller dies eine Konzert hinreichend, ihm den Ruf eines genialen jungen Komponisten zu gewinnen, der Ausgezeichnetes schon geleistet hat und von welchem das Hervorragendste zu erwarten ist."

Wenige Monate später hatte Chopin sein Debut mit einem Konzert am 26. Februar 1832 in den Salons de MM. Pleyel[38]. Das schon für den 15. Januar gedruckte

---

[28] R. Sietz, *Aus Ferdinand Hillers Briefwechsel*, op. cit., 1958, S. 8.

[29] H. Berlioz, *Correspondance* I, Paris 1972, S. 239 u. 294.

[30] Unter den Musikern waren u. a. Cherubini, Kreutzer, Habeneck, Pleyel, Schlesinger, Nourrit, Urhan. *Ebenda*, S. 276 u. 281.

[31] H. Berlioz, *Correspondance* I, op. cit., S. 564.

[32] *Ebenda*, S. 515.

[33] Siehe Anmerkung 13.

[34] G. Meyerbeer, *Briefwechsel* II, op. cit., S. 355.

[35] Heinrich Heine, *Zeitungsberichte über Musik und Malerei*, hg. Michael Mann, Frankfurt 1964, S. 73–77.

[36] *Ebenda*, S. 196.

[37] A. Guémer, „Exécution musicale. Liszt, Ferd. Hiller, Chopin et Bertini", in: *Gazette Musicale de Paris*, I. Jg., Nr. I vom 5.1. 1834, S. 6a.

[38] F. Niecks, op. cit., Bd. I, S. 238 u. 247f.

Programm verzeichnet auch, daß Hiller mitwirkte[39]. In Chopins Vorschau heißt es
brieflich am 16.12.1831: „Ausserdem werde ich mit Kalkbrenner sein *Duo 'Marche
suivie d'une Polonaise*' für zwei Claviere mit Begleitung von vier weiteren Clavieren spielen. Ist das nicht eine völlig verrückte Idee? „. Laut Programm sollten Mendelssohn,
Hiller, Osborn und Sowinski die anderen Klavierparte spielen. Anstelle Mendelssohns,
der das auch in einem Brief vom 14. Januar angekündigt hatte, spielte Camille Stama-
ty. Umgekehrt wirkte Chopin bei Hillers großem Konzert am 15. Dezember 1833 im
Conservatoire mit. Das Orchester unter Habeneck spielte zwei Sätze aus der 1. Symphonie Hillers und nach dem *C-dur-Klavierkonzert* von Mozart seine *2. Symphonie* für
großes Orchester. Neben einem *Cello-Solo* von A. Franchomme und einer *Romance allemande avec orchestre* gesungen von Francilla Pixis gab es eine nicht nur für Paris ungewöhnliche Aufführung, nämlich ein Allegro aus dem *Konzert für 3 Klavier* von J. S. Bach
BWV 1063, gespielt von Chopin, Liszt und Hiller. Berlioz nahm seine Besprechung
zum Anlaß, die verschiedenen Begabungen der drei Pianisten zu charakterisieren[40].
Hiller spielte später das Bach-Konzert 1842 in Frankfurt mit Charles Hallé und
Mendelssohn[41] und 1845 in Dresden mit Moscheles und Clara Schumann[42].

Natürlich gab es erhebliche Unterschiede der Spielweise der befreundeten und
auch zusammen spielenden Komponisten-Pianisten. In der Musikzeitschrift *Le Pianiste*
werden 1834 den Pianisten nach ihren Wirkungsabsichten jeweils Flügel von Erard
oder Pleyel zugeordnet[43]. Wird der für das große Konzert besonders geeignete brillante Erard für Liszt, Herz, Bertini und Schunke bevorzugt, entspräche der weichere
Klang („moelleux son") des Pleyel mehr Kalkbrenner, Chopin und Hiller. Bezeich-
nend für die Unterschiede, aber auch den freundschaftlichen Umgang ist auch das von
Niecks mitgeteilte Wettspiel von Chopin, Liszt und Hiller im Salon der Gräfin Plater, bei dem Liszt und Hiller versuchten, sich mit Chopin in der Wiedergabe einer
Musik im nationalpolnischen Geiste, nämlich der *Mazurka „Noch ist Polen nicht verloren"*
zu messen, natürlich vergeblich, wie sie zugaben[44].

Ein besonders Ereignis der freundschaftlichen Beziehungen zwischen Chopin und
Hiller war die gemeinsame Reise 1834 zum Niederrheinischen Musikfest an Pfings-
ten 18./19. Mai in Aachen. Die 1818 gegründeten Niederrheinischen Musikfeste
fanden abwechseln in Aachen, Düsseldorf und Köln statt und wirkten allein durch
ihre Aufführungen mit groß besetzten Chören und Orchestern weit über das Rhein-
land hinaus. Mendelssohn leitete sie zwischen 1833 und 1845 allein siebenmal[45]. Der
Dirigent des Aachener Festes 1834 Ferdinand Ries, ein Beethoven-Schüler, hatte ein

[39] E. Burger, *Frédéric Chopin, op. cit.,* 1990, S. 82.

[40] Jean-Jacques Eigeldinger, *Chopin vu par ses élèves,* Neuchatel 1986, S. 206, Anm. 164.

[41] F. Hiller, *Mendelssohn, op. cit.,* S. 154.

[42] *Aus Moscheles' Leben. Nach Briefen und Tagebüchern hrsg. von seiner Frau,* Bd. II, Leipzig 1873, S. 134.

[43] J.-J. Eigeldinger, *Chopin,* 1986, S. 136, Anm. 9.

[44] F. Niecks, *op. cit.,* Bd. I, S. 263f.

[45] Julius Alf, „Geschichte und Bedeutung der Niederrheinischen Musikfeste in der ersten Hälfte des 19.
Jahrhunderts", in: *Düsseldorfer Jahrbuch* 42 (1940), S. 131–245 und 43 (1941), s. 1–73; Neudruck Düsseldorf 1987 — K. W. Niemöller, „Die Entwicklung des Orchesters bei den Musikfesten des 19. Jahrhunderts", in: *Festschrift Christoph-Helmut Mahling* (Mainzer Studien zur Musikwissenschaft 37), Bd. 2,
Tutzing 1997, S. 1009–1002.

Jahr zuvor bei Hiller in Paris angefragt, ob er das Oratorium *Deborah* von Händel übersetzen und in der Instrumenation ergänzen wolle. „Chopin, mit dem ich in täglichem herzlichen Verkehr stand, ließ sich leicht bereden, mich zu begleiten."[46] Kurzfristig war dann in einer Kabinettsorder des Preußischen Königs das Musikfest für die Pfingstfeiertage zunächst untersagt worden, und als es dann doch stattfinden konnte, hatte Chopin zunächst finanzielle Schwierigkeiten, der Einladung Hillers zur Mitfahrt auch weiterhin zu folgen. Unterwegs von Liège aus schrieb Hiller am 16. Mai an seine Mutter nach Paris und richtete auch von Chopin beste Grüße aus, der bald nach der Abfahrt in Verviers erschöpft einschlief und schnarchte, „mais avec ce tact et cette mesure et cette délicatesse", die ihn insgesamt charakterisiere[47]. Ries schrieb bereits am 4. April an Hiller: „Sehr wird es mich freuen, die Bekanntschaft des H. Chopin zu machen, der mir schon durch einige vortreffliche Klavierwerke kein Fremdling ist"[48]. Während Hiller auf Einladung des Bürgermeisters H. Edmonds bei ihm Quatier hatte, schrieb Ries: „Für H. Chopin habe ich im Rheinischen Hotel Jacob Strasse bey Hamann ein Zimmer gemiethet."[49], was in nächster Nähe war: „Sie können da doch so viel zusammen seyn, wie Sie wollen", bemerkte Ries (Sietz S. 183)[50]. Nach ihrer Ankunft in Aachen stieß am Schluß der Probe von „Deborah" Samstag abends Mendelssohn zu ihnen, der aus Düsseldorf gekommen war, wo er seit kurzem städtischer Musikdirektor war. Den ganzen Sonntag morgen verbrachten sie zusammen „Felix, Chopin und ich." Bei der Aufführung des Oratoriums saßen sie mit Mad. Ries in einer ausgezeichneten Loge des Theaters. Am Pfingstmontag ging Hiller in die Probe — am zweiten Tag wurde Mozarts *Jupitersymphonie*, eine *Hymne* von Cherubini, der I. Satz aus Beethovens 9. *Sinfonie* sowie sieben Nummern aus Friedrich Schneiders Oratorium *„Das Weltgericht"* aufgeführt — um seinen Freunden zu sagen, „daß sie mich hier im Zimmer Chopins treffen."[51] Im Postscriptum des Briefes an seine Muitter fügte Hiller dann hinzu: „jetzt gehen wir zu mir, wo ich ein Streichersches Klavier gefunden habe; wir machen ganz unter uns Musik und spielen uns natürlich unsere neuen Kompositionen vor, kein anderer Hörer wird zugelassen. Chopin, der dir tausend Grüße sendet, ist sehr eigensinnig, er spielt niemand [Fremden] etwas vor." Ähnlich berichtet Mendelssohn nach dem Musikfest aus seiner Sicht in einem Brief an seine Mutter vom 23. Mai: „Chopin hatte seine Schüler im Stich gelassen, war mitgefahren, und so trafen wir uns da wieder. Jetzt hatte ich mein Vergnügen am Musikfeste weg, denn wir Drei blieben nun zusammen, bekamen für uns allein eine Loge im Theater (wo die Aufführungen sind) und natürlich ging es dann am folgenden Morgen an ein Clavier, wo ich großen Genuß hatte. Sie haben beide ihre Fertigkeit immer mehr ausgebildet und als Clavierspieler ist Chopin jetzt einer der allersten

---

[46] F. Hiller, *Felix Mendelssohn, op. cit.*, S. 30f.

[47] R. Sietz, *Aus Ferdinand Hillers Briefwechsel, op. cit.*, S. 187f.

[48] F. Ries, *Briefe und Dokumente*, bearbeitet von Cecil Hill (Veröffentlichungen des Stadtarchivs Bonn Bd. 27), Bonn 1982, S. 627.

[49] *Ebenda*, S. 631.

[50] R. Sietz, „Das Niederrheinische Musikfest 1834 zu Aachen", in: *Zeitschrift des Aachener Geschichtsvereins* 70 (1958), S. 183.

[51] *Ebenda*, S. 183.

— macht so neue Sachen, wie Paganini auf der Geige und bringt Wunderdinge herbei, die man sich nie möglich gedacht hätte. Auch Hiller ist ein vortrefflicher Spieler, kräftig und coquet genug. Beide laboriren nur etwas an der pariser Verzweiflungssucht und Leidenschaftssucherei, und haben Tact und Ruhe und das recht Musikalische oft gar sehr aus den Augen gelassen; ich nun wieder vielleicht zu wenig, und so ergänzen wir uns."[52] Erst im gesamten Zusammenhang der Situation und des Vergleiches dreier pianistischer Temperamente erhält auch der bekannte Satz zu Chopins besonderer „Fertigkeit" seine rechte Beleuchtung.

Nach dem Fest reisten Chopin und Hiller mit Mendelssohn nach Düsseldorf: „Wir verbrachten den ganzen Morgen an seinem Flügel und machten uns gegenseitig Musik."[53] Bei einem Spaziergang mit dem Direktor der Maler-Akademie Schadow (in dessen Haus Mendelsohn wohnte) und seiner Schüler flüsterte Chopin nur leise mit Hiller. Auch bei der Abendeinladung bei Schadow hilet Chopin sich zurück. „Wir wußten aber, Mendelssohn und ich, daß seine Revanche nehmen werde und freuten uns im Stillen darauf. Der Flügel wurde geöffnet, ich begann, Mendelssohn folgte — als wir nun Chopin baten, auch etwas vorzutragen, sah man ihn und uns mit etwas mißtrauischen Blicken an. Aber er hatte kaum einige Tacte gespielt, als alle Anwesenden, Schadow vor Allen, wie verwandelt auf ihn hinschauten, — so etwas hatte man denn doch noch nie gehört. Entzückt verlangte man mehr und immer mehr — Graf Almaviva hatte sich als Grande entpuppt und alles war sprachlos."[54]

Bei der Rückfahrt auf dem Rheinschiff von Köln nach Koblenz schrieb Chopin seinen einzigen Brief in deutscher Sprache, und zwar an die Mutter seines Freundes Regine Hiller[55].

Interessanterweise berichtet die Leipziger Allgemeine musikalische Zeitung am 25. Juni 1834 (Nr. 26, S. 440) über das Aachener Musikfest auf dem Umweg über Paris, nämlich „Die Gazette musicale berichtet: [...] Unter Andern waren zugegen Felix Mendelssohn-Bartholdy, Fétis, Hiller, Chopin etc."[56]

Besonderer Anerkennung fand 1835 Hillers *Großes Duett für 2 Pianoforte* op. 135 durch zwei Aufführungen. Am 22. Februar spielte Chopin das *Grand Duo* zusammen mit dem Komponisten in den Salons Erard und am 12. April im Théatre-Italien im Rahmen des von Chopin veranstalteten Benefiz-Konzertes für die polnischen Emigranten[57]. Chopin spielte sein *e-Moll-Konzert*, das *Duo*, das sich nach Ansicht der Gazette musicale „durch die Geschlossenheit des Stils und die schöne Anordnung der Gedanken" auszeichnet, wurde diesmal „supérieurement" von Liszt und Hiller gespielt[58]. Wohl aus diesem Jahr 1834 stammt daher auch eine Medaille, die Chopin und Hiller hintereinander im Profil zeigt. Anläßlich des Zusammenspiels von Chopin und Hiller bemerkte die Zeitschrift *Le Pianiste* die Qualität von Hillers Klavierspiel, jedoch wird bemängelt er, daß Details des nuancenreichen Spiels von Chopin für den

---

[52] F. Hiller, *Felix Mendelssohn*, op. cit., S. 29.
[53] Auch zum folgenden *Ebenda*, S. 32f.
[54] *Ebenda*, S. 33.
[55] F. Chopin, *Correspondance*, op. cit., Bd. II, S. 118.
[56] „Musikfest zu Aachen", in: *Allgemeine musikalische Zeitung* 36 (1834), Nr. 26, S. 440.
[57] E. Burger, *Frédéric Chopin*, op. cit., S. 130f; M. Tomaszewski, *op. cit.*, S. 56.
[58] F. Burger, *Frédéric Chopin*, op. cit., S. 119, Abb. 252.

bemängelt er, daß Details des nuancenreichen Spiels von Chopin für den Hörer verloren gingen. Insgesamt wird es für einen Nachteil Chopins gehalten, sich mit einem anderen Pianisten zusammen hören zu lassen[59]. Guémer charakterisierte 1834 die Vortragsweise Hillers im Vergleich mit der von Liszt, Chopin und Bertini als eine Verbindung von Klugheit in den Proportionen, Klangfülle zusammen mit Klarheit[60].

Nachdem Hiller Ende April 1836 nach Frankfurt zurückgekehrt war, schrieb er am 30. Mai einen Brief an Chopin, in dem er mannigfaltige Grüße an die gemeinsamen Freunde ausrichten ließ: Cherubini, Matuszi´nski, Stockhausen, Alkan, die Familie Plater und Eichthal. Sein „Adieu" unterschrieb er mit „toujours ton bien sincère ami Ferdinand Hiller" und dem Nachsatz, daß Hillers Mutter Chopin immer noch anbete und seinen Ring trage, als wäre Chopin ihr Bräutigam[61].

Nach einem vierjährigen Italienaufenthalt und einer Vertretung Mendelssohns am Gewandhaus in Leipzig wurde Hiller 1847 Städtischer Musikdirektor in Düsseldorf. Am 3. November 1849 hat Hiller eine Erinnerungsfeier an Chopin veranstaltet. Seine in Verse gekleideten „Worte dem Andenken Chopin's geweiht. Durchflochten von Compositionen desselben" hat er 1868 veröffentlicht[62]. Anknüpfend an den ebenfalls frühverstorbenen Mendelssohn, der Chopins „Tönen oft still gelauscht", kann er sagen:

> „Nur wenige sind hier, die dieses Glücks genossen,
>
> Des Glücks, ihn zu kennen, ihn zu hören,
>
> Ihn zu bewundern und — ihn zu lieben."

Hiller durfte sich zum engsten Freundeskreis Chopins rechnen und formulierte:

> „Ein kleiner Kreis, nur wen'ger Auserwählten,
>
> Die ihn verstanden, ganz ihm hin sich gaben:
>
> Er war es, den am liebsten er beglückt
>
> Mit seiner Phantasien holdem Strome."

Nachdem Ferdinand Hiller seit 1850 für 35 Jahre in Köln als Städtischer Musikdirektor, Direktor des Konservatoriums, Musikorganisator, Komponist, Musikschriftsteller und Musikpädagoge zu wirken begann[63], sah er im zeitlichen Abstand (1852) seinen Paris-Aufenthalt als „nicht hinreichend förderlich" an. „Zwar war der Umgang

---

[59] J.-J. Eigeldinger, *Chopin, op. cit.*, S. 184, Anm. 117.

[60] A. Guémer, *op. cit.*, S. 5: „POUR FERDINAND HILLER, c'est bien le nourrisson des harmonies allemandes ; l'artiste, jaloux de son individualité, plus inquiet des applaudissements de sa conscience que de mobiles enthousiasmes du public ; pensif, profond, contemplatif, mais d'une contemplation éclairée par les reflets d'un jour méridional. Son jeu, de même que sa composition, semble le plus souvent un rêve du Nord conté par un poète dramatique avec toute la pureté de l'atticisme. Sagesse dans les proportions, plénitude, et ensemble netteté ! vous reconnaissez chez Hiller cette bonne entente du clair-obscur par où s'est illustré Rubens."

[61] E. Burger, *op. cit.*, S. 119, Abb. 253 (Faksimile).

[62] F. Hiller, *Aus dem Tonleben unserer Zeit*, Bd. II, Leipzig 1868, S. 264–269.

[63] Klaus Körner, *Das Musikleben in Köln um die Mitte des 19. Jahrhunderts* (Beiträge zur rheinischen Musikgeschichte 83), Köln 1969, S. 242–251.

mit den größten Künstlern der Zeit und so vielen bedeutenden Männern gewiß in hohem Grade anregend", betont er, jedoch störte das ständig hin- und her wogende Leben eine ruhige Entwicklung, vor allem des Komponisten Hiller[64]. Bereits Mendelssohn hat in Briefen von 1831 und wieder 1835 versucht, Hiller aus Paris wieder „an die Arbeitsstube zurück" zu überreden[65]. Ungeachtet manch' späterer, meist vorübergehender Erfolge seiner zahlreichen Kompositionen sind es Hillers in Paris geschaffenen *Etüden* op. 15 in Parallele zu den *Etüden* Chopins, die u. a. die Aufmerksamkeit von Schumann, Liszt und Mendelssohn hervorriefen und zumindest zeitweilig auch den Komponisten Hiller an die Seite seines Freundes Chopin stellten[66].

STRESZCZENIE

„WIELE LAT W PARYŻU... PRAWIE CODZIENNIE OBCOWAŁEM Z CHOPINEM"
CHOPIN I FERDYNAND HILLER — PRZYJAŹŃ

Cytowane zdanie wyjawił F. Hiller w 1844 r. F. Mendelssohnowi-Bartholdy'emu. F. Hiller (1811–1885) był do 1836 związany w Paryżu przyjaźnią z Chopinem. W pierwszej części tekstu autor przedstawia bliżej stosunki Chopina z Hillerem: występy na różnych wspólnych koncertach, np. w 1833 na wspólnym koncercie z Lisztem (wykonanie *Koncertu na trzy fortepiany* J. S. Bacha), w 1835 (wykonanie *Grand Duo* op. 135 Hillera), wspólna podróż 1834 na Dolnoreński Festiwal w Akwizgranie, potem do Düsseldorfu i Kolonii, odręczna dedykacja *Nokturnów* op. 15 Hillerowi, który z kolei swoje *Trois Caprices* op. 14 poświęcił Chopinowi. Stosunki te nie były badane na tle biografii znaczącego pianisty, kompozytora i organizatora muzyki, który zastąpił Mendelssohna w Lipsku i jako miejski Dyrektor Muzyki w Düsseldorfie (1847) i Kolonii (1850) rozwijał życie muzyczne. W drugiej części nakreślona jest bogata twórczość fortepianowa Hillera w paraleli do dzieła Chopina według gatunków (*Etiudy*, *Impromptus*), jak i pod względem stylistyki faktury fortepianowej.

---

[64] R. Sietz, *Aus Ferdinand Hillers Briefwechseln*, op. cit., S. 23f.

[65] Thomas Ch. Schmidt, *Die ästhetischen Grundlagen der Instrumentalmusik Felix Mendelssohn-Bartholdys*, Stuttgart 1996; R. Sietz, „Beiträge zur Rheinischen Musikgeschichte des 19. Jahrhunderts III. Felix Mendelssohn und F. Hiller", *Jahrbuch des Kölnischen Geschichtsvereins* 41 (1967). S. 103.

[66] K. W. Niemöller, „Das Nachwirken von Chopin im Klavierschaffen von Ferdinand Hiller", in: *Symposium Chopin 1849/1999 — Aspekte der Rezeptions- und Interpretationsgeschichte*, Düsseldorf 1999 (Bericht in Vorbereitung).

Arabian Nights: Chopin and Orientalism

Jeffrey Kallberg
(Pennsylvania)

T wo exceptional gestures imbue the glimmering reprise and coda of the
B Major Nocturne, Op. 62 No. 1, with the air of high poetry, and along with it
the hint of a complexly human presence (Example 1).[1] When measured
against the customary vectors of Chopin's late works, the decorative abundance of the
luxurious trills and extravagant melodic flourishes that embellish the truncated reprise and of the piquantly peculiar chromatic alterations that bedeck the restatement
of a four-measure phrase in the coda (mm. 85–88) contrasts markedly with Chopin's
tendency elsewhere to cultivate a controlled melodic simplicity.

An appeal to a purely musical realm can partially illuminate the logic of Chopin's
compositional decisions. Looking first within the sound world of the B Major Nocturne,
both gestures plainly display a kind of embedded appropriateness: each passage ful-
fills or at least continues trajectories adumbrated at earlier moments of the piece.
(The ornamented reprise answers the dramatic, but isolated, scalar outburst in the
opening section [m. 26]; the chromatic alternation revisits the meandering D♯ minor
passage just before this outburst [mm. 21–25], as well as—in the syncopations of its
accompaniment—the oddly unsettled middle section.) And the gestures also make a
certain sense in the broader context of the composer's general style. Chopin, when
confronted in the nocturnes by a strongly articulated reprise of an opening theme,
had long sought to animate, in some fashion, the familiar thematic ground. The
choice of trills and extravagant *fioriture* likewise pays homage to the decorative aspect
of many of the earlier nocturnes. And codas that at once dilate to compensate for
truncated reprises and mingle elements from disparate sections of pieces abound
among the composer's works, particularly in the late period.

Yet the extravagant unruliness of these passages suggests that they also resonate
outside the utopian ambit of the 'purely musical.' Each of them finishes on a point of
relative instability: the trills of the reprise cease suddenly, allowing their off-tonic
harmony to vibrate through the prolonged rest, and the diatonicism of the sinuous
first phrase of the coda gives way to an exotic chromaticism in the restatement. And
the idiosyncrasy of these passages is further set into relief by the arresting Bachian
cadenza that joins them (mm. 76–80). Cadenzas by themselves were by 1846 familiar

---

[1] This essay offers an abbreviated version of my thoughts on this *Nocturne*; a fuller exploration of it will
form part of my forthcoming book on the Chopin nocturnes.

Example 1: Reprise and coda of the Chopin's *B Major Nocturne*, Op. 62 No. 1

enough in the nocturne; what surprises in the case of the *B Major Nocturne* are both the location of the device and the transparency of its contrapuntal structure. In earlier nocturnes cadenzas fell in one of two places: either near or at the end of the coda, or just prior to the reprise of the principal theme. And the earlier cadenzas differ sharply in their affect, drawing attention, by virtue of a textural change of one sort or another, to what we might call a soloistic, often virtuosic 'voice' or persona. The cadenza in the *B Major Nocturne* preserves the element of a textural change, but relinquishes the soloistic 'voice' (a property, perhaps, of the trilled reprise) in favor of a contrapuntally rigorous one. And the effect of its anomalous positioning and texture is to shift structural weight onto the coda, to make the coda assume even greater significance than its synthetic function might otherwise suggest. This added weight in turn lends to the mysterious chromaticism of the coda the sensation of an unveiling, as if the move from the more diatonic first version of the passage to its woozy companion phrase were revealing something important about the expressive domain of the piece.

Cadenzas, of course, can evoke cultural resonances of a theatrical realm, and these find echo elsewhere in the *Nocturne*, most notably at the join between the contrasting section and the reprise. Here Chopin draws to a stop all forward motion, and, as if with a spotlight (an effect heightened by the fermata and the crescendo), focuses attention on a trilled, solo eb'. Harmonically poised on the dominant of Ab major (the key of the contrasting section) and melodically frozen, the *Nocturne* balances precariously on this hinge. The rise in tension, to invoke quite precisely the dramatic analogy, sets the stage for the reprise. That is, by introducing the reprise with a 'stage-setting' trill (itself a cadenza-like gesture) and departing it through an unambiguous cadenza, Chopin frames the reprise as a theatrical entity. Rather than reiterating or

Example 1 (cont.): Reprise and coda of the Chopin's *B Major Nocturne*, Op. 62 No. 1

even merely varying music heard earlier in the nocturne, Chopin here seems here somehow to p o s e it. It sounds more like an exotic representation of the principal theme than a restatement of it.

Yet finding a hint of the theatrical (hardly surprising from so operatically literate a composer as Chopin) only begins to unveil the cultural import of these unusual gestures in the *B Major Nocturne*. A more rewarding possibility emerges when we consider all of the elements together: the staged, or representational, quality of the reprise, its abundant decoration, and the idiosyncratic chromaticism of the coda. For each of these gestures in Chopin's day could mark an engagement with the music and the culture of the 'Orient,' that geographically ambiguous c o n s t r u c t i o n that, to Western minds, embraced and mentally framed large swaths of the world outside of the West. The Orient was perhaps the representational space *par excellence* in the nine-

Example I (cont.): Reprise and coda of the Chopin's *B Major Nocturne*, Op. 62 No. I

teenth-century imaginary. As Edward Said has famously shown, the Oriental space was marked off as ontologically separate from Europe, yet fixed to it as well, and in this space figures appeared 'whose role [was] to represent the larger whole from which they emanate.'[2] Westerners had long imagined elaborate decoration as fundamental to representations of the Orient, as the name 'arabesque' directly tells us. This term, we all know, stood metaphorically in Chopin's day for musical figures and pieces too (recall Schumann's Op. 18), and seems particularly appropriate as a description of the elaborate melodic ductus of the reprise. And the chromatic destabilization of the sinuous phrase in the coda makes repeated and prominent use of a tell-

---

[2] Edward W. Said, *Orientalism*, New York 1978, p. 63.

tale signal of musical otherness, the interval of the augmented second (heard most prominently here between the sixth and seventh scalar degrees). Now, while an occasional writer, like Dmitry Paperno, alludes in passing to the 'Oriental' quality of the coda, no one has examined what this exotic trope might signify in this particular nocturne.[3] Nor has any critic or biographer, to my knowledge, commented on Chopin's possible relationship to the broader phenomenon of Orientalism. (And I hasten to add that when I invoke the phenomenon of Orientalism and its related tropes, I understand them all to be figural notions that inform us less about any kind of 'actual' reality of the 'oriental' condition than about projections by diverse people in Europe about what this 'reality' must be.) What kinds of contextual evidence from Chopin's time can we adduce in support of an Orientalist interpretation of the *Nocturne*? And what does an Orientalist reading tell us about Chopin's approach to the genre of the nocturne toward the end of his life, and about the relationship of his music to our understanding of his intellect?

We might think to begin our investigation by consulting the composer himself, but—as always when the issue concerns a hermeneutical reading of a work by Chopin—we find virtually no evidence about this particular *Nocturne* from his own mouth, which remained habitually closed about such matters. But this is not to say that the subject of the Orient is altogether absent from Chopin's letters. Indeed, we know from a couple sources that Chopin possessed some first- and second-hand knowledge of Arabic culture and some of its music. Chopin tells us, in remarks seconded by George and Maurice Sand, that he heard various kinds of 'Arabian' music during his sojourn on Majorca. In the *envoi* to his letter to Fontana of 22 January 1839, Chopin wrote: 'Żyję w celi, mam czasem bale arabskie, słońce afrykańskie, Morze Śródziemne.'[4] Later, in her memoirs, George Sand mentioned that Chopin could occasionally be gladdened by 'la cantilène mauresque des laboureurs.'[5] Whether Chopin heard actual Arabs sing and dance is open to question, since modern scholars of Majorcan popular dances note the ubiquity, both at present and in the past, of Arabic influences in the music of the island. But it is nonetheless suggestive of his broader knowledge of the phenomenon that Chopin knew enough of the entity called 'Arabian' music (or dance) that he was willing to give its name to what he heard in Valldemosa.[6]

Further evidence of Chopin's knowledge of Arabic music comes in a letter to his sister of 1 August 1845, in which he commented on a musical work that galvanized audiences in Paris (and throughout Europe), Félicien David's *Le Désert* (1844),

---

[3]   Paperno: 'Another time, playing Chopin's B Major Nocturne, op. 62, no. 1, which has an amazing, almost oriental, melody in the coda...'; Dmitry Paperno, *Notes of a Moscow Pianist*, Portland 1998, p. 43. Hugo Leichtentritt, *Analyse der Chopin'schen Klavierwerke*, 2 vols., Berlin 1921, vol. I: pp. 53, 54, thought mm. 21–28 evoked the Russian Steppes and the Orient, but felt that the related coda lacked the 'fremdartigen, orientalischen Klang' of the earlier passage.

[4]   F. Chopin, *Korespondencja Fryderyka Chopina*, ed. Bronisław Edward Sydow, 2 vols., Warszawa 1955, vol. I, p. 335.

[5]   George Sand, *Œuvres autobiographiques*, ed. Georges Lubin, 2 vols., Paris 1971, vol. 2, p. 422.

[6]   See Antonio Galmés, *Bailes populares Mallorquines*, Palma de Mallorca 1952; Miguel Colom, *Mallorca: Ses danzas y canciones/Chansons et danses typiques de Majorque*, Palma de Mallorca 1953; Antonio Mulet, *Mallorca: 'El parado de Valldemosa'*, Mallorca 1953; and idem, *El baile popular en Mallorca*, Palma de Mallorca 1956. I wish to thank Laura Lohman for her assistance in finding these sources.

a generic amalgam of ode and symphony that offered listeners a spoken and musical tour through the Egyptian desert. Chopin admired only parts of this work: 'Cieszy mię, że usłyszycie symfonię Davida. Prócz kilku pieśni p r a w d z i w i e   arabskich, reszta tylko ma meryt intrumentacji... Uważaj na śpiew muezina (tak nazywają tego, co z mosketów—z wieżyczek—śpiewa co godzinę, podług zwyczaju nabożeństwa arabskiego); to to, na co Araby z Algieru na pierwszym koncercie tutaj głowami potakiwali, a uśmiechali się z przyjemnością.'[7] Here, too, Chopin's words might be read as indicating some manner of deeper comprehension of Arabian music and its attendant cultural meanings. At least this is one reading of his valorization of the apparently genuine melodies appropriated by David—he knew enough to appreciate the real item—and his awareness of Islamic religious practices, as manifested in his description of the muezzin's chant. (Another more prosaic explanation is that Chopin learned these facts while reading some of the voluminous press surrounding the premiere of Le Désert.)

Now apart from Majorca, where might Chopin have developed this knowledge? As a resident of Paris in the 1830s and 1840s he could have heard various performances of 'exotic' music. Moreover, music historians and lexicographers such as F. J. Fétis had begun researching and writing about aspects of non-Western music in books and in the popular musical press. And Chopin's knowledge could well have been nourished by the ubiquitous fiction, poetry, and travel literature that contributed profoundly to the nineteenth-century sense of 'Orientalism,' a ubiquity that extended just as far into his native Polish literature as into his adopted French culture. Thus Chopin could well have read such a work as Adam Mickiewicz's Sonety krymskie of 1826, and, given his acquaintance with the man, he might well have learned details of Juliusz Słowacki's pilgrimage to Palestine and Egypt in 1837.

And Poland's own history could have informed his understanding of Orientalism. I refer in particular to the phenomenon of Sarmatism, that self-fashioning gesture whereby members of the sixteenth- to eighteenth-century gentry, the szlachta, claimed for themselves an ancestry from the ancient Sarmatians, a nomadic Iranian people known as brave horsemen and warriors. Adoption of this myth of national origin brought with it a remarkable passion for Orientalized styles in fashions and aesthetic tastes generally. The phenomenon remained much on the minds of people in the nineteenth-century, and in ways that reflected particularly on Chopin. Here we might recall Lenz's description of Chopin's Mazurkas as 'the diary of his soul's journey through the socio-political territories of his Sarmatian dream-world' and Schumann's comment, in the course of his long review of Chopin's two piano concertos, that 'schon verliert sich in seinen neueren Werken die zu spezielle sarmatische Physiognomie.' And it may well have been the continuing impress of Sarmatism that led the Parisian critic Maurice Bourges to begin his review of Chopin's 1842 recital by writing 'en parcourant avec un intérêt toujours plus vif ces petits chefs-d'œuvre si curieusement, si délicatement travaillés, on en vient malgré soi à rêver de l'Allambrah, du Généralife, de tous ces délicieux caprices du génie arabe réalisés dans les monuments de Grenade la merveil-

---

[7] F. Chopin, Korespondencja Fryderyka Chopina z Rodziną [Correspondence of F. Chopin with his Family], ed. Krystyna Kobylańska, Warszawa 1972, pp. 148–49.

leuse. La pensée se complaît dans le spectacle de cette opulence de bon gout. L'ordre fait toujours si bien, associé à la richesse!'[8]

Surely another keen source on Arabic culture was his friend Eugène Delacroix, who must have communicated to Chopin some of his direct experiences of Moroccan life in 1832, since this trip so profoundly affected the painter's artistic outlook. Music counted among the topics that Delacroix studied during his journey, though he undoubtedly did so more for its iconographic portent than for its heady aural qualities. Delacroix possessed, however, a keen ear, and perhaps he discussed with Chopin the qualities of the sound of the music whose players he lovingly sketched and painted. Moreover, it is surely possible that Chopin's sense of the centrality of the ideas of exoticism and ornamental luxury to constructions of the Oriental gained depth from his acquaintance with Delacroix's paintings. Jean-Jacques Eigeldinger is correct to suggest that we need not necessarily accept George Sand's blanket claim, in the *Impressions et souvenirs*, that Chopin 'detested' Delacroix's painting.[9] Even though Chopin may not have ordinarily expressed his understanding verbally, he certainly had the means to do so musically.

All of this evidence suggests, I think, that Chopin had the intellectual wherewithal to embed Orientalist sounds in the *Nocturne*. But what evidence do we have that listeners might have been receptive to hearing the work in the context of Orientalism? In brief, the Orientalist compositions that emanated from his immediate surroundings in France prove less telling than those written in Hungarian, Russian, and—of course— Polish veins. French Orientalist composers from Chopin's time, like Félicien David, almost completely avoided the decorative and chromatic tropes favored by Chopin: melodic augmented seconds are rare before the 1860s.[10] But these tropes do appear commonly in music written in the '*style hongrois*,' that musical language (in Jonathan Bellman's words) used by Western composers to evoke the performances of Hungarian Gypsies (whose name derives from 'Egyptian').[11] And listeners familiar with the Russian angle on musical Orientalism would also have encountered these gestures. Perhaps the most telling exemplar of this practice, for us, is Mikhail Glinka's 1842 opera *Ruslan and Ludmila*. In the accompaniment to the third-act Persian chorus comes the ornamental profusion so generally lacking among the French Orientalist composers, and one of the fourth-act 'Oriental dances,' the 'Lesginka,' offers up augmented seconds in spades (Example 2). Berlioz performed this excerpt from the opera in a Parisian concert heard in 1845 just a few months after the premiere of *Le Désert*, and not very long before Chopin set to work on the *B Major Nocturne*.

---

[8] For Lenz, see Jean-Jacques Eigeldinger, *Chopin: Pianist and Teacher as Seen by his Pupils*, ed. Roy Howat, trans. Naomi Shohet, Krysia Osostowicz, and Roy Howat, Cambridge 1986, p. 71; for Schumann, see Robert Schumann, *Gesammelte Schriften über Musik und Musiker*, ed. Martin Kreisig, 5th ed., 2 vols., Leipzig 1914, vol. I, p. 167; for Bourges, see Maurice Bourges, 'Soirée musicale de M. Chopin,' *Revue et Gazette musicale de Paris*, 9e année, No. 9 (27 février 1842), p. 82.

[9] J.-J. Eigeldinger, 'Placing Chopin: Reflections on a Compositional Aesthetic,' *Chopin Studies 2*, ed. John Rink and Jim Samson, Cambridge 1994, p. 123.

[10] See Jean-Pierre Bartoli, 'L'orientalisme dans la musique française du XIXe siècle: la ponctuation, la seconde augmentée et l'apparation de la modalité dans les procedures exotiques,' *Revue Belge de Musicologie*, 51 (1997), pp. 137–70.

[11] Jonathan Bellman, *The Style Hongrois in the Music of Western Europe*, Boston 1993.

Example 2: Mikhail Glinka, *Ruslan and Ludmila*, "Persian chorus", Act III

And of course Chopin's own Polish identity repeatedly served as a marker of otherness among Western European listeners. Poland seemed so a distant place to people in the West during Chopin's life that it could literally stand for the imaginary beyond (as suggest Lenz's remarks about the 'Sarmatian dream-world' of the mazurkas). This background helps explain why, when Chopin wrote in 'foreign' genres like the mazurka, the resulting artworks became doubly marked as strange and exotic. After being exposed to Chopin's chromatic language, including its occasional forays into augmented seconds, Berlioz captured this manner of response best when he wrote in 1833 that Chopin's 'melodies, toutes imprégnées des formes polonaises, ont

Example 2 (cont.): Mikhail Glinka, *Ruslan and Ludmila*, "Lesginka", Act IV

quelque chose de naïvement sauvage qui charme et captive par son étrangeté même.'[12] Berlioz's remarks construct for Chopin's music the stance of an alluringly mysterious *primitif*, a posture both in kind and in quality similar to that made for contemporaneous Oriental subjects in the arts.

If we accept that this web of musical and cultural threads circumscribes the contexts that would have permitted listeners to understand the *B Major Nocturne* as invoking 'the Orient,' what sense can we make of Chopin's gesture? We might first construe it in traditional critical terms as an act meant further to expand the expressive terrain of the genre of the nocturne. From the start, Chopin had sought means of enlarging the emotional purview of the genre beyond the one-dimensional affective topography favored by his predecessors. All manner of his compositional habits in the nocturne served this goal: the use of disruptive and agitated middle sections, the expansion of the outer dimensions of the genre, the exploitation of wide contrasts in dynamics, the contrapuntal complication of accompaniments, the deployment of synthetic codas. And Chopin further opened the door to a wider array of experiences in the nocturne by embedding references to other genres, references that often could provoke extra-musical reflections, be they political, religious, or national. In the *B Major Nocturne*, the embrace of a constructed Orient not only adds a further national dimension to the mix of possibilities for the genre (I will return to this notion in a moment), it also opens out into a particular strain of emotional response to the noc-

[12] Hector Berlioz, *Le Rénovateur*, 15 décembre 1833, as cited in Jean-Jacques Eigeldinger, *Chopin vu par ses élèves*, 3rd ed., Neuchâtel 1988, p. 109.

turne, what Christoph von Blumröder calls the 'poetic idea' of the nocturne.[13] Influenced by symbolic treatments of the night in the literature and philosophy of the German romantics, such a 'poetic' response would interpret the title 'nocturne' as a source of visionary experience, as opening a gateway to the eternal, and as an object of human longing. But the broader relevance of this 'poetic idea' to the understanding of Chopin's nocturnes has not always been clear, since it really only took hold in criticism of the 1830s and 1840s, and then only in remarks by German writers. Listeners elsewhere, to judge from the written evidence, viewed the title of the genre in pragmatic, not poetic, terms: 'nocturnes' were pieces to be performed at night.

In the *Nocturne* in B Major, however, the Oriental tropes of the reprise and coda resonate directly with poetic imagery of the night. For the night was obviously marked as symbolically rich in Western constructions of the Orient (as well as in much of the 'authentic' Oriental literature as well), a fact reflected directly in the titles of many of the most important literary compilations (*Arabian Nights, A Thousand and One Nights, A Hundred and One Nights*). The 'fit' of the imagery with the genre could hardly be smoother. A piano work called 'nocturne' that engaged with images of the Orient immediately laid itself open to the panoply of Orientalist night imagery: notions of luxury, excess, fantasy, the marvelous, the supernatural, the feminine, the sexual, and the exotic, to name only a few possibilities, all could easily cross over into the auditory experience of the piece. Perhaps it is along such lines that we should interpret the first French review of the *Nocturne*. If stimulated by the conjunction of the title and the remarkable gestures of the reprise and coda to enter into this Orientalist imaginary, then the reviewer's praise for the work's 'teinte mélancolique, exhalent de mystérieux parfums de poésie' and its delight in the 'melodies fiévreuses' of the *Nocturne* echo suggestively against some widely held beliefs about the exotic others of Asia and Africa, whose feverishly enigmatic geography was often styled as a 'torrid zone.'[14] And turning the trope back on the composer, the overdetermined symbolic realm of the Orient brings to mind Jean-Jacques Eigeldinger's characterization of the phrase just prior to the reprise of the *Nocturne* (Ex. 1, m. 58) as embodying a Debussyesque 'domain of musical symbolism,' an orbit in which Chopin found himself when 'carried along in the reverie of his *'espaces imaginaires'*[15] (Eigeldinger here quotes a phrase that Chopin applied to his own cognitive realm, and which he derived ultimately from Descartes). If we can extend this splendid insight to the remainder of the *Nocturne*, then we can understand Chopin's anticipation of Debussy as resulting precisely from Chopin's exploration of Orientalist tropes (tropes thoroughly familiar to Debussy himself, I hardly need add). What better definition of the geo-cultural constructions of mid nineteenth-century Orientalism than 'imaginary spaces'?

Moreover, with respect to its importance for our grasp of the genre, Chopin's embrace of Orientalist imagery in the *B Major Nocturne* provides further evidence both of

---

[13] Christoph von Blumröder, 'Notturno/Nocturne' in the *Handwörterbuch der musikalischen Terminologie*, ed. Hans Heinrich Eggebrecht, Wiesbaden; Blumröder's entry dates from 1982, pp. 6–10.

[14] *Revue et Gazette Musicale de Paris*, 14ᵉ année, no. 3 (17 janvier 1847), p. 25. On 'torrid zones,' see Felicity A. Nussbaum, *Torrid Zones: Maternity, Sexuality, and Empire in Eighteenth-Century English Narratives*, Baltimore 1995.

[15] J.-J. Eigeldinger, 'Placing Chopin,' *op. cit.*, p. 137.

Chopin's intense desire to foster a complexly layered human dimension in the perception of the nocturne, and—what is just as important—of his listeners perceiving in
his music (to borrow Laurence Dreyfus's memorable words about Bach) the 'resi-
due[s] of human thought and actions.'[16] Distancing himself from the understated
efforts of the first generation of nocturne composers (and those of many of his contemporaries), Chopin sought continually to color the genre in varied and invariably
changing hues, expressive states that by proxy (rather than by mimesis, a notion re-
pugnant to Chopin) could frame a rich range of human experience. Therein lies the
great consequence of his penchant for generic borrowing within the confines of the
nocturne, for this was one powerful means by which the concerns of the wider world
could resonate against Chopin's personal musical space. We can recall, as I have
documented elsewhere, Chopin's provocative concatenation of religious and national
sentiment in the early *Nocturne in G Minor*, a fusion of themes that would continue to
exercise him in the genre (in addition to the obvious echoes of the idea in the later
Nocturne in G Minor, the notions also animate the *Nocturne in C♯ Minor*, Op. 27
No. 1).[17] Here, in the *B Major Nocturne*, the national returns, though having now sev-
ered its bonds to the religious. Instead, the national embraces a different sort of supersensory world, the fantasy realm of the East. And as such, the *Nocturne* gently introduces a new, almost global dimension to Chopin's take on 'nationalism.'

There is no need to unravel the geographical ambiguity at play in this na-
tional/supernatural alliance—for 'East,' we can at once read 'middle Eastern' and
'Polish'—since the two interpretations could easily coincide in the same general hermeneutic realm. It is entirely conceivable, for example, that the attraction of the Oriental tropes to the composer lay primarily in the ways they recalled aspects of the
vaunted past of his native Poland—an embrace of Sarmatism, perhaps—and that he
meant this personal investment in them further to place his individual stamp on a
genre that some still regarded as Field's. (One can profitably view the history of
Chopin's involvement with the genre as a series of more and more decisive assertions
of his own constructed identity.) But even so, he can hardly have been ignorant of the
ability of the tropes also to resonate with the emphases on luxury and strangeness
placed by Orientalists devoted to the middle East, and so to offer him the opportunity to destabilize the customary binary relationship with respect to cultural and
national difference: now, in principle at least, the Other could himself do the other-
ing. And in a further undoing of binary logic, this encounter with the Other might
also have confronted him with his Self, both as the Orientalist tropes engaged with
notions of the feminine, notions that resonated provocatively against pervasive imagery about Chopin's personage and his creative art, and as they recalled constructions from his Polish past.

And the public, too, would have profited by the same kind of interpretive freedom.
What is most striking in the public response was how this freedom was invariably

---

[16] Laurence Dreyfus, *Bach and the Patterns of Invention*, Harvard University Press, Cambridge 1996, p. 10.

[17] On op. 15 no. 3, see Kallberg, *Chopin at the Boundaries: Sex, History, and Musical Genre*, Cambridge 1996,
pp. 3–29.

mediated by an ineluctably human presence, but one bounded by the same ambiguities that could have animated Chopin's experience in the writing of the piece. When, for example, at the conclusion of the first French review of the *Nocturne* the critic wrote 'ces melodies fiévreuses, cette harmonie inquiète, réclament un toucher sympathique, une âme au bout des doigts,' we thereby glimpse a blending of the exotic and the supersensory in connection with the human in the invocation of the 'soul' required to give sympathetic sounding life to the 'febrile melodies' of the piece.[18] Echoed here is a persistent strain in reactions to Chopin's nocturnes, one that asserted a living consciousness behind the notes on the page. And one particular tangent of this strain of response confronts us directly with the figure of the composer's personal investment in the genre, for it hears Chopin's own authorial presence directly in the music. That is to say, listeners repeatedly intertwined subject and musical genre in Chopin's nocturnes (an intertwining that could as easily work to the detriment of the composer as in his favor). Portraits of Chopin show this best. Among the known likenesses of him, there are only two that offer a decipherable musical image alongside the physical image of the composer, and in both cases, the reproduced work is a nocturne. The first is a recently discovered, anonymous oil portrait of the composer holding a sheet of music paper on which is visible in the incipit of the *G Major Nocturne*, Op. 37 No. 2.[19] The second is a posthumous lithograph derived from an oil portrait by Ary Scheffer, under which appears a slightly retouched facsimile of the opening measures of precisely our *B Major Nocturne*.[20] The portraits conflate the music with the man.[21]

But what a striking strain of reception this is for the *B Major Nocturne*. For if one result of the invocation of Orientalist tropes of luxury and strangeness is precisely to discover the figure of the composer himself, what does this say about Chopin's status among his near contemporaries, and about the understanding of his innovations to the genre? For all he might have wished to create a reverse musical discourse in the *Nocturne*, it would appear that some listeners simply refused to let go of the most familiar image. If man and music are one in this musical reading of Arabian nights, then Chopin, at the end of his life in Paris as at the beginning, remained for some the consummate outsider.

---

[18] *Revue et Gazette musicale de Paris* (17 janvier 1847), p. 25.

[19] See the reproduction in Ernst Burger, *Frédéric Chopin: Eine Lebenschronik in Bildern und Dokumenten*, München 1990, p. 315.

[20] See *Ibidem*, p. 349.

[21] And in this vein, one should also mention another such 'portrait' of Chopin, the one the composed in nocturne style by Schumann in *Carnaval*.

Streszczenie

Arabskie noce: Chopin i orientalizm

Autor przedstawia związek muzyki Chopina z tematem orientalizmu. Chodzi o *Nokturn H-dur* op. 62 nr I, który będzie szerzej omówiony w przygotowywanej monografii autora na temat nokturnów Chopina. Tu skupia się on na niecodziennych środkach, jakich użył kompozytor w repryzie i kodzie *Nokturnu*, tj. na bogactwie ornamentyki i chromatyzacji. Sięga do rozumienia pojęcia „Orient" w XIX wieku, jako przestrzeni ontologicznie oddzielonej od Europy, do znaczenia orientalizmu w paryskich kręgach artystycznych w latach 30. i 40. XIX wieku (które dotyczą takich postaci, jak np. Eugène Delacroix i Félicien David), a także w kulturze polskiej (sarmatyzm) i kieruje uwagę na orientalne percepcje i koncepcje w muzyce Chopina. Interesująca jest w tym względzie propozycja Chopina, który w sposób wyrafinowany, subtelny, spróbował przedstawić rodzaj orientalnej imaginacji muzycznej w ostatnim okresie twórczości, m.in. właśnie w *Nokturnie H-dur* op. 62 nr I. Autor wyjaśnia, jak Chopin dochodzi do dźwiękowego naszkicowania Orientu, poszukuje racji, dlaczego kompozytor chce wzbudzić muzyczne asocjacje z Orientem i bada kulturalne i ideologiczne napięcia, które wynikają z tej orientalnej gestyki.

Les pianistes polonais dans la presse musicale parisienne a l'époque de Chopin. Contexte sociopolitique

Renata Suchowiejko
(Kraków)

Le Paris des années 1830–1840, à l'époque capitale des pianistes virtuoses, a aussi été, pour de nombreux Polonais, un lieu de consécration artistique et d'activité créatrice. Chopin occupe parmi eux une place exceptionnelle et privilégiée, à la mesure de son génie. Mais d'autres pianistes et compositeurs polonais, présents eux aussi à cette époque à Paris, ont marqué sa vie musicale. Leurs oeuvres n'ont pas résisté à l'épreuve du temps et les succès remportés pendant leurs concerts ont été oubliés. Leurs créations à l'époque pourtant touchaient un large cercle d'auditeurs et leurs concerts suscitaient l'enthousiasme du public. C'est pourquoi, il est bon aujourd'hui de réfléchir à leur place, leur rôle et leur importance dans le milieu musical de l'époque. Les plus actifs à Paris ont été Wojciech Sowiński, Edward Wolff (tous les deux installés définitivement à Paris) et Antoni Kątski (il quitta la France en 1851)[1]. Ces pianistes ne se sont pas détournés, comme l'avait fait Chopin, des concerts publics ; nous retrouvons ainsi dans la presse musicale de nombreuses informations sur leur concerts et oeuvres. D'une manière sporadique, les noms de Julian Klemczyński, Julian Fontana et Stanisław Kątski apparaissaient aussi dans la presse et dans les catalogues d'édition.

L'examen de trois périodiques spécialisés parisiens, la *Revue et gazette musicale de Paris*, *Le Ménestrel* et *La France musicale*, a révélé de nombreux faits et circonstances inconnus. Il s'agit d'un matériau abondant et précieux qui recèle de nombreuses histoires et donne la possibilité d'une interprétation complexe. La presse musicale n'était pas uniquement informationnelle, elle était aussi formatrice d'opinion. Elle constitue donc aujourd'hui un instrument très utile pour établir une revue des faits ; elle est en outre un point de départ pour des réflexions sur la réception et le fonctionnement de la musique à l'époque. Les nouvelles relevant du sensationnel qu'on y retrouve possèdent aussi un aspect informationnel : le concert de Wolff devant la famille royale, un bouton de diamant offert à Kątski par le comte de Paris, le scandale de Tropiański (refusant de payer l'orchestre de Tilmant après son concert) ou encore l'affaire du comte Tysz-

---

[1] *Chopin parmi ses amis*, vol. V, textes réunis et présentés par Irena Poniatowska et Danièle Pistone, Warszawa 1999 constitue une source d'informations extrêmement précieuse. Il contient de longs articles présentant ces trois pianistes. Cf. I. Poniatowska « Antoni Kątski : pianista i kompozytor muzyki fortepianowej » [Antoni Kątski : pianiste et compositeur de musique de piano] ; Ewa Talma-Davous « Le pianiste du moi : Albert Sowiński » ; Tomasz Wojak « Edouard Wolff i jego zachwyt dla Fryderyka Chopina » [Edouard Wolff et son admiration pour Frédéric Chopin].

kiewicz (assignant le directeur de l'opéra devant un tribunal pour mauvaise exécution de *Freischütz* de Weber).

Les pianistes polonais les plus actifs — Sowiński, Kątski et Wolff — jouissaient d'une bonne position dans le milieu musical. Ils organisaient de nombreux concerts, bénéficiaient de bons contacts et publiaient en abondance ; la presse leur réservait un accueil élogieux. Ils étaient, autrement dit, aimés et « dans le vent ». Ils devaient cette popularité à leurs aptitudes, mais aussi à leurs propres initiatives à se promouvoir et maintenir leur position sur le marché de la musique. L'analyse des informations contenues dans la presse dégage une nette image artistique de chacun d'eux par rapport à la manière dont ils ont été perçus par leurs contemporains. Cette « image » fixée par ces coupures de presse peut se résumer ainsi : Sowiński se faisait « l'ambassadeur » de la culture polonaise ; Kątski devint « le lion » des salles de concert ; Wolff, quant à lui, faisait figure de compositeur infatigable.

Albert Sowiński (1805–1880) a réussi à se forger une renommée dès le début de son séjour à Paris (il y a fait son apparition avant le déclenchement de l'Insurrection de Novembre). Collaborateur à la *Revue musicale* de Fétis, auteur d'articles pour la *Pologne pittoresque*, éditeur d'un *Dictionnaire des musiciens polonais*, Sowiński était un fervent patriote et un grand propagateur de la polonité. Cet aspect de son activité est le plus visible dans la presse et sa création est jugée à partir de cette perspective. Ce thème « national » apparaît constamment dans les articles, en particulier chez Henri Blanchard qui souligne fortement ce trait : « Ce qui donne une sorte d'individualité au talent de M. Sowiński, c'est que la muse de la patrie absente et opprimée préside à presque toutes ses compostions » et il ajoute assez pompeusement : « L'Art qu'il a cultivé toute sa vie n'est qu'une longue élégie sur la patrie absente, torturée, humiliée […] c'est toujours la pensée de son pays qui le préoccupe, l'anime, l'inspire »[2]. L'ensemble de cet article biographique garde le même ton, sublime et élogieux, bien que Blanchard se permette quelques remarques critiques. Il mentionne quelques erreurs de contrepoint dans la *Messe solennelle* et des longueurs dans l'ouverture de *La Reine Edwige*. Ce patriotisme fortement exalté et manifesté si ouvertement est ainsi devenu la « marque » de Sowiński, on pourrait dire même son élément de promotion. Il a d'ailleurs reçu du public français un accueil vivant, surtout après l'échec de l'Insurrection de Novembre, lors même que l'opinion publique était particulièrement sensible à la « cause polonaise ». Les événements historiques ont, sans aucun doute, pesé sur l'accueil de la musique polonaise qui était perçue à travers le prisme de l'imaginaire d'une Pologne souffrante et combattante.

La *Revue et Gazette musicale* était, à l'égard de Sowiński, la plus amicale d'entre tous les périodiques. Celle-ci contenait beaucoup plus d'informations sur lui que d'autres revues. Ce n'étaient pas cependant toujours des louanges béates. On reprochait aux compositions de Sowiński leurs longueurs, leur manque de sens des proportions, leur excès de détails, leur peu d'originalité. En 1836, on pouvait lire qu'il « possède un talent d'exécuter brillant et vigoureux quoiqu'il ne nous semble pas appartenir à la meilleure école-modèle […] Il lui reste encore à apprendre qu'il ne faut pas confondre

---

[2] Henri Blanchard, « Albert Sowiński », *Revue et Gazette Musicale de Paris* (ci-après RGM) 32–33, 9–16 août 1846, p. 252–253, 257–259.

la violence avec l'énergie, et que des contrastes trop brusqués ne sont pas toujours ce qu'il y a de mieux pour produire de l'effet. [...] Jusqu'à présent nous ne pouvons le classer que parmi les meilleurs de second rang »[3]. De l'avis de Blanchard, Sowiński appartenait sans conteste au cercle des meilleurs. Dans son article « Les deux Polonais », Blanchard compare Sowiński et Klemczyński, dotant le premier de toutes les qualités et accablant le second de toutes les critiques[4]. Il est difficile aujourd'hui de saisir les raisons véritables qui ont pu le pousser à une telle attitude, bien qu'une mention dans Le Ménestrel puisse jeter sur elle une certaine lumière : « A propos d'un abonnement refusé à un journal de musique par M. Klemczyński [...] nous lisons un article intitulé « Les deux Polonais », dans lequel les oeuvres de cet artiste sont attaquées avec virulence. Nous ne discuterons pas ici la justesse de cette critique, mais nous déplorerons sincèrement un pareil rançonnage. Quand donc la presse saura-t-elle reconquérir sa force primitive par les seules armes du talent et de la loyauté ? »[5] Un refus d'abonnement a-t-il à ce point aigri Blanchard, ou peut-être cet événement dissimule-t-il un conflit plus personnel — il est difficile aujourd'hui de l'établir. Peut-être Sowiński a-t-il eu sa propre part dans cet article. Sans rentrer plus profondément dans ce type de spéculation (en raison du manque de sources susceptibles d'éclairer l'affaire), le cas des « deux Polonais » témoigne clairement de la vocation de la Gazette à forger les opinions. Il est un fait, en effet, que le nom de Klemczyński, n'apparaîtra plus jamais dans ses colonnes, et que seuls Le Ménestrel et La France musicale donneront sporadiquement des informations sur sa personne.

Sowiński veillait à la promotion de sa propre personne et entretenait de bons contacts dans les cercles de l'aristocratie. Il distribuait justement grâce à cette dernière les billets pour ses concerts, propageait ses articles et ouvrages, trouvait des élèves. En marque de reconnaissance, il dédicaçait ses compositions à différentes comtesses, baronesses, marquises, et a même écrit une pièce en hommage à un cheval[6]. Il était ainsi un entrepreneur ingénieux qui savait vendre ses talents. Il n'est donc pas étonnant que Chopin, pour qui une telle attitude envers la vie et l'art était si étrangère, ait dessiné de manière si grotesque le personnage de Sowiński dans une lettre à Tytus Wojciechowski[7]. Sowiński était pourtant un homme de son temps qui ne se différenciait guère de beaucoup d'autres, d'artistes musiciens semblables à lui et dont

---

[3]   « Concert de M. Albert Sowiński », RGM 34, 21 août 1836, p. 294–295

[4]   Henri Blanchard, « Les deux Polonais », RGM 11, 13 mars 1842, p. 105–106.

[5]   « Nouvelles diverses », Le Ménestrel 16, 20 mars 1842.

[6]   Buridan, marche équestre, pièce dédiée au prince de Pomerau d'Aligre, ancien propriétaire de Buridan, célèbre cheval du Cirque des Champs-Elysées, cf. : Le Ménestrel 32, 11 juillet 1841 ; La France musicale 31, 1ᵉʳ août, p. 271.

[7]   F. Chopin à T. Wojciechowski, lettre du 25 décembre 1831 : « Il m'est insupportable, pendant que je t'écris, d'entendre tinter la sonnette et qu'un être grand, solide et pourvu de moustaches énormes s'introduise auprès de moi, prenne place au piano et se mette à improviser Dieu sait quoi en dehors de tout sens commun. Il tape sur le clavier et le broie, saute sur place, croise les mains et, pendant cinq minutes, frappe la même note d'un doigt formidable créé de toute évidence pour le fouet et les guides de quelque régisseur du fond de l'Ukraine. Tel est le portrait de Sowiński qui ne possède d'autres vertus que d'avoir une bonne figure et un bon cœur pour lui tout seul », cf. Korespondencja Fryderyka Chopina, t. 1–2, rédigée par B. E. Sydow, Warszawa 1955, t. I, p. 207–211.

il convient d'examiner les activités à la lumière des relations sociales, des conditions de vie et du fonctionnement de la musique à l'époque.

Antoni Kątski (1817–1889), tout comme Sowiński, à trouvé rapidement sa place sur la scène musicale de Paris. L'arrivée des talentueux frères Kątski a été annoncée dans la presse ; ils ont donné leur premier concert commun dans la salle Erard en 1837[8]. Plus tard, leur parcours artistiques se sont éloignés et Antoni a développé sa propre carrière individuelle. La presse qui lui était favorable rapportait régulièrement des informations sur ses concerts, voyages, succès et distinctions[9]. Le Ménestrel était particulièrement scrupuleux en cette matière ; il ne manquera pas de louer son comportement civique lors des événements de 1848[10]. L'intérêt des critiques se concentrait avant tout sur le Kątski-pianiste, ses oeuvres paraissant plus inaperçues. On l'a d'ailleurs critiqué parce qu'il « paye [...] son tribut au goût bourgeois, qui veut absolument des fantaisies sur les mélodies banales [...] avec une harmonie toujours la même, et qui sont presque toujours les mêmes aussi » ; les critiques remarquaient néanmoins aussi ses ambitions de sortir d'un tel répertoire (éloge de son Trio pour piano)[11].

Kątski a été presque d'emblée compté dans le cercle des meilleurs pianistes et cette avis a duré de nombreuses années. Son jeu était estimé pour sa force, sa rapidité, sa pureté et son élégance. Il éveillait presque toujours une « vive sensation » et était qualifié de « magnifique » et « brillant ». Même après « décantation » de ces critiques et élimination de leur excès d'adjectifs, un jugement nettement positif de Kątski virtuose persiste. Il créait l'admiration par une technique achevée, et dans ses oeuvres il exploitait ses meilleurs atouts. On écrivait ainsi de lui qu'il était « un foudroyant pianiste » et qu'il pouvait vaincre « les difficultés diaboliques ». Sa valse Dernier sourire de Paganini a stupéfié les auditeurs, et la première interprétation de son succès Le réveil du lion (à un concert du Ménestrel en 1848) a été à l'origine de ce commentaire : « Il est rare de voir le piano électriser à tel point une réunion de plus de deux mille personnes, et cet enthousiasme spontané ferait pâlir tous les éloges »[12]. Kątski jouissait également d'un grand succès dans les salons. Le Ménestrel rapporte qu'il a été l'objet, lors d'une soirée musicale chez Zimmermann (il y était un hôte fréquent) des louanges de Liszt lui-même[13]. Sa fantaisie sur les motifs de l'opéra Lucia di Lamermoor a été chaudement applaudie dans le salon de la princesse Belgiojoso[14].

On a d'abord reproché à Kątski qu'il s'adaptait trop facilement à l'avis des critiques. En 1837, nous trouvons cette remarque : « M. Kątski passe du grave au doux,

[8]   RGM 9, 26 février 1837, p. 74.
[9]   1844 : Membre correspondant de l'Académie royale de Metz, section des travaux numismatiques pour les monnaies polonaises ; 1847 : Membre honoraire de l'Académie pontificale de Sainte-Cécile à Rome.
[10]   « Nouvelles diverses », Le Ménestrel 15, 12 mars 1848 ; Kątski (capitaine de la garde nationale) a protégé un entrepôt d'armes du pillage par la foule, et en a transféré et remis le contenu à la mairie du premier arrondissement. La France Musicale en a également parlé, n° 11, 12 mars 1848, p. 79.
[11]   « Coup d'oeil musical sur les concerts de la saison », RGM 16, 18 avril 1847, p. 134.
[12]   « Causeries musicales », Le Ménestrel 1, 3 décembre 1848.
[13]   « Nouvelles diverses » , Le Ménestrel 23, 3 mai 1848.
[14]   « Nouvelles », La France Musicale 26, 31 mars 1839, p. 207.

du plaisant au sévère, en ce sens qu'il s'évertue à polir l'âpreté, la fougue de son jeu, lorsqu'on lui reproche d'être trop Liszt, et qu'il se renferme dans le cercle d'un style large, ferme et pur, quand on lui signale des écarts de folie et d'imagination. Il ne lui reste donc plus qu'à s'asseoir dans son individualité »[15]. L'auteur de l'article estimait néanmoins beaucoup le style de Kątski, il le comparait à un Byron du piano « par la verve, l'originalité de ses idées et sa belle et jeune exécution ». Il avait cependant nommé Chopin le Thomas Moore polonais « par la grâce mélancolique de ses délicieuses mazurkas »[16]. Ces associations littéraires renforçaient sa description des musiciens et suggéraient au lecteur une certaine « clé » qui permettait une identification de leur personnalité musicale. Dans les autres articles, Kątski est le plus souvent comparé à Thalberg (plus rarement à Doelher). Le compte-rendu de son concert de 1839 (dans la salle Erard) est devenu pour le critique de la *Gazette* l'occasion de prendre la défense de l'école de Thalberg à qui l'on reprochait son attachement excessif à la technique au détriment de l'expression. L'auteur de l'article estimait non seulement grandement la virtuosité technique de Kątski mais dégageait aussi de son jeu de « la distinction » et du « sentiment », ce qui l'amenait à conclure : « M. Kątski prouve [...] qu'on peut être original, tout en paraissant suivre l'école de Thalberg. [...] personne ne pourra mettre son talent et sa supériorité en question. Mais disons-le, cette supériorité a son secret dans le mécanisme : tout ce que M. Kątski a de grâce dans ses ornements, de puissance dans ses octaves n'a pas d'autre cause »[17].

Dans certains comptes-rendus plus tardifs, d'autres qualités du jeu de Kątski sont soulignées : l'ampleur, la sensualité, le charme, le caractère chanté. Après le concert de la *France musicale* en 1846, on écrivait de lui qu'il charmait plus qu'il n'étonnait le public[18]. Ces jugements faisaient peut-être état de nouvelles qualités dans le style d'interprétation de Kątski, mais l'on sait néanmoins qu'il est toujours demeuré fidèle à la grande virtuosité et que *Le réveil du lion* a toujours été un élément immuable de son répertoire. Cette fidélité a d'ailleurs été sévèrement critiquée en 1873 lorsque Kątski a fait son apparition au « Concert populaire » et a exécuté une fois de plus son succès immortel. Un critique remarquait : « Ce choix a été malheureux ; M. Kątski retarde d'un quart de siècle, et il ne s'est pas aperçu que le monde musical avait marché depuis l'éclosion de son « caprice héroïque ». [...] Il a fallu que M. Pasdeloup le rappelât à la réalité et lui expliquât en deux mots qu'on lui demandait autre chose qu'une nouvelle audition du Réveil du lion. Quelle leçon pour les artistes qui ne savent pas finir à temps. [...] Ils accuseront volontiers la mode [...], tandis que c'est le progrès seul, [...] qui les laisse derrière lui s'ils sont assez aveugles ou assez faibles pour le nier et s'accrocher en désespérés aux ruines d'un passé qui s'écroule »[19].

La correspondance de Chopin ne nous apprend pas beaucoup de ses contacts avec Kątski ; il était probablement bienveillant à son égard puisqu'il s'est acquitté de la distribution des billets de son concert donné dans la salle Erard en 1845, mais n'a pas

---

[15] *RGM* 13, 26 mars 1837, p. 106.
[16] *Ibidem.*
[17] « Revue des concerts », *La France Musicale* 25, 28 mars 1839, p. 197.
[18] « Concerts de la France musicale », *La France Musicale* 3, 18 janvier 1846, p. 18.
[19] « Concerts et auditions musicales », *RGM*, 16 mars 1873, p. 85

non plus manqué de le figurer assez énigmatiquement en « Français du Nord, animal du Midi ». Kątski aurait refusé de participer au concert caritatif organisé au profit des Polonais. Fait étonnant, sachant qu'il prenait souvent part à ce types de concert, et qu'il a coorganisé, par exemple, un concert au profit de la veuve Berton dans la salle du Conservatoire en 1844 auquel a aussi participé Liszt[20].

Edward Wolff (1814–1880) est arrivé à Paris plus tôt que Kątski, mais n'avait pas, comme lui, une personnalité à succès ; au début il se produisait rarement en public. Ce n'est qu'à partir de 1840 que son nom a commencé à apparaître dans les colonnes de la presse. Les critiques ont mis un accent beaucoup plus marqué sur ses compositions que sur ses interprétations ; les critiques de ses oeuvres dominent donc, souvent longues et détaillées. Bien sûr Wolff a donné de nombreux concerts, mais, à en croire Marmontel dans *Les virtuoses contemporains*, il était plus un pianiste de salon qu'un pianiste de scène[21]. Il se produisait donc avec succès dans les salons qu'ils soient artistiques (par exemples ceux de L. Massart, de Ph. Hertz, de Clara Pfeiffer) ou aristocratiques. La musique de chambre occupait une place importante dans sa création. Sa collaboration avec les violonistes, Bériot et Vieuxtemps, a été particulièrement fructueuse : grâce à elle, de nombreux duos sur des thèmes d'opéra, interprétés plus tard lors de concerts communs, ont vu le jour. Cette aptitude à collaborer et ses intéressants résultats ont été loués par les journalistes.

La presse a découvert Wolff relativement tard, mais ses commentaires n'en ont été que plus vivants. En 1840, il était comparé à Liszt et à Chopin. En 1841, ses compositions se retrouvaient dans l'*Album des pianistes* (édité par la *Gazette* et par la *France musicale*) et un an plus tard dans le *Keepsake des pianistes* (édité par Schlesinger). Le premier compte-rendu critique de ses oeuvres, consacré à ses *Etudes* op. 20 a été très élogieux. Blanchard estimait tout d'abord en elles l'habile relation du travail sur la technique avec le plaisir de jouer du piano. Il affirmait que Wolff « fait preuve d'une rare intelligence du mécanisme de son instrument, et ce qui vaut mieux encore, de l'imagination riche et féconde qui sait créer aussi bien que l'art réfléchi qui sait mettre en œuvre »[22]. Blanchard cite aussi l'avis de Thalberg qui admirait ces études et les avait même incluses dans son programme d'enseignement. Les études de Wolff (op. 20, 50, 90) ont joui d'un succès particulier dans la *Gazette*. Blanchard en a fait état à trois reprises (en 1837, 1840 et 1841), tout comme Léon Kreutzer (en 1853)[23]. Fétis a aussi reconnu leur valeur pédagogique et a inséré deux compositions dans sa *Méthode des méthodes de piano*.

Le volume de création de Wolff est immense. Il a beaucoup composé et avec facilité. Kastner a écrit un peu ironiquement au sujet de sa productivité : « Sitôt qu'on perd de vue M. Edouard Wolff, ne fût-ce qu'un couple de semaines, on est sûr de le retrouver en avance d'un volumineux recueil de musique nouvelle. [...] donc nous

---

[20] Cf. *RGM* 18, 5 mai 1844, p. 162 ; *La France Musicale* 19, 12 mai 1844 : « Les deux célèbres pianistes ont partagé l'enthousiasme de l'assistance, lequel s'est, au reste, manifesté pour chacun d'eux d'une manière particulière ; Liszt ayant accaparé les bravos, et M. de Kontski les bouquets ».

[21] A. Marmontel. *Les virtuoses contemporains*, Paris 1882, p. 111.

[22] « Revue critique », *RGM* 24, 13 juin 1839, p. 195.

[23] *RGM* 24, 13 juin 1839, p. 194–195 ; *RGM* 50, 23 août 1840, p. 435–436 ; *RGM* 56, 24 octobre 1841, p. 468–470 ; *RGM* 15, 10 avril 1853, p. 132.

nous hâterons de prendre la plume ; car si nous tardions davantage, Dieu sait combien de temps et d'espace il nous faudrait ensuite pour régler nos comptes avec ce laborieux et fécond artiste »[24]. Chaque pianiste, indépendamment de son niveau, pouvait trouver quelque chose pour lui même dans les pièces de Wolff. Une grande demande de la part des pianistes amateurs et de très bons contacts avec les éditeurs (par exemple Schlésinger, Escudier ou Brandus) ont été à l'origine du succès d'édition de certaines de ses compositions. Wolff a correctement exploité la conjoncture du marché de l'édition en adaptant sa « production » aux attentes des auditeurs. Cela lui a d'ailleurs été reproché par Chouquet qui affirmait : « M. Wolff s'est mis à la solde des éditeurs de musique, et depuis lors ses productions laissent beaucoup à désirer »[25].

Le génie de Chopin a laissé une trace profonde dans la création de Wolff. Au sujet de ses oeuvres de style national, il a été écrit que les mêmes « couleur locale », « mélancolie » et « naïveté » les caractérisaient. Marmontel a commenté l'*Allégro de concert* op. 39 de la manière suivante : « L'œuvre dédiée à Chopin aurait pu être signée par le maître, tant l'analogie de style est frappante ». Il y défend néanmoins les *Chansons polonaises* qui, selon lui, « gardent l'empreinte individuelle du compositeur. Ce sont bien les pensées mélodiques d'Edouard Wolff et non des chants nationaux inspirés de Chopin »[26]. Prendre Chopin pour modèle n'a pas été jugé au début de manière négative, tout au contraire, la comparaison relevait le niveau des oeuvres de Wolff. Plus tard, cette référence est devenue péjorative. Marmontel a critiqué radicalement cette façon d'imiter. Cette aptitude de Wolff à profiter des influences extérieures était connue de Chopin ; il écrivait ainsi à Fontana : « Je te recommande encore une fois mon Allégro. Mais ne le montre pas à Wolff car il pique toujours quelque chose et pourrait éditer avant moi »[27].

Sowiński, Kątski et Wolff ont été admis dans la classification de Chouquet, dans son *Manuel du pianiste-amateur* publié dans les années 1847–1848 dans la *France musicale*. Chouquet y présente et y caractérise le milieu des pianistes qui lui étaient contemporains. Il distingue l'école de Hummel, l'école de Thalberg (comprenant entre autres Kątski, Prudent, Schuloff, Heller, Ravina, Rosenhain) ainsi qu'un groupe d'artistes indépendants situé à l'extérieur de l'école de Thalberg. Il les définit en tant qu'ils sont « les exécutants les plus hardis, les écrivains les plus originaux et les plus excentriques dont fasse mention l'histoire du piano »[28] et cite, au premier rang : Chopin, Doehler, Alkan, Lacombe, Liszt et Meyer. Chouquet disait des pianistes de l'école de Thalberg qu'ils passaient leur vie à donner des concerts et que les seuls liens qui les réunissaient étaient leur course et leur rivalité à vouloir vaincre les difficultés techniques. Il voyait également des analogies de style dans leurs compositions et résumait ainsi leur situation : « Travaillant tous pour eux-mêmes, en vue seule du concert, ils ont préféré écrire sur des mélodies connues que de composer des pièces originales : c'est plus

---

[24] « Revue critique », *RGM* 23, 1ᵉʳ juin 1845, p. 181.

[25] G. Chouquet, « Le manuel du pianiste amateur », *La France musicale* 9–10, 5 mars 1848, p. 69

[26] A. Marmontel, *op. cit.*, p.109

[27] F. Chopin à J. Fontana, lettre du 20 octobre 1841, cf. *Korespondencja Fryderyka Chopina*, *op. cit.*, t. 2, p. 45–46.

[28] G. Chouquet, *op. cit.*, p. 68

facile, plus prompt et en même temps d'un succès plus certain »[29]. L'intense développement de la technique pianistique, la grande concurrence et le désir d'obtenir des
succès rapides ont ainsi terni la qualité de leur compositions. L'auteur néanmoins
essaye de les défendre, mais d'une manière peu convaincante. Chouquet a aussi fait
état de Wolff et Sowiński qu'il insérait dans le cercle des imitateurs de Chopin. Il
s'exprime sur leur compte d'une manière assez positive, à l'exception de ce reproche
adressé à Wolff de s'être « vendu » aux éditeurs. Le jugement de Chouquet (extra-
ordinairement intéressant dans la perspective d'un observateur de l'époque) confirme
l'opinion sur les pianistes polonais qui ressortait de l'analyse des informations issues
de la presse.

Après la présentation de ces trois figures les plus importantes, il convient de
consacrer quelques mots aux pianistes dont l'activité a été recensée par la presse, mais
dans une moindre mesure. Le nom de Julian Klemczyński (officier méritant lors de
l'insurrection) est apparu le plus souvent dans de petites mentions faites à propos de
ses compositions. Ces commentaires concernaient généralement des pièces peu importantes, faciles et agréables, destinées aux instrumentistes peu exigeants. Klemczyński
s'est d'abord installé pendant quelque temps à Meaux, puis s'est rendu à Paris en
1839 où il a donné des cours de piano. *Le Ménestrel* recommandait chaudement son
« Ecole de piano ». Julian Fontana (lui aussi un insurgé, lieutenant d'artillerie) est
arrivé à Paris en 1835. Il a dû y faire face à d'énormes difficultés matérielles en raison
de sa volonté de renoncer à ses droits destinés aux officiers polonais et a essayé de
gagner sa vie en donnant des leçons et des concerts. Il était cependant favorable à
l'amélioration des conditions de vie des autres insurgés : il a signé à deux reprises une
pétition adressée au Président de la Chambre des Députés et du Conseil des ministres
pour protester contre une diminution sévère de leur subventions[30]. La presse parisienne n'a fait état que d'un seul concert de Fontana, en 1843, dans la salle Erard[31]
ainsi que d'une tournée avec la chanteuse Macatti[32]. Fontana était défini en tant que
« pianiste à la manière de Doelher, c'est-à-dire net, pur, brillant », qui, avec une
grande sensibilité, interprétait les oeuvres de Chopin. Le nom de Stanisław Kątski (le
frère d'Antoni) est très rarement apparu dans les colonnes de la presse. Seules apparaissent des mentions isolées sur ses compositions et concerts (généralement dans le
rôle d'accompagnateur). Les lecteurs parisiens obtenaient aussi des informations
sporadiques sur les activités d'Antoni Orłowski à Rouen.

Pour terminer ce panorama de la présence musicale polonaise à Paris, il convient
encore de citer quelques autres virtuoses qui ont retenu l'attention de la presse parisienne. Nous y retrouvons des informations sur les violonistes Apolinary et Karol
Kątski et sur Karol Lipiński dont le concert, en 1836, a suscité l'admiration des criti-

---

[29]   G. Chouquet, *op. cit.*, p.26
[30]   Pétitions des 26 janvier et 6 février 1837 conservées dans la collection des Archives du Ministères des
Affaires Etrangères, série : Mémoires et Documents, sous-série : Réfugiés polonais.
[31]   *Revue et Gazette Musicale* 12, 19 mars 1843, p. 103 ; *La France Musicale* 14, 2 avril 1843, p. 118.
[32]   *Revue et Gazette Musicale* 32, 34, 35 ; informations sur les concerts de Dieppe et Aix-la-Chapelle et
annonce d'un départ pour Spa, Ems et Baden.

ques. Les concerts de Józef Guzikow, un musicien amateur et virtuose du jeu sur
« harmonica de bois » ont été la sensation de cette même saison 1836. Tous les journaux ont commenté le concert du guitariste polonais Stanisław Szczepanowski (en
1841, dans la salle Herz) et ont suivi également ses succès, plus tard, en Angleterre,
en Irlande et en Allemagne. Les débuts des frères Wieniawski, dont la suite de la
carrière a été scrupuleusement suivie par la presse parisienne, avait lui aussi bénéficié
d'un large écho.

Les pianistes polonais de Paris à l'époque de Chopin étaient (et sont toujours)
comparés à leur grand compatriote. Du point de vue de la qualité de leurs oeuvres,
une telle comparaison n'est pas à leur avantage. Mais ce seul point de vue est-il possible, voire fondé ? Peut-on mesurer leurs activités artistiques à l'aune du génie de
Chopin ? Peut-être convient-il de les jauger d'une perspective différente, qui prenne
en considération le profond contexte historique et social. Ils ont en effet occupé une
toute autre place sur la scène musicale de l'époque, et avaient tous des idéaux esthétiques, une mentalité et des besoins différents. Ils ont vu l'art et le rôle de l'artiste dans
la société d'une manière différente et ont appartenu à d'autres catégories de pianistes
compositeurs. Engagés dans des relations et des liens particuliers, soumis à l'influence
du public et de la critique, désirant toujours être « à la page », ils ont bien su
s'adapter aux circonstances et en tirer profit. C'étaient de bons artisans, maîtrisant
bien leurs outils. Ils avaient leur public et répondaient à une demande par leurs compositions. Et en cela, ils ont été eux-mêmes, mais aussi la création et les témoins de
leur temps, des relations sociales de l'époque, des courants esthétiques et des condi-
tionnements historiques. Il se sont inscrits dans le brillant panorama de la vie musicale parisienne et le multiple courant du romantisme, si différencié intérieurement et
si plein de contradictions que chacun d'eux y a trouvé sa juste place.

Streszczenie

Pianiści polscy na łamach paryskiej prasy muzycznej w epoce Chopina
Kontekst społeczno-polityczny

W szeregach „Wielkiej Emigracji" znalazło się wielu polskich artystów-muzyków, którzy przybyli do
stolicy Francji. Chopin zajął pośród nich miejsce uprzywilejowane, na miarę swego geniuszu, ale także inni
dali się poznać paryskiej publiczności. Najbardziej aktywnie działali Wojciech Sowiński, Antoni Kątski i
Edward Wolff. Występowali oni chętnie, dużo publikowali, a prasa muzyczna często o nich pisała. W
trzech tygodnikach specjalistycznych — *Revue et Gazette Musicale de Paris, Le Ménestrel* i *La France Musicale* —
odnajdujemy wiele informacji na temat ich koncertów i kompozycji. Materiał ten ma nie tylko walor
informacyjny, ale też jest podstawą do rozważań nad recepcją muzyki w tym czasie. Geniusz Chopina i
sytuacja polityczna Polski niewątpliwie zaważyły na sposobie postrzegania tych pianistów przez francuską
publiczność.

II

CHOPIN'S OUTPUT
AND ITS MUSICOLOGICAL INTERPRETATIONS

CHOPIN AND THE TRANSCENDENTAL SUBJECT: BODY AND TRANSCENDENCE IN CHOPINIAN AESTHETICS

Eero Tarasti

(HELSINKI)

This paper proposes a two-dimensional interpretation of Chopin. His music is viewed both in terms of its corporeal connections, and also as a more spiritual and philosophical, in a word, transcendental phenomenon. The mention of 'corporeal' might call to mind gender studies, though one hastens to add that the gendered body is not the only channel for expressing corporeal meanings of music. The transcendental aspect is something that, if not directly Kantian, at least approaches the 'existential'. My aim here is to show that both corporeality and transcendence are semiotical in nature, and that semiotics can provide answers to the interpretive challenges presented by those phenomena.

Musical aestheticians have traditionally been divided into those who believe that music can 'represent' something in the external world, and those who deny its ability to do so (from Eduard Hanslick to, say, Roger Scruton). According to this division, Chopin is seldom considered a 'representational' composer. He is most often taken to be a non-programmatic composer, with Liszt as the most obvious counter-example. Some even say that Chopin is stylistically a classicist and not a romantic composer at all. What Richard Taruskin says about Tchaikovsky may also apply to Chopin; namely, that he is essentially a classical composer whose aesthetics are grounded in Mozart and on eighteenth-century ideals.

Contrasting voices are also heard: Is not the *barcarolle*, for instance, related to water images in music, as Gunnar Larsson[1] has asked? Are not Chopin's Ballades musical metaphors of Mickiewicz's poems? Do not march and galloping rhythms, nocturnes, chorales, military signals (as in polonaises), and so on all have extramusical connections to social conventions of nineteenth-century life, or to oneiric and subconscious impulses, and the like? Moreover, these connotations often have a corporeal origin: the *barcarolle* is based on the ostinato rhythms of rowing a gondola.[2] The languid style of the nocturne is related to the dream state of the body as a relaxed entity, almost a musical illustration of the free play among khoratic-kinetic elements, as Julia Kristeva proposes (more on this, below). Polonaises may in turn reflect extreme masculine virility. Listen, for instance, to the *F sharp minor Polonaise*, with its drumming pulsa-

[1] Gunnar Larsson, 'Näkökulma Chopinin *Barcarolleen*' [Aspects of Chopin's *Barcarolle*] *Synteesi* vol. I, p. 55–60, Helsinki 1986.
[2] See Bücher on the rhythms of manual labor, Karl Bücher, *Arbeit und Rhythmus*, Leipzig and Berlin 1909; Charles Daniel, *Musiques nomades*. Paris: 1998.

tions and frenetic melody; the extremely marked rhythms archetypal of the genre are so accentuated here that they transgress the limits of social conventions. As to transcendental meanings, Chopin is often said to represent romantic melancholy. But let us remember that Friedrich Nietzsche, in his anti-Wagner period, considered Chopin both 'heiter und tief'. Thus, under closer scrutiny the stereotypes shatter.

It is a triviality to consider Chopin as a model of an effeminate composer. Marcia Citron relates Chopin to stereotypes of feminine musicality in her *Gender and the Musical Canon*: 'The early nineteenth century, for example, might be considered a period of varying musical gender: the masculine vigor of Beethoven's music and the feminine, or perhaps effeminate grace of Chopin's compositions. We could consider the Italian lyricism of Mozart in the late eighteenth century a feminine trait, to be quashed by the masculine energy in Beethoven. In the 1830s and 1840s the feminine elegance of French culture takes hold in much of the music of Chopin'.[3]

Citron lists more qualities of a feminine aesthetics, one of which is a fascination with process: an intuitive, whimsical approach that values fantasy and experimentation above received structures and techniques. Another 'feminine' quality is a lyricism that recalls styles practiced in such female spheres as the salon, and that is marked by long melodic lines and horizontal connectedness. Citron tries to prove how arbitrary such categories are; but it is undeniable that they are often echoed in writings about Chopin. For instance, the fascination with process—certainly a characteristic of Chopin, but also of his 'masculine' counterpart, Beethoven—relies on a general episteme of romantic culture; namely, the Goethean idea of art imitating the growth processes of a living organism, and thereby providing the ultimate category of aesthetic enjoyment and value. The way musical narration unfolds in the Ballades, for example, has something unquestionably 'organic' about it—and not necessarily anything that genders the pieces in an effeminate way. Far from being strictly feminine, 'organicism' is an episteme, in the Foucauldian sense, of all Western culture, and a shared value in most nineteenth-century thought.

In sum, the gender-relatedness of corporeal meanings in symbolic representations such as music, rests on theoretically shaky ground, to say the least. No theory exists of how the body is reflected in the signs it creates. To put it simply, if the male and female bodies create, represent, and express themselves via certain kinds of *signs*, then what is the nature of that sign-relationship? In Peircean terms, is it iconic, indexical, or symbolic (arbitrary)?

---

[3] Marcia J. Citron, *Gender and the Musical Canon*, Cambridge 1993, p. 163.

Example 1: a) Male and female bodies producing iconic signs; b) Chopin and George Sand producing their iconic signs; c) Chopin and G. Sand producing indexical sign i.e. about Sand and Chopin respectively; d) Chopin and G. Sand represented as symbolic signs in Chopin's *Fantasy in F minor*

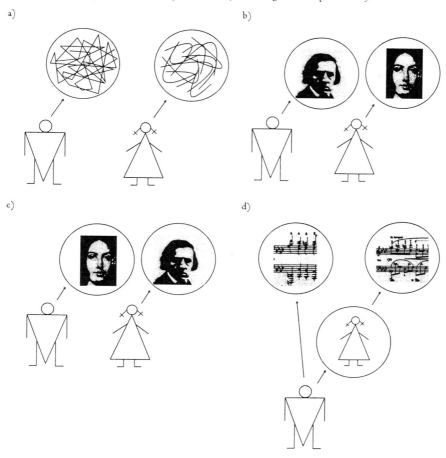

a)

b)

c)

d)

ARE CORPOREAL SIGNS ICONIC IN NATURE?

Are certain qualities of the supposed male or female body iconically represented more or less directly by their appropriate signs? For instance, are military rhythms and signals, galloping horses, and the like conventionally something masculine[4]? When Chopin exploits such musical devices, is it then that his male body is 'speaking' to us? Roland Barthes,[5] in his famous essay on Schumann, speculated similarly, that in the rhythmic

---

[4]   See Raymond Monelle, *The Sense of Music: Semiotic Essays*, Princeton, NJ, 2000.
[5]   Roland Barthes, 'Rasch', in: *The Rustle of Language*, New York 1986.

quality of *Rasch* the Schumannian body starts to speak to us via its particular *somathemes*. Here, as with Barthes, this issue raises many questions. Is it certain that in such cases only Chopin is speaking, rather than the social conventions and toposes of military and other types of music? And are such signals always masculine? Let us recall that, in Wagner's *Walkürenritt*, the female bodies are portrayed by precisely such rhythms. Thus the idea of iconic signs of the gendered body seems to fail, and even more so when we remember that every woman has some male characteristics, as every man has female ones.

Very often in Chopin, such corporeal signs as dancing and rowing rhythms reflect the social sphere of musical toposes. Chopin was no doubt fully aware of the toposes of the Classical style such as military calls, hunting signals, dances, Storm and Stress, *galant*, learned, *Empfindsamkeit* and so on, and he richly exploited them in his music.[6] In this sense, the body in his music is often the socialized 'body' of norms and stylistic constraints—which he just as often tries to transgress. This is one way that his music reaches the other category of our study, the transcendental realm. Chopin often wants to go beyond such conventional signs, sometimes taking a radical distance from them, as in the *Polonaise-Fantasy*, where the polonaise is but vaguely evoked by its traditional markers. At other times Chopin expands or exaggerates conventional signs in a way that transforms them into something else. Dialectically, a new quality emerges from the endless repetition of such conventional corporeal signs. This occurs, for example, in the triple, 'balladic' rhythm in the last movement of the *B minor Sonata*. There the dance-like figure, which as such has an almost pastoral quality, turns into a fanatic, frightening, and obsessive process which takes the subject of enunciate, and often of enunciation as well, under its power, bringing both to a state of ecstasy. Another case would be the repetitive, didactic figures in the Etudes, what Besseler calls *Spielfiguren*.[7] In Chopin these become more than mere exercises in idiomatic figures; they transgress the quality of etude-likeness into a new, emergent meaning that attains the sphere of the transcendental.

ARE CORPOREAL SIGNS INDEXICAL IN NATURE?

Indices are signs based on continuity (smoke as a sign of fire, e.g.). Musically, they stem directly from the composer or performer as emanations of his/her bodily or emotional state. In the same manner, they directly influence the listeners, the destinatees of the musical message, to the point of impacting them in what Roman Jakobson described as the conative function of communication. This category of possible corporeality leads us to consider not only the utterance itself but the whole process of uttering, what French literary theoreticians have called '*énonciation*'. This is something to be taken seriously indeed, for when interpreting corporeal signs in this manner we may well engage the act of musical performance as well as that of reception. Is it here that the Chopinian body is manifested?

---

[6] Forthcoming *On musical toposes*, see Leonard Ratner, *Classic Music: Expression, Form, and Style*, New York 1980.
[7] See the essay by Heinrich Besseler, 'Spielfiguren in der Instrumentalmusik', *Deutsches Jahrbuch der Musikwissenschaft für 1956*, Erster Jahrgang, Leipzig, 1957.

Let us first make an important theoretical distinction: when speaking about the 'Chopinian body', what do we mean? Is it Chopin as a physical, biographical person, or is it Chopin as the subject of enunciation? Chopin as the subject of enunciation can mean two further things: Chopin as the composer and Chopin as the pianist. We should not underestimate the latter, since there is abundant evidence, in Eigeldinger's studies among others, of Chopin as a pianist and piano teacher, which certainly represent a kind of 'act of uttering' or 'enunciating' of music, as well. In addition to the 'Chopinian body' understood as either the flesh-and-blood Chopin or as Chopin the Composer/Pianist, we have a third category: namely, the bodily signs of the aforementioned two or three species *within* the utterance. Chopin has left signs of his body in the music itself, as our later analysis will elucidate. Thus, Chopin's body is represented in the musical text. For instance, he writes passages which we know were easy for him to play, those which best suited his abilities as a pianist. But even here the indexical signs of him as a performer do not necessarily always reflect just his individual body. What about such intertexts as the vocal gestures in his melodies? And there is also the well-known passage in the *Polonaise-Fantasy* in which he rather haplessly writes a crescendo between two notes an octave apart, a crescendo which only could be rendered by a singing voice.

Such bodily meanings are thus not only a reflection of Chopin as an instrumentalist, but also of what he imagined to be the ideal *bel canto* singing of his time. This third category of corporeal signs would be the symbols of the body, that is to say, the body as a completely cultural entity, like the body of the speaker in rhetoric, for instance, or the bodily expressions of all those social spheres such as dancing and other festivities of nineteenth-century life as found in his mazurkas and polonaises. When encountering such signs in Chopin's music, we do not connect with his individual, physical existence at all, since the body appears there as a certain *technique corporelle*, in the anthropological sense of Marcel Mauss or the late Michel Foucault.

So we may draw the conclusion that the body is something extremely complicated, not only in Chopin but in music altogether. Could a theory such as the one proposed by Julia Kristeva[8] help us here? As early as her 'semiological' phase, Kristeva spoke of the 'semiotic sphere' of prelinguistic kinetic rhythms, gestures, expressions, and freely fluctuating pulsations, which for her obviously constituted the field of 'signifiance', a feminine space which she called, quoting Plato, the *khora*. The latter represents the archaic level of consciousness, which is our prevailing state in early childhood but which is present even in later developments of our psyche, after we have entered the social sphere of the *symbolic order*. This order represents the penetration of language and all its social norms—as the real Saussurean *langue*—into our existence. In gendered terms, it is also the patriarchal moment, since it is through the father that this symbolic order is attained in a child's development, according to Kristeva. In this scheme, the 'semiotic' is the vast area of indefinite, non-verbal meanings in their purely kinetic form. The musical counterpart would be what Ernst Kurth, in his *Musikpsychologie*,[9]

---

[8] Julia Kristeva, *Seemeiootikee: Recherches pour une sémanalyse*, Paris 1969.

[9] Ernst Kurth, *Musikpsychologie*, Bern 1947.

called the energetic-kinetic impulses of music; for him, these inner tensions, not the sounding manifestations, were the authentic moments of music. That is certainly also the sphere of the body in the process of signification. The superimposed area of the symbolic order thus represents a denial of pure corporeal reality, through the social norms and constraints set upon it. For Kristeva, the khoratic realm is the essential one, not the symbolic order, which is merely the tip of the iceberg. (This metaphor also nicely represents other structuralist theories of meaning; that is to say, in the sign the sphere of signifier and signified are separated by a thin line. For Lacan this line represented the repression of the subconscious; the signified was only momentarily revealed in the endless chain of signifiers; these moments or 'breaks' in the symbolic order of the syntactically arranged signifiers were for him the real moments of signification. In such moments, the khoratic, unsocialized body breaks with social conventions and lets the 'real' meanings emerge and become manifest.)

Whatever we mean by 'body' in music, in Chopin's case it always appears via the *piano* and its special idioms. In this sense if we think of those passages in which we feel the presence of the body in Chopin, they are certainly close to what Heinrich Besseler understood by his concept of playing-figures, or *Spielfiguren*. These are certain figures that, in clear contrast to vocal style, are purely instrumental and even idiomatic to certain instruments. For instance, those played on the piano are easily repeated and often lead to sequences. Very often such figures appear to be pianistic or violinistic. Besseler mentions as one of the earliest examples Sweelinck's instrumental style. Such figures also often have unified rhythms which appear as a series of sequences. In J. S. Bach such playing-figures often show up in the Preludes of the *Well-Tempered Clavier,* and their musical logic is more improvisational than that of the fugues which follow. In romantic music they appear often in the accompaniment of a melody. In fact, Besseler gives an example from Chopin, the *Prelude* Number 8 in *F sharp minor.* Many of Chopin's Etudes also have this quality, in which merely passing through a *Spielfigur* constitutes the main idea of the piece. The level of *Spielfiguren* naturally represents the presence of the body amidst an otherwise most esoteric and spiritual, transcendental musical expression.

All the theories mentioned thus far might prove relevant to a study of the body in Chopin. The body in his music, as said above, often appears as a 'socialized' and conventional body, an already tamed entity, a *pensée domestiqué*, in Lévi-Strauss's sense. Obviously, however, the body in Chopin can also mean something else: the appearance or breakthrough of the khoratic body, which occurs when socialized bodily conventions are rejected. In music this would signify moments when the topical logic of the surface levels collapses, as well as the syntax of other musical parameters, and commonplace tonal logic gives way to something else.

Here we also encounter in musical terms the problem of the classical and the romantic in Chopin. Following the definitions by Guido Adler,[10] we could say that the classical style appears as a congruence of parts and subparts, in balanced formations such as periodic phrasing, in the mastery and economy of the devices, and in a certain

---

[10] Guido Adler, *Der Stil in der Musik,* Leipzig 1911.

reserved way of expression, a kind of aversion to excess or to transgressing certain limits of beauty. The classical style was for Adler the 'perfect style', in which all the parts manifested the purity, equality, and congruence between content and form.

There is obviously much of the classical in Chopin. But just as obviously his music displays the romantic style, of which Adler says: 'it aims for blending of all the forms, rejection of all strict norms of classical art forms, irregularity and devoid of rules, the favoring of colorism and tone painting... And inclination to programs'. By these criteria, we could easily classify Chopin as 'romantic', though the programmatic aspect might be more questionable, and should perhaps be replaced with the idea of narrativity.

Adler's theory becomes interesting in our context if we link it to Julia Kristeva's idea of *khora* and symbolic order. For our purposes, the *khora* in music is the sphere of the body, and the symbolic order is the realm of stylistic norms and constraints. The *khora* would represent the acceptance and affirmation of the body, in a certain sense, and symbolic order the repression of the body in favor of the patriarchal order, which the feminists identify with the musical canon, mostly determined by German music theoreticians, from A. B. Marx to Heinrich Schenker[11]. Yet we must always remember that in music the body can also appear in a tamed form, as conventionalized mannerisms or toposes. To say that Chopin accepts these norms means that he also accepts the symbolic order in the guise of corporeal schemes in his music. But certainly if we consider the most important moment in music to be its unique message, which transgresses *langue* and its norms, then those moments in which the Kristevan khoratic body is affirmed are also those moments in which the logic of the symbolic body disappears and is replaced by the logic of kinetic energy and tension. Perhaps this might be the 'true Chopin'? Of course, one would hardly claim to have found the 'true Chopin'. But to paraphrase Carl Dahlhaus, I think that no one goes to a concert to listen to documents of nineteenth-century life, but rather to experience the *ästhetische Gegenwärtigkeit*, the aesthetic now-moment of music. Music provides such moments by speaking to us directly. I believe that it is the Chopinian 'khoratic' body that makes his music still so impressive to listen to. Or as Marcel Proust put it, 'Every musician is in search of a lost fatherland; sometimes they find it, sometimes they only approach it, and sometimes they do not reach it. The music really moves us only when we have that feeling of being united with this lost 'fatherland'—And how well this fits Chopin, quite literally, who could sigh in the most beautiful moment of his Etudes, *E major* Op. 10: O ma patrie! '.[12] Composers can either accept or reject their body in the music.

If we are searching for the counterpart of body—namely, the moments of transcendental, or *existential*, meaning—in Chopin's music, we could apply one of my models of existential semiotics. We could say that the Chopinian body is something that appears philosophically as the musical *Dasein* of his subjectivity. In logical terms, this body can be either denied (negated) or affirmed (accepted). Much recent feminist writing has centered on how women composers have been forced to deny their body and its particular signs, because they have been silenced by the dominant musi-

---

[11] There is a doctoral study going on abort this topic by Sanna Iitti at the University of Helsinki.

[12] Quotation after Jean-Jacques Eigeldinger, *Chopin vu par ses élèves*, Neuchatel 1979, p. 105.

cal canon. Such a thesis presupposes that, if these women composers had been able to create freely, following their own bodily inspiration, then they would have created different musical signs from those that eventually emanated from their pens. The same could be said of Chopin, if only hypothetically. We could say that, by accepting certain stylistic constraints of genre, he allowed the patriarchal order, the musical canon, to force him to deny his real musical 'body'. At other times, and in fact rather often, he affirmed his real body in his music and by doing so reached a transcendental moment that takes us beyond the surface of toposes, genres, and traditional forms. Much has been written, for instance, about Chopin's syncretic style, in which he pushes against the norms of genre. This could be portrayed as followed:

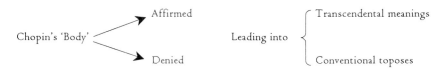

To affirm or to negate the khoratic, primary body is to commit a transcendental act. The affirmation of the body, in this sense, signifies implicitly the rejection of the 'social body'; the denial of the khoratic body means subjection to the rules of the social body. Thus, when the primary, archaic body—that which is *sans sexe*[13]—is affirmed, the normal syntactic-logical discursive order of the music is disrupted and an individual moment of creation enters, transcending the social norms. When this body is denied then music remains on the level of *langue*, genre and style norms. But it goes without saying that these acts are in mutual need of each other in the dialectics of enunciation.

What does this mean concretely, at the textual level, in the music itself? Ruptures in discursive logic also appear as moments of *estrangement*, or what the Russian formalists called 'making strange' (*ostranenie*). Such moments exhibit phenomena that run contrary to our expectations of a given code. Nothing is more common in Chopin, for instance, than for something in the music to go against the very title of a piece. Suddenly amidst a polonaise we lapse into a nocturne or mazurka—not a literal nocturne or mazurka, but merely a faint evocation of those genres. Or amidst a ballade there intrudes a development in the polyphonic, learned style. A chorale might show up in a scherzo, and in a nocturne a Storm and Stress passage, and so on. Such estrangements, which go against our expectations of a genre, characterize not only the late Chopin but are present in his music from the very beginning. In bodily terms, the social-corporeal meanings are negated and replaced by individualized, khoratic entities.

Estrangement is related to another interesting aspect of nineteenth-century culture, though one not often related to Chopin, namely, the idea of romantic irony. By this, we do not necessarily mean humorous, parodistic, or grotesque devices—Chopin remained too 'classical' a composer to use such a vocabulary. Still, the philosophical principle of romantic irony is applicable here. After the transcendental act, the moment when artists have sunken into the immortal, ahistorical time of their creation,

[13]   Jeffrey Kallberg, *Chopin at the Boundaries: Sex, History, and Musical Genre*, Cambridge and London 1996.

they return to their respective worlds of *Dasein*. But now that world looks quite different. What used to be meaningful is now seen to be completely unnecessary, indifferent, valueless, and relative. Søren Kierkegaard spoke about romantic irony as an attitude toward life. For him romantic irony stemmed from the transcendental act. Man is always aspiring towards transcendence, and when everyday life is suddenly illuminated, so to speak, by the feeling of the transcendental, it becomes something that may even appear ridiculous. For Kierkegaard, 'to exist' was no easy thing for a person, as one might think, but was in fact our most difficult task. In the Kierkegaardian manner, Chopin aimed for 'existentiality' in his music. He ascribed to the idea that at every moment he should be striving to transcend the social body of musical toposes so as to reach the individual khoratic body. In her preface to Sénancourt's *Obermann*, George Sand gave a sociological interpretation of romantic irony in her discussion of typical romantic heroes, from Werther to René and Obermann. According to Sand, these heroes, abandoned to their individual sufferings, were powerless to act, to make choices, and to live in society. She wrote: 'There is one disaster which has not yet been officially noticed. It is enjoyment without power, it is the exhaustion of failed passion.' Sand thought that this disaster· was the fault of civilisation and society. In modern terms, such heroes were left in their primary, khoratic bodily sphere, and rejected by the symbolic order. They were unable to transform their individual, kinetic bodies into conventional, socialized bodily expressions, and this was due to the 'canons' established by the patriarchal order. Chopin's romantic irony includes both the Kierkegaardian notion of looking at the social world from the distance of attained transcendental heights, as well as Sand's idea of the powerlessness of being accepted by the social-corporeal spheres.

These reflections bring me to the idea of a *transcendental subject*. By this I mean that, behind the various types of 'Chopinian bodies' mentioned above, stands a transcendental subject which makes it possible for the same subject to express him- or herself in what may sometimes be contradictory ways, both with the estrangements of romantic irony, and as a positive agent expressing his or her own message. This complicated play among various 'bodies' in Chopin's music, as well as their metamorphoses and in some cases genuinely romantic development, from the material world to the spiritual sphere, almost forces us to hypothesize the existence of a Chopinian transcendental subject. Methodologically, the latter is the musicological construct that is needed to make all the utterances of this subject cohere.

When speaking about musical 'subjects' we should note that various kinds of music can have various types of subject. Viatcheslaw Medushewski[14] has identified at least seven categories of musical subject: 1) the spiritual 'I' (or 'We'), as the hidden subject of polyphonic music; 2) the meditative subject of inner monologue; for instance, in recitative-like passages in Beethoven; 3) the ecstatic-motoric 'I', as in strikingly kinetic music stemming from dance; 4) the lyrical hero, found in romances such as Bizet's *Pêcheurs de perles*; 5) the reader, as at the beginning of Bach's *C minor Partita*;

---

[14] Viatcheslaw Medushewski, Lectures at the Music Department, University of Helsinki, November 1989 (unpublished).

6) the narrator, as in Chopin's Ballades; and 7) the personage 'he', as projected in clearly programmatic narrative situations. All these 'subjects' appear in Chopin as well, each with its own way of speaking and of calling attention to its particular utterances.

Analysis

Let us now look at the different ways this transcendental subject utters, or enunci-ates. This will also lead me into a new type of analytic methodology for dealing with musical texts as signs of this kind of subject. I am no longer following the course of narrative schemes like the so-called 'semiotic square', as used in my study of the Polonaise-Fantasy, nor the modal grammar as found in my essay on the *G minor Bal-lade*.[15] Such a systematic study is of course still quite possible. Yet if we want to go phenomenologically *zu den Sachen*, to what 'really happens', such a systematic approach to the music is of little interest.

Rather, my methodology approaches that used by Roland Barthes in *S/Z* (1970), his study of a Balzac novella.[16] Much like Barthes parsed Balzac's text into 'lexemes,' I shall examine Chopin's music through its various *utterances*. 'Utterance' designates a unit whose length can vary from one bar to whole phrases, sections and even whole pieces. The length of a musical utterance is unimportant, as little as it is with Barthes's literary 'lexemes'. Sometimes the composer may require extensive passages to utter something; at other times it is said at once, in a moment.

Nor are utterances connected to specific musical parameters. Utterances may in-volve only one parameter, say, melody alone; or they may include several or all musical elements: melody, rhythm, timbre, and so on. The levels of pertinence are determined by what our 'transcendental subject' wants to utter. At the same time, utterances are meeting-points of all that has been 'spoken' by the body, the genre, the stylistic norms, the toposes, and also the acts of enunciation.

What is important here is not so much the syntagm and its horizontal simula-tions, but rather the dimension of depth. In other words, the goal is to construct the transcendental significations indicated by the surface of the music, by its physical signifiers. If the 'surface' of the work is something physical, or corporeal, then every piece constructs, so to speak, its own subject. Here we shift from the apparent mo-dalities of the surface—whose grammar can be formulated—to the *metamodalities*, which pertain to the transcendence of the work.[17] This may sound overly 'metaphysi-cal', but in every composition a kind of atmosphere, aura, or poetics characteristic of the piece emanates from its concrete signs, from the traces of its creation, in a word, from the enunciation.

---

[15] Eero Tarasti, *A Theory of Musical Semiotics*, Bloomington and Indianapolis 1994; Alan Walker, *Chopin, Profiles of the Man and the Musician*. London 1966.

[16] Roland Barthes, *S/Z*, Paris 1970; Some of Barthes's ideas have already been applied to the analysis of music. See, for example, Robert Samuels, *Mahler's Sixth Symphony*, Cambridge 1995.

[17] For a detailed analysis of surface modalities see my essay on the *G minor Ballade*, In E. Tarasti, *op. cit.*

Transcendence is not bound to what I have elsewhere called the isotopies of a work,[18] since the transcendent is a living, organic, continuously changing semiosis, which has its own micro- and macroprocesses. Rather, isotopies are historically determined, recurrent classemes of meaning.[19]

Our analytic procedure can be sketched as follows:

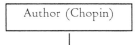

Enunciation, which creates and leaves its traces from instrumentality, corporeality, grammaticality, style-likeness, socialness, emotion, epistemes:

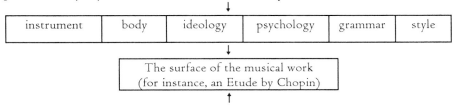

De-enunciation, or interpretation, which intuitively infers via empathy (*connaissance*) the particular transcendental subject behind the piece: the enunciator behind the musical work who guarantees its coherence. We are looking for the Husserlian transcendental subject, who is of course not the same as Chopin the author.

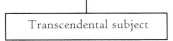

Still, the crucial question remains: by what metalanguage can we describe the emergent, transcendental qualities that emanate from the musical surface? Can they be grasped by verbal discourse? In general, they can be described by intertextual analogies such as colour, movement, light, and others. These intertextual fields are opened in certain situations of de-enunciation. This 'atmospheric' level is also the Other, the Double of the work in question, that which we remember, and because of which we want to hear the piece again and again. It is like a domain of energy that we wish to enter, similar to what Umberto Eco calls a 'semantic field', yet one in which nothing is fixed or definite.

The following statements summarize some theses of our 'new semiotic method':

1. Chopin's music consists of utterances.
2. Utterances are meeting places of corporeal (social and 'khoratic') and stylistic (topical) meanings.
3. Utterances are kinds of lexemes.

---

[18] As above.
[19] Concerning isotopies, see Márta Grabócz, *Morphologie des oeuvres pour piano de Liszt*, Paris 1996, and my own analyses in E. Tarasti, *op. cit.*

4. Utterances constitute musical situations. For instance, the syncretism of Chopin's style consists in an utterance no longer occurring in its original situation, but being shifted to a new one: a nocturne or mazurka topos amidst a polonaise, and so forth.
5. One can study utterances by reducing them into semes.
6. Utterances have a subject, ultimately a transcendental subject, which is construed to explain situations in which various subjects seem to have enunciated the text. For instance, a subject can utter something contrary to expectations, such that the aural realization differs from the pathemic state of the enunciator.
7. Utterances share the following aspects:
    (a) the utterance as such, with its stylistic and normative background topos (genre) as its legisign;
    (b) pianistic corporeality;
    (c) other types of corporeality serving as presign (s) of an utterance; for instance, dance-likeness alluding to a polonaise, or nocturne-likeness as reference to dream states;
    (d) each utterance has a pathemic content: sublime, gracious, dignified, tragic, and so on;
    (e) each utterance has a transcendental dimension, or reference to the fact that there are no utterances without a subject;
8. when an utterance goes beyond its proper musical *Dasein* it always evokes transcendence; any deviation from the commonplace stylistic or the generic represents the voice of a transcendental subject in Chopinian discourse;
9. a work can consist of only one utterance (as do some of the Preludes); larger pieces are series of utterances;
10. sometimes utterances overlap and coincide: our transcendental subject speaks polyphonically, with several voices;
11. Ultimately utterances are organic, 'self-organizing' entities.

For a practical analysis, we take a piece from late Chopin, his *Fantasy in F minor*. Here again, Chopin is playing with the title. 'Fantasy' leads one to expect something rather free, but in fact this piece follows a clearly defined sonata design. So at least the formal outline is not at all like that of a fantasy.

The Introduction is a dirge, 'Polishmen as prisoners in Siberia', as described by Jules Gentil. (1) The f u n e r a l   m a r c h, with its clear-cut, periodic phrases, is a recurring utterance in Chopin, from the *B flat minor Sonata* to such vaguely funereal marches as in the *Nocturne* Op. 48 No. 1 or in the *C minor Prelude*. Chopin followed the principle of never repeating himself exactly, but always invented something new upon repetition. This principle of enunciation is seen in the enunciate here, where it is realized as early as bars 7–8. There the 'response' to the heavy and sinking, unison march motive rises from *F minor* to *A flat major*. At the same time, this response serves as an (2) a f f i r m a t i v e utterance in relation to the foregoing musical 'question'.

Within this funeral march, an interesting (3) c o l o u r f u l   c h a n g e utterance takes place in bar 17, accomplished by the enharmonic transformation of *C flat* into *B*. This highlights Chopin as a synaesthetic, 'colouristic' composer. According to Olivier Messiaen, Chopin writes many modulations whose purpose is not functional but colourful (as in the transitions to B-sections in the Scherzos). The latter half of the funeral march constitutes a special (4) u n d e r s t a t e m e n t utterance. It is like a brief aside that comments on the main phrase, but in a negative or tentative way, like a sentence that starts with 'but' or 'however' or 'although'. Chopin often emphasized the language-likeness of music. This statement by Kleczynski says a lot about this type of utterance: 'The entire theory of style Chopin taught to his pupils was based upon the analogy between music and language, on the necessity to separate different phrases, punctuate and render in a nuanced manner the voice... they were the main principles of musical punctuation and declamation'.[20]

After the funeral march comes a transition (bars 43–67) in which something begins gradually. Such a 'beginning' section could be called an (5) i n c h o a t i v e utterance.[21] These bars show Chopin as a composer of (6) l i n e a r expression, as opposed to strictly periodic Lied- and march-phrases. Essential here is the linear impulse stemming from the polyphonic structures reminiscent of Palestrina.[22] But the linear impetus is abruptly interrupted by the falling, *sforzato* octaves. Only on the repeat does the linear impulse grow so strong as to become the real *passage à l'acte* in this musical narration (Claude Bremond's term).

The main part starts with a motif that unites two ancient toposes: (7) the l e a r n e d s t y l e in the contrapuntal motion and suspended notes between the melody and bass lines, and the (8) S t o r m a n d S t r e s s s t y l e manifesting in the syncopated melody, its agitated expression, and the passionate, upward octave leaps. Compared with this one, the second motif is more 'feminine'—some piano teachers in Paris even say it portrays George Sand! It is an example of a (9) b e l c a n t o utterance in the glimmering upper-register melody, which is phrased and punctuated like that of an Italian soprano singing an operatic aria. The descending movement especially, with its lingering stops, triplets and hemiolas, attempts to restrain and counterbalance the eagerness of the enthusiastic rising gesture. This is a special instance of Chopinian (10) r h y t h m i c o r n a m e n t a t i o n, as one finds in the first movement of the *B minor Sonata* (bars 63–64). But here it also has a centrifugal nature due to the pianistic holds of consecutive, varied intervals in the right hand. There is also a feeling of (11) r u b a t o, which is written into the time values. This is certainly a passage of which Chopin would have said, 'One has to sing with the fingers! '.[23] What Chopin supposedly said to Mathias might elucidate this musical utterance: 'Rubato is a nuance of movement. It has anticipation and delay, unquietness and relaxation, agitation and calmness.... Chopin often demanded that when the left hand rigorously maintained the rhythm, the singing upper part had liberty to alter the time values'.[24]

---

[20] Cited in J.-J. Eigeldinger, *op. cit.*, p. 70.

[21] Along with other types of initiatory processes, Lewis Rowell, in his forthcoming book on musical 'beginnings', discusses this kind of inchoativity as an opening feature of some musical works.

[22] On the energetic properties of 'linear' counterpoint, see Ernst Kurth, *Grundlagen des linearen Kontrapunkt*, Berlin 1922.

[23] Cf. J.-J. Eigeldinger, *op. cit.*, p. 73.

[24] *Ibidem*, p. 78.

The arpeggiated diminished seventh chords in bar 85 are something that Chopin also uses in transitions. It is transition as a marked gesture, and it sometimes appears together with the learned style, as in the *Ballade in F minor*. This passage also exhibits a virtuoso playing figure, one of the rare moments in Chopin where (11) v i r t u o s - i t y is foregrounded as such. This transition leads effortlessly to the passionate, almost Wagnerian (12) c h r o m a t i c a l l y   f a l l i n g   m e l o d y . (Chopin also exploits the power of this 'Wagnerian' figure in other contexts. For example, it can refer to falling asleep or to another state of relaxation, as at the end of the *C sharp Nocturne* Op. 48 No. 2 in bars 119–126, where it evokes Wagner's Wanderer and the chromatically descending sleep motif.) If the first two themes portray 'Chopin' and 'George Sand', the masculine and the feminine, then this chromatically descending melody may show their relationship as a representation of musical desire. This utter-ance means (13) a b a n d o n m e n t   t o   o n e ' s   d e s i r e . Psychoanalytically this would signify a paroxysmal impulse.[25] If the music in bars 93–98 still shows some hesitation, in its movement towards and withdrawal from something, from bar 99 we are thrown headlong into the paroxysmal and manic fulfillment of desire. This culmi-nates in the *fortissimo* diagonal octaves in bars 109,111,113 and 115, where the ex-citement reaches its peak, and the *khora* breaks the chains of the symbolic order. But what follows is the negation of desire in the catatonic stasis of the repeated chords in bars 116–123. However, there is a means of escaping this catatonic state, namely, the strong (14) c a d e n c e   u t t e r a n c e in bars 124–125. (Such a cadence utterance becomes a common device in Chopin's Preludes, which often start in a totally 'disen-gaged' way and at the end require a moment of stabilization.). This leads to the posi-tive transformation of the funeral march into its counterpart, the (15) t r i u m - p h a n t   m a r c h . At the same time, the main theme of this passage is a major-mode version of the syncopated, very actorial main theme from the beginning of the princi-pal section, our 'Chopin' theme. Here, in a Lisztian manner, the hero reveals a new side of himself—certainly *himself*, since there is no doubt about the masculinity of this utterance. The following idiomatic figure (bars 143–147) is one of the *Spiel-figuren* utterances in Chopin, in which the hand assumes its most comfortable position on the keyboard, with long fingers on the black keys and short fingers on the white keys.

The whole exposition is repeated, and then comes the 'slow' movement nested within this one-movement piece. The slow section is a kind of (16) l u l l a b y   u t - t e r a n c e that enharmonically shifts from a flatted to a sharpened key.

The rest of the piece provides no new types of utterances. It is in fact redundant to the point of belying the 'fantastic' aspect announced by the title of the piece (Chopin's romantic irony?). Only in the *adagio sostenuto* of the coda, in bar 321, do we find a (17) r e c i t a t i v o utterance, in which the musical declamation is completely language-based, on the order of the famous recitative passage in Beethoven's 'Storm' *Sonata in D minor*. Here the melodic formation is clearly *logogenic*.

---

[25] See Peter Szondi (*Theorie des modernen Dramas*, Minneapolis 1986) on so-called *Schicksalsanalyse*.

Within this single late piece by Chopin we have found 17 different types of utterance. When we scrutinize other pieces where they recur, a new question arises. Are the utterances articulated strongly enough as to be 'commutable'? That is to day, could we exchange an utterance from one piece for that of another in the same category? For instance, could v i r t u o s o , l u l l a b y , S t o r m   a n d   S t r e s s ,   l i n e a r , f u n e r a l   m a r c h ,   c a d e n c e and so on perform *functions* independent of their musical substances, so that such interchange or substitution among them would be possible? Naturally music is made up not only of functions but also of thematic materials, which are an important part of the coherence of each piece's musical narration. Nevertheless, these utterances are clearly determinable beyond the boundaries of normal musical parameters.

Let us now turn to another late piece by Chopin, the *F minor Ballade*, the beginning of which forms a 'key' to all that follows. This work appears to be more on the side of linear, polyphonic art than are the Lied and march articulated by the *Fantasy in F minor*. Ernst Kurth has neatly clarified the different world-views of these two simple dichotomies. The classical periodic style emphasizes joy of life, mere being in *Dasein* amidst its desires, worries and victories. In contrast, the linear art of the polyphonic masters evokes a world-view that strives for eternity and transcendence, with the Gothic cathedral as its 'Spenglerian' arche-symbol.

The mere title 'Ballade' can be understood as an archaizing gesture, a reference to the world of the past. Permeating this polyphonic texture is the romantic search for the 'blue note' on the repeated G in the soprano and its counterpart in the tenor. At the same time, the unit as a whole resembles a homophonic *bel canto* utterance, in which the melody is supported by bass arpeggiations. Thus, this passage belongs to the category of (18) m i x e d ,   s y n c r e t i c utterances, just as it is also beginning or i n c h o a t i v e .

The main theme, too, is complex. A slow dance in triple meter, it is waltz-like, but not a true waltz (like the main theme of the *G minor Ballade*). It moves in the walking rhythm typical of some dirge toposes, but it is not a pure funeral march. Hints of learned-style utterances can be heard in the suspended notes (in bar 8, the melodic B against the F in the bass). The melody belongs to Leonard Meyer's category of axis types, here moving around the diminished-seventh chord tones of *E*, *B flat* and *D flat*, a chord which resolves to *A flat* at the end. This basic motive thus has the kinetic energy that arises from a search for something. It is unstable as such, and this inner disquietude provides forward momentum. The utterance lasts so long (until bar 37) that it gives the overall impression of a pacing lion imprisoned in a cage.

Then comes a mystical, *pianissimo* transition on the black keys, which is felt as a prophecy of something to come, as soon happens with the entrance of the second, lullaby theme in bar 81. That utterance could be heard as a special u n d e r s t a t e - m e n t , but in the corporeal sense it is like a brief (19) o n e i r i c state, in which the body is completely freed from any desire and the musical subject has sunken into something like a Bergsonian *memoire involontaire*, a state in which all kinds of surprising ideas circulate in one's mind. It is at the same time a remembrance and an anticipation, during which time simply seems to stop, a representation of what Daniel Charles calls 'zero-time'.

The following section starts to ornament the simple melody, while keeping its structure unchanged. Both of the sections, in bars 46–54 and 58–72, represent the type of an (20) u n f o l d i n g   o r   o r g a n i c   g r o w t h utterance. After the second theme comes a lullaby section in triple meter, which also has a tinge of the pastoral. It exhibits typically Chopinian rhythmic ornamentations, such as those in the 'George Sand' theme of the *F minor Fantasy*.

In bar 134, with the metrically free small notes, we encounter a new type of utterance, an imitation of (21) c o l o r a t u r a singing style, here beautifully transformed into a pianistic texture. The origin of this kind of ornamentation is not instrumental, however, but vocal. Bars 135–144 display a polyphonic development, one of those moments in which Chopin employs the German (22) D u r c h f ü h r u n g idea with a reference to the fugue-like, or at least imitative, learned style. We catch only a glimpse of this style, however, for the music soon shifts to a homophonic texture (bar 145).

Bars 152–167 constitute an interesting mixture of (23) l o g o g e n i c ,   b e l c a n t o ,   c o l o r a t u r a and i m p r o v i s e d utterances. In what follows the second actor seems to 'win' the narrative struggle between protagonists. It is glorified by all kinds of congenially pianistic devices, such as the ascending scale passages in the bass (bars 169–171), arpeggiations, hemiola rhythms, and centrifugal and syncopated melodic articulations (bars 175–176). (The same idea occurs in the subordinate section of the *Fantaisie impromptu* and in the *A flat major Etude* Op. 10.) This represents an utterance of (24) s o n g   a m i d s t   t h e   s o u n d .

The essentially vocal impulse of this *Ballade* is overtaken by the instrumental figuration in bars 191–194. Here again the body abandons itself to *Thanatos*, to the paroxysmal and manic desire for destruction. The chords in bars 203–210 do not form a satisfying retreat to a state of calm after this extremely violent activity. They represent the utterance type of c a d e n c e , but their position in the narrative process is not (25) t e r m i n a t i v e . Thus we have the paradox of something that serves as closure but that is not performing as such.

The long coda constitutes what we could call a (26) d e s t r u c t i o n utterance, in which the musical substance dissolves into its smallest atoms. It is thus a kind of symbolic representation of death, as Jankelevitch calls it with regard to Debussy. In corporeal terms, here the body undergoes aggressive, destructive forces. But at the same time, the instrumental utterances are extremely rich and full of new innovations. In narrative terms, neither of the two actorial protagonists survive: not the first theme (axis-melody), with its archaic, polyphonic style, nor the second theme (the pastoral lullaby). They both come apart under this process of total dissolution. Metaphysically, this signifies what we have called the first transcendental act: negation, or the encounter with Nothingness.

The foregoing analysis shows how relatively new types of utterance can be found. Chopin combines them in new ways, thereby creating an aesthetics of ambiguity, which is also one characteristic of his 'romantic irony'. But we should perhaps also look at some less complicated pieces and at other genres. Chopin's Preludes, for example, often consist of only one utterance. Knowing that Chopin often preceded his writing by playing music by other composers, particularly J. S. Bach, one can easily see the Preludes from the *Well-Tempered Clavier* as Chopin's 'legisign' or 'type', for which his own Preludes are 'tokens'. The fact that all the keys are represented in the Preludes strengthens this view. Vladimir Jankélévitch says the following about Chopin's Preludes:

'Le Prélude ne cesse de préluder... Le préambule est devenu la pièce elle-même. La concision, l'improvisation, c'est-à-dire l'état inspiré durant lequel la phrase en travail germe et tatônne et subit d'incessantes retouches.—telles seront les seules règles du Prélude. Cette forme n'a aucune forme'.[26]

Jankélévitch then gives us a list of examples showing how the Preludes are chaotic in their mixing of genres. Numbers 2,4, 9, and 13 are nocturnes; 7 is a mazurka; 23 an impromptu; 20 a funeral march; 10,18 and 24 are scherzos; 1,5, 8,12 and 19 are etudes. Perhaps our analyses of Chopinian utterances can add something new to Jankelevitch's classification.

Prelude 1 is an example *bel canto* singing, played with the thumb of the right hand, of which there are many examples, ranging from the middle section of the *Fantaisie impromptu* to the middle section of the *B minor Scherzo*. The texture is very 'Bachian' in its polyphony, but the overall impression is of a painting on canvas, inasmuch as the layers of texture form a unified (26) s o u n d   f i e l d, which itself forms a pre-sign for subsequent impressionistic devices.

Prelude 2 exemplifies a technique which Jankelevitch calls improvisation, but may be better described as *in medias res*: the idea that the piece starts as if in the middle of the action, without any kind of preparation. In Greimassian terms, it starts with 'disengagement', that is, with something not-here, not-*ego*, not-now. There is no 'inchoative' section, or what Asafiev would call 'initium'; rather, we start in the middle of 'durativity' or 'motus'. At the end such preludes have a strong 'engagement' in the form of a cadence having a simple chord progression that stabilizes closure. A similar narrative program is found in Preludes 4,8, and 11. But some preludes go even without that; for example, Prelude 14 in *E flat minor* has only durativity, without beginning or end. So an utterances could be called (27) d u r a t i o n a l   or d i s e n g a g i n g and the former kinds, (28) t e r m i n a t i v e   o r e n g a g i n g.

Prelude 3 represents a special *Spielfigur* employing the 'jeu perlé' technique, as one finds in the first movement of Bach's *G major Partita* as well as in his Preludes in the *Well-Tempered Clavier*. This is Chopin's 'Forellen' style, which recalls the Rhine Daughters swimming. Preludes 4 and 6 are very *cantabile*, their songs not evoking *bel canto* voices, however, but rather a stringed instrument. Thus they are a kind of (29) i n - t e r t e x t. Prelude 5, with its centrifugal and disengaged texture, has an etude-like quality. Prelude 7 is a 'mazurka oubliée'. Number 8 is an example of the 'singing-thumb' voice in the middle, surrounded by a particular S p i e l f i g u r texture. Prelude 9 illustrates a simple (29) c r e s c e n d o narrative program. Prelude 10 is an ornamented mazurka, in which the embellished figure is more important than the main topic itself. Prelude 11 vaguely evokes the delicate pastoral of Bach's *F sharp major Prelude and Fugue* from Book I of the *Well-Tempered Clavier*. This *Prelude* is an etude for the fourth and fifth fingers of the right hand (like the *Etude in A minor* Op. 10), while at the same time 'balladic' in narrative content.

---

[26]   Vladimir Jankélévitch, *Le nocturne. Fauré, Chopin et la nuit, Satie et le matin*, Paris 1957, p. 90.

Because we are encountering few new types of utterance in the Preludes, let us skip to some more interesting moments. Number 17, towards the end, with the pedal point on A flat, represents the aforementioned case of a pre-sign for impressionist painting. Prelude 18 is a declamatory recitative, stemming from works like the slow movement of Beethoven's *Fourth Piano Concerto* and its dialogue between piano and orchestra—here, of course, in a much accelerated guise. A kind of post-sign for this prelude might be the portrayals of the rich and poor Jews in Musorgsky's *Pictures at an Exhibition*.

Prelude 23, with its 'jeu perlé' techniques, refers to the previous *G major Prelude*, but it has one more utterance, which is very short—only a single note. This is the famous *E flat* at the end, which is not resolved, but allowed to vibrate as a special tone colour— a splendid example of how a colourful utterance can create an entire sound field.

The theme of the last prelude, number 24, has a clear pre-sign—the opening motif of Beethoven's Appassionata Sonata—which almost makes the piece *Musik über Musik*. Here the performer should remember that Chopin always viewed *forte* as a relative dynamic, to be determined by context. If his pupils played too loudly, he would say, 'You play like a German'. The use of a balladic ostinato in the left hand evokes the *F minor Etude* Op. 10 as its *Spielfigur*, but its almost demoniacal dramatic effect approaches that of the Finale of the *B minor Sonata* (notice also that the key is *D minor*, the same as Mozart's *Don Giovanni*). But the ending is very sinister, like that of a saga. In terms of corporeality, a very violent, eruptive body is 'speaking' here.

Some of the preludes prove conclusively that Chopin's narrative programs do not necessarily follow the scheme of an initial problem followed by its solution at the end. Sometimes the narrative program does not move linearly, along the syntagmatic chain of the piece, but vertically, in the dimension of depth. It may proceed from surface to deep structures, as in those short 'improvisatory' and 'disengaged' preludes which at the end find stability in a clear-cut tonal cadence. Or the narrative may run from surface to 'super-structure', that is to say, into the transcendental sphere. These are moments in which corporeality is sublimated into expression (as Adorno used to say about Wagner). As the musical material thins out, the body is transfigured, so to speak, into spirit. This is the case, for instance, in the *F minor Fantasy*. The body also can be transcendentalized to the point of reaching its utmost expression, after which the corporeal process can no longer continue, but something new must emerge from it. This seems to occur in many of the Etudes as well, which by their very title evoke corporeality in the form of pianistic devices, but at the end transcend this kind of materiality. Such a phenomenon happens in some of the Ballades, too, and very clearly in the Sonatas.

For instance, the *Etude* in *A flat major* Op. 25 is an example of *bel canto* singing, in spite of its heavy texture. Essential to the piece is the overall aesthetic quality of *Schönheit und Poesie*, as the Polish master Jan Hoffman used to describe it. In some cases, the *bel canto* singing expression and the tonally stable pastoral field shift to a search for the first minor harmony in a piece, which after a long time spent in the major mode comes to the listener as a surprise, as a melancholic turn to the past. A similar passage is the introduction to the *Andante spianato et grande polonaise*, when the bass turns to *E flat minor* after the long-held *G major* field. The same idea is powerfully used by Wagner in the

Rhinegold, with a similar move from *E flat major* to *C minor*, on the words 'des Goldes Schlaf'. In both cases, something dysphoric is recalled.

Jankelevitch argues that in the Scherzos 'le vol de l'imagination est le plus puissant, le plus audacieux... Les symptomes du scherzo—caprice, verve, ironie sombre, liberté—sont présents dans beaucoup d'oeuvres de Chopin'.[27] The scherzo quality is present almost everywhere in Chopin, and it relates to a special *souplesse* in playing style.[28] Very often it is embodied in cambiata-like figures that are easy to play with a relaxed hand:

Chopin, *Scherzo* No. 1, Op. 20, m. 13–15

It appears in the *C sharp minor Scherzo* in the figure ornamenting the Chorale. (Also, sometimes new utterance types, like the just-mentioned c h o r a l e, emerge in the Scherzos.)

The *B flat minor Scherzo* employs two new types of utterance. It uses the (32) F a u s t i a n   q u e s t i o n as its opening phrase (similar to the device used in the *C sharp minor Scherzo*), which recalls certain Lisztian toposes.[29] The *B flat minor Scherzo* also makes use of the (33) h e r o i c   g e s t u r e, as occurs in bars 544–553. There, after an intense passage, the music dwindles to mere repetition of the same figure. It finally breaks out of such a vicious circle by moving along the circle of fifths, as an heroic solution to the problem. Such moments exhibit a Berliozian aesthetics of the 'imprevu', or unexpected. Take, for instance, the *B minor scherzo*, which opens bombastically, with two chords that are like a sudden outburst or cry (as the Polish symbolist poet Przybyszewski described them). This utterance of (34) p a t h o g e n i c   e x - c l a m a t i o n rarely occurs in Chopin. Another unique type of utterance would be the (35) s y n t a g m a t i c   j u x t a p o s i t i o n   o f   e x t r e m e s, like the 'cry' of those two chords immediately followed by a scherzo-like, ironically playful texture. There is certainly nothing effeminate or even organic in such an aesthetics of contrasts. What Jankelevitch says about the Scherzos is particularly appropriate here: 'Les nerfs sont rudement secoués par cet electro-choc du sombre délire'.[30]

We could continue our inventory until we amass a systematic paradigm of all the utterance types in Chopin. Here we have listed only 35 of them. In some cases, one can hear the toposes of baroque, classical and romantic music looming in the background. Of course, the body is always present in any musical utterance, but in some it is marked, and in others it is un-marked. This means that, in every utterance, we

[27] *Ibidem*, pp. 92–93.
[28] *Ibidem*, p. 30.
[29] M. Grabócz, *op. cit.*, p. 121.
[30] V. Jankélévitch, *op. cit.*, p. 94

encounter a struggle between the socialized, civilized body—the patriarchal order, so to speak—and the freely pulsating, *khoratic* body. In Kristevan terms, this may well represent the distinction between *phenotext* and *genotext* in music. Barthes applied this dichotomy to vocal styles, but here we have used it to describe instrumental music. We could go on to study the musical 'semes' inherent in these types of utterances, which would extend our interpretation beyond the level of musical signifieds. Yet in our analysis of Chopin we have seen how extremely complicated musical messages can be. Thus, however far we extend our analysis, the richness of such messages will always exceed explanation by any one methodology.

STRESZCZENIE

CHOPIN I PODMIOT TRANSCENDENTALNY.
CIAŁO I TRANSCENDENCJA W CHOPINOWSKIEJ ESTETYCE

Ciało oznacza zawsze w romantycznej muzyce związek albo z tańcem, albo z marszem poprzez pewne rytmiczne znaki, albo też ze śpiewaniem ewokującym włoskie bel canto. Ale czy z pewnością jest coś więcej poza tymi formami korporalnych elementów w specyficznej estetyce charakteryzującej się Schillerowską gracją i godnością oraz Heglowską sublimacją? Albo mówiąc innymi słowami, jaka jest mikrosemiotyczna faktura Chopinowskiej muzyki? Czy postępuje ona za zasadą kontynuacji, w której kontrasty wyłaniają się z koniecznych związków i w której muzyka służy, że tak powiem, jako model „duszy świata" (Schelling)?

Obejmujący całość nastrój (Heidegger) muzyki Chopina (który jest wyrażany w wielu literackich intertekstach) zawsze oznacza przesunięcie z muzycznej korporalności do jej transcendencji. Chopinowska atmosfera może być analizowana przez metamodalności na bazie semiotyki Greimasa, niemniej jednak bez forsowania ścisłych norm określonej gramatyki. Należy przeanalizować rozwijanie się muzycznego „dyskursu" u Chopina, rozwój i życie jego tematycznych aktorów w ich szczególnym „Dasein" oraz jak muzyka w tym samym czasie przekracza konkretne stylistyczne granice (rytmiczne indeksy, tematyczno-akompaniujące figury i in.) i staje się modelem lub upozorowaniem egzystencjalnej podróży podmiotu w stronę Drugiego (Levinas).

Die Musik von Fryderyk Chopin in zwei Sichtweisen der zwanziger Jahre des XX. Jahrhunderts: Lucien Bourguès — Alexandre Denéréaz (1921) und Leonid L. Sabaneev (1925–1927)

Michał Bristiger

(Warszawa)

Das eigentliche Ziel dieser Arbeit ist die Restitution von zwei — fast in Vergessenheit geratenen — differenten Ansichten über die Musik von Fryderyk Chopin. Insbesondere geht es darum, die Untersuchungen inhaltlich vorzustellen und zu diskutieren.

Zur Musik von Fryderyk Chopin möchte ich hier zwei Versuche behandeln, die in derselben historischen Periode, d. h. in den zwanziger Jahren unseres Jahrhunderts gemacht wurden.

Der erste Versuch über Chopin ist eine Arbeit von zwei Schweizer Theoretikern, Lucien Bourguès und Alexandre Denéréaz, die in deren Buch: *La musique et la vie intérieure. Essai d'une histoire psychologique de l'art musical.* Lausanne/Paris 1921 (Kapitel „Chopin", S. 431–442 und passim) zu finden ist. Der zweite Versuch ist der Frage nach dem Goldenen Schnitt in den Etüden von Fryderyk Chopin gewidmet, dargelegt in der Studie von L. Sabaneev: *Etjudy Šopena v osveščenii zakona zolotogo sečenija. Opyt pozsitivnogo obosnovanija zakonov formy*[1]. Das Buch der beiden Schweizer Gelehrten ist auch in englischer Sprache zugänglich und zwar in der amerikanischen Dissertation von Gloria Bader Merchant: *A Translation and Critique of «La Musique et la vie intérieure» by Lucien Bourguès and Alexandre Denéréaz. A Psycho-Musico-Aesthetic Study*[2]. Die Arbeit von Sabaneev in Erinnerung zu bringen lohnt sich auch deshalb, weil sie außerhalb Russlands vermutlich unbekannt geblieben ist[3].

Meine Reflexionen betreffen die Rezeption der Musik von Chopin in der oben genannten Periode. Legitim ist es daher zu erwarten, dass in der Zeit der Neuen Musik auch das Interesse für die romantische Musik einen Wandel erlebt und jetzt — neben den traditionellen Aspekten der Analyse und der Interpretation — neue Inhalte auftauchen müssen.

---

[1] „Etüden von Chopin im Lichte des Goldenen Schnittes. Versuch einer positiven Grundlegung der Formprinzipien", *Isskustvo*, Moskva 1925, Nr. 2, S. 132–145 und (T.) III, vyp. II–III, 1927, S. 32–56.

[2] Siehe auch *Dissertation Abstracts* XXII. I, S. 281–282, vol. I, II, III, Ph.D., Musicology, Univ. of Iova, 1962, LC-Mic 61–1931.

[3] So enthält zum Beispiel das Verzeichnis der Werke von L. Sabaneev in dem Buch von Larry Sitsky *Music of the Repressed Russian Avant-Garde, 1900–1929,* Westport, Connecticut-London 1994, Kapitel Leonid L. Sabaneev „Would-be Scientist Becomes Critic", S. 291–302, einen irrtümlichen Vermerk, dass die Studien über Etüden von Chopin und über die Phänomenologie des musikalischen schöpferischen Prozesses möglicherweise nicht veröffentlicht wurden (ib. S. 302).

Die Schwerpunkte von Untersuchungen in der Musik von Fryderyk Chopin ändern sich mit der Zeit. Es entstehen verschiedene Theorien über diese Musik und
bisher unbekannte Aspekte und Betrachtungsweisen kristallisieren sich heraus; sogar
die Perzeption der Musik unterliegt einer Wandlung, weil sie selbst als ein kulturelles
Phänomen angesehen werden darf. Viele musikwissenschaftliche Versuche folgen
natürlich in einer gegebenen Zeit immer den hergebrachten analytischen Mustern,
doch in manchen tauchen neue Werte auf, öfters sogar eine ganz neue Problematik.
Die zwei Positionen, die ich heute besprechen will, gehören chronologisch derselben
Periode an. Sie sind jedoch so verschieden, dass sich immerhin offen die Frage nach
der Polarität ihrer Inhalte stellt und vor allem auch die Frage, in wie weit sie demselben Zeitgeist zuzurechnen wären.

Die Schweizer Theoretiker Lucien Bourguès und Alexandre Denéréaz beschreiben
die Strukturen und Fakturen der Musik, ihre Qualitäten, ihre Expressivität, den sym-
bolischen Gehalt usw. Leonid Sabaneev hingegen erforscht die allgemeine Tektonik
der Werke, die Relationen zwischen den Teilen und dem Ganzen, d. h. die Proportionalität der Kunstwerke.

Die erste Methode gehört — den Autoren zufolge — zu den psychologischen
Forschungen, während die zweite Methode mit Sicherheit als formale Analyse zu
gelten hat. Die eine Methode ist deskriptiv und beansprucht Einfühlung, die andere
— als Feinmessung der Musik — ist den Methoden der mathematischen Poetik verpflichtet. Somit scheinen beide Theorien, die von L. Bourguès und A. Denéréaz und
die von L. Sabaneev — sehr entfernt voneinander zu liegen, ja sogar eine gegensätzliche Stellung einzunehmen; auf der anderen Seite sind jedoch beide Theorien freilich
wie Elemente ein und derselben Geisteswelt, sie sind zwei verschiedene Formen der
Rezeptionsgeschichte derselben Musik in derselben historischen Periode. Damit
entsteht eine besondere Problematik, die erwähnenswert ist.

II. Nicht ohne Grund weist der Titel des Werkes von L. Bourguès und
A. Denéréaz auf die Verbindung der Musik mit dem Seelenleben hin. Sogar die ganze
Geschichte der Musik wird von ihnen vom Standpunkt einer psychologischen Geschichte aus betrachtet. Und nicht mehr als eine positivistische Psychologie. „La vie
intérieure" als Gegenstand der Forschung ist eher mit den „Lebensformen" von Eduard Spranger und dessen geisteswissenschaftlicher Psychologie der Persönlichkeit
verwandt. Es handelt sich nicht mehr um eine reine Sachforschung, vielmehr um eine
Beschauerforschung. E. Spranger sagt nämlich: „Nur aus der ästhetisch erlebenden
Seele werden Kunstwerke geboren"[4].

Es werden zwar immer die charakteristischen Qualitäten des Musikwerkes beschrieben, aber es entsteht auch noch die Frage nach der musikalischen Form, in unserem Falle — der Form bei Chopin. Jedoch wird hier bei Chopin nicht die Gesamt-
form als eine besondere Frage behandelt. Dies könnte vielleicht ein Mangel des
Buches sein, aber zur Verteidigung möchte ich in diesem Zusammenhang noch einmal
an Eduard Spranger anknüpfen und ihn zitieren:

---

[4] Eduard Spranger, *Lebensformen. Geisteswissenschaftliche Psychologie und Ethik der Persönlichkeit*, 7. Auflage, Halle
(Saale) 1930, S. 166.

> „[Der naive ästhetische Genießer] lebt gleichsam in den ästhetischen Objekten, er erlebt
> zugleich sie und sich. Und wenn er in diesem Zustand eine freie, allseitige und eigen-
> tümliche seelische Bewegung fühlt, so erlebt er Form.[5]"

Ein Kapitel des Buches von L. Bourguès und A. Denéréaz ist Chopin gewidmet. Selbstverständlich betreffen manche allgemeine Thesen zum Romantismus in der Musik, die wir im Text finden, Chopin auch direkt. Doch bevor ich jene Ideen aufzeige, die die Beschreibungen der Musik von Chopin leiten, möchte ich, dass wir uns einige grundlegende Thesen der ganzen Theorie ins Gedächtnis rufen.

Diese Theorie basiert auf der Feststellung, dass die Emotionen durch die musikalische Klanglichkeit enthüllt werden. Es gibt in der Musik eine spezifische „*dynamogenie*", also eine Freisetzung der Kraft; der dynamogene Rhythmus soll seinerseits als eine gewisse Folge von „*dynamogenies*" verstanden werden. Infolgedessen müssen in dieser Theorie vorzugsweise die sensuellen Aspekte des musikalischen Phänomens wesentlich sein: die musikalische *Cénesthésie* und die musikalische *Kinesthésie*. Alle beide üben immer eine grundlegende Wirkung auf unser Bewusstsein aus. Und bei Chopin haben wir es mit einer ganz besonderen, nämlich mit einer exemplarischen phonästhetischen Aufregung zu tun, fundamental. Sie wird als *luxe sonore*, als Glanz (poln. blask) bezeichnet. Und die Emanzipation von den tonalen Schemen wird hier psychologisch zur *rêverie esthétique*, zu einer ästhetischen Schwärmerei.

Auch von einem musikalischen Gestus ist die Rede, zum Beispiel vom romantischen Gestus. Wissenswert ist, dass dieser Begriff mit der Theorie von G. Becking, die aus derselben Periode stammt, geistesverwandt zu sein scheint. „La musique est une mimique sonore, extremement complexe et exacte, des emotions", sagen die Autoren[6].

Ganz allgemein lässt sich feststellen: mit dieser Theorie befinden wir uns in der Sphäre einer dynamogenen Sinnlichkeit; die Musik wird als eine dynamogene, motorische und affektive Erscheinung erfasst.

Folglich werden drei differente Rhythmen unterschieden und für Chopin bedeutet dies — in Hinsicht auf *Marche funèbre* — Folgendes:

- im dynamogenen Rhythmus sind die *dynamogenies* stark und langsam;
- für den motorischen Rhythmus sind die extremen, langsamen Spannungen mit nachfolgenden tiefen Entspannungen charakteristisch;
- nach den sich sehr langsam bauenden Spannungen folgen tiefe Depressionen — eine *tristesse tragique*[7].

(Wir erinnern uns an die spezifische westliche Rezeption der Musik von Chopin, die häufig mit dem Wort „Wehmut", „tormento", poln. „żal", benannt wurde.) Wir wollen uns nun eine dynamogenische Kurve von Chopin ansehen und zwar die des *Nocturnes* Nr. 13 c-Moll (siehe Beispiel Nr. 1).

Wir haben hier eine intuitiv abgebildete Kurve mit zwei Gipfeln, die graphisch den Distanzen oder der Proportion von ungefähr 5,9,17 entsprechen. Der zweite Gipfel korrespondiert in etwa mit dem Goldenen Schnitt, also der Proportion von 48 zu 77

---

[5] *Ibidem*, S. 165–166.
[6] Cf. S. 32.
[7] Cf. S. 24.

Beispiel Nr. 1: Dynamogenische Kurve a)Chopin: *Nocturne* Nr. 13 c-Moll, b)Wagner: *Tristan und Isolde*, Einleitung L. Bourguès — A. Denéréaz, op, cit., zwischen S. 368 und S. 369

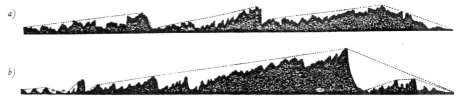

Takten (er sollte auf den 47 Takt fallen). Der kleinere Teil wiederum wird geteilt (es ist eine Unterteilung zweiten Ranges) und diesmal auf symmetrische Weise: 24+24.

Nun müssen wir dazu die acht fundamentalen Begriffe des individuellen Stils von Chopin anpassen, wie sie von unseren Autoren definiert wurden. Sie heißen:
— Kontinuität
— Pendelbewegung
— Propulsionskraft
— *Plané*, d. h. „rutschende Bewegung"
— affektive Mannigfaltigkeit
— luftige Harmonie (*aeriennete*)
— *chatoyance*, d. h. Glanz (poln. blask), Schimmern (poln. u. a. lśnienie, iskrzenie). Die Verfasser sprechen bei dieser Musik auch von *luxe sonore*.
— Pentaphonische Vibration (die vielleicht von uns als eine Kategorie der Resonanzharmonie zu verstehen wäre).

Ich vermute, dass niemals vorher die Musik von Chopin auf eine solche Weise beschrieben wurde. Es sind die Kategorien der musikalischen Bewegung und ihrer Dynamik, die Kategorien der Faktur. Sie zeigen auch die Erkenntnis des Emotionalitätstypus der beschriebenen Musik. Diese Theorie befindet sich schon an der Grenze der positivistischen Erklärung der Musik und zwar dank der expressis verbis ausgesprochenen „psychischen Kräfte", die hier anerkannt werden.

Auf der anderen Seite, das heißt auf dem klaren antipositivistischen Felde, liegt schon Ernst Kurths Theorie, die mächtigste der ganzen Epoche.

III. Leonid L. Sabaneev[8] zählt sein Studium von 1925 über den Goldenen Schnitt — wie sein Untertitel bezeugt — zur positiven Grundlegung der Gesetze der musikalischen Form. Die Absicht, eine positive Musikwissenschaft zu instaurieren, sieht man auch in manchen seiner anderen Schriften. Es handelt sich bestimmt um eine rigorose Wissenschaft und die mathematische Betrachtung des Musikwerkes gab dazu gute Garantien, darunter die Erforschung des Goldenen Schnittes[9].

---

[8] L. L. Sabaneev (Moskau 1881–Antibes 1968), russischer Komponist, Musikwissenschaftler und Musikkritiker. Aus Russland emigrierte er 1926 und der zweite Teil seiner hier besprochenen Etüden von Chopin ist „in der Abwesenheit vom Verfasser" von M. I. Medvedeva und E. K. Rozenov herausgegeben worden. Nach der Emigration lebte Sabaneev in Frankreich, in Großbritannien und in den Vereinigten Staaten von Amerika. Für die biographischen Daten und für die Charakteristik seiner Werke und Schriften siehe u. a. L. Sitsky, *op. cit.*

[9] Ihr vorangegangen sind die Arbeiten von Emilij K. Rozenov: *O primenenii zakona „zolotogo delenija" v muzyke. Estetičeskie issledovanie*, Sankt Petersburg 1904, (= Izvestija SPb. Obščestva muzykal'nych sobranij, vyp.

Beispiel Nr. 2: [a]–[f], L. Bourguès — A. Denéréaz, op. cit.: [a] Ex. 697, [b] Ex. 702, [c] Ex. 706, [d] Ex. 715 und Ex. S. 439, [e] Ex. 720.

Ijun' — ijuil' — avgust 1904, S. 1–19). „Projavlenije zakona zolotogo sečenija v muzyke i poezii" (Handschrift von 1920, zitiert von Sabaneev); *Primenenie zakona zolotogo sečenija v poezii i v muzyke*, Trudy Gosud. Inst. Muzyk. Nauki po fizjol-psychol. Sekcii, vyp. I, Moskva 1925 (Sbornik rabot Komissii po muzykalnoj akustike).

Solch eine Einstellung des Forschers stellt uns vor einige Probleme, die nicht zu entbehren sind:
— Was bedeutet es, dass die Grundlegung des Gesetzes der Form als „positiv" erklärt wurde?
— Ist der Goldene Schnitt ein Gesetz oder eher eine interkulturelle Norm?
— Was bedeutet die Positivität der Betrachtung?
— Erweitert dieses Studium unser wahres Verstehen der Etüden von Chopin?
— Sind die Resultate dieses Versuches — so wie sie definiert worden sind — überhaupt falsifizierbar (im Sinne von Popper) ?
— Wurde etwa schon irgendwann einmal — früher oder später — die Errechnung des Goldenen Schnittes falsifiziert?

Diese Forschung ist bestimmt eine Nachwirkung der positiven Wissenschaft einer positivistischen Epoche.

G. Th. Fechner fand in der Idee über die ästhetische Bedeutung des Goldenen Schnittes von Adolf Zeising, ein ästhetisches Grundverhältnis (das auch die musikalische Harmonie umfassen müsste), einen Stimulus für die experimentell-ästhetischen Untersuchungen, die an den elementaren Verhältnissen der wohlgefälligen Formen durchgeführt wurden. Zwischen den Nachwirkungen Fechners finden wir aber schon eine Trennung und zwar zwischen der psychologischen Analyse des ästhetischen Verhaltens einerseits und der Analyse der künstlerisch-schaffenden Tätigkeit andererseits[10].

Und bei Sabaneev enthüllt sich nun die positive Grundlegung der Gesetze als die Untersuchungen, die diesem zweiten Zweig der Wissenschaft zuzuschreiben sind. Sie gehören nicht mehr zur subjektiven und psychologischen, sondern zu einer objektiven und nichtpsychologischen Ästhetik[11]. Um noch genauer zu sein: zu einer mathematischen Poetik.

Eine ganz besondere Frage ist mit dem Problem der Normativität dieser Poetik verbunden. Sabaneev lässt die Normativität auch dort zu, wo sie sich auf unbewusste Weise verwirklicht. Und eben das ist der Fall der Proportionalität der Perzeption. Solch eine Normativität bleibt eine organische Eigenschaft jeder künstlerischen Kreativität und somit ist sie mit der rhythmischen Organisation des Kunstwerkes verbunden.

Die vorgeschlagene Methode ist selbstverständlich rigoros, doch wir müssen damit rechnen, dass Exaktheit keinesfalls nur die mathematische Poetik zeichnet. Sie bleibt auch eine Forderung der anderen Methoden.

Die Proportionalität des Werkes ist ein Maß für dessen höchste Ordnung, die als eine Bedingung für die Schönheit des Werkes angesehen wird. Diese Annahme folgt der platonischen Philosophie. Wir finden sie auch bei Baudelaire: „*La, tout n'est qu'un ordre et beauté, luxe, calme et volupté*". (Diese Phrase lesen wir in seiner *Invitation au Voyage*.) Und Albert Thibaudet kennzeichnete in seiner *Physiologie der Kritik* eine bizarre Situation des Schönen, indem er ausführt: „Das Schöne bewirkt unpräzise Zustände, wird jedoch mit präzisen Mitteln erzielt.[12]"

---

[10] Cf. Ernst Meumann, *Einführung in die Ästhetik der Gegenwart*, dritte Auflage, Leipzig 1919, S. 24.

[11] *Ibidem*, S. 35.

[12] Zit. nach Salomon Marcus, *Mathematische Poetik*, Bucureşti-Frankfurt/Main 1973, S. 35.

Die neuzeitliche Lehre über die Proportionen ist in der Musiktheorie relativ spät entstanden. In der neueren Formenlehre erscheint sie zuerst als ein Begriff der Symmetrie im Rahmen der musikalischen Form, später — sehr allgemein erfasst — schon als „Proportion". Für unser Thema hat Hans Mersmann grundlegende Bedeutung. In seiner *Angewandten Musikästhetik* aus dem Jahre 1926 (also parallel zum Studium von Sabaneev) kennt er die Umwandlung des Prinzips des symmetrischen Verlaufs in das proportionale Prinzip. Von mehreren Typen der Formgebung handelt es sich nun um einen Typ (und zwar neben dem symmetrisch gebundenen, um den asymmetrischen und symmetrisch freien). Hierbei muss unterstrichen werden, dass es sich um Prinzipien handelt und nicht um Gesetze der Formgebung. Bei Mersmann finden wir die „Symmetrie", der „Goldene Schnitt" erscheint jedoch nicht.

Und nun komme ich zum Goldenen Schnitt bei Sabaneev und zum Kern des Problems. Dem Goldenen Schnitt entsprechen viele mathematische Formeln, u. a. die Zahl phi: 0,618 (mit einer Genauigkeit von 0,001) oder die Proportion: $0,382 : 0,618 = 0,618 : 1$.

Der Goldene Schnitt gehört zu vier Formen der Proportionen[13]. Wir haben noch die Symmetrie, die mittelarithmetische Teilung und die Fibonacci Serie (mit ihrer progressiven Annäherung an die Zahl phi). Für die Etüden von Chopin ist gewiss — neben dem Goldenen Schnitt — immer auch die Symmetrie in Betracht zu ziehen. Manche neueren Arbeiten, u. a. die von E. Lendvai, die den Werken von Bartók gewidmet sind, und die Arbeiten von R. Howat, die auf die Musik von Debussy Bezug nehmen, liefern viele Anregungen in diese Richtung.

Die Studien des Goldenen Schnittes von Sabaneev wurden sehr breit angelegt. Ansehenswert wären folgende Feststellungen:

Das Material der Forschung für das gesamte Studium liefern alle 27 Etüden. Diese Gattung ist für das Studium des Goldenen Schnittes besonders geeignet, weil die Etüden von Chopin immer als Kompositionen mit einem remarkablen Ebenmaß (strojnost't) perzipiert worden sind. Man könnte noch beifügen, dass die sehr starke Homogenität der Faktur ganz bestimmt die Definierung des Goldenen Schnittes in diesen Musikwerken erleichtert.

Bei den 27 Etüden ergab die Forschung, dass 24 von ihnen, also 89%, mit mindestens einem Goldenen Schnitt vorkamen (und allein für die Melodie 178). Die zulässige Abweichung des ästhetischen Moments vom theoretisch vorgesehenen Punkt betrug nur 0,02.

Aber Sabaneev erforschte noch mehr: von 100 Musikwerken Chopins haben — Sabaneev nach — etwa 92 Werke, also 92%, mindestens einen Goldenen Schnitt aufgewiesen (bei einer Gesamtzahl von 410 Goldenen Schnitten).

Insgesamt hatte der Autor etwa 2.000 Kompositionen, die aus dem 18.,19. und 20. Jahrhundert stammten, auf den Goldenen Schnitt erforscht. Die höchste Prozentzahl wiesen dabei die Kompositionen von Haydn und Beethoven auf (97%), die von Tartini und Arenskij (95%) und dann kamen Schubert, Mozart und Chopin mit 91%.

---

[13] Cf. Michail Marutaev, „Priblizitel'naja simmetrija v muzyke", in: *Problemy muzykal'noj nauki, Sbornik statej*, Vypusk četvertyj, Moskva 1979, S. 306–343.

Es ist erkennbar, dass wir es hier mit sehr hohen Zahlen zu tun haben. Folglich sprechen sie auch für die Grundthese der Arbeit von Sabaneev. Fast alle Etüden von Chopin haben also einen oder mehrere Goldene Schnitte. Was für eine Bedeutung hat
diese Tatsache?

Zuerst müssen wir feststellen, dass es mehrere Niveaus des Goldenen Schnittes
geben kann und zwar die Unterteilung der ganzen Komposition in einen größeren
und einen kleineren Teil (mit der sogenannten positiven oder negativen Folge, d. h.
wenn der größere Teil zuerst kommt und ihm der kleinere folgt oder umgekehrt).

Und jeder von diesen Teilen kann auch seinerseits den nächsten positiven oder
negativen Goldenen Schnitt aufweisen (das zweite Niveau) und so weiter. Ziehen wir
auch noch die Möglichkeit nicht nur der asymmetrischen (wie oben), sondern diesmal
auch der symmetrischen Unterteilung in Betracht, und das auf jedem Niveau, so werden wir die enorm große Kraft des proportionalen Prinzips erfassen können.

Folglich lautet die These bei Sabaneev: der Goldene Schnitt ist eine Norm, er ist
Gesetz. Seine Normativität ist ein allgemeines rhythmisches Prinzip, ein allgemeines
Gesetz des rhythmischen Gleichgewichts. Der Goldene Schnitt ist unbewusst. (Die
Normativität einer Erscheinung wird — dem Autor nach — durch deren Frequenz
bestätigt. Infolgedessen müssen wir für eine Gruppe der Kompositionen die Frequenz
einer Erscheinung untersuchen.)

Und nun die Frage: Warum ist denn eigentlich der Goldene Schnitt so wichtig?
Und die Antwort lautet: Weil er während der Unterteilung einer Distanz — bei der
maximalen Zahl der Abschnitte — die minimale Zahl der Relationen garantiert.

Wenn die Unterteilung zum Beispiel 3 Abschnitte ergibt, dann existieren unter
ihnen 6 Relationen, doch mit dem anwesenden Goldenen Schnitt werden die Relationen auf vier reduziert und ihr „ökonomisierender Koeffizient" beträgt 150%;
–   bei 6 Abschnitten sind es 30 Relationen, die auf 7 reduziert werden, was einen
    Koeffizienten von 287% ergibt;
–   bei 45 Abschnitten sind es 1.400 Relationen, reduziert auf 13, mit dem
    Koeffizienten 1.138% usw.
Die Kraft des Gesetzes wird hier evident. Und je mehr musikalische Abschnitte, desto
besser wird das Ganze perzipiert.

Wie deckt sich (oder deckt sich nicht) die tektonische Artikulation der Form bzw.
des musikalischen Verlaufs mit dem Goldenen Schnitt?

Um von der tektonischen Artikulation der Form zu sprechen, müssen wir imstan-
de sein, relevante Punkte der musikalischen Form festzustellen. Jene ästhetisch rele-
vanten Punkte (die sogenannten Gipfelpunkte, *vechy*) sind folgende:
–   die Grenze der formalen Struktur
–   die Wiederkehr der analogischen Gestalten
–   die Grenzen der Konstruktion (z. B. Anfang und Ende der Phrasen)
–   die dynamischen Kulminationspunkte (oder die Kulminationspunkte der Intonati-
    onen)
–   die maximale Steigerung oder die maximale Spannungsmilderung
–   die neue Modalität, auch der Anfang der Modulation
–   usw.

Sabaneev macht uns ausführlich mit den Methoden seiner Untersuchung vertraut, die Problematik kann an dieser Stelle jedoch nur angedeutet werden.

Die wichtigsten Probleme sind mit der Temporalität der Musik verbunden. Die ganze Vorgeschichte der Theorie des Goldenen Schnittes entwickelte sich auf dem Grund der visuellen Künste. Mit der musikalischen Problematik des Goldenen Schnittes haben auch G. Th. Fechner und A. Zeising begonnen und es scheint so, als ob Sabaneev, nach Dezennien, den ersten großen musikwissenschaftlichen Versuch in dieselbe Richtung gemacht hätte (nur teilweise wurde von E. K. Rozenov vorgegriffen).

Wie aber wurde gemessen und was ist gemessen worden? Dies sind Grundsatzfragen und von deren Beantwortung hängen zweifellos die Resultate der Methode und folglich auch der Wert der eigentlichen Theorie ab.

Gezählt werden die temporalen Prozesse nicht in Takten, sondern in Zähleinheiten (in metrischen Einheiten). Demnach bekommen wir zum Beispiel vier Einheiten für den als C bezeichneten Takt. Es werden auch Fermaten und die finalen Pausen gezählt. Merkwürdigerweise werden auch die initialen Pausen (die vor dem Anfang der eigentlichen, notierten Komposition aufkommen) notfalls vorausgesehen. In den sogenannten Gipfeln kommen vier verschiedene Ereignisse in Frage (sie sind für den Goldenen Schnitt von grundlegender Bedeutung):

— das dynamische Zentrum
— das Intonationszentrum
— das tonale Ereignis
— die formal-strukturelle Grenze.

Bis jetzt haben wir von der metrischen Zeit gesprochen. Doch die temporalen Prozesse in der Musik haben noch eine andere Charakteristik: das Tempo, das sich selbstverständlich ändern kann und das natürlich Einfluss auf die Proportionalität des Werkes ausübt. Die Abschnitte werden gekürzt oder verlängert und das geschieht weder in der chronometrischen Zeit (der Uhr) noch in der metrischen Zeit, sondern in der „ideellen Zeit". Es ist so, weil der Komponist die ästhetischen Gipfel in der ideellen Zeit der Komposition erschafft. Und die Gipfel werden eben in dieser Zeit oft verschoben.

Der Begriff der „ideellen Zeit" ist frappant. Wir finden hier einen hypothetischen Einfluss der russischen Phänomenologie in jener Periode (z. B. die Geistesverwandtschaft mit A. F. Losev und mit seiner Lehre vom Eidos[14]). Damit eröffnen sich wieder ganz neue Fragen. Wir kennen doch Igor Strawinskys Begriffe der ontologischen und der psychologischen Zeit. Sie stammen von P. Souvtschinsky[15], der noch in den ersten der zwanziger Jahre in Russland tätig war, bis zu seiner Ausreise nach Frankreich.

---

[14] Cf. Michał Bristiger, „La questione principale della filosofia dela musica secondo Aleksej F. Losev (1898–1988)", in: *Il pensiero musicale degli anni venti e trenta. Atti del Convegno*, Arcavacata di Rende 1–4 aprile 1993, a cura di Michał Bristiger, Nadia Capogreco, Giorgio Reda, Università degli Studi della Calabria, Centro Editoriale e Librario 1996,259–272. Die dort angegebene Bibliographie ist unbedingt mit dem folgenden Buch von A. F. Losev zu ergänzen: *Bytie, imja, kosmos*, Moskva 1993.

[15] Cf. Pierre Souvtschinsky, „La notion du temps et la musique", *La Revue Musicale* Nr. 191 (mai-juin 1939), S. 70–80.

Unsere Hypothese verweist also auf die russische phänomenologische Denkart aus diesen zwanziger Jahren, die die Problematik der musikalischen Zeit betrifft. Sie ermöglicht es uns, die Ideen von Souvtschinsky und Strawinsky besser zu begreifen.

Selbstverständlich soll man quantitative Methoden der Ermessung des Goldenen Schnittes und alle qualitativen Momente der reellen musikalischen Prozesse unterscheiden (mit ihrer Dynamik, Agogik, Expressivität usw.), die nach qualitativen Methoden verlangen. Wir haben schon gesehen, welche qualitativen Momente von Sabaneev berücksichtigt wurden. Sollte aber die Problematik des Goldenen Schnittes bei Chopin als (zu) abstrakt erscheinen, so wollen wir an den Satz von Susanne K. Langer erinnern: „... art is essentially qualitative and at the same time abstract.[16]"

Das ganze Problem der Proportionalität des Werkes führt uns ins Weite. Und eben deswegen ist die Theorie von Sabaneev interessant; sie ist keinesfalls eine rechnerische Übung. Das gute Ebenmaß des Kunstwerkes wird in dieser Theorie als Ursache seiner Schönheit begriffen. Diese These gilt für Chopin und sie gilt exemplarisch für seine Etüden. Und der Goldene Schnitt ist die mächtigste Garantie dieses Maßes (*strojnost't*), so sagt es uns Sabaneev. Anders gesagt: *ordre et beauté*. Wir sind zu Baudelaire zurückgekehrt.

IV. Ich möchte an dieser Stelle eine Rezeptionsfrage der Musik von Chopin berühren und einen komparatistischen Aspekt zwischen unseren beiden Theorien in Erwägung ziehen.

Alle Doktrinen einer ehemaligen Kunst und in einer gegebenen Periode machen doch zusammen eine Phase der Rezeptionsgeschichte dieser Kunst aus. Auf welche Art und Weise stellt man die Doktrinen aus derselben Zeit vor? Sie können synchronistisch zusammengestellt oder diachronistisch aufgezeigt werden, wie sie in derselben Zeit zueinander stehen oder wie die Phasen einer und derselben Doktrin diachronistisch aufeinander folgen. Die Doktrinen dauern fort, wandeln und ändern sich, stehen unter verschiedenen Einflüssen, sie sterben auch aus und es entstehen neue Theorien, die ihrerseits auf das ältere, doch immer fortdauernde Denken einen gewissen Einfluss ausüben. Wenn die verschiedenen Theorien in einer bestimmten Periode gleichzeitig wirken, dann laufen sie parallel oder sie konvergieren bzw. divergieren. Es entsteht also die Möglichkeit, sich für eine bestimmte Periode — ich meine die zwanziger Jahre des XX. Jahrhunderts — eine gewisse topographische Vorstellung der existierenden musikalischen Theorien zu schaffen. Das möge auch mit den zwei genannten Theorien der Musik von Chopin geschehen.

Ich habe für dieses Problem das Modell der „temporalen Strukturen" von M. Ch. Morazé verwendet, damit wir uns hineindenken können in diese historische Prozesse[17].

Von den beiden Theorien wurzelt eine in der Psychologie der Seele (ich will hier u. a. an Eduard Spranger erinnern) und die andere in der psychologischen und positivistischen Ästhetik von Gustav Fechner. Es ist klar, dass diese Theorien — mit ihrer ganz verschiedenen Thematik — in einer sehr großen Distanz zueinander stehen. Die

---

[16] Cf. Suzanne K. Langer, „Abstraction in Science and Abstraction in Art", *Problems of Art. Ten Philosophical Lectures*, New York 1957, S. 180.

[17] Charles Morazé, „Structures temporelles", in: *Sens et usages du terme structure dans les sciences humaines et sociales*, Edité par Roger Bastide, Gravenhage 1962, S. 120–123.

Beispiel Nr. 3: Diagramm von M. Ch. Morazé, *op. cit.*, S. 122

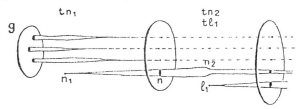

erste Theorie betrachtet die sinnliche, qualitative und subjektive Seite, während die zweite der formalen, in starkem Ausmaße quantitativen, objektiven Seite der musikalischen Struktur gewidmet ist.

Doch mit der hermeneutischen Beschreibung von L. Bourguès und A. Denéréaz wird schon die nächste Phase der Psychologie angekündigt. Und mit der mathematischen, aber gleichzeitig schon qualitativen Poetik des Aufbaus von Musikwerken, die der russischen Phase der phänomenologischen Ästhetik entspricht, scheinen sich diese gegenübergestellten Positionen anzunähern. Sie stellen, dank der Breite der damaligen phänomenologischen Bewegung, die als solche verschiedene Formen duldet, keine ausgesprochene Antithese mehr dar. Und eben dieses Phänomen der Annäherung ihrer Inhalte gehört zur Geistesgeschichte der zwanziger Jahre des XX. Jahrhunderts.

Anhang I

Tabelle I: Goldener Schnitt; Fibonacci Folge.

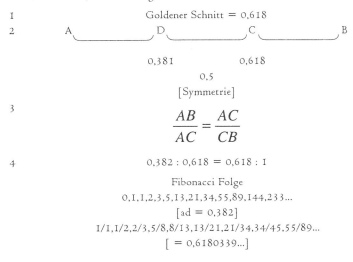

1   Goldener Schnitt = 0,618

2

0,381   0,618

0,5

[Symmetrie]

3

$$\frac{AB}{AC} = \frac{AC}{CB}$$

4   0,382 : 0,618 = 0,618 : 1

Fibonacci Folge

0,1,1,2,3,5,13,21,34,55,89,144,233...

[ad = 0,382]

1/1,1/2,2/3,5/8,8/13,13/21,21/34,34/45,55/89...

[= 0,6180339...]

Angang 2:

Tabelle II: Chopin: Etüde op. 10 Nr. 1 C-Dur, nach L. Sabaneev, op. cit., Teil II (1927), S. 43

Etude op. 10 Nr. 1 C-dur

Zahl der metrischen Einheiten	318
	[Fermate = +2]
Typus der Teilung	BA
	[entspricht unserem „C"]
Theoretische Zahl	0,618
Reale Grösse	0,609
Theoretische Grösse	196,524 Einheiten
Reale Grösse	193
Differenz	3,524
Typus des ästhetischen Ereignis	formal-strukturelles
[dynamisches;	
od. „intonationsartiges";	
od. tonales;	
od. formal-strukturelles Ereignis]	

Anhang 3:

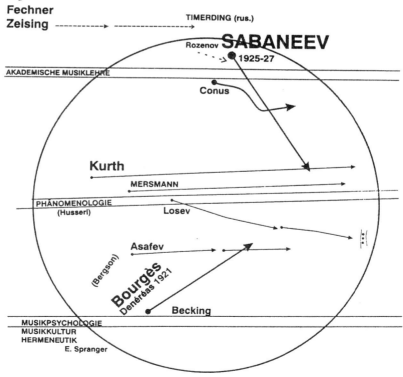

Streszczenie

Muzyka Fryderyka Chopina w dwóch ujęciach z lat 20. XX wieku:
Lucien Bourguesa — Alexendre Dénéréaza (1921) oraz Leonida L. Sabaniejewa (1925–1927)

Studium poświęcone jest dwom pracom z zakresu chopinologii, jakie się ukazały w tym samym okresie, tj. w latach dwudziestych XX wieku. Oba studia popadły w zapomnienie, pierwsze z nich — we względne, drugie — w całkowite, a że są w swoim rodzaju wybitne, warto je przywrócić świadomości współczesnej muzykologii. Niezależnie od ich rangi i wartości poznawczej, stanowią zarazem cenny materiał dla badań nad recepcją Chopina i sposobów przedstawiania i wartościowania jego muzyki we wspomnianym wyżej okresie.

Studium o stylu muzyki Chopina stanowi jeden z rozdziałów książki dwóch muzykologów szwajcarskich — Lucien Bourges'a i Alexandre Dénéréaza *La vie interieure. Essai d'une histoire psychologique de l'art musical*, wydanej w Lozannie i w Paryżu w 1921 r. Już sam tytuł wskazuje na psychologiczną analizę stylu, ale jej subtelnie opisane kategorie mieszczą się w wielkiej mierze w fenomenologicznym rodzaju opisu muzyki (ciągłość, ruch wahadłowy, siła propulsyjna, *plané* (ruch ślizgowy), różnorodność afektywna, harmonia „powietrzna" (*aierienneté*), blask (*chatoyance, Schimmern, Luxe sonore*), wibracja pentafoniczna. W studium ukazane zostały również podstawowe kategorie teoretyczne, założone dla opisu i leżące u podstaw jego kategorii.

Rozprawa Leonida Sabaniejewa pochodzi z 1925 r. i wydana została w 1925–1927 r. jako *Etiudy Chopina w oświetleniu prawa złotego podziału. Doświadczenie pozytywnego uzasadnienia praw formy*. Studium to zostało w następnych dziesięcioleciach całkowicie przemilczane w Rosji i do tego stopnia pozostało nieznane w krajach zachodnich, że ostatnio nawet poddano w wątpliwość jego istnienie. L. Sabaniejew ustalił przejawienie się prawa złotego podziału w większości etiud Chopina, opracowując własną metodę badawczą, która może też samoistnie stanowić przedmiot zainteresowania muzykologii teoretycznej. Oba studia reprezentują dwa całkowicie odmienne przedmioty badań i dwie różne metodologie badawcze. Niemniej oba należą do tego samego okresu recepcji dzieł Chopina i sposobu ich rozumienia. To właśnie je łączy, zatem mogą stanowić razem przedmiot badań muzykologicznych. Ten aspekt badawczy zostaje pogłębiony przez zastosowanie modelu „struktur czasowych" M. Ch. Morazégo, który zakłada badanie struktury elementów określonego okresu i wzajemnych relacji między nimi. Elementy mają z kolei swoje genezy i swoje ciągi dalsze. W danym przypadku chodzi o strukturę „chopinowskiej myśli muzycznej" w latach dwudziestych XX wieku. Przekrój strukturalny w jakimś określonym okresie można przedstawić za Morazém graficznie. Takie przekroje można tworzyć również dla innych okresów, a kiedy zostają ze sobą porównane, powstają badania porównawcze. Przedstawiając oba studia razem i umieszczając je w strukturach czasowych chopinologii, wysuwamy tym samym pewną ogólniejszą propozycję metodologiczną, a mianowicie muzykologii porównawczej.

POLNISCHE VOLKS- UND POPULÄRE MUSIK UND DAS SCHAFFEN VON FRYDERYK CHOPIN. GIBT ES EINE LÖSUNGSMÖGLICHKEIT FÜR DAS ALTE PROBLEM?

Jan Stęszewski
(POZNAŃ, WARSZAWA)

Fryderyk Chopins Schaffen wird von einem „Eigenton" charakterisiert, der ihn von den Werken anderer Komponisten seiner Zeit unterscheidet. Unter den Gründen, die man in diesem Kontext gern angibt, angefangen mit der Zeit als Chopin noch lebte, gibt es auch Muster, die der Tradition des polnischen Volkslieds und der Volks- und damaligen populären (volkstümlichen) Musik entnommen wurden[1].

Für diese Annahme spricht das aus der Biographie des Komponisten hervorgehende Ausgangsargument, dass Chopin in Polen lebte, sich in Dörfern und auch anderen Umgebungen in diversen Regionen Polens aufhielt, wo er direkt *in situ* mit lokalen Gesangs- und Musiktraditionen in Berührung kam[2].

Andererseits, den Dokumenten, die der Komponist selbst verfasst hat, kann man auch entnehmen, dass er diese Traditionen (insbesondere die Volkstradition) in seinem Gedächtnis speicherte und ihnen einen eigenartigen ästhetischen Wert im Einklang mit dem romantischen Zeitgeist zuschrieb, und dass er sie mehr als einmal in seinen Kompositionen verwendete.

So kann man Chopins lustlose Reaktion auf die wenig getreuen Aufzeichnungen und banalen Bearbeitungen von Oskar Kolberg mit dem Titel *Pieśni ludu polskiego* interpretieren, die der Komponist in der Emigration zum Ausdruck gebracht hat und die sich aus seinem Vergleich mit den persönlich verinnerlichten Traditionen ergeben haben musste, denn bessere Niederschriften polnischer mündlicher Liedertradition gab es in der damaligen Zeit noch nicht[3].

Allerdings kommt auch Chopins Emigrationsnostalgie nach dem Vaterland und der geschätzten Tradition zur Sprache, wenn er in einem Brief an seine Familie schreibt, dass er es schon vergessen hat, wie man an der Weichsel singt[4].

---

[1] Im Folgenden wird von anderen nationalen Traditionen im Schaffen von Chopin bewusst abgesehen.

[2] Mieczysław Tomaszewski, *Chopin. Człowiek, dzieło, rezonans* [Chopin. Der Mensch, das Werk, die Resonanz], Warszawa 1998, S. 23 ff.

[3] Oskar Kolberg, *Pieśni ludu polskiego* [Lieder des polnischen Volkes[, Poznań 1842–1845 und F. Chopin, Brief an die Familie (März-April 1847): „[...] beste Absichten, jedoch wenig dahinter. Oft denke ich, wenn ich dergleichen sehe, gar nicht wäre besser, denn diese viele Mähe kompliziert und erschwert nur die Arbeit des Genies, das dort einst die Wahrheit enthüllen wird", in: Fryderyk Chopin, *Briefe*, hrsg. von Krystyna Kobylańska, Berlin 1983, S. 251.

[4] Fryderyk Chopin, *Briefe*, hrsg. von Krystyna Kobylańska, Berlin 1983, S. 329; vergl. Jan Stęszewski, *Chopins Mazurka op. 41 Nr.2 — Ausdruck des Heimwehs oder der nationalen Verpflichtung des Komponisten?*, in: Fest-

2. ANDERE SPUR, die für Chopin eine Quelle seines indirekten Wissens über die polnische mündliche Liedertradition geworden sein könnte, war die diesbezügliche mündliche Überlieferung, die in ihrer stereotypen Form zur Illustration der Volkstümlichkeit und des Polentums damaliger polnischer Singspiele und Opern diente, an der, angefangen mit dem Ende des 18. Jahrhunderts, auch Komponisten nicht polnischer Herkunft teilnahmen (z.B. John David Holland, Joseph Elsner). Dieses Wissen war aber schon früher in der Praxis präsent, und etwas später in der außerpolnischen Kompositionstheorie, angefangen mit dem Ende des 16. Jahrhunderts (Heterostereotypen des „musikalischen Polentums", z.B. in den Orgel- und Tabulaturaufzeichnungen mit dem Titel „Polnische Tänze")[5].

Im Bezug auf Chopins Kinderjahre den ersten Beweis solches funktionierenden und allgemeinen Wissens über die orale Lied- und Musikpraxis in Polen innerhalb seiner Grenzen vor der Teilung, lieferte schon in 1820 in seinem Artikel *O pieśniach w ogólności*[6] Karol Kurpiski, nebenbei gesagt einer der Warschauer Lehrer Chopins. Man kann also nicht ausschließen, dass Chopin auch diese Art des Wissens in seiner Jugend kennen lernte.

Schließlich, stark präsent in Warschau waren zu Chopins Zeiten das populäre (volkstümliche) Lied (mitunter das patriotische) und die massenhaft produzierten und gedruckten einfachen Tänze, die an die früher erwähnten Muster anknüpften.

3. DIE IDENTIFIZIERUNG und Unterscheidung der erwähnten Leitfäden: des ländlichen, volkstümlichen und kompositorischen aus der Zeit vor und während Chopins Schaffensperiode — hat schon immer sowohl den polnischen (z.B. H. Eindakiewiczowa, B. Wójcik-Keurpulian, J. Miketta) als auch ausländischen (z.B. W. Paschalow) Forschern viele Schwierigkeiten bereitet[7]. Vor allem hat Chopin selbst die *in extenso* oder mit kleinen Modifizierungen entliehenen Melodien nur in Ausnahmefällen einige Male zitiert. Man kann in diesem Fall keine Schuld dem Qualitätsstand der Quellen zur vergleichenden Identifikation der beschriebenen Leitfäden in der Tradition zuweisen. Insbesondere wird die Volkstradition durch eine wesentliche zeitliche Resistenz gekennzeichnet, so dass die Spuren der von Chopin benutzten Muster sogar in den späteren Quellen zu finden wären, falls der Komponist diese verwendet hätte.

Höchstwahrscheinlich wollte er es nicht, vielleicht war er davon überzeugt, dass das Zitieren des entliehenen Materials keinen geistigen Höhenflug bedeutet.

Daher haben sich die Untersuchungen der in der langen Zeitperspektive funktionierenden Elemente der musikalischen Form (z.B. des Rhythmus) als etwas effektiver erwiesen, da sie sich mit der Volks-, volkstümlichen und kompositorischen Tradition verbinden lassen.

---

schrift Rudolf Bockholdt zum 60. Geburtstag, hrsg. Von Norbert Dubowy und Sören Meyer-Eller, Pfaffenhofen 1990, S. 359ff.

[5] Jan Stęszewski, *Der polnische Nationalcharakter in der Musik: Was ist das?*, in: *Stereotypen und Nationen*, hrsg. von Teresa Walas, Kraków 1999, S. 274ff. Vergl. *Język a kultura. Stereotypy* [Kultur und Sprache. Stereotype], hrsg. von Lidia Krawiec, Wrocław 1998.

[6] Karol Kurpiński, *O pieśniach w ogólności* [Über die Lieder im Allgemeinen], „Tygodnik Muzyczny" 1820 Nr. 8, S. 29f., Nr. 33ff.

[7] Z. B. vergleiche Mieczysław Tomaszewski, *op. cit.*, an mehreren Stellen.

Die Ergebnisse der bisherigen Untersuchungen sprechen eher für den Misserfolg der unternommenen Analysen der paradigmatischen Eigenart des „polnischen" Elements in der Melodik von Chopin.

4. ES SPRICHT Vieles dafür, dass der Fortschritt bei der Untersuchung der aufgekommenen Fragen erreicht werden kann, wenn man annimmt, dass Chopin bei dem Einverleiben der erwähnten Volks-, volkstümlichen und kompositorischen Traditionen eine mehr oder weniger bewusste Selektion der übernommenen Muster und eine mehr oder weniger bewusste Analyse, die zum abschließenden synthetischen Modellieren führte, vornahm. Die Bezeichnungen „Modell" und „Modellieren" benutze ich hier im gut definierten Sinn[8]. Als Konsequenz des Modellierens einer größeren Zahl der einzelnen Vorbilder entsteht die Schaffung einer neuen Qualität auf dem mehr allgemeingültigen Niveau.

In Verbindung mit der Möglichkeit des Generierens in Anlehnung an das Modell neuer melodisch-rhythmischer Gestalten garantierte solche Operation einerseits dem Komponisten ein breites Feld für seine Kreativität, die durch keine konkreten entliehenen Melodien beschränkt war, andererseits erlaubte sie ihm, im Rahmen des allgemeingültigen Stils zu bleiben. Die sekundäre Generierung der neuen, eigenen, originellen Muster sowie die kohärente Benutzung der Mittel der Technik, die zur „hoch stehenden" Musik gehören, kann man wohl als Teile des originellen Schaffens einstufen.

5. SOLLTE DIE VORGESTELLTE Hypothese wahrscheinlich sein[9], dann entsteht den Forschern eine Aufgabe der Rekonstruktion des beschriebenen modellierenden Verhaltens, welche Chopin an den Tag legte. In weiterer Reihenfolge könnte man sich ein vergleichendes Verfahren mit gezielt ausgesuchten Ausgangsproben des Chopinschen Modells vorstellen, das sowohl aus der Volks- und populären (volkstümlichen) und der damaligen kompositorischen Tradition, als auch aus der eigenen Eingebung Chopins stammt.

Wenn man bei diesen Vergleichen den damaligen und heutigen Wissensstand über die Differenzierung der Gattungen von beispielsweise Liedern und Tänzen, mitunter den populärsten Tänzen, also den Mazurkas, Oberkas, Kujawiaks, Krakowiaks und Polonaisen in Betracht zieht — kann man sich eine Annäherung an die Lösung des gordischen Knotens, welchen das Geheimnis der Inspiration und Eingebung Chopins und das Rätsel der Genese seines allgemein als „polnisch" identifizierten Stils darstellt, vorstellen.

6. ZUM SCHLUSS: wenn die hier vorgestellte Hypothese über den Anteil des bewussten bzw. unbewussten Modellierens bei Chopin unter Benutzung der Fragmente seiner musikalischen Erfahrung und der Generierung bzw. Kreierung auf der Basis neuer melodisch-rhytmischer Gestalten, die eine Ähnlichkeit mit der Volks-, volkstümlichen (populären) und kompositorischen Tradition aufweisen, wahrscheinlich ist — dann entsteht daraus ein logisches Postulat, dass man einen Versuch der hypothe-

---

[8]   Z.B. Georg Kreisel, „Modell und Modelltheorie", in: *Handbuch wissenschaftstheoretischer Begriffe*, hrsg. von Josef Speck, Bd. 2, Göttingen 1980, S. 437–443; Iwo Białynicki-Birula, Iwona Białynicka-Birula, *Modelowanie rzeczywistości* [Das Modellieren der Realität], Warszawa 2002.

[9]   Leszek Kołakowski, *Husserl and the Search for Certitude*, New Haven & London 1975.

tischen Rekonstruktion der Regeln, die Chopin beim Modellieren seiner Erfahrungen benutze, unternehmen müsste.

Dann kann es sich herausstellen, dass eine weitere Suche nach volksmusikalischen oder anderen bisher nicht identifizierten Zitaten in Chopins Schaffen gegenstandlos ist.

Abb. 1. Hypothetische Quellen der *polnischen* melodisch-rhythmischen Substanz im Schaffen von F. Chopin

Abb. 2. Rekonstruktion des allgemeinen *polnischen* melodisch-rhythmischen Modells im Schaffen von F. Chopin

Mutmaßlich *polnische* Melodien im Schaffen von Chopin

Identifikation der entlehnten Melodien   Rekonstruktion der Chopinschen Modellierungsregeln und Differentialanalyse nach ihren spezifischen gattungsmäßigen Vorbilder

---

STRESZCZENIE

POLSKA MUZYKA LUDOWA I POPULARNA W TWÓRCZOŚCI FRYDERYKA CHOPINA. CZY MOŻNA INACZEJ ROZWIĄZAĆ STARY PROBLEM?

Mówiąc o „własnym tonie", jaki wyróżnia twórczość Chopina, badacze chętnie odwołują się do jego doświadczeń z polską muzyką ludową i popularną, którą utrwalał w pamięci. Wydaje się, że niewielka liczba zidentyfikowanych cytatów zaczerpniętych z oralnych tradycji pozwala przyjąć tezę o niechęci Chopina do cytatów i aktywnym stosunku do tych tradycji, co polegało na syntetyzowaniu i tworzeniu „idiomów" identyfikowanych jako „polskie". Tak postawiona teza implikuje potrzebę szukania nowego analitycznego podejścia do starego problemu.

GENRE CONNOTATIONS, THEMATIC ALLUSIONS, AND FORMAL IMPLICATIONS IN CHOPIN'S NOCTURNE OP. 27 NO. 1

Anatole Leikin
(SANTA CRUZ)

Chopin's *Nocturne in C-sharp minor* Op. 27 No. 1, composed in 1835, has an assortment of peculiar features that have elicited several critical remarks in the past, when it was still acceptable to either chide Chopin or express one's bewilderment at some of his works. Gerald Abraham reproved the *Nocturne* for its 'disproportionately long' middle section.[1] Herbert Weinstock later softened Abraham's admonition by politely calling the *C-sharp minor Nocturne* 'an architectural curiosity,' giving the following description of the *Nocturne*'s form:

> 'It has an opening *larghetto* section of twenty-eight measures; a middle *più mosso* section twice that long, ending in a cadenza-like passage in octaves; and a concluding section, in the tempo of the opening — and in reality a condensation of that opening — of only eighteen measures. The last eight measures of the conclusion, moreover, are a cadence, in which a new, though closely related, melody is introduced. The repetition of the introductory section is therefore actually condensed into ten measures.'[2]

The list of peculiarities found in the *Nocturne* by earlier critics also includes 'a morbid, persistent melody that grates on the nerves..., the Beethovenish quality' of the *Più mosso* section,[3] and an octave passage modeled, according to Abraham, after 'the earlier instrumental recitatives of C. P. E. Bach and others.'[4]

The latter feature actually indicates a blend of two different genres, recitative and nocturne. In this mixture the song-like (or romance-like) nocturne is, of course, the 'host' genre, while recitative is a 'guest' genre.[5] Besides recitative, there are other 'guest' genres that have a tangible presence in this piece. Intriguingly, they can be best grasped when one looks at the *Nocturne* through the prism of another musical piece by a different composer. The first and last sections of the *Nocturne* (bars 1–28, 84–101) are marked by a combination of quaver triplets in the accompaniment with 'a morbid, persistent melody that grates on the nerves' (Huneker) whose foreboding countenance is created by the preponderance of repeated notes and dotted rhythms. This juxtaposition of preluding triplets in the accompaniment with a melody replete with

---

[1] Gerald Abraham, *Chopin's Musical Style*, London 1960, reprint, p. 28.

[2] Herbert Weinstock, *Chopin: The Man and his Music*, New York 1959, p. 217.

[3] James Huneker, *Chopin: The Man and his Music*, New York 1966; first published by Charles Scribner's Sons in 1900, p. 145.

[4] G. Abraham, op. cit., p. 68.

[5] Jim Samson, 'Chopin and Genre,' *Music Analysis*, (8:3) (1989), p. 224.

dotted rhythms and repeated notes evokes a strong association with the first and last sections (bars 1–27, 42–69) of the opening movement from Beethoven's *Sonata C-sharp minor*, Op. 27 No. 2 ('Moonlight').

The genre origin of Beethoven's melody can easily be traced to funeral march. The nineteenth-century funeral march is characterized by: (1) the minor mode, (2) duple meter, (3) regular stride in a slow tempo, (4) melodic line of a limited range dominated by dotted rhythms and repeated notes. The evocation of funeral march in the first movement of the 'Moonlight' is especially manifest in the coda (bars 61–65), since a melodic reiteration of the fifth scale degree in the minor mode is quite common in Beethoven's funeral marches (e.g., the slow movements from *Piano Sonata* Op. 26 and from *Symphonies* Nos. 3 and 7).

The presence of funeral march in Chopin's *Nocturne* is not unusual. Even though he wrote only two pieces that bear the title of 'Funeral March,' he injected elements of funeral march into many of his other compositions. Thus, the *Prelude C-minor* Op. 28 and the slow introduction to the *Fantasy F-minor* Op. 49 are straightforward, though undesignated, funeral marches. Of Chopin's six duple-meter *Nocturne*s in the minor mode, four include attributes of funeral march; those are the first *Nocturne*s from Ops. 27, 37, 48, and 55.[6]

The parallels between the *Nocturne* and the first movement of the 'Moonlight' unfold well beyond a matching combination of genres (funeral march and improvisatory prelude) in the first and last sections of each composition. The initial similarity between Beethoven's *Sonata* and Chopin's *Nocturne* expands into a broad network of genre, melodic, and harmonic links which collectively suggest that the C-sharp minor *Nocturne* can be perceived and performed as an ingenious paraphrase of the entire 'Moonlight' *Sonata*, not only its first movement.

At the end of the first phrase (Ex. 2), Chopin mimics the modulation from the first phrase of the 'Moonlight' (Ex. 1) along with the descent in the melody, G-sharp–F-sharp–E.

Example I. Beethoven, *Sonata* in *C-sharp minor* Op. 27/2, mvt. I, bars 5–9

---

[6] Anatole Leikin, 'Chopin's A-Minor Prelude and its Symbolic Language,' *International Journal of Musicology*, 6 (1997), p. 157.

Example 2. Chopin, *Nocturne* in *C-sharp minor*, bars 5–7

Example 3a. Chopin, bars 25–26

Example 3b. Beethoven, I, bars 27–28

Example 3c. Beethoven, I, bars 39-40

The melodic conclusion of the first section of the *Nocturne* (Ex. 3a), as well as identical melodic endings in bars 9 and 92, mirror the melodic endings that lead to and from the dominant pedal point in the middle of the first movement of the 'Moonlight' (Exs. 3b, c).

Elsewhere in the *Nocturne* this particular melodic gesture does resolve into the tonic (Ex. 2, bars 5–6; also bars 20–21, 88–89, 93–94). A similar resolution can be found as well in the recapitulation of Beethoven's first movement (Ex. 4).

Example 4. Beethoven, I, bars 49–51

Chopin's accentuation of the fifth and the lowered second scale degrees, G-sharp and D natural (bars 11, 13, 17), may seem so eccentric and inexplicable that many a pianist has ignored them, and a few editions have even turned some of those accents into diminuendo signs. In fact, these accents emphasize the pitches that are most strongly articulated by Beethoven (see, e.g., bars 50–54, 61–65 in the first movement, and also Exs. 1, 3c, 4).

The fast section of the *Nocturne* (*Più mosso*), while retaining the preceding accompanimental triplets, synthesizes the thematic material of Beethoven's finale. The most prominent peaks in the principal theme of the finale are the fifth degrees of C-sharp and F-sharp minor (bars 2, 4, 6, 7, 8). The subsidiary theme of the finale (Ex. 5a), while also stressing the fifth scale degree, additionally outlines the following melodic curve: G-sharp–E–C-sharp–B-sharp–C-sharp–D-sharp–E (in the development, bars 71–75, the same melody is transposed to F-sharp minor). This thematic material finds its place in the *Nocturne*, although Chopin divides Beethoven's single melodic line G-sharp–E–C-sharp–B-sharp–C-sharp–D-sharp–E (and its transposition into F-sharp minor) among several voices (Ex. 5b). I should add that the second closing theme of the finale (Ex. 5c) is closely related to the subsidiary theme in Ex. 5a, and, consequently, to the *Più mosso* section of the *Nocturne* as well. The next portion of the *Nocturne*'s middle section (bars 53–64), like the corresponding areas from Beethoven's first movement (bars 32–41) and third movement (bars 87–100), consists of a long dominant pedal point with similar harmonic and voice leading features. Chopin, however, does not resolve that dominant to C-sharp minor, moving instead to a new episode in the parallel major (bar 65).

Example 5a. Beethoven, III, bars 116–20

Example 5b. Chopin, bars 29–36

Example 5c. Beethoven, III, bars 151–155

Example 6a. Beethoven, II, bars 44–60

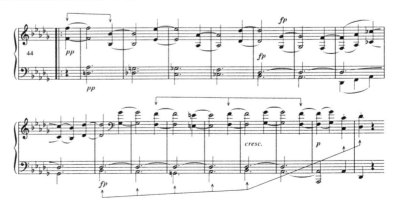

This new episode is a tonal and genre reflection of Beethoven's *Allegretto*, the second movement of the 'Moonlight.' Beethoven places a *Minuet* in D-flat major between two C-sharp minor movements; Chopin inserts a triple-meter dance in D-flat major between two C-sharp minor sections, only replacing the anachronistic minuet with a mazurka. Then, if one listens closely to Beethoven's second movement, certain thematic parallels between the Trio (especially its second half) and the D-flat major section of the *Nocturne* gradually become more apparent. The melodic contour of the D-flat major episode (Ex. 6b) derives from the following elements of the Trio: (a) the melodic peak F at the beginning of the second half of the Trio with a leap down to B-flat; (b) the cadential bass line in the last eight bars of the Trio combined with both the treble in which F is surrounded by its chromatic neighbors and with the melodic close of the Trio (Ex. 6a). (The more direct quotation from Ex. 6a with identical, though enharmonically notated, melodic pitches F–B-flat–E-flat–A-flat–D-flat–G-flat, appears in the end of the *Nocturne*; see Ex. 6c)

Example 6b. Chopin, bars 65–71

Example 6c. Chopin, bars 94–95

A series of chords at the end of the *Nocturne*'s mazurka episode is reminiscent of the first closing theme from Beethoven's finale. Interestingly, in the exposition of the finale, the chord progression in question has the 6th scale degree in the treble (Ex. 7a, bar 50); in the recapitulation, when the theme is transposed to C-sharp minor, Beethoven slightly changes the progression, shunning the 6th scale degree altogether (Ex. 7b, bar 144). When Chopin writes his chord progression, he makes it sound as an expected continuation from the 'Moonlight' finale, with the 6th scale degree at the top again (Ex. 7c).

Example 7a. Beethoven, I, bars 49–51

Example 7b. Beethoven, I, bars 143–45

Example 7c. Chopin, bars 81–83

The recitative preceding Chopin's reprise (Ex. 8b), rather than being modeled, as Abraham stated, after 'the earlier instrumental recitatives of C. P. E. Bach and others,' is actually patterned after the pre-coda recitative from Beethoven's finale (Ex. 8a). Here genre affinity is punctuated by a strong thematic similitude, where a descending melodic line is occasionally interspersed with ascending thirds.

All these generic, thematic, and harmonic connections between Chopin's *Nocturne* and Beethoven's 'Moonlight' cannot be purely accidental. It is quite possible that, starting his own Op. 27, Chopin was haunted by Beethoven's famous Op. 27. While it remains obscure whether Chopin himself performed the 'Moonlight,' we know definitely that he taught the *Sonata*.[7]

One last point. At the beginning of this paper I described how some critics were baffled by the *Nocturne*'s bizarre structural layout of a ternary form with a 'disproportionately' long middle section. While I was analyzing the *Nocturne* for this particular occasion, it occurred to me that, if Chopin had used Beethoven's *Sonata* as a prototype, he must have slipped in some encoded sonata traits (he loved such abstruse feats of craftsmanship), and that the presence of sonata form in the *Nocturne* could explain its unusual proportional design.

In order to prove this supposition, one must first of all look for an appropriate key scheme. In a C-sharp minor exposition, the most typical secondary key would be E major. The second most typical secondary key would be G-sharp minor or major. And indeed, at the climactic point of the *Nocturne* (see Ex. 10), which by itself draws a great deal of attention to what happens at this point, there is a phrase in E major. Right next to it, Chopin places a similar phrase in G-sharp major (notated as A-flat major).

The significance of this 'double' secondary section is difficult to overestimate. Just in case one might miss the role of the E-major statement, Chopin adds the other

---

[7]   Sacha Stookes, 'Chopin: The Teacher,' *The Monthly Musical Record*, lxxxiv (1954), p. 123.

Example 8a. Beethoven, III, bars 187–190; 8b. Chopin, bars 83–84

secondary key to the first one. This portion of the *Nocturne*'s middle section therefore functions as the subsidiary section of the sonata exposition; the development begins immediately after that, in bar 53 (*agitato*).

Where, then, is the return of the subsidiary section in the recapitulation? The last eight bars of the *Nocturne* that follow the abridged repeat of the opening *Larghetto* are written in C-sharp major (Ex. 11). Tonally, these bars can be interpreted as a reca-pitulation of the eight-bar secondary section from the exposition, but there seems to be no thematic link between them, since the last section, as Herbert Weinstock noted, introduces a new melody. Nevertheless, there is a common motive between Ex. 10 and Ex. 11, and it is taken from the 'Moonlight.'

Let us go back to the motive that ended the first phrase of the *Nocturne*, G-sharp–F-sharp–E (Ex. 2). This motive, as I mentioned earlier, reflected a similar modulating motive from bars 8–9 of the first movement of the 'Moonlight' (Ex. 1). In the ''Moonlight,' this motive in its unmodulating form (scale degrees 5–4–3) can also be heard in the middle voice at the conclusion of the introduction of the first movement, at the conclusion of the recapitulation in the first movement, in the coda itself, and in the second closing theme of the finale. In all these instances the 5–4–3 motive carries a concluding function and is placed in the lower voice of the right-hand part.

Example 9a. Beethoven, I, bars 4–5

Example 9b. Beethoven, I, bars 59–60

Example 9c. Beethoven, I, bars 63–64

Example 9d. Beethoven, III, bars 57–59

In both the E-major and A-flat major phrases of the secondary section of the *Nocturne*, the 5–4–3 motive is stated at the end of each of the two phrases. As in the 'Moonlight,' this motive is placed in the middle voice rather than in the treble. Because of this particular placement, the listener is left entirely at the mercy of the performer. Quite frankly, I have never heard this motive highlighted in a performance, even though Chopin arranged it pianistically in such a way that the motive should clearly come across. As we know, the composer was against equalizing the pianist's fingers:

'as each finger is differently formed, it's better not to attempt to destroy the particular charm of each one's [finger's] touch but on the contrary to develop it.... the thumb having the most power, being the broadest, shortest, and freest.'[8]

That is why Chopin, in his pianistic wisdom, arranged this motive to be played by the most powerful finger, the right thumb (Ex. 10).

Example 10. Chopin, mm. 45–52

In the recapitulation of the *Nocturne*, the same motive comes back in C-sharp major, once again in the middle voice (Ex. 11):

Example 11. Chopin, mm. 95–101

It is difficult to fathom now how such obvious sonata properties have been overlooked by so many; but then, I myself have been playing, analyzing, and teaching this *Nocturne* for years and never noticed the sonata features until recently. There is a concept in diagnostic medicine called index of suspicion. Put in simple terms, it means

8   Jean-Jacques Eigeldinger, *Chopin: Pianist and Teacher as Seen by his Pupils*, Cambridge 1986, 32.

that if one does not think of it, one will never find it. During my earlier work with the *Nocturne*, my index of suspicion did not include sonata form as a possibility; therefore I did not recognize it in the *Nocturne*. As soon as I raised my index of suspicion, sonata form revealed itself instantaneously.

The *C-sharp minor Nocturne* is an astonishingly clever paraphrase of Beethoven's 'Moonlight' *Sonata* that condenses a multi-movement archetype into a one-movement piece in which a relatively simple ternary design is deftly intertwined with a sonata. The parallels between these two compositions point out which generic, thematic, harmonic, and formal characteristics are perhaps the most important in the *Nocturne* and, accordingly, should be brought forth in performance. Those parallels also offer an insight into the analytical (or intellectual) component of Chopin's compositional process, as well as help us understand how he interpreted Beethoven's masterpiece and what he valued most in it.

STRESZCZENIE

KONOTACJE GATUNKOWE, TEMATYCZNE ALUZJE I FORMALNE IMPLIKACJE
W *NOKTURNIE* OP 27 NR 1 CHOPINA

Nokturn cis-moll op 27 nr 1 Chopina zawiera zespół specyficznych cech, które wywołały różne krytyczne i urągliwe uwagi w przeszłości, kiedy jeszcze akceptowano strofowanie kompozytora albo wyrażanie zdumienia na temat niektórych kompozycji. Gerald Abraham wypominał „nieproporcjonalnie długą" część środkową *Nokturnu*. Herbert Weinstock złagodził później wyrzut Abrahama przez uprzejme nazwanie *Nokturnu cis-moll* „osobliwością architektoniczną". Lista właściwości odnajdywanych w *Nokturnie* zawiera domieszkę w postaci „chorobliwej, powtarzającej się melodii, która drażni nerwy" (James Huneker), także u Hunekera „Beethovenowską jakość w odcinku *piu mosso*", wreszcie nagły wybuch taneczny i w lewej ręce pasaż oparty na wzorach „instrumentalnego recytatywu C. Ph. E. Bacha i in." (Abraham). Szczegółowa analiza *Nokturnu cis-moll* ujawnia szeroką sieć gatunkowych, melodycznych i harmonicznych podobieństw, które łącznie sugerują, że *Nokturn* jest *de facto* przenikliwą parafrazą słynnego op. 27 Beethovena, tj. *Sonaty księżycowej* (wszystkich jej trzech części). W tym *Nokturnie* Chopin dochodzi do zdumiewającej sztuki kondensacji archetypu wieloczęstkowej sonaty w relatywnie krótką jednoczęściową formę, która zawiera kontrastujące odcinki różnych temp i metrum i ma wręcz namacalne cechy formy sonatowej, nałożonej na prosty rysunek formy trójdzielnej.

IN SEARCH OF CHOPIN'S IMMANENT AESTHETIC.
THE ROMANTIC BACKGROUND OF SOME NARRATIVE ELEMENTS
IN THE CHOSEN BALLADES

Zbigniew Skowron
(WARSZAWA)

A detailed look at both older and more recent items in Chopin's bibliography indicates that his aesthetics are still far from being comprehensively studied. The reason for this derives first of all from the fact that Chopin, unlike some of his contemporaries, did not leave any writings on aesthetics in the strict sense of the word. Statements by him relating more or less directly to aesthetics may be found in his correspondence, in his 'Sketches to the piano method'[1] and in the accounts by his pupils, but they are no more than occasional scintillas of thought and, as such, they do not allow any substantial reconstruction. Is then the scantiness of those verbal sources an insurmountable obstacle in getting to Chopin's aesthetic beliefs? And if we try to find our way into his aesthetic consciousness through the tangible traits of his music, how should we connect these two different worlds? What would be, in other words, the 'translation code' allowing us to correlate his aesthetic beliefs with the sound qualities, which, supposedly, arose from them?

In this paper I would like to touch upon some aspects of Chopin's immanent aesthetics. By this term I understand a variety of aesthetic ideas that he embodied in his music and which may be reconstructed on the basis of his compositional strategies. This is how such a relationship was explained by an eminent Polish aesthetician and historian of aesthetics—Władysław Tatarkiewicz: 'Many aesthetic ideas have not immediately found verbal expression, but have first been embodied in works of art, have been expressed not in words, but in shape, colour and sound. Some works of art allow us to deduce aesthetic theses which, without being explicitly stated, are nevertheless revealed through them as the point of departure and the basis of these works'.[2]

Viewed in this light, Chopin's immanent aesthetics clearly reveal their broad and multiform character. Moreover, they constitute an evolving spectrum of ideas in which, alongside the constant tenets, there emerge principles which are characteristic only in certain phases of the composer's creative activity. Needless to say, his immanent aesthetics correspond closely with the development of his individual style.

Those aspects of Chopin's aesthetics which I would like to outline in this paper portray first and foremost his attitude as a romantic artist. Everyone who attempts to

---

[1] See Frédéric Chopin, *Esquisses pour une méthode de piano. Textes réunis et présentés par Jean-Jacques Eigeldinger*, Paris 1993.

[2] Władysław Tatarkiewicz, *History of Aesthetics*, ed. J. Harrell, vol. I *Ancient Aesthetics*, The Hague-Paris-Warsaw 1970, p. 5.

answer the question about romantic elements in Chopin's music is deeply convinced that they are present in his works, but this conviction goes hand in hand with an awareness of their exceptional character and of the difficulty of comprehending it fully. What makes this task even more challenging is that in his concept of a musical language (and its use as a means of expression) Chopin clearly made a stand against certain, typically romantic patterns, such as—to quote Carl Dahlhaus—'the category of the Characteristic, elevating the character piece to a central form in piano music'.[3] Yet even when we consider Chopin from the point of view of his distinctive connection with the idea of absolute music in its 19th-century sense, this perspective still does not allow us to understand him entirely as a romantic artist. This is so because certain romantic innovations emerge in Chopin's music through an active dialogue (or interaction) with the qualities deriving from the (recent) classical past. The paradox, and—at the same time—the most characteristic trait of Chopin as a romantic or, rather, as an artist of the romantic era, consists in his existence between the classical heritage and the fervour of the romantic art forms which surrounded him. Are we then to consider him only as a composer who overcomes or denies classical compositional and formal canons? The completeness and the internal harmony of his oeuvre do not allow us to assume this. 'Chopin's romanticism', writes Mieczysław Tomaszewski, 'did not signify lack of self-restraint, blazing effects and lack of form, but a dynamic expression of personality, an equilibrium of intensified emotions'.[4] A symptomatic trait of Chopin's aesthetic attitude is rather a striving towards reconciliation of some classic and romantic elements. In other words, he was searching for a modus vivendi, a coexistence in which the heritage of classical canons would be creatively included in the realm of his own musical ideas. Thus it is a sort of interpenetration, a type of game (not free from tensions) that is being played between the inherited rules and personal concepts (strategies) in Chopin's works which, surprisingly, determines his aesthetic outlook against a background of the main trends in romantic art.

This aspect of Chopin's romantic attitude, which I would like to explore in my paper, is connected, generally speaking, with the phenomenon of musical process. More precisely, I mean here such processes in which the logic of succession goes hand in hand with the emotional dynamics, marked as a trajectory of tension and release. The issue of process in Chopin's music constitutes of course an analytical problem *per se* which, as one might expect, still awaits thorough interpretation. What I propose here are three representative samples of those processes which seem to reveal their deeper aesthetic background, and which are taken from the First and the Fourth *Ballades*.

As is well known, in such an excellently innovative and romantic genre as Chopin's *Ballades*, the process directly implies the issue of narrative. Yet I would like to separate the latter term from that tradition, which—in spite of Chopin himself—tries at all costs to discover the literary contents or associations in his *Ballades*. Rather, I share the viewpoint of those authors who admit that the narrative of the *Ballades* has a purely

---

[3] Carl Dahlhaus, *Nineteenth-Century Music*, trans. by J. Bradford Robinson. Berkeley-Los Angeles-London, 1989, p. 144.

[4] Mieczysław Tomaszewski, *Chopin. Człowiek, dzieło, rezonans* [Chopin. The Man, his Work, and Resonance], Poznań 1998, p. 572.

musical character, although, as Jim Samson observes, 'the title 'ballade'... does invite the listener to interpret musical relationships at least partly in the terms of a literary narrative, even if this can only be at the level of metaphor'.[5] After all, Adam Mickiewicz's ballads could attract Chopin not only for their content, but also for the narrative structure and the role of the narrator as well. The narrator of the literary ballad, according to a recent dictionary on Polish literature, 'plays the role of an observer trying to unravel and to comment on the sense of events which are obscure to him (that is why the mysteriousness is exposed by a 'questioning' narration and 'formulae of indefiniteness'), and the narrator reacts to the events vividly (hence the saturation of the narration by an emotional language)'.[6]

Interpreters of Chopin's *Ballades*, trying to decipher the issue of inspirations stemming from Mickiewicz's works, seem to take no account of the historical circumstances accompanying their reception in Warsaw's cultural environment. What should not be lost here is the fact that Mickiewicz's *Ballads and Romances*, printed in 1822 in the first volume of his poetry, were a determining 'voice' in a dispute between the Polish literary classics and the romantics. The controversy was at its height in the 1820s, so that Chopin would have been aware of it in his student years, at least as a member of the audience at Kazimierz Brodziński's lectures at the then Royal University of Warsaw. Thanks to Mickiewicz's volume of *Ballads and Romances*, along with its Preface (entitled later 'On romantic poetry'), Chopin would have become aware of the sense and program of his native romantic poetry in its purest shape. This possibility strengthens the hypothesis that not only the new, unparalleled content of Mickiewicz's *Ballads*, but also their form and aesthetics could have influenced Chopin's future *Ballades*.

Among the ways of understanding Chopin's narrative that have been proposed (for example, to mention but the works by Eero Tarasti and Serge Gut),[7] Karol Berger's approach, presented in 1996 in his lucid study 'The Form of Chopin's *Ballade*, Op. 23',[8] seems to me to be the most satisfactory. Narrative is for Berger first of all a way of shaping musical continuity. And what he means by 'continuous discourse' is 'a configuration' (to use Paul Ricoeur's term) in which 'one-after-the other' becomes 'one because-of-the-other', a whole rather than a heap... . In a narrative... form parts succeed one another in a determined order, and their succession is governed by the relationships of causing and resulting by necessity or probability... . In creating a narrative work, one must not only give each phrase a function within the whole, but also establish... that the later phrases are in some way caused or prepared by something that happened earlier... . The relationships of causing and resulting are the main means of achieving narrative continuity'.[9]

---

[5] Jim Samson, *Chopin: The Four Ballades*, Cambridge, 1992, p. 14.

[6] See the article 'Ballada' [Ballad], in: *Literatura polska. Przewodnik encyklopedyczny* [Polish Literature. Encyclopedic Guide]. Warszawa 1985, vol. I, p. 45.

[7] Eero Tarasti, 'A Narrative Grammar of Chopin's G minor Ballade', *Chopin Studies*, 1995, vol. 5; Serge Gut, 'Interférences entre le langage et la structure dans la Ballade en sol mineur op. 23 de Chopin', *Chopin Studies*, 1995, vol. 5.

[8] Karol Berger, 'The Form of Chopin's *Ballade*, Op. 23', *19th-Century Music* XX/1, Summer 1996, pp. 46–71.

[9] *Ibidem*, pp. 46–47.

What I would like to isolate from the *First Ballade's* narrative structure, which I conceive in Berger's way as 'relationships of causing and resulting' based on certain emotional scenarios, are two similar sequences revealing Chopin's romantic attitude at its most characteristic. They are both based on the first theme and take part in its development which is marked by a growing tension. This is why they are particularly valuable examples of the processes under discussion. The first is the sequence *A tempo*, bars 94–105, whereas the second—its counterpart—is *Meno mosso*, bars 194–207. Their narrative function is identical: both prepare the appearance of important and highly expressive units in the structure of the work. The first sequence, located in the development section, leads towards the second, tonally and texturally transformed presentation of the second theme. The second sequence, which constitutes a closing link in a mirror reprise, leads to the coda. As Berger convincingly points out, 'the overall shape of the piece... moves from ill-defined, uncertain beginning to an emphatically stable and final closure'.[10] Yet it seems as though in both sequences this constant drive towards the climactic coda becomes particularly condensed and amplified, preparing the final relieving of tension. Here are both passages:

Example Ia: Chopin, *Ballade in G minor*, Op. 23, bars 94–106 (Wydanie Narodowe PWM, ed. Jan Ekier)

---

[10] *Ibidem*, p. 60.

Example Ib: Chopin, *Ballade in G minor*, Op. 23, bars 194–208 (Wydanie Narodowe PWM, ed. Jan Ekier)

As we may notice immediately, the narrative function of the sequences relies on creating expectation which is fulfilled by the emergence of the next structural link. Chopin achieves this mainly by increasing tension while prolonging the dominant harmony. Both sequences are in fact the longest dominant successions in the whole *Ballade*. They are based on dominant pedal points: the first one on *e* (leading to A major) and the second one on *d* (leading to the main key). In the broader context of the *Ballade* they play a part in a modulatory design which—as is well known—departs clearly from the canons of sonata form. This unconventional tonal scheme may be considered as a substantial re-evaluation of classical rules. What dictates it to Chopin is the dramatic design of the work, its emergent emotional plan with the final, climactic culmination. Berger explains this in the following terms: '[Chopin] aims not for the Classical balance and symmetry of clearly articulated formal units but for an overall shape that projects from an unassuming and reluctant beginning, a sense of relatively seamless, gradual accumulation of energy and acceleration toward the inevitable, frantic conclusion'.[11] Yet a similar overthrow (or denying) of the Classical balance and symmetry may be seen, although on a much smaller scale, in the sequences under discussion. Each of them starts with a regular eight-bar construction, modelled on the antecedent of the first theme. Chopin then abandons this symmetric succession. He splits the four-bar pattern into single bars and, while retaining from the theme only the structural motif of a second, he leads it in octaves in an unceasing ascent towards the next structural point (the beginning of the second theme). Moreover, in the second sequence, which points towards the coda, the release of tension is delayed through a two-bar extension (bars 206–208, *appassionato, poco ritenuto*), which, in a masterly way, augments the effect of return to the main tonality.

In both sequences we have to do with multidimensional processes, which, apart from their thematic and developmental functions, display also an intensely emotional role. The latter is a direct result of the gradual building of tension. In spite of abandoning (or denying) the initial four-bar pattern and replacing it by the chain of single bars, Chopin maintains the structural integrity. However, what secures the continuity of the whole sequence is not the transformed motifs of the first theme after the model of classical *motivische Arbeit*, but rather its selected structural elements, included in a linear ascent. Such an element is the motif *e-f sharp* (b. 11–12), which is a reversal of the initial step *c-b flat* from bars 6–7, considered by Berger as the intervallic archetype of the entire Ballade and as a sort of sigh-motif in the spirit of *Affektenlehre*. Both structural traits of these sequences—their continuity based on ascending, adjacent seconds and the growth of tension are perfectly illustrated on the Berger's graphs:

Example 2a: Chopin, *Ballade in G minor*, Op. 23, bars 94–106, structural outline (Karol Berger, 'The Form of Chopin's Ballade, Op. 23', *19th-Century Music* XX/1 (Summer 1996), p. 61)

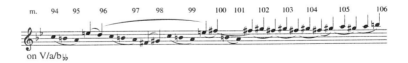

Example 2b: Chopin, *Ballade in G minor*, Op. 23, bars 194–208, structural outline (Karol Berger, *op. cit.*, p. 63)

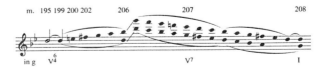

---

[11] *Ibidem*, p. 54.

In spite of their limited dimensions, the shape and mechanism of processes in both parts of the *First Ballade* is suggestive enough to convey Chopin's innovative intention which is his romantic approach to compositional means. Before I try to point out the aesthetic ideas that may accompany his creative choices, I would like to consider another music example, coming this time from the *Fourth Ballade*. Significant correspondences can be observed between this passage and the two passages already discussed, indicating even more strongly a common aesthetic background.

What attracts my attention in this context is a sequence between bars 169–210, which constitutes an elaborated process based on the second theme. The narrative function of this sequence brings to mind the second of the selected fragments from the *First Ballade* in a sense that it prepares for the virtuoso and highly dramatic closing section:

Example 3a: Chopin, *Ballade in F minor*, Op. 52, bars 167–176 (Wydanie Narodowe PWM, ed. Jan Ekier)

Example 3a (cont.): Chopin, *Ballade in F minor*, Op. 52, bars 169–210

Example 3a (cont.): Chopin, *Ballade in F minor*, Op. 52, bars 169–210

This is, indeed, 'a glorious moment' (to quote Jim Samson's expression) not only within the *Fourth Ballade*, but in all Chopin's late oeuvre as a whole. It is also one of the most characteristic examples of his developmental process, which, through the gradual increasing of tension builds up to an apotheosis or a sublime turning-point in the entire work. What should be stressed at this point is the striking structural similarity between this much more sophisticated sequence and those from the *First Ballade*. The common element is again the construction of phrases (their dimension), which shows how Chopin weakens classical syntactic relationships (antecedent-consequent symmetric pattern), replacing them by emergent structures with a mobility and continuous development. Similar to his process in the two previous examples, Chopin starts this sequence with a regular, symmetrically shaped second theme.

His point of departure is the antecedent-consequent phrase of 4 + 4 bars. However, its subsequent development relies on abandoning this symmetry through exposing only the antecedent of the theme (bars 177–180), along with the octave transfer. Chopin proceeds then with two-bar phrases, which he gradually reduces to single bars (bars 191–194). Finally, he restores the two-bar patterns of which the last (bars 197–198, *stretto*) is extended by other two bars, similar to the second sequence from the *First Ballade*. A separate issue is the eight-bar *pianissimo* fragment (bars 202–210) which I will comment on while pointing out the harmonic plan of the whole sequence.

Differing from the homogeneous dominant character of the processes in the *First Ballade* discussed above, the sequence in the *Fourth Ballade* constitutes a larger harmonic succession. Its structural harmonies have been convincingly pointed out by Jim Samson in the following scheme:

Example 3b: Chopin, *Ballade in F minor*, Op. 52, bars 160–239, structural harmonies (Jim Samson, *Chopin: The Four Ballades*, Cambridge 1992, p. 80)

As we may see, the initial part of the sequence is based on D flat major tonality. However, in both Samson's and Carl Schachter's view, it is subsumed to the attraction field of the subdominant B flat major between bars 160 and 195. The fact that Chopin repeats this second theme not in the original B flat major, but in a parenthetical D flat major, is a mode of deviation which is certainly conducive to goal-directed motion and to its power as a process. The idiosyncratic character of the whole sequence relies on a unique strategy. In fact, Chopin creates the expectation of closure only to postpone it, not once but three times, passing fluently each time to the next (even higher and emotionally intensive) stage of the process. There are, as it seems, four such nodal points, that is at bars 180, 186, 191 and 195. Characteristically, all four coincide with syntactic caesuras, but the third and fourth also coincide with structural harmonies: D flat major and 6/4 dominant in F minor, respectively. The actual closure does occur in bar 201, but, because of its dominant character, it still indicates the dramatic events to come.

Now we may come back to the most mysterious passage in the whole sequence: the prolonged *pianissimo* dominant in bars 203–210, separated from the previous *fff* part by an emphatic pause. In spite of its harmonic correspondence to the preceding bar 202, this sequence of sustained chords does open a new expressive dimension. Although considered by Jim Samson as 'a brief illusion of repose',[12] this mysterious

---

[12]   J. Samson, *Chopin: The Four Ballades, op. cit.*, p. 67.

link may well be perceived as a sort of spiritual ascent (or flight of imagination) and a special point in the narrative web of the whole *Ballade*. The hypothetical narrator becomes introverted here, reflecting, as it were, on both what has just happened and what is going to happen next in the climactic closing section. It is exactly this prolonged dominant that brings to mind such notions as 'questioning' narrative or 'formulae of indefiniteness' from the literary ballad, which play a similar part in its narrative structure, preceding (or implying) the decisive links of the narrative plot.

The comparison of both instances of developmental process under discussion: its compact, 'germinating' shape in the *First Ballade* and a vast, multi-phase formulation in the *Forth Ballade*, shows the way of Chopin's stylistic evolution between his middle and late creative phase. However, apart from all the differences of the compositional resources he used (especially from the dimension of their emotional trajectory), both examples are closely related by their underlying aesthetic idea.

We can thus come back to the initial question about the aesthetic background of the musical material that we have been considering. As I already mentioned, while searching for these aesthetic premises, I assume that they define Chopin first of all as a romantic artist. So which are the elements of romantic aesthetics that seem to constitute the basis for this type of musical process? While attempting to answer this question, I would like to consider the analysis of romantic ideologies made by Leonard B. Meyer in his survey of 1989, which, as it seems to me, has not been yet used in investigations of Chopin's immanent aesthetics.

From among the tenets of romantic ideology, the theory of organicism corresponds most closely with the character of the chosen music examples. Crucial for this connection is the fact, that organicism, treading in the steps of Goethe, conceived nature not as a phenomenon 'of fixed, hierarchic ordering', but as 'one of change and growth, development and openness'.[13] Such views on nature corresponded with new ways of structuring the works of romantic art. 'Organicism', as Meyer argued, 'emphasizes gradual transformation rather than fixed classes, processive development rather than formal differentiation, and continuous Becoming rather than established Being'.[14]

The traits of the processes in Chopin's *Ballades* which I have analysed here leave no doubt about their organic nature in the aforementioned sense. What emphasises this romantic feature is the fact that Chopin uses one of the strategies reinforcing the organic effect, namely extension. However, he does it in a very economical way, as though he would like to reserve its impact for the high point of the emotional trajectory, just before its resolution, as shown in the extension in bars 206–207 of the *G minor Ballade* and in bars 199–201 of the *F minor Ballade*.

Although attractive in itself, this link with romantic organicism should not be considered as a straightforward transfer of its principles into musical structures. For Chopin's organicism took a unique form as an outcome of two effective forces: that of romantic momentum (or expanding emotional wave) and of classical rationale. As a

---

[13] Quoted after Leonard B. Meyer, *Style and Music. Theory, History, and Ideology*, Philadelphia 1989, p. 190.

[14] *Ibidem*, p. 180.

result of this interaction, the latter did not allow the former to overwhelm the musical process completely. Rather, the classical element, which was always present in Chopin's aesthetic consciousness, inclined him to order his stream of emotions into a well-established design, on the basis of the rhetorical models to which he was faithful from his Warsaw years until the end of his creative life.

If we agree that the form and character of the instances of process in Chopin's music discussed here (and there are other examples elsewhere in his work) reflect the assumptions of organicism as leading aesthetic doctrine of Romanticism, there remains the question of how these ideas reached Chopin. Did they come from philosophers, art critics or creative writers? There is no source providing an unequivocal answer to the question, but one plausible route for the transference of such ideas is by way of Polish romantic poetry, epitomized in Mickiewicz's *Ballads and Romances* and their free, 'developing/becoming' poetic structure along with its patterns of 'questioning' narration and 'formulae of indefiniteness'. After all, Chopin is unlikely to have been indifferent to such manifestations of the poetry of his time as those observed by Friedrich von Schlegel, who wrote: 'Romantic poetry is constantly developing. That in fact is its true nature: it can forever only become, it can never achieve definitive form... . It alone is infinite. It alone is free. Its overriding principle is that the poet's fantasy is subject to no agreed principles'.[15]

The aesthetic aspects of Chopin's compositional strategies which I have considered are contained in the category of narrative, continuity or developmental process, but they have—as I mentioned initially—only a partial character. These examples, drawn from limited but highly representative musical material, indicate the existence of a much more extended and differentiated problem, revealed in all its nuances particularly in works from the middle and late creative phases of Chopin's life, such as *Nocturne* Op. 27 No. 1, *Sonatas* op. 35 and Op. 58, *Fantasy* Op. 49, the last *Scherzo* or the *Polonaise-Fantasy*. The idea of process conceived in a new romantic spirit as an imprint of the idea of organicism plays a particular role in each of these works, commensurate with their structural and emotional design. The fact that this strategy of developmental process absorbed Chopin's imagination in such a novel genre as the instrumental ballade speaks for itself, confirming the belief that it is precisely this genre which is one of the most eloquent testimonies to Chopin's status as a genuine romantic.

---

[15]   Quoted after L. B. Meyer, *op. cit.*, p. 197.

STRESZCZENIE

W POSZUKIWANIU IMMANENTNEJ ESTETYKI CHOPINA.
ROMANTYCZNE PODSTAWY ELEMENTÓW NARRACJI W WYBRANYCH BALLADACH

Istotną przeszkodą dla rekonstrukcji estetyki Chopina jest niemal zupełny brak wypowiedzi kompozytora na temat jego związków z ideologią romantyzmu. Oprócz komentarzy osób współczesnych Chopinowi, zarówno z kręgów muzycznych, jak też literackich i malarskich, głównym i jedynym źródłem pozwalającym wniknąć w świat Chopinowskich idei pozostaje jego twórczość. Celem referatu jest ukazanie pewnych przejawów ideologii romantycznej obecnych w rozwiązaniach dźwiękowych *Ballady g-moll* op. 23 oraz *Ballady f-moll* op. 52. Chodzi w szczególności o fragmenty odgrywające znaczącą rolę w narracyjnym planie obydwu *Ballad*. W przypadku *Ballady g-moll* są to „bliźniacze" sekwencje przygotowujące pojawienie się stabilnych segmentów utworu, zaś w przypadku *Ballady f-moll* chodzi o osnutą na dugim temacie sekwencję poprzedzającą kodę. Analiza tych fragmentów prowadzi do wniosku, ze kształt i sposób ich rozwinięcia nie tylko wykracza poza dziedziczone przez Chopina konwencje klasyczne, ale kryje w sobie cechy *par excellence* romantyczne. Te ostatnie polegają z jednej strony na swoistej grze ze schematem frazy czterotaktowej, która ulega zachwianiu i rozczłonkowaniu zgodnie z pewną dynamiką emocjonalną. Innymi słowy, „zamknięty" schemat syntaktyczny ulega w owych fragmentach otwarciu, co idzie zresztą w parze z ich charakterem procesualnym. Podejście Chopina do klasycznej formuły frazowej oraz swoista elastyczność zastępujących ją struktur przywodzą na myśl romantyczną doktrynę organicyzmu, przedstawioną m. in. przez Goethego, która — na co wskazał w swej pracy *Style and Music* (1988) Leonard B. Meyer — uwydatniała ideę „stawania się" dzieła, jego dynamicznego (procesualnego) wzrostu i otwartości składniowej. Założenia organicyzmu potwierdzają się dość wyraźnie w analizowanych fragmentach *Ballad* Chopina. Jakkolwiek trudno wskazać na bezpośrednie związki jego rozwiązań z ową romantyczną doktryną, nie jest wykluczone, iż mógł się on z nią zetknąć pośrednio — przez *Ballady i romanse* Mickiewicza nacechowane otwartą, dynamiczną strukturą narracyjną, językiem głęboko emocjonalnym i „formułami niedookreśloności". Przytoczone fragmenty *Ballad* Chopina zdają się potwierdzać te strukturalne analogie; ujawniają one wybitnie indywidualne znamiona jego stylu i zapowiadają zarazem ten typ procesualności, który rozwinął się w późniejszej twórczości muzycznej XIX wieku.

Aspekte der Gattungsgeschichte in Chopins Klaviermusik

Arnfried Edler
(Hannover)

Für die Frage, welche Rolle Chopins Werk im Gesamtzusammenhang der europäischen Kultur spielt, ist die Entwicklung der Gattungsstruktur der Musik von zentraler Bedeutung.

Gattungsstrukturen repräsentieren das Resultat historischer Prozesse, in denen bestimmte gesellschaftliche Entwicklungen zur Herausbildung charakteristischer Werke und Gruppierungen von Werken führten. Am Beispiel Chopins läßt sich beobachten, wie vor dem Hintergrund von Konventionen, die er sich in seiner Jugend aneignete und mit denen er sich auseinandersetzte, nach und nach jene stilistischen Eigenarten hervortraten, die — vor allem seit der Mitte der 30er Jahre — seinen Zeitgenossen als höchst individuell und auch für die Nachwelt als unverwechselbar — und in gewisser Weise unnachahmlich — erscheinen ließen[1]. Daß für diese Entwicklung der Wechsel von Warschau ins Pariser Exil im Jahr 1830 von entscheidender Bedeutung war, wurde immer wieder betont[2]. Heinrich Heines viel zitierte Bemerkung in den Briefen für August Lewalds *Allgemeine Theater-Revue* von 1838, „[...] wenn Chopin am Klavier sitzt und improvisiert, ist [er] weder Pole, noch Franzose, noch Deutscher, er verrät dann einen weit höheren Ursprung, man merkt alsdann, er stammt aus dem Land Mozarts, Raffaels, Goethes, sein wahres Vaterland ist das Traumreich der Poesie [...]"[3], drückt aus, daß nationale Beschränkung und Vereinnahmung gerade das Gegenteil dessen sind, was die Zeit einen „poetischen Zustand" nannte: des Einswerdens des Musikers und seines Zuhörers im Medium einer Musik, die soeben im Produktions-und Reproduktionsprozeß begriffen ist. Es bewirkt, daß der Künstler in einem solchen Moment aus den Prägungen, die ihm seine Auseinandersetzung mit den Musikkulturen verschiedener Länder vermittelte, ja aus der Empirie insgesamt, heraustritt. Stellt man freilich die Frage, ob und in welcher Weise das Singuläre eine Reaktion auf das Allgemeine darstellt und ob und in welcher Weise es seinerseits dieses Allgemeine verändert und prägt, so stößt man auf das Problem des Zusammenhangs der Werke mit der Gattungstradition. Das betrifft die Struktur und die Besetzung der Werke nicht weniger als den Ort, an dem ein Komponist eine

---

[1] Zofia Chechlińska, "Chopin in the Context of Nineteenth-Century Polish Musical Culture", in: *Chopin Studies* 4, Warszawa 1994, S. 58.

[2] Jim Samson, "Extended forms. The ballads, scherzos and fantasies", in: ders. ed., *The Cambridge Companion to Chopin*, Cambridge 1992, S. 101.

[3] Heinrich Heine, *Sämtliche Werke*, ed. G. Karpeles, Bd. 10, Leipzig o.J., S. 228 f.

Gattungstradition vorfindet und sich ihr einordnet oder sich in irgendeiner Form mit ihr auseinandersetzt[4]. Chopins Sonderstellung in der europäischen Kompositionsgeschichte beruht zum einen in der weitgehenden Konzentration auf die Klaviermusik und die von den Gegebenheiten dieses Instrumentes vorgegebenen Strukturen, zum anderen auf dem eigenartigen Spannungsverhältnis zwischen nationaler und internationaler Prägung, das wesentlich durch sein mehr oder weniger erzwungenes Leben im 19-jährigen Pariser Exil bestimmt wurde. Beides steht in engem Zusammenhang mit den allgemeinen Gegebenheiten und Bedingungen, die seine frühe musikalische Sozialisation bestimmten, und das heißt konkret mit den musikalischen Gattungen, mit denen der Komponist während der zwanzig Warschauer Jugendjahre umging. Für die europäische Klaviermusik bilden diese Jahre die Endphase einer Entwicklung, deren Beginn um die Mitte des 18. Jahrhunderts anzusetzen ist und die eine radikale Veränderung ihrer Funktion und der Bedingungen ihrer Produktion, ihrer Reproduktion und Rezeption bedeutete. Die Periode der rasanten Entwicklungsschübe des Hammerklaviers, die seit der Mitte des 18. Jahrhunderts die Situation von Jahrzehnt zu Jahrzehnt gekennzeichnet hatte, fand nun ihren Abschluß. Mit der Erardschen Repetitionsmechanik war 1821 ein Punkt erreicht, an dem in mechanischer Hinsicht kaum noch prinzipielle Verbesserungen zu erwarten waren. Die weitere Entwicklung im 19. Jahrhundert konzentrierte sich im wesentlichen auf die Vergrößerung des Klangvolumens. Für die industrielle ebenso wie für die gesellschaftliche Entwicklung bis zum 1. Weltkrieg stellten Klavierbau und Klavierspiel Faktoren von ständig zunehmendem Prestigewert dar, was insbesondere die heftige Konkurrenz unter den Weltfirmen dokumentiert, die nicht zuletzt auf den Weltausstellungen für jedermann sichtbar wurde und die zunehmend Anlaß zu kulturkritischem Skeptizismus bot, so etwa wenn Heine 1843 „vom Sieg des Maschinenwesens über den Geist" sprach[5].

Mit der Entwicklung des Klavierbaus ging diejenige des musikalischen Verlagswesens einher. Seit der Mitte des 18. Jahrhunderts expandierte der Markt für Liebhabermusik, darunter neben Liedern und Opernausschnitten vor allem für Klaviermusik. Die Vervielfachung der Produktionsmengen und das wachsende gesellschaftliche Informationsbedürfnis erforderte spezielle Kataloge einzelner Musikverlage[6]. An der Verlagsproduktion, wie sie sich in Anzeigen und Rezensionen in den musikalischen Periodika widerspiegelt, kann man die große Verschiebung des Gattungsgefüges ablesen, die sich um die Mitte des 18. Jahrhunderts ereignete.

Die ältere Musik vor 1750 läßt sich in drei große Gattungsbereiche einteilen, die im wesentlichen von ihrer sozialen Funktionalität her bestimmt waren. Seit den Anfängen der Klaviermusik läßt sich eine Trennung von Tastenmusik für den kultisch-liturgischen Bereich und eine solche für den der Unterhaltung beobachten, in den die Tänze und die Liedbearbeitungen gehören. Im 16. Jahrhundert entstand ein dritter Bereich, der für die weitere Entwicklung von entscheidender Wichtigkeit wurde, weil

---

[4] Zofia Lissa, „Über das Wesen des Musikwerkes", in: *Neue Aufsätze zur Musikästhetik*, ed. H. H. Eggebrecht, Wilhelmshaven 1975, S. 8 f.

[5] *Ibidem*, S. 265.

[6] Tobias Plebuch, *Veräußerte Musik. Öffentlichkeit und Musikalienmarkt im Zeitalter Carl Philipp Emanuel Bachs*, Diss. phil. mschr. Berlin / Humboldt-Universität 1996, S. 183.

in ihm das eigenständige Setzen und Verändern von Themen im Mittelpunkt stand,
der gerade für die europäische Musik zum zentralen Kriterium wurde, weswegen für
ihn die Bezeichnung „thematische Abhandlung" gewählt wurde. Ursprünglich gehörte
alles dasjenige in diesen Bereich, was mit dem Begriff der „fantasia" in Verbindung
gebracht wurde: seit Zarlino bedeutete „comporre di fantasia" das schöpferische Um-
gehen mit Themen in Analogie zur sprachlichen Poesie. Daher ordnete man im 17.
Jahrhundert nicht nur die eigentliche Fantasie, sondern auch Gattungstypen wie Ri-
cercar, Toccata, Präludium usw. dem „stylus fantasticus" zu[7]. Bis zur Mitte des 18.
Jahrhunderts vollzog sich das Abhandeln von Themen im Rahmen der kontrapunk-
tisch geprägten Kompositionslehre. Mit dem Ende der Identifizierung von Komposition mit Kontrapunkt und der zunehmenden Bedeutung der harmonisch-formalen
Dimension vollzog sich der Aufstieg der Sonate zur Leitgattung der thematischen
Abhandlung.

Gattungsbereiche der Musik für Tasteninstrumente vor 1750

„Thematische Abhandlung"	Tanz, Charakterstück Variation	Musik im Umkreis des Gottesdienstes

Differenzierung der Gattungsstruktur 1750–1830

	„Thematische Abhandlung"	Übungsstück	Pièce de Clavecin /Klavierstück	Tanz	Variation
1750–1770	Präludium/ Fuge Sonate (Freie) Fantasie		Lied am Klavier	Menuett Polonaise /Alla polacca	
1770/90	Capriccio Rondo/ Rondo scherzando	Präludium	Handstück Romanze Pastorelle Siciliana Arcadienne	Deutscher ([Ballo] Tedesco /Allemande) Anglaise	Variation
1790–1800	Musikalisches Gemälde/ Battaglia			Ländler Bacchanal Divertissement	Var mit Einlei- tung/Fantasie; Potpourri
1800–1810	Rondo brillant/... sentimental	Exercice / Etüde Toccata	Bagatelle	Marsch Monferine Walzer Mazurka/ Rondeau à la mazurek	

---

[7] Arnfried Edler, *Gattungen der Musik für Tasteninstrumente T. I, Von den Anfängen bis 1750*, Laaber 1997 (= *Handbuch der musikalischen Gattungen* B. 7.I.), S. 305 ff., 314 f.

	„Thematische Abhandlung"	Übungsstück	Pièce de Clavecin /Klavierstück	Tanz	Variation
1810–1820			Ekloge Rhapsodie Ditirambo Nocturne		
1820–1830			Impromptu Moment musical		Opernfantasie

Aus der Gegenüberstellung der Gattungsstruktur vor und nach 1750 ergibt sich eine erhebliche Differenzierung der Gattungsbereiche bei gleichzeitigem Verschwinden zahlreicher einzelner Gattungstypen. Zum einen fällt der Bereich der gottesdienstlichen Musik — vor allem der Bearbeitungen des *Cantus firmus* — zunächst fast gänzlich weg, zumindest spielt er eine so geringe Rolle, daß er in der gattungsgeschichtlichen Betrachtung vernachlässigt werden kann. Dem Bereich der thematischen Abhandlung mit der Sonate als zentralem Schauplatz des Diskurses thematischer Charaktere[8] gehören auch die namentlich von Carl Philipp Emanuel Bach zwischen 1779 und 1787 eingeführten Gattungstypen der Freien Fantasie und des fantasieähnlichen Rondos[9] an. Auf dieser Grundlage steigerten die Wiener Klassiker das diskursive Potential der thematischen Abhandlung bis zu Beethovens großen Konzertsonaten des ersten Jahrzehnts im neuen Jahrhundert. Eine besondere Bedeutung erhielten Stücke, die mit dem Begriff Capriccio, Caprice bzw. a capriccio oder capriccioso versehen waren. Im 18. Jahrhundert vorwiegend zur Bezeichnung von virtuosen Stücken bzw. Konzertkadenzen für die Violine verwendet, wandelte sich die Bedeutung zum spezifisch virtuosen Charakterstück, dessen Kennzeichen Esprit, Laune und Witz waren.

Wurde das Repertoire in den ersten Jahrzehnten nach 1750 nahezu ausschließlich von der Sonate beherrscht, so traten seit den späten 1770er und vor allem den 1780er allmählich andere Gattungen hinzu. Das betrifft zum einen die Klaviervariationen, zu deren Wiedereinführung in die Druckproduktion der junge Mozart offenbar entscheidend beigetragen hat. Zum anderen erweiterte sich wieder die Palette der Klaviertänze, von denen nach dem Verschwinden der Suite zunächst lediglich das Menuet und die Polonaise übriggeblieben waren. Besonders im letzten Jahrzehnt des 18. Jahrhunderts traten zunehmend „Deutsche" und Ländler — die Vorgänger des Walzers — in den Vordergrund. Vor allem seit dem Wiener Kongreß 1815 — der eine wahre Tanzepidemie weckte — war der Walzer auf sämtlichen Klavierpulten Europas zu finden. Daß die Vorform des Walzers, der „Deutsche", durchaus im Sinn eines Nationaltanzes im Sinn der politischen Bewegung gegen Napoléon verstanden wurde, zeigt sich etwa, wenn Joh. Nep. Hummel um 1807 einer Sammlung von 12

---

[8] Zum Begriff der musikalischen Diskursivität vgl. Nicole Schwindt-Gross, *Drama und Diskurs. Zur Beziehung zwischen Satztechnik und motivischem Prozeß am Beispiel der durchbrochenen Arbeit in den Streichquartetten Haydns und Mozarts*, Laaber 1989, S. 119 ff.

[9] Arnfried Edler, "»Wenn man alt wird, so legt man sich aufs spaßen«. Humor und Melancholie in Carl Philipp Emanuel Bachs Klavierrondos", in: *Festschrift Martin Geck zum 65. Geburtstag*, ed. A. Rolfl, Dortmund 2001, S. 250.

Deutschen als Anhang eine Bataille beigab. Gleichzeitig mit der Inaugurierung des Walzers wurde in ganz Europa das Interesse daran rege, unterschiedliche National-tänze für das Klavier verfügbar zu machen und in das Repertoire einzuführen, so auch die Mazurka in Polen. Alle Klaviertänze traten bereits im ersten Jahrzehnt auf, präg-ten aber erst im zweiten und dritten das Repertoire.

Zwei Gattungsbereiche aber traten neu auf bzw. verselbständigten sich: das Ü-bungsstück zum Erwerb spieltechnischer Perfektion — und das sogenannte Hand-stück. Der letztgenannte Gattungstyp läßt sich als spezifisch deutsche Reduktions-form des französischen Pièce de clavecin bestimmen. Er war einerseits zum häuslichen Musizieren — eng benachbart dem gesungenen Lied -, bestimmt, andererseits diente er einer neuen Form der Elementarpädagogik, wie sie der deutsche Philanthropismus — vor allem in der Gestalt Daniel Gottlob Türks — in die Musik einführte. In ihm bereitete sich das Lyrische Klavierstück vor, der — neben der Symphonischen Dich-tung, wohl charakteristischsten Gattung des 19. Jahrhunderts—[10] dessen Differenzie-rung seit etwa 1810 auf der einen Seite Gattungstypen wie die Rhapsodie hervor-brachte, die durch eine narrative Haltung der thematischen Abhandlung nahestanden. Václav J. Tomašek bezeugte eine um diesen Zeitpunkt seit langem anhaltende „unbe-greifliche Gleichgültigkeit gegen die Sonate für Clavier“. Der Rückgriff auf Gat-tungsbezeichnungen aus der griechisch-antiken Literatur hatte zum Ziel, diesen Gat-tungstypen ein mit der Sonate vergleichbares ästhetisches Gewicht zu verschaffen. — Auf der anderen Seite blieb das Klavierstück in seiner traditionellen Nähe zum voka-len Lied, was sich etwa daran zeigt, daß das 1814 durch John Field etablierte Noc-turne in seinen ersten Exemplaren von den Verlegern unter der Bezeichnung „Roman-ce“ herausgebracht wurde. Bezeichnungen wie „Impromptu“ oder „Moment musical“ verweisen auf die gleichermaßen bestehenden Affinitäten der Gattung zu Improvisati-on und zur Fantasie.

Demgegenüber wurde der Begriff der Klavieretüde 1801 von Anton Rejcha aus der Violinliteratur für einen Gegenstand übernommen, der sich unter anderen Bezeich-nungen unmittelbar aus der Situation dieser Zeit ergab. Die Verschiebung des Gleichgewichts vom Cembalo/ Clavecin und Clavichord auf das Fortepiano im letzten Jahrzehnt des 18. Jahrhunderts ging einher mit seiner verstärkten Einbeziehung in den öffentlichen Konzertbetrieb. Alle führenden Virtuosen spielten nun mehr oder weniger ausschließlich auf diesem Instrument, was eine rasche, lang anhaltende Erwei-terung der Spieltechnik und eine Revolutionierung der methodischen Einstellung zu deren Erwerb notwendig machte. Diese Tendenz kam etwa gleichzeitig in Deutsch-land in Johann Peter Milchmeyers *Die wahre Art das Fortepiano zu spielen* (Dresden 1797) -, in England in Clementis *Introduction to the art of playing the Pianoforte* (1801), in Frank-reich in Ignaz Pleyels *Nouvelle Méthode de Pianoforte contenant les principes du doigté* (1797) sowie in L. Adams für den Unterricht am Pariser Conservatoire bestimmte *Méthode de Piano* (1802) zum Durchbruch. Ziel dieser Unterrichtswerke war der Erwerb von pianistischer Professionalität; zu diesem Zweck wurde der Ablauf eines achtstündigen

---

[10]   Carl Dahlhaus, „Zur Problematik der musikalischen Gattungen im 19. Jahrhundert“, in: W. Arlt u. a.
(edd.), *Gattungen der Musik in Einzeldarstellungen. Gedenkschrift Leo Schrade* I, Bern/München 1973, S. 860.

Arbeitstages entworfen, bei dem lediglich die Mittagsstunden der Ruhe gegönnt werden dürfen:

> Aber die Stunden von 4–8 Uhr, sind wieder besonders für einen, der um 12 Uhr zu Mittage speißt, ausnehmend glückliche Stunden. Der Körper hat dann seine Verdauung vollbracht, und der Geist erscheint zum zweitenmal des Tages in seinem wahren Glanze. Diese 4 Stunden muß man nun zur Uibung verschiedener musikalischer Gänge anwenden, und sie so studieren, daß man von Zeit zu Zeit zugleich ausruhe und arbeite... Z. B. also so: ietzt ermüde ich meine rechte Hand nach und nach durch viele musikalische Gänge, die ich langsam anfange, und immer geschwinder mache, bis die Hand nicht mehr kann; nun lasse ich sie ausruhen, und verrichte das nämliche mit der linken Hand. Auf diese Art kann man zur nämlichen Zeit arbeiten und ausruhen, und nimmt man diese Fingerübung Abends vor, so hat man die ganze Nacht zum völligen Ausruhen der Hände und Finger vor sich. Oft kann der fleißige Anfänger vor Freude über das neue für den folgenden Tag bestimmte Studium kaum einschlafen, und das ist Beweis von natürlichem Talente zur Kunst, denn ein mit Naturanlagen gebohrner Künstler muß zu allen Zeiten bloß seine Kunst vor Augen haben. Ist er genöthigt auszugehen, so muß, wenn seine Arbeitsstunde naht, ein unsichtbarer, gleichsam magnetischer Zug ihn an sein Instrument treiben, und seine Kunst muß ihm alles seyn. –.... Ein junger Künstler, der durch acht Stunden Arbeit des Tages, in acht Jahren es so weit bringt, daß er sich alles dies zu eigen gemacht hat, der hat viel gethan, und darf hoffen, ein groser Musikus werden zu können[11].

Tatsächlich wird von Clementi — wohl als einem der ersten — überliefert, daß er täglich acht Stunden übte und sogar in Fällen, wo er daran gehindert wurde, am nächsten Tag bis zu sechs zusätzliche Stunden nacharbeitete[12].

Bereits in einigen der frühen Klavierschulen zeigt sich, daß das Übungsstück — das im 18. Jahrhundert zumeist als Präludium, Invention, Esercicio u. ä. im Bereich der thematischen Abhandlung angesiedelt war —, sich zu einem Gattungstypus eigener Qualität verselbständigte, in dem vor allem die klanglichen Möglichkeiten des neu entwickelten Fortepianos ausgelotet wurden. Als Beispiele seien einige der *50 Exercices doigtés* aus der *Méthode de Piano* oeuvre 56 des Wieners Josef Wölfl gezeigt, die kurz nach 1800 in zwei Teilen zu jeweils 25 Stücken bei André in Offenbach erschienen[13]. Eine systematische Anordnung der Tonarten wie etwa bei Cramer (1804, 1810) oder Hummel (1815) existiert nicht, jedoch ist deutlich zu erkennen, daß den Tonarten bestimmte Ausdrucks- und vor allem Klangcharaktere zuerteilt sind.

---

[11] Johann P. Milchmeyer, *Die wahre Art das Pianoforte zu spielen*, Dresden 1797, S. 71f. Milchmeyers Werke waren auch in Warschau bekannt; aristokratische Familien wie die Radziwiłłs und Zabiełłos gehörten zu den Subskribenten seiner *Pianoforte-Schule* (1799–1801).

[12] Leon Plantinga, *Clementi. His Life and Music*, London 1977, S. 6.

[13] Wölfl wirkte zwischen 1792 und 1795 — wahrscheinlich als Kapellmeister des Grafen Kazimierz Ogiński — in Warschau und unterrichtete dort Angehörige hoher Gesellschaftskreise. Richard Baum, *Joseph Wölfl. Leben, Klavierwerke*, Phil. Diss. München 1926, S. 13.

Exercice 15 Es-Dur: Geläufigkeit und Kantabilität (ähnlich Schubert: Impromptu D 899/2)

Exercice 23 f-Moll: Allegro furioso

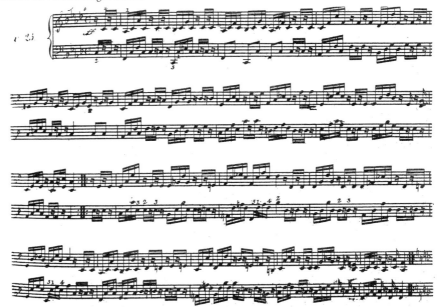

Exercice 25 C-Dur: Doppelgriffe

Exercice 29 F-Dur: Melodie mit kontinuierlicher Figuration mit künstlichen Leittönen

Exercice 30 a-Moll: Expressiv-Etüde mit Trillern und Akkorden in 1 Hand

Exercice 35 d-Moll: Oktaven-Etüde

Exercice 39 d-Moll: Linke-Hd. -Läufe

Exercice 43 c-Moll: heroisch, „Revolutions"-Etüde

Daß Chopins *Préludes* und *Etüden* — neben denen von Ignaz Moscheles — solche Tendenzen ins „Phantastische" erweiterten, stellte Robert Schumann bald nach ihrem Erscheinen fest[14]; die Abgrenzung zum Lyrischen Klavierstück einerseits und zur thematischen Abhandlung andererseits wurde dadurch zunehmend fließend. Die konzeptionelle Differenzierung und individuelle Profilierung jedes Einzelstücks führte zwangsläufig dazu, daß die eindeutige Abgrenzung der Gattungen obsolet und Überschneidungen oder Mischungen zum Regelfall wurden[15].

Als ein spezielles Betätigungsfeld für die professionellen Pianisten entstand zunächst ein neuer Gattungstyp, mit dem besonders der Berliner Daniel Steibelt und der Abbé Joseph Gelinek in den westeuropäischen Hauptstädten große Erfolg verbuchten: das Klavierpotpourri aus Opernmelodien, der Vorgänger der späteren Opernfantasien, mit denen Liszt, Thalberg, Herz u. a. in den dreißiger und vierziger Jahren des 19. Jahrhunderts brillierten[16]. Das Potpourri — das der Sache nach als eine Erweiterung der Variation-Gattung anzusehen ist, indem statt eines mehrere Themen variiert und fantasieartig miteinander verbunden werden -, wurde als eine Art Gespräch oder Diskurs angesehen, der durch geistreiche Zitate die musikalische Bildung des Ausführenden belebt und gewürzt wird: so schreibt Milchmeyer:

> [...] Man kann eine grose, mit vielen Schwierigkeiten verbundene Sonate ganz vollkommen spielen können, und im Potpouri ein Anfänger seyn. In dieser Art Musik muß man beinahe alle große Opern und Operetten auswendig wissen, um jede Ariette in ihrem Charakter vorzutragen, man muß alle Caprizen des Componisten nach empfinden können, und die Natur aller Instrumente, die man auf dem Pianoforte nachahmen will, ganz genau kennen, dabey viele Fertigkeit in solchen Gängen besitzen, die in Sonaten nie vorkommen, und eine Ariette mit der andern so geschickt zu verbinden wissen, daß der Zuhörer den Uibergang nicht gewahr werde; auch ist Abänderung des Taktes sehr oft von nöthen; kurz man muß ein sehr guter Musikus seyn, sehr viel Geschmack, und eben so viel Fertigkeit besitzen, wenn man ein Potpouri vollkommen vortragen will.[17]

In dieser Einschätzung zeigt sich einerseits die seit dieser Zeit immer deutlicher hervortretende Tendenz zur Vermischung der Gattungen und andererseits die enge soziale Anbindung des „diskursiv"-thematischen Denken an die Klasse der „Gebildeten" — derjenigen nämlich, die über einen reichen Fundus zitierfähigen Gedankengutes verfügen, mit dem der Diskurs durchsetzt und mit Anspielungen durchzogen werden kann. Wie sehr diese Konstruktionsweise dem in dieser Zeit gesellschaftlich zu führender Position aufsteigenden Bildungsbürgertum entgegenkam, ist an der Faszination abzulesen, die Jean Paul Friedrich Richters Romane ausübten: nicht von ungefähr erkor R. Schumann sie zum Leitbild für sein eigenes kompositorisches Verfahren[18].

Ähnliches gilt für weitere primär für den konzertmäßigen Vortrag konzipierte Gattungstypen, wie etwa das Caprice, das Divertissement und vor allem das im Sinn

---

[14] Robert Schumann, *Gesammelte Schriften über Musik und Musiker*, ed. M. Kreisig, Bd. I, ⁵Leipzig 1914, S. 215.

[15] C. Dahlhaus, „Zur Problematik der musikalischen Gattungen...", *op. cit.*, S. 874.

[16] Charles R. Suttoni, *Piano and Opera. A Study of the Piano Fantasies Written on Opera themes in the Romantic Era*, Ann Arbor 1974, S. 105 ff..

[17] J. P. Milchmeyer, *Die wahre Art das Pianoforte zu spielen*, *op. cit.*, S. 70.

[18] Anthony Newcomb, "Schumann and Late Eighteenth-Century Narrative Strategies", in: *19th-Century Music* XI/2, 1987, S. 167 ff.

illustrativer musikalischer Schilderungen und Schlachtengemälde zu ausladenden Dimensionen ausgebaute Rondo[19]. Mit Hilfe der im damaligen Entwicklungsstadium weit verbreiteten „Veränderungen", d. h. der Registerzüge wie Harfenzunge, Dämpfer oder Harmonika sowie der gesteigerten virtuosen Spielweise bemühten sich die reisenden Spieler des Pianoforte, andere Instrumente oder sogar ein Orchester nachzuahmen bzw. virtuell im Klavier zu versammeln und durch das eigene Spiel quasi zu beherrschen.

* * *

Die vier wohl wichtigsten Klavierkomponisten, die zwischen 1809 und 1811 geboren wurden und um 1830 eigentlich ihre berufliche Laufbahn als Musiker antraten, haben die Gattungsstruktur der Musik für Tasteninstrumente einschneidend verändert.

Mendelssohn

	„Themat. Abhandl."	Üb.-St.	Lyrisches Klavierstück	Tanz	Variation	Orgelwerke
1821–27	Sonate					
1836–45						
1825–37	Capriccio/Fantasie					
1827	Rondo capriccioso		Charakter. Stück			
1830			Lied ohne Worte			
1836–41		Studie				Präl. /Fuge
1837	Präl. /Fuge		Albumblatt			Sonate
1841					Variation	
1842			Kinderstück			

Chopin

	„Themat. Abhandl."	Üb.-St.	Lyrisches Klavierstück	Tanz	Variation	Orgelwerke
1817–46				Polonaise		
1824–49				Mazurka		Etude
1824–33					Variation	Prélude
1825–33	Rondo					
1827–44	Sonate					
1829–41		Etude				
1829–49				Valse		
1829				Ecossaise		
1830–46			Nocturne			
1833				Bolero		
1834–43	Scherzo					
1835–43	Ballade					
1837–42			Impromptu			
1838–39		Prélude				
1841	Fantaisie			Tarantelle		
1844			Berceuse ——————→			
1845			Barcarole			

---

[19]   Karin Schulin, *Musikalische Schlachtengemälde in der Zeit von 1756 bis 1815*, Tutzing 1986, S. 232 ff.

Schumann

	„Themat. Abhandl."	Üb. -St.	Lyrisches Klavierstück	Tanz	Variation	Orgel-werke
1828				Polonaise		
1829		Toccata		Fandango	Variation	
1832/33		Studie n. Paganini	Papillons Impromptu			
1833–53	Sonate					
1834–35			Scènes mignonnes		Symphon. Etüden	
1836–38	Fantasie					
1837			Fantasiestück	Davidsbündler-T.		
1838	Scherzo Fughette		Romanze Kinderszenen	Gigue		
1839	Humoreske Novellette Fantasiebilder		Arabeske Blumenst. Nachtstück			
1845	Fuge	Studie	Skizze			Fuge
1848			Klavierst. für die Jugend Waldszene			
1849–53			Stück für d. Pfte			
1853					Gesänge der Frühe	

Liszt

	„Themat. Abhandl."	Üb. -St.	Lyrisches Klavierstück	Tanz	Opernbearb.	Variation/ Pasticcio	Orgelwerke
1824	Rondo/ Allegro di bravura					Variation Impromptu brillant	
1826–63		Etudes					
1827	Scherzo				Opern-		
1829			Harmonies poét. /rel.		bearbeitung/		
1834			Apparition Musikal.		-fantasie/ Reminiscence		
1835							
1836			Reisetagebuch	Valse		Fantaisie	
1837–53	Sonate			Galop		romantique	
1838				Ländler			
1841–43			Albumblatt	Marsch			
1845–53	Ballade					Ungar. Nat.	
1845–85			Hymne Pensée poétique	Mazurka Polonaise		Melodien/ Rhapsodien	
1847			Berceuse				
1849	Konzert						Fantasie/
1850	solo						Fuge
1851							
1854							

	„Themat. Abhandl."	Üb.-St.	Lyrisches Klavierstück	Tanz	Opernbearb.	Variation/ Pasticcio	Orgelwerke
1855							Präludium/ Fuge
1859							
1860							
1866						Ostinato- Variation	
1868						Variation	
1874	Legende						
1881		Techn. Studie	Elegie Bagatelle Kl.-Stück	Csardas			

Jedoch ergibt der Überblick über die Gattungsstruktur, den man in jedem der vier Œuvres als eine individuelle Stellungnahme zu der aktuellen Situation um 1830 auffassen kann, ein durchaus unterschiedliches Bild.

1. Wie aus den Jahreszahlen in der linken Spalte hervorgeht, beschäftigte sich Chopin mit den einzelnen Gattungstypen vergleichsweise am ausgiebigsten: von allen schuf er mehrere, meist eine beträchtliche Anzahl untereinander höchst unterschiedlicher Exemplare ein und desselben Gattungstypus', was sonst nur noch bei Mendelssohns *Liedern ohne Worte* vorkommt.

2. Chopin erfand als einziger der vier auch dort, wo er neue Gattungstypen einführte, keine eigenen Bezeichnungen für diesen Bereich, sondern griff grundsätzlich auf bestehende Termini aus anderen musikalischen Bereichen — wie Berceuse oder Barcarole — zurück. Während die Individualisierung und Spezialisierung des musikalischen Materials und seiner konstruktiven Behandlung bei Chopin besonders seit seiner Übersiedlung nach Paris — offensichtlich unter dem Einfluß der romantischen Literaten und Maler, in deren Kreisen er sich bewegte, permanent fortschreiten, bemühte er sich, durch die Zuordnungen der Werke zu traditionellen Gattungszusammenhängen den kommunikativen Bezug zu seinen Rezipienten aufrechtzuerhalten und womöglich zu konsolidieren.

3. Im Bereich der thematischen Abhandlung stellt es eine wichtige negative Entscheidung dar, daß Mendelssohn, Chopin und Schumann auf den Komplex von Potpourri bzw. Opernfantasie verzichteten. Liszt hingegen baute ihn zu einem eigenständigen Sektor mit teilweise durchaus gewichtigen Werken aus.

4. Während Mendelssohn und Schumann die Auseinandersetzung mit der Sonate — der zentralen Gattung der „thematischen Abhandlung" — ganz überwiegend in die Kammermusik verlegten, widmete ihr Chopin zumindest zwei Werke, die belegen, daß er sie keineswegs als eine überlebte, absterbende Gattung ansah: vielmehr gehörte es — wie ein Blick auf die Œuvres etwa von Hummel oder Moscheles, ja sogar von Kalkbrenner lehrt — in den 1830er Jahren durchaus zum Metier eines komponierenden Klaviervirtuosen, sich mit der Sonate auseinanderzusetzen. Daß die Mehrsätzigkeit des Zyklus mit der gedanklichen und assoziativen Einheit in Konflikt geriet, betrifft jedoch Schumann — der sie vermißte — in seinen Sonaten kaum weniger, und Liszt zog daraus die Konsequenz, die von Schubert in der *Wandererphantasie* eingeführte Idee der „Double-function" zum grundlegenden

Prinzip zu erheben. Doch in den letzten Jahrzehnten wuchs die Einsicht, daß Chopins Sonaten in der aufrechterhaltenen Mehrsätzigkeit eine zyklische Geschlossenheit aufweisen, die in ihrer Weiträumigkeit zumeist verkannt wurde[20].

5. Unter den Gattungstypen der thematischen Abhandlung sind bei Chopin Ballade und Scherzo neu, jedoch nicht voraussetzungslos. In ihnen werden Möglichkeiten des Narrativen aufgenommen, die in den Gattungen des Potpourris und der Opernfantasie angelegt waren, die Chopin in den Variationswerken op. 2 und op. 12 (*Ludovic* v. Hérold) bereits streifte. Kamen diese selbst aber für ihn aufgrund ihrer plakativen Montagetechnik nicht in Frage, so setzte er neuartige Mittel der Kontrastierung und der Steigerung ein, die er u. a. in der gleichzeitigen Grand'Opéra Meyerbeers vorfinden konnte[21].

Voraussetzung war, daß Chopin hier wie auch in den Scherzi zu weiträumigen harmonisch-narrativen Konzeptionen vordrang, die die strukturelle Kontrolle über höchst divergente Materialien unterschiedlicher Stile — des Brillanten, des Tänzerischen, des Diskursiven und des Lyrisch-Meditativen ermöglichten und ihm gestalteten, Sie überzeugend zur Synthese zu bringen[22]. Vergleichbar — wenn auch stilistisch weit entfernt — wäre eine solche Konzeption am ehesten mit Schumanns Novelletten.

6. Die Scherzi Chopins stehen einerseits in der Nachfolge des revolutionären Gattungstypus' Beethovens, andererseits in einer Tradition, die zuvor meist mit dem Wortfeld „Capriccio/Caprice, a capriccio, capriccioso" in Verbindung gebracht wurde. Schumann bemerkte 1832 im Vorwort zu seiner Klaviertranskription der Paganini-Capricen:

> Keiner andern Gattung musikalischer Sätze stehen poetische Freiheiten so schön als der Caprice. Ist aber hinter der Leichtigkeit und dem Humor, welche sie charakterisieren sollen, auch Gründlichkeit und tieferes Studium sichtbar, so ist das wohl die echte Meisterschaft[21].

Für den Bereich der Klaviermusik nannte Schumann Werke wie die zwischen etwa 1790 und 1815 entstandenen *Grandes Caprices* op. 4, 29, 31, 34, 41 August Eberhard Müllers und die „sehr geistreichen" des Breslauers Joseph Pohl. Man könnte darüber hinaus auf Werke und Werkgruppen wie Webers *Momento capriccioso*, von Hummel die *Caprice* op. 49/1815 seine *3 Amusements en forme de caprice* op. 105/1824 und weitere o. O., Kalkbrenners *Capricci* G op. 91 und h op. 104 sowie dessen *Scherzo e Rondo* op. 97 und nicht zuletzt das *Scherzo g-Moll* des 17-jährigen Liszt verweisen, die sämtlich zwischen 1810 und 1830 entstanden; Clara Wieck schrieb ihre *Caprices* op. 2 als 13-jährige 1832 mit deutlichen Anklängen an die kurz zuvor

---

[20] Mieczysław Tomaszewski, *Frédéric Chopin und seine Zeit*, Laaber 1999, S. 160; Joachim Kaiser, „Chopin und die Sonate", in: *Musik-Konzepte* 45, München 1985, S. 14.

[21] Anselm Gerhard, „Ballade und Drama. Frédéric Chopins Ballade op. 38 und die französische Oper um 1830", in: *AfMw* XLVIII/1991, S. 122 f.

[22] J. Samson, "Extended forms", *op. cit.*, S. 102; ders.: Chopin, *The Four Ballades*, Cambridge 1992, Kap. 4, Genre, S. 69 ff.

[21] R. Schumann, „Vorwort" zu: *Studien nach Capricen von Paganini op. 3* (1832), New York /London/Frankfurt/M. o.J., S. 3.

erschienenen *Papillons* von Schumann. Das für das Schlesingersche „Album des Pianistes" geschriebene *Scherzo a capriccio* fis-Moll von Mendelssohn bezeichnete Schumann erstaunlicherweise sogar als „klassisch". Chopin knüpfte also auch hier an bestehende Gattungstraditionen an, gestaltete jedoch deren zumeist mono-rhythmische, oft als Perpetuum mobile gestaltete Faktur durch neuartige Kon-trast-und Synthesenbildung zu formal erweiterten und gehaltlich vertieften Werk-verläufen um. Bei allem Abstand der stilistischen und zyklischen Konzeption wäre ein Vergleich am ehesten zu Schumanns *Humoreske* op. 20 zu ziehen.

7. Im Kernbereich des Lyrischen Klavierstücks, wo Mendelssohn mit den *Liedern ohne Worte*, Schumann mit einer Fülle von individualisierenden Bezeichnungn und Liszt mit seinen poetisch-religiösen Konzeptionen gänzlich neue Bereiche erschlossen, verharrte Chopin in den Grenzen der von der „brillanten" Klaviermusik vorgege-benen Gattungsspektrums, wobei er insbesondere das Nocturne gegenüber Field strukturell und im Ausdruck ungemein erweiterte, jedoch — im Gegensatz zu den „thematischen Abhandlungen" — den Rahmen der vorgegebenen Gattungserwar-tungen prinzipiell nicht überschritt.

8. Die Variation blieb bei Chopin — ähnlich wie bei Schumann — auf das Frühwerk beschränkt; doch als kompositorisches Prinzip durchzog sie sämtliche Werke der späteren Schaffensperioden.

9. Chopin nahm als einziger der vier betrachteten Komponisten nicht an der Restitu-ierung der Orgelmusik teil, was aber nicht bedeutet, daß er von der Wiederent-deckung der Musik Bachs weniger berührt worden wäre.

10. Summierend läßt sich feststellen, daß die Gattungsdisposition des Œuvres Cho-pins enger an den Traditionen orientiert war, denen er entstammte als bei den drei anderen Komponisten, daß er jedoch innerhalb der einzelnen Gattungen und Gattungsbereiche, die er übernahm, eine größere Vielfalt anstrebte und eine struk-turelle und poetische Neuorientierung ins Werk setzte, die aufs engste auf seinen Personalstil zugeschnitten war. Robert Schumann traf diese spezifische Seite mit der Charakterisierung aus „Meister Raros Denk-und Dichtbüchlein" aus dem An-fang der 1830er Jahre:

> Es sind verschiedene Sachen, die er betrachtet, aber wie er sie betrachtet, immer dieselbe Ansicht[24].

Diese subjektiven Sicht führt in sehr vielen Fällen dazu, daß Erwartungshaltungen der Rezipienten in bezug auf die Gattungsbezeichnungen getäuscht werden. Inso-fern liegt in Chopins Gattungsverständnis ein Grundzug von romantischer Ironie.

---

[24]   R. Schumann, *Gesammelte Schriften über Musik und Musiker, op. cit.*, Bd 1, S. 23.

STRESZCZENIE

ASPEKTY HISTORII GATUNKÓW W MUZYCE FORTEPIANOWEJ CHOPINA

Druga i trzecia dekada XIX w. oznaczała dla historii gatunków solowej muzyki fortepianowej okres przełomu. W przeciwieństwie do minionego czasu, oznaczenie „sonata" schodziło na drugi plan. Wariacje i tańce, które w dwóch ostatnich dekadach XVIII w. stopniowo nabierały znaczenia, zyskiwały najpóźniej od czasu Kongresu Wiedeńskiego coraz większy udział w nowo powstającym repertuarze. Z jednej strony próbowano określić w sposób obiektywny istotę gatunków kompozytorskich w teorii form muzycznych, która osiągnęła kulminację w latach 1837–47 w nauce kompozycji A. B. Marxa. Z drugiej strony tradycja gatunku była coraz bardziej odczuwana jako nominalizm (R. Schumann napisał w 1839 r.: „A więc pisze się sonaty lub fantazje [chodzi o nazwę]"). To, że liryka fortepianowa, której początki sięgają do gatunków tanecznych, zastąpiła sonatę jako centralny gatunek muzyki fortepianowej i stała się właściwym przeciwstawieniem poematu symfonicznego, oznacza z jednej strony reakcję przeciw tradycji XVIII w. Z drugiej strony w liryce fortepianowej zwraca się wielokrotnie uwagę na tradycję gatunku sonaty i przypisuje się formom liryki sposoby myślenia tematyczno-motywicznego. Te wzajemne stosunki tradycji gatunkowych w muzyce fortepianowej były po 1830 r. bardzo różnie realizowane w Europie.

Chopin zyskał w tym procesie znaczenie specyficzne, ponieważ typowe dla tego czasu zjawiska we wszystkich dziedzinach europejskiej kultury artykułował w swojej muzyce w sposób nowatorski. Podczas gdy instytucjonalne i funkcjonalne znaczenie gatunków, nawet ich oficjalna reprezentacja w kościele i polityce, albo też towarzyska pozycja tańca, schodziły na dalszy plan, historyczna, społeczna i narodowa problematyka, jak i nowa postawa subiektywizmu przesuwały się z pola napięć techniczno-przemysłowej racjonalności i mistyczno-religijnego światopoglądu w centrum artystycznego kształtowania.

Obok Schumanna i Liszta przede wszystkim Chopin, wychodząc od duchowych i społecznych zmian lat 1820. i 1830., wprowadził nowe gatunki w muzyce fortepianowej, przekształcał zastane tradycje gatunkowe i tym samym wycisnął piętno w sposób miarodajny na wykształceniu w muzyce struktury gatunkowej do końca XIX w.

Le style brillant à l'époque de Chopin et dans sa musique

Danuta Jasińska

(Poznań)

Sébastien de Brossard dans son *Dictionnaire de musique* écrivait : « Brillant veut dire d'une manière vive, enjouée, galante, animée, brillante »[1]. Ce terme est avant tout une indication d'exécution et d'expression qui détermine l'éclat dans l'interprétation et le caractère à effet dans une composition. Dans un lexique du XIXᵉ siècle, publié sous la direction de G. Schilling, nous lisons : « Une exécution brillante, une composition brillante — c'est le degré supérieur de la bravoure contemporaine, fondu avec l'expression et la précision la plus exacte »[2]. H. Riemann définit le style brillant comme un « genre particulier de style (...), le fruit de la virtuosité qui s'accroît dans la littérature pour piano »[3]. A. Schering comprend la notion de style brillant comme « le style galant du XIXᵉ siècle »[4]. La légèreté et l'élégance de l'expression ont été enrichies par les moyens de virtuosité dont une démonstration éblouissante devait évoquer la surprise et l'admiration chez l'auditeur. C'est un style plein d'éclat et de bravoure qui évite plutôt la profondeur, un style qui se caractérise par la virtuosité de l'interprétation et par les dimensions distinctives de la composition.

Dans plusieurs travaux du domaine de l'histoire et de la théorie musicales le terme « brillant », s'il apparaît, est lié à un courant lyrique et de virtuosité qui était présent dans la musique pour piano au cours de la première moitié du XIXᵉ siècle. On y parle, entre autres, des formes musicales qualifiées par le terme « brillant »[5]. On aperçoit aussi le rôle de la virtuosité, sa force et son dynamisme, on apprécie la contribution des virtuoses, des représentants de la génération antérieure et postérieure dont l'activité a contribué au développement de la musique instrumentale[6]. On prête attention aux acquis de l'école de M. Clementi et à deux principaux centres d'interprétation de l'orientation technique : celui de Vienne avec l'école de C. Czerny et de J. N. Hummel, et celui de Paris avec F. Kalkbrenner à la tête[7].

---

[1] Sébastien de Brossard, *Dictionnaire de musique*, Paris ²1705, p. 8.

[2] Gustav Schilling (éd.), *Encyklopädie der gesammten musikalischen Wissenschaften oder Universal-Lexikon der Tonkunst*, Stuttgart 1840, p. 23.

[3] Hugo Riemann, *Vergleichende Klavierschule. Theoretischer Teil*, Leipzig ⁴1912, p. 39.

[4] Arnold Schering, *Geschichte des Instrumentalkonzerts bis auf die Gegenwart*, Leipzig 1905, p. 180.

[5] Cf. A. Schering, *op. cit.*, pp. 176–194 ; Hans Engel, *Das Instrumentalkonzert — Eine musikgeschichtliche Darstellung*, t. II, Wiesbaden 1974, pp. 1–9.

[6] Cf. Gustav Schilling, *Geschichte der heutigen oder modernen Musik*, Karlsruhe 1841, pp. 764–768 ; Walter Georgii, *Klaviermusik*, Berlin 1941, pp. 231–255.

[7] Cf. Oscar Bie, *Das Klavier und seine Meister*, München 1898, pp. 161–199 ; Herbert Westerby, *The History of Pianoforte Music*, London 1924, pp. 152–157.

Dans la musicologie polonaise on a accepté d'associer la notion de « brillant » à celle de « style ». J. M. Chomiński[8], dans ses études, met au premier plan la question de l'écriture et de la forme. Tandis que I. Poniatowska[9], qui s'occupait plus largement des problèmes de la musique pour piano et de l'art de piano du XIXe siècle, joint le style brillant à un type bien déterminé de piano et à la méthode de « jouer avec les doigts et le poignet » et elle soutient que ce style « dans le sens du métier et de l'expression rassemblait des éléments de virtuosité avec des éléments lyriques et sentimentaux »[10]. Dans leurs études sur Chopin quelques auteurs, et cela plutôt dans des conceptions plus récentes, prennent en considération certains aspects du style brillant. Il faut y mentionner, entre autres, la monographie de J. Samson et l'étude de J. Rink[11], et chez les auteurs polonais, les remarques que l'on trouve dans les textes de Z. Chechlińska, I. Poniatowska, M. Gołąb et M. Tomaszewski[12], les articles dans l'oeuvre collective intitulée *Przemiany stylu Chopina* [« Les transformations du style chez Chopin »][13] ou bien notre étude sur le style brillant[14].

En rapport avec le sujet abordé, apparaissent deux questions dont la première concerne la catégorie du style brillant. Nous aimerions bien accentuer les traits caractéristiques de ce style et le rôle qu'il jouait dans la vie musicale et dans la création pour piano au cours des trente premières années du XIXe siècle, donc à l'époque de Chopin.

La seconde question se rapporte directement à Chopin lui-même. Nous voudrions attirer l'attention sur les rapports du compositeur avec la pratique de maîtrise de son temps et indiquer la valeur créative des éléments du style brillant utilisés dans sa musique.

---

[8] Józef M. Chomiński, « Z zagadnień ewolucji stylu Chopina » [Des problèmes de l'evolution du style de Chopin], in : *Muzyka*, V, 1960, N° 3 ; J. M. Chomiński, « Z zagadnień faktury fortepianowej Chopina » [Des problèmes de l'écriture pianistique de Chopin], in : Z. Lissa (éd.) *F. F. Chopin*, Warszawa 1960 ; J. M. Chomiński, *Chopin*, Kraków 1978.

[9] Irena Poniatowska, *Muzyka fortepianowa i pianistyka w wieku XIX. Aspekty artystyczne i społeczne* [La musique de piano et la pianistique au XIXe siècle. Les aspects artistiques et sociaux], Warszawa 1991.

[10] *Ibidem, op. cit.*, p. 156.

[11] Jim Samson, *The Music of Chopin*, London 1985 ; John S. Rink, *The Evolution of the Chopin's Structural Style and Its Relation to Improvisation*, Cambridge 1989 (thèse de doctorat, mécanographiée).

[12] Cf. Zofia Chechlińska, « Chopin w kontekście polskiej kultury muzycznej XIX w » [Chopin dans le contexte de la culture musicale polonaise du XIXe siècle], *Rocznik Chopinowski*, 20, 1992 ; Z. Chechlińska, *Wariacje i technika wariacyjna w twórczości Chopina* [Les variations et la technique de variation dans les oeuvres de Chopin], Kraków 1995 ; I. Poniatowska, *Muzyka fortepianowa... op. cit.* ; I. Poniatowska, *Historia i interpretacja muzyki. Z badań nad muzyką od XVII do XIX wieku* [L'histoire et l'interprétation de la musique. Des recherches sur la musique de XVII jusqu' à XIXe siècle], Kraków 1993 ; Maciej Gołąb, *Chromatyka i tonalność w muzyce Chopina* [La chromatique et la tonalité dans la musique de Chopin], Kraków 1991 ; Mieczysław Tomaszewski, « Chopin Fryderyk Franciszek », in : E. Dziębowska (éd.) *Encyklopedia Muzyczna PWM. Część biograficzna*, t. II, Kraków 1985 ; M. Tomaszewski, *Muzyka Chopina na nowo odczytana* [La musique de Chopin relue], Kraków 1996 ; M. Tomaszewski, *Chopin. Człowiek, dzieło, rezonans* [Chopin. L'homme, l'oeuvre, la résonnance], Poznań 1998.

[13] M. Gołąb (éd.), *Przemiany stylu Chopina. Studia* [Les transformations du style de Chopin], Kraków 1993.

[14] Danuta Jasińska, *Styl brillant a muzyka Chopina* [Le style brillant et la musique de Chopin], Poznań 1995.

LE STYLE BRILLANT CRÉÉ PAR LES VIRTUOSES ET MANIFESTÉ DANS LEURS COMPOSITIONS EMBRASSE LES ANNÉES 1800–1830

Ces dates sont tout à fait conventionnelles, elles omettent la phase initiale qui correspond à la naissance du style, et les phases postérieures qui correspondent à sa fin. Parmi les sources de ce style se trouvait la pratique instrumentale avec toutes les figures qui venaient de Mozart, C. Ph. E. Bach et de l'école de Clementi. Sous la force de la pression de la virtuosité, de plus en plus répandue, le style brillant qui puisait des traditions dans le classicisme, a entraîné le développement de ces traditions. En tant que style d'interprétation et à la fois de composition, il a apparu dans plusieurs oeuvres à effet, créées par de nombreux virtuoses sous l'influence des devises de l'époque. Il est devenu le courant du jour pour se transformer plus tard en un courant désuet.

Au cours de la première moitié du XIXe siècle, la virtuosité était acceptée et reconnue dans la société. Réalisée à travers l'interprétation instrumentale, elle comprenait les auditions de piano, de violon et de la musique de chambre[15]. Parmi les artistes qui ont contribué à l'épanouissement de la virtuosité de piano, il faut citer J. B. Cramer, C. Czerny, T. von Döhler, A. Dreyschock, J. L. Dusík, J. Field, les frères J. et H. Herz, F. Hiller, J. N. Hummel, V. Jírovec, F. Kalkbrenner, A. Klengel, I. Moscheles, J. Pixis, F. Ries, D. Steibelt, S. Thalberg, C. M. von Weber, ainsi que le jeune Liszt et Chopin. La participation active des virtuoses dans la vie musicale était visible grâce à leur activité sous différentes formes : celle de solistes, compositeurs, auteurs des ouvrages écrits, éditeurs ou pédagogues[16]. Ce qui était aussi important c'était leur contact avec les facteurs d'instruments de musique. Le perfectionnement du mécanisme du piano a influencé dans une certaine mesure le style d'exécution et vice versa — le culte de virtuosité demandait des solutions chaque fois améliorées pour la construction des instruments[17].

---

[15] Le nouveau idéal de la virtuosité de violon fut créé par N. Paganini. La virtuosité était présente aussi dans la musique de chambre, entre autres dans les trios à cordes (p. ex. les oeuvres de R. Kreutzer), dans plusieurs airs variés, mais c'était dans le quatuor brillant où elle se développait d'une manière particulière.

[16] Par exemple J. B. Cramer, à côté de son activité de pianiste, était compositeur, pédagogue apprécié et éditeur, tandis que H. Herz — pianiste, compositeur et pédagogue — est aussi devenu célèbre comme facteur de pianos. Les virtuoses s'engageaient souvent dans l'organisation des concerts (p. ex. F. Hiller à Dresde et en Basse Rhénanie), ils participaient dans les travaux de nouvelles associations et institutions musicales (p. ex. Cramer coopérait avec Philharmonic Society de Londres). Ils rédigeaient divers textes consacrés à la musique, dont les critiques, essais, mémoires, comptes rendus des concerts, mais ils étaient avant tout auteurs de manuels de l'art de jouer du piano. I. Poniatowska (*Muzyka fortepianowa...*, op. cit., pp. 50–125) décrit la méthode de jouer du piano répandue dans la première moitié du XIXe siècle, se rapportant aux études (écoles) de tels virtuoses et pédagogues comme : M. Clementi, L. Adam, D. Steibelt, S. Demar, J. B. Cramer, J. N. Hummel, F. Kalkbrenner, C. Czerny, F. Hünten, H. Herz, I. Moscheles, ainsi que F. J. Fétis et S. Thalberg.

[17] Déjà le choix-même de l'instrument offrait des possibilités déterminées en ce qui concerne la technique de jeu. Par exemple le style de Hummel avait son origine dans les possibilités de la mécanique viennoise, alors que Dusík prêtait attention à ce que le jeu soit coulé et mélodieux comme celui que l'on obtenait avec les instruments anglais. Dans la moitié du XIXe siècle, le perfectionnement de l'instrument tendait vers l'élargissement du diapason, vers la possibilité de répéter rapidement le même son, vers l'augmentation et différenciation du volume de sonorité et vers le perfectionnement général de tout le mécanisme. Cf. I. Poniatowska, *Muzyka fortepianowa...*, op. cit., pp. 25–41 ; Robert Winter, « Keyboards », in : H. M. Brown, S. Sadie (éd.) *Performance Practice Music after 1600*, New York 1990, pp. 346–372.

Au style brillant étaient associés avant tout les instruments viennois convenables pour jouer *non legato*, qui enrichissaient les passages figurés et les ornements de la cantilène avec de l'expressivité. Hummel[18] préconisait les instruments viennois, mais il recommandait aussi les instruments anglais. La légère mécanique viennoise favorisait la production d'un son « perlé », elle mettait mieux en relief la précision du jeu et les nuances des figures techniques. Cependant la mécanique anglaise, avec un son plus profond, correspondait plus aux exigences de faire « chanter » l'instrument[19].

Le style brillant se développait à l'époque où on appréciait les connaissances du jeu du piano, dont l'art d'improviser. Hummel[20] écrivait sur une imagination libre, à la base de laquelle se trouvait la technique de doigté, maîtrisée à la perfection. Czerny[21] distinguait bien l'art de préluder, de cadencer et d'improviser. Les virtuoses improvisaient sur un ou plusieurs thèmes, en général connus, suggérés par le public.

Les coryphées du style brillant, qui mettaient de l'accent sur les valeurs qui faisaient de l'effet dans l'interprétation et dans la composition, assouvissaient les besoins esthétiques des auditeurs de l'époque, recueillis dans les salles de concert et dans de nombreux salons de musique. Les façons de faire de la musique, ainsi que ses fonctions, se répercutaient dans un certain sens sur le style de jouer du piano qui, suivant les principes de la virtuosité, pouvait traiter cette dernière comme un but tout à fait indépendant. Dans le style brillant les compositions dont les valeurs artistiques étaient très différenciées voisinaient. Les compositions dont le style de virtuose était lié à l'art de la maîtrise et à l'art individuel du compositeur-virtuose occupaient un autre niveau que celui où se trouvaient les oeuvres écrites en conformité avec la mode, qui satisfaisaient les goûts d'un auditeur amateur, qui servaient de musique de fond pour les conversations de salon, qui étaient utilisées pour apprendre à jouer du piano, celles dont la fonction était de servir de *Hausmusik*[22] ou celles encore dont le rôle était tout simplement utilitaire. Il est vrai que d'un côté la virtuosité conçue d'une manière créative était capable de dynamiser le style instrumental et d'approfondir l'expression de la composition, mais d'un autre côté — la reproduction des formules courantes, ainsi que les grands gestes, vides de point de vue de l'expression, dont la seule fonction était celle d'impressionner, pouvaient aboutir à une trivialité de l'énoncé musical[23].

---

[18]   Johann N. Hummel, *Ausführliche theoretisch-praktische Anweisung zum Piano-Forte Spiel*, Wien 1828, pp. 438–439.
[19]   L'indication de Hummel — que les sons d'un instrument doivent « chanter » — est liée avec la conception de l'époque concernant l'expression musicale, juste pour mentionner les remarques de Thalberg sur l'art de « chanter » du piano, ou bien celles de Kalkbrenner qui fait la comparaison entre l'art de jouer d'un instrument avec l'art de chanter (cf. I. Poniatowska, *Muzyka fortepianowa...*, *op. cit.* p. 99). Le message esthétique présent ici, connu des études antérieures et de la tradition d'interprétation, concerne non seulement le style brillant de piano, mais aussi sa diffusion dans le lyrisme musical du XIXᵉ siècle.
[20]   J. N. Hummel, *op. cit.*, p. 444.
[21]   Cf. I. Poniatowska, « Improwizacja fortepianowa w okresie romantyzmu » [L'improvisation pianistique dans la période du romantisme], in : Z. Chechlińska (éd.) *Szkice o kulturze muzycznej XIX wieku* [Esquisses sur la culture musicale du XIXᵉ siècle], t. IV, Warszawa 1980, pp. 7–26.
[22]   Cf. Karl G. Fellerer, « Hausmusik », in : *Studien zur Musik des 19. Jahrhunderts*, t. I, Regensburg 1984, pp. 267–291.
[23]   Le problème de la trivialisation du style brillant dans la musique de salon dans la deuxième moitié du XIXᵉ siècle a été présenté plus largement par I. Poniatowska dans : *Muzyka fortepianowa...*, *op. cit.*, pp. 278–288.

C'étaient les facteurs musicaux et extra-musicaux qui contribuaient à la cristallisa-
tion et à la popularité du style brillant. Sans entrer plus profondément dans ces questions qui pourraient être l'objet des études indépendantes, nous nous limiterons à
quelques aspects propres au métier.

Le style brillant se caractérise par deux éléments principaux : la figuration et
l'ornement de la cantilène. Il existe un manuel dont l'importance du point de vue des
principes de la technique de piano dans ce style est fondamentale. Il s'agit de
« *Ausführliche theoretisch-praktische Anweisung zum Piano-Forte Spiel* » de Hummel[24]. L'auteur
y consacre le plus de place aux figures pianistiques, représentées une par une, suivant
le degré de la difficulté d'exécution, et soumises aux règles du doigté. Simultanément
à la dextérité des doigts l'étendue des figures qui dépassent déjà une octave augmente,
et se développe une technique qui atteint finalement le niveau de virtuosité.
L'harmonie constitue un remplissage ou un fond stable pour les figurations unifor-
mes qui se trouvent dans un mouvement constant. Hummel parle aussi d'un emploi
modéré de la pédale *forte* et prévient contre « l'élargissement » des sons, c'est-à-dire
contre le *rubato*[25] qu'il maintient dans les limites indiquées par le *rallentando* et *accelerando*.

Il traite l'agrément comme un élément décoratif. Dans la réalisation des ornements, Hummel observe les principes classiques, mais certains procédés commencent
à avoir les traits de virtuosité. A titre d'exemple, citons des séquences de trilles ou
l'application des groupes ornementaux constitués par des grappes de notes[26]. Chez
Hummel des notions telles que : légèreté, délicatesse, charme, sonorité, pureté, précision et le son perlé, indiquent la qualité d'expression du style brillant[27].

La demande croissante des compositions à effet a eu sa répercussion dans la création qui embrassait aussi bien les compositions originales que les transcriptions, les
adaptations ou les réductions pour piano. Parmi les éditeurs a apparu une nouvelle
pratique de surnommer les formes musicales avec les termes « grand » ou
« brillant »[28]. On peut supposer que le nom du style brillant — perpétué postérieurement dans la littérature — vient justement du titre avec lequel on revêtait les compositions de la première moitié du XIXᵉ siècle.

L'orientation vers les effets d'apparat a eu pour conséquence des modifications
dans la conception de la forme. A base des oeuvres pour piano composées par Czerny,

---

[24] I. Poniatowska, in : *Historia i interpretacja muzyki...*, *op. cit.*, pp. 73–93, fait un commentaire historique et
théorique concernant le manuel de Hummel.

[25] J. N. Hummel, *op. cit.*, pp. 417, 437.

[26] Un des exemples sont des groupes d'ornements qui contiennent jusqu'à 50 notes que l'on trouve dans
l'*Adagio* de la Sonate en ré majeur op. 106 de Hummel dont un fragment a été placé dans : *Anweisung* (J. N.
Hummel, *op. cit.*, pp. 428–429).

[27] Selon J. N. Hummel, « Das *Allegro* fordert Glanz, Kraft, Bestimmtheit im Vortrag, und eine perlende
Schnellkraft in den Fingern. (...) Das *Adagio* fordert Ausdruck, Gesang, Zartheit und Ruhe », *op. cit.*,
p. 418.

[28] Cf. la liste des compositions dans Friedrich Hofmeister (éd.) *Handbuch der musikalischen Literatur*, t. II
Musik für Pianoforte, Leipzig 1844 ; cf. les titres des compositions publiées : Imogen Fellinger, *Periodica
Musicalia (1789–1830)*, Regensburg 1986. Les titres, tellement à la mode dans le style brillant, à part
d'attirer l'attention des auditeurs n'évoquaient pas un contenu plus profond, néanmoins ils donnaient du
coloris au caractère brillant de la composition.

Hummel, Weber, les frères Herz, Thalberg, Kalkbrenner et Döhler, on peut présenter une courte caractéristique de quelques exemples des formes du style brillant[29] :

Rondeau brillant — pièce pour un instrument solo ou accompagné par l'orchestre, créée soit comme une oeuvre indépendante soit comme une partie d'un cycle. Par exemple le *Rondeau brillant* op. 17 de Czerny est basé sur un thème connu du menuet de C. Kreutzer.

C'est une composition très schématique où l'effet d'éclat est obtenu grâce aux groupes stéréotypes de figures répétées presque mécaniquement.

Exemple 1 : C. Czerny *Rondo brillant* op. 17 — épisode figuré

Dans d'autres compositions, l'excès des moyens techniques risque de faire sauter la construction de la forme classique. Le trait conducteur, c'est l'expansion des éléments d'apparat, surtout de la figuration, très souvent pleine de bravoure, qui envahit le cours de la forme.

Exemple 2 : C. M. von Weber *Rondo brillant* op. 62 — extrait figuré

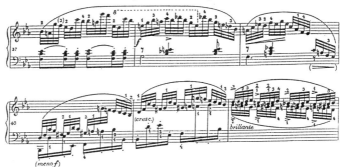

De ce point de vue, les proportions des compositions de Hummel, publiées chez Haslinger et Schlesinger, intitulées « Rondeau brillant », sont plus équilibrées.

Formes stylisées — l'appel à la rythmique dansante était une pratique appliquée largement dont les exemples sont les rondeaux de Hummel, sans numéro d'opus, ou le fameux *Rondeau brillant* op. 65 de Weber, intitulé « *Aufforderung zum Tanz* ». La valse, populaire à l'époque, a pris aussi une forme très simplifiée. La *Grande valse brillante* op. 37 de J. Herz où la forme et les moyens pianistiques schématiques sont accompagnés d'un vide d'expression et d'une platitude de composition en est un exemple. Parmi les formes stylisées de production à effet se trouvait aussi la polonaise (exemple 3).

---

[29] Nous faisons un commentaire plus détaillé à propos de la technique et la forme du style brillant dans les exemples musicaux inclus dans notre étude. D. Jasińska, *op. cit.*, pp. 39–93.

Fantaisies brillantes — les formes dont la construction est plus désinvolte et dans lesquelles on a employé plusieurs moyens qui faisaient de l'effet. Les fantaisies, aux titres très variés, étaient composées soit sur un thème original, soit populaire, souvent puisé dans le répertoire de l'opéra. Un exemple de fantaisie composée sur un thème original peut être la *Grande fantaisie* op. 18 de Hummel.

Exemple 3 : J. N. Hummel *La bella Capricciosa. Polonaise* op. 55 — cadence de l'Introduction

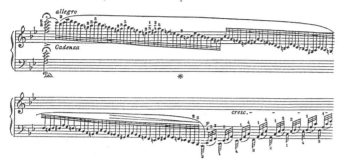

Comme exemple des fantaisies composées sur un thème puisé dans le répertoire de l'opéra, citons le *Souvenir de « Robert le Diable » de Meyerbeer. Fantaisie brillante* op. 110 de Kalkbrenner. Les fantaisies en style de virtuose étaient liées le plus souvent à la forme ou technique de variations[30]. Thalberg, par exemple, élabore de cette façon les célèbres thèmes de la sérénade et du menuet de l'opéra *Don Giovanni* de Mozart :

Exemple 4 : S. Thalberg *Grande Fantaisie sur la sérénade et le menuet de « Don Juan »* op. 42 - extrait de la version en variations du thème du menuet

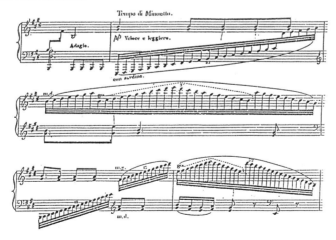

---

[30] À côté de la fantaisie et des variations apparaissent aussi les appellations telles que : « divertissements » (Thalberg), « amusements » (Hummel), « airs variés » ou « thèmes variés » (p. ex. Hummel op. 34b et op. 119a).

Henri Herz fait appel à l'opéra *Sirène* d'Auber, et Kalkbrenner cherche les thèmes de Bellini.

Exemple 5 : H. Herz *Fantaisie et Variations brillantes sur des motifs de la « Sirène » opéra de Auber* op. 141 — extrait de la Variation 2

Exemple 6 : F. Kalkbrenner *Grande Fantaisie et Variations brillantes sur un choeur de la « Norma » de Bellini* op. 140 — Variation 3

Exemple 7 : T. Döhler *Grande Fantaisie et Variations sur des thèmes favoris de l'opéra « Guillaume Tell » de Rossini* op. 28 — début de la Variation 1

Variations brillantes — elles étaient particulièrement en vogue, car la forme elle-même, enrichie de la pratique d'improvisation, ouvrait pour le virtuose un champ avantageux permettant de se faire remarquer. Le cadre qui faisait de l'effet était formé par les variations ornementales, pleines de bravoure. Döhler, par exemple, dans son opus 28, emploie les motifs bien connus des opéras de Rossini (exemple 7).

La domination de la bravoure dans la composition a fait que l'essence du cycle de variations se réduisait à la démonstration des procédés techniques dans le jeu du piano qui ressemblait presque à une étude.

Concerto brillant — les modifications ont touché avant tout la conception de la forme sonate, dont les concertos pour piano de Hummel et de Kalkbrenner peuvent être un exemple. Pendant que Hummel garde un équilibre entre la cantilène et la figuration, Kalkbrenner, ainsi que Moscheles et Ries, tendent vers une bravoure de virtuose.

Exemple 8 : F. Kalkbrenner *3ᵉ Concerto* op. 107 — cadence pour piano

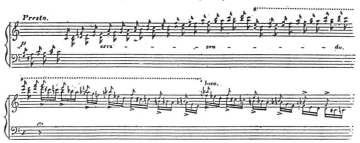

La technique pianistique de démonstration à effet a touché aussi la forme de sonate qui est devenue le reflet des changements introduits dans le concerto brillant. La participation des éléments de virtuosité pouvait ébranler ou même briser les proportions de la forme.

Études — qui faisaient partie de la littérature pédagogique, ainsi que les études de concerto à effet, constituaient un petit examen de l'art de jouer du piano. Dans ce sens-là, elles correspondaient aux exigences du style brillant, orienté vers le côté technique.

Sans surestimer le rôle de ce style dans la musique pour piano de la première moitié du XIXᵉ siècle, il faut constater qu'il a influencé la technique pianistique et a contribué à relâcher la discipline sévère de la forme classique.

Le style brillant était populaire et connu dans le milieu musical de Varsovie pendant les trente premières années du XIXᵉ siècle

Il occupait, dans le monde de concerts — à côté de l'opéra italien qui dominait à l'époque — une place honorable. La preuve en sont les concerts des virtuoses avec le répertoire d'interprétation d'apparat[31]. Les sources de presse confirment, elles aussi, la

---

[31] Au cours des années 1800–1830, ont eu lieu à Varsovie les exécutions des concertos pour pianos de tels représentants du style brillant comme : Dusík, Field, Hummel, Jírovec, Kalkbrenner, Klengel, Mosche-

présence de la pratique d'improvisation[32]. Dans une de ses critiques de l'époque, M. Mochnacki[33] a exprimé très à propos le fond du style brillant, en y apercevant la croissance de la virtuosité et de l'aspect sentimental. La technique pianistique perfectionnée se distinguait par sa précision et l'expressivité du jeu, par la vélocité et la facilité de pouvoir vaincre toute sorte de difficultés. Cependant, l'élément lyrique s'ensuivait de la cantilène, ornée d'une manière subtile, pleine de nuances distinguées dans ses phrases mélodieuses. L'intérêt du public varsovien au répertoire du jour, aux concerts dont le but était celui de se faire remarquer, favorisait la réception du style brillant qui a éveillé également une résonance chez les compositeurs polonais. On peut y citer les oeuvres de M. Szymanowska, les concertos pour piano de F. Lessel, I. F. Dobrzyński ou J. Krogulski[34].

Il y a plusieurs prémisses qui prouvent que Chopin a eu un contact direct avec la pratique de virtuosité dans le style brillant. Il convient de rappeler ici quelques faits. C'est pendant son séjour à Varsovie que Chopin a exécuté les concertos pour piano de Jírovec, Ries, Kalkbrenner, Moscheles et les compositions de Hummel. Il serait impossible de ne pas remarquer qu'il s'agit ici des noms des virtuoses proches au style brillant. Plus tard, Chopin donnait des concerts avec Liszt, Hiller, les frères Herz, et il participait — à côté de Liszt, Thalberg, Pixis, H. Herz et Czerny — dans l'éxécution des *Variations de Hexameron*. Il faut souligner aussi les contacts de Chopin avec les virtuoses qu'il mentionnait dans ses lettres[35].

L'activité pianistique de Chopin était liée aussi à la pratique d'improvisation qu'il effectuait pendant les concerts publics et dans les salons. Les sources écrites qui se sont conservées peuvent nous informer quand, où, et sur quel thème Chopin improvisait, bien que malheureusement elles ne nous fournissent pas d'information sonore sur la création de ce grand virtuose. Selon l'étude de sources de K. Kobylańska « (...) Chopin improvisait le plus souvent sur les thèmes qui lui étaient imposés, mais aussi sur les thèmes qu'il avait choisis lui-même »[36]. Ce qui est caractéristique, c'est qu'à côté des autres thèmes, par exemple polonais, il employait aussi des thèmes d'opéras — une pratique très répandue dans le style brillant. Les thèmes connus, que Chopin

---

les, Pixis et Ries. Au cours des années 1820 et en 1830 ont donné leurs concerts à Varsovie de tels pianistes comme : Chopin, I. Dobrzyński, Hummel, A. Kątski, J. Krogulski, ou M. Szymanowska. Les concerts des virtuoses célèbres (p. ex. Paganini en 1829) jouissaient d'une popularité particulière. Hanna Pukińska-Szepietowska, « Życie koncertowe w Warszawie (lata 1800–1830) » [La vie de concert a Varsovie — les ans 1800–1830], in : Z. Chechlińska (éd.) *Szkice o kulturze muzycznej XIX wieku, op. cit.*, t. II, Warszawa 1973, pp. 97–102.

[32] Cf. H. Pukińska-Szepietowska, *op. cit.*, pp. 64–65.

[33] La critique par Maurycy Mochnacki fut publiée dans *Gazeta Polska*, 1828 N° 114 ; *op. cit.* par Stefan Jarociński, in : *Antologia polskiej krytyki muzycznej XIX i XX wieku* [L'antologie de la critique musicale polonaise aux XIX⁰ et XX⁰ siècles], Kraków 1955, p. 53.

[34] Cf. Z. Chechlińska, « Chopin w kontekście polskiej kultury... », *op. cit.*, pp. 63–64 ; I. Poniatowska, *Historia i interpretacja muzyki...*, *op. cit.*, pp. 94–116.

[35] Bronisław Sydow (éd.), *Korespondencja Fryderyka Chopina* [La correspondance de F. Chopin], t. I, Warszawa 1955, pp. 105, 199 ; Krystyna Kobylańska (éd.), *Korespondencja Fryderyka Chopina z rodziną* [La correspondance de F. Chopin avec sa famille], Warszawa 1972, p. 62.

[36] K. Kobylańska, « Improwizacje Fryderyka Chopina » [Les improvisations de F. Chopin], in : *Rocznik Chopinowski*, 19, 1990, p. 72.

utilisait dans ses improvisations, venaient des opéras de Rossini, Boieldieu, Auber, Bellini et Grisar.

Il faut mentionner ici en quelques mots les pianos dont se servait Chopin. Depuis les temps de ses concerts à Varsovie, il connaissait autant la mécanique viennoise qu'anglaise. Dans les matériaux écrits concernant ce sujet, on trouve entre autres la thèse selon laquelle si « (...) Chopin préférait la mécanique Pleyel, c'était parce qu'il était habitué à la légèreté de la mécanique viennoise et anglaise de ses débuts »[37]. Il convient de rappeler que c'était Hummel qui, systématisant les moyens de la technique pianistique du style brillant, recommandait les deux genres d'instruments — les viennois qui étaient légers et les anglais dont le ton était plus fort. Cependant les remarques de Hummel concernant le *rubato* n'étaient point conformes aux catégories du style pratiqué par Chopin[38]. Par rapport à Hummel, Chopin a élargi aussi la gamme des moyens d'expression.

Ce qui liait Chopin à la tradition classique et à la pratique de virtuosité de son époque c'était aussi le genre des formes qu'il exécutait. Il faut donc mentionner ici ses rondeaux, ses variations, ses concertos ou les pièces de circonstance, telles que les *Warianty A-dur [Variantes en la majeur]*, « *Souvenir de Paganini* », et les compositions basées sur les thèmes des chansons, airs populaires, ou bien des opéras présentés à l'époque[39]. Dans ce groupe, on place surtout les variations de Chopin. Les traits virtuoses sont aussi présents dans ces compositions où on trouve des trames typiquement polonaises : le *Rondeau à la Mazur en fa majeur* op. 5, la *Fantaisie sur les thèmes polonais en la majeur* op. 13, ou le *Rondeau à la Krakowiak en fa majeur* op. 14. La pratique d'ajouter aux titres de compositions le mot « grand » ou « brillant » est visible aussi dans les éditions des oeuvres de Chopin du XIXe siècle[40].

C'est donc au début de son activité que Chopin, comme interprétateur et compositeur, a eu le contact avec le style brillant. Ayant à sa disposition l'ensemble des moyens qui lui furent fournis par la pratique musicale, il a choisi un groupe de solu-

---

[37] Beniamin Vogel, « Fortepiany epoki Chopina a współczesna praktyka wykonawcza » [Les pianos de lèpoque de Chopin et la pratique du jeu contemporaine], in : Rocznik Chopinowski, 17, 1987, p. 132.

[38] Les rapports des élèves de Chopin sont un témoignage connu et muni d'un vaste commentaire sur le style de piano, ainsi que sur le travail de Chopin comme pédagogue. Ils ont été compilés dans l'étude de source de Jean-Jacques Eigeldinger, *Chopin : Pianist and Teacher as Seen by His Pupils*, Cambridge 1986. Des messages confirment que Chopin intégrait au programme d'enseignement les compositions qui appartenaient au style brillant (de Clementi, Cramer, Hummel, Moscheles, Weber). Cf. J.-J. Eigeldinger, *op. cit.*, pp. 59–63.

[39] Il s'agit des compositions suivantes de Chopin : les *Variations en mi majeur* (1824) sur la chanson « *Steh'auf, steh'auf o du Schweitzer Bub* », le *Trio* dans la *Polonaise en si bémol mineur* (1826) sur un thème de l'opéra « *La gazza ladra* » de Rossini, les *Variations en ré majeur* (1826) sur l'air de Moore d'après une mélodie populaire italienne, les *Variations en si bémol majeur* op. 2 (1827) sur « *Là ci darem la mano* » de l'opéra *Don Giovanni* de Mozart, le *Grand Duo Concertant en mi majeur* (1831) sur un thème de l'opéra *Robert le Diable* de Meyerbeer, les *Variations en si bémol majeur* op. 12 (1833) sur « *Je vends des scapulaires* » de l'opéra « *Ludovic* » de Hérold et Halévy, une *Variation en mi majeur* (de *Hexameron*, 1837) sur la marche de l'opéra « *I puritani e i cavalieri* » de Bellini.

[40] Dans les premières éditions, le terme « brillant » apparaît comme sous-titre pour les compositions des op. : 3, 12, 13, 14, 18, 22, 34 et 53. J. M. Chomiński, Teresa D. Turło, *Katalog dzieł Chopina* [Le catalogue des oeuvres de Chopin], Kraków 1990.

tions qui n'étaient particulières qu'à lui-même. Les impulsions qui venaient du style brillant n'étaient que le point de départ pour la phase créée individuellement dans le style de Chopin[41]. Nous allons essayer ici de présenter en quelques points ce processus de changements.

1. La figuration

Uuivant J. Uamson[42], la figuration oscille entre le rôle méloharmonique et le modélage de la forme. En comparaison avec la convention du style brillant, Chopin s'éloigne de la présentation schématique des figures construites d'une manière uniforme, répétées et rejetées d'un registre à l'autre dont le seul but est de faire de l'effet. Il met en action le mouvement mélodique et rompt avec la stagnation harmonique. La forme des éléments de la technique brillante, présents dans la phase initiale de la création de Chopin, devient de plus en plus modifiée et individualisée. La clôture des figurations dans les maillons de la forme, vu l'approche individuelle de Chopin des problèmes de l'art du piano, fait que l'expansion des gestes qui pourraient faire de l'effet — typique pour le style brillant de piano — devient limitée.

C'est dans l'ourdissage de la figuration, phénomène caractéristique pour Chopin et riche en séquences et variations, qui dynamise à la fois le cours de la forme, que s'exprime le trait essentiel de son style. Les procédés techniques ne font sauter ni le modèle de rondeau ni celui des variations, et les relations réciproques entre la figuration et les ornements, ainsi qu'entre la technique et l'expression, se regroupent dans les concertos de Chopin d'une façon équilibrée et proportionnelle. Un emploi renforcé des moyens de virtuosité dans la *Polonaise* en mi bémol majeur op. 22 ne voile pas non plus la logique de la composition.

Le rôle de la virtuosité chez Chopin est soumis à une transformation progressive. Ses éléments se dirigent plus vers la profondeur de la structure musicale, ils ne sont plus uniquement son décor extérieur. Chopin évite le danger de désintégrer la forme en une série de segments indépendants, ce qui était un trait particulier du style brillant, lorsque les effets d'apparat influençaient le contenu de la composition. Il individualise aussi le caractère expressif. Dans ses concertos, par exemple, il apporte dans la cantilène une dose de lyrisme dont le ton particulier diffère des énoncés de Hummel ou de Field, ainsi que des thèmes sentimentaux de Ries ou d'Henri Herz.

2. Les ornements de la cantilène

Hummel emploie les principaux ornements et groupes d'ornements qui servent à décorer la mélodie sans s'ingérer plus profondément dans son cours. Field donne aux ornements un rôle similaire. Le trait caractéristique du style de Chopin, dont écrivait déjà

---

[41] Dans notre étude, nous faisons un commentaire plus large sur les caractéristiques du métier de composition de Chopin où nous prenons comme base ses premières compositions.
D. Jasińska, *op. cit.*, pp. 109–132.
[42] J. Samson, *op. cit.*, p. 48.

J. Kleczyński[43], est sa façon de traiter les mélismes — comme des éléments d'une intégrité, comme un « voile en dentelle » pour la pensée musicale. Dans ses premières polonaises, l'emploi des agréments consistait à répéter un seul moyen ornemental. Chopin, dans les autres polonaises et avant tout dans les nocturnes, introduit des solutions individuelles. A l'aide des variantes ornementales, il développe la cantilène, modifie et dynamise le déroulement du thème et « cache » la segmentation nette de la période musicale.

Dans les moyens ornementaux conçus comme variations, on trouve des éléments de la pratique d'improvisation qui a influencé d'une certaine manière l'aspect de ses compositions. Par exemple dans l'*Introduction* des *Variations en mi majeur*, l'une des premières compositions de Chopin, ce trait d'improvisation est visible dans les figures ornementales qui forment une chaîne de progressions en tierces.

A leur tour, dans le *Nocturne en si majeur* op. 9 no. 3 et dans le *Nocturne en fa dièse majeur* op. 15 no. 2, apparaissent des groupes ornementaux qui se distinguent par la progression chromatique. Un exemple des variations ornementales sont aussi les mouvements lents des deux concertos.

Les compositions écrites au cours des années 1820 et au début des années 1830 témoignent du fait que l'art des ornements chez Chopin, de même que la figuration, n'étaient pas uniquement un attribut qui servirait à faire de l'effet. Ce qui est très important ce sont les jeux de variations, entremêlés avec le sens de la structure et avec l'expression de la pensée musicale de Chopin. Parallèlement à l'approfondissement de l'union structurale changent les moyens d'expression. Le lyrisme de Chopin s'éloigne de l'énoncé sentimental des compositeurs du style brillant. Par rapport à la convention de ce dernier, a lieu une transformation des valeurs stylistiques du style.

3. LES REMARQUES SUR LE STYLE DE CHOPIN

Dans la phase du style marquée par la conception des moyens du style brillant représentée par Chopin a lieu une translocation du facteur de virtuosité. Si auparavant il était orienté uniquement vers l'extérieur, donc pour produire un effet, maintenant il s'oriente vers l'intérieur, où il prend une position formelle. Comme trait caractéristique de ce processus, il s'agit ici de gagner l'équilibre entre la technique et l'expression, dont un bon exemple sont ses concertos. Pendant les années 1833 à 1835 on observe dans la musique de Chopin trois tendances. La première démontre la continuation de la phase antérieure du style. Dans les *Variations en si bémol majeur* op. 12 et dans le *Rondeau en mi bémol majeur* op. 16, Chopin profite des expériences qu'il a ramassées dans les compositions du même genre. Par exemple le *Rondeau* contient des éléments de la technique brillante, pendant que sa forme indique le modèle de Hummel. La deuxième tendance essaie de vaincre le style brillant. Dans les *Polonaises* de l'op. 26, on voit déjà les prémisses du futur développement de ce genre. Dans les *Nocturnes*, à partir de l'op. 27, se développe la tendance de transformer la facture et le ton. L'échelle d'expression s'élargit. La troisième tendance est déjà un élément du style mûr ou, en d'autres termes, postérieur, de Chopin. Les exemples du *Scherzo en si mineur* op. 20 et de la *Ballade en sol mineur* op. 23

---

[43] Jan Kleczyński, *O wykonywaniu dzieł Chopina* [Sur l'interprétation des oeuvres de Chopin], Kraków 1960, p. 61.

démontrent que la figuration, en s'unissant avec l'évolutionnisme de la forme, perd les fonctions qu'elle accomplissait dans le cadre du style brillant. Dans les formes narratives postérieures, la figuration et la cantilène sont un élément organique de la structure et représentent des qualités approfondies de l'expression.

Les transformations qui mûrissent vers la moitié des années 1830 ont leurs anté-cédents dans les *Études*. Chez Chopin, le sens de l'unité du contenu de la composition, suivi des phénomènes harmoniques et de la façon d'intégrer l'écriture avec la forme, ne permet pas la suprématie du facteur technique, ce qui avait lieu dans le grand style brillant. Les impulsions qui viennent de la littérature, d'études et de la pratique musi-cale sont traitées par Chopin d'une façon dynamique, il les transforme et en fait une synthèse. Selon S. Finlow « la synthèse apparaît sous plusieurs formes, mais son ré-sultat est invariablement le même : l'enrichissement du médium expressif et la condensation de la substance pianistique »[44].

Ce ne sont pas donc toutes les compositions qui ont été créées au cours des an-nées 1820 et au début des 1830 qui ont un rapport avec la variante du style brillant propre à Chopin. Par exemple les premières valses, bien qu'elles se caractérisent par leur expression de légèreté et d'élégance, du point de vue du métier n'accomplissent pas les exigences auxquelles se soumettaient les créateurs du style brillant. Les mazur-kas de Chopin manquent entièrement à ce cercle.

Conclusions et remarques finales

Les éléments transformés du style brillant ont apparu dans la phase du style de Chopin représentée par les rondeaux, variations, concertos, les premiers nocturnes et polonaises. Les moyens pris de ce style, de la pratique de virtuosité et d'improvisation, ont été soumis à une transformation et sont devenus chez Chopin un des éléments qui dynamisent les transformations de son style individuel. Maintenant apparaissent les questions de périodisation. A notre avis, la phase du style brillant marquée par la conception de Chopin tombe dans les années 1824–1833 et s'éteint vers la moitié des années 1830, cela veut dire au moment où Chopin a limité son activité de concertiste, activité qui sans doute avait influencé certaines de ses compo-sitions. En 1837 a été encore composée la *Variation en mi majeur de Hexameron*[45] qui est une pièce de circonstance, liée avec la pratique d'interprétation de l'époque. Néan-moins, en confrontation avec les autres styles de cette oeuvre collective, la *Variation* de Chopin diffère, par sa sobriété et le caractère de nocturne, de l'élan qui existe dans la virtuosité de Liszt et de la bravoure éblouissante de Thalberg, ainsi que des procédés routiniers de Pixis, d'Henri Herz et de la manière technique de Czerny.

---

[44] Simon Finlow, « The Twenty-Seven Etudes and Their Antecedents », in : J. Samson (éd.) *The Cam-bridge Companion to Chopin*, Cambridge 1992, p. 76.

[45] *Hexameron. Grandes Variations de bravoure pour piano sur la marche des Puritains de Bellini* (chez T. Haslinger, Vienne 1839). C'est un « Morceau de Concert » qui a été composé pour célébrer la mémoire de Bellini, exécuté en 1837 « pour le concert de Mme la Princesse Belgiojoso au Bénéfice des pauvres, par MM. Liszt, Thalberg, Pixis, Henri Herz, Czerny et Chopin ».

Pour terminer on peut dire que le style brillant, orienté vers les effets de parade, même s'il traitait la virtuosité comme un but indépendant, apportait en fait la platitude de l'expression. Cependant, derrière la conception créative de la virtuosité se cachait l'intensification de l'expression[46]. Il convient d'ajouter encore qu'une étude de sources, publiée il y a quelques années, à savoir un manuscrit de Chopin intitulé *Esquisses pour une méthode de piano*[47], contient une trace de sa pensée sur la virtuosité. Les mots de Chopin sur « l'art de toucher le piano » « (...) pour obtenir facilement la plus belle qualité possible de son (...) » sont soumis à un commentaire suivant de J.-J. Eigeldinger : « Parmi les objectifs à atteindre, Chopin met l'art du toucher avant l'acquisition d'une virtuosité accomplie, (...) toute technique part du toucher et y retourne. En d'autres termes, le qualitatif conditionne le quantitatif »[48]. On peut supposer que l'attitude approfondie de Chopin à l'égard de la virtuosité s'était formée avant qu'il ait rédigé les pages des *Esquisses* qui datent des dernières années de sa vie[49]. Il se peut que c'était l'école de J. Elsner qui y a joué un rôle, étant donné qu'Elsner critiquait la virtuosité lorsque celle-ci « ne servait qu'à elle-même »[50]. Cependant, les accomplissements artistiques de Chopin lui-même, initiés déjà très tôt dans son style pouvaient être la prémisse principale.

---

[46] Selon Carl Dahlhaus (« Virtuosität und Interpretation », in : *Die Musik des 19. Jahrhunderts*, Regensburg, [2]1989, pp. 110–113) la plus grande réalisation de la virtuosité au XIXe siècle était l'art de Paganini et celui de Liszt. Il faut ajouter que la technique développée de jeu et de composition, dans la conception individuelle de ces deux grands artistes, dépassait largement les figures courantes de la virtuosité du style brillant.

[47] Frédéric Chopin, *Esquisses pour une méthode de piano. Textes réunis et présentés par Jean-Jacques Eigeldinger*, Paris 1993.

[48] Frédéric Chopin, *op. cit.*, p. 40, 42 ; cf. commentaire de J.-J. Eigeldinger dans la note 9, p. 43.

[49] J.-J. Eigeldinger arrive à la conclusion que les feuillets des *Esquisses* étaient écrits par Chopin dans différentes périodes de travail. Les plus anciens des feuillets datent de 1837 et les plus récents de 1846.

[50] Cf. la critique de Józef Elsner publiée dans *Pamiętnik Warszawski*, N° 5, 1809, pp. 227–234.

STRESZCZENIE

STYL BRILLANT W EPOCE CHOPINA I W JEGO MUZYCE

Problematyka badawcza obejmuje dwa kręgi zagadnień. Pierwszy wiąże się z pojęciem stylu brillant, który wyraża określone kategorie stylistyczne. Ich wyjaśnienie od strony teoretyczno-historycznej oraz egzemplifikacja na materiale utworów fortepianowych pierwszej połowy XIX wieku ma na celu uchwycenie typowych właściwości tego stylu, na które oddziałała ciesząca się uznaniem wirtuozeria, dominująca w ówczesnej praktyce muzycznej. W kręgu drugim pozostaje muzyka Chopina, badana pod kątem tych cech stylistycznych, które charakteryzują fazę stylu brillant rozwijaną w ramach indywidualnego stylu kompozytora. Analiza muzyczna utworów dowodzi, że środki i gesty popisowe odziedziczone po wirtuozerii stylu brillant, z którym zetknął sie Chopin u progu swej działalności wykonawczej i kompozytorskiej, ulegają twórczej transformacji i są jednym z elementów dynamizujących przemiany stylu indywidualnego. Środki techniki figuracyjnej oraz ornamentyka kantyleny nie są u Chopina elementem jedynie popisowym, jak w konwencjonalnym stylu brillant, nastawionym na błyskotliwe efekty gry i kompozycji, lecz przyjmują stopniowo rolę strukturalną, co pociąga za sobą pogłębienie więzi między fakturą a formą oraz intensyfikację ekspresji.

METRICAL DISSONANCE IN THE MUSIC OF CHOPIN

Harald Krebs
(VICTORIA)

The unique quality of Chopin's music stems in part from his harmonic bold-
ness, from his inventive keyboard style, from his imaginative transcendence of
the genres and forms of earlier generations, but also from his treatment of
musical rhythm — in particular from his frequent superposition of conflicting layers
of motion. This fact was already recognized by Karl Hławiczka, who in a remarkable
series of articles from the 1950's and early 1960's meticulously catalogued a large
number of examples of imaginative metrical conflicts from Chopin's music.[1] The introductory portion of my paper summarizes the types of metrical conflicts, or 'metrical dissonances', which Chopin employed; this portion to some extent recapitulates
Hławiczka's findings (which are not well known today), although I cite some passages
which he did not mention. The body of my paper goes beyond Hławiczka's work by
demonstrating how Chopin uses metrical conflicts within large contexts.[2]

If we look carefully at Chopin's keyboard figuration, we soon realize that it frequently derives its delicious sparkling quality not only from a distinctive mix of diatonic and chromatic notes, but also from metrical dissonance. Very rarely does his
figuration simply align with the metrical beats (examples of such alignment are found
in the *Etudes* Op. 10 No. 1 and No. 8). Usually, pattern repetitions and various types
of accents result in antimetrical groups which, in association with accompaniment
patterns that express the notated meter, create metrical dissonance. Example 1a illus-

---

[1] Karl Hławiczka, 'Eine rhythmische Analyse der Ges-dur Etüde Op. 10, Nr. 5', in: Franz Zagiba (ed.),
Chopin Jahrbuch 1, Vienna 1956, pp. 123–31; 'Reihende polymetrische Erscheinungen in Chopins Musik',
in: *Annales Chopin* 3, 1958, pp. 68–99; 'L'échange rythmique dans la musique de Chopin', in: *Annales Chopin*
4, 1959, pp. 39–50; 'Chopin — Meister der rhythmischen Gestaltung', in: *Annales Chopin* 5, 1960, pp.
31–81; 'Eigentümliche Merkmale von Chopins Rhythmik', in: Zofia Lissa (ed.), *The Book of the First International Congress Devoted to the Works of Frederick Chopin, Warszawa 16th-22nd February 1960*, Warszawa 1963,
pp. 185–95; 'Zur Chopinschen Walzerrhythmik', in: Franz Zagiba (ed.), *Chopin Jahrbuch* 2, Vienna 1963,
pp. 43–53. I thank Prof. Dr. Hartmuth Kinzler for drawing these articles to my attention.
[2] The theoretical framework for my investigations comes from my book *Fantasy Pieces: Metrical Dissonance
in: the Music of Robert Schumann*, New York and Oxford 1999. The term 'metrical dissonance' is there fully
explained and historically grounded. I use the term 'dissonance' metaphorically in the sense of non-
alignment of layers of motion. I define meter as the interaction of all layers of motion in a given work,
and thus refer even to low-level conflicts as 'metrical' rather than 'rhythmic' dissonance. My discussion of
accent in this paper is based on Joel Lester's categorization of accent in: *The Rhythms of Tonal Music*, Carbondale 1986, pp. 18–40.

trates: in the right-hand part, two registral layers, and the registral accent at the onset of the upper layer, result in the division of the six eighth-notes of each bar into groups of three, a division that conflicts with the metrically aligned division into two's implied by the left hand. In Example 1b, four-eighth-note segments appear against the left hand's six-eighth-note grouping. This passage is only one of many instances of such metrical dissonance in Chopin's *Scherzo* Op. 31 (see also mm. 49, 358, and 540, and the diminution to a dissonance of three eighth-notes against two in m. 118). In Example 1c, the right hand exhibits a three-eighth-note grouping formed by pattern repetition and density accents, while the left hand persists in the metrical two-eighth-note grouping.[3] Later in the same work, this 3/2 conflict is augmented; in the passage shown in Example 1d, the left hand asserts a six-eighth-note layer, while the pattern repetitions in the right hand's figuration result in a 4-layer. In Example 1e, the metrical 6-layer (not fully articulated in this passage, but clear from the context) is counterpointed by two 4-layers, resulting respectively from a repeated contour pattern and from the attacks of the uppermost strand of the right hand's compound melody.

Example 1 — Three-against-two dissonance in Chopin's figuration

a) *Scherzo* No. 3, beginning of coda

b) *Scherzo* No. 2, mm. 358–60

c) *Ballade* No. 1, mm. 48–50

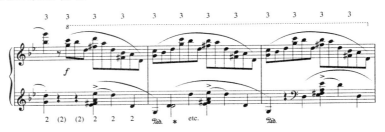

---

[3]   Hławiczka briefly discusses this passage in: 'L'échange rythmique dans la musique de Chopin', *op. cit.*, p. 42.

d) *Ballade* No. 1, mm. 126–28

e) *Ballade* No. 1, mm. 134–35

The examples shown so far all involve a 3/2 conflict (6/4 is the same basic conflict). The hemiolic conflict is by far the most common in Chopin's figuration, but others can be found, as Hławiczka has shown; he mentions, for instance, the 4/3 dissonance in the middle section of the *Etude* Op. 25 No. 5, and the 6/5 conflict in the introductory flourish of the *Valse Brillante* Op. 34 No. 1.[4] Some of Chopin's figuration, moreover, makes use not of the association of incongruent groupings (grouping dissonance), but of the displaced association of identical groupings (displacement dissonance). The right-hand figuration of Example 1e illustrates the latter as well as the former procedure.

Recomposing Chopin's figuration by removing metrical dissonance brings into focus the immense contribution that such dissonance makes to his distinctive style. Compare Example 2a to Example 1a, and Example 2b to Example 1d; the revised examples are very similar to the original passages in pitch content, but they lack the glitter and sparkle of the figuration that Chopin actually wrote — a sparkle that results from many notes being sounded at unexpected timepoints.

Example 2 — Recompositions of two figures, with metrical dissonance removed

---

[4] 'L'échange rythmique dans la musique de Chopin', *op. cit.*, pp. 43, 48, 49.

Scintillating metrically dissonant figuration is only one facet of Chopin's exploration of metrical conflict; he frequently permits his accompaniment patterns to join in
the fun. In the *G#-minor Prelude*, for instance, there is from the outset something askew
in the left-hand part (Example 3a); the low register of the G# octaves accentuates the
second beats, resulting, in conjunction with the insistent dynamic accents on the
downbeats, in a sensation of displacement. At m. 13 (Example 3b), where the harmonic rhythm expresses the metrical three-quarter-note layer, Chopin transforms the
left hand's 'oom-PAH-pah' to a limping 'oom-pah, oom-pah'. At m. 19, the duple
layer initiated by the latter accompaniment pattern takes over the entire texture, as
Chopin reiterates a two-chord progression.

Example 3 — The contribution of accompaniment patterns to metrical dissonance in *Prelude* No. 12

A particularly interesting example of the involvement of an accompaniment pattern in metrical conflict occurs in the central section of the *Mazurka* Op. 17 No. 1
(Example 4). In mm. 41–50 and 53–58, the left hand's 'oom-pah' pattern creates a

2-layer dissonant against the right hand melody (in which a 3-layer is formed by varied repetition of a rhythmic pattern). As the phrase ends approach (mm. 52 and 59), Chopin expands the left hand's 'oom-pah' pattern to 'oom-pah-pah,' thus creating the potential for resolution of the conflict. At the first phrase ending, however (mm. 51–52 — Example 4a), the right hand refuses to collaborate in the resolution; instead of continuing its 3-layer, it lapses into repetition of the rhythm 'quarter-eighth-eighth,' thus taking over the 2-layer previously articulated by the left hand. The 'layer exchange' subverts metrical resolution at this phrase ending. At the end of the second phrase, which is also the end of the section (mm. 59–60 — Example 4b), the right hand does maintain its 3-layer and demurely joins the left hand in a definitive metrical resolution. The earlier evasion of metrical resolution makes the resolution at the end of the section all the more satisfying.[5] (Notice that the numbers in the example are not intended to show which hand expresses which layer.)

Example 4 — The contribution of accompaniment patterns to metrical dissonance in *Mazurka* Op. 17 No. 1

Chopin's dissonant metrical states are of great interest in themselves, as Hławiczka has amply demonstrated. But even more fascinating is Chopin's imaginative deployment of these states within the context of his works. These states are, for instance, frequently involved in various metrical processes, sometimes spanning large musical expanses. I have hinted at such processes above — the diminution of a 6/4 conflict to 3/2 in the second *Scherzo*; the augmentation of a 3/2 conflict to 6/4 in the first *Ballade* (Example 1d); in the G# minor *Prelude* (Example 3), the increasing of the number of textural elements that participate in a conflict, resulting in a sense of intensification; and, finally, the process of dissonance resolution, which Chopin invariably handles with great finesse (as in Example 4).

---

[5] Hławiczka mentions the two-against-three dissonance in this passage in: 'L'échange rythmique dans la musique de Chopin', *op. cit.*, p. 41 and in: 'Eigentümliche Merkmale von Chopins Rhythmik', *op. cit.*, p. 186, but does not discuss the interaction of dissonance and phrasing.

Example 5 — Coordination of form, harmony, and metrical dissonance in the *Etude* Op. 10 No. 5

Also of great interest is Chopin's manner of coordinating dissonant states with other aspects of the music. It is on this topic that I focus in the remainder of this paper.

Example 4 illustrates the coordination of metrical dissonance, harmony, and form. In the first of the two phrases shown, strong harmonic resolution and formal closure are lacking, and Chopin appropriately avoids metrical resolution. In the second phrase, however, where he wishes to provide harmonic resolution and formal closure, he also grants resolution in the metrical domain. Example 5 similarly illustrates the concurrence of resolution of metrical dissonance and harmonic and formal closure. In the first 79 measures of Chopin's *Etude* Op. 10 No. 5, the right-hand figuration is metrically conflicted. The sixteenth-notes are notationally grouped as triplets, and the three-sixteenth-layer is reinforced by the left-hand attacks. Pitch repetitions and registral accents, however, frequently group the sixteenth-notes in two's (as is shown at the beginning of Example 5).[6] At m. 79, however — the climactic cadential arrival within the coda, where dominant harmony resolves definitively to tonic — the groups of two in the figuration disappear, and dynamic, registral, and density accents in the

---

[6] Hławiczka points out that conflicts other than 3/2 also exist within mm. 1–79; see 'Eigentümliche Merkmale von Chopins Rhythmik', *op. cit.*, pp. 191–92, and 'Eine rhythmische Analyse der Ges-dur Etüde Op. 10, Nr. 5', *op. cit.*, pp. 125–26. Hławiczka lists the metrical conflicts in the etude, but does not mention the concurrent harmonic and metrical resolution at m. 79.

right hand clearly reinforce the metrical triplet pulse. Chopin precisely coordinates the resolution of a prevalent metrical conflict with a significant point of harmonic resolution and closure.

In works containing contrasting sections, Chopin frequently employs metrical dissonance to clarify the sectional structure. In the Mazurka Op. 24 No. 2, for instance, he uses a particular metrical dissonance as a formal highlighter. The introduction of the Mazurka consists of persistent repetitions of tonic and dominant harmonies. The duple layer created by this pattern repetition disappears as the main theme, in clear triple time, begins. At the transition to the B section, however, Chopin brings back the initial antimetrical duple layer (now by dynamically accenting every second quarter-note). The coda restates the duple tonic-dominant oscillation of the introduction. Many of the main formal dividing-points in the piece are thus associated with a particular metrical dissonance.

Another manner of coordinating form and metrical dissonance is the allotment of a different metrical state to each section. The *Bb major Prelude* illustrates. The A sections of this ternary form are metrically consonant. The middle section contrasts in numerous ways — in key, in texture, in dynamics, but also in metrical structure. The new accompaniment pattern divides the eighth-note pulse into groups of four by pattern repetition. The right-hand melody, meanwhile, continues to assert the six-eighth-note layer that is expected in three-four time. Metrical dissonance thus helps to clarify the sectional structure of the work. Such situations are common in Chopin's works. The Mazurka Op. 33 No. 3 is a similar example (see Figure 1). The A sections feature displacement by one quarter-note beat (the second beats are dynamically accented). The middle section, by contrast, is metrically consonant. A slightly more complex instance is the Valse Op. 69 No. 1 (Figure 2). The A section is metrically consonant. In the B section, the third beats are dynamically accented (that is, the section involves displacement by two quarter-note beats). The C section is set apart by the dynamic accentuation of second beats; the two subsections are additionally distinguished by accentuation of alternate second beats (I label this displacement as D6+1) and all second beats (labelled D3+1).

Figure 1: Coordination of form and metrical dissonance in the *Mazurka* Op. 33 No. 3

	1	16	33
Form:	A	B	A
Metrical structure:	D3+1	cons.	D3+1

Figure 2: Coordination of form and metrical dissonance in the *Valse* Op. 69 No. 1

	1	32	48	64	80	88	96	104	112
Form:	A	B	A	C1	C2	C1	C2	C1	A
Metrical structure:	cons.	D3+2	cons.	D6+1	D3+1	D6+1	D3+1	D6+1	cons.

I conclude by looking at a larger-scale example of Chopin's coordination of form, harmony, and metrical structure. Chopin's *Ballade* No. 2, his most radical work in terms of tonality, begins in the key of *F major* and ends in *A minor*. Chopin carefully hints at the new final key within the portion of the work that is governed by the opening key. Since a number of authors have traced this process of the gradual seeping of A minor into the fabric of F major, I shall only briefly review it here.[7] The initial *Andantino* section is solidly in F major, but A minor harmony is increasingly emphasized as this section proceeds (compare mm. 4, 17–19, 33–37). This process culminates in the violent *Presto con fuoco* outburst, where Chopin, albeit briefly, brings A minor into the limelight by associating it with a new theme. A minor is by no means securely established as a key at this point; Chopin soon dissolves it and returns to the initial F major material (m. 82); the F major tonality is, however, much less stable this time. The *Presto con fuoco* material soon returns (m. 140), and A minor gains a stronger foothold than ever before (mm. 148ff). A prolonged dominant of A minor (mm. 156–167) leads into the coda, in which A minor reigns supreme. During this coda, Chopin takes pains to resolve the F major triad into the final key (mm. 188–89, 192–193), and concludes by transposing part of the opening theme into A minor, thus clinching the supremacy of the latter key over F major.

How does metrical dissonance interact with this intriguing tonal and formal plan? It is noteworthy that the initial F major section is one of Chopin's metrically most consonant passages; in this music, there is virtually no ruffling of the placid six-eight surface. The new music associated with the future final key, however, is metrically dissonant (Example 6a); in m. 46 and similar measures, density accents and pattern repetition in the right hand result in groups of four sixteenths, while the left hand asserts the metrical six-sixteenth grouping. In m. 47, 49, and similar measures, the right hand's pattern clearly groups into two's and the left hand's material into three's, resulting in a diminution of the 6/4 conflict found in the even-numbered measures.[8] The same metrical conflicts remain in effect during the second *Presto con fuoco* passage, including the dominant prolongation just prior to the coda; the last measures of this prolongation, involving the 6/4 conflict, are shown at the beginning of Example 6b. Chopin resolves the metrical conflict precisely at the point where he resolves the dominant of A minor (during the descent toward the tonic in mm. 166–167). The coda, in which the final tonic appears in its full glory, remains metrically consonant, aside from brief reminders of duple grouping (in the left hand in mm. 169 and 173). By associating this final A minor section, unlike the sections in that key, with metrical consonance — that is, by granting A minor the metrical stability originally associated with F major — Chopin confirms that the key of A minor has assumed the structural weight that the opening tonic once held.

---

[7] Harald Krebs, 'Alternatives to Monotonality', *Journal of Music Theory* 25.1, Spring 1981, 13; Jim Samson, *The Music of Chopin*, London 1985, pp. 180–84; William Kinderman, 'Directional Tonality in Chopin', in: *Chopin Studies*, ed. Jim Samson, Cambridge 1988, pp. 70–75; Kevin Korsyn, 'Directional Tonality and Intertextuality: Brahms's Quintet Op. 88 and Chopin's *Ballade* Op. 38', in: *The Second Practice of Nineteenth-Century Tonality*, ed. William Kinderman and Harald Krebs, Lincoln 1996, pp. 52–53, 65–68, 71–74.
[8] Hławiczka identifies the two hemiolas in mm. 46–50 in: 'L'échange rythmique dans la musique de Chopin', *op. cit.*, p. 47.

Example 6 — Coordination of form, harmony, and metrical dissonance in *Ballade* No. 2
a) mm. 46–50, b) mm. 164–77

I have attempted to demonstrate that Chopin is not only a master at creating uniquely subtle metrical 'colours', but also at deploying these colours with great artistry upon his musical canvasses. My findings fully support Hławiczka's argument that 'the originality of Chopin's music lies not only in his melody and in his harmony, but above all in his rhythm.'[9]

---

[9] K. Hławiczka, 'Reihende polymetrische Erscheinungen in Chopins Musik', in: *Annales Chopin* 3, 1958, p. 97.

STRESZCZENIE

METRYCZNY DYSONANS W MUZYCE CHOPINA

Jak wystarczająco wykazał Karol Hławiczka, zaburzenia metrum zdarzają się w dziełach Chopina. Są składnikiem figuracji (zwłaszcza chodzi o ścieranie się podziału trójkowego i dwójkowego), ale i wzory akompaniamentu często uczestniczą w kształtowaniu metrycznego konfliktu. Chopin nie tworzy „metrycznego dysonansu" jedynie w celach kolorystycznych, ale włącza go w bardzo różny sposób do struktury dzieł. Koordynuje te „dysonansowe stany" z innymi aspektami muzyki; np. pozwala na zaistnienie rozwiązań metrycznego dysonansu na końcu frazy i znaczących harmonicznych rozwiązań, uwydatnia formalne ramy metrycznymi dysonansami, albo nadaje każdemu z odcinków dzieła odrębny status metryczny.

VARIOUS FOREGROUND FORMS OF SIMPLE MIDDLEGROUND PATTERN IN MUSIC OF FRYDERYK CHOPIN

Artur Szklener

(KRAKÓW)

Chopin cannot write any new piece without making us shout after a few bars: 'This is Chopin!' These words of Robert Schumann became the starting point of my research into Chopin's music, which I commenced in the hope that I might succeed in unravelling the mystery of this phenomenon. The present paper is a partial presentation of ideas, which arose over the course of wider investigations. Its aim is simply to show one point of view.

The basic question that should be asked here is whether the music of Chopin really is a distinct one. As the opinions of theorists, composers, music-lovers and laymen seem to confirm this proposition, I will therefore assume that Chopin's music is individual. Indeed, this individuality is so deeply concretised in the musical material that it can be shown using scientific criteria.

To begin with, I specified the material examined, i.e. that element of music which is most characteristic. I chose the melodic style, as this is generally referred to as the most characteristic, distinct, and unique element of Chopin's music. However, the consideration of melodic shape *per se* appears to be insufficient, and does not fully express the specificity of Chopin's melodic style. Nevertheless, I am of the opinion that there does exist a system of principles that covers several musical elements simultaneously: melodic shape, rhythmic pattern (understood as both the duration of particular notes and some kind of phrasal rhythm), harmonic support and areas of tension. These principles— something which is not quite obvious at first glance—govern the musical content both in the Foreground and at a slightly deeper level of the musical structure.

The system described here is a foundation of musical material whose unique shape is acquired in a slightly different way in each piece, according to the genre, form, or purpose of a particular musical passage. However—regardless of these differences—it does constitute a kind of hallmark, distinguishing Chopin's music from that of his contemporaries.

METHOD

This way of thinking of a piece of music as of the simultaneous coexistence and interaction of many different musical elements has little methodological background, and to some extent requires a combination of several methods. In the context of the material examined, we must abandon the 'classic' rule of methodology, according to which the research process should employ one (particular) method, as insufficient.

That is why I decided to choose a few different musicological methods, and to try to use them concurrently.

1. First of all, I apply a reduction process similar to that developed by Heinrich Schenker. The main difference is that I do not use reduction to isolate the structural plan of the whole work, but rather to show the relation ship between notes in both the Foreground and the Middleground, and to separate melodic shapes and tensions within each level. Thereafter, I try to determine the similarities and the differences between them. In actual fact, I generally try to put all the notes from the original melody into my graphs, so as not to lose the complexity of simultaneous events—an element which I believe is one of the most characteristic features of Chopin's oeuvre. Sometimes, when attempting to show some important shape in the first Middleground, I still retain the entire arpeggiation (drawing it in grace notes)—in opposition to the consistent level-by-level reduction process of Heinrich Schenker's theory. The last difference lies in a focus on perceptible phenomena, which can—in a conscious or unconscious way—influence our opinion as to the character of the melody, in contradiction to the structural point of view stressed by pure Schenkerian analysis.

2. As criteria for the selection of 'stronger' and 'weaker' notes, I use Schenkerian principles, as well as the theory of musical grouping developed by Fred Lerdahl and Ray Jackendoff,[1] connecting them with aspects of the theory proposed by Rudolph Reti.[2] Two different approaches to the issue (harmonical-structural and psychological-perceptive) sometimes cause differences in the subordination of notes—particularly in such places where the same notes have different meaning on the Foreground and Background levels. Overlooking these differences would change the meaning of the passage, losing the liability which is of crucial importance to Chopin's music.

3. In investigating the melodic idiom, we cannot overlook the tension that it causes. I adopted ideas proposed by Leonard B. Meyer,[3] which have their source in Kurth's theory.[4] There exists a common agreement that the appearance of leading notes, their resolutions, and melodic figures of this kind cause a listener to feel a kind of tension. Meyer's theory additionally describes the phenomenon of a tension which grows if the expecting resolution does not appear (implication-realisation theory). Even if this feeling is lessened by the fact that we know the piece and what is to come, its origin is so intrinsically connected to the perception process itself that it cannot be eliminated completely. This aspect of Chopinian melody is very important, due to both the epoch in which he lived, as well as to his own concept of musical rhetoric. Nevertheless, no single consistent method of examining musical tension has yet been developed. There are some attempts in Meyer's *Explaining Mu-*

[1] Fred Lerdahl & Ray Jackendoff, *A Generative Theory of Tonal Music*, Massachusetts Institute of Technology Press 1983.

[2] Rudolph Réti, *The Thematic Process in Music*, New York 1951.

[3] Leonard B. Meyer, *Emotion and Meaning in Music*, Chicago 1956.

[4] Ernst Kurth, *Grundlagen des linearen Kontrapunkts: Bachs melodische Polyphonie*, Bern 1917 and *Romantische Harmonik und ihre Krise in Wagners 'Tristan,"* Bern 1920. In English literature: Lee A. Rothfarb, *Ernst Kurth as Theorist and Analyst*, Pennsylvania 1988 and a translation of Kurth's writings: L. A. Rothfarb, *Ernst Kurth: Selected Writings*, Cambridge 1991.

sic.[5] I also tried to make such an analysis in my study on the *Fantasy in f minor* by Chopin,[6] but this phenomenon still seems to be underestimated in the analysis of melody, being assigned to a hermeneutic trend. In my research, the distribution of tension is one of the most important of those aspects which it is possible to analyse, being a crucial factor in the way in which Fryderyk Chopin constructs melodies.

Despite the fact that most theorists find Chopin's melodics to be one of the most specific elements of his style, the main research in this field has been focussed on the classification of melodic types and the search for concrete melodic figures typical for his music. From the 1930s to the 1960s, many melodic shapes were selected, and some were called the 'Chopinian melodic figure,' by analogy to the 'Chopinian chord' in harmony. Although almost every time that theorists claimed 'their' figures to be the most important in the entire melodic context, the very fact that a number of them exist, decreases the importance of individual figures. This situation leaves both theorists and laymen a little bit confused: on the one hand it seems clear that Chopin's melodies a r e distinctive, on the other hand it is extremely difficult to isolate those factors which make them unique. Mieczysław Tomaszewski, in his latest book,[7] has made a kind of synthetic classification of Chopinian 'Melodic Figures,' extracted from various theoretical works devoted to Chopin's melodic style, and I would like to take this synthesis as a starting point for our investigation (see Example 1).

At first glance, we can observe that some of the melodic figures are not very unusual and had been used both before Chopin and by his contemporaries. Additionally, not every theorist agrees with the importance ascribed to particular shapes. However, attempts to choose the only 'right,' figure would appear to be misguided. In my opinion, by examining all of them together we can try to establish and analyse some rules lying beyond the figures themselves. Such an approach is justified by the fact that some of the figures have many features in common. Perhaps, therefore, it is not the particular figures, but these common features that constitute the 'lacking element' of theory related to Chopin's melodic style.

Hypothesis

All of the figures quoted above are extremely important to Chopin's style, and I personally find competition between them pointless. My aim is to find common features between them, which together build a kind of compositional style, a way of writing which has its realisation in particular shapes, but does not depend on them in a direct way. I believe that such features are more important for our investigation than the figures themselves, since they show a system, not only its exemplification.

---

[5] Leonard B. Meyer, *Explaining Music: Essays and Explorations*, Chicago 1973.

[6] Artur Szklener, 'Fantazja f-moll Fryderyka Chopina w świetle wybranych metod analitycznych' [Fryderyk Chopin's Fantasy F Minor in the Light of Chosen Analytical Methods], *Rocznik Chopinowski*, No. 24/25, Warszawa 2001.

[7] Mieczysław Tomaszewski, *Chopin, człowiek, dzieło, rezonans* [Chopin. Man, Work, Resonance], Poznań 1998.

Example I: The synthesis of melodic figures made by Professor Tomaszewski[8] who calls them *topoi*

a) The first figure is called the ascending sixth—5–10. (I use numbers in place of diatonic steps of the scale. To avoid negatives, when the melody crosses the octave I use 8, 9, 10 in place of 1, 2, 3).

b) The second figure is a development of the first—5–(6–5–)8–9–10. This figure has been described by many theorists, such as Miketta,[9] Dreyer[10] and Belotti.[11]

c) The 'double neighbour note'—the structure 4–2–3 or 2–4–3, which is an effect of the application of lower and upper neighbour notes, before the appearance of the main note (Wójcik-Keuprulian,[12] Miketta[13]).

d) The 'turning figure'—a result of incorporating a turn into the melody: 5–6–5–4–5 (Hernádi[14]).

e) 'Cercar la notte': 5–2–4–3–1 (Hernádi,[15] Paschałow[16])

f) The figure of the descending fourth 10–7–1, 10–7–9—described as a Polish folk-song figure (Czekanowska[17])

[8]   *Ibidem*, pp. 236–242.

[9]   Janusz Miketta, 'Ze studiów nad melodyką Chopina' [From the Etudes on Chopin's Melodics], *Kwartalnik Muzyczny*, No. 26/27, 1949.

[10] E. J. Dreyer: 'Melodisches Formelgut bei Chopin' in: *Book of the International Musicological Congress*, Warszawa 1963.

[11] Gastone Belotti: 'Nowy Mazurek Chopina' [The New Mazurka by Chopin], *Rocznik Chopinowski*, No. 17, 1985.

[12] Barbara Wójcik-Keuprulian: *Melodyka Chopina*, Lwów 1930.

[13] J. Miketta, *op. cit.*

[14] Ludwik Hernádi: 'Styl fortepianowy Chopina w oświetleniu historycznym' [Chopin Piano Style in Historical View], *Kwartalnik Muzyczny*, No. 26/27, 1949.

[15] L. Hernádi, *op. cit.*

[16] V. Paschałow; *Szopen i polskaja narodnaja muzyka* [Chopin and Polish National Music], Leningrad 1949.

[17] Anna Czekanowska; 'Beiträge zum Problem der Modalität und der sog. 'halbchromatischen Leiter' bei Chopin' in: *Book of the International Musicological Congress*, Warszawa 1963.

Example 6: g) The 'pendular (oscillatory) figure'—the only one described which lies beneath the surface, and which is made by the turning points of the melody: 3 ↘ 5 ↗ 6 (Jachimecki[18])

INDIRECT MOVEMENT

The first and the most general feature, common for all the figures, is *indirect movement*. This rule says that an important note is reached along a more or less complicated path, but never directly. If the melody is to go down, it will probably start from upward steps, and the final note will be reached from the opposite end. The most clear example of this principle is the 'cercar la notte' figure (see ex. I).

WEAKENING OF THE MUSICAL MEANING—SURPRISING

Taking Kurth's and Meyer's theory as a starting point, we can formulate the next rule. Most of Chopin's figures are ambiguous as far as tension is concerned. Very often, the musical content is different to that expected by the listener, who is even surprised: such a big difference exists between his expectations (formulated according to the system or to style rules) and the actual music. Thus, we discover a very important detail: the weakening of musical meaning (for instance, the strength of a leading note) does not imply the weakening of tension—the opposite is most frequently true. This rule, together with rule No. I, gives one the impression of improvised music, with many sudden turns and unexpected details, nevertheless built into the strict frames of the subsequent rules.

REPETITION

Repetition is an integral element of music, distinguishing it from other arts (for instance, poetry is more 'musical' than prose because of repetition and rhythm), and cannot in itself be understood as unique to some composer, simply because of its presence. Nevertheless, its importance and frequency in the music of Chopin make it a characteristic factor (similarly to—for instance—ritornello forms in the Baroque era).

Repetition is of particular significance in Chopin's melodic style, and it can be generally understood as a result of the use of symmetrical structures. The shape of phrases and larger passages is under classical influence to such an extent that we can confidently assume that the factor of repetition is of great significance to them. Moreover, the frequent use of sequential forms (in simple or modified version sometimes leading to big, unique forms), with the great importance of the symmetry of motifs, phrases, sentences or larger passages, changes the significance of repetition. Thus, this general feature of music becomes a characteristic one, due to the frequency and variety of its realisation.

---

[18] Zdzisław Jachimecki: *Chopin. Rys życia i twórczości* [Chopin. Outline of Life and Work], Kraków 1957.

Repetition is also very important in music by Chopin on the micro level which is probably influenced by the percussion-like character of the piano sound. Chopin's 'singing at the piano' could not be realised without the use of sound modulation—and this is not possible on the piano without dividing up long notes and repetition. This technique—derived from a practice ornamentation—provides a base for 'turning' and 'oscillatory' figures (see ex. 1).

VARIANT ASPECT

This can be understood as a synthesis of repetition and surprise. This issue has already been broadly described, therefore it is not necessary to elaborate on it here. However, we should bear in mind the fact that variants understood as a combination of the aspects of 'repetition' and 'surprise' bring even the smallest change of melodic shape into relief. During the repetition of material, we conceive of it as a kind of pattern, and any further change—however small—is immediately noticeable. This is another way in which Chopin varies between the expected and the unexpected. In addition, we can observe how small details must be taken into consideration when analysing his style.

POLYPHONY AND PSEUDO-POLYPHONIZATION

Polyphony is probably another result of Chopin's idea of 'singing at the piano,' mixed with very strong influences from the Baroque era, especially pieces written by J. S. Bach. Local polyphony is very common in the nocturnes. Much more common, however, is a pseudo-polyphonization—the construction of a single melodic line to imitate the presence of several melodic lines. This kind of melodic treatment is very common in music for homophonic instruments, yet less popular in piano literature, where real polyphony is much more frequent. The phenomenon of Chopin's approach to polyphony is a mixture of both polyphonic and homophonic kinds of thinking. Generally speaking a typical work by Chopin should be called homophonic, and yet pseudo-polyphonisation in the melodic style, very tight resolutions between chords (imitating a real polyphony *nota contra notam*), and even the approach to rubato and the relationship between the left and right hands in the composer's performance lead us to notice the importance of the polyphonic factor, even if there is no pure polyphony in the passage. This kind of treatment of the melody line causes the melic shape to be extremely linear, albeit not on the surface. This linearity can be seen after extracting all the 'voices,' even if we do not hear any polyphony at first. Melodies of this kind appear in all genres—a perfect example is the 'cercar la notte' (see ex. 1) in our 'Chopinian figures'

TYPICAL INTERVALLIC STEPS

In all the described figures, we can also find some recurring intervallic shapes. The most characteristic melodic cell common for all the mentioned figures is a jump followed by a step in the opposite direction (and all the variants of this shape):

Example 2: Different realisations of the shape

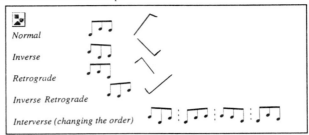

- a jump is usually an interval of a fourth, but it can be a sixth or a third as well;
- the shape described results from the alternate use of leading notes and their (not always direct) resolutions in both thematic and transitional passages;
- this pattern is sometimes an effect of the breaking of linear continuity, which is subsequently filled in;
- a further shape mentioned occasionally consists of a non-proper resolution of the leading note into a consonant skip of an expected note (gap), which should be filled in (backward step) in the opposite direction (the so-called 'Chopin' jump 5–10 followed by a downwards motion is an example of such a situation—see Example 1).

HIERARCHICAL, MULTILEVEL MELODY

This is not only a result of the nature of the music system and perception (an idea of Schenker and his followers), but is also conditioned by the melodic shape. Incorporating ornaments into the melody and making them the base for further ornamentation (leading to a multilevel ornamentation) and variant setting results in the basic and typical figures becoming hidden under the surface. A very important result of this compositional method is the fact that the same Middleground figures are often composed out in the Foreground in a completely different way. Such a significant interaction between the two levels, and the large number of similarities in their treatment, spurs one to attempt to investigate the aims that lie behind this technique.

EXAMPLE

The rules described above may seem too general and illusory if we do not examine their results in real music. Even then, one can argue that they are characteristic of the major-minor system rather than the Chopinian style. It is extremely difficult to provide any proof that the features described are particularly important for Chopin's music—more so than for his contemporaries. It is impossible without a comparative analysis, which is not possible here. Nevertheless, after having examined a large number of works, I believe that the specific mixture, extent and importance of these features are specific to Chopin's melodic style, distinguishing it from others. I would now like to provide an exemplification of my ideas in real music. I have chosen the *D-flat major Nocturne* Op. 27 No. 2.

NOCTURNE IN D-FLAT MAJOR OP. 27 NO. 2

Most of the phenomena discussed here are shown in example No. 3. As early as the first phrase, we encounter some of the problems discussed above. One can perceive here a composed-out line from f^2 to b^1-*flat* (*f* and *e-flat* in bar No. 2, *d-flat* in bar No. 3, *c* in the 4th bar and the final *b-flat* in bar No. 6). The criteria for choosing these notes as important ones are more or less self—evident: these notes are on relatively stronger beats than others.

In the same passage, however, a kind of second line appears, in the opposite direction (*a-flat* in bar 3, *a* in bar 5 and *b-flat* in bar 6). These notes are of significantly longer duration than the remainder, they are in the same register, and all of them are placed on the first beat of the bar. We obviously notice that *a* is a note leading from *a-flat* to *b-flat*, strengthening the connection between them.

In combining the two lines, we can hear one of the described patterns (a skip and a step in the opposite direction—f^2 in bar 2, *a-flat*^{1} in bar 3 and *b-flat*^{1} in bar 6) acting as a kind of framework for the passage. The question is whether such an operation of selecting lines and combining them afterwards during a process of analysis is permissible. I think that it is, since the perceptive and structural reasons for selecting these notes are very strong, and the lines selected are in a kind of opposition to each other, which means that the listener can hear these concrete patterns or at least feel some ambiguity in the melodic line and its structure.

On the surface, we have a typical example of *the surprising* and *indirect motion* rules. The two notes *a* and *b-flat* from the 5th and 6th bars are really surprising and destabilising notes, because the previous passage in bars 3 and 4 is a composed-out step from *a-flat*^{1} to *b-flat*^{2}. The returning line (bar 4) should end either on *a-flat*^{1} or *b-flat*^{1} (or, for instance, f^3). Instead, we can hear a leading note to *b-flat* (a^1), which, moreover, can be heard as leading not upwards but downwards (a^1 would be an enharmonically changed *b-double flat*^{1}—a third of the minor subdominant G-flat minor with the sixth[19]), and which does not want to resolve for the whole bar. With such complexity, we could ask if this appearance of a^1 has any musical sense at all (apart from the effect of surprise)? I think that it does. In the accompaniament, we have had unchanged harmony since the very beginning of the piece. This is unusual in Chopin, and signals that something different is going to happen. Moreover, in the 4th bar there appears a dissonant sixth (*b-flat*^{2} acting as an upper neighbour note to *a-flat*^{2}), which is unresolved for half a bar, and is also the highest note up to this point. This is the first signal of tonal and melodic destabilisation. The a^1 is a consequence of using lower neighbour notes in the passage in bar four. It also stresses the importance of the above—mentioned *b-flat* (this time *b-flat*^{1}—bar No. 6), changing its meaning into a consonant 5th (E-flat^7) with a sudden harmonic turn. This a^1 can also be understood as a kind of preparation for the B-flat minor key in the 10th bar—forcing tension to its prime, although not heard immediately.

---

[19] This is a conception of Dieter de la Motte, *Harmonienlehre*, München 1976, after: M. Tomaszewski, *op. cit.*, p. 222.

Example 3: *Nocturne D-flat Major* Op. 27 No. 2

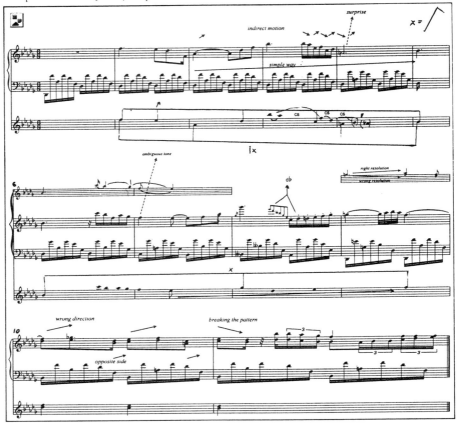

Summarising, the role of a^1 in the 5th bar can be explained within a major-minor system as a logical step, albeit a very forceful event, in one tenth of a second changing the mood of the whole passage.

When we consider the motion from the *a-flat*^{1} in bar 3 to the *b-flat*^{1} in bar 6, we can see the effect of *an indirect motion*. This transition could be effected directly, but instead Chopin has changed the register twice, and the direction of motion has been changed six times (five times in the 4th bar and once in the 5th bar). Although these changes are only very minor surface details, they make surface motion very much like this seem slightly deeper, and create a specific Chopinian melody shape so typical of the nocturnes, but also seen in other genres.

The next phrase (bars 6–9), linked with the previous one with an elision, is somewhat more complex, but here, too, we can see some of the rules and features under discussion. Again, the framework of the passage is constructed with a familiar figure (a jump and a step in the opposite direction), consisting of *b-flat*^{1} (6th bar), *g-flat*$^{2-3}$ (8th bar) and *f*^{2} (9th bar). I have chosen these notes for the following reasons: *b-flat*^{1} and *f*^{2} are the first and the last notes of the passage, *b-flat*^{1} is so strongly prepared (with the described above a^1) that we can feel its importance throughout the whole of the 6th bar. The f is the most important structural pitch of the whole theme. It is a Schenkerian $\hat{3}$, prolonged from the beginning of the piece (it is consequently reiterated in bars 2, 3, 4, 6, 7, 8 and 9) and also beginning the next passage in bar No. 10. The second note of the shape, g-$flat^2$, is stressed quite clearly by a different kind of composing-out than with the other notes (diminution and a register change in bar 8). It seems to be a kind of exclamation, destination, and turning point, from which the 9-bar theme is going to be finished.

Within the passage (in the 7th bar), a very interesting feature appears—an ambivalent note. The f^2 on the first beat of the 7th bar can be understood as a repetition of the prolonged 3rd, which is a structurally important note. Yet the whole passage in bars 6–8 seems to weaken this meaning. This passage can be heard as a preparation for the g-$flat^{2-3}$ in bar 8. This preparation is not very straightforward: from the middle of bar 6 to the middle of bar 7 we can hear a slightly elaborated descending line (c, b-$flat$, a-$flat$, g-$flat$, f, e-$flat$). The rhythm of the passage even supports the long-term hearing, suggesting that the f^2 is of special importance. However, because of the local harmony this f^2 acts as a neighbour note to e-$flat^2$ (and as a passing note between e-$flat^2$ and g-$flat^2$ further in bar 7). The whole passage would therefore be a locally composed-out E-flat major harmony, preparing the strong appearance of the g-$flat^{2-3}$ in bar 8.

* * *

I now propose to discuss some surface details, showing tensions which are sometimes neither obvious nor clear.

If we look at bars 6–7, we can see a descending line from c^3 to e-$flat^2$, which can be heard as a preparation for the final f^2 in bar 9. However, this resolution does not proceed in a direct way. In the 7th bar, as we have seen, the f^2 is locally treated as a neighbour (and passing) note; the melody returns to g-$flat^2$ and is suspended there. Yet even now it does not return to f^2 directly, turning into a descending passage in the 8th bar stressing the d-$flat$, which is the fifth of the harmony (minor subdominant—G-flat minor), preceded by its upper neighbour e-$flat^3$ and double neighbouring figure e-$flat^2$–c^2. Although its second appearance is as a dissonant note (the harmony has just changed), it seems not to lack importance. It could be understood as a passing note, with d-$natural^2$ leading to e-$flat^2$. But this c^2–g-$flat^2$ passage seems to be more than just a chromatic line (which could be the case if d-$flat^2$ and d-$natural^2$ were merely passing notes). There is no e-$natural^2$ in the passage, and d-$natural^2$ is the only chromatic note, and can therefore be understood as a single passing note from d-$flat^2$ back to e-$flat^2$ (supporting the importance of d-$flat^2$). The lack of e-$natural^2$ in the melody is not only intended to avoid a chromatic line. It could easily appear because of harmony (elements of C major with a 7th and 9th, which can be interpreted as the Tonic D minor mixed with the two leading notes e-$natural$ and g, without f, which arrives only with the second beat of the bar. However, the occurrence of e-$natural^2$ in the main voice would imply a strong tension to f^2, which is still not to be reached directly.

But why is this d-$flat$ stressed at all? Is it just to add one extra note to the descending line from c^3 and ascending line from c^2, or is there some special purpose to this note? Perhaps it appears in order to prepare the second voice in the 10th bar (*d-flat*^{2}/*f*^{2})? Certainly, there is no simple answer to this question. Perhaps there is no clear resolution at all? It is true, however, that these parallel thirds are immediately heard as two voices—perhaps not only because of the link with the previous passage with *f*^{2}, but also because of the prior preparation of *d-flat*^{2} in the 8th bar.

There is also a second detail preparing this change into a two-voice melody. Having examined the importance of *d-flat*, we can consider the meaning of *g-natural*^{2} in the 9th bar. After all, the *g-flat*^{2} from the previous bar could easily resolve to the final *f*^{2} directly. Knowing the *indirect motion rule*, we can expect it to be reached from the opposite end (*e-flat*^{2} in the 8th bar), but why does the melody cross the final note, and, moreover, still lead upwards?

To my mind, there are four reasons for this phenomenon:

1. The rule of *weakening*. We expect the final *f*^{2}, prepared by the *e-flat*^{2} and *g-flat*^{2}, additionally by a leading *e-natural*^{1} in the accompaniment. Yet to the very end of the line we are not sure if it will really occur.

2. The second reason is the possibility of the 'improper' resolution of the leading note due to the alternative treatment of consonant notes. In such a case, the leading note is not resolved on its 'proper' strong note, but rather on the consonant note of the latter. In our passage, *f*^{2} is a kind of equivalent for *a-flat*^{2}, therefore *g-natural*^{2} can be resolved on *f*^{2} as well. This would probably not be the case were this an important closure (for instance, the end of movement), but at the end of the first part of the theme it is possible. In Chopin's music, we can even sometimes find an alternative treatment of consonant keys, which results from the same tendency.[20]

3. The occurrence of *g-natural*^{2} may also prepare a double-voice in the 10th bar by an almost immediate resolution in two directions—on both *a-flat*^{2} and *f*^{2}.

4. Perhaps the most hypothetical reason for *g-natural*^{2} would be to stress the final *a-flat*^{2}, which, significantly, is consonant with the Shenkerian $\hat{3}$ (*f*) and is the final note of the next statement of the shape under discussion here; hidden among *f*^{2} (at the beginning), *b-flat*^{2} (culmination in the bar 4, reiterated in bar 6) and *a-flat*^{2} in the 9th bar. All of these notes are the most important notes in the passage, the *f*^{2} (a Schenkerian third), *b-flat*^{2} (the first sign of destabilisation, connected with its leading *a-natural*^{1}), and finally *a-flat*^{2}—prepared with its leading *g-natural*^{2}.

Finally, I would like to discuss the passage in bars 10–11. This little passage can provide a great example of the way Chopin composes out simple structures.

After the first reduction, we can see a descending line (shown in ex. 3 below the passage). On the surface, the sequence of chords (*d-flat*^{2}/*f*^{2}, *e-flat*^{2}/*g-flat*^{2}) suggests that the melody will go upward, but it suddenly changes direction and the second structural parallel third (*c*^{2}-*e-flat*^{2}) is reached from the opposite side (consisting in the well-known shape). This event is repeated in the second half of the 10th bar, and with the *a*^{1}/*c*^{2} chord we already notice a pattern which suggests a further occurrence of the

---

[20] See Carl Schachter: 'Chopin's Fantasy Op. 49: The Two-Key Scheme', in: *Chopin Studies*, ed. J. Samson, Cambridge 1988, pp. 221-254.

b-flat¹/d-flat² chord on the first beat of the 11th bar. Instead, we can again hear a 'double neighbour' figure, and our shape—a third *b-flat¹/d-flat²*—is reached indirectly, from the opposite side (*c²/e-flat²*—the beginning of the 11th bar).

This brief passage is the provenance of many variants found in the piece, whose source is observed thanks to Chopin's skill at variation and ornamentation.

* * *

The whole example shows the importance of the smallest melodic details, which very often contrast with one another, creating micro-tensions and the micro-affects that these can release. In examining these 12 bars, we have seen most of the rules and features which we established when considering 'Chopinian figures,' as well as the complexity and ambiguity that they cause. Additionally, we were able to see quite clearly that under the melodic surface there exist common shapes, well known from the foreground ornamentation.

ORIGIN OF THE PHENOMENON

We cannot be sure about the origin of the phenomena described here without careful comparative analysis, which is not possible at the present time. However, we can try to establish some hypothesis to be verified in the future. The first two factors (*indirect movement* and *surprising*) probably have two basic sources: Italian *bel canto* and *brillante style*. These principles may also be under some influence from the typical ending of polonaise melody. It is also possible that they are influenced in some way by typical folk-song figures. The principles of *repetitions* and *polyphony* probably result from the thorough education which Chopin received in the Warsaw School of Music. This education focussed on an iron discipline, in the spirit of cultivating the classical tradition on the one hand, and the nineteenth-century trend of building sequential, song-like forms on the other. The specifics of the piano sound can also be considered as a very important reason for such common repetitions on music surface. On the other hand, pseudo-polyphony leads to the complication of melody lines, hiding simple linearic structures under a complex, non-schematic surface.

All of the rules geared towards surprising effects, unexpected turns, and a virtual deception may also be derived from Chopin's psyche. Described as an extremely sensitive and delicate person, Chopin was apparently full of contrasts and impetuousness, which coexisted with a cool exterior, never going beyond certain limits.

PERSPECTIVES

This research needs to be completed by describing the relationship of melodic line, rhythm, harmonic background and the function of particular figures within a foundation phrase. Also in need of analysis are some differences in realisation, varying according to the character of the work or the genre, and mood of a passage. A comparative analysis is also necessary, in order to distinguish those features which are typical of Chopin from those resulting from the music system or the romantic style itself. A simple comparison of the frequency of occurrence of some shapes may possibly tell us if they belong to the major-minor system, the music of the first half of the nineteenth century, or the specific Chopinian style. Nevertheless, one should still keep in mind that function and content of a particular musical event is more important than its frequency.

Further research is also required to prove or deny the importance of the described figures on a deeper level. The figures mentioned here are very similar to those found on the surface. It is probably a result of the process of a 'multilevel ornamentation', which itself also should be proved.

* * *

The main purpose of this paper was to put forward some of the ideas which arose during an investigation into Chopin's melodic style. Despite the fact we focused here on one particular work, I believe we could see how many tensions, micro-affects and small details must be taken into consideration if we want to be accurate in our analysis of Chopin's melodies. The issue of Chopinian melodic style seems to be very difficult to describe, due to the crucial role in the construction of melody in Chopin which appears to be played by the balance between complexity and simplicity, between stabilisation and destabilisation, and between the application of the principles governing the classical major-minor system and their violation. It is my belief that further research can help us to better understand the phenomenon of Chopin's melodies—a phenomenon which is so easy to feel but so difficult to analyse and describe.

STRESZCZENIE

RÓŻNE FORMY POWIERZCHNIOWE PODOBNYCH MODELI WARSTWY ŚRODKOWEJ W MUZYCE F. CHOPINA

Istnieje obiegowy pogląd, iż muzyka Fryderyka Chopina jest odmienna stylistycznie od twórczości kompozytorów jemu współczesnych. Pomimo, iż na fakt ten zwraca uwagę już Robert Schumann, istota owego swoistego idiomu nie jest do końca wyjaśniona do dnia dzisiejszego. Dodatkowo jednym z najmniej kompleksowo zbadanych aspektów problemu jest aspekt intuicyjnie uważany za najważniejszy — melodyka. Dotychczasowe prace poświęcone melodyce Chopina skupiały się przede wszystkim na systematyzacji figur melodycznych oraz na poszukiwaniu najbardziej charakterystycznych z nich, jednak takie podejście wydaje się niewystarczające dla zrozumienia istoty zagadnienia. Zadaniem niniejszego artykułu jest próba znalezienia cech wspólnych — melodycznych „figur chopinowskich" — i odpowiedź na pytanie o funkcję tych cech w kształtowaniu melodyki Chopina. Składa się on z części teoretycznej oraz przykładowej analizy Nokturnu Des-dur op. 27 nr 2 jako egzemplifikacji poruszanych problemów na konkretnym materiale muzycznym. Głównym wnioskiem pracy jest stwierdzenie, że zagadnienia melodyki chopinowskiej nie da się wyjaśnić za pomocą samego zestawu „figur chopinowskich". Problem ten jest na tyle skomplikowany, iż do jego wyjaśnienia konieczne jest sięgnięcie głębiej w strukturę melodyczną utworu oraz analiza takich elementów, jak kwestie napięć, stabilizacji i destabilizacji przebiegu, przygotowywania pewnych zjawisk, a więc myślenia w skali dłuższego odcinka, wzajemnego wzmacniania lub osłabiania znaczenia poprzez odpowiednie zestawienie detali muzycznych czy wreszcie relacji do zastanych reguł harmonicznych i melodycznych. Dopiero zestawienie wszystkich tych aspektów i ich przebadanie może odpowiedzieć na pytanie, dlaczego utwór Chopina można rozpoznać już po kilku taktach.

BESONDERHEITEN VON CHOPINS HARMONIK
IM ÄSTHETISCHEN KONTEXT DER FRÜHROMANTIK

Juri N. Cholopov
(MOSKVA)

Chopins Harmonik wird gewöhnlich in der Art eines Rückblicks durch den Vergleich mit dem klassischen Harmoniesystem bewertet. Allerdings scheint ein Vorausblick nicht weniger lohnend, d.h. der Vergleich mit der hereinbrechenden romantischen Harmonik. Um das Wesen der Harmonik Chopins richtig zu erfassen, scheint es angebracht, die nachstehenden Grundsätze zu befolgen:

Nur in seiner allgemeinen logischen Grundlegung erweist sich der Begriff der Harmonik als unwandelbar. Am historischen Ort der romantischen Ästhetik erhält er eine neue Bedeutung.

Auch die Tonalität mit ihren Funktionen ist kein einheitlicher, immer identischer Gegenstand, sondern ein „work in progress", und schon in der frühen Romantik wird ihr Vektor fort von der Wiener Klassik und hin zur neuen Musik des 20. Jahrhunderts gerichtet.

Um neue Erscheinungen der frühromantischen Harmonik erfassen und konkret untersuchen zu können, brauchen wir spezifische Begriffe und eine adäquate Methode; wir brauchen eine Terminologie, die eindeutig auf die neuen Erscheinungen verweist.

ROMANTISCHE HARMONIK UND IHR WEG ZUR NEUEN MUSIK

Romantische Harmonik beginnt zur Zeit des späten Beethoven und fließt in kontinuierlichem Verlauf in die neue Harmonik von Szymanowski, Prokoev und den Vertretern der Zweiten Wiener Schule hinein. Chopins Werk steht zeitlich nahe zur Wiener Klassik und noch sehr entfernt von der neuen Musik des 20. Jahrhunderts. Trotzdem tritt das neue „postklassische" Musikdenken bei Chopin sehr deutlich hervor, daher erscheint es sinnvoll, die Kunst Chopins im Hinblick auf die neuen Techniken der romantischen Harmonik zu betrachten.

TABELLE I[1]: Neue Techniken der romantischen Harmonik

Grundlagen der klassischen Harmonik	Romantische Harmonik: I. Klassische Tradition und II. neue Techniken
I. Grundidee: Beziehung zum tonalen Zentrum. Zeichen (nur drei): T–D–S mit den Ableitungen D^7, S^6, Tp, Sp, $D^{9>}$, DD, $°S^{6>}$ (=S"), °T, (D)→ Sp u. dgl.	I. Klassische Tradition Beziehungen zum tonalen Zentrum, auch in der erweiterten Tonalität. Zeichen: T, D, S, D^7, D^9, $D^{9>}$, S^6, °S, S", S⌐D, DD^9, °D, SS, °T u. dgl. M, m, W, m, D^+, D, N, A, V, L, M⌐D, M⌐M, N⌐S, N⌐(S)⌐T, A⌐S usw. Chromatische Erweiterung der Tonalität. Schichtung und Auflockerung der tonalen Beziehung.
	II. Neue Techniken *Modalität* 1. Tonleiter als Grundlage: - naturale Modi: dorisch, aeolisch, lokrisch; (halblose) - Pentatonik - Hemiolik (mit übermäßiger Sekunde) - Oligotonik [z.B. 3-stufige Tonleiter] - (russ.) „Obichod-Modi" [z.B. *H-c-d-e-f-g-a-b*] - andere Mixodiatonik [z.B. Modus f phr./dor. *c-d-es-f-ges-as-b-c*] - Wechsel-Modi 2. Symmetrische Modi (Tonleiter in Halbtönen) -1 2 1 2 1 2 1 2 (Rimskij-Korssakov-Leiter, verminderter Modus) -2 2 2 2 2 2 („Tschernomors Leiter" — Glinka) -1 3 1 3 1 3, 1 2 1 2 1 1 2 1 1 2 (beide übermäßige Modi) u. a. *Lineare Funktionen* (Durchgangs-Akkorde; Wechsel-Akkorde, z.B. I-II-I; Parallelführungen) *Akkordreihen* (auch Dissonanzen-Reihen) *Nebengestalten der Harmonie* (Ng.; Grundgestalt ist Tonika-Dreiklang) *Autonome* (funktional selbständige) *Zusammenklänge* (deren Sinn ist unabhängig von Tonika) *Funktionelle Inversion* (Streben von Dissonanz zur Dissonanz, von Konsonanz zur Dissonanz, von Tonika-Kreis zur tonalen Peripherie usw.) *Entfaltung des Akkords* (wie bei Wagner im „*Rheingold*") *Koloristik*; koloristische Funktionen der Harmonie (insbesondere zusammen mit der Klangfarbe und der Farbe des Tongeschlechtes); Anfang des Weges zur modernen Sonorik *Zerspaltung der Kategorie der Tonalität* [sehr wichtig!]. Entstehung mehrerer Typen von Tonalität. Verschiedene Zustände von Tonalität: die lockere, dissonante, schwebende, Wechseltonalität, Inversionstonalität, die schwankende, mehrdeutige, aufgehobene, „Polytonalität" *Das enharmonische Zusammenschließen der ♭-und ♯-Vorzeichen* am „Rande" der erweiterten Tonalität (z.B. *fisis* = *g* in *gis-Moll*: Tarnhelmmotiv aus „*Rheingold*"; Entstehung des *omnitonalen Kreises*

---

[1] Die Eigenschaften der romantischen Harmonik werden detaillierter beleuchtet im Buch des Verfassers: *Harmonie. Theoretischer Kursus.* Moskau, 1988.

Erklärung der Abkürzungen und Zeichen:

$D^{9>}$ der kleine Dominant-Nonakkord (z.B. *g-h-d-f-as*) ohne Grundton = der
verminderte Septakkord (*h-d-f-as*)

T^7 der Septakkord der Tonika ohne Grundton (z.B. *C-Dur: e-g-h* als Akkord in Tonikafunktion)

M die Großterzmediante (z.B. *E-Dur* in *C-Dur, c-moll*)

m die Kleinterzmediante (z.B. *Es-Dur* in *C-Dur*; *es-moll* in *c-moll*)

W die Kleinterz-Untermediante (z.B. *A-Dur* in *C-Dur, c-Moll*)

m die Großterz-Untermediante (z.B. *as-Moll* in *C-Dur, c-Moll*)

S^n der neapolitanischer Sextakkord (z.B. in *C-Dur, c-Moll* Grundton *f*) wie in den Chopin-Etüden *c-Moll,*
op. 10 u. 25

N der Neapolitaner (z.B. in *C-Dur, c-Moll* Grundton *des*) wie in Chopins *Prélude c-Moll*

ID die DouleDominante, d.h. funktional gleichbedeutender Tritonus-Substitut der Dominante (z.B. in *C-Dur des-f-as-h [ces]* mit Grundton *des*, nicht *g*)

A die untere Atakta, der Leitton-Akkord (z.B. in *C-Dur h-dis-fis*, mit dem Grundton der VII. Stufe und der direkten Auflösung in die Tonika). Fachterminus (wie auch der folgende) von Tadeusz Zieliński.

V die obere Atakta, nach unten strebender „Gleittonklang" (z.B. in *c-moll des-fes-as*, mit direkter Auflösung in die Tonika)

— Tritonante (z.B. in *H-Dur c^1-a^2-c^3-f^3* mit der Auflösung in *h-h^2-dis^3-fis^1*). Terminus von S. Karg-Elert

S-(M)-T die Nebenmediante zu S (z.B. in *C-Dur: A-Dur*)

N-(M)-T die Neben-Subdominante zum Neapolitaner mit der Auflösung in die Tonika (z.B. in *Des-Dur g-h-d—as-des-f*)

Die verschiedenen Zustände der Tonalität
Werden durch 4 tonale Indexe bestimmbar sein:

Z+ es gibt ein tonales Zentrum
Z– es gibt kein tonales Zentrum
T+ die Tonika klingt real
T– die Tonika klingt real nicht

S+ Kon- und Dis- Sonanzen, die Dissonanz wird der Konsonanz untergeordnet
S– die Dissonanz wird der Konsonanz nicht untergeordnet

F+ die tonale Funktionalität: die funktionale Beziehung zur Tonika ist klar wahrnehmbar
F– die funktionale Beziehung zur Tonika ist nicht klar wahrnehmbar

Einige Musikbeispiele der verschiedenen Zustände der Tonalität (durch die tonalen Indexe erläutert)

Lockere Tonalität — Mussorgski: *Bilder einer Ausstellung*, Finale, Seitenthema im
as-Obichod-Modus (~as-*Moll*); [Z+ T+ S+ F–]

Schwebende Tonalität (der Tonika-Akkord erscheint kein einziges Mal, auch wenn man ihn immer fühlen kann) — Schumann: Kreisleriana, N4, *B-Dur* [Z+ T– S+F+]

Mehrdeutige Tonalität — Bizet: Carmen, Entrakte zum IV. Aufzug, *d-Moll* = *A-Dur* (domin.): [Z1=2 T+ S+ F–]

Dissonant, „atonikale" Tonalität — Mussorgski: *Boris Godunov*, Szene „Feierliches Glockengeläut" (= Vorspiel, 38 Takte):[Z+ T– S– F–]

Aufgehobene Tonalität — Liszt: *Préludes*, Durchführung, I. Sektion, 22 Takte (ein langer Gang mit parallelen verminderten Septakkorden): [Z– T– S– F–] — tonal oder atonal?

Wechseltonalität — Chopin, 2. *Ballade*, F-*Dur* — a-*Moll*: [$Z^{1 \rightarrow 2}$ T+ S+ F+]

In vollem Umfang ist die romantische Harmonik nur bei den späteren Komponisten dargestellt — wie Liszt und Wagner, Musorgskij und Rimskij-Korssakov, Grieg,

Franck, Richard Strauss, Ljadov usw[2]. Aber schon bei den frühen Romantikern treten
die Eigenschaften des neuen Harmoniesystems offen zu Tage. Die in unserer Tabelle
skizzierte romantische Harmonik ist, musikästhetisch gefasst, vor allem Äußerung
eines neuen Harmoniegefühls, und die verschiedenen Kompositionstechniken sind nur
dessen konventionell-formelle Konkretisierung. Der Romantiker Chopin kann mit
diesem neuen Harmoniegefühl in vollem Maße identifiziert werden. Die Ästhetik des
freien Gefühls verleiht der Chopinschen Musik einen besonders verfeinerten, raffinierten Ton der individuellen Selbstäußerung. Natürlich ist dieser Ton nicht nur an
einzelnen Stellen bemerkbar, sondern durchdringt die ganze Klanglichkeit seiner
Musik. Aus technischer Sicht kann man diese Offenbarungen von Chopins neuer
Harmonieempfindung an einer Reihe von Mustern zeigen.

ROMANTISCHE HARMONIK BEI CHOPIN

ERWEITERTE TONALITÄT

Hauptmerkmal der Tonalitätserweiterung ist die Etablierung des gemischten Dur-
Moll Systems. Konkret, z.B. im Dur Geschlecht: die Einführung der vier Medianten:
— „M", Großterzmediante, z.B. *E-Dur* zur Tonika *C-Dur*
— „m", Kleinterzmediante, z.B. *Es-Dur* zur Tonika *C-Dur*
— „W", Großterz-Untermediante, z.B. *As-Dur* zur Tonika *C-Dur*
— „m", Kleinterz-Untermediante, z.B. *A-Dur* zur Tonika *C-Dur*
Ähnliches gilt bei Ausweichungen. Die Alterationschromatik führt zur Entstehung
der DoubleDominante. Eine DoubleDominante ist eine funktionelle Tritonant-
Substitution der gewöhnlichen Dominante, also beispielsweise *Des-Dur* mit kleiner
Septime zur Tonika *C-Dur*. Dies gilt auch für die Subsysteme, d.h. die Ausweichun-
gen, was bei Chopin häufig der Fall ist. Gleichermaßen typisch für Chopin ist jedoch
auch eine Orientierung auf die Quintbeziehungen zwischen den Grundtönen der
Akkorde. Hier erkennen wir Chopins Verwurzelung in der klassischen Harmonik. Aus
ihr geht eine charakteristische Intonation hervor. Wir nehmen sie bei nicht wenigen
Harmonien in erweiterter Tonalität wahr.
Beispiele für Medianten:
Prélude E-Dur op. 28/9
Nocturne b-Moll op. 9/1
Polonaise As-Dur op. 53
Beispiel für DoubleDominanten:
Prélude g-Moll
Von prinzipieller Bedeutung ist der Anfang der *Sonate b-Moll*[3] (Notenbeispiel 1).

---

[2] Wenn wir nur die neuen Techniken der romantischen Harmonik allein nehmen, bekommen wir schon
die Neue Musik des XX. Jahrhunderts. Die dissonante Tonalität (oder die aufgehobene oder die Inversi-
ons-Tonalität), neue Nebengestalten als Zentrum (anstatt des konsonierenden Dreiklanges als Grundge-
stalt), auch die Technik der Akkordreihen (oder linearen Funktionen) — dies sind auch Kompositionstechniken der 20er und 30er Jahre (z.B. bei Bartók, Prokofjev).
[3] Enharmonische Umdeutung zeigt den Zusammenschluß von ♭- und ♮- Vorzeichen — am Rande der Tonalität.

Notenbeispiel 1

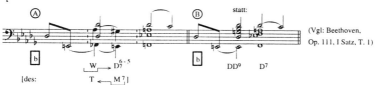

(Vgl: Beethoven,
Op. 111, I Satz, T. 1)

Ein weiteres Hauptmerkmal der Tonalitätserweiterung ist die Chromatisierung der Harmonie[4]. Eine umfangreiche Untersuchung dieser Frage finden wir im neuen Buch von Maciej Gołąb[5], der mit Scharfsinn eine innere Stil-Evolution bei Chopin im chromatischen Gebiet der Harmonik diagnostiziert. Er unterscheidet zwei Phasen der Chromatik, eine „akzidentielle" im frühen Schaffen (1825–1837), wo die Chromatik der Diatonik untergeordnet ist bzw. die Diatonik erweitert ist, sowie eine „essentielle" Chromatik im Spätwerk (1839–1849) wo sich die Chromatik von der Diatonik unabhängig macht[6]. Von unserem Standpunkt aus gesehen, lebt diese autonome Chromatik von der Hilfe anderer harmonischer Techniken (siehe Tabelle I). Hier liegt ein Unterschied zum alten chromatischen „passus duriusculus". Ein Beispiel hierzu[7]:

Notenbeispiel 2a und 2b:

Mazurka op. 68 Nr. 4

---

[4] Eigentlich ist dieser Weg nicht neu. Als „passus duriusculus" war die Chromatisierung im Barock weit verbreitet (J. S. Bach, *Crucifixus* aus der *Messe in h-Moll*) und ebenso in der Klassik (W. A. Mozart, *Gigue in G-Dur* für Klavier, KV 574; L. v. Beethoven, *Diabelli-Variationen*, Var. XX).
Bei Chopin vereinigt sich die Chromatisierung aber mit den neuen harmonischen Techniken.

[5] Gołąb, M.: *Chopins Harmonik. Chromatik in ihrer Beziehung zur Tonalität*. Köln 1995.

[6] Op. cit., S. 160,162 u. a.

[7] Vgl. Gołąb, *op. cit.*, S. 153–157; besonders wichtig ist das Schema S. 154.

Notenbeispiel 2c:

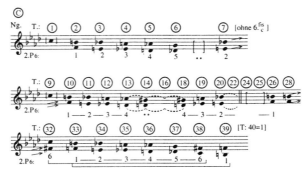

Die autonome Chromatik wirkt mit den Nebengestalten (Ng.) zusammen. Die beiden Nebengestalten (Ng. I mit der Struktur P 4–3-3 und Ng. 2 mit der Stuktur P6) übernehmen gewisse Funktionen der Tonika. Die Nebengestalt und nicht der Tonika-Dreiklang dient hier als Modell für die Fortschreitung der Akkorde. Eine der Grundeigenschaften der Nebengestaltentechnik besteht darin, dass die Nebengestalten durchgeführt und nicht aufgelöst werden. Zu dem neigen die Nebengestalten dazu, alle chromatischen Stufen zu besetzen. Wir erkennen hier also ein Streben nach autonomer Chromatik. Ng. 2 (siehe Notenbeispiel 2c) verteilt sich insgesamt auf 6 Positionen. Analog dazu verhält sich Ng. I (siehe Notenbeispiel 2b).

MODALITÄT

NATURALE MODI. Bei Chopin finden sich eine Reihe Beispiele für naturale Modi.

F-lydisch	*Mazurka C-Dur* op. 24/2
cis-phrygisch	*Mazurka cis-Moll* op. 41/1
Äolisch-lydisch (Moll mit erhöheter 4. Stufe)	*Trio der Mazurka b-moll* op. 24/4
Pentatonische Färbung des Dur-Tongeschlechts	*Ètude Ges-Dur* op. 10/5
zum Teil sogar orientalische Klänge (nach Jeffrey Kallberg)	

SYMMETRISCHE MODI. Symmetrische Modi zeigen sich in der sogenannten „Chopin Leiter" (auch Rimskij-Korssakov-Leiter genannt) mit der regelmäßigen Abfolge Halbton — Ganzton. Beispiele finden sich etwa in der *Etüde f-Moll* op. 10/9 (Takt 25–28) oder in der ersten *Ballade* (Takt 8–5 vor den *Walzer-Scherzando Es-Dur*).

LINEARE FUNKTIONEN

Hier zeichnen sich die Verhältnisse der Akkorde zueinander nicht durch Quint-, sondern durch Sekundbeziehungen aus, z.B. in der Einleitung der *Polonaise As-Dur* op. 53 (Takt 1–10; es finden sich dort Durchgangsakkorde und sogar Durchgangstonarten: Es- Fes — F, Takte 1,5, 9). Ein weiteres Beispiel ist die Passage der Durchgangsakkorde aus der *Mazurka cis-Moll* op. 30/4 (Takte 11–8 vor Ende[8]). Chopin liebt

---

[8] Chopin organisiert diese Passage streng funktionell (11 Takte vor Ende bis 8 Takte vor Ende). Der erste Akkord (Fis[7]) ist die Dominante zum letzten Akkord (H[7]), alle anderen sind chromatische Durchgangsakkorde. (Auch die autonome Chromatik, mit der Ng. P 4–3-3, der erste Akkord als Modell).

es, mit diesen linearen Strebungen nach oben die Dominante zu erweitern um dadurch ein emotionelles Glühen zu erreichen (z.B. am Ende des zweiten *Scherzo*, Takte 748–755). Zu den linearen Funktionen kann man auch die Akkordreihen rechnen, die strukturell aus einer Nebengestalt hervorgehen, z.B. der Lauf der verminderten Septakkorde (Ng. P3–3-3) im Seitenthema der Etüde *E-Dur* op. 10/3 (Takte 38–41 und 46–52). Ähnliches gilt für die *Mazurka cis-Moll* op. 30/4.

NEBENGESTALTEN

Bereits bei Chopin beginnt diese neue Technik der inneren Erneuerung des Kernbestandes an Ton-Elementen in der Tonalität. Neben den bereits erwähnten Nebengestalten erweist sich die Nebengestalt „Sextakkord statt Dreiklang" als kennzeichnend: sie findet sich z.B. in der *Mazurka a-Moll* op. 17/4:

Takt 2: Tonika mit Sext,
Takt 4: Tonika mit Sext-Dissonanz A–C–F statt reiner Tonika,
Takt 4–6: Tonika Sept-Akkord ohne Grundton.

Vergleichbare Strukturen finden sich auch in der *Etüde gis-Moll* op. 25/6 (Terzenreihen als eine Konstante des harmonischen Klanges) und in der *Etüde F-Dur* op. 25/3 („schwatzende" Wechseltöne).

ENTFALTUNG DER AKKORDE

Eine merkwürdige Episode im *Nocturne b-Moll* (Takt 51–69, vor der Reprise) ist charakteristisch für eine Folge langanhaltender schillernder Harmonien: Fortissimo Akkorde auf Des^7, anschließend im pianissimo ohne Septime. Hierunter fallen auch die koloristischen „Cadenzen" im *Nocturne Des-Dur* (Takt 51–51) und im *Nocturne H-Dur* op. 9/1 (Takt 155).

FUNKTIONELLE INVERSION

Sie ist für Chopin insgesamt nicht sonderlich charakteristisch. Ein Muster dafür findet sich aber am Ende des *Prélude F-Dur*, im Streben zur Dissonanz am Ende (Tonika mit der Septime *es* als Schlussakkord).

KOLORISTIK

Sie ist hingegen äußerst charakteristisch für Chopin. Es wäre keine Übertreibung, von einem besonderen „Chopin-Ton" zu sprechen — den verfeinerten, raffinierten, vergeistigten Ton. Rein musikalisch kann dies als besondere Farbgebung, als Klangkolotit aufgefasst werden, daher die Bezeichnung Koloristik. Wann immer Chopin seine Hand auf die Klaviertasten legt, beginnt unverzüglich der charakteristische Chopin-Ton[9], der sich etwa in den nachfolgend genannten Werken beispielhaft manifestiert:

---

[9] Józef Sikorski, Chopins erster Biograph, erinnert daran, dass Chopin Akkorde mit einem Deziminterwall zwischen den Rahmenstimmen besonders liebte. (Józef Sikorski, „Wspomnienie Szopena" [Erinnerung an Chopin], in: Igor Bełza, *Chopin*. Moskau, 1968, S. 44)

Nocturne Des-Dur op. 27/2, Anfangstakte (äußerst feiner Klangeffekt durch Verwendung weicher Intervalle; vgl. in der linken Hand die Folge ohne harte Konsonanzen: Des — ↑ 10 ↓ 6 ↑ 6 ↓ 3 ↓ 6 ↓ 3 ↑ 10 usw.

Die *Nocturne*s in ihrer Gesamtheit sind ein Paradebeispiel für den Chopin-Ton, die Koloristik verleiht ihnen ihre „nächtliche" Farbgebung.

Alle Etüden; sie sind sämtlich auch Übungen in Koloristik, sozusagen „Ludus sonorus" oder „Modus sonandi", eine Schule der schönen Klanglichkeit[10]

Das Finale der *Sonate b-Moll*, ein Meisterwerk der Koloristik von frappierender Kühnheit. Koloristische Gestaltung tritt hier sogar so weit in den Vordergrund der musikalischen Wahrnehmung, dass die Interpreten die harmonische und formale Struktur des Satzes nur ungenügend wahrnehmen[11]. Alle uns geläufigen Pianisten spielen dieses Finale „sonorisch", vielleicht nicht ohne den Einfluss des Tonempfindens unserer Zeit, und in der Tat weist die koloristische Technik der romantischen Harmonik bereits auf die Sonorität des 20. Jahrhunderts voraus.

DIE ZUSTÄNDE DER TONALITÄT

In einigen Werken Chopins scheint mit der Tonalität nicht mehr alles zu stimmen: das Scherzo *b-Moll* steht eigentlich in *Des-Dur* (so sieht es jedenfalls Heinrich Schenker), das Scherzo *es-Moll* der 2. *Sonate* kadenziert in *Ges-Dur* und die *Ballade F-Dur* strebt nach *a-Moll*. Obwohl Chopin zur frühen Romantik gehört, ist bei ihm eine Transformation der Tonalitäts-Kategorie schon auffallend ausgeprägt. Es liegt auf der Hand, dass sich Transformation der Tonalität und Veränderungen im Formsystem zusammen vollziehen, in einem einheitsstiftenden Prozess der Evolution des Musikdenkens.

Von den verschiedenen Tonalitätszuständen (siehe Tabelle I) nimmt die W e c h s e l t o n a l i t ä t (Beginn in einer Tonalität und Schluss in einer anderen)

---

[10] Die individuelle Eigenart seiner Etüden bemerkte Chopin selbst, er sagte über sein op. 10: „zrobiłem Exercise duży en forme, w moim jedynym sposobie" — "auf meine einheitliche Weise". Vgl. auch Bełza *op. cit.*, S. 177.

[11] Vgl. dazu einen Artikel des Verfassers: „Über die Kompositionsgrundsätze bei F. Chopin: Das Rätsel des Finales der *Sonate b-Moll*", in: *Chopin Studies* 3, Warszawa, 1990.
Im Moment wollen wir nur eine Einzelheit dieser koloristischen Struktur hervorheben — die Rolle der tiefen Tessitur (in den Themen—dreimal) und der hohen (in den Gängen):
• die Melodie des Hauptthemas in *b-Moll* (T. 1–5, unten) und auch die Reprise (T. 39–43) haben eine tiefe Tessitur (ca. *f-f¹*; Schlußton *b*)
• die Melodie des Nebenthemas in *Des-Dur* (T. 23–30) hat auch eine tiefe Tessitur (ca. *As-as, As-as¹*)
• der Gang vom Haupt- zum Nebenthema und Modulation (T. 5–14, T. 15–22) haben eine hohe Tessitur (*f²-f¹*, *f¹-g²-as²* und weiter steil nach unten zum Nebenthema)
• der Gang zur Reprise des Hauptthemas (T. 31–38 kreist um ~*f¹–des–²* (höher, als im Thema)
• der Gang nah der Reprise des Hauptthemas (43–56,57–...) hat eine hohe Tessitur (*f²-f¹*, *des²-f²-b²-c¹-des²* und weiter steil nach unten zur Schlußkadenz)
• in der Koda (T. 71–74, T. 75), mit den Motiven des Hauptthemas (Triolen) — tiefe Tessitur (*es-B*)
Die Entwicklung im koloristischen Parameter der Tessitur geht also streng zusammen, ja synchron mit den tonal-thematischen Strukturen.

für Chopin die größte Bedeutung ein. Außer den bereits genannten Werken zeichnen sich auch das *Prélude a-Moll* (Anfang in *e-Moll*), die *Fantasie f-Moll* (Strebt nach *As-Dur*) sowie der Walzer *f-Moll* op. 70/2 (strebt nach *As-Dur*) durch Wechseltonalität aus.

Die vierte *Ballade f-Moll* ist ein weiteres signifikantes Beispiel für Wechseltonalität. Im ganzen ist sie natürlich auf eine Tonalität gegründet, doch ihr Hauptthema ist durch die wechseltonale Folge *f-Moll–b-Moll* geprägt. Bei Beethoven erzeugte die Bestätigung des Hauptthemas noch Pathos, bei Chopin hingegen gewannen Freiheit und Gefühl die Oberhand. Sich elegisch beugende Melodie-Motive senken auch das tonale Zentrum des Hauptthemas nach unten, zum Dunkel des *b-Moll*, zur tonalen Doppelmacht. Im weiteren deformiert die Wechseltonalität *f–b* die tonale Linienführung der gesamten Exposition:

- das erste Seitenthema (Sequenz *Ges-Dur — Fes-Dur*, T. 38–41 und 42–45) wird von *b-Moll* und nicht von *f-Moll* abhängig,
- der Rückgang zur Reprise des Hauptthemas (T. 46–55) führt nicht zu *f-Moll* (hier ja nicht Haupttonart!), sondern zu *b-Moll*,
- die Tonart des zweiten Seitenthemas, *B-Dur*, (T. 84) ist eine Dur-Variante zu *b-Moll* und nicht zur Haupttonart *f-Moll*.

TABELLE II. Wechseltonalität in der 4. *Ballade* (Exposition der Rondo-Form, f-Moll–b-Moll)

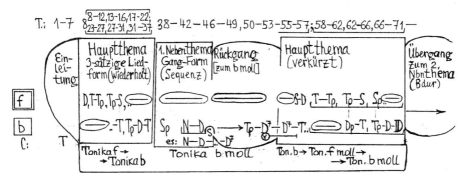

Zweifelsohne verschiebt dieser neue Tonalitätszustand die inneren Stützen der musikalischen Form. Vor dem Hintergrund aller Rondo-Expositionen ist hier polnische *Żal* am Werke; in der klassische Rondo-Exposition ist es ja regelrecht unmöglich, den Orientierungspunkt, die Haupttonika sogar nur teilweise zu verlieren.

In Chopins *Ballade f-Moll* wirkt die Transformation der Tonalität hingegen in hohem Maße auf die gesamte Komposition und verleiht ihr dadurch eine unverwechselbar romantische, nicht-klassische Tönung.

Als weitere Beispiele nicht-klassischer Tonalitätszustände wären zu nennen

- Dissonante Tonalität, vgl. das Ende des *Prélude F-Dur*, das Hauptthema im Finale der *Sonate b-Moll* sowie Beginn und Schluss der *Mazurka a-Moll* op. 17/4 (der Schlussakkords *a-c-f* ist keine Konsonanz, sondern durch die Sexte *f* eine Dissonanz).
- Schwankende Tonalität, vgl. das zweite Thema der *Ballade* Nr. 3 mit seiner Balance zwischen *F-Dur* und *C-Dur* (als Dominante zum *f-Moll*-Thema).

OHNE DIE NEUEN HARMONIETECHNIKEN

Die neuen Techniken der romantischen Harmonik (Tabelle I) sind typologisch kennzeichnend für alle Musik zwischen der Epoche der Klassik und der Neuen Musik des 20. Jahrhunderts. Sie bilden ein System eigentümlicher Merkmale, das selbstverständlich in den allgemeinen Prinzipien der tonalen Harmonik gründet. Doch vor dem Hintergrund einer allmählichen Umwandlung des Harmoniesystems, fungieren die neuen Techniken als sinnfällige Indizien dieser Umwandlung. Ein neuer harmonischer Kunstgriff findet sich nicht isoliert an einer Stelle, sondern ist im Hinblick auf das ganze Werk und die Hör-Erkenntnis des Komponisten zu sehen. Eine scheinbar unbedeutende Stelle wie das dissonante Ende des *Prélude* F-*Dur* wirkt so auf die ganze Komposition zurück und erscheint letztlich als Vollendung einer kompositorischen Linie. Infolge dessen nehmen wir auch subtile Erscheinungen außerhalb des Bereichs „auffallender" harmonischer Techniken mit großer Intensität wahr. Ein Beispiel hierfür bietet das in *Des-Dur* gehaltene *Trio* der *Polonaise cis-Moll* op. 26/1. Das romantische Gefühl ergibt sich aus der Aufeinanderfolge von klarer Friedlichkeit (modaler Zug der Melodie, leidenschaftslose Pentatonik, vgl. Notenbeispiel 3a, T. 1–2), und einem raffiniertem und spannungsvollem Höhepunkt (T. 7, nach mehreren glänzenden Sprüngen von f^1 nach f^3 zu den Dissonanzen mit dem Basston Es-des^3–Es-f^3, vgl. Notenbeispiel 3b). Gleitende Chromatik im Bass erzielt durch ihre Zartheit[12] einen denkbar großen Kontrast. Sowohl in auseinanderstrebender wie in geschlossener Bewegung gehen die sanften chromatischen Linien (alle in absteigender Richtung) durch das ganze Thema (T. 4–7, 10–12, 13–14, auch das Dur-Moll-Schimmern in T. 15–16). Fast ohne Benutzung neuer Techniken setzt Chopin einen harmonisch logischen Gipfelpunkt auf die ganze Periode (T. 10–12, Notenbeispiel 3c). Als harmonischer Antipode der Tonika bewegt sich *Asas-Dur* (als *G-Dur* notiert, T. 11) von der Haupttonart *Des-Dur* ausgehend zu ihrer Tritonante hin; all dies geschieht in einem der Subsysteme von *Des-Dur*, nicht in dessen Hauptsystem. Nichts destoweniger können wir eine solche Struktur als ein Stadium im allgemeinen Prozess der Erneuerung des tonalen Systems begreifen (Notenbeispiel 3).

Die „klassische" Technik der starken Tonalität kann bei Chopin manchmal die neuen Ideen der romantischen Komposition verwirklichen. Die (für die Romantik) „alte" und „allgemeine" Technik der tonalen Zentralisation kann hin und wieder zum besonderen Mittel werden. So etwa am Beginn der Durchführung der ersten *Ballade* (der trotz individualisierter Oberfläche eine Sonatenform zugrunde liegt), wo ein Thema des Seitensatzes in *A-Dur* erklingt. Dieses *A-Dur* ist so lang (12 Takte!) und so mächtig (*ff*, im weitesten Tonumfang, E_1–e^4), dass es nicht den Charakter einer Durchführung, sondern umgekehrt den eines neuen Hauptthemas erhält (freilich aus dem Material des ehemaligen Seitensatzes[13]). Zudem schließt sich hier noch die vorangehende Einleitung

---

[12] Der chromatische Gang, der barocke „passus duriusculus", hat sich schon lange in sein Gegenteil verkehrt, und wurde jetzt (bei Mozart, Chopin, Glinka, Wagner) zu einem zarten, schmachtenden, träumerischen Ausdruck („passus mollius" oder „passus tener"). Bei Chopin gehört er zu den wichtigsten Ausdrucksmitteln.

[13] Ein neues formal-technisches Mittel in der Romantik ist, dem musikalischen Material (z.B. dem Nebenthema) eine andere Kompositionsfunktion zu verleihen: z.B. ist der Mittelteil des Hauptthemas

Notenbeispiel 3a, b, c:

(aus dem ehemaligen Hauptsatz) in der gleichnamigen Tonart a-*Moll* an. So entsteht ein großes Massiv der einheitlichen Tonika (*a* + *A*). Auch psychologisch wechselt die

---

im II. Satz des Klavierkonzertes b-*Moll* von Tschaikowski umgestaltet in den Hauptteil des Scherzos. Dies war auch ein beliebter Handgriff von Liszt.

musikalische Handlung (in der vorangegangenen Exposition) in eine andere Sphäre; nicht in die Durchführung, sondern in einen anderen dramaturgischen Plan, in ein anderes Musikstück.

Dafür sind nun die starke (klassische) Tonalität mit ihrer tonal-funktionalen Zentrierung, und das Entstehen eines großen eintonalen Massives nötig. Chopin wirkt hier ansonsten nicht wie ein klassischer Komponist. Die klassische Durchführung (z.B. im I. Satz der 3. Symphonie von Beethoven) hat als ein Hauptprinzip die ununterbrochene Spannung zwischen der Tonikatonart und den Tonarten der Durchführung. Nicht aus Zufall befestigt Chopin das *A-Dur*: *g-Moll* (vgl. im Anfang ein „Walzer von Chopin") und *A-Dur* (mit seiner romantischen Begeisterung und den glühenden Ausrufen) sind aus harmonischer Sicht sehr weit voneinander entfernt. Nach dieser Exposition will Chopin ein neues Leben anfangen, d.h. *ein neues Stück*, mit anderem Charakter, einer anderen Tonalität und einer neuen Form. Diese Form entspricht nun nicht der Form der Durchführung. Warum nicht? Auf dem Gebiet der freien Formen ist dies eine denkbare, mögliche Idee. Und in der Tat schreibt Chopin nach der *Sonaten*exposition:

T. 94–105 eine Einleitung, die auf den Beginn des neuen Stückes hindeutet,

T. 106–113 ein neues Hauptthema (*A-Dur*) in Satzform:

Notenbeispiel 4

T. 114–137 den Übergang zum zweiten Thema mit einer typischen Sonatenüberleitung in drei Abschnitten: Fortsetzung, Modulation und „Voriktus" (vorbereitender Abschnitt),

T. 138–145 das Nebenthema (*Es-Dur*) in Periodenform,

T. 146–166 den Rückgang zum örtlichen „Hauptthema",

T. 166–173 die Reprise des örtlichen „Hauptthemas", aber in *Es-Dur* (der Tonart des Nebenthemas, vgl. T. 138–145). Diese tonale Anomalie geschieht unter dem Einfluss der grundlegenden Sonatenform: *Es-Dur* wäre die Tonart des Seitensatzes gewesen. Alles weiteres setzt von nun an die unterbrochene Sonatenform fort[14].

Tabelle III: *1. Ballade* Formschema

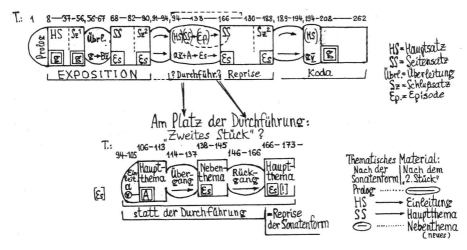

Karol Szymanowski äußerte sich einmal folgendermaßen über Chopin: „dieser musikalische Futurist der Romantikepoche". Das ist natürlich nicht ohne Übertreibung, aber Chopins Streben nach Neuem in der Tonkunst verdient zweifellos die beste Note.

---

[14] Prüfen wir alles sorgfältig und vergewissern wir uns, daß keiner der gangartigen Abschnitte des Durchführungsteils dieser *Ballade* durchführungsartigen Charakter haben. In der Tat hat Chopin hier eine besondere Idee für den Durchführungsteil: das Umstellen in den anderen Inhalt. Es ist wichtig, dass Chopin solche Formen in der Cyrischen (und tänzerischen) Musik überhaupt geschrieben kann. Beispiel Form des *Walzers* in *As-Dur* op. 64, Nr. 3: Hauptthema—Übergang—Nebenthema—Rückgang–Hauptthema und Koda *As-Dur* (*b*, *Ges*)—Modulation—*C-Dur*—Modulation—*As-Dur*— [Das ist Chopins *Walzer-Fantasie*]. Zit. Nach dem Sammelband *Chopin, wie wir ihn hören*, hrsg. Sofia Chentova [ruß.: Szopen, kakim my jego slyschim], Moskau 1970, S. 149.

Streszczenie

Właściwości harmoniki Chopina w estetycznym kontekście wczesnego romantyzmu

Harmonika Chopina jest traktowana jako wczesna faza rozwojowa romantycznego systemu harmonicznego, który jest „jakościowym novum" w stosunku do systemu klasycznego. W Tabeli Nr 1 są skrótowo przedstawione nowe techniki romantycznej harmoniki z odpowiednim systemem oznaczeń. Głównym „torem" jakim postępuje rozszerzanie tonalności u Chopina jest „chromatyzacja" harmonii. Pewne nowe techniki są dla Chopina istotne. Uderzająco wyrazista jest kolorystyka. Przykładem mistrzowskiej kolorystyki jest finał *Sonaty b-moll*. Pomiędzy nowymi właściwościami tonalności największe znaczenie ma „zmienna tonalność" (Wechseltonalität), np. w *IV Balladzie*.

Technika „postaci pobocznych" (Nebengestalten), która jest uzupełniającym środkiem konstrukcyjnym harmoniki, obok głównej postaci jako konsonującego trójdźwięku toniki, wyznacza nową drogę tonalno-harmonicznej ewolucji, np. w *Mazurku f-moll* op. 68 nr 4. Inne nowe techniki u Chopina to: modalizmy (naturalne i symetryczne modi), linearne funkcje akordów, także szeregi akordów, rozbudowa akordu, niekiedy tendencja do dysonującej tonalności, itp.

24 Präludien von Chopin und die Charakteristiken der Tonarten im 19. Jahrhundert

Jarosław Mianowski

(Poznań)

Innerhalb der heutigen Chopin-Forschung scheinen die autonomistischen Interpretationen die heteronomistischen offenbar weit in den Schatten gestellt zu haben. Eine naive Hermeneutik à la Kretzschmar oder die nach der sozrealistischen Lehrart brachte mit sich als Retorsion eine plötzliche Wendung gegen jegliche Versuche, die dahin liefen, die Musik des polnischen Nationaltonkünstlers nach semantischen Maßstäben zu deuten. Die in jüngster Zeit explodierende neue Hermeneutik, welche in der Weltmusikwissenschaft deutlich zu Wort kommt, korrespondiert mit dem *opus magnum* von Mieczysław Tomaszewski, der allerdings zu den Chopinschen Konnotationen außerhalb dem Bereich der Musik skeptisch steht: „Die Musik Chopins stellt in semantischer Perspektive lediglich eine Art Algebra (in bezug auf Gefühle und Vorstellungen) dar. Sie ist keine Arithmetik"[1]. Eine überaus nüchterne Konstatierung, wenn man die oftmals zitierten negativen Stellungnahmen des Komponisten zu den Deutungsversuchen seines Oeuvres nach programmatischen Kategorien bedenkt. Das Verbleiben auf der Stufe der „reinen Ausdruckskunst" (Algebra bei Tomaszewski), ohne die einzelnen Bedeutungen konkretisieren zu wollen (Arithmetik), scheint in diesem Zusammenhang ein wesentlich sichererer Ansatz zu sein.

Das Tonartethos als Forschungsgegenstand, bezogen auf die Musik von Chopin, erweckt mancherlei Zweifel ähnlich wie zahlreiche andere semantische Aspekte seines Schaffens. Die berühmte, wohl einzige Äußerung Chopins zu den Versuchen, die Tonarten seiner *Variationen zu einem Thema aus Don Juan* op. 2 zu deuten, das euphemistisch verhüllte *Küssen in Des-Dur* — wirkt auf die potenziellen Forscher eher abschreckend. Ohne diese Aussage Chopins berücksichtigt zu haben, schrieb Zygmunt Noskowski 1902 im einschlägigen Kontext: „Um den Triumph oder das Heldentum auszudrücken, bedienen sich die Musikschöpfer am häufigsten der Tonarten *Es-Dur* und *B-Dur* und die Tonarten *As-*, *Des-* oder *Ges-Dur* tauchen bei ihnen in den Augenblicken der Verträumtheit oder des Liebesglücks auf. Die idyllischen Stimmungen werden am besten durch die Tonarten *F-* und *G-Dur*, so wie die Sentimentalität und Sehnsucht durch *g-Moll* und *fis-Moll*, die Klage dagegen durch *a-Moll* wiedergegeben."[2]. Seine nicht sehr zutreffende Charakteristik, bei

---

[1] Vgl. Mieczysław Tomaszewski, „Chopin Fryderyk" in: *Encyklopedia Muzyczna PWM*, Teil biogr., hrsg. Elżbieta Dziębowska, Bd. 2, Kraków 1984, S. 166.

[2] Zygmunt Noskowski „Istota utworów Chopina" [Das Wesen der Chopins Werke], 1902, in: Mieczysław Tomaszewski, *Kompozytorzy polscy o Chopinie* [Die polnischen Komponisten über Chopin], Kraków 1959, S. 84–85.

der er den individuellen Präferenzen des Komponisten keinerlei Rechnung trug, wurde von der im 19. Jahrhundert weit verbreiteten Ansicht von dem allgemeingültigen Charakter der Konnotationen von Tonarten in der Musik abgeleitet.

Die Phase einer naiven Hermeneutik brachte Früchte in Form der monographischen Schrift von Adolf Weissmann (Berlin/Leipzig 1922), wo die Tonarten nach der Art des *Kapellmeisters Kreisler* von E. T. A. Hoffmann ausgelegt wurden. Über die *Polonäse cis-Moll* Op. 26/1 schreibt er folgenderweise: „*cis-Moll* — op. 26. Der Nervenmensch spricht. Er versetzt dem Rhythmus einen Stoß, wandelt Heldenmut in zuckendes Sichaufraffen. Er nimmt nach einem Aufschrei einen neuen Ansatz zur Männlichkeit, gerät aber ins Empfindsame. Leiser Groll, der sich bis zum Zorn steigert, dann aber weiter zurücksinkt, in *Es-Dur* beim Weibe verraucht...".[3] Ein Anhänger von streng semantischen und nicht pianistischen Voraussetzungen für die Wahl einer Tonart durch Chopin war dagegen Louis Aguettant[4], der die von Chopin verwendeten Tonarten in Form eines nach dem Geschmack der Charakteristiken des 19. Jahrhunderts zusammengestellten Katalogs darstellte. Wenngleich die von verschiedenen Interpreten in bezug auf andere Komponisten[5] unternommenen Versuche, den semantischen Code der gebrauchten Tonarten zu rekonstruieren, sich auf die von der Relation *Wort-Ton*, der Theorie von musikalisch-rhetorischen Figuren oder den programmatischen Bezügen abgeleiteten rationalen Prämissen stützten, hatten die ähnlichen auf die Musik von Chopin „zugeschnittenen" Theorien keine solchen Grundlagen — vorherrschend waren synästhesische (z. B. *A-Dur* wurde von Aguettant als „kupferroter Glanz", *B-Dur* als „blasses Azurblau"[6] interpretiert) und expressive Assoziationen.

Mit der neopositivistischen Wende in der Musikwissenschaft wurde die Tonartensemantik als weitgehend intuitionistisch aus dem Problemkatalog gestrichen. Und obschon mit dem Auftauchen des Postmodernismus und der Renaissance der Hermeneutik im Gadamerschen Sinne das Problem der Semantik der Tonarten im allgemeinen und in bezug auf diverse Musikschöpfer im einzelnen wiederaufgegriffen werden konnte[7], fand es bisher keinen adäquaten Platz in der Chopin-Forschung. Als die einzige dieser Problematik gewidmete zeitgenössische Abhandlung ist eine unveröf-

---

[3] Adolf Weissmann, *Chopin*, Berlin/Leipzig 1922, S. 122.

[4] Vgl. Louis Aguettant, „Le sens expressif des tonalités dans la musique de Chopin", in: *La Revue Musicale*, 12 Nr. 116, Paris 1931, S. 451–453.

[5] Vgl. die inzwischen klassisch gewordenen Arbeiten von Walter Lüthy, *Mozart und die Tonartencharakteristik*, Strassburg 1931; Rudolf Wustmann, „Tonartensymbolik zu Bachs Zeit" in: *Bach-Jahrbuch*, 8, Leipzig 1911, S. 60–7; Wolfgang Boetticher, *Robert Schumann. Einführung in Persönlichkeit und Werk*, Berlin 1941.

[6] Louis Aguettant, *op. cit.*, S. 451–453.

[7] In den letzten Jahren erschienen zahlreiche Arbeiten, wo dieses Problem entweder eine partielle oder holistische Lösung fand. Die führenden deutschen Hermeneuten — Hans Heinrich Eggebrecht, Constantin Floros und Hartmut Krones — schrecken vor diesen Fragestellungen nicht zurück und die beiden vor relativ kurzer Zeit herausgegebenen Arbeiten wurden ganz diesem Problem gewidmet (vgl. Wolfgang Auhagen, *Studien zur Tonartencharakteristik in theoretischen Schriften und Kompositionen vom späten 17. bis zum Beginn des 20. Jahrhunderts*, Frankfurt/Main 1983 sowie Rita Steblin, *A History of Key Characteristics in the Eighteenth and Early Nineteenth Centuries*, Ann Arbor 1983). Der Verfasser dieses Beitrags promovierte über *Semantyka tonacji w niemieckich dzielach operowych XVIII–XIX wieku. Katalogi-kategorie-systemy* (Die Tonartensemantik in den deutschen Opernwerken des 18. und 19. Jahrhunderts. Kataloge-Kategorien-Systeme), Toruń 2000.

fentlicht gebliebene Doktorarbeit zu nennen, die an der University of Alabama erfolgreich verteidigt wurde. Die Dissertation von Alan B. Reeves[8] konzentriert sich (entgegen dem im Titel gegebenen Versprechen) eigentlich nicht auf die Charakteristiken von Tonarten. Die vereinfachte und mechanische Verfahrensweise des Autors beruht darauf, daß er die von Chopin am häufigsten in Anspruch genommenen Tonarten (As-Dur — 24, cis-Moll — 15 und a-Moll — 14) sowie die am seltensten verwendete Tonart (d-Moll — 2) auswählt, um nach den Gemeinsamkeiten der in diesen Tonarten geschriebenen Kompositionen (der Verfasser analysiert solche Aspekte wie Satz, Metrorhythmik, Tempo, Dynamik, charakteristische harmonische Figuren, Typen der Melodik) sowie den sich auf die gemeinsamen kohärenten Züge der vier gewählten Tonarten bei Chopin[9] beziehenden Konklusionen zu recherchieren. Das anscheinend „sichere", statistische Verfahren bei der Wahl der am häufigsten und am seltensten verwendeten Tonarten wird durch die Arbeit von Wolfgang Auhagen „verifiziert"[10], in der der Verfasser als die am häufigsten gebrauchten Tonarten (As-Dur — 30, C-Dur — 16, Es-Dur, a-Moll, cis-Moll, f-Moll — jeweils mit 15 Kompositionen) und die seltensten — Fis-Dur und gis-Moll (jeweils in nur 4 Werken vertreten) nennt. Ohne in die Ursache des Widerspruchs zwischen den statistischen Berechnungen von Reeves (der die in New Grove veröffentlichten Ergebnisse der Kalkulation nur geringfügig ändert) und Auhagen (der, ohne die Quellen für die Statistik angegeben zu haben, suggeriert, daß sie aus seiner Feder kommt) einzudringen, kann man wohl sagen, dass sich das Schaffen von Chopin nur schwerlich dem vorgeschlagenen Diskurs zuschreiben läßt.

Das einfachste und zwingendste Kriterium für die Wahl einer bestimmten Tonart für seine Kompositionen war für Chopin der Klaviersatz. Die Anordnung der Finger auf der Klaviatur konnte offenbar weitgehend für die Anwendung solcher und nicht anderer Tonart von entscheidender Bedeutung sein. Allerdings scheint eine hypothetische Annahme des Vorhandenseins von semantischen (natürlich neben den technischpianistischen) Tonartenkonnotationen bei Chopin auch gerechtfertigt zu sein — obwohl die Auseinanderhaltung beider Werte bestimmt ein schwieriges Unterfangen ist. Selbst wenn Chopin am Rande des ästhetischen und theoretischen Denkens seiner Epoche blieb, war es unmöglich, daß er nie auf die allgemein im 19. Jahrhundert gedruckten Kataloge von Tonarten gestoßen war. Als Kind seiner Zeit verfügte er wenigstens über das allgemeine Wissen, das aus den weit verbreiteten Meinungen hierüber resultierte. Andererseits mußten die vielfach bezeugte außergewöhnliche Sensibilität sowie das musikalische Gedächtnis des Komponisten Assoziationen der Tonarten von fremden Werken mit denen eigener Kompositionen auslösen. Wenn man davon ausgeht, daß das Schaffen von Chopin als hervorragender Teil des europäischen Kulturerbes zu betrachten ist, lohnt es sich wohl wenigstens oberflächlich zurückzuverfolgen, in welchem Verhältnis die expressive Sphäre der einzelnen in verschiedenen Tonarten geschriebenen Kompositionen Chopins zu der anderer Komponisten und Theoretiker aus der Chopin-Zeit bleibt. Als das Chopinsche Credo über

---

[8] Alan B. Reeves, *Key Charakteristics in Chopin's Solo Piano Music*, Alabama 1994.

[9] A. B. Reeves, *op. cit.*, S. 19.

[10] W. Auhagen, *op. cit.*, S. 306.

die 24 Tonarten wurde die Präludiensammlung op. 28 erkannt, wobei sie (solche Möglichkeit als eine der Interpretationslinien wird von Tomaszewski angegeben) als „Mikrokosmos von 24 expressiven Kategorien"[11] und nicht — wie es andere Musikwissenschaftler wollten — als Form höherer Ordnung gedeutet wurde[12]. Die von Chopin am Anfang fast einer jeden Komposition angegebenen Bezeichnungen ihrer Ausdrucksweise kennzeichnen vortrefflich, wenn auch knapp, die gewöhnlich in ihrer Ausdruckskraft einheitlichen Präludien. Zusätzlich scheint im Falle von einigen Präludien kein Fehler zu sein, wenn man über bestimmte Ausdruckscharaktere, Sphären oder expressive Kategorien spricht — es wäre schwierig, die Einstufung des Präludiums *A-Dur* als Tanzmusik bestreiten zu wollen oder gegen die funeralen Konnotationen des Präludiums *c-Moll* anzukämpfen. Dies wäre wohl — im wahrsten Sinne des Wortes — unmusikalisch.

Die Tonartenkataloge des 19. Jahrhunderts, welche bei der Klärung der Motivation für die Wahl der Tonart durch Chopin behilflich sein können, funktionieren offensichtlich innerhalb von zwei Kreisen — im französischen und im deutschen. Aus Platzgründen muß hier auf eine detaillierte Analyse der zwischen diesen Kreisen deutlich auftretenden Differenzen verzichtet werden. Im großen und ganzen konzentrieren sich die französischen Tonartenkataloge (von Grétry, Berlioz und Gevaert)[13] auf den Klangwert einer Tonart. Manchmal werden sie mit einem konkreten Musikinstrument (wie bei Berlioz — mit der Violine) verknüpft. In den einzelnen Darstellungen dominiert eine trockene, einfache Sprache ohne jegliche Metaphern oder Vergleiche. Die deutschen Tonartenkataloge, angefangen bei dem berühmten Katalog von Schubart, über diejenigen von Müller und Hand, bis hin zu dem von Köstlin[14] scheinen wiederum in hohem Maße mehr poetisch, erfüllt von ausgefeilten Assoziationen und Bezügen auf die nicht musikalischen Bereiche zu sein. Sie konzentrieren sich eher auf die Ausdruckssphäre. Die Charakteristiken einzelner Tonarten in verschiedenen Katalogen berühren sich weitgehend. Die Unterschiede ergeben sich hauptsächlich aus dem Reichtum an literarischer Verbalisierung bei gleichzeitigem Mangel an Präzision. Manchmal aber gibt es erheblichere Unterschiede in der Deutungsweise zwischen den einzelnen Katalogen. All die genannten Kataloge enthalten ein potentiell wertvolles Vergleichsmaterial. Diejenigen, die noch vor der Geburt Chopins veröffentlicht wurden (Schubart, Grétry), konnten für dessen ästhetisch-musikalische Bildung von richtungsweisender Bedeutung sein. Die zu seiner kurzen Lebzeit gedruckten (Müller, Hand) bildeten mit Sicherheit eine Art *communis opinio* seiner Epoche, diejenigen dage-

---

[11] Zitat nach M. Tomaszewski, *op. cit.*, S. 144.

[12] Vgl. die Konzepte von Stefania Łobaczewska („Fryderyk Chopin", in: *Z dziejów polskiej kultury muzycznej* [Aus der Geschichte der polnischen Musikkultur], Bd. 2, Kraków 1966) oder Józef M. Chomiński (*Preludia Chopina*, Krakow 1950).

[13] Vgl. André E. M. Grétry, *Mémoires ou essais sur la musique*, Paris 1797, Hector Berlioz, *Grand Traité d'Instrumentation et d'Orchestration modernes*, Paris 1844 und François A. Gevaert, *Traité Général d'Instrumentation*, Paris 1863.

[14] Christian F. D. Schubart, *Ideen zu einer Ästhetik der Tonkunst*, Wien 1806; W. Ch. Müller, *Aesthetisch-historische Einleitungen in die Wissenschaft der Tonkunst*, Leipzig 1830, F. G. Hand, *Aesthetik der Tonkunst*, Leipzig 1837; Heinrich A. von Köstlin, „Die Musik" § 767–832, in: F. Theodor Vischer, *Aesthetik oder Wissenschaft des Schönen*, Stuttgart 1857.

gen, welche nach dem Tode des Komponisten herausgegeben wurden (Berlioz, Köstlin, Gevaert) konnten bereits den Stempel seiner eigenen Visionen im Bereich der Charakterisierung von Tonarten tragen.

Ebenfalls reich ist die Palette von Komponisten, deren Werke die Wahl der Tonart durch Chopin mehr oder weniger unmittelbar beeinflußt haben konnten. In erster Linie seien hier diejenigen Meister zu nennen, deren Werke ihn als Künstler geformt haben — also vor allem Bach (eine besondere Rolle, als Ausgangsbasis für die Präludien Op. 28, mußten natürlich die beiden Bände des *Wohltemperierten Klaviers* gespielt haben), Mozart, Beethoven (insbesondere dessen Klavierstücke). Ferner die zeitgenössischen Komponisten, die dem Stil *brillant* huldigten und zwar Weber, Hummel, Moscheles; schließlich die Musikgenies des 19. Jahrhunderts — Schumann und Liszt, obwohl ihr Einfluß wohl am meisten umstritten zu sein scheint.

Die meisten Präludien des Op. 28 knüpfen an den konventionellen Charakter einer Tonart sowohl aus den französischen als auch deutschen Katalogen an. Die Sphäre der positiven, männlichen und dynamischen Emotionen wird durch eine ganze Reihe von Präludien vertreten, die traditionsgemäß mit dieser Sphäre assoziiert wurden. Das *agitato* im Präludium *C-Dur* müßte man eher als Bezeichnung des Tempos und nicht der Ausdruckskraft ansehen. *Einfalt, Kraft* und *Majestät* sind die meistzitierten Bezeichnungen für die Charakterisierung dieser Tonart in allen Katalogen und auf solche Weise kann auch das erste Präludium von Chopin vortrefflich charakterisiert werden. Die französische Tradition entschied vielleicht über den Charakter des Präludiums *D-Dur* (*molto allegro*), die nicht mit der traditionell deutschen Lesart dieser Tonart *mit Pauken und Trompeten* korrespondiert, was übrigens hauptsächlich wiederum aus der Rücksichtnahme auf die Instrumentierung in der Orchestermusik resultierte. Sowohl Grétry wie auch Gevaert bezeichnen *D-Dur* als *brillante* und Berlioz charakterisiert sie ganz einfach als *gaie*. Den entschlossenen, männlichen Charakter dieses Präludiums bezeugt dessen Schluß — eine dynamische Kadenz in *forte*. Einen ähnlichen Ausgang hat das Präludium *Es-Dur*, das zu dem gleichen Ausdruckskreis zu zählen ist. Auch diese Tonart wird von Hand als *männlich* bezeichnet, die Franzosen verstehen sie als *majestueuse*. Merkwürdigerweise knüpft dieses Präludium nicht an die „heroische" Beethovensche Konvention der Deutung dieser Tonart — allerdings wurde sie bereits von Hand als *vieldeutige Tonart* gekennzeichnet.

Die Sphäre der statischen Emotionen, die traditionsgemäß mit dem weiblichen Element assoziiert werden, scheint bei Chopin weit umfassender zu sein. Das als *vivace* und *leggiermente* bezeichnete Präludium *G-Dur* wird ganz genau durch die Handschen Prädikate *ironisch* und *Scherz* erfaßt (was übrigens das charakteristische „scherzhafte" Motiv mit der Vornote suggeriert); es heisst *gaie* bei Berlioz und Geavert oder *einfach, natürlich, ohne Kraft* bei Köstlin. Die traditionell pastorale *F-Dur* wird von Chopin in seinem Präludium in *moderato* und *delicatissimo* transponiert, was auf eine perfekte Weise mit der Aussage aller Kataloge übereinstimmt. *Ruhige Hingabe* (Hand), *Hoffnung* (Schubart, Müller) bestimmen das mazurkahafte *andantino* des Präludiums *A-Dur*. Weniger eindeutig fallen die Erläuterungen der Tonarten mit einer großen Anzahl an Kreuzen und b-Molls aus. Dies ergab sich sicherlich aus der alten Tradition der negativen Deutung dieser Tonarten, was wiederum auf die ungleichmäßig temperierte Stimmung zurückzuführen war. Aufgrund dessen klangen diese Tonarten falsch —

und dadurch zu charakteristisch und folglich störend. Im 19. Jahrhundert wurden dagegen gewöhnlich die zeichenreichen *Dur*-Tonarten als seraphisch, himmlisch (z. B. *Des-Dur* — *himmlische Verklärung* bei Müller), aber auch als zwei- oder vieldeutig (z. B. *Des-Dur* — *Leid und Wonne* bei Schubart) gedeutet. Die Präludien *Fis-Dur*, *Des-Dur* oder *As-Dur* als das „nokturnenhafte" Kapitel des Zyklus knüpfen daran, was man als Konvention in der Deutung der „komplizierten Tonarten" im 19. Jahrhundert bezeichnen kann. Die Bedeutung dieser Tonarten bei Chopin ist übrigens dem Sinn dieser Tonarten in den Kompositionen Schumanns gleichzusetzen. Boetticher glaubt, sie würden *Liebesglut* und *religiösen Dank* symbolisieren. Eines besonderen Kommentars bedarf das Präludium *E-Dur* — ein charakteristisches *largo* fast durchgehend in punktierter Rhythmik und *forte*-Dynamik gehalten. Die romantische Tradition in der Deutung dieser recht häufig im 19. Jahrhundert angewandten Tonart steht im totalen Widerspruch zu dem Charakter dieses Präludiums — in der Regel kennzeichnete das Weibliche diese Tonart, wobei sie zur „Tonart der Liebe" wurde. Selbst wenn Chopin an dieser Stelle die Konvention der Romantik Durchbrach, gewann er einen „Verbündeten" in Berlioz, der mit seiner Bezeichnung der Tonart *E-Dur* als *pompeuse* gleichzeitig das Chopinsche Präludium charakterisiert hat....

Die in den in dem langsamen Tempo gehaltenen Präludien auftretenden negativen Emotionen sind mit der Anwendung der Chromatik verknüpft. Diese Kompositionen sind unter allen Moll-Präludien eine Minorität — nur vier davon haben ein langsames Tempo, wobei das Präludium *c-Moll* einen deutlich anderen Charakter hat. In die Präludien *a-Moll* und *e-Moll* wurden emphatische Figuren — *saltus* und *passus duriusculus* eingeschrieben. In der reichen Sättigung der Werke mit diesen Figuren sind noch Elemente der Barocktradition zu sehen. Es genügt nur das Präludium (*passus*) und die Fuge (*saltus*) aus dem zweiten Band des *Wohltemperierten Klaviers* von Bach, oder die in *e-Moll* gehaltenen Teile der Bachschen Matthäus-Passion zu nennen. Aus der Tradition der Barockzeit ergab sich die Möglichkeit, zahlreiche Kreuze in die Noten einzutragen, die bekanntlich das Leiden Christi symbolisierten. Vielleicht wurde Chopin — bewußt oder unbewußt — zu einem Fortsetzer dieser Tradition. Das Präludium *c-Moll* bildet wiederum unbestreitbar eine Art *marcia funebre*, indem es eine reiche funerale Tradition, die dieser Tonart[15] eigen ist, fortsetzt, die als *pathétique* (Grétry) oder *dramatique* (Gevaert) definiert wurde. Die zahlreichste Gruppe von Präludien stellen jedoch die in dem schnellen und sehr schnellen Tempo gehaltenen etüdenhaften Moll-Präludien dar, die mit solchen Bezeichnungen wie *agitato, pesante, con fuoco, appassionato* versehen wurden. Innerhalb dieser Gruppe sind enge Zusammenhänge der Bezeichnungen aus den Katalogen und derjenigen von Chopin am häufigsten, wobei jedoch hier — ähnlich wie in den Katalogen — die Tonarten nicht präzise unterschieden werden können. In den Charakteristiken dieser an Erhöhungs- und Erniedrigungszeichen reichen Moll-Tonarten tauchen solche Prädikate wie *Kampf, Bußklage, Groll* (Schubart), *Schmerz, Unlust, Wehmut* (Hand), *tragique, triste, violente* (Berlioz) auf — übrigens wiederholen sie sich bei verschiedenen Autoren.

---

[15] Vgl. *Eroica* von Beethoven, *Maurerische Trauermusik* von Mozart, *Die Götterdämmerung* von Wagner.

Zusammenfassend läßt sich nur schwer feststellen, inwieweit die Wahl einer Tonart durch die pianistischen Aspekte, inwieweit durch das allgemeine, dramatische Konzept des Zyklus und inwiefern durch die Eigenschaften im Bereich des Ausdrucks der einzelnen Tonarten determiniert wurden. Jedes der angenommenen Wahlkriterien erscheint gleich plausibel zu sein und die endgültige Form der Präludien dürfte als Resultat ihres Zusammenwirkens betrachtet werden. Es scheint aber, daß die allgemeine Ausdruckssphäre der einzelnen Präludien eng mit den Tonarten zusammenhängt, in denen sie komponiert wurden. Das Charakteristische der einzelnen Tonarten bleibt dabei ein gleich relevanter Faktor, der die Eigenart des Präludienzyklus bestimmt. Durch die — wenigstens partielle — Anknüpfung an den allgemeinen *usus* führt Chopin sein Spiel mit der Tradition, ohne dabei — wie jedes Genie — einen Tropfen seiner Persönlichkeit einzubüßen. Dies haben freilich nur die Allergrößten vermocht.

STRESZCZENIE

24 *PRELUDIA* CHOPINA I CHARAKTERYSTYKI TONACJI W XIX WIEKU

Przewaga interpretacji autonomistycznych nad heteronomistycznymi we współczesnej chopinologii jest ewidentna. Jest to poniekąd zrozumiałe, zważywszy na wielekroć przywoływane negatywne opinie samego Chopina na temat odczytywania jego twórczości w duchu programowym. Problem charakterystyki tonacji nie doczekał się jeszcze należytego miejsca we współczesnej chopinografii. Jedyną pracą, poświęconą temu zagadnieniu jest nieopublikowany doktorat Alana B. Reevesa (Alabama 1994), w którym razi ahistoryczność i abstrahowanie od dziewiętnastowiecznych konwencji rozumienia tonacji.

U podstaw niniejszego szkicu legło przekonanie o istnieniu historycznie umotywowanych koincydencji pomiędzy poszczególnymi tonacjami a ich znaczeniem pozamuzycznym i ekspresją. Sprzężenie „wiedzy" na temat tonacji dokonywało się — zdaniem autora — pomiędzy przekonaniami danego twórcy (komponent subiektywny), jego wiedzą z zakresu estetyki, mierzoną znajomością jednego lub kilku katalogów tonacji oraz znajomością obcej literatury muzycznej. Obie tradycje — teoretyczno-estetyczna i praktyczno-kompozytorska wydają się oddziaływać na twórcę w równym stopniu.

Jako czynniki wpływające na charakteryzowanie tonacji, nierówno cenne, często sprzężone oraz zmienne historycznie wymienić można strój, barwę, pozycję (głosu czy instrumentu), instrumentację (możliwości techniczne poszczególnych instrumentów) oraz nawyki, przyzwyczajenia czy obiegowe opinie. Najbardziej narzucającym się kryterium, które dyktowało Chopinowi wybór tonacji dla kompozycji wydaje się pianistyczna faktura.

Jako Chopinowskie credo na temat 24 tonacji potraktowano zbiór *Preludiów* op. 28, interpretując je jako „mikrokosmos 24 kategorii ekspresywnych" (M. Tomaszewski). Dziewiętnastowieczne katalogi tonacji, które mogą okazać się pomocne w rozumieniu motywacji wyboru tonacji przez Chopina funkcjonują wyraźnie w dwóch kręgach — francuskim (Gretry'ego, Berlioza i Gevaerta), niemieckim (Schubarta, Müllera, Handa, i Köstlina). Różnice między nimi dotyczą tak meritum, jak i samego sposobu opisu.

Większość *Preludiów* z op. 28 wpisuje się w konwencjonalny charakter tonacji, odzwierciedlony w wyżej wymienionych katalogach — zarówno francuskich, jak i niemieckich — przy czym podstawowym kryterium tego przyporządkowania wydaje się ogólny wyrazowy charakter utworu — zgodny najczęściej z charakterystyką tonacji, w której został napisany. Reasumując, trudno przesądzać na ile wybór tonacji podyktowany został względami pianistycznymi, na ile ogólną, dramaturgiczną koncepcją cyklu, a na ile ekspresyjnymi właściwościami danych tonacji. Każda z determinant wyboru wydaje się równie prawdopodobna, a ostateczny kształt *Preludiów* jest być może rezultatem ich sprzężenia.

CHOPIN'S SONATA COUNTER-TYPE
— ERROR OF CONSTRUCTION OR INNOVATIVE IDEA

Wojciech Nowik
(WARSZAWA)

Composers and musicologist have differed greatly in their evaluation of Chopin's series of sonata cycles composed in Warsaw during his studies under the supervision of Józef Eisner, i.e. *Sonata in C minor*, Op. 4 (1827––28) and *Trio in G minor*, Op. 8 (1828–29) as well as his two post-graduate piano *Concertos* (1829–30). Many of Chopin's critics have expressed superlative opinions about these productions. Robert Schumann described *Trio in G minor* as 'more refined than anyone could possibly conceive, more visionary than any poet has yet put into song, original in detail and as a whole' and of *Concerto in F minor* he said exaltedly: 'It is so elevated that one may barely reach up to it on tiptoe to kiss the hem of its regal robe'.[1] Franz Liszt described the *Larghetto* from Op. 21 as 'absolutely perfect'.[2] Marceli Szulc, author of Chopin first Polish biography, believed *Trio G minor* to be 'an excellent piece by all means'.[3] Andrzej Chodkowski ranked Chopin's *Trio* among the „most outstanding manifestations of this genre in the age of romanticism'.[4] Hans Engel believed that Chopin concertos 'surpassed the average concertos of the day by far'.[5] Whereas Arnold Schering pointed to these two works of Chopin saying they were examples of 'superb romantic concertos' which surpassed other works of their kind because of the 'poetic atmosphere which emanated from them' and because they 'aspired to the sphere of ulterior ideals'.[6] Similarly, Tadeusz A. Zieliński now recognizes that Chopin's concertos are unique in that they display 'previously unknown, subtle poeticness, an aura of reverie and subtlety of tone'.[7]

Even Chopin's *Sonata in C minor*, Op. 4, almost unanimously believed to be his weakest work, has been described by Józef M. Chomiński as a composition which is

[1] Robert Schumann, *Gesammelte Schriften über Musik und Musiker*, Berlin 1922, p. 152–153; and 'Chopin I Konzert für Pianoforte mit Begleitung des Orchesters Werk 11. II Konzert vom demselben [..] Werk 21.' in: *Neue Zeitschrift für Musik*, 1836 No. 33.

[2] Franz Liszt, *Chopin*, Leipzig-Bruxelle 1852, p. 8.

[3] Marceli Szulc, *Fryderyk Chopin i utwory jego muzyczne* [F. Chopin and his Musical Works], Kraków 1986, p. 57 (first edition 1873).

[4] Andrzej Chodkowski, 'Kilka uwag o Trio fortepianowym Fryderyka Chopina' [Some Remarks on the Piano-Trio of Chopin], in: *Rocznik Chopinowski 14*, Warszawa 1982, p. 8

[5] Hans Engel, *Das Instrumentalkonzert — Eine Musikgeschichtliche Darstellung Band II von 1800 bis zu Gegenwart*, Wiesbaden 1932, p. 332.

[6] Arnold Schering, *Geschichte des Instrumentalkonzerts*, Leipzig 1905, p. 187.

[7] Tadeusz A. Zieliński, *Chopin. Życie i droga twórcza* [Chopin. Life and his Creative Path], Kraków 1993, p. 129.

'not so weak as to justify its neglect in concert-hall repertoires'. [8] It should be added at this point that Chopin father informed his son about the current opinions about the 'fresh' publication oft his 'old' *Sonata*. In a letter to Julian Fontana dated August 8,1839, Chopin informed his dear friend that, 'My father has written that Haslinger has published my old sonata (*Sonata in C minor*) and that Germans have praised it '. [9]

Significantly, all the quoted opinions about Chopin's Warsaw sonata cycles have found them to be 'subtle', 'original', 'innovative', 'fantastic', 'poetic', 'perfect'. But on the other hand, as far as the formal and constructive side of these works, which will be the focus of this paper, is concerned, Chopin's critics have been greatly disappointed. They have voiced very negative or even downright derogatory opinions about the sonata form of these series of works. Some of them have taken the shape of pejorative generalizations, such as Franz Liszt 'plus de volonté, que d'inspiration' [10] or Frederic Niecks's travestation of Liszt's opinion, 'inspiration of the right sort. And also plus de volonté, que de savoir-fare' [11] or Marceli Szulc's 'he has difficulty with keeping in proportion, theme elaboration and adjusting to the rules'. [12]

Others were tendentiously silent or ostentatiously rejecting. Hugo Leichtentritt, for example, left *Sonata in C minor* out of analysis, because he believed it to be 'unreife jugendliche versuche'. [13] Zbigniew Jachimecki supported his predecessor's opinion when he said that 'analyst of Chopin sonatas rightly tend to ignore this juvenile practice piece'. [14]

This dominant tendency among critics apparently justifies James Huneker's extreme conclusion that 'Chopin's sonatas are not sonatas at all'. [15] Huneker is backed up by Donald Tovey who says that *Concerto in F minor*, Op. 21 is 'not a powerfully organized work' whereas the tonal plan of *Concerto in E minor*, Op. 11 is 'suicidal and that Elsner should have paid attention to this tendency in Chopin two earlier works.' [16] In similar vein Jim Samson finds the tonal structure of the first passage of *Concerto in E minor* to be 'eccentric'. [17]

Jachimecki, whom I have mentioned before, follows in Tovey's footsteps when he blames Chopin teacher for the constructional shortcomings of *Sonata in C minor*. 'Elsner did not pay close enough attention to the construction and aesthetic side of the sonata form when teaching Chopin. He left it to Chopin to discover these rules for himself '. [18] Charles Rosen, meanwhile, amplifies his predecessors' conclusions when he

---

[8] Józef M. Chomiński, *Sonaty Chopina*, Kraków 1960, p. 80.

[9] Bronisław E. Sydow (ed.), *Korespondencja Fryderyka Chopina*, Warszawa 1955, vol. I, p. 354.

[10] F. Liszt, *op. cit.*, p. 184.

[11] Frederick Niecks, *Frederick Chopin as a Man and Musician*, III ed. London 1902, vol. 2, p. 229.

[12] M. Szulc, *op. cit.*, p. 184.

[13] Hugo Leichtentritt, *Analyse Chopin'schen Klavierwerke*, Berlin 1921–22, vol. 2, p. 261.

[14] Zdzisław Jachimecki, *Chopin. Rys życia i twórczości* [Chopin. Sketch of Life and Work], Warszawa 1949, p. 103.

[15] James Huneker, *Chopin—człowiek i artysta* [Chopin—the Man and Artist], (transl. J. Bandrowski), Lwów-Poznań 1922, p. 234–35.

[16] Donald F. Tovey, 'Concertos', in: *Essays in Musical Analysis*, vol. 3, London 1948, p. 103

[17] Jim Samson, *The Music of Chopin*, London 1985, p. 55.

[18] Z. Jachimecki, *op., cit.*, p. 261.

voices an opinion which seriously over-generalises his object of study: 'they evidently did not have very clear ideas about sonatas out there in Warsaw'.[19]

The opinions presented above seem to suggest that Elsner was not well informed as to the specific nature of the sonata forms and their principles of construction and that his lack of knowledge was the source of his students' shortcomings in this area. Assumedly this led to the development of a 'Warsaw sonata school', conspicuous for its many constructional and formal shortcomings. The numerous 'defects' of the sonatas composed by the most outstanding representative of this school, Frederic Chopin, allegedly confirmed this conclusion.

Yet closer analysis of the sonata form composed by Elsner himself[20] and by other Warsaw composers who had studied under Elsner reveals that their sonata productions adhere to the theoretical principles and accepted sonata types of the day.[21] Rather than copying the existing 'school patterns', this work introduced many variations and modifications but it did so without violating the basic rules. In other words, this work support the view that Elsner and his students had proficient command of the sonata forms.

Chopin 'Warsaw sonata forms' are basically different from the analogous forms produced by his teacher and colleagues. But it seems very unlikely that this fact may be attributed to Elsner's alleged educational error, consisting of allowing Chopin to run loose, i.e., instructing him to compose a sonata without acquainting him with the problems of the sonata form. Elsner was an experienced teacher and he respected the educational experience of such pedagogues as Jean-Jacques Rousseau and Johan Heinrich Pestalozzi.[22] He rejected the Prussian educational system based on mnemonic learning, which he knew from his own earlier experience. He preferred more individualized methods of education adapted to the student's personal capacities and dispositions. But at the same time he believed that every student, however gifted, had to master the principles of composition. He also believed that the sooner the student got to know rules, the less time the 'natural talent' would waste on 'grouping in the dark'.[23] It is therefore reasonable to assume that Elsner conveyed to Chopin sufficient information about the sonata form but was at the same time fully aware of Chopin's formal innovations and gave them approval. It would be absurd to think that Elsner did not check and accept the final form of *Sonata in C minor* which Chopin, after all, wrote when he was still a student and inscribed to Elsner. Elsner was not authoritarian and his students respected and trusted him. In his letter to his friends and family

[19] Charles Rosen, *Sonata Forms*, New York 1980, p. 319.

[20] Wojciech Nowik, 'Elsner i Chopin. Warszawskie sonaty fortepianowe mistrza i ucznia «szczególnej zdatności»' [Elsner and Chopin. Varsovian Piano-Sonatas of Master and Disciple 'of particular skill'], in: *Chopin w kręgu przyjaciół, IV* [Chopin in the Circle of Friends] (ed. I. Poniatowska), Warszawa 1998, p. 15–19.

[21] Alina Nowak-Romanowicz, *Historia Muzyki Polskiej* [History of Polish Music], vol. 4, *Klasycyzm 1750–1830* [Classicism], Warszawa 1995, p. 69–77.

[22] Alina Nowak-Romanowicz *Józef Elsner*, Kraków 1957; J. Samson, 'Edukacja Muzyczna Chopina' [Musical Education of Chopin], in: *Rocznik Chopinowski*, 22/23, Warszawa 1996–1997, p. 102–111.

[23] Józef Elsner, *Krótko zebrana nauka generałbasu, (1807)* [Shortly Compiled Knowledge of thorough bass]; A. Nowak-Romanowicz, *Historia Muzyki Polskiej... op. cit.*, p. 187.

Chopin frequently referred to his teacher's decisions and expressed his trust in Elsner's judgment of his own work.[24] In this context it is worth quoting the advice Elsner gave to Chopin in one of his letters, advice which stressed the need to be open and searching rather than to reproduce old patterns: 'When teaching composition one should refrain from giving recipes, especially to students whose aptitude is obvious; let them discover them form themselves so that they may eventually surpass themselves, let them have the means to find what has not yet been found'.[25] Chopin heeded his teacher's advice.

Chopin 'Warsaw sonata forms' contain a variety of solutions which show that he not only sought to develop his own individual musical language, a new romantic narrative but also — and perhaps above all — that he wanted to construct form which were unconventional, whose drama was especially saturated with musical events.

Every opening passage in Chopin's sonata cycles is based on the then ubiquitously accepted 'great binary form', the so-called *La grande coupe binaire*.[26] The specific nature of this form has been described by e.g. Francesco Galeazzi, Carlo Gervasoni, Anton Reicha, Carl Czerny.[27] Its basic example with the repeated exposition throughout the first movement and development and recapitulation sections in second movement, provide the foundation for Chopin's progress in composing of the sonata form. What radically distinguishes the 'Warsaw cycles' from other sonatas are the tonal relations between the themes in the exposition and the recapitulation. At a more general level we may say that they have been 'inverted': the exposition is monotonal whereas the recapitulation is bitonal. This type of solution, with its deceptive recapitulation, seems to be well-motivated in the monothematic *Sonata in C minor*. Had the rules been adhered to schematically, the monotony of the three repetitions of the same theme would have made this work even more monotonous because then the recapitulation would have become a replica of the exposition. Moreover, Chopin preceded his deceptive recapitulation with a simulated recapitulation (bars 160 and following and bars 180 and following), thereby accentuating the fact that the certainly that different formal factors would proceed in succession may be illusory. This illusoriness will predominate in the final works of the different cycles. However, the tonal relations in the sonata forms in the remaining Warsaw cycles do seem to be 'eccentric' to use Jim Samson's expression. What is more, there is no sign of schematic reproduction of one type of sonata. The different series reflect Chopin's effort to achieves a variety of formal-constructional and dramatic solutions.

Chopin achieved his most 'dynamic' progress of the sonata form in the first passage of his *Concerto in F minor* when he diversified the theme keys, both in the exposition and the recapitulation. In the *Trio in G minor* and *Concerto in E minor* the exposition seems to be monotonal but this is an illusion. In the latter piece the two theme

---

[24] B. E. Sydow, *Korespondencja...*, *op. cit.*, vol. 1, p. 94, Letter to family, 12.08.1829; p. 141, Letter to Tytus Woyciechowski, 19.09.1830.

[25] *Ibidem*, vol. 1, p. 197, Letter to Chopin, 27.11.1831.

[26] Anton Reicha, *Traité de haute composition musicale*, Paris 1824–26.

[27] Franzesco Galeazzi, *Elementi teorico-prattici di musica*, Roma 1796; Carlo Gervasoni, *La scuola della musica*, Piacenza 1800; A. Reicha, *op. cit.*; Carl Czerny, *School of Practical Composition*, London 1849.

groups differ in mood dur-moll; in the former the two theme groups are internally diversified as to key. Moreover, in these two works the theme groups are specifically constructed: in the *Trio* material from the firs theme group has been included successively in the second theme group (bars 53 and following and bars 61 and following); in the *Concerto*, several threads of *motivo principale* have been included simultaneously in *motivo secondo* of theme one (bars 25 and following). In this original way, irrespective of the material's substantial relations, Chopin has realized the 'unita delle idee' principle of the sonata form postulated by Galeazzi.[28] Behind all these solutions lies one basic objective: to intensify the drama in the final parts of the sonata form rather than to resolve the conflict between the themes in the recapitulation section by unifying their keys, as postulated by the canonical rule. This way Chopin has turned the 'dialectic of sonata form'[29] upside down. Further, the aforementioned accumulation of tensions is also realized by means of formal compression in this area due to curtailing of the themes. Chopin most spectacular achievement in this respect may be found in the recapitulation of *Concerto in F minor* where the four-beat phrase of theme one in the key *F minor* is directly followed by theme two in key *A-flat major* (bars 268–273 and following). Similarly, in *Trio G minor* the recapitulation of the tonal contrasts of the themes, the scene of activation of harmonic transformation completing in this respect with the development. Moreover, the end phase of the coda is based on resegmentation of the thematic material and interpolation of the *motivo secondo* phrase into *motivo principale* phrases (bars 242 and following). Hence the extremely mobile phase of polymetric progressions gives way to the aforementioned phase of accelerated and altered consecution of fragmented thematic sequences. In other word, what we have here is extremely well-considered construction of dramatic culmination in the final section of the form, generally consisting in the speeding up of the transformation of tonal events. However, at the detailed level, Chopin initially makes references to the fundamental perception of quantitative temporal change whereas in the finale phase of the coda he makes reference to identification of fragments of familiar thematic wholes, selected contrasting segments of which provide new contexts for the stimulation of the speed of expressive transformation.

Naturally, I have presented only brief outline of the means and methods which Chopin applied to construct a new sonata form and its drama in Warsaw cycles.[30] But even this brief presentation is sufficient to point out Chopin main goal and the ways in which he tries to achieve it. The goal is to transfer the dramatic culmination from the development, where it is traditionally situated, to the recapitulation, which was traditionally the place where tension relaxes. In overall perspective, Chopin 'Warsaw sonata forms' are progressive forms whose drama is continually heading towards its climax in the final section of the piece. The forms are also typically illusory, in that they introduce moments of surprise and uncertainty, the echoes of which strongly

---

[28] F. Galeazzi, *op. cit.*

[29] Discussion about dialectic of sonata form was taken by Carl Dahlhaus, 'Zur Theorie der Sonatenexposition', in: *Musica* 6 Nov. Dez. 1986; Vladimir Karbusicky, *Systematische Musikwissenschaft*, München 1979.

[30] See W. Nowik, *Chopinowski idiom sonatowy* [Sonata Idiom of Chopin], Warszawa 1998.

resound not only in the awareness of the listener but also in the head of the researcher who has difficulty classifying them.

It must be stressed that all the forms which open Chopin's Warsaw sonata cycles and are based on *La grande coupe binaire,* or the traditional *tutti-solo* pattern of the concertos[31] are, as I said before, unconventional progress which depart from accepted, classical models. However, in the context of arguments and facts presented above, one must firmly reject the insinuation accusing Elsner of faulty teaching or Chopin ignorance as far as the sonata form is concerned. Chopin's sonata forms are deliberate, permanent and consistent developments, introduced so as to achieve new dramatic and expressive qualities.

When Chopin came to Paris he gave up composing sonatas for ten years. Yet the sonata forms he developed in Warsaw series, together with their mutations, prepared the ground for new genres such as piano ballad and dramatic scherzos. This new, original forms confirm the 'potential' of Chopin sonata form and its new, romantic look.

In his Warsaw sonata forms Chopin expressed his conscious approach, his reluctance to conform to rigid norms and mediocrity. Originality, inspiration, imaginativeness — these were the sources of Chopin creativity. For the romantics, art was the perfect form of cognizance, the symbolic equivalent of the hidden essence of existence. Artistic reality could not be grasped 'in the cognitive operations of the intellect or systemic rules but only [...] in the intuitive acts of spontaneous imagination'.[32] This is confirmed in one of Chopin letters to a friend: 'Maybe I am wrong but why should I be ashamed to write badly d e s p i t e o f my k n o w l e d g e — only t h e o u t c o m e   c a n   r e v e a l   t h a t   I   h a v e   e r r e d' (my emphasis W. N.)[33] Knowledge restricts creativity, defines the limits of cognition — limits which can only be overcome by the power of the spirit, affect and imagination. 'Sensibility and faith appeal to me more strongly/ Than the sage's magnifying glass and eyesight' — said Adam Mickiewicz in *Romantyczność* [Romanticism], his replica addressed to the classicists.[34] Chopin, the romanticist takes up this replica and directs it against the academics. Elsner understood what his student was doing. Do we contemporaries understand them both?

---

[31] Josef Riepel, *Anfangsgründe zur musikalischen Tonsetzkunst..,* 1752–85, gives type of the first movement of the classical concerto: 'The four Haupttutti and three Hauptsoli'.

[32] Teresa Kostkiewiczowa, 'Romantyzm" [Romanticism], in: *Słownik Terminów Literackich* [Dictionary of Literary Terms], (red. J. Sławiński), Wrocław 1998, p. 480.

[33] Bronisław E. Sydow, op. cit., vol. I, p. 125, Letter to Tytus Woyciechowski, 12.05.1830.

[34] Adam Mickiewicz, 'Romantyczność"[Romanticism], in: *Ballady i romanse,* Kraków 1949, p. 24, (first edition 1822).

Streszczenie

Chopinowski kontra-typ sonatowy — błąd konstrukcyjny czy idea nowatorska

Cykle sonatowe stworzone przez Chopina w Warszawie ocenione zostały przez kompozytorów i badaczy w sposób zróżnicowany. Ich walory ekspresywne zyskały często najwyższe uznanie. Określono je jako „oryginalne", „fantastyczne" (Schumann), „doskonałe" (Liszt), „nowatorskie" (Engel), „poetyckie" (Schering), „finezyjne" (Zieliński). Formalno-konstrukcyjne cechy tych utworów oszacowano natomiast bardzo nisko, zarzucając ich twórcy „nieprawidłowości" (Szulc), „niespójności" (Tovey), „ekscentryzm" (Samson), „niewiedzę" (Rosen).

Przytoczone wyimki opinii mogą być podstawą dwóch co najmniej wniosków głównych: 1. mylą się apologeci — albo mylą się krytycy; 2. wartości ekspresywne utworów nie są korelatem środków techniczno-formalnych, są autonomiczne, same w sobie, mogą być określone w sposób arbitralny. W niniejszym szkicu uwaga skupiona została na pierwszym z wniosków i rozstrzygnięciu, który człon jego alternatywy jest prawdziwy.

Krytycy obarczają Elsnera odpowiedzialnością za wspomniane „nieprawidłowości". Sugerują „nieuctwo" lub dezynwolturę tego pedagoga, które zaowocowały szeregiem mankamentów w rozwinięciu form sonatowych kompozytorów „szkoły warszawskiej", w tym najwybitniejszego jej przedstawiciela — Chopina. Baczny wgląd w cykle sonatowe Elsnera oraz kolegów Chopina ze Szkoły Głównej Muzyki pozwala stwierdzić jednoznacznie, że ich twórczość odpowiada teoretycznym ujęciom oraz — przy wprowadzeniu różnorakich innowacji — uprawianym wówczas typom. Różnią się od nich jedynie „warszawskie formy sonatowe" Chopina. Kompozytor „stawia na głowie" zasadę dialektyczną formy sonatowej, tworząc monotonacyjne relacje tematów w ekspozycji, różnicując je pod tym względem w repryzie. Repryza staje się centrum dramaturgicznej kulminacji formy. Towarzyszy temu szereg indywidualnych rozwiązań konstrukcyjnych, tworzących iluzje, momenty zaskoczeń i niepewności, których echa nie tylko silnie rezonują w świadomości słuchaczy lecz budzą także rozterki typologiczne analityków.

Rozwiązania techniczno-konstrukcyjne i ekspresywne form sonatowych Chopina w tym czasie wskazują na świadome poszukiwania kompozytora, będące wyrazem postawy opozycyjnej wobec skostniałych norm i przeciętności. Wiedza, którą kompozytor dysponował, wyznaczała granice, które należało — według romantyków — przekroczyć siłą ducha, uczuć i wyobraźni. „Może to jest złe — zwierzał się Chopin przyjacielowi — ale czemu się wstydzić źle pisać pomimo swojej wiedzy — skutek dopiero błąd okaże". Dziś doceniamy nie tylko wiedzę, ale i odwagę kompozytora; przede wszystkim jednak podziwiamy i admirujemy „skutki", jakie osiągnął.

LA FORME SONATE DE CHOPIN

Tetiana Zolozova
(KIEV)

La forme sonate de Chopin, comparée aux formes classiques et romantiques de ses contemporains dans les *Sonates en si mineur et si bémol mineur*, constitue le sujet du présent article. Nous nous proposons d'étudier ici ses particularités, et, notamment la modulation compositionnelle de la forme et les formes de second plan dans la *Ballade N° 4*.

L'oeuvre de Chopin a déjà été largement analysée. Dans la musicologie polonaise, l'autorité en la matière appartient à J. Chomiński avec son livre *Sonaty Chopina*[1]. Dans la musicologie russe et ukrainienne, il suffit de citer, entre autres, les travaux de Mazel, Protopopov, Bobrovski, Bełza, Zukkerman, Goriukhina. C'est en hommage à l'importance des travaux de Nadejda Goriukhina, de l'école analytique de Kiev, que tout naturellement nous débuterons cet exposé.

Le fondement de la théorie de l'évolution de la forme sonate de Goriukhina[2] est une interaction de deux composants fondamentaux de la forme musicale : le thématisme et la structure. La notion de thématisme embrasse les moyens d'expression musicale, le thème et le matériau thématique qui soumis au développement. Les signes dominants du thématisme sont le contenu et l'expressivité, révélés par des moyens d'expression tout à fait concrets.

La notion de structure embrasse le schéma, la construction, la composition et la syntaxe. La structure manifeste la logique de la forme tant dans son caractère statique que dans son dynamisme. Pour expliciter ce système de l'interaction du thématisme et de la structure, on formule les caractéristiques suivantes : la logique, la construction et l'expressivité. Le thématisme est toujours expressif, il prend sa forme par la logique et la construction. Sa force d'expression réside donc non seulement dans l'expressivité, mais aussi dans la logique de la révélation de l'expression par une construction déterminée.

La structure se conçoit comme une généralisation de la pensée logique. La construction et la logique sont les caractéristiques principales de la structure. Mais dans tous les cas ces éléments conservent un lien avec l'expressivité, étant donné que la construction musicale contient en soi un sens expressif. Dans la syntaxe, par exemple, existent des constructions interrogatives, affirmatives et exclamatives. Le phénomène

---

[1] Józef. M. Chomiński, *Sonaty Chopina* [Sonates de Chopin], Kraków 1960.
[2] Nadejda Goriukhina, *Evolucia sonatoi formy* [L'évolution de la forme sonate], Kiev 1986.

de symétrie comprend en soi une stabilité harmonieuse et un équilibre des proportions. Le phénomène d'asymétrie se caractérise par la négation de ces aspects. Ainsi, la structure est donc également expressive, elle contient les mêmes caractéristiques que le thématisme. Mais l'élément constructif est dominant.

L'élément logique effectue l'interaction du thématisme et de la structure. La relation fonctionnelle de la structure et du thématisme avec le renforcement ou la diminution du rôle de l'un ou l'autre composant indique l'appartenance stylistique du phénomène artistique et sert de base à la détermination des traits principaux de la forme sonate dans son évolution.

On propose quatre types d'interaction du thématisme et de la structure - classique, romantique, hyper-romantique ou postromantique, et constructiviste qui correspondent aux différents styles. Pour cet exposé nous allons nous intéresser seulement à deux entre eux : le style classique et le style romantique. Avant d'étudier les particularités de la forme sonate de Chopin et, entre autres, l'interaction des traits classiques et romantiques, formulons caractéristiques essentielles de ces traits.

La forme sonate classique dans l'oeuvre de Haydn, Mozart et Beethoven a atteint une unité organique de la structure et du thématisme, qui révèlent simultanément les aspects émotionnels et logiques de la pensée musicale. L'union complète du thématisme et de la structure dans le processus d'élaboration de la forme musicale et leur équilibre dans la correspondance fonctionnelle reflètent le rationalisme de la connaissance dialectique. La notion de structure dans la sonate classique est identique à la notion de forme. Le thématisme y est expressif, individualisé et de construction claire. Le fonctionnalisme des parties de la forme est bien mis en évidence.

En ce qui concerne la forme sonate romantique, on constate une dérogation à l'unité des interactions du thématisme et de la structure ; le renforcement de l'expressivité dans le thématisme ruine l'équilibre des éléments. D'un côté, la structure reflète un processus logique, conforme aux normes traditionnelles. D'un autre côté, apparaissent les indices individuels de la structure qui se manifestent dans la logique et l'expressivité.

Les traits principaux de la forme sonate romantique sont la narrativité[3] et une haute expressivité du matériel thématique qui prédomine sur la logique et la construction, et contribue aux nouvelles particularités. La première de celles-ci se caractérise par une certaine fermeture intérieure des thèmes, isolés les uns des autres, qui touche non seulement les thèmes principaux, mais aussi les parties de la forme et les phases du développement. La deuxième particularité est l'achèvement artistique immédiat du thématisme. Les qualités caractéristiques du thème sont données d'emblée, ce qui est la négation la plus frappante des principes de la forme beethovenienne. La troisième particularité est la méthode de développement des thèmes. Le procédé principal du développement consiste en variations avec une modification du caractère du thème qui

---

[3] La narrativité se révèle entre autres : 1) par le ton lyrique, épique, descriptif du déploiement général ; 2) par l'introduction d'un thème propre à l'auteur, d'un thème-épigraphe ou d'un nouveau matériau dont la présence stimule la dramaturgie ; 3) par la concentration des éléments caractéristiques du contenu artistique des thèmes ; 4) par la présence d'un programme dont le sujet renforce l'efficacité de la dramaturgie.

est interprété, transformé, régénéré. Ainsi, la qualité expressive du thématisme devient-elle le moyen formel principal. Toutes ces qualités sont présentes dans la forme sonate de Chopin.

Malgré la tendance générale de la forme sonate romantique vers une expression intense, cette expression se reflète moins dans la structure. La structure tend vers la norme, vers l'affirmation des qualités architectoniques. La structure perd souvent les traits individuels de la pensée logique. Chopin fait exception à cette règle. Il garde dans ses structures les indices classiques avec cependant un contenu logique individuel.

La forme sonate de Chopin garde le lien avec les principes classiques du déploiement de la forme. Cependant le classicisme de Chopin se limite à sa relation à la forme. Dans tous les autres composants sa forme sonate possède les traits romantiques c'est-à-dire la composition de type ballade, la dramaturgie narrative de la nouvelle, du poème et le développement romantique du thématisme.

Illustrons cette analyse théorique par une étude détaillée des *Sonates en si mineur* et *si bémol mineur*. La *Sonate en si bémol mineur*, par sa clarté logique, rapproche des formes classiques de Beethoven, mais elle est véritablement romantique par toutes ses particularités.

Le plan tonal[4] et les fonctions des parties sont classiques. Les deux intonations du thème de l'introduction : l'interrogation pathétique et le soupir mélancolique sont liées par l'harmonie du choral et par la structure de la phrase. Ce thème romantique bref, tel une épigraphe, constitue la source des thèmes et tend vers le développement. Chopin procède en traitant la phrase soit comme noyau thématique, soit comme un thème achevé susceptible de développement et de transformation, soit comme un symbole, sans développement postérieur.

Ces deux intonations pénètrent le thème principal qui expose, une image achevée. Une période classique de ce thème de construction répétitive, similaire à la composition de ses miniatures, débouche sur le développement. La tension, l'instabilité, l'élan du mouvement, le développement sont tellement impétueux que la musique s'interrompt, ne formant ni une période ni une partie achevée. La partie secondaire ne laisse presque pas de place à un thème transitoire. Le thème principal et le thème secondaire constituent deux mondes séparés. Cependant ce sont deux aspects différents d'un sentiment humain, révélé avec passion et expressivité dans la partie principale et avec calme et concentration dans le thème secondaire. Ainsi, les deux thèmes présentent des changements de type de variation avec des liaisons libres entre le matériau et le thème de l'introduction.

L'unité thématique, le déploiement suivi du matériau influence l'orientation de la forme et la dramaturgie de ses culminations. Le déploiement concentré, orienté, du matériau de l'exposition avec un accroissement de la tension sont caractéristiques du classicisme. Le romantisme disperse l'orientation générale de la forme, morcelle et change la courbe des tensions, créant les thèmes achevés, isolés qui se retirent du torrent dynamique. Rappelons nous la *Sonate en si bémol majeur* pour piano de Schubert.

---

[4] *Si bémol mineur et re bémol majeur dans l'exposition et si bémol majeur dans la ré-exposition.*

Mais la forme sonate de Chopin garde constante orientation des formes classiques. La culmination exubérante de l'exposition devient le thème conclusif qui affirme les résultats du développement du thème secondaire.La partie du développement est une nouvelle étape de l'action, où l'opposition et le dialogue des thèmes se condensent en collisions tragiques.

D'autre part, les liaisons thématiques apparaissent plus clairement. Les phases du développement atteignent une tension frénétique. Il en résulte une cadence tragique à la fin du développement. Elle ne joue pas le rôle zone préparatoire de la ré-exposition. Survient le freinage de la forme-processus et les traits architectoniques se manifestent. La qualité du développement avec les culminations tragiques a conditionné l'absence de ré-exposition du thème principal. Le thème s'est épuisé dans toutes les phases du déploiement. Son apparition dans la ré-exposition n'a pas de sens dramaturgique. Les thèmes et les parties sont plus isolés, plus autonomes.

Les principes romantiques sont plus marqués dans la *Sonate en si mineur*. Dans un élan impétueux, le thème principal rassemble les intonations d'une marche pathétique et d'un choral. Le thème-période initial subit des transformations profondes dans un développement dynamique dans lequel ses frontières structurelles sont brouillées, presqu' ouvertes. Malgré son immense expressivité, le thème perd son caractère classique du devenir thématique de propulsion de la forme vers l'action. Le thème secondaire ainsi que le thème lyrique de la conclusion sont opposés au thème principal par la concentration des traits du genre nocturne, par un développement thématique continu, par la forme bipartite fermée où le rôle de la structure et de l'harmonie dominent. L'équilibre de la composition n'est pas ruiné par les invasions de type classique du thème principal dans le thème secondaire. Ainsi, par tous les moyens formels, les thèmes principal et secondaire sont opposés tels une dispersion face à une concentration, une ardeur véhémente face à un calme dans un monde idéal.

Les contrastes correspondent à l'esprit des conceptions romantiques dans lesquelles la réalité s'oppose au monde intérieur de l'artiste. L'élimination du thème principal (comme dans la *Sonate en si bémol mineur*) après un développement si morcelé par les contrastes et transformations thématiques est le facteur décisif de la forme sonate chez Chopin. C'est un fait nouveau dans l'histoire de la forme. La composition de la forme sonate change et devient une structure en deux parties, avec deux phases : l'exposition et le développement lié à la ré-exposition. Dans la *Sonate en si mineur*, cette composition correspond au retrait de l'artiste dans un monde idéal. La reprise du thème principal est impossible et inutile.

Dans les quatre ballades, les traits de la forme sonate se manifestent différemment et avec des intensités variées où se cristallisent les compositions nouvelles, libres de la forme sonate en entrelacement avec les autres formes qui deviennent des formes de second plan.

Dans la première *Ballade* la symétrie du récit aboutit à la composition de la forme sonate avec la ré-exposition en miroir et une coda autonome qui apparaît comme une réaction vive de l'artiste aux événements.

Dans la deuxième *Ballade*, un contraste extrême et l'opposition des deux thèmes — tragique et lyrique — s'accorde avec une structure en deux phases de développement. On peut rapprocher cette forme de la sonate sans développement. La coda se présente de nouveau comme une partie autonome dans laquelle s'affirme le thème principal. La percée émotionnelle y surpasse tout ce qui était énoncé auparavant. La narrativité dans la troisième *Ballade* s'accompagne non seulement du morcellement de la forme et de l'isolement des parties mais aussi de l'accroissement de leur intensité et de l'inversion de l'ordre de leur intervention entre l'exposition et la reprise. Dans la troisième *Ballade*, la composition de la forme sonate se conjugue avec la forme concentrique. La reprise dynamique change d'une manière radicale les thèmes et représente un véritable développement-action (c'est-à-dire dans la reprise domine la fonction du développement). Dans la reprise se réalise la modulation structurelle de la forme concentrique en forme sonate.

La composition de la quatrième *Ballade* présente la forme sonate la plus rigoureuse. Les caractéristiques romantiques s'y manifestent nettement. On retrouve ici la dualité de la composition et de phases dynamiques propre à la deuxième *Ballade*, mais assortie d'une modalité spécifique. Cette *Ballade* jaillit comme une chanson, un épanchement, au long de strophes qui se succèdent sur un ton lyrique intime. Le thème principal alterne trois fois avec un deuxième thème qui lui-même prend forme progressivement tout en s'intensifiant et se modifiant à chaque répétition et qui apparaît initialement en pointillé, comme un rêve (*sol bémol majeur*). La fragilité, le caractère éphémère de sa sonorité coïncide avec une structure non-définie. Puis ce deuxième thème apparaît comme un thème épisodique de la partie médiane (trio ou épisode). Il a alors acquis les indices du genre (chanson-choral) et la structure (période). Enfin pour la troisième fois il renaît en reprise. Le caractère actif, dynamique apparu au dernier stade du déploiement du matériau change considérablement la logique et le contenu de chaque partie. Après s'être cherché et retrouvé dans la reprise, tel un rêve matérialisé, le thème secondaire devient ainsi le centre de la forme.

La quatrième *Ballade*, tout comme les autres, s'achève par une coda-développement d'un contenu si tragique avec une telle impossibilité de retour en arrière qu'à ce jour la coda reste le sommet de la confession de l'auteur et de la tragédie romantique révélant l'impossibilité de concilier la réalité avec tout idéal. Cette idée est suggérée par le développement thématique et par l'orientation de toute la forme vers un déséquilibre dynamique. La courbe montante du dynamisme culmine à la reprise et à la coda. Ce phénomène évoque la domination de l'hyperbole dans certaines oeuvres de Victor Hugo, le caractère soudain de l'accroissement des catastrophes dans l'oeuvre de Heine, la précipitation des événements et le dénouement de l'écheveau d'intrigues dans le chapitre final des oeuvres romantiques (Mérimée).

Le génie de Chopin se manifeste non seulement dans la variation des thèmes, mais également dans le renouvellement de la structure qui aboutit à la disparition du développement en tant que partie de la forme sonate, bien que toutes les parties, y compris la ré-exposition comportent un développement continu du matériau.

La composition de la quatrième *Ballade* est simple et en même temps complexe. Elle reflète le changement de narrativité par expression subjective. La composition comporte quelques formes musicales superposées et constamment modulées. L'apparition des tonalités à chaque énoncé du deuxième thème et le plan tonal général explique la modulation de la composition. La première fois le thème s'annonce par le déplacement romantique en *sol bémol majeur* au sein de la partie médiane de la forme simple tripartite. Puis il se présente dans la tonalité sous-dominante (*si bémol majeur*) de l'épisode de la forme tripartite complexe. Enfin il apparaît dans la tonalité *ré bémol majeur* qui est habituellement celle du thème secondaire de l'exposition mais que Chopin place en reprise (qui devient alors la ré-exposition).

Le thème principal de chanson en forme de couplet s'insère en répétitions variées dans une forme tripartite simple dont la partie médiane contient un nouveau thème et une percée du développement. Dans la reprise de la forme tripartite simple, le thème-chanson revient modifié. Au-delà apparaît une forme tripartite complexe. L'introduction au début d'un épisode d'un complément, fondé sur un nouveau thème, est inhabituelle. L'énoncé du deuxième thème s'apparente à un véritable développement (*sol mineur – la mineur*) avec la percée du matériau actif à la fin de l'épisode qui coïncide avec la zone préparatoire et qui ne correspond pas à la fonction habituelle de cette partie. La forme évolue de nouveau vers une forme complexe-contrastée.

Avant la reprise apparaît le thème de l'introduction, en contrepoint avec le premier thème de la ballade. Sa triple fonction : de développement, de zone préparatoire et de reprise, témoigne d'une évolution vers la forme sonate. L'accroissement du développement culmine avec une coda. La différenciation de la forme tripartite complexe et de la forme sonate est bien visible : dans l'exposition on voit les traits de la forme tripartite et dans la reprise les traits de la forme sonate.

Cette juxtaposition de plusieurs formes découle de la composition libre du poème, de la ballade et du passage d'un ton narratif à l'intonation pathétique du commentaire. Aux formes citées s'ajoutent au second plan le rondo où le premier thème est le refrain.

La comparaison du traitement de la forme sonate par Chopin et par ses contemporains manifeste l'originalité du compositeur dans les recherches romantiques. Les oeuvres de Schubert, Chopin, Schuman et Liszt ouvrent différentes voies du développement de la forme sonate romantique. Schubert donne à la forme des traits narratifs. La dramaturgie de la forme sonate dans son déploiement s'intensifie, stimulée par les moments d'invasion thématiques étrangère. Simultanément la forme et l'action dramaturgique s'étendent par l'immersion dans la contemplation. D'où les « longueurs divines » de Schubert.

Schumann morcelle la forme en épisodes contrastés avec la transformation des thèmes et l'interprétation nouvelle et poétique d'états lyriques. De tous les compositeurs du courant romantique, Chopin et Liszt représentent les plus grands novateurs dans la composition de la forme sonate. Chopin renforce le conflit dramatique des thèmes, l'élevant ainsi jusqu'à l'action dramatique. La composition de la forme sonate change ainsi et s'approche de la corrélation « phénomène-action », « exposition-développement ». Chaque fois se reproduit le passage des thèmes à l'action, successivement dans l'exposition, le développement, la ré-exposition et la coda. Les moyens de ce passage sont le dialogue, la transformation thématique, le développement proprement dit, enfin, la modulation structurelle de la forme. En résultat apparaissent d'autre part l'autonomie, l'indépendance des parties de la forme sonate, et d'autre part l'autonomie, l'isolement des thèmes.

Chopin renonce à la fermeture et à l'achèvement tripartite de la composition sonate en omettant la ré-exposition du thème principal. Il aboutit au dualisme des thèmes et à la composition en deux phases (*Ballade* N° 2 et N° 4, *Sonate en si mineur,*

Ier mouvement). Chez Chopin les deux phases de la composition de la forme sonate portent en elle une ouverture. L'aspiration dynamique vers les culminations conflictuelles de la ré-exposition et des codas détruit l'équilibre.

Liszt garde la composition tripartite et élargit la forme par l'introduction du cycle et les détails de l'action scénique (rappelons la symétrie soulignée dans la *Sonate pour piano « après une lecture de Dante »*). Chez Liszt l'union de la forme sonate et de la forme cyclique, l'introduction des épisodes lents au centre de la forme, la création d'un final comportant les traits de la ré-exposition et les traits du final d'un cycle, le maintien rigoureux de la composition de la forme sonate (mais saturée par les indices compositionnels des autres formes), tout cela confirme la symétrie et l'équilibre, l'achèvement et l'harmonie des proportions, malgré le monumentalisme des parties et l'hyperbolisation des dimensions.

Chez Chopin le dynamisme représente une qualité de la composition, l'élément essentiel de son contenu. Chez Liszt le dynamisme c'est la qualité du matériau, qualité propre du thématisme et non pas de la structure. La forme sonate de Chopin présente un des traits principaux de la forme classique : la correspondance logique de la composition avec le contenu de l'oeuvre. La forme, c'est-à-dire le schéma, la composition, la dramaturgie — n'éclaire pas seulement les normes logiques générales. Elle respecte le projet et s'y soumet. Elle est différente de la forme classique par son schéma, mais plus proche des principes classiques par son contenu. A la différence de celle de Chopin, la forme sonate de Liszt perd cette correspondance, nonobstant la liaison plus grande avec la forme sonate classique. Liszt utilise la norme générale du développement de la pensée où le même schéma peut apparaître dans des oeuvres différentes au plan du contenu.

Cependant le classicisme de Chopin se limite à sa relation à la forme. Dans tous les autres composants, la forme sonate de Chopin comporte ces traits romantiques typiques : la composition de type ballade, la dramaturgie narrative de la nouvelle, du poème et le romantisme des thèmes et des développements romantiques. Chopin comme Liszt, inclut dans la forme sonate divers traits puisés dans d'autres formes. Il introduit aussi la modulation structurelle et l'emploi des formes de second plan. Mais les buts et l'orientation des deux compositeurs sont différents : Chopin aspire à la concentration et à une certaine psychologie du continu. Liszt, en théâtralisant la forme sonate, sépare les commentaires de l'auteur de la généralisation psychologique.

Depuis la mort de Chopin il y a 150 ans, les musicologues polonais et étrangers ont effectué des recherches approfondies sur différents aspects du génie de Chopin, mais la compréhension de ses découvertes formelles n'est venue que dans la deuxième moitié du XXe siècle. L'admiration envers Chopin, notamment dans ce domaine encore incomplètement exploré, sera notre conclusion. Nous n'avons pas fini d'être émerveillés par son oeuvre, tout comme Schuman qui, découvrant son opus 2 s'écria : « Chapeau, Messieurs, devant ce génie ».

STRESZCZENIE

FORMA SONATOWA U CHOPINA

Forma sonatowa zachowuje u Chopina konieczne relacje zawarte w strukturze formalnej klasycznej, wprowadzając jednocześnie innowacje związane z dramaturgią liryczną romantyzmu. Kompozycja dynamiczna formy sonatowej u Chopina charakteryzuje się dążeniem do kulminacji konfliktowych w repryzie i w kodzie, do zmiany sytuacji-akcji, ekspozycji-przetworzenia. Obserwuje się zatarcie się struktury ternarnej sonaty na rzecz kompozycji w 2 fazach (*II i IV Ballada, Sonata b-moll*). Forma sonatowa u Chopina jest rezultatem interakcji zasad formalnych sonaty z procedurami kompozycyjnymi innych form. Kompozytor wprowadza formy „drugiego planu" i procedury formalnych modyfikacji (modulations formelles).

WIE CHOPIN SEINE STÜCKE BEGINNT

Petra Weber-Bockholdt
(KOBLENZ)

Für viele Künstler — und gewiß auch für viele Wissenschaftler — gehört das Beginnen zu den schwierigsten Momenten in einem schöpferischen Prozeß. Das könnte damit zu tun haben, daß der Beginn einer künstlerischen Arbeit einen grenzüberschreitenden Moment bedeutet aus der Lebenswelt in die Konzentration des Artefakts — oder anders ausgedrückt: erst der Beginn macht aus einem Menschen einen Maler oder Dichter, und das kann ein schmerzlicher Vorgang sein, so sehr er auch gewollt sein mag. Kann es den Komponisten hierin besser ergehen als anderen Künstlern?

Das ist eine Frage, die man vielleicht ernst nehmen sollte. Denn Komponisten dürfen sich tatsächlich auf eine Hilfe in diesem grenzüberschreitenden Moment stützen. Sie sind nämlich nicht nur Komponisten, sondern immer auch Musiker. Und insofern sie Musiker sind, sind sie stets lebensweltlichen Belangen verpflichtet, denn Musiker vermitteln Kompositionen in deren lebensweltliche Bedingtheit. Der mechanisch-technische Aspekt des Musizierens, das sog. Einspielen, gewinnt dabei für das Beginnen besonderes Interesse, weil er v o r der Aufführung einer Komposition erprobt wird. Wenn Musiker sich einspielen, beginnen sie zu musizieren, eventuell benutzen sie dabei Bruchstücke einer Komposition, aber sie beginnen noch nicht mit dem Vortrag der Komposition. Dieser Vorgang steht wie ein die scharfe Grenze abmildernder Puffer zwischen Lebenswelt und Komposition. Er ist aufgrund seiner improvisatorischen Freiheit und seiner gleichzeitigen Konzentration entweder mehr auf Spieltechnisches oder auf Musikalisches der ideale Grenzgänger zur Komposition hin.

Es gibt selbstverständlich sehr viele Möglichkeiten für einen Komponisten, sich auf den Einspielvorgang, auf Improvisation und auf die Praeliminarien des Musizierens in einer Komposition zu beziehen, aber es gibt darüberhinaus eine bestimmte Gruppe von Kompositionen, bei der sich außerkompositorische Spielvorgänge bis in den musikalischen Satz der Kompositionsgattung hinein verfestigt haben: das sind Stücke für Tasteninstrumente. Toccata und Praeludium beispielsweise sind zu Stücken geronnene Einspielvorgänge, die dann paradoxerweise auch noch notiert werden. Mit dieser Tradition haben sich die Klavierkomponisten stärker noch als die anderen das Recht geschaffen, auf der Grenze zwischen Lebenswelt und kompositorischer Struktur hin- und herzugehen, wenn sie dies denn wollen.

Chopin wollte keineswegs immer. Viele seiner Stücke beginnen mit der kompositorischen Sache selbst, und das heißt bei ihm so gut wie immer mit dem melodischen Einfall, der begleitet wird:

Notenbeispiel 1: *Polonaise* op. 40 Nr. 1

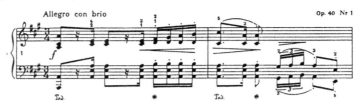

oder:

Notenbeispiel 2: *Impromptu* op. 29

oder:

Notenbeispiel 3: *Mazurka* op. 7 Nr. 1

Diese drei Beispiele haben, wie Sie sehen, den abtaktigen Beginn gemeinsam. Das ist nicht ganz zufällig. Denn schon den kleinen, unscheinbaren Achtel- und Viertel- auftakten können Tendenzen innewohnen, deren Sinn sich zur kompositorischen Struktur zentrifugal verhält. Während dieser Beginn

Notenbeispiel 4: *Nocturne* op. 15 Nr. 1

noch nichts weiter impliziert, wird man bei den folgenden Anfängen hellhörig:

Notenbeispiel 5: *Walzer* op. 64 Nr. 2

Warum ist das *gis'* vor T. 1 vorgezogen, wenn es doch in T. 17 mit seiner Obersext zusammen erklingt?

Deutlicher wird das Prinzip hier:

Notenbeispiel 6: *Walzer* op. 70 Nr. 2

Wieder ist es der Quintton, der in den 1. Takt hinein übergebunden ist, und es ließen sich gewiß zwei Dutzend Beispiele finden für diese kleine Geste, die wie ein sich ausstreckender Arm aus der Komposition herausgreift oder umgekehrt die ausgestreckte Hand der Komposition mit einer kleinen, diskreten Bewegung ergreift:

Notenbeispiel 7: *Nocturne* op. 37 Nr. 1

oder: Notenbeispiel 8: *Mazurka* op. 24 Nr. 1

Die Bewegungsassoziation ist dabei recht konkret die Bewegung der Pianisten-hand, die sich auf die Tasten senkt, der Komposition zugewandt, über die V. Stufe einsteigend in den vorher gewußten Verlauf der kompositorischen Struktur. Offenbar kommen diese kleinen Gesten in den kürzeren Stücken vor, aber nicht in den länge-ren, wofür Gründe der natürlichen Proportionierung sprechen. — Wenn wir uns vorstellen, daß der Pianist bei diesen Anfängen sozusagen sehr dicht vor dem Klavier und vor der Komposition sitzt, so kann Chopin den Raum dieser Eingangsbewegung ganz bemerkenswert erweitern — wir betrachten immer noch Anfänge von dem e i -n e n Ton der V. Stufe aus.

Durch die Erweiterung wird das Verhältnis des Quinttons zum Stück überhaupt erst richtig ins Bewußtsein gehoben. In der *2. Ballade F-Dur* zum Beispiel ist der Ton zu Anfang wie verkleidet; zunächst nichts weiter als ein Ton, an dem der Pianist An-schlag und Klang des Instruments prüft, läßt er seine Verkleidung in T. 3 fallen und bekennt sich als zu einer Komposition gehörig.

Notenbeispiel 9: *2. Ballade* F-Dur op. 38

Das macht das Gleitende dieses Beginns aus. — Oder man höre, wieviel Volumen dieser eine Ton bekommen kann:

Notenbeispiel 10: *Walzer* op. 42

und nicht zu vergessen die jugendlich-kecke Version als Fanfare:

Notenbeispiel 11: *Walzer* op. 18

Diese Quinttöne haben alle miteinander gemeinsam, daß sie den Hörer gleichsam in die Komposition hineinziehen. Aber wie steht es mit der folgenden V. Stufe? :

Notenbeispiel 12: *Fantasie-Impromptu* cis-Moll op. 66

Dieses *Gis* hat schon die Kraft einer Dominante und steht der Komposition mehr entgegen, als daß es zu ihr hinführte. Hier geht es nicht mehr um ein Hineingleiten, sondern um einen Beginn, der etwas vor die Komposition setzt und von ihr absetzt.

Es leuchtet ein, daß eine dem Stück vorangestellte Dominante oder sogar Dominantfläche mehr oder minder ausgeziert werden und damit unterschiedliche Formen und unterschiedliche Grade von Selbständigkeit annehmen kann.

Notenbeispiel 13: *Walzer* op. 34 Nr. 3

In dieser von vornherein als Dominante erkennbaren Klangfläche sind die t o n a -
l e n Verhältnisse eindeutig, aber die t h e m a t i s c h e n liegen ganz im Dunkeln. Auf
diese Weise ist der Vorspann in sich abgeschlossen und damit selbständig. Es gibt bei
Chopin übrigens solche in sich geschlossenen Vorspanntakte auch auf der Tonika wie
z. B. in der *Polonaise cis-Moll*, op. 26 Nr. 1

Notenbeispiel 14: *Polonaise cis-Moll*, op. 26 Nr. 1

- was nur eine logische Konsequenz aus der Selbständigkeit eines solchen Vorspanns
ist. Sobald aber auf thematische Gestalten der Komposition im Vorspann vorgegriffen wird, entsteht eine Spannung zwischen seiner Selbständigkeit und seiner Bezogenheit auf die Komposition, die eine interessante Wirkung zeigt. Denn eine solche
Bezogenheit läuft prinzipiell Chopins Anfängen zuwider, sie ist untypisch und erweckt, wo vorhanden, den Anschein von Zufälligkeit. Dazu zwei Beispiele: Die Einleitung zur *Etüde cis-Moll* aus op. 25 streift andeutend Teile der Melodie der linken Hand
und definiert sich als Dominante.

Notenbeispiel 15: *Etüde cis-Moll* aus op. 25

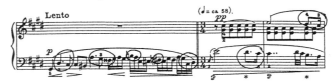

Nur diese harmonische Tatsache kann der Hörer als Bezug zur Komposition hören; andere — thematische — Bezüge erwartet er nicht, und dieser Nicht-Erwartung
entspricht die nur andeutende Bezugnahme im ersten Takt. Es entsteht so eine Situation kalkulierter Uneindeutigkeit oder Unbestimmbarkeit — ein Attitüde, die der
Pianist Chopin einnimmt, bevor der Komponist Chopin seine Arbeit beginnt. Zweites
Beispiel: der Beginn der *b-Moll-Sonate* (Beispiel 16).

Der thematische Bezug liegt in den Tönen *des*"-*c*" der Oberstimme, die im *agitato*-
Thema ab T. 9 eine wesentliche Rolle in der Melodiebildung spielen. Wir können drei

Notenbeispiel 16: *Sonate b-Moll* op. 35

Notenbeispiel 17: Beethoven, *Klaviersonate* op. 111

Merkmale auch hier festhalten: 1. Eine Geste des Enigmatischen ist gewollt — hier
wird sie durch die Anspielung auf den Beginn von Beethovens *Klaviersonate* op. 111
von Bedeutsamkeit durchdrungen (Beispiel 17).

2. Die harmonischen Vorgänge bleiben durch die beiden Vorhaltsbildungen in Baß
und Oberstimme einfach. 3. Das Prinzip des einstimmigen Beginns und das Prinzip
des Beginns auf der V. Stufe sind immer noch realisiert.

Diese beiden Prinzipien können sich fast vollständig voneinander separieren zum
Beispiel in den Beginn der *Barcarole* op. 60 einerseits und den der *g-Moll-Ballade* op. 23
andererseits. Sie können aber auch, als Entitäten voneinander unterscheidbar, in *einem*
Beginn gleichzeitig erklingen, wie das *b-Moll-Prélude* aus op. 28 zeigt. Über dem gehaltenen Dominantseptakkord geht eine fast vollständige chromatische Linie abwärts, die
man als aus immer mehr Vorhalts- und Durchgangstönen vor dem letzten Akkord
gebildet erklären kann.

Notenbeispiel 18: *Prélude b-Moll* op. 28 Nr. 16

Die kleine Nebenbemerkung sei gestattet: Wie solche melodischen Erweiterungen zustande kommen, hat Chopin im *gis-Moll-Prélude* Tt. 74ff. gezeigt. Dort zielt die Erweiterungsfigur der Oberstimme übrigens auch auf eine V. Stufe.

Nach den bis jetzt gemachten Erfahrungen können wir die vorgezogenen, übergebundenen kleinen Auftakte auf der V. Stufe, von denen wir ausgegangen waren, besser deuten. Sie sind in der Tat Gesten, aber doch offenbar von einem ganzen Prinzip des Beginnens durchtränkt; darum stellen sie vielmehr Konzentrate des Chopinschen Beginnens dar, denn sie reduzieren die improvisatorische Haltung der Einstimmigkeit auf das Minimum des einen und im Liegenbleiben gleichsam verschwindenden Tons, und sie reduzieren gleichzeitig das Prinzip des dominantischen Beginns auf das Signum der einen kleinen V. Stufe in einer Oberstimme.

Mehr generelle Merkmale festlegen zu wollen, würde vermutlich die improvisatorische Freiheit Chopins strapazieren. Auch liefe man dann Gefahr, den speziellen Chopinschen Charakter des Anfangens zu verfehlen, der im Tasten, Suchen, Hineingleiten besteht — manchmal auch im grandiosen, tiefen Luftholen vor entsprechend bewegten Kompositionen, aber nicht im Definieren und Setzen einer Gestalt. Auch sollte man wohl generell Vorsicht walten lassen im Beschreiben dieser Anfänge, besonders, was harmonische Kategorien betrifft. Der genannte Beginn der *g-Moll-Ballade* zum Beispiel gewinnt nicht, wenn man ihn mit dem Begriff des Neapolitanischen Sextakkordes umzingelt. Dieser Anfang verlöre bei einer solchen Beschreibung seinen Vorstellungshintergrund, der nicht feste Orientierung zum Inhalt hat, sondern ein Kommen von irgendwoher zur Komposition — eben eine enigmatische Komponente. Niemand kann, wenn die ersten Töne erklingen, diese als zu einem Neapolitaner gehörig erkennen — denn dieser Begriff erfordert einen harmonischen K o n t e x t , der ja gerade noch nicht gegeben ist —, und im Nachhinein weiß man höchstens, wie Chopin technisch-handwerklich unter Umständen in seiner Erfindung vorgegangen sein könnte. Aber der kompositorischen Intention des Enigmatischen, die ja nicht nur gewollt, sondern realisiert ist, kann man mit der harmonischen Einordnung nicht beikommen.

Drei ganz verschiedene kleine Beobachtungen möchte ich noch anfügen. Die erste betrifft ein Stück, das überhaupt nur aus einem Anfangen besteht, das *f-Moll-Prélude*. Wie alle *Préludes* ist auch dieses äußerst scharf durchdacht; zum Beispiel tritt die Tonika des Stücks zum ersten Mal genau in der Mitte der Komposition auf, in T. 11 (von 21 Tt.), aber als Sextakkord, nach weiteren vier Takten in einem Kontext, der durch beständiges Anlauf-Nehmen gekennzeichnet ist, das *f-Moll* also nicht sehr prominent, schließlich in einer zwar *fff* vorgetragenen, dennoch tonal sehr blassen V-I-Kadenz. Diese Kadenz muß blaß bleiben, denn es gibt in diesem Stück kein Hinzielen auf etwas Späteres, auch nicht auf die Tonika, und kein Ankommen, sondern nur vergebliche Anläufe und einen Absturz auf die V. Stufe ohne Terz. Nach Takt 19 (dem drittletzten Takt) könnte ein großes dramatisches Stück beginnen. Warum steht in den beiden Schlußtakten die Kadenz?

Meine zweite Beobachtung betrifft die Rolle, die eine *Tonart* beim Anfangen spielen kann. Wahrscheinlich läßt sich rasch Konsens darüber erzielen, daß die Tonart-Bezeichnung „b-Moll" für das *Scherzo* op. 31 zumindest problematisch ist. In b-Moll stehen nur jene Takte, deren Aufgabe das Anfangen ist, Tt. 1–48, 133–180 und 584–631. Sogar noch der Anfang der Schlußstretta Tt. 733ff. stützt sich auf das zerrissene *b-Moll*-Motiv, wenn auch — so kurz vor Schluß — nicht mehr auf seine Tonart. Gibt es auch in anderen Stücken Chopins eine Verknüpfung von Tonart und Funktion eines Satzteils?

Schließlich muß ich die *Mazurka* op. 33 Nr. 1 *gis-Moll* erwähnen.

Notenbeispiel 19: *Mazurka* op. 33 Nr. 1 *gis-Moll*

Mehreres an diesem Stück ist rätselhaft. Die Vorzeichnung leuchtet keineswegs ein, denn im ganzen Stück kommt kein einziges *a*, aber an allen 42 Stellen *ais* vor — warum also ist *cis-Moll* vorgezeichnet? Soll der Spieler glauben, der erste Einschnitt liege auf der V. Stufe? Das fiele ihm bei dem vollständigen Moll-Duktus der beiden Anfangstakte allerdings äußerst schwer. Auch kommt das Stück für einen Tanz erstaunlich schlecht in Gang. Eine Vollkadenz nach zwei Takten, darauf zwei Takte metrisch schwach bestimmter Einstimmigkeit, darauf eine wiederholte IV-I-Kadenz, über der sich die Oberstimme in Stufen absenkt — wieder die beiden ersten Takte, wieder das dritte Taktpaar, wieder die beiden ersten Takte — und danach etwas Neues.

Es zeigt sich, daß die beiden Anfangstakte Schlußtakte sind. Folgerichtig sind die gesamten ersten 12 Takte mit den letzten 12 Takten identisch. Für einmal hat ein Schluß den Anfang gebildet. Das gibt uns Anlaß zu der Frage, wie Chopin seine Schlüsse gestaltet hat.

STRESZCZENIE

JAK CHOPIN ZACZYNAŁ SWOJE KOMPOZYCJE

Początki utworów — obok rudymentarnych uwarunkowań tonalnych (tonika rozbrzmiewa lub jest wyznaczona przynależnością dzieła do muzycznego gatunku) — są określone w różny sposób. Np. w ramach faktury: melodia + akompaniament mamy do czynienia z typowymi możliwościami rozpoczynania (por. *Preludium* nr 2 w stosunku do *Preludium* nr 4). W utworach Chopina dochodzi element specyficzny, zdefiniowany gatunkiem muzyki na instrument klawiszowy, mianowicie pianistyczno-wirtuozowski. Tak więc wchodzą w grę charakterystyki techniczno-pianistyczne jako warunkujące rozpoczynanie dzieł. Przede wszystkim chodzi o różnorodne początki improwizacyjne (np. *Sonata b-moll, Barkarola, Polonez fis-moll* op. 44 i in.). Można zwrócić też uwagę na interesujący aspekt, czy rozpoczęcie jest świadomie wybrane pod względem kompozycyjnym, czy nie (np. *Preludium* nr 16 w stosunku do *Preludium* nr 15). Tak więc początek utworu może w najróżniejszy sposób wskazywać na te kompozycje, które będą w swym przebiegu charakteryzowały się nasyceniem wirtuozerią i techniką brillante chopinowskiej gry.

WIE CHOPIN SEINE KOMPOSITIONEN SCHLIESST.
EINIGE LOSE BEOBACHTUNGEN

Rudolf Bockholdt
(MÜNCHEN)

Um die besondere Bedeutung des *Schließens* in *jeglicher* Musik darzutun, kann man zwei Wege einschlagen: man kann weitläufige und grundsätzliche Erörterungen darüber anstellen, oder man kann in die Geschichte hineingreifen und, das fiele nicht schwer, Beispiele zu Tage fördern. Auf beides möchte ich hier verzichten. Ich setze also die besondere Wichtigkeit und somit die Untersuchungswürdigkeit des Schließens auch für die Musik von Chopin voraus und wende mich unmittelbar dieser zu.

Zunächst aber eine notwendige Begriffserklärung: Was ist unter „Schließen" eines Musikstücks zu verstehen? Nicht der Moment, in welchem die Musik verstummt und der Stille Platz macht. Sondern was uns interessiert, ist die Zeit *vor* diesem Moment des Aufhörens: es geht um musikalische Elemente oder Vorgänge, die das bevorstehende Ende *ankündigen*, denen zu entnehmen ist, daß die Musik bald ein Ende haben wird. Die so beschaffene, das Ende in Sicht bringende Zeitstrecke kann kürzer oder länger sein; fehlt sie ganz, so müssen wir sagen, daß die Musik nicht „schließt", sondern abbricht. Die Länge oder Kürze des den Schluß ankündigenden Abschnittes ist in der Musik Chopins, wie wir sehen werden, sehr unterschiedlich.

Was ist unser Untersuchungsgegenstand? Die Antwort ist einfach: das von Chopin in Noten schriftlich Fixierte. Unbeschadet aller aufschlußreichen Nachrichten über Chopins großzügige Veränderungsfreude bei der pianistischen Darbietung seiner Musik ist, da es Tonträgeraufzeichnungen in der 1. Hälfte des 19. Jahrhunderts noch nicht gab, das notenschriftlich von ihm Fixierte das einzig musikalisch Feste, das wir haben. Ob oder in welchem Sinne die von ihm aufgeschriebenen Musikstücke „Kompositionen" genannt werden dürfen, ist eine andere Frage. Dazu gleich mehr.

Wir können unseren Gegenstand, die von Chopin aufgeschriebenen Stücke, unter drei Aspekten betrachten. Wir können sie, erstens, als *Kompositionen* untersuchen, d.h. uns mit ihrer Satztechnik befassen und deren Komponenten, melodische, harmonische, rhythmische und formale Elemente, unter die Lupe nehmen. Zweitens können wir ihre von Chopin intendierte und in den Noten bekundete klangliche Realisierung, ihr vom Klavierklang geprägtes *Gewand* ins Auge fassen. Dieser Aspekt hängt zwar mit dem ersten unlösbar zusammen (Chopins Kompositionen sind ohne das Medium Klavier nicht denkbar), ist aber nicht mit ihm identisch (ein Dreiklang ist ein Dreiklang, gleichgültig, wie er klanglich realisiert wird). Drittens schließlich ist in Chopins Musik etwas enthalten und eine besondere Betrachtung wert, das man als *pianistische Darstellung*, als eine auf Wirkung zielende *Aktion* (ich bin versucht zu sagen: eine

„performance") bezeichnen kann. Der hellsichtige François-Joseph Fétis hat diese Seite an Chopin offenbar im Auge gehabt, als er 1832 nach Chopins erstem Pariser Auftreten bemerkte, Beethoven habe Musik für Klavier, Chopin aber Musik für Pianisten geschrieben[1].

Fragen wir zunächst, welches das letzte musikalische Ereignis eines beliebigen Chopin-Stückes unmittelbar vor dem Aufhören ist. Die spontane Antwort lautet: der Tonikadreiklang der Haupttonart. Aber schon melden sich neue Fragen. Was zunächst den zuletzt genannten Begriff betrifft, so ist es in einer Reihe von Stücken Chopins nicht möglich, eine Haupttonart (oder anders gesagt: eine Werktonart) zu bestimmen. Sie fangen nämlich anders an als sie aufhören. Die sogenannte *f-Moll*-Fantasie fängt mit einem Abschnitt in *f-Moll* an, hört aber in *As-Dur* auf. Bei einer Fantasie ist das freilich gattungsspezifisch; in Beethovens Klavierfantasie op. 77 ist der Unterschied zwischen der Tonart am Anfang, *g-Moll*, und derjenigen des Schlußteils, *H-Dur*, noch viel schroffer. Die Robert Schumann gewidmete zweite *Ballade*, op. 38, beginnt in *F-Dur* und schließt in *a-Moll*; bekannt ist Schumanns Bericht, daß sie, als Chopin sie ihm vorspielte, noch in *F-Dur* schloß. (Nebenbei bemerkt haben wir hier ein gutes Beispiel für die vorhin schon beiläufig erwähnte Veränderungsfreude in Chopins Produzierweise, genauer gesagt: die Verwurzelung seiner Kompositionen im Stegreifspiel.) Weitere Beispiele: das *Scherzo* der *b-Moll-Sonate* steht in *es-Moll*, schließt aber in der Tonart des Trios, *Ges-Dur*. Und das sogenannte *b-Moll-Scherzo* op. 31 steht gar nicht in *b-Moll*, sondern moduliert nach einem *b-Moll*-Anfang nach *Des-Dur*, in welcher Tonart es auch schließt. Und schließlich ein Walzer: op. 70 Nr. 2 bewegt sich anfangs in *f-Moll*, später in *Es-Dur* und am Schluß in *As-Dur*.

Gewiß handelt es sich in vier der erwähnten fünf Fälle beim Verhältnis von Anfangs- und Schlußabschnitt um parallele, also nahe verwandte Tonarten. Aber auch Paralleltonarten sind verschiedene Tonarten, so daß es sich hier verbietet, von einer *Werk*tonart zu sprechen. Die Schlüsse beschließen tonal einen *Abschnitt*, aber nicht die Komposition. Die tonale Einheitlichkeit, vor Chopin selbstverständliche Voraussetzung einer nicht ausdrücklich als Fantasie deklarierten Komposition, gerät ins Wanken. Mit dem Eindringen des im Stegreifspiel wurzelnden Fantasieverfahrens in nicht von vornherein als Fantasie erkennbare Gattungen gerät von der Seite der Tonalität aus die zum Begriff des musikalischen Werks gehörende Einheit in Gefahr.

Bekanntlich sind die Kompositionen Chopins auch in ihrem *Inneren* nicht gerade auf tonale Einheitlichkeit bedacht. Im Gegenteil, sie begeben sich mit Vorliebe in eine Vielzahl ganz verschiedener harmonischer Bereiche. Insofern ist die tonale Diskrepanz zwischen dem Schluß und dem Anfang eine ganz natürliche Folge der im Inneren der Komposition herrschenden Verhältnisse. Sich am Schluß an die Tonalität des Anfangs zu erinnern besteht für Chopin wenig Veranlassung. Wenn diese Erinnerung an den Anfang, also tonale Identität, in der Mehrzahl der Fälle doch erfolgt, so hält sich Chopin damit eher an die Konvention, als daß ihn innere Notwendigkeit dazu treibt.

Ich verzichte hier auf die nähere Betrachtung zweier Stücke, die das zuletzt Gesagte glänzend illustrieren könnten, nämlich die *Mazurka* op. 30 Nr. 2 und das erstaunli-

---

[1] Zitiert nach Jim Samson, *Reclams Musikführer Frédéric Chopin*, Stuttgart 1991, S. 17.

che zweite *Prélude* aus op. 28. In beiden Fällen bleibt dem Hörer, da im Verlauf der Stücke jede Etablierung eines tonalen Zentrums fehlt, nichts anderes übrig, als die Schlußtonart, *fis-Moll* im einen und *a-Moll* im anderen Fall, *zur Kenntnis zu nehmen*. Sie zu *erwarten* gibt ihm der Verlauf der Komposition keinen Anlaß.

Ich wende mich jetzt der Frage zu, ob Chopins Kompositionen wirklich immer — was selbstverständlich zu sein scheint — mit einem Tonikadreiklang schließen. In den meisten Fällen tun sie dies, wobei es sich allerdings häufig um Klangbrechungen handelt, bei denen, damit die Töne gleichzeitig erklingen, das Pedal (aufgehobene Dämpfung) unverzichtbar ist, wie, um nur zwei beliebige Beispiele zu nennen, am Schluß der *Etüde* op. 10 Nr. 1:

Notenbeispiel 1: *Etüde* op. 10 Nr. 1

oder des *Nocturne* op. 15 Nr. 1:

Notenbeispiel 2: *Nocturne* op. 15 Nr. 1

Auch im Notenbild scheinbar inkorrekte, aber durch das Pedal legitimierte Quart-sextakkorde gehören hierher, wie am Schluß der *b-Moll-Sonate*:

Notenbeispiel 3: *Sonate* op. 35

Auch hier zeigt sich die unlösbare Verknüpfung einer Komposition Chopins mit dem Klangmedium Klavier. Allerdings gibt es bei ihm auch die im klassischen Verstande tatsächlich inkorrekte Weiterführung eines Sextklanges in den Grundakkord (Beispiel 4 und 5). Solche Stellen lassen sich verstehen als eine Verschmelzung zweier verschiedener Vorgänge, nämlich als ein gleichzeitiges Erklingen eines Baßschrittes

Notenbeispiel 4: *Etüde* op. 25 Nr. 1

Notenbeispiel 5: *Etüde* op. 25 Nr. 3

V–I mit einem bereits auf dem Baßton der V. Stufe erklingenden, wenn auch unvollständigen Schlußakkord. „Klassisch" korrekte Harmonik ist das nicht.

Manchmal erklingt an Schlüssen statt eines Akkordes auch nur der Grundton. Das
vielleicht eindrucksvollste Beispiel ist das dreimalige Contra-D am Schluß des letzten
Prélude aus op. 28, das ja nicht nur dieses Stück, sondern den ganzen Zyklus beendet,
und das mit äußerster Kraft dreimal gleichsam in den Boden gerammt wird:

Notenbeispiel 6: *Prélude* op. 28 Nr. 24

Harmonisch-funktionale, überhaupt satztechnische Erklärungen einer solchen Stelle würden zu kurz zielen. Die extrem tiefe Lage und die materielle Wucht des dreima-
ligen dumpfen Schlages sind es, die die unvergleichliche Wirkung dieses Schlusses
hervorrufen.

Das in *F-Dur* stehende vorletzte *Prélude* aus op. 28 ist berühmt wegen seines letzten Akkordes (Beispiel 7). In den *F-Dur*-Schlußklang fügt Chopin, eine völlig unerwartete Maßnahme, die kleine Sept *es* ein. Nicholas Temperley bekennt vor dieser
Stelle Ratlosigkeit[2]. Gerald Abraham dagegen hatte eine Erklärung, die mir richtig zu
sein scheint. Er faßte den Klang als eine Zwischendominante zur Subdominante *B-
Dur* auf, die dann aber wegbleibt[3]. In der Tat ist der zur Rede stehende Takt 21 eine
Replik von Takt 12 (ebenso wie die vorhergehenden Takte 17–20 eine um einen

---

[2] Artikel „Chopin", *The New Grove Dictionary of Music and Musicians*, 1980, Bd. 4, S. 303.
[3] *Chopin's Musical Style*, London etc. 1939, ⁵1968, S. 94.

Notenbeispiel 7: *Prélude* op. 28 Nr. 23

Takt verlängerte Replik der Takte 9–11 sind), und auf diesen Takt folgt *tatsächlich B-Dur* (T. 13). Der fragliche vorletzte Takt des *Prélude* ist Erinnerung an eine frühere Situation und zugleich ein Hinweis auf eine potentielle Fortführung der Musik *ad infinitum*, das heißt aber: er verkörpert eine Relativierung des Schlusses. Die Musik schließt nicht, sondern sie *hört auf*, obwohl sie weitergehen *könnte*.

Die soeben von mir gebrauchte Wendung *ad infinitum* wird an zwei Stellen fast wörtlich von Chopin selber gebraucht. In zwei *Mazurken*, einer sehr frühen, op. 7 Nr. 5 (1830 oder 1831), und einer sehr späten, vielleicht seiner letzten Komposition überhaupt, op. 68 Nr. 4 (1848 oder 1849), schreibt er unter den letzten notierten Takt: „(da capo) *senza fine*". Diese Stücke haben keinen Schluß, der Spieler kann immer wieder von vorne anfangen. Irgendwann wird er aufhören, sinnvollerweise an einer geeigneten Stelle, etwa an einer Binnenkadenz. An *welcher* Stelle er aber aufhört, ist in sein Belieben gestellt. In welcher Tonart er sich in diesem Augenblick befindet — in op. 7 Nr. 5 kommen sowohl *C-Dur* wie *G-Dur* in Betracht, in op. 68 Nr. 4 *f-Moll*, aber auch *A-Dur* —, ist zufällig und unwichtig — wir erinnern uns an das vorhin über die Unvorhersehbarkeit der Tonalität auch von *notierten* Schlüssen Gesagte. Übrigens: die Identität von Schluß und Anfang in der von meiner Vorrednerin am Schluß ihres Referates herangezogenen *Mazurka* op. 33 Nr. 1 kann ebenfalls so verstanden werden, daß es dem Spieler erlaubt ist, immer wieder von vorne anzufangen und das Stück beliebig oft zu wiederholen.

Alle unsere Beobachtungen führen uns dazu, daß wir, wenn wir „Schließen" als einen im Ganzen der Komposition verankerten zusammenfassenden kompositorischen Akt verstehen wollen, Anlaß haben, das Wort bei Chopin mit großer Vorsicht zu verwenden. Angemessener ist ein Wort, das etwas bezeichnet, was jedes Musikstück, auch ein aus dem Stegreif gespieltes, notwendigerweise tut, das Wort „Aufhören".

Eine besondere Spielart nun des Aufhörens von Musik ist das *Verklingen*. In der Tat gibt es nicht wenige Stücke von Chopin, die am Ende verklingen. Vier Beispiele von vielen:

Notenbeispiel 8: *Prélude* op. 28 Nr. 6

Notenbeispiel 9: *Nocturne* op. 37 Nr. 1

Notenbeispiel 10: *Mazurka* op. 24 Nr. 4

Notenbeispiel 11: Der auch klanglich erstaunliche Schluß („perdendosi") der *Mazurka* op. 17 Nr. 4

Zuweilen aber hat Chopin das Bedürfnis, dem eigentlich schon erreichten Ende noch einen Schlußstein hinzuzufügen. Dieser Schlußstein kann ein einfacher Akkord sein:

Notenbeispiel 12: *Prélude* op. 28 Nr. 20

ein schlichtes (wenn auch nicht „klassisches", vgl. die Bemerkungen zu den Beispielen 4 und 5) I–V–I:

Notenbeispiel 13: *Prélude* op. 28 Nr. 11

oder eine konventionelle Kadenz, die mit dem Geschehen vorher nichts zu tun hat, sondern eher wie eine Verabschiedung wirkt, eine Verabschiedung sowohl vom Stück wie vom Zuhörer:

Notenbeispiel 14: *Nocturne* op. 55 Nr. 1

In solchen Fällen könnte man von einem *zweifachen* Schluß sprechen: einem natürlichen, unreflektierten Ausklang der Komposition und einer diesem hinzugefügten Gebärde, die ausdrücklich bekundet, daß das Stück jetzt zu Ende ist.

Ich möchte schließen mit zwei verschiedenen Aspekten der Schlußbildung bei Chopin, die bisher noch nicht zur Sprache gekommen sind. Zum einen möchte ich einen Blick auf etwas werfen, für das ich zu Anfang etwas zögerlich das Wort *performance* verwendet habe, und zum anderen soll es um eine ganz andere Frage, um die Frage der *Solokadenz* gehen. — In manchen Stücken, meist längeren, kündet Chopin den bevorstehenden Schluß an, lange bevor er eintritt. Die Musik ist in diesen Fällen gekennzeichnet durch gesteigerte Virtuosität und Brillanz, oft gepaart mit einer Strettowirkung, also angezogenem Tempo. Ein gutes Beispiel ist der Schluß der *f-Moll-Ballade*:

Notenbeispiel 15: *Ballade op. 52*

Betrachtet man diesen Schlußabschnitt (ab T. 211; im Beispiel sind nur die Schlußtakte ab T. 231 wiedergegeben) abstrakt als Komposition, also als reines Tongefüge, unabhängig von seiner klanglichen Realisierung, so erweist er sich als überraschend einfach gebaut. Trotz zahlreicher schnell vorübergehender Ausweichungen und Verbrämungen durch harmoniefremde Töne wird die Tonart *f-Moll* fast 40 Takte lang keinen einzigen Augenblick verlassen. Man hört eine Reihe von Zwei- und Viertaktern, die alle mit einem dominantischen Klang enden, dem jedesmal ein Neuansatz folgt, bis nach 16 Takten (T. 227) ein viermaliges I-V und nach 20 Takten (T. 231) eine sechstaktige *f-Moll*-Fläche nebst Schlußkadenz das Stück beendet.

Natürlich ist aber mit solchen Feststellungen, obwohl sie richtig sind, nicht entfernt die volle Realität dieser Musik beschrieben. Der qua Tonkonstellation einfache Bau dient nur als Gerüst für eine pianistische Entfaltung, die auf größtmögliche Wirkung bedacht ist. Daß dem kataraktartigen Losstürmen eine Folge geheimnisvoller pianissimo-Akkorde (T. 203–210) vorausgeht, macht diese Wirkung nur umso größer. Jim Samson nennt den Abschnitt eine „Bravour-Coda" und spricht von einer „bis zur Weißglut angeheizten Virtuosität"[4]. Ich möchte noch weiter gehen: Man sieht geradezu die Zuhörer mit offenem Munde dasitzen und hört im Geiste schon den nach

---

[4] *Reclams Musikführer Chopin* (wie Anm. 1), S. 255.

der Schlußkadenz, die wie eine knappe, elegante Verbeugung wirkt, losbrechenden tosenden Beifall. Ich möchte nicht mißverstanden werden, als meinte ich es abwertend, wenn ich das hier vorliegende Phänomen mit einer Zirkusnummer vergleiche: Die Wirkung ist die gleiche, wie wenn im Zirkus ein Equilibrist oder ein Akrobat mit vollendetem Können nach einer Reihe atemberaubender Kunststücke die alles Vorhergehende krönende Schlußnummer präsentiert. Schlüsse dieser Art, wie sie Chopin mehrere Male hervorgebracht hat, beruhen auf der Wirkung des *Non plus ultra*. — Ich wiederhole: es besteht keinerlei Anlaß, solche Schlüsse verächtlich zu machen. Wolfgang Amadeus Mozart, den Chopin bekanntlich sehr verehrte, schreibt im Jahr 1781 in einem Brief: „.... und der Schluß wird recht viel Lärmen machen, und das ist ja alles, was zu einem Schluß ... gehört: je mehr Lärmen, je besser, je kürzer, je besser, damit die Leute zum Klatschen nicht kalt werden."[5]

Und nun zu einem letzten Punkt. Er betrifft Chopins Verzierungskunst. Dieser ganz zentrale Bestandteil seiner Musik wurzelt, das braucht kaum gesagt zu werden, im Stegreifspiel. Obwohl Chopin die Verzierungen mit minutiöser Genauigkeit notiert hat, wirken sie doch, unter den Händen eines kundigen und fähigen Interpreten, wie aus dem Augenblick heraus, wie spontan hier und jetzt erfunden. Die Stegreifkomponente, die in Chopins Musik ständig gegenwärtig ist, suchen wir bei den meisten Komponisten vor ihm vergeblich. Es gibt allerdings in der Musik seiner unmittelbaren Vorgänger einen einzigen Ort, in welchem Stegreifspiel gestattet, ja erwünscht ist. Das ist die für eine Solokadenz vorgesehene Stelle unmittelbar vor Schluß eines Konzertsatzes. In den Kopfsätzen von Mozarts Klavierkonzerten etwa erscheint ausnahmslos am Ende im Orchester ein mit Fermate versehener Tonikaquartsextakkord, der dem Solisten zu freier Improvisation das Wort läßt, nach deren Beendigung wiederum das Orchester kadenzierend den Schlußstein setzt. Der Quartsextakkord ist ein Vorhaltsakkord, der, zwar nicht faktisch, aber latent während der freien Tätigkeit des Solisten ausgehalten wird und sich dann in die Dominante auflöst. Er stellt ein emphatisches Innehalten unmittelbar vor dem abschließenden V-I-Schritt dar und ist in dieser Funktion in der Wiener klassischen Musik, beileibe nicht nur in Konzertsätzen und auch nicht nur an Satzschlüssen, ein nicht weg zu denkendes Element der Gliederung und Zusammenfassung.

In Chopins beiden Klavierkonzerten suchen wir eine Solokadenz an den Satzschlüssen vergebens. Das verwundert nicht, weil die Sätze im ganzen ohnehin mit Quasi-Improvisation übersät sind, so daß eine zusätzliche Improvisation nur relativierend und pleonastisch wirken könnte. Da eine Solokadenz fehlt, fehlt aber auch der charakteristische Quartsextakkord; die Satzschlüsse kommen ohne ihn aus. (Am Rande bemerkt: der emphatische Quartsextakkord in Schlußbildungen hat im 19. Jahrhundert generell seine prominente Rolle ausgespielt. Ein bezeichnender Fall in dieser Hinsicht ist der Schlußabschnitt des ersten Satzes von Robert Schumanns Klavierkonzert: er enthält zwar eine notierte und als solche bezeichnete Solokadenz, aber es fehlt der ankündigende Quartsextakkord.)

---

[5] Brief Mozarts an den Vater vom 26. September 1781, in: *Mozart, Briefe und Aufzeichnungen,Gesamtausgabe...*, Bd. 3: 1780–1786, Kassel etc. 1963, S. 163.

Es ist interessant, daß die vor dem Schluß stehende Solokadenz auf einige Kom-
positionen Chopins dennoch einen Schatten geworfen hat, und zwar *außerhalb* der
Klavierkonzerte. Wir werfen einen kurzen Blick auf die Schlüsse des *Nocturne* op. 9
Nr. 2 und op. 9 Nr. 3:

Notenbeispiel 16: *Nocturne* op. 9 Nr. 2

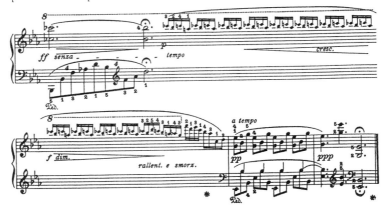

Notenbeispiel 17: *Nocturne* op. 9 Nr. 3

Beide Male keine Spur von einem Quartsextakkord. Ein besonders kurioser Fall ist
der Schluß des *cis-Moll Prélude* op. 45, mit dem wir schließen wollen:

Notenbeispiel 18: *Prélude* op. 45

Chopin notiert hier eine Kadenz und bezeichnet sie als solche. Er bringt diesmal sogar einen kräftigen Quartsextakkord — allerdings einen pervertierten: er steht nämlich nicht vor, sondern *hinter* der Kadenz!

Ich hoffe, der Leser verzeiht, wenn ich auf den Versuch einer Zusammenfassung meiner losen Beobachtungen verzichte und mit diesem Beispiel schließe — oder richtiger: *abbreche*.

STRESZCZENIE

JAK CHOPIN KOŃCZYŁ SWOJE KOMPOZYCJE

W całej komponowanej i utrwalonej w notacji muzyce od późnego średniowiecza aż do XX w. zakończenie jest o wiele ważniejsze i pomyślane z o wiele większą uwagą niż początek utworu. Tymczasowe zawieszenie czasu „rzeczywistego" i wejście w czas „sztuczny", czas muzyczny, przeciwstawne zdarzenia muzyczne i znów ostre „wkroczenie" w czas „rzeczywisty" czyli zamknięcie — to tworzy ramy utworu. Rozpoczynanie i zamykanie formy muzycznej podlegało w historii różnym przemianom. Dla całej muzyki tonalnej, a więc także Chopina, znaczenie ma zamykanie dokonujące się za pomocą harmonicznej kadencji. Ale kadencja może wystąpić w różnej postaci, nie tylko harmonicznej, ale i dynamicznej, brzmieniowej i strukturalnej. Celem postawionym w artykule jest stwierdzenie po pierwsze różnych form upostaciowania zakończeń u Chopina, np. czy zakończenie jest bezkolizyjnym końcem „postaci" tematycznej bez dalszych dodatków. Albo też „postaci" tematycznej dodany został gest zakończenia, np. w formie następstwa akordów. To znaczy wybrzmiewa tylko muzyka lub zwrot końcowy ją dopiero zamyka. Istnieją zakończenia nie tylko akordowe (np. trzykrotne D̲ na końcu *Preludium* nr 24 albo dysonansowe zakończenie w *Preludium* nr 23). A jak rozumieć inne pod względem tonalnym — w stosunku do początku — zakończenie (*Preludium* nr 2, *Fantazja f-moll, Ballada F-dur*)? Po drugie, wydaje się ważne pytanie w odniesieniu do dzieła Chopina — jak dalece to zakończenie jest strukturalne, a jak dalece jest motywowane brzmieniowo. Inaczej mówiąc: muzyka Chopina, jak żadna inna, związana jest z brzmieniowym medium fortepianu — są zakończenia kompozytorsko niezbędne i takie, które odpowiadają bardziej efektom pianistycznym.

HEXAMERON
OU CHOPIN DANS UNE « GALERIE DES PIANISTES »

Jean-Jacques Eigeldinger
(GENÈVE)

« Chopin a été le Bellini du piano »
Léon Escudier, 1868

L'affaire Liszt/Thalberg constitue une illustration caractéristique des influences conjuguées de la presse et du salon parisiens sous la monarchie de Juillet. Il n'y a pas lieu de revenir ici sur les péripéties bien connues de la joute organisée entre les deux pianistes-compositeurs, sinon pour s'arrêter à sa conclusion, relancée par l'œuvre collective *Hexameron*. C'est là qu'intervient à nouveau la princesse Cristina Belgiojoso, née Trivulzio (1808–1871), pasionaria milanaise insurgée contre l'occupant autrichien[1]. Réfugiée à Paris en 1831 (soit l'année où Chopin et Heine y arrivent), elle tient un brillant salon littéraire, politique et musical, fréquenté par Alfred de Musset, Mérimée, Chateaubriand, Hugo, Balzac, Dumas père, Mignet, Augustin Thierry, Thiers, Mme Jaubert (la « marraine » de Musset), Marie d'Agoult, Meyerbeer, Bellini pour le peu de temps qu'il vécut à Paris et Heine, indéfectible soupirant et homme lige. Liszt y est fort en cour dès 1836–1837. Sous prétexte de le « réconcilier » avec son rival Thalberg, la princesse organise donc dans son hôtel particulier, rue d'Anjou, le 31 mars 1837, un grand concert payant au bénéfice d'Italiens démunis. Jules Janin donne le ton de l'événement dans son compte rendu :

> La veille de ce triste jour, Mme la princesse Belgiojoso accomplissait dignement sa belle œuvre si bien commencée. Ce charmant hôtel presque italien se remplissait à deux heures de la plus belle foule. Litsz [sic] et Thalberg ne devaient-ils pas se rencontrer dans cette lice à armes courtoises ? Le billet coûtait 40 fr., et depuis huit jours il n'y avait plus de billets à placer. Dans cette foule brillante étaient confondus dans la même admiration et dans la même sympathie M. et Mme d'Appony, Mme la duchesse de Sutherland, ce beau portrait de Lawrence, mais un portrait qui marche, qui sourit, qui tend la main à toutes les infortunes, M. Thiers, M. Berryer, Mme de Mouchy, toutes les opinions qui se partagent le monde et qui se rencontraient sur ce terrain neutre de la philantropie [sic] et de la bienveillance. A l'heure dite, la lutte a commencé entre les deux nobles champions, et chacun d'eux, qui avait mesuré son antagoniste, se tenait sur ses gardes. Jamais Litsz n'a été plus retenu, plus sage, plus énergique, plus passionné ; jamais Thalberg n'avait chanté avec plus d'entraînement et de tendresse : chacun d'eux s'est tenu prudemment dans son domaine harmonique, mais aussi chacun d'eux a usé de toutes ses ressources. C'était une joute admirable. Le silence le plus profond entourait cette noble arène. Et enfin Litsz et Thalberg ont été proclamés tous les deux, deux vainqueurs par cette brillante et intelligente assemblée. Il est de fait qu'une pareille lutte ne pouvait avoir lieu qu'en présence d'un pareil aréopage. Ainsi donc deux vainqueurs et pas un vaincu ; c'est bien le cas de dire avec le poëte :

---

[1] Voir Aldobrandino Malvezzi, *La Principessa Cristina di Belgiojoso*, 3 vol., Milan 1936–1937 ; Luigi Severgnini, *La Principessa Cristina di Belgiojoso. Vita ed opere*, Milan 1972.

Et adhuc sub judice LIS est.

> Ces pauvres Italiens de Paris ! ils ont eu, eux aussi, leurs trois journées. Les plus nobles mains et les plus belles leur ont été généreusement tendues. On n'a vu dans leur malheur que leur malheur. Ils ont soulevé toutes les sympathies, la sympathie royale et la sympathie populaire. La Reine s'est fait écrire à côté de l'artiste, l'ami de M. de Metternich à côté du journaliste. Ces pauvres Italiens ! qu'ils vont aimer plus que jamais les belles et jeunes femmes, les noms illustres, les grands musiciens, les grands peintres, les grands poëtes, tous ces favoris de l'art dont l'Italie est la patrie naturelle, et qui s'étaient donné rendez-vous dans la maison de la princesse de Belgiojoso pour secourir à l'envi tant de malheurs ![2]

C'est au lendemain de ce concert où les deux pianistes s'affrontèrent courtoisement à coups de Fantaisies, Thalberg sur *Moïse* (Rossini), Liszt sur *Niobé* (Pacini), que se mit à circuler ce mot de salon, attribué tantôt à Mme Belgiojoso, tantôt à Marie d'Agoult : « Thalberg est le premier pianiste du monde ! — Et Liszt ? Liszt, Liszt, c'est le seul »[3]. Soigneusement entretenu, le souvenir de la joute des deux rivaux perdura bien des années. Caractéristique à cet égard est le début de l' « Heptameron » des pianistes proposé par Delphine de Girardin en 1845 dans une de ses chroniques :

> Au piano,
> Thalberg est un roi,
> Liszt est un prophète,
> Chopin est un poëte,
> Herz est un avocat,
> Kalkbrenner est un ménestrel,
> Madame Pleyel est une sibylle,
> Döhler est un pianiste.[4]

Non seulement dans leur succession mais surtout dans leurs attributions, les deux premiers noms reflètent les retombées de 1837 et jusqu'aux ambiguïtés de la page de titre d'*Hexameron* et de l'ordre des variations (voir plus loin). Un prophète se situe au-delà d'un gouvernant, comme *auctoritas* (pouvoir spirituel, intellectuel et moral) est au-dessus de *potestas* (pouvoir temporel) ; petite perfidie de salon, le qualificatif de sibylle pour Marie Pleyel, pendant de prophète, fait allusion à son aventure avec Liszt. Chopin poète est un *topos* mis en place depuis une décennie et qu'un Legouvé, parmi d'autres, avait ressorti en 1838 comme pointe en face de la rivalité Liszt/Thalberg ; il s'oppose également au plaidoyer prosaïque de Henri Herz. Et, sans parler de la chute réservée à Döhler, le rôle de ménestrel dévolu à Kalkbrenner signifie qu'il est passé de mode comme le « style troubadour » des années 1830. A propos de Chopin poète, et toujours en lien avec *Hexameron*, on citera un extrait (inédit jusqu'il y a peu[5] dans son original français) d'une lettre de Gustave Chouquet (Paris, 4 août 1881) au biographe de Chopin, Frederick Niecks[6], extrait où se manifeste bien le goût de l'antithèse :

---

[2]   Jules Janin, feuilleton du *Journal des Débats*, 3 avril 1837.
[3]   Cité in Frederick Niecks, *Frederick Chopin as a Man and Musician*, 2 vol., London 1902, 3ᵉ éd., t. I, p. 298.
[4]   Mme de Girardin, *Le Vicomte de Launay, Lettres parisiennes*, 4 vol., Paris 1857, t. IV, p. 190 (5 mai 1845).
[5]   Krystyna Kobylańska, « Fryderyk Chopin. Miscellanea inedita », *Ruch Muzyczny*, XL/4 (1996), p. 35–37.
[6]   F. Niecks, *op. cit*, t. I, p. 283.

Liszt, en 1835, représentait à merveille le prototype du virtuose ; tandis qu'à mes yeux Chopin personnifiait le poète. Le premier visait à l'effet et posait en Paganini du piano ; Chopin, au contraire, semblait ne jamais se préoccuper du public et n'écouter que les voix intérieures. Il était inégal ; mais, quand l'inspiration s'emparait de lui, il faisait chanter le clavier d'une façon ineffable. Je lui dois de poétiques heures que je n'oublierai jamais.

Mais revenons à l'issue du duel pianistique. Une semaine après la matinée Belgiojoso, Liszt déclare dans une lettre ouverte à la *Gazette musicale* : « On nous proclama alors *réconciliés*, et ce fut un nouveau thème tout aussi longuement et aussi stupidement varié, que ne l'avait été celui de notre *inimitié*. En réalité, il n'y avait ni inimitié ni réconciliation. De ce qu'un artiste n'accorde pas à un autre une valeur artistique que la foule lui semble avoir exagérée, sont-ils nécessairement ennemis ? Sont-ils *réconciliés* parce qu'en dehors des questions d'art ils s'apprécient et s'estiment mutuellement ? »[7]. Tel est l'avis officiel de Liszt, qui va donner sa réponse musicale dans la démonstration que constitue sa participation à *Hexameron*, commandité par Mme Belgiojoso.

Il s'agit en effet pour la princesse de prolonger les retombées du concert par une composition collective qui l'illustre à travers Liszt autant que Liszt s'y illustre en face de ses collègues. S'est-il souvenu pour l'occasion des *51 Variations sur une Valse de Diabelli*, sorte d'anthologie autrichienne à laquelle il avait participé à l'âge de onze ans ? Le thème proposé par la princesse est celui de la marche qui clôt le second acte des *Puritani* (1835) avec le fameux succès de Tamburini (Riccardo, baryton) et Lablache (Giorgio, basse) en duo :

> *Suoni la tromba,*
> *E intrepido io pugnerò da forte,*
> *Bello e affrontar la morte*
> *Gridando : Libertà.*

Ce faisant Mme Belgiojoso trouvait le moyen de réaffirmer sa position libertaire de Milanaise face à l'occupant autrichien tout en rendant hommage, à travers son dernier opéra, à son compatriote Bellini, décédé un an et demi auparavant. Au reste, cette même année 1837, Liszt offre à la princesse la dédicace de ses *Réminiscences des Puritains*. Mais avec la composition collective d'*Hexameron* (le titre fait évidemment référence à Boccace), dont il est le maître d'œuvre, il trouve moyen d'ériger un monument *ad majorem Liszti gloriam*. Ce *Morceau de concert. Grandes Variations de bravoure* comporte, sur la page de titre, les noms de LISZT, THALBERG, Pixis, Henri Herz, Czerny et Chopin — même si la variation I est dévolue à Thalberg : la lithographie de couverture de la première édition viennoise (Haslinger, 1839) (voir planche 1) s'orne, au ciel de l'art pianistique, de six étoiles de différentes tailles : en haut la plus grande, au-dessous deux de moyenne grandeur, en bas trois plus petites. A leur mettre des noms (qu'on décrypte de gauche à droite ou l'inverse, le résultat reste le même) on lit conformément au titre : 1. LISZT, 2. Thalberg, 3. Pixis, 4. Herz, 5. Czerny, 6. Chopin. Autrement dit, Thalberg le rival est au même niveau que Chopin. La partition confirme l'image par sa disposition. C'est Liszt qui se taille la part du lion avec

---

[7] Franz Liszt, « Lettres d'un bachelier ès musique » (30 avril 1837), in : *Artiste et Société*, Rémy Stricker éd., Paris 1995, p. 82.

l'introduction, la présentation du thème, sa variation II, les interludes qui relient les variations III-IV, V-VI et VI à son finale, ce qui totalise quelque vingt pages de lui face à une bonne dizaine de ses collègues : Liszt est donc omniprésent. Confortant notre interprétation des étoiles de diverses grandeurs, les deux variations les plus brèves (en nombre de mesures) sont les Nos I (Thalberg) et VI (Chopin) ; quoique de durée différente en raison des *tempi* respectifs, elles sont aussi les plus allusives. On pourrait dire encore que les deux étoiles de moyenne grandeur sont les plus proches du grand astre : Thalberg comme le rival éteint, Chopin comme des plus admirés sans plus porter ombrage, passé son retrait de l'estrade virtuose en 1835. Chopin d'ailleurs n'avait pas attendu la joute Liszt/Thalberg pour s'exprimer défavorablement sur le second dès la fin de 1830 à Vienne : « Bien que Thalberg joue fameusement, ce n'est pas mon homme. Il est plus jeune que moi, plaît beaucoup aux dames et fait des pots-pourris de *la Muette* [*de Portici*, d'Auber]. C'est avec la pédale et non avec la main qu'il joue *piano* ; il prend dix notes comme moi une octave et porte des boutons de chemise en brillants. Moscheles ne l'étonne pas et il va de soi que seuls les tuttis de mon *Concerto* [op. 11] lui plaisent. Lui aussi écrit des concertos »[8]. Aussi Liszt, accouru à Paris en mai 1836 pour entendre celui qu'on lui oppose, est-il heureux de rapporter à Marie d'Agoult : « Chopin que j'ai vu ce matin m'aime *tendrement et exclusivement*. La manière dont il m'a parlé aujourd'hui m'a fait un excessif plaisir. Il professe une *certaine mesure de critique* pour Thalberg, et ne peut surtout pas admettre qu'on établisse la moindre comparaison entre nous deux »[9]. Et certes Chopin — qui ne prit pas parti publiquement, on s'en doute — était parfaitement sincère, admirant toujours à cette époque en Liszt le pianiste novateur. Quant aux trois étoiles de moindre grandeur, Pixis, H. Herz et Czerny, chacun d'entre eux était diversement apprécié de Liszt et Chopin, voire lié avec eux. Dans cette constellation Johann Peter Pixis (1788–1874) et Carl Czerny (1791–1857) représentent des *seniores* qui encadrent H. « Herz jeune », ex-dandy du piano parisien connu avec son frère aîné Jacques pour leur manufacture et leur école de piano, plus tard pour une salle de concert. Le nouveau venu Thalberg, couramment appelé *gentleman* du piano[10], menace indirectement le ci-devant lion de l'instrument, dont Marmontel relève innocemment : « ce "comme il faut" particulier, qui caractérise les Anglais de race, Henri Herz semble l'avoir acquis dans ses nombreuses relations avec nos voisins d'outre-Manche »[11].

Ni Chopin ni Liszt ne se sont sentis conquis, encore moins concurrencés par Herz, figure cependant incontournable dans le Paris des années 1830. J. P. Pixis en revanche, natif de Mannheim, représente, outre un virtuose habile, un compositeur sérieux, appartenant au « genre élevé », dérivé de Hummel aux yeux d'un périodique exigeant comme

---

[8] Frédéric Chopin, *Korespondencja Fryderyka Chopina*, B. E. Sydow éd., 2 vol., Warszawa 1955, t. I, p. 243 (lettre du [26 décembre 1830]).
[9] Daniel Ollivier éd., *Correspondance de Liszt et de la comtesse d'Agoult*, 2 vol., Paris 1933–1934, t. I, p. 159 (lettre du 14 mai 1836).
[10] Voir, entre autres : Heinrich Heine, *Lutèce*, Paris 1855, p. 316 (chronique du 26 mars 1843). Wilhelm von Lenz, *Les grands virtuoses du piano. Liszt — Chopin — Tausig — Henselt*, trad. de l'allemand par J.-J. Eigeldinger, Paris 1995, p. 109–110 et 181–184 ; Antoine-François Marmontel, *Les Pianistes célèbres*, Paris 1878, p. 166.
[11] A. Marmontel, *op. cit.*, p. 37.

Le Pianiste (N° 4, février 1834, p. 52–54). A l'inverse, en Allemagne, l'Encyclopédie de Schilling le met sur le même plan que Herz, ajoutant qu'il est surpassé par Thalberg[12], ceci en 1837 précisément ; outre-Rhin, il n'est guère question de discerner chez lui quelque profondeur. Chopin, qui avait rencontré le frère aîné de Pixis à Prague en 1829, était assez lié avec Johann Peter (mais surtout, semble-t-il, avec sa pupille Francilla) au point de recevoir de sa part la dédicace d'une *Fantaisie* op. 121 pour piano avec orchestre d'harmonie et de lui rendre la pareille avec sa *Fantaisie sur des airs nationaux polonais* op. 13 (1834). Pour sa part, Liszt a relaté plaisamment en avril 1837 comment son public parisien avait pris un trio de Pixis pour du Beethoven en raison de l'interversion des noms dans le programme de ses séances de musique de chambre[13]. Quant à Czerny, vivante encyclopédie du piano européen (sa *Méthode complète ou école du piano* op. 500 va commencer de paraître tant en allemand qu'en français et en anglais), il est encore tout auréolé de la gloire de son ancien élève, « le petit Litz [sic] », qui cherche alors à l'attirer à Paris. Liszt lui dédie la deuxième version (1837) de ses *Grandes Etudes* (mais sait-on que la publication italienne en deux livres — 1839 — offre le second à Chopin ? quelque chose comme la nouvelle école face à l'ancienne). Or dans ses souvenirs, Czerny ne se montre guère enchanté de l'état de son ancien disciple : « Lorsque 16 ans plus tard j'allai à Paris (1837), je trouvai à tous égards son jeu passablement confus et désordonné en dépit d'une bravoure considérable. Je crus ne pouvoir lui donner meilleur conseil que de voyager à travers l'Europe et, lorsqu'un an plus tard, il vint à Vienne, son génie avait reçu un nouvel élan »[14]. Dans ses lettres viennoises, l'espiègle Chopin se rit plus d'une fois du Magister Czerny.

Donc, ces six pianistes se trouvent réunis à Paris au printemps de 1837 et sont invités, sous la houlette de Liszt, à composer chacun une variation de l'*Hexameron* — qu'ils n'ont jamais jouée l'un à la suite de l'autre, comme on le lit encore trop souvent. Une lettre de la princesse Belgiojoso (4 juin 1837) à Liszt nous renseigne assez précisément sur la chronologie de composition d'*Hexameron* :

> Voici, mon cher Liszt, les variations de M. Herz, et les autres que vous connaissez. Pas de nouvelles de M. Chopin et, comme je suis encore assez fière pour craindre de me rendre importune, je n'ose lui en demander. Vous ne courez pas avec lui le même danger que moi ; ce qui m'engage à vous prier de vouloir bien vous informer de ce que devient son adagio qui ne va pas vite. Ce sera une bonne grâce de plus de votre part, dont je vous serai aussi reconnaissante que des autres. Vous savez, j'espère, que c'est beaucoup dire. Tâchez aussi de faire sérieusement l'ouverture et le final du morceau, comme si c'était quelque chose qui dût être achevé tout de suite. Vous n'y penserez plus après, et moi, je ne m'en souviendrai que pour vous en remercier et plus du tout pour vous tourmenter. Vous avez tout à gagner en faisant vite, puisque vous êtes sûr que cela ne vous empêchera pas de faire bien[15].

Ainsi donc, au début de juin 1837, les variations de Thalberg, Pixis, Herz et Czerny étaient rédigées. Celle de Chopin n'allait pas tarder, car il quitte Paris pour

---

[12] Gustav Schilling, *Encyclopädie der gesammten musikalischen Wissenschaften oder Universal-Lexicon der Tonkunst*, t. V, Stuttgart 1837, p. 478.

[13] Voir note 7 ci-dessus, texte cité, p. 78–79.

[14] Carl Czerny, *Erinnerungen aus meinem Leben*, Walter Kolneder éd., Baden-Baden 1968, p. 29.

[15] D. Ollivier éd., *Autour de Mme d'Agoult et de Liszt*, Paris 1941, p. 135–136.

Londres le 10 juillet et une lettre de Liszt à Lambert Massart (Lyon, 29 juillet 1837) demande que lui soit acheminée une malle de musique contenant notamment : « 5° morceau de concert, grandes variations de Bravura par MM. Thalberg, Pixis, Chopin, etc. ». La même lettre ajoute plus loin : « Quant au morceau de la princesse Belgiojoso, il faudra aussi que vous ayez la complaisance de vous en charger. Quoique Troupenas ait fait quelque difficulté dans le temps pour la publication du *monstre*, je crois néanmoins qu'il y aurait moyen de s'arranger avec lui »[16]. Troupenas ne publiera qu'en 1841, précédé par Haslinger (Vienne, 1839) et Ricordi (Milan, 1838). Le 15 décembre 1837 le titre d'*Hexameron* était trouvé[17] et la partition de Liszt achevée, qui implique la connaissance de chacune des variations de ses collègues, comme le prouve sa participation multiforme. Dès le tournant 1837–1838, Liszt promena l'œuvre avec prédilection dans ses tournées européennes, allant jusqu'à en donner une version avec orchestre.

Avec ses caractères diversifiés, ce « monstre » d'*Hexameron* apparaît comme une sorte de document artistique pris sur le vif, qui se présente à l'auditeur comme une vivante « Galerie des Pianistes célèbres », assez comparable à la lithographie de Nicolas Maurin reçue en prime par les abonnés de la *Revue et gazette musicale* du 1er janvier 1843.

Galerie de la Gazette musicale, N° 2 : *Pianistes célèbres*. Litographie de Nicolas Maurin, 1843. 1. Rosenhain, 2. Ed. Wolff, 3. Döhler, 4. Henselt, 5. Chopin, 6. Liszt, 7. Dreyschock, 8. Thalberg

---

[16]   F. Liszt, *Correspondance*. Lettres choisies par Pierre-Antoine Huré et Claude Knepper, Paris 1987, p. 91–93.
[17]   D. Ollivier éd., *op. cit.* note 15 ci-dessus, p. 141.

Nos trois héros, Chopin, Liszt et Thalberg apparaissent entourés d'autres collègues que dans les variations collectives. Selon son habitude, Maurin aura dessiné chaque visage séparément, les réunissant plus ou moins adroitement en groupe, les postures étant néanmoins très significatives. Chopin est au milieu des personnages debout, Liszt son proche voisin assis, au centre de la gravure, tandis que Thalberg, à peine périphérique, se tient sur la droite. Il se trouve pour notre chance qu'un chroniqueur attitré de la *Revue et gazette musicale*, Henri Blanchard, a commenté la lithographie en détail dans un numéro ultérieur du périodique. Laissons-lui la parole pour les trois artistes qui nous intéressent : « L'artiste numéroté 4, et qui a nom Chopin, se distingue par d'autres qualités excentriques, et qui lui sont toutes personnelles, toutes particulières : c'est la sévérité dans la grâce ; c'est la divagation de la rêverie dans la pureté du style ; c'est la fantaisie de la pensée dans l'abstention de la *fantaisie* empruntée [...]. Au centre de toutes ces célébrités pianistiques, les bras croisés comme le général Bonaparte, qui ne reconnaîtrait Liszt à son regard napoléonien ? Que pouvons-nous en dire ? ... Que c'est Liszt ! cela ne suffit-il pas ? [...] le N° 8 de la lithographie de M. Maurin nous donne une idée exacte. L'habile dessinateur semble l'avoir quelque peu séparé de ses confrères ; mais Thalberg, en véritable artiste qu'il est, s'en rapproche le plus qu'il est possible par son obligeance et son cœur si bien placé »[18] — en s'appuyant symboliquement au siège de Liszt, ajouterai-je ! Ainsi H. Blanchard interprète-t-il la physionomie et la posture de ces pianistes et compositeurs : document précieux en matière d'histoire de la réception, du fait qu'il double la lithographie.

Je voudrais à mon tour appliquer cette démarche à la partition d'*Hexameron* en posant la question : quelle image la variation VI et son emplacement à l'intérieur de l'œuvre renvoient-ils de Chopin dans son temps ? Une première constatation globale s'impose : *Hexameron* fait l'objet d'une mise en scène autrement puissante et vigoureuse que la lithographie un peu platement « officielle » de Maurin (rompu au genre). Il s'agit d'un « Morceau de concert » destiné à être incarné sur l'estrade par l'auteur et l'acteur principal, confondus dans la capacité d'assimiler toute production d'autrui. Liszt est l'alpha et l'oméga de l'entreprise, autrement dit du piano de concert. Portant sa signature, la présentation du thème « *Suoni la tromba* » obéit à la carrure : une forme A-B-A répartie en quatre phrases de huit mesures :

La bémol :‖	*Mi* bémol	*La* bémol
a (4 mes.) + a (4)	b (4) + b (4 avec *cadenza*) +	a (4) + a (4)
└─────── 16 mesures ───────┘	└────────────── 16 mesures ──────────────┘	

Il y a tout lieu de penser que les cinq collègues de Liszt ont reçu ce thème rédigé de sa main et se sont quelque peu concertés sur leur participation respective, comme le laisse entendre la lettre citée plus haut de Mme Belgiojoso à Liszt (4 juin 1837) concernant l'*Adagio* de Chopin. Les variations ne sont nullement amplificatrices ; au contraire, elles présentent divers caractères, textures, écritures, sans développer le

---

[18] Henri Blanchard, « Galerie de la Gazette musicale. N° 2, Pianistes célèbres. (Jeune école) », *Revue et Gazette Musicale de Paris*, X/11 (1843), p. 93–94.

thème (sinon Liszt ; Pixis et Czerny n'adjoignant qu'un élément cadentiel de virtuosité décorative). Il est même deux variations qui s'ingénient à abréger : celle de Thalberg, qui ne reprend pas le dernier *a* et dont le déroulement temporel est le plus bref
(une minute environ) et celle de Chopin (*largo*), la plus courte sur le papier avec ses
17 mesures, qui, singulière entre toutes, varie harmoniquement le seul incipit du
thème. A partir de ces deux pièces disposées aux extrémités (I, VI) — les deux étoiles
de moyenne grandeur au sommet de la page de titre lithographiée — , le reste
s'organise au gré d'une symétrie concentrique autour de la variation IV (Herz), étude
élégante et déliée. Celle-ci est flanquée de part et d'autre par deux variations comportant l'indication *di / con bravura* : III (Pixis) et V (Czerny), toutes deux assez massives
et tudesques, au point que Liszt coupe opportunément la parole à son maître au moment où ce dernier s'apprêtait à réexposer consciencieusement ! A l'introduction
tripartite de Liszt répond son finale en forme de pot-pourri : à sa variation (II), tripartite également, correspond sa longue transition entre V (Czerny) et VI (Chopin),
les autres ritournelles signées F.L. étant de dimensions plus modestes entre III et IV,
puis entre VI et son propre finale. Liszt n'est pas seulement omniprésent par sa signature mais encore par son habileté à assimiler ou parodier les genres et textures pratiqués par ses collègues. *La bémol majeur* est, comme chez Bellini, la tonalité du thème et
de toutes les variations, excepté celle de Liszt (*fa mineur/mi mineur*) et celle de Chopin
(*mi majeur/ut dièse mineur*). Liszt ayant énoncé l'incipit sur le mode sérieux et « pen-
seur », le fait suivre d'un *passus duriusculus* qui s'arrête sur la dominante de *fa mineur*,
ton où s'expose l'incipit minorisé (mes. 5–6), lequel conduit à une modulation,
élégante dans sa sobriété, en *mi majeur* — le ton de Chopin (ces éléments reviendront
identiques dans les ultimes mesures de la transition vers la variation VI : métaphori-
quement dit, le Hongrois cherche à se rapprocher du Polonais). Au centre de sa variation (II) Liszt use d'une pure texture de Nocturne, soit le genre élégiaque propre à
Chopin tant au salon qu'en concert, dans le mode minorisé (*mi mineur*) de la variation
de son ami. A part Czerny, interrompu par la longue transition entre V et VI, les trois
autres pianistes sont récupérés dans le pot-pourri final dont l'introduction *spiritoso* fait
entendre un ricanement méphistophélique bien connu chez Liszt (ici, du type : « Ah,
ah, je vous ai bien eus ! »)

Ex. mus. I :

Thalberg, fugitivement (mes. 16–17, 20–21, main gauche), Herz (mes. 24–31)
suivi du « procédé Thalberg » (mélodie confiée au pouce de la main droite, mes. 32–
41), Pixis enfin (mes. 76 sqq) : autrement dit les trois étoiles de moindre grandeur
de la page de titre. Ainsi donc Czerny, le maître, et Chopin, l'ami, reçoivent un traitement particulier (même si le premier se voit administrer une correction), tandis que

les autres, les « collègues » font l'objet d'un « collage ». Liszt peut tout : il n'est pas seulement varieur et architecte mais aussi (enfin !) compositeur, situation qu'il a lui-même parfaitement synthétisée cette même année 1837 dans une page de ses *Lettres d'un bachelier ès musique* : « Le piano a donc, d'une part, cette puissance assimilatrice, cette vie de tous qui se concentre en lui ; et, de l'autre, sa vie propre, son accroissement et son développement individuel[19].

* * *

Arrêtons-nous maintenant à la variation de Chopin : N° VI, *Largo* en *mi majeur* (à C), 17 mesures. Dans l'économie générale d'*Hexameron*, elle occupe l'avant-dernière position, dévolue à la variation lente selon les canons classiques. Chopin l'a-t-il requis, cet emplacement de choix, ou le lui a-t-on attribué ? A tout le moins l'assume-t-il, si l'on en croit la lettre de Mme Belgiojoso à Liszt (4 juin 1837) citée plus haut ; à cette date et dans les circonstances de la joute Liszt/Thalberg, Chopin est ressenti comme hors catégorie. Face à un *corpus* de variations très majoritairement en *la bémol*, *mi majeur* pourrait surprendre. J'ai eu l'occasion de montrer ailleurs la symétrie axiale (Ernö Lendvai) des pôles tonals qui font volontiers coexister chez Chopin quatre dièses en face de quatre bémols — pour des raisons essentiellement pianistiques : abondance de touches noires. Le caractère chaleureux, hautement lyrique de *mi majeur* peut également être invoqué chez l'auteur de l'*Etude* op. 10 N° 3, de la « Romance » du *Concerto* op. 11 et de l'ultime *Nocturne* op. 62 N° 2. A cela vient s'ajouter l'esquisse autographe d'accompagnement pour la cavatine « *Casta Diva* » suivie de *l'aria di bravura* « *Ah, bello, a me ritorna* » dans *Norma*, esquisse restituée par Wojciech Nowik[20] qui, par ailleurs, ne manque pas d'observer que *mi majeur* est la tonalité du jeune Chopin dans des séries de variations (sur l'air suisse *Der Schweizerbub* et sur un motif de la *Cenerentola* de Rossini pour flûte et piano — authenticité douteuse) mais aussi du seul pot-pourri échappé de sa plume, le *Grand Duo Concertant sur des thèmes de Robert le diable* pour violoncelle et piano[21]. Si l'esquisse d'une partie de piano pour les deux morceaux de *Norma* était vraisemblablement destinée à accompagner Pauline Viardot en privé et donc à mettre en valeur sa tessiture en transposant de *fa* (ton original) en *mi*, cette dernière tonalité a donc des chances de comporter une connotation de soprano lyrique à travers le *sotto voce* de la variation VI, qui chante éperdument dans l'aigu (A, mes. 1–4, 5–9) puis *ff* dans le médium héroïque (B, mes. 10–13), deux caractères propres à Bellini comme à Chopin. D'autre part, le *Prélude* op. 28 N° 9, lui aussi en *mi majeur*, *Largo* à C et pareillement empreint d'une allure *alla Marcia* présente la même problématique que la Variation VI concernant la notation métrico-rythmique et son interprétation : croche pointée-double croche d'une part, et croche doublement pointée-triple croche d'autre part, tous deux contre triolet de croches. C'est dire qu'un souvenir de marche (« *Suoni la tromba* ») persiste dans les deux œuvres. Parmi les chatoiements harmoniques, il faut remarquer le glissement vers *ut dièse mineur* — si cher à Chopin — au tournant de la seconde me-

---

[19]   F. Liszt, *op. cit.* note 7 ci-dessus, p. 88 (septembre 1837).
[20]   Wojciech Nowik, « Do związków Chopina z Bellinim. Chopinowski autograf arii Belliniego 'Casta diva ' » [Aux liaisons de Chopin avec Bellini. L'autographe de Chopin de l'air 'Casta diva' de Bellini], *Pagine*, 4 (1980), p. 241–271.
[21]   W. Nowik, « Chopin's Tribute to Bellini », in: *Chopin in the World*, Warszawa 1996, p. 8–9.

sure, et l'arrêt sur sa dominante, mesure 4 ; par ailleurs, dans la deuxième présentation de l'incipit, le scintillement discret d'une septième de dominante de *la majeur* (mes. 7, le *ré bécarre* du deuxième temps). Ces raffinements de très grand artiste vont de pair avec l'écriture de main gauche qui explore des voies nouvelles dans les résonances offertes par la pédale pour soutenir un chant vertigineusement solitaire, comme sur l'arête des *prime donne* les plus poignantes. Chopin semble poursuivre ici ses récentes recherches en la matière comme dans les deux Nocturnes p. 27 :

Ex. mus. 2 a. *Nocturne* op. 27 N° 1, début

Ex. mus. 2 b. *Nocturne* op. 27 N° 2, début

ou encore comme dans l'*Andante spianato*, op. 22, si bellinien :

Ex. mus. 3. *Andante spianato* op. 22, mes. 25–33

Que dire enfin de la conduite de la basse, qui parcourt une octave chromatique descendante, l'espace des quatre premières mesures : *mi, ré♯, ut♯, ut bécarre, si, la, sol♯, sol bécarre, fa♯, fa bécarre, mi*, délicat contrepoint du chant qui s'élance toujours vers le *sol♯* aigu ? Au fait, est-ce bien une variation, ce N° VI, plus bref de la moitié (en nombre de mesures) que le thème ? (souvenons-nous à ce point combien, plus tard, cette notion de Variation pèsera à l'auteur de la *Berceuse*, baptisée d'abord du titre, pourtant allégé, de *Variantes*). Esquisse pour un portrait de Bellini ou autoportrait en Bellini ? Ces questions ont été posées[22] ; elles paraissent un peu oiseuses parce que pensées dans une optique schumannienne : Chopin se tient très éloigné de l'esthétique qui préside au *Carnaval* op. 9. Chopin en donneur de leçon à ses collègues ? — comme pour illustrer cette profession de foi artistique, improvisée après le récit par une élève du dernier récital parisien de Liszt (20 avril 1840) :

> Ainsi il paraît que mon avis est juste. La dernière chose c'est la simplicité. Après avoir épuisé toutes les difficultés, après avoir joué une immense quantité de notes, et de notes, c'est la simplicité qui sort avec tout son charme, comme le dernier sceau de l'art. Quiconque veut arriver de suite à cela n'y parviendra jamais, on ne peut commencer par la fin. Il faut avoir étudié beaucoup, même immensément pour atteindre ce but, ce n'est pas une chose facile.[23]

Peut-être. Encore que Chopin soit d'essence bien trop aristocratique pour faire la leçon à qui que ce soit, en dehors d'un contexte didactique. C'est en solitaire qu'il « dit » cet hommage allusif, rêverie-réminiscence sur un incipit, litote concertée dans son allure improvisée, « sans rien qui pèse ou qui pose » (Verlaine), même dans la gravité de son centre. Il illustre ici en notes émues l'adage volontiers répété à ses élèves : « Il faut chanter avec les doigts »[24], chose que l'art d'un Bellini n'a fait qu'exalter en lui. Parvenu à cette page au terme de cinq variations et avant la péroraison de Liszt,

[22] Maria Szczepańska, « 'Hexameron '. Bellini i Chopin », in : *Vincenzo Bellini 1801–1835*, Lwów 1935, p. 43–58.
[23] F. Niecks, *op. cit.*, note 3 ci-dessus, t. II, p. 342.
[24] Maria von Grewingk, *Eine Tochter Alt-Rigas, Schülerin Chopins*, Riga 1928, p. 20.

ce que l'auditeur actuel éprouve ne rejoint-il pas le mot du compositeur Auber, disant :
« Mr. Chopin, vous me reposez du piano »[25] ? Cette parole de portée générale n'a rien
perdu de son actualité, appliquée à l'œuvre collective qu'est *Hexameron*.

La transition de Liszt entre la variation de Chopin et son propre finale n'a fait, à
ma connaissance, l'objet d'aucun commentaire jusqu'à présent. Or sa fonction artistique revêt également une valeur documentaire puisque le plus grand virtuose du siècle
s'y ingénie à mimer quelques traits caractéristiques du jeu confidentiel de son ami.
Certes le *tremolando* qui traverse cette ritournelle est très fréquent dans le piano orchestral de Liszt — alors qu'il n'apparaît pratiquement pas chez Chopin[26] — et les mesures 2 et 4 reprennent les 46 et 48 de l'introduction qui, comme le début de la variation
II, amenait le *fa mineur* du premier à coexister avec le *mi majeur* du second. En revanche,
deux indications concernant la dynamique et le timbre traduisent une spécificité de
Chopin au départ de cette transition : la nuance *ppp* et surtout la formule *Les deux
Ped[ales]*. Ce dernier point est du plus haut intérêt, car jamais Chopin n'a prescrit dans
ses manuscrits ni dans les éditions de ses œuvres cet emploi simultané, qu'attestent des
témoignages littéraires, celui de Marmontel au premier chef : « Chopin se servait des
pédales avec un tact merveilleux. Il les accouplait souvent pour obtenir une sonorité
moelleuse et voilée [...] »[27] dans le sens d'un *sfumato* sonore pré-debussyste. Quant au
triple *piano* (*ppp*), on le rencontre surtout dans des œuvres du début — le *Nocturne* op.
37 N° 2 (1840), avant-dernière mesure, semble bien en être l'ultime occurrence.
N'est-ce pas une des meilleures élèves du maître polonais, Mme Peruzzi, qui se souvient : « Sa spécialité était une délicatesse extrême ainsi que son extraordinaire *pianissimo* »[28], chose largement attestée par ailleurs et qui avait d'emblée frappé Berlioz. Enfin
Liszt inscrit un quadruple *piano* (*pppp*) — jamais noté par Chopin — dans la formule
de son arpège final, directement issue de la « Romance » (*mi majeur*) du *Concerto* op. 11
ou, mieux encore, du *Nocturne* op. 9 N° 3 dans leur conclusion respective :

Ex. mus. 4. *Nocturne* op. 9, N° 3, mes. finales.

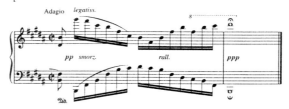

---

[25] Cité in : J.-J. Eigeldinger, *Chopin vu par ses élèves*, Neuchâtel 1988, 3ᵉ éd., p. 373.

[26] Je ne vois guère que pièce deux marginale (l'espace de deux fois une mesure), le *Largo* en *mi bémol
majeur*, M. J. E. Brown, *Chopin. An index of his works in chronological order*, London 1960, p. 108 (N° 109 du
catalogue), qui harmonise l'hymne « Boże coś Polskę »; la *Marche funèbre* dans la version d'un copiste non
identifié (différente de la version de Fontana op. 72 N° 2 et des deux copies par Tellefsen), soit le N°
1063 du *Rękopisy utworów Chopina* [Les manuscrits des oeuvres de Chopin], catalogue par Krystyna Kobylańska, 2 vol., Kraków 1977, vol. I, p. 418.

[27] A. Marmontel, *Histoire du piano et de ses origines*, Paris 1885, p. 256.

[28] F. Niecks, *op. cit.*, note 3 ci-dessus, t. II, p. 339.

Texture nocturne d'un « calme extatique » (Berlioz). Les dernières notes de Liszt s'accompagnent de la glose *estinto*. Sans que Chopin y ait jamais recouru, cette didascalie se voit ainsi définie dans un « Glossaire » du *Pianiste*, suivi de la mention des auteurs qui l'utilisent : « E s t i n t o, — en éteignant le son le plus possible. ([Mortier de ?] Fontaine, Bertini)[29]. L'*Encyclopédie du pianiste* (1840) de P. Zimmerman confirme : « ESTINTO, ESTINGUENDO : Eteint. En éteignant le son »[30] (Satie notera : « Enfouissez le son » à la fin de sa 3e *Gnossienne*, 1890).

En manière de conclusion et d'apologue pour ce qui est des liens Liszt/Chopin à la lumière d'*Hexameron* et de leur image dans les milieux musicaux du temps, voici reproduite la fin d'une spirituelle pochade parue dans *Le Pianiste*. Elle relate les péripéties d'un concert (25 février 1834) où le pianiste Sowiński[31], souffrant d'un panaris, est remplacé par Charles Schunke, Liszt et (qui sait ?) Chopin. Schunke, étant parvenu à faire écouter le Septuor de Hummel à un public déjà impatienté par les circonstances et les retards accumulés, est suivi par l'intervention d'une cantatrice et d'un violoniste. « Mais, point de C..., point de L... ».

> [...] Mais un bruit sourd, confus, se propage vers la porte d'entrée ; on distingue à peine ces mots, au milieu de mille autres : « Ah ! le voilà ! ... oui, non, c'est lui, ce n'est pas lui, je le connais bien, vous vous trompez, je vous le dis, c'est lui, oui, non, si. » On se presse, on regarde, il arrive, c'est bien lui, le voilà ; c'est L... ! ! !
>
> Pauvre L... ! il a l'air ému, effaré, son regard vague double l'intérêt qu'il inspire. Il paraît tout contrit d'être un peu en retard (c'est la première fois que cela lui arrive ...), et il n'est qu'onze heures et demie !
>
> « Ah ! madame, dit-il en s'adressant à l'une de celles qui sont au premier rang, quelle douleur pour moi de vous avoir fait attendre ! » Et mille autres choses non moins jolies ! — Quant aux 800 auditeurs à six francs qui étaient là derrière, pas le plus petit mot !
>
> Pendant ce temps-là, on entend bourdonner de tous côtés : « Il jouera, il ne jouera pas, il n'est en train, il est trop tard, etc. ... etc. ..., » et tout à coup, on l'enlève, on le porte, et enfin le voilà au piano.
>
> — « Qu'on ôte ces bougies, dit-il avec agitation. »
>
> On enlève les bougies.
>
> — « Qu'on ôte ce pupitre. »
>
> On enlève le pupitre.
>
> Puis, il s'inspire en silence, il relève sa chevelure de la main droite, et soudain lance avec impétuosité, un doigt, un seul doigt de la main gauche sur une note grave ... Un léger feu follet succède et parcourt les touches aiguës ... Autre note grave, autre feu follet ... Voici la marche funèbre, voici le rire des démons, voici le chant des anges, l'orage, la tempête, le tonnerre, la pluie, le beau temps, le sublime, le ridicule, pêle-mêle, confondus, le chaos enfin ... Chaos mille fois plus indigeste que celui qui précède la création du monde.
>
> « Qu'est-ce qu'il joue donc ? » dit une dame à son voisin.
>
> « Madame, c'est le public, répond celui-ci. — Non monsieur, dit un autre, c'est l'invitation à la walse, par Weber. — C'est donc la walse du diable, » répond le premier interlocuteur.
>
> O Weber ! ! !

---

[29] Charles Chaulieu, « Glossaire italien-français des termes usités en musique », *Le Pianiste*, N° 7 (mai 1834), p. 98–104 ; en particulier p. 100.

[30] Pierre Zimmerman, *Encyclopédie du pianiste compositeur*, Paris 1840, 1ère partie, p. 50.

[31] Sur ce pianiste, voir Ewa Talma-Davous, « Le pianiste du moi. Wojciech Sowiński (1805–1880) », in : Irena Poniatowska et Danièle Pistone éd., *Chopin w kręgu przyjaciół — Chopin parmi ses amis*, t. V, Warszawa 1999, p. 129–150.

> Il a fini ; plus de chaos, respirons. — L'accordeur, debout derrière lui, commence à reve-
> nir de la stupeur où l'avait plongé certain tonnerre qui paraissait devoir foudroyer
> l'instrument et le réduire en poussière.
> On embrasse l'artiste, on l'admire, on le félicite, on l'exalte,
>   (Il est près de minuit.)
> Et chacun, cette fois, se dispose à prendre congé, mais voici que Ch... arrive.
>   (Les lampes s'éteignent tout à fait.)[32]

(La participation de Chopin *in fine* n'est pas assurée sur le plan documentaire). Après l'attente et le théâtre lisztien, il est minuit : l'extinction des luminaires à l'arrivée de Chopin — si tardive qu'elle en devient symbolique — rejoint l'*estinto* de Liszt au terme de son commentaire pour faire de Chopin, dans la société de la monarchie de Juillet, le poète élégiaque et nocturne du piano.

Heine a bien des fois exploité dans ses chroniques le *topos* Liszt-Thalberg/Chopin ; en 1843 il écrit encore après avoir parlé du second :

> Il n'y a qu'un seul pianiste que je lui préfère, Chopin qui, il est vrai, est plutôt composi-
> teur que virtuose. Près de Chopin j'oublie tout à fait le jeu du pianiste passé maître, et je
> m'enfonce dans les doux abîmes de sa musique, dans les douloureuses délices de ses
> créations, aussi exquises que profondes. Chopin est le plus grand poëte musical, l'artiste
> de génie qu'il ne faudrait nommer qu'en compagnie de Mozart, de Beethoven, de Rossini
> ou de Berlioz.[33]

---

[32] « SO... ou Le Pianiste et le panaris », *Le Pianiste*, N° 5 (mars 1834), p. 74–76 ; signé « *Votre abonné*, F. J. ».
[33] H. Heine, *Lutèce, op. cit.* note 10 ci-dessus, p. 316–317 (chronique du 26 mars 1843).

STRESZCZENIE

HEXAMERON ALBO OBRAZ CHOPINA W „GALERII PIANISTÓW"

Jaki image Chopina ukazuje nam *Hexameron*, dzieło zbiorowe opublikowane w Wiedniu w 1939 i w Paryżu w 1841 pod egidą księżnej Cristiny Belgiojoso-Trivulzio, pomyślane jako „pojedynek" pianistyczny Liszta — Thalberga, który zorganizowała u siebie 31 marca 1837 r. „ad majorem Liszti gloriam"? Po introdukcji i wariacjach Liszta, Thalberga, Pixisa, Henry Herza, Czernego (nie licząc finału i przejść między wariacjami autorstwa Liszta) wchodzi wariacja powolna Chopina, na pozycji przedostatniej (pozycji wymaganej?, przypisanej?, w każdym razie podjętej przez kompozytora), która ilustruje topos Chopina „poety fortepianu" — kolejno liryzm ekstatyczny i nostalgiczny (A) i ton heroiczny (B). Wariacja ta może być interpretowana jako dokument artystyczny w ówczesnej recepcji Chopina w Paryżu. Stylizuje także przyswojenie przez polskiego mistrza sztuki pianistycznej bel canta Belliniego, paralelnie do *Andante spianato* op. 22 i pary *Nokturnów* op. 27. Intymny Hommage dla geniusza wokalnego Belliniego, w przeciwieństwie do wariacji brawurowych, które go otaczają. Ta VI Wariacja brzmi jak wyznanie wiary Chopina w obliczu wirtuozów tego czasu: „Ostatnia sprawa to prostota".

CHOPIN'S OPERAS

David Kasunic
(PRINCETON)

Since the mid-nineteenth century, two claims have guided writings on Chopin's ballades. The first is that Chopin began his *First Ballade*, Op. 23, in 1830–31, while still in Vienna.[1] There is no evidence of this. On the contrary, both stylistic and documentary evidence suggest that he began composing this work after his arrival in Paris. Jeffery Kallberg has surmised that the earlier dating may have originated in unreliable evidence from Schlesinger in a newspaper interview from about 1860.[2]

The second claim, first made by Schumann in 1841 in the *Neue Zeitschrift für Musik*, is that Chopin looked to Mickiewicz's poetry (presumably, as many have inferred, his ballads) when composing his *Second Ballade*, Op. 38. Given the influence of these widely cited words, Schumann's claim needs to be re-assessed. Schumann writes in his review: 'I recollect very well that when Chopin played the *Ballade* here, it ended in F major; now it closes in A minor. At that time he also mentioned that certain poems of Mickiewicz had suggested his *Ballade* to him. On the other hand, a poet might easily be inspired to find words to his music; it stirs one profoundly.'[3] Schumann here refers to the second of Chopin's two brief visits to Leipzig, in September 1836, at which time they played some of their compositions for one another. Curiously, when Schumann first recorded his impressions of this occasion—in his personal diary and in a letter to his friend Heinrich Dorn, both of which were written within the two days following Chopin's visit—Schumann dwells on Chopin's new *Ballade*, but he does not mention any connection to Mickiewicz.[4] On the contrary, writing in his diary, Schumann makes a point of saying that Chopin does not like his works being discussed—'Hört nicht gern über seine Werke sprechen.'[5] Unlike Schumann's asser-

---

[1] For a summary of the composition dates given to this Ballade, see Jim Samson, *Chopin: The Four Ballades*, Cambridge 1992, pp. 1, 21–2, and 88 n. 1. See also Krystyna Kobylańska, *Frédéric Chopin: Thematisch-Bibliographisches Werkverzeichnis*, München 1979, p. 45–6.

[2] Jim Samson, *op. cit.*, pp. 21 and 91 n. 9.

[3] *Neue Zeitschrift für Musik*, 2 November 1841, p. 142. English trans. Paul Rosenfeld, *On Music and Musicians: Robert Schumann*, ed. Konrad Wolff, New York 1964, p. 143.

[4] Diary entry for 12 September 1836, in: Robert Schumann, *Tagebücher: Band II, 1836–1854*, ed. Gerd Nauhaus, Leipzig 1987, pp. 25 and 455 n. 19; and 14 September 1836 letter to Heinrich Dorn, in: *Robert Schumann's Briefe*, ed. F. Gustav Jansen, Leipzig 1886, pp. 65–7.

[5] Robert Schumann, *Tagebücher, op. cit.*, p. 25.

tion five years later, this remark is consistent with Chopin's documented aversion to attaching literary programs or titles to his compositions.[6] We have no evidence that Chopin ever authorized attaching literary or poetic texts to his music. Given the epistolary effusiveness of many of Chopin's contemporaries alongside Chopin's relative reticence, one cannot reasonably read the absence of a dissenting response from Chopin as his tacit endorsement.[7]

Was Schumann, then, exercising literary license when he coupled Chopin's *Ballade* with the poems of Mickiewicz? Schumann most likely felt at liberty to speak for this particular work more than for any other work in Chopin's *œuvre*, for he not only received a private performance of a version of the work but also was its dedicatee. Schumann may have construed this dedication as an authorization to interpret as he saw fit; striking a parallel between Chopin's poetical composition and Mickiewicz's poetry seemed apt.[8] Unlike the genre titles of Chopin's other compositions, the title

---

[6] As Chopin resumed sonata composition and counterpoint studies in the 1830s and early '40s, his distaste for such titles, especially those imposed by his English publisher Christian Wessel, seemed to increase. Jeffrey Kallberg considers these titles in light of Chopin's break with Wessel in: 'Chopin in the Marketplace: Aspects of the International Music Publishing Industry in the First Half of the Nineteenth Century,' *Notes* 39, 1982–83, p. 563. See also Frederick Niecks, *Frederick Chopin as a Man and Musician*, London 1890, vol. 2, p. 87.

[7] Writers who have used Chopin's correspondence to substantiate the absence of an attitude or practice of Chopin have been misguided, especially when determining the activities of his first five years in Paris, from which we have only a handful of letters. While these writers may not refer directly to the correspondence, they imply, variously, that the documentary record is complete, that one should look to piano music alone for signs of compositional influence, and that any compositional influence on Chopin subsequent to his arrival in Paris is negligible. This is above all true of those writers who have disavowed the influence of opera on Chopin as a composer during his years in Paris. For them, the lightning-rod issue has been the purported influence of Bellini; Meyerbeer does not even appear on their radar screens. While Chopin was, throughout his life, typically reticent about musical issues, that he makes no explicit mention of contact with Bellini during the Italian's years in Paris—intermittently from 1833 to 1835—seems to have been privileged over both the testimony of his contemporaries and the compelling evidence of his musical evolution during this time. Among others, see Ludwik Bronarski, *Chopin et l'Italie*, Lausanne 1947, pp. 71–7; and Arthur Hedley, *Chopin*, London 1947, pp. 58–9, and *Selected Correspondence of Fryderyk Chopin*, London 1962, pp. 100 n. 1.

[8] By the time of Schumann's review, Maria Szymanowska and especially Carl Loewe's musical settings of Mickiewicz's ballads were well known. It is unlikely, however, that Schumann knew that Chopin, in 1836, broke a five-year hiatus from song composition, setting in 1837 Mickiewicz's 'Moja pieszczotka.' But one wonders whether Félicien Mallefille or Franz Liszt, who were friends with Mickiewicz, were fortunate to hear a private performance of this song, which was not published during Chopin's lifetime. Regardless, both men responded like Schumann to Chopin's Ballade. And both most likely knew that, in the late 1830s, Mickiewicz, in a striking parallel to Chopin, made 'a significant return to the Ballade form; but in this instance he put the Ballade technique to the service of purely lyrical poetry.' (David Welsh, *Adam Mickiewicz*, New York 1966, p. 29). Far from buttressing Schumann's claim, these other depictions underscore the tendency of Chopin's contemporaries to extrapolate from Mickiewicz's poetry to Chopin's music. In an open letter to Chopin in the 9 September 1838 issue of the *Revue et Gazette Musicale de Paris*, Mallefille, still fresh from being passed over by George Sand for Chopin the previous week, extols Chopin's '*Ballade polonaise*,' which he heard in a private performance: 'Il y a quelque temps, dans une de ces soirées où entouré de sympathies choisies, vous vous abandonniez, sans méfiance à votre inspiration, vous avez fait entendre cette *Ballade polonaise* que nous aimons tant.' In light of his recent cuckolding, it is difficult to read the lavish praise Mallefille heaps on Chopin, whom he only knew through Sand,

'ballade' invited (and still invites) narrativizing speculation. In a letter to Tytus Woyciechowski from 12 December 1831, Chopin had parodied Schumann's narrativizing review of his Op. 2 variations on 'Là ci darem la mano,' a review that Schumann had sent to Chopin in the fall of 1831.[9] Chopin concluded his parody by saying that he 'could die laughing at this German's imagination.'[10] It seems that Chopin did not use the occasion of his 1836 visit to Leipzig to take serious issue with Schumann's speculative tendency. Instead, while in Leipzig, Chopin behaved as the charming guest Schumann describes in his diary and letters, a guest who, nevertheless, made clear that he did not like his compositions being discussed.

There lay an aesthetic-philosophical gulf between between Chopin and Schumann that only widened over time. (Schumann's unfavorable review of Chopin's Op. 35 sonata and Chopin's cold reaction to Schumann's *Carnaval* immediately come to mind.) I will return to these philosophical differences later. For the sake of argument, let us suppose that what Schumann wrote in his review of the Op. 38 *Ballade* was an accurate account of what Chopin said to him, which meant that while Chopin had mentioned the inspiration of Mickiewicz's poetry in the composition of the *Ballade*, Schumann himself had not thought it worthy of mention at the time. As unlikely as this seems, were it actually the case, then the most that one could say is that some or

---

Mickiewicz, Marie d'Agoult, and company, as void of an agenda, if not, at times, a gentle double edge, especially when he writes, 'Et quand vous eûtes fini, nous restâmes silencieux et pensifs, écoutant encore le chant sublime dont la dernière note s'était depuis longtemps perdue dans l'espace. De quoi songions-nous donc nos âmes la voix mélodieuse de votre piano? Je ne puis dire; car chacun voit dans la musique, comme dans les nuages, des chose différentes.' While speculation about what *Ballade* Mallefille meant has gravitated towards the roughly contemporaneous Op. 38 *Ballade*, the phrase 'que nous aimons tant' suggests, in an open letter to a musical public as yet unacquainted with the unpublished Op. 38 *Ballade*, that Mallefille was referring to the *First Ballade*. Moreover, the alliance between song and dance is more pronounced in the *First Ballade*, with its swaying featured melodies; if we consider that Castil-Blaze, in his 1821 *Dictionnaire de musique moderne*, defines 'polonaise' as an '[a]ir de chant et de danse mesuré à trios temps et d'un mouvement modéré' and that '[o]n fait un grand usage de la *polonaise* dans le style instrumental,' then qualifying Chopin's *First Ballade* as either simply Polish or demonstrating elements of song and dance, or both, seems reasonable. Mallefille's discussion of Chopin's art quickly turns, *de rigueur*, to Mickiewicz, whom he refers to as 'le vieux Croyant' and whom he had personally known for two years at the time of writing. Like Mallefille, Liszt also knew Mickiewicz and cannot resist connecting his poetry to Chopin's music. Reviewing a rare Chopin concert in the Salle Pleyel on 26 April 1841, whose program included a performance of Chopin's Op. 38 *Ballade*, Liszt writes: 'As with that other great poet Mickiewicz, his compatriot and friend, the muse of his homeland dictates his songs, and the anguished cries of Poland lend to his art a mysterious, indefinable poetry which, for all those who have truly experienced it, cannot be compared to anything else.' From 2 May 1841 issue of the *Revue et Gazette Musicale de Paris*, translated in: William G. Atwood, *Fryderyk Chopin: Pianist from Warsaw*, New York 1987, p. 241. For a discussion of Mallefille's letter in relation to his dramatic essay *Les Exilés*, for which it serves as a preface, see Karol Berger, 'Chopin's *Ballade* Op. 23 and the revolution of the intellectuals,' in: *Chopin Studies*, vol. 2, ed. Jim Samson, Cambridge 1994, pp. 80–82.

[9]   Schumann made his debut as a critic with this review, which appeared in the *Allgemeine Musikalische Zeitung* of 7 December 1831. See Leon B. Plantinga, *Schumann as Critic*, New Haven 1967, pp. 226–28. For a discussion of Chopin's letter to Tytus Woyciechowski that connects Schumann's review of Op. 2 to Schlesinger's commissioning Chopin for a work on themes from Meyerbeer's *Robert le Diable*, see Gastone Belotti, F. *Chopin: l'uomo*, Milan 1974, vol. 1, pp. 444–46.

[10]   Arthur Hedley, *Selected Correspondence, op. cit.*, p. 99.

several of the poems of Mickiewicz suggested ('angeregt') the Op. 38 *Ballade* to Chopin, for Schumann spoke only of 'einige Gedichte von Mickiewicz' and only of this particular *Ballade*. Moreover, the next sentence of Schumann's review qualifies this connection to Mickiewicz, shifting it away from direct influence and towards general aesthetic kinship: 'On the other hand, a poet might easily be inspired to find words to his music; it stirs one profoundly.' Thus, when taken at face value, Schumann's claim becomes so general as to be almost meaningless. Recall that Schumann had a history of playing up Chopin's nationality in effusive language, as when he proclaimed, in an 1836 review of Chopin's piano concertos, that 'Fate... distinguished Chopin among all others by endowing him with an original and pronounced nationalism—that of Poland. And because this nationalism is in deep mourning, it attracts us all the more firmly to this thoughtful artist.'[11] While Chopin was Poland's most celebrated composer *cum* balladeer, Mickiewicz was her most celebrated poet *cum* balladist. Both were emigrés in Paris, and each, in his way, was said to give artistic expression to the Polish cause. It was, therefore, reasonable for Schumann, writing at some remove, in Leipzig, to suppose that Chopin had been inspired by the work of the other great Polish artist residing in Paris. To say more than this, however, is to go beyond Schumann's already questionable words. For Schumann does not mention the ballads of Mickiewicz, let alone a specific ballad, as suggesting Chopin's *Ballade*. Nor does he say that the *form* of the *Second Ballade* was suggested to Chopin by the form of a Mickiewicz ballad. And most relevant to my present purpose, Schumann does not extend this Mickiewicz connection to Chopin's *First Ballade*, the prototype of the piano ballade.

These two claims about the ballades—one concerning the date of composition of the *First Ballade* and the other concerning the poetic inspiration for the *Second Ballade*—have collaborated to shape writings on the ballades in the following ways. According to the first claim, the ballade as a piano genre originates in Vienna, at a time when Chopin's letters expressed concern about the events unfolding in his homeland. After all, Mickiewicz had written Polish-language ballads on national themes, and Chopin had previously composed in such national genres as the mazurka and polonaise. Like the disputed diary fragment from Stuttgart, the *Scherzo in B minor*, and the so-called 'Revolutionary' Etude, the piano ballade (so this line of reasoning goes) comes into being as a response to horrible events in his homeland. The second claim picks up here and sanctions a connection to Mickiewicz in the *Second Ballade*, a connection that has since been extended to the *First Ballade*, and finally to all four ballades.[12]

[11] P. Rosenfeld, *op. cit.*, p. 132. Hearing Chopin play for the first time, at Wieck's during his first visit to Leipzig in early October of 1835, Schumann reported in the *Neue Zeitschrift für Musik*, 'Chopin was here, but only for a few hours which he spent in private circles. He plays just as he composes—uniquely.' Appearing in April of 1836 in the *Neue Zeitschrift für Musik*, two years after its founding, Schumann's review of the concertos was his first review of Chopin's music since his inaugural 1831 review of Chopin's Op. 2. See L. B. Plantinga, *op. cit.*, pp. 228–229.

[12] The scholarly tradition of linking specific Mickiewicz Ballades to the composition of all four of Chopin's Ballades is extensive. Recent examples include James Parakilas's *Ballads Without Words: Chopin and the Tradition of the Instrumental Ballade*, Portland, Oregon 1992) and Dorota Zakrzewska's 'Alienation and Powerlessness: Adam Mickiewicz's *Ballady* and Chopin's *Ballades*', paper read at the Annual Meeting of the American Musicological Society, Kansas City, 5 November 1999.

I do not take issue with the notion of Chopin's ballades, either individually or collectively, as potentially patriotic works. Indeed, I consider it most reasonable that Chopin's tremendous concern about the situation in Poland found expression in his compositions. I do, however, take issue with the idea that Chopin patterned his piano ballades on certain pre-existing poetic ballads. Not only is there no evidence of Chopin having subscribed to such a practice, but there is also no larger aesthetic rationale for his engagement in such an activity. Moreover, rendering these remarkable compositions merely as musical enactments of poetic texts distorts Chopin's accomplishment, which is no less than revolutionary.

It is my dual contention, based on both stylistic and documentary evidence, that Chopin began composing his *First Ballade* after his arrival in Paris in the fall of 1831 and that the appropriate context for his instrumental ballades is the tradition of the vocal ballade, both as popular song and as comic-opera set-piece.[13] By the mid-1820s, the ballade of the drawing room looked to the ballade of Opéra-Comique for inspiration.[14] While many composers specialized in the drawing-room variety, drawing-room repertoire and performances took their cue from the comic stage.[15] As a young man, prior to arriving in Paris, Chopin saw, heard, and played the music from these operas, from Méhul's *Joseph* (1807) to Hérold's *Zampa* (1831). And as Chopin came of age,

---

[13]   By drawing attention to the aesthetic affinities—'dramaturgy of contrasts'—between French grand opera of the 1830s and the form of Chopin's Op. 38 Ballade, Anselm Gerhard, as a sole voice among legions of writers, has suggested the appropriate context for beginning to understand Chopin's *Second Ballade*. But he, like Karol Berger, does a curious thing: after invoking, with deference, Jeffrey Kallberg's mention of the lack of evidence to support a composition date for the *First Ballade* prior to Chopin's arrival in Paris, he constructs an argument that assumes that the *First Ballade* did not originate in the context he has provided for the *Second Ballade*. This hobbles his argument, forcing him to particularize for the *Second Ballade* a context that informs the prototype of the genre, Chopin's Op. 23. His suggestive argument is thus both too particular and, in its privileging aesthetic kinship over biographical chronology and fact, too general. Berger's argument does not depend on this dating issue. Still, it is striking that both Berger and Gerhard apparently find the idea of Chopin having begun his *First Ballade* in Vienna so appealing that they knowingly bypass the absence of evidence to support a Viennese dating in order to pursue their respective lines of thought. Since Chopin's time, writers have felt compelled to anchor the genesis of Chopin's stirring and arguably patriotic genres, the Ballade and the scherzo, far from cosmopolitan Paris, thereby figuring them as the immediate anguished response of the distraught composer. Placing their genesis in Paris, so this line of reasoning goes, does not adequately account for the so-called expressive content of the music. Old habits die hard. See Anselm Gerhard, 'Ballade und Drama: Frédéric Chopins Ballade opus 38 und die französische Oper um 1830,' in: *Archiv für Musikwissenschaft*, XLVIII/2, 1991, pp. 110–125, esp. p. 111); and K. Berger, *op. cit.*, esp. p. 82.

[14]   David Tunley clarifies this point in the first paragraph of the 'General Introduction' to the Garland series *Romantic French Song: 1830–1870*: 'Yet even in their day the songs reproduced here [in this series], with some notable exceptions, were not those most frequently heard in salons and recital rooms. There the most popular vocal pieces were the arias from the grand and light operas of Donizetti, Rossini, Meyerbeer, Auber, and others, or romances and melodies of a rather ephemeral nature, very often composed by favorite singers.' This introduction provides a fine brief survey of the pertinent social, political, cultural, and musical issues for the so-called salon world of Chopin's Paris. See pages xi-xx of the first volume of this series, *Early Romances by Bérat, Berlioz, Duchambge, Grisar, Meyerbeer, Monpou, Morel, Panseron, and Romagnesi; Selected Songs of Louis Niedermeyer and Ernest Reyer*, New York 1994.

[15]   At the same time, many opera composers, from Boieldieu to Meyerbeer, were prolific composers of drawing-room romances and Ballades.

so did the operatic ballade, an evolution culminating in the premiere of Meyerbeer's *Robert le Diable* on 21 November 1831.

Before tracing this evolution, a word concerning terminology is in order. During the second half of the eighteenth century and the early decades of the nineteenth century in France, the distinction between the vocal genres of the ballade and the romance was unclear. Most often, the title 'romance' subsumes the ballade vocal genre. Diderot's ballade entry in the 1751 second volume of the *Encyclopédie* recognizes the ballade (placed in the 'Belles-Lettres' category) as a poetic but not a sung form.[16] The unattributed 1765 'Romance' entry in the fourteenth volume, however, specifies that this 'old little story written in simple, easy, and natural verse...is sung...[and] divided into stanzas.'[17] Similarly, Rousseau's 1768 *Dictionnaire de musique* does not contain a 'ballade' entry. As an 'air on which a small poem, of the same name, divided into couplets, and with a subject ordinarily some amorous and often tragic story, is sung,' Rousseau's *romance* comprises what Frédéric de Castillon will designate a *ballade* in the 1776 supplement to the *Encyclopédie*.[18] Citing its recent provenance as

---

[16] For author attribution in the *Encyclopédie* and its supplement, see R. N. Schwab, W. E. Rex, and J. Lough, 'Inventory of Diderot's Encyclopédie,' in: *Studies on Voltaire and the Eighteenth Century*, vols. 80, 83, 85, 91, 92, and 93, Genève 1971–72.

[17] Evidently not a fan of the romance, the writer assumes a high sardonic posture, first taking aim at the music of the romance: '...vieille historiette écrite en vers simple, faciles & naturels. La naïveté est le caractere principal de la *romance*. Ce poëme se chante; & la musique françoise [*sic*], lourde & niaise est, à ce me semble, très-propre à la *romance*; la *romance* est divisée par stances.' After mocking the supposed virtues of de Montgrif's '*romance* d'Alis & d'Alexis' by citing some overripe lines, such as 'Depuis cet acte de sa rage,/ Tout effrayé,/ Dès qu'il fait nuit, il voir l'image/ De sa moitié,' the writer concludes with a paragraph targeting the poetry: 'Il n'y a qu'une oreille faite au rithme de la poésie, & capable de sentir son effet, qui puisse apprécier l'énergie de ce petit vers *tout effrayé*, qui vient subitement s'interposer entre deux autres de mesure plus longue.' Roughly 90 years later, the Encyclopédist's frustration: 'Depuis une dizaine d'années, des miliers, des myriads de pieces de ce genre ont été fabriquées et livrées à l'appétit glouton des amateurs. Une centaine au plus méritent d'être distinguées parmi la foule immense de ces productions éphémeres. Le défaut le plus saillant des romances contemporaines, c'est la monotonie. A quelques rares exceptions près, lorsqu'on a pu se dérober à l'ennui d'entendre une romance, il faut se dispenser d'en écouter d'autres; on les connaît, on les sait presque toutes.', Les Frères Escudier, *Dictionnaire de musique*, vol. 1, Paris 1854. The brothers' critical words fell on deaf ears. In the 2 March 1865 issue of *La semaine musicale*, an unnamed critic 'complained of the mountain of second-rate romances that were continuing to pile up on his desk for review, and wondered why so many composers persisted in turning out such works when, according to his view, the public was becoming indifferent to them.', D. Tunley, *op. cit.*, p. xi.

[18] 'Air sur lequel on chante un petit Poëme du même nom, divisés par couplets, duquel le sujet est pour l'ordinaire quelque histoire amoureuse & souvent tragique.' As Rousseau continues, it becomes clear that he takes the *romance* seriously, harboring none of the disdain of our unnamed Encyclopédist. Note not only the extent of generic overlap with Castillon's *Ballade*, and the emotive arc achieved by the succession of couplets in the romance *bien faite*, but also Rousseau's performance prescriptions: 'Comme la *romance* doit être écrite d'un style simple, touchant, & d'un gout un peu antique, l'Air doit répondre au caractère des paroles; point d'ornemens, rien de manière, une mélodie douce, naturelle, champêtre, & qui produise son effet par elle-même, indépendamment de la manière de la Chanter. Il n'est pas nénecessaire [*sic*] que le Chant soit piquant, il suffit qu'il soit naïf, qu'il n'offusque point la parole, qu'il la fasse bien entendre, & qu'il n'exige pas une grande étendue de voix. Une *romance* bien faite, n'ayant rien de faillant, n'affecte pas d'abord; mais chaque couplet ajoûte quelque chose à l'effet des précédens, l'intérêt augmente insensiblement, & quelquefois on se trouve attendri jusqu'aux larmes sans pouvoir dire où est le charme qui a

an English import, de Castillon offers a loose definition of ballades as 'songs or kinds of odes comprised of several couplets or strophes that one ordinarily sings, but function also sometimes as dancing airs, as in vaudevilles. There are very ancient ballades which are famous and merit being so by their simplicity, their naïveté, and their picturesqueness of thought.... This word probably comes from *ballet*.'[19] Forty-five years later, Castil-Blaze lifts this definition, verbatim, for his 'ballade' entry in his *Dictionnaire de musique moderne*. From Castil-Blaze's perspective, the eighteenth-century terminological haze surrounding the vocal genres of the romance and the ballade still had not dissipated by the beginning of the 1820s.

Indeed, comic-opera ballades from the early 1820s adhere to the eighteenth-century sense of the genre—a couplet form, gentle sentiment, and unvaried repetition of the music of the verse and refrain. Thus, in order to appreciate the nature and consequence of Meyerbeer's contribution to the ballade genre with *Robert le Diable*, and to position ourselves closer to Chopin's keen perspective as an opera audience member, let us briefly trace the operatic ballade's evolution in the comic operas that Chopin saw and heard by the end of 1831. In this way, we can pretend to arrive with Chopin in the dizzying musical world that was Paris of the July Monarchy and to attend with him a performance of the 'masterpiece of the modern school' that shifted the course of opera.

It is left to Boieldieu, a comic-opera stalwart, to give the ballade (via Eugène Scribe via Walter Scott) its Romantic shot-in-the-arm: Jenny's 'D'ici voyez ce beau domaine,' from Boieldieu's *La Dame blanche* of 1825, became the most famous ballade of the late 1820s.[20] While not entirely novel, Jenny's 'Ballad of the White Lady' successfully coordinates various ballade features and, as a result, came to serve as a ballade template for the remainder of the decade. Jenny is enjoined to sing by those surrounding her, who then sing with her at the end of the refrain. Each couplet is

---

produit cet effet. C'est une expérience certaine que tout accompagnement d'Instrument affoiblit cette impression. Il ne faut, pour le Chant de la *romance*, qu'une Voix juste, nette, qui prononce bien & qui chante simplement.'

[19] '[O]n entend par *Ballade* en Angleterre, des chansons ou especes d'odes à plusieurs couplets ou strophes que 'on chante ordinairement, mais qui servent aussi quelquefois d'airs de danse, comme les vaudevilles. Il y a de ces *Ballades* très-anciennes, qui sont fameuses & qui mérient de l'être par la simplicité la naïveté & la pittoresque des pensées....Probablement ce mot vient de *ballet*.' Le Robert's *Dictionnaire historique de la langue française* (Paris 1992, vol. I, p. 170), places this English provenance in context: 'À partir de la fin du XVIe s., sous l'influence de la Pléiade, elle [the Ballade] est négligée dans la literature française savante, mais elle survit sous des formes populaires. Elle se maintient surtout dans l'aire culturelle anglo-saxonne, passant d'une expression essentiellement lyrique à une tonalité épique et narrative. Pour désigner ce genre, let mot est réemprunté, (1767) à l'anglais ballad, lui-même repris au français (XVe s.) pour désigner un type de poème populaire de thème légendaire; c'est l'époque où, en Angleterre, se multiplient les recueils de Ballades anglaises et écossaises (ceux de Ramsay, 1724, Percy, 1765, puis Pinkerton, Herd, Scott).'

[20] In the last paragraph of the 'opéra' entry in his *Dictionnaire*, Castil-Blaze includes Boieldieu as one of the exponents of a 'nouvelle réforme' at the Opéra-Comique: 'Notre Opéra comique, greffé sur le Vaudeville de la Floire, s'est long-temps ressenti de son origine. Philidor, Duni, Monsigny, Grétry, l'avoient créé; il est rare que celui qui créé perfectionne. Ce n'est que quand les Méhul, les Chérubini, les Dalayrac, les Berton, les Catel, les Boïeldieu, les Nicolo, lui ont fait subir une nouvelle réforme, en lui donnant des ouvrages d'un style brillant et grandiose, qu'il a pu marcher de pair avec le théâtre illustré par Gluck et Piccini, et se répandre dans l'Europe musicale, qui, jusqu'alors, l'avait dédaigné.'

divided into two parts, a verse and a refrain that are juxtaposed. The contrast between the verse and the refrain is one of melody, mode, texture, and affect, where the music of the refrain offers a release from the tension of the verse. As will be the case, more and more, with subsequent operatic ballades (even beyond France, as in Marschner's *Der Vampyr* of 1828), this ballade functions as a dramaturgical conceit, a pivotal moment of narrative summation, foreshadowing, and disclosure.[21]

Like Jenny's ballade, Zerline's romance-ballade, 'Voyez sur cette roche,' from Auber and Scribe's *Fra Diavolo* of 1830, is comprised of three couplets that receive a strictly strophic musical setting. This ballade relies on the characteristic conceit of having the subject-protagonist of the ballade listen, unnoticed or in disguise, among the crowd of listeners. The contrast between the music of the verse and the music of the refrain of Zerline's ballade is much more pronounced than in previous ballades. And instead of the music of the refrain affording a relaxation from the music of the verse, here the musics are switched: the gentle G-major melody of the verse is punctuated by the distressed G-minor music of the refrain.

Camille's 'Ballad of Alice Manfredi,' from Hérold's *Zampa, ou La fiancée de marbre* (first performed in May 1831), hints at a new direction for the operatic ballade. While there is little differentiation between the music of the verse and that of the refrain, and while the music for the first two couplets is strictly strophic, the music to the verse of the third couplet unexpectedly responds to the more impassioned text and departs from the music of that of the previous verses. With newfound flexibility, the ballade's strophic music seems to begin to *hear* its words.[22]

Enter Meyerbeer, whose accomplishment in the most celebrated ballade of the 1830s, Raimbaut's 'Jadis régnait en Normandie' from *Robert le Diable*, results more from synthesis than from innovation, more from extending the ballade tradition than departing from it. But, significantly, Meyerbeer transplanted *Robert le Diable*, which began life as a comic opera, onto the stage of the Opéra. Three acts grew to five, Raimbaut's role was greatly reduced, and his ballade, appearing at the beginning of

---

[21] Here and elsewhere in this paper, my understanding of the operatic Ballade relies on the work of Carolyn Abbate. *Unsung Voices*, Princeton 1991, Chapter Three, especially pp. 69–85.

[22] We possess a tantalizing bit of evidence of Chopin's connection to this piece. In an undated note to a M. Lard, one of Schlesinger's Paris agents, Chopin requests both Franz Hünten's variations on Bellini's *Il pirata* and an 'air' from *Zampa*. It reads as follows: 'Ayez la bonté de m'envoyer les Variations de Hunten sur Pirate, à 4 mains)—et l'air de Zampa, ou se trouve [here Chopin notates two bars of treble-clef melody] etc., que tout les orgues jouent. n.b. c'est pour le chant.' While there is much to say about this rich snapshot of Chopin's engagement with the so-called popular musical culture of his day, I limit myself here to pointing out that these two bars indicate the first two bars of the refrain of Camille's 'Ballad of Alice Manfredi.' In her Chopin Werkverzeichnis, *op. cit.*, p. 270, Kobylańska transcribes the text alone, and without Chopin's emphases. For a facsimile of this note, see plate 9 of the auction catalogue of Nicolas Rauch—Catalogue de vente No. 13 de la nouvelle série—from 23 November 1955. Although original piano-vocal score for the opera identifies two 'airs,' Chopin used 'air' generically to indicate the 'Ballade' of the opera. In the same letter to Tytus Woyciechowski mentioned above, 12 December 1831, after praising *Robert* at considerable length, Chopin launches into news from the Opéra-Comique: 'Nourrit, the French tenor, sings with extraordinary feeling, but Cholet, who is at the Opéra-Comique where they are doing [Auber's] *Fra Diavolo*, [Ries's] *The Robber Bride*, and *Zampa*, a delightful new opera by Hérold) is the principal 'leading-man' or 'seducer.''(A. Hedley, *Selected Correspondence...*, *op. cit.*, p. 101)

this revised work of monumental proportions, took on new meaning, bore more dramaturgical weight. It was perhaps a post-operative response to Meyerbeer's compositional surgery that now freed the music of the ballade from its hitherto rigid strophic constraints.

Raimbaut's ballade unfolds as follows. Urged to sing, Raimbaut performs three couplets telling the story of the marriage of a Norman princess to a demon, a marriage that produces a son, Robert 'the Devil.' Like Zerline's ballade, the major music of the verse abruptly gives way to the parallel minor music of the refrain. Also not without precendent is the dramaturgical conceit of the ballade—a story within a story, an operatic *mise en abîme* that reveals the past and portends the future—while in the crowd the protagonist and the subject of the ballade, Robert, listens.

As hinted at above, the most striking aspect of this ballade, that which sets it apart from all that precede it, is the extent to which Meyerbeer has through-composed a traditionally strophic form. In the first couplet, the diatonic melody of the verse receives an unobtrusive accompaniment of orchestral strumming; the refrain introduces agitated music in the parallel minor. Meyerbeer's innovation is to treat these affectively different musics as an opposition to be reconciled. Thus, while the music of the refrain remains constant through all three couplets, the music of the verse, initially at a great affective distance from the music of the refrain, assumes the character of the refrain by the third couplet. The dialectical second couplet mediates between the verse-refrain opposition of the first couplet and the verse-refrain reconciliation of the third couplet. In the second couplet, the melody of the verse receives only a slight chromatic inflection on the word 'Satan,' while the accompaniment of the verse assumes a prominent, almost rivaling role, already displaying the turbulent character of the music of the refrain. The net effect of Raimbaut's ballade, then, is that of two separate but related dramas, one musical and the other textual, unfolding simultaneously. In other words, Meyerbeer exploits the verse-refrain expectations of the strophic ballade genre in order to create a drama of musical form, one that runs on an independent but parallel and complementary course to the text of the ballade.[23]

Raimbaut's ballade marks a watershed moment in the tradition of the operatic ballade. By synthesizing and extending pre-existing musical and narrative characteristics of the comic-opera ballade, Meyerbeer created a new point of departure for subsequent ballade composition. Whether in Auber's *Cheval de bronze* of 1835 or Wagner's *Der fliegende Holländer* of 1843, the ballade will come to function as the dramaturgical centerpiece of the opera.

By the middle of the 1830s, over a decade after Castil-Blaze's literally eighteenth-century definition of the ballade in a dictionary on *modern* music, writings on the drawing-room ballade began to reflect this new, Meyerbeerian sense of the operatic

[23] Robert's stage directions for this Ballade scene gave this textual and musical arc a visual dimension. See the facsimile reproduction of the *regisseur* Louis Palianti's manuscript copy of Duverger's 1832 publication of the *livret de mise en scène* for *Robert* in: *The Original Staging Manuals for Twelve Operatic Premières*, ed. H. Robert Cohen, Stuyvesant, New York 1991, p. 185–86. For the aesthetic importance accorded such visual gestures, see Anselm Gerhard's discussion of the final tableau of *Robert* in: *The Urbanization of Opera: Music Theater in Paris in the Nineteenth Century*, trans. Mary Whittall, Chicago 1998, p. 152.

ballade.[24] In December of 1833, Castil-Blaze reappears as the author of the introduction to the inaugural issue of *Le ménestrel*, a weekly music journal initially devoted to the propagation and appreciation of the drawing-room romance; piano-vocal scores of these romances were issued weekly as journal inserts.[25] As an umbrella term embracing drawing-room songs generally, 'romance' here referred to pieces that were titled 'nocturne,' 'barcarolle,' 'tyrolien,' or 'ballade,' to name only the most regularly featured sub-genres.[26] By way of explaining both the title of the journal and his terminological sense of 'romance,' Castil-Blaze writes that the 'French troubadours created *musique de chambre* when inventing the romance.' A ballade appeared every few months as a music insert, including Hyppolite Monpou's ballade 'Qu'il ne faut pas rire des sorciers,' whose couplets appeared in installments![27]

In the 18 October 1835 issue of the journal, Jeannette Lozaouis's featured article, 'De la Romance,' registers the recent changes wrought in the genre of the vocal ballade by its operatic arm. By the end of the first sentence, one realizes that 'romance' here refers to the 'romance-ballade' and not other kinds of romance, such as the 'romance-barcarolle' or 'romance-nocturne': 'A romance is the summary of a novel, in rhymes. Its frame, all contracted as it is, can contain a complete tableau, while the grandest airs often only treat an isolated subject, only represent a single situation, and consequently only touch one string of the human heart.' The article goes on to re-

---

[24] From this time onward, dictionary and encyclopedia entries become less reliable indicators of this shift and should be regarded with caution. For example, whereas the Escudier brothers, in their 1854 *Dictionnaire de musique*, bothered to pen a *romance* entry to register their concern about the genre's monotony, they contented themselves with lifting, verbatim, de Castillon's *Ballade* entry from 1776.

[25] For the circumstances surrounding the founding of this popular journal, which 'became the longest-running and most prestigious weekly journal of them all,' see Katharine Ellis, *Music criticism in nineteenth-century France: La Revue et Gazette Musicale de Paris, 1834–80*, Cambridge 1995, p. 45. For a more detailed examination of the history of the journal's publishers, see the entries for Meissonnier and especially Heugel in: Anik Devriès and François Lesure, *Dictionnaire des éditeurs de musique français: Volume II, De 1820 à 1914*, Genève 1988, pp. 219–20 and 312–13. In 1840, after Heugel became associated with Meissonnier, the resulting partnership acquired the journal from Jules Lovy. None of these authors, however, mention that Poussièlgue was the first to print *Le Ménestrel*., And Joseph-Hippolyte l'Henry was the journal's founder, not Jules Lovy, as the Heugel entry in the second edition of the *New Grove Encyclopedia of Music and Musicians*, ed. Stanley Sadie, London 2001/5 states.). In their brief entry for Poussièlgue, Devriès and Lesure go so far as to doubt this Poussielgue's very existence prior to its association with Rusand in 1838. They do so in spite of both the attention Poussièlgue received in attempting to print La Mennais's *L'Avenir* in 1831 and the existence of pre-1838 Poussièlgue publications, such as A. Beckhaus's *Petite biographie des acteurs et actrices des théâtres de Paris*, Paris 1833, which featured opera singers whose names soon graced the pages of *Le ménestrel*. For the *L'Avenir* controversy, see Ruth L. White, *L'Avenir de La Mennais: Son rôle dans la presse de son temps*, Paris 1974, pp. 128–31.

[26] David Tunley speaks to this terminological fuzziness: 'The very term *romance* was used ambiguously. It was not unusual for the same song to be described by one writer as a *romance*, and by another as a *mélodie*. Some Schubert-influenced French songs were called *lieder*, while it was quite common for Schubert's but also lieder to be called *romances*. We should therefore not be too concerned with niceties of terminology.', D. Tunley, *op. cit.*, p. xvi. Those songs grouped under the 'romance' rubric in the series first volume include songs titled 'nocturne,' 'bolero,' 'élégie,' and 'orientale.' Recall, too—see footnote 20—how Chopin used 'air' in a similarly general way.

[27] *Le Ménestrel*, 3 May and 10 May 1835. Other Ballades appearing during these first couple years of the paper include Amédée de Beauplan's 'La Chasse invisible', 28 September 1834, his Ballade *dialoguée* 'Les Noces d'une chatelaine', 23 November 1834, and L. Dietsch's 'La Saint Michel, en mer', 5 April 1835.

commend approaches to interpretation: 'In order to vary the refrain, intercalate a roulade, but with circumspection and with the taste of the school of *mesdames* Pasta and Malibran, whose charms are rarely the effect of calculation, but rather are born of a dramatic and momentary inspiration.' There follow dramatizing summaries of several romances, one of which is presumably 'La pauvre négresse,' which became one of great drawing-room successes of Cornélie Falcon, who made her debut at the Opéra as Alice in *Robert le Diable* on 20 July 1832.[28] The author concludes these summaries with: 'Voilà—complete dramas, words and music.' After describing two cavatines, one from Bellini's *Il pirata* and the other from Rossini's *La gazza ladra*, the author pronounces that '[t]hese airs [of Bellini and Rossini] are thus only fragments, incomplete for meaning, and, dramatically speaking, with respect to the music, only treat a single subject.' Finally, the author leaves us with this exhortation: '... in order to render [the romance-ballade] with its pronounced character, with its noble simplicity, with its joys and its dispair, it is necessary to know well how to sing the music of the *Opéra*.' Thus, while the music of *Le Ménestrel*'s romance-ballade inserts rarely approached the level of sophistication of Raimbaut's ballade, by the middle of the 1830s, the vocal ballade of the drawing-room, as *tableau complet*, as *drame complet*, increasingly drew its sense of itself from the music and singers not at the Opéra-Comique, the venue of the pre-*Robert le Diable* ballade, but at the Opéra.

It is difficult to imagine Chopin, who heard and warmly praised *Robert le Diable*, composed a duo based on themes from the opera, and knew the other operatic ballades I have discussed, as having been deaf to Meyerbeer's accomplishment in Raimbaut's ballade and the possibilities it opened up for the ballade as a genre. Compositionally, the Meyerbeerian ballade presented Chopin with a large-scale form in which two principal melodies, of contrasting modes and characters, alternated and evolved across a dramatic trajectory charted and defined by these melodies. Reflecting the trend of the day to locate the origins of the romance in Euterpe, Orpheus, Ossian, and the troubadours, Meyerbeer's balladeer was balladist—composer, poet, singer, and instrumentalist were fused.[29] Moreover, the Meyerbeerian ballade, as an operatic

---

[28] In the second edition of *The New Grove Encyclopedia of Music and Musicians*, ed. Stanley Sadie, London 2001, see the entries 'Cornélie Falcon,' by Philip Robinson/Benjamin Walton, vol. 8, pp. 524–25, and 'Théodore Labarre,' Frédéric Robert/Fiona Clampin, vol. 14, p. 81. Lozaouis alludes to Théodore Labarre's romance through poetic paraphrase: 'Et cette négresse, frêle jeune fille qui succombe sous la fureur des blancs, et qui pleure plus que ses souffrances mortelles, l'indifférence d'une mère cupide, mais adorée, qui l'a vendue.' This romance was included in a volume of Labarre 'romances' along with, among other pieces, the barcarolle 'Le Pêcheur des lagunes' and the Ballade 'La Femme du soldat'; see the 'Revue critique' of the 30 March 1834 issue of the *Gazette Musicale de Paris*. Already by the end of that same year, in an extolling review of Labarre's 'L'album lyrique,' *Le Ménestrel*, 28 December 1834) cites 'la *Négresse* des rives de la Plata' as one of the romances for which Labarre is known. That the review was favorable is not surprising: Labarre, along with Adam, de Beauplan, Monpou, and several others, were *collaborateurs-associés* for the journal.

[29] The *Oxford English Dictionary*, 2nd edition, cites Walter Scott as the first to use the word *Balladeer*, meaning '[o]ne who sings or composes ballads.' Scott does so in Act 2, Scene 1, of the dramatic poem *Auchindrane; or The Ayrshire Tragedy* (1830): 'The fiddles whose crack'd crowd has still three strings on't; / The Balladeer, whose voice has still two notes left....' See *The Poems and Plays of Sir Walter Scott, in two volumes*, vol. 1, London 1911, p. 284. Recall that romances were often composed by singers (D. Tunley, *op. cit.*,

drame complet, charged the drawing-room ballade with the vocalism and theatricality of opera. Surrounded by eager listeners encouraging him to tell his tale, the singer, or player, of a ballade in a drawing-room could see himself mirroring the ballade singer, surrounded by an expectant chorus, on the operatic stage. At its furthest extent, the drawing-room ballade could pretend to the operatic *mise en abîme* that characterized its stage counterpart, thereby fashioning the Parisian world of musical soirées and parties as its grand operatic context. Considering that some of these drawing-room ballades drew their subject matter directly from society life or current events (such as the evening of a ball or the massacre of the Rue Transnonian), and considering the fluid lines that then existed between the operatic stage and the drawing-room, this suggestion is less whimsical than it sounds.[30]

It is my belief that this conception of the ballade as *drame complet* fired Chopin's imagination. Unlike the nocturne or the mazurka, both of which Chopin often molded and extended to ballade-sized proportions, the ballade à la Meyerbeer was already an extended musical form. Sonata form, rondo form, and theme-and-variations form cultivated the aesthetic of *suonare* and gave way to post-classical forms such as potpourris and reminiscences that trumpeted instrumental virtuosity.[31] Ballade form, on the other hand, foregrounded the act of singing a story. Hitherto, no other form had presented itself to Chopin as a more appropriate conduit for channeling his love of opera and its singers while deploying the dance rhythms and folk-styled melodies that were dear to him.[32]

When Chopin left Poland for the last time in early November of 1830, he carried with him the hopes and aspirations of his teachers, friends, and family. The recurring wish of those who knew and loved him was that he would compose an opera. A passage from a September 1834 letter from his teacher Joseph Elsner is representative:

---

p. xi.) Gilbert Duprez, perhaps the greatest French tenor of his day, composed an array of vocal music that included romances, Ballades, and eight operas.

[30] An unsigned article, titled 'Sur la Ballade', by which the author means a 'genre de poésie') in the 9 March 1834 issue of the *Gazette Musicale de Paris* defines the subjects of Ballades as 'événements publics ou particuliers, des actions héroïques, des aventures amoureuses, des anecdotes comiques vraies ou supposes.' Not making a clear distinction between 'romance' and 'Ballade,' the author stipulates that this genre must always relate to the people: 'La romance, ou Ballade primitive, ne diffère du chant populaire, purement lyrique, que par son sujet épique, qui peut être très varié, mais qui doit toujours se rapporter au peuple.' (Emphasis mine)

[31] While Liszt was securing his preeminent position as virtuoso pianist on the concert stages of Europe, Chopin, who avoided giving large public concerts for most of his life, secured his position as the consummate pianist-composer of taste and feeling in the private residences of Paris. During this time, the 1830s, each wrote music both inspired by opera and appropriate to his performing venue: Liszt wrote operatic transcriptions and fantasies, Chopin Ballades and nocturnes. That Chopin ceased to be involved with drawing-room or popular culture once he 'matured', which most writers imply as being by the late 1830s if not sooner) does not hold up against the documentary evidence. As late as 29 October 1839, in a concert with Moscheles at the Royal Palace, Chopin improvised on Albert Grisar's 'La folle'—a tremdndously popular romance that was introduced to audiences by Nourrit before being snatched up by Malibran. See W. G. Atwood, *op. cit.*, pp. 127, 195, and 230; and D. Tunley, *op. cit.*, p. xxiv.

[32] In his influential 1776 *Ballade* entry, de Castillon speculated that this 'air de danse' derived from *ballet*. In doing so, he preserved its etymological tie to the ancient Provençale 'ballada,' meaning 'chanson à danse, petit poème chanté.', Le Robert, *Dictionnaire historique*, p. 170

As I journey through this 'vale of tears' I would like to live to see an opera of your composition, which would not only increase your fame but benefit the art of music in general, especially if the subject were drawn from Polish national history. I am not exaggerating when I say this. Firstly, you know me, you know that I'm not one to flatter; secondly, I recognise in addition to your genius the *nature* of your gifts. As the critic of your piano Mazurkas stated, only an opera can show your talent in a true light and win for it eternal life. 'A piano-work,' says Urban, 'is to a vocal or other instrumental composition as an engraving is to a painted picture.' This view is as correct as ever, although certain piano works, especially your own when performed by yourself, may be regarded as illuminated engravings.[33]

In spite of Elsner's wish that Chopin compose an opera, he concludes by suggesting that Chopin's piano compositions, when played by Chopin, are *more* than just piano compositions.

Chopin seems to have shared the sentiment. I can think of no other composer in the nineteenth century who was so unequivocally enthusiastic about both opera and singing and who, from what we know, nonetheless never made a single attempt at composing a work for the stage. Chopin seems to have been untroubled by this apparent paradox. Instead of regarding music for the piano as *musique manqué*, Chopin's compositional practice and his few remarks on musical aesthetics suggest that he saw music for the piano as capable of subsuming song, dance, and drama. Wagner would soon pronounce absolute music, *harmonia*, as lacking, as wrested away from its primal union with *logos* and *rhythmos*.[34] Chopin, however, pursuing a similarly integrative aesthetic, saw latent word in the tone—recall his later writing, in his sketches for a piano method, that 'word is born of sound; sound before word' and 'word, a certain modification of sound'—and Chopin saw gesture, drama, and dance in the movements of the music beneath his hands.[35]

---

[33] A. Hedley, *Selected Correspondence...*, op. cit., p. 124.

[34] See Carl Dahlhaus, *The Idea of Absolute Music*, trans. Roger Lustig, Chicago 1991, pp. 18–41.

[35] 'La parole nacquit du son—le son avant la parole' and 'La parole [:] certaine modification du son,' transcribed by Jean-Jacques Eigeldinger in his *Frédéric Chopin: Esquisses pour une méthode de piano*, Mayenne 1993, p. 48; translation from the appendix to Eigeldinger's *Chopin: Pianist and Teacher, as Seen by his Pupils*, Cambridge 1988, 195. Eigeldinger has demonstrated both Chopin's essentially eighteenth-century aesthetic orientation, 'Chopin et l'héritage baroque,' in: *Schweizer Beiträge zur Musikwissenschaft* III/2, Bern 1974, 51–74) and its having been fixed in his adolescence, 'Placing Chopin: reflections on a compositional aesthetic,' *Chopin Studies*, vol. 2, pp. 102–139. in his annotations to Chopin's remarkable series of verbal equations about music in: *Frédéric Chopin: Esquisses*, pp. 49 and 51, however, Eigeldinger looks only to J.-Ph. Rameau and G. Sand for explication of these two particular equations. Although an avowed Rousseau disciple, she seems to have taken little from his *Essai sur les origins des langues*; the passages that Eigeldinger cite from *Spiridion* bear this out. But neither Rameau's *Code de musique pratique avec de Nouvelles reflexions sur le principe sonore*, especially Chapter 14, 'De l'Expression,' which Eigeldinger cites) nor his other writings can account for the radical turn in Chopin's aesthetics that arises from his systematically asking, 'How can one sing without the vocal mechanism and on a percussive instrument?'; Chopin scrawls his ruminations on word and tone in *the midst of a piano method*. If, for the sake of argument, the source of this thinking does lie in Rameau, then Chopin, like Diderot, whose music teacher was Rameau, offers a (perhaps unintended) materialist elaboration of Rameau's *corps sonore*. Though Diderot grew critical of the increasing metaphysical weight Rameau gave to the *corps sonore* in his later years, he shied away from the sensualist musical aesthetics that was implied by his own materialist writings. Ever the child of the Enlightenment, Diderot insisted on the mediation of intellectual reflection. This puts him at odds with Chopin. In her

The revisionist Wagner of later years liked to say that the composition of *Der fliegende Holländer* began with the composition of Senta's ballade, implying that the rest of the opera was composed around it[36]—a story that unintentionally betrays the role that French grand opera played in the formation of his *Gesamtkunstwerk* aesthetic. For both Wagner and Chopin, Meyerbeerian grand opera suggested new compositional paths. Wagner's path led him to regard all instrumental music as wanting either a text or a program. Chopin's path converged with a line of French thought, imagined by Diderot and realized to a startling degree by nineteenth-century science, that saw in the *corde vibrante* a ubiquitous *vibration* allowing not only sound, but also language, color, human sensation, and life itself. Whereas Wagner claimed that he composed an opera *around* the frame of a vocal ballade, Chopin placed an entire opera *within* the frame of an instrumental ballade.

Like Wagner, Schumann was a student of German idealist thought, which came to regard instrumental music, at its best, as a coin whose one side was non-referential, so-called absolute music, and whose other side was loosely or specifically programmatic music; Schumann's compositional practice bears this out. Always an admirer of Chopin's talent, Schumann was, nevertheless, often confounded by Chopin's music, so much of which fit in neither of his idealist rubrics. In this light, Schumann's recourse to the poetry of Mickiewicz as a way of accounting for the expressive content of Chopin's ballades seems understandable.

But there are also specifically operatic ways of explaining the responses of Schumann and other contemporary auditors to Chopin's ballades. By the time that Chopin composed and published his *First Ballade*, the operatic ballade was to be found only in operas possessing a certain *couleur locale*, either geographic or historic or both: Boeildieu's *La Dame blanche* is set in Scotland; Auber and Scribe's *La fiancée* in Vienna;

Impressions et souvenirs, George Sand recollects a conversation between Delacroix and Chopin about Art, characterizing Chopin as one who shunned verbal theorizing. Chopin made his conversational point by playing—Sand implies 'improvising'—on the piano. For Chopin, theory flowed from praxis. His aesthetic imaginings, rooted in a tactile and auditory immediacy, could therefore wander to where Diderot feared going. Considered in this light, Chopin's defining the wrist as respiration in the voice—'Le poignet [:] la respiration dans la voix', J.-J.Eigeldinger, *Esquisses*, op. cit., pp. 76–77—seems less metaphorical, more physical, as though Chopin were collapsing the distinction between the vocal and the instrumental by probing the acoustic substratum common to both.

Michael Cartwright's regret that '[m]alheureusement, aucune etude de fond sur Diderot et la musique n'a encore paru' set the stage for several noteworthy studies on Diderot and music that have appeared in recent decades. Michael T. Cartwright, *Diderot Studies XIII* , 'Diderot critique d'art et le problème de l'expression,' Genève 1969, page 247.) See Jean-Michel Bardez, *Diderot et la Musique: Valeur de la contribution d'un mélomane*, Paris 1975; Béatrice Didier, *La musique des lumières: Diderot—L'Encyclopédie—Rousseau*, Paris 1985; John Neubauer, *The Emancipation of Music from Language: Departure from Mimesis in Eighteenth-Century Aesthetics*, New Haven 1986); and Béatrice Durand-Sendrail, *La musique de Diderot: Essai sur le hiéroglyphe musical*, Paris 1994. Durand-Sendrail's work pursues a stimulating line of thought begun by Cartwright— 'Car la musique, bien qu'elle ne mette pas devant mous 'l'objet même,' est toute seule un hiéroglyphe expressif par excellence', M. T. Cartwright, op. cit., p. 250. See also James Doolittle, 'A Would-Be *philosophe*: Jean-Philippe Rameau,' *PMLA*, June 1959, vol. 74, n. 3, pp. 233–48; Rosalina de la Carrera, *Success in Circuit Lies: Diderot's Communicational Practice*, Stanford 1991, pp. 127–166; and Jean-Paul Jouary, *Diderot et la matière vivante*, Paris 1992, pp. 1–63.

[36] C. Abbate, op. cit., pp. 85–86.

Hérold's *Zampa* in sixteenth-century Sicily; *Robert le Diable*, medieval Sicily, and so forth. The Polish Chopin was thus, with his ballades, essaying a genre marked by the temporal and spatial exotic, and his listeners responded as one would expect: by locating his ballades in Poland and in the past. Figured as such, Chopin's ballades straddled past and present in the same way that Mickiewicz's ballads depicted a past in order to dramatize a present. Mickiewicz famously embodied this merging of past and present in the figure of the pilgrim; his *Livre des pèlerins polonais* ascribes messianic purpose to the Poles' westward peregrinations in the 1830s.[37]

Construing Chopin as a Polish pilgrim brings us to the letter of Heinrich Probst, Breitkopf & Härtel's agent in Paris, to his employers in Leipzig, from 10 March 1839. The ballade to which he refers is Chopin's Op. 38:

> Now however Chopin, by way of thanks to Pleyel, will still be more exorbitant and demands prices beyond the bounds of reason à la Herz. I flatly refused the like, pretended that I must seek counsel, and now put the question to you how much you want to pay for the 3rd Scherzo (8–10 plates), a Pilgrim's Ballade [*eine Ballade des Pèlerins*] (12 plates) and 2 Polonaises (14 plates). I acted as if you could and would give at the highest 1000 francs for everything together, but did not commit myself. Here Chopin's music has fallen somewhat into the background owing to Thalberg, Henselt, Schubert, Bertini, Liszt. One plays it rarely, in concerts no more at all, since it is not effective. I think Chopin jumps out of the frying pan and into the fire [*kommt aus dem Regen in die Traufe*].[38]

Kallberg concludes an exegetical paragraph on Probst's provocative ballade designation—'What can Probst's description mean? Did it derive from Chopin himself?'—by speculating that 'it would not be at all surprising to discover further that Chopin wished to contribute musically to the laments expressed by his fellow émigrés through his 'Pilgrim's Ballade.''[39] That Probst's description originated with Chopin seems unlikely. In the context of his unflattering characterization of both Chopin's business demeanor and music, the phrase 'eine Ballade des Pèlerins,' with its conspicuous switch into French for the word 'pilgrim,' comes across more as light derision than faithful representation. Writing at the end of a decade that witnessed the self-fashioning of the Parisian Polish émigré community as *pèlerins*, Probst the German uses the French *pèlerin* to belittle this Polish self-fashioning as the French *mode*, whose musical exponent was Chopin.

But Probst's description betrays more than a mocking tone. Chopin's so-called 'Pilgrim's Ballade' was preceded by another ballade widely known as *the* pilgrim's ballade of the 1830s: Raimbaut's 'Jadis régnait en Normandie.' In its review of the premiere of *Robert le Diable*, the *Revue de Paris* refers to Raimbaut not by name, but as the 'pèlerin' and his song as a 'ballade.'[40] *The Harmonicon*, in its review of the opera, refers

---

[37] Ch. de Montalembert's 1833 French translation of Mickiewicz's *Ksiggi narodu polskiego i pielgrzymstwa polskiego* [Livres de la nation et du pèlerinage polonais] introduces F. de La Mennais's *Hymne à la Pologne*, which appears in the same volume.

[38] I rely on the translation of Jeffrey Kallberg, who brought this letter to our attention in: 'Chopin in the Marketplace...,' *op. cit.*, pp. 812–813.

[39] *Ibidem.*

[40] *Revue de Paris*, 1831, vol. 31, pp. 245–46.

to Raimbaut's song as 'The pilgrim's ballad.'[41] And the opera's *livret de mis en scène* itself specifies that, at the outset of this scene, 'pilgrims are seen crossing in the background' ('On voit dans le fond des pèlerins qui traversent').[42] Suddenly, Probst's dismissive description of Chopin's ballade becomes richly resonant: with a well-placed word, Probst gathered up the French operatic and Polish literary strains that, by 1839, had come to be heard with the mention of a *ballade*.

Having traveled far from the putative Polish setting of the ballades, the Polish Chopin-Balladeer in Paris shared a kinship with the Norman Raimbaut-Balladeer in Sicily. Seated at the keyboard at a Parisian soirée, surrounded by rapt listeners sympathetic to the Polish cause, Chopin became the ballade-singer of the drawing room, and his ballades became his Polish operas. For the extent of his Parisian years, but especially in his last decade, Chopin's illness was visible and audible to those listeners. His frequent bouts of laryngitis and his quickness to tire would not have encouraged images of Chopin singing and dancing on an operatic stage. But through his pianos ballades, his instrumental *drames complets*, Chopin sang and danced on a sonic stage. As 'la Sylphide,' Marie Taglioni, dancing the role of the mother abbess in *Robert le Diable*, wowed audiences with her airy nobility, grace, and *souplesse*, so did 'le Sylphe' move listeners with his similar dance on the keys. And as Laure-Cinti Damoreau, singing the role of Isabelle in *Robert le Diable*, dazzled Chopin with her chromatic runs and exquisite technique, so did Chopin thrill his listeners with his chromatic runs, in octaves—think of the thunderous conclusion of his *First Ballade*—and melt them with the quality of his tone. In the theater of the drawing-room, at the proscenium of his instrument, Chopin was singer, dancer, dramaturge, prompter, and conductor, in his piano ballades—Chopin's operas.

---

[41]   *The Harmonicon*, January 1833, vol. II, n. I, pp. 13–14.
[42]   H. R. Cohen, *op. cit.*, p. 185.

STRESZCZENIE

OPERY CHOPINA

W latach trzydziestych XIX wieku największy poeta polski Adam Mickiewicz i największy kompozytor Chopin przebywali jako uchodźcy w Paryżu. Pierwszy pisał, a drugi komponował ballady. Fakt, że obaj artyści byli twórcami ballad żyjącymi w tym samym miejscu, zainspirował piśmiennictwo muzyczne, od czasów Schumanna, by dopatrywać się w balladach Chopina wzorów ballad Mickiewicza. Mickiewicz rozpoczął tworzenie ballad przed przybyciem do kosmopolitycznego Paryża, dlatego też uznano, że Chopin musiał również rozpocząć komponowanie swej pierwszej ballady przed przybyciem do Paryża, jesienią 1831 roku. Nie ma jednak żadnego dowodu na poparcie tego twierdzenia.

Autor stawia tezę, że Chopin rozpoczął komponowanie swej pierwszej ballady po przybyciu do Paryża i że w rzeczywistości jego ballady fortepianowe są wynikiem oddziaływania tradycji ballady wokalnej, zarówno jako pieśni popularnej, jak i integralnej części opery. Kiedy Meyerbeer przeniósł balladę na scenę operową w *Robercie Diable,* nabrała ona większej wagi muzycznej i dramaturgicznej. To z kolei oddziałało na salonową balladę wokalną, która w coraz większym stopniu nabierała znaczenia „pełnego dramatu". W odróżnieniu od rozbudowanyh gatunków postklasycznych, które były nasycone wirtuozerią, ballada tworzyła rozbudowaną formę, w której na pierwszy plan wysuwało się wyśpiewanie jakiejś historii. Żadna inna forma muzyczna nie dawała dotąd Chopinowi lepszych możliwości dla wyrażania jego miłości do opery i śpiewaków, wykonujących tak drogie jego sercu partie pełne rytmów tanecznych i stylizowanych na ludowo melodii. Namawiany przez swych najbliższych do skomponowania wielkiej narodowej opery, Chopin uczynił z ballady fortepianowej estetyczny odpowiednik opery.

Bach — Beethoven und Chopin.
Zu Fryderyk Chopins *Sonate Nr. 1 c-Moll*, op. 4

Michael Heinemann
(Dresden)

E ine Schülerarbeit sei es, unausgereift, zu Recht vom Komponisten zurückgehalten und sicherlich kein vollgültiges Werk. Das negative Urteil über Chopins erste Klaviersonate, dem Lehrer Józef Elsner gewidmet und doch erst
posthum veröffentlicht, dominierte die Chopin-Literatur so weitgehend, daß es lange
Zeit fast unmöglich schien, dem Werk mehr als einige wenige gelungene Momente
zugestehen zu sollen[1]. Gewiß: Weder war Chopin ein „geborener" Sonatenkomponist,
noch zeigt diese frühe Komposition jene idiomatischen Züge, die seinen individuellen
Ton kennzeichnen. Beides sollte jedoch das Verdikt nicht verdoppeln; vielmehr ist das
eine als wechselseitige Bedingung des anderen zu verstehen: Als Chopin sich der
hochstehendsten aller Gattungen der Klavierkomposition widmete, glaubte er, auf
jene „polnischen" Momente verzichten zu müssen, die seine früheren Werke noch —
oder besser: schon — prägten. Indem er sich aber aufs Material und dessen Implikationen beschränkte, rückten Kompositionstechniken und Konstruktion in den Vordergrund, und mit ihnen zugleich jene Abweichung vom Schema, die ihrerseits das negative Urteil erneut bestätigen hilft. Auch die vielfach vermerkte Beobachtung, daß das
Hauptthema des Eröffnungssatzes der *Sonate* ein wörtliches Zitat aus Johann Sebastian Bachs zweistimmiger *Invention* in derselben Tonart ist, ändert an der Bewertung des
Werkes wenig: So ungeeignet dieser Rekurs auf einen musikalischen Gedanken aus
dessen barocker Anthologie ist, da allenfalls für eine kontrapunktische Verarbeitung
tauglich, nicht aber für die Exposition einer Sonate (zumal in der traditionsreichen
Tonart *c-Moll*), so wenig günstig erscheint bereits der Versuch, in einer Gattung sich
auf Bach zu beziehen, die dieser als Klavierkomponist kaum schon am Rande kultiviert hatte. Nicht zuletzt dieser seltsam verquere Anknüpfungspunkt verrate die mangelnde Erfahrung, Unbeholfenheit oder Ungeschicklichkeit, die der junge Chopin,
kaum 18jährig, habe erkennen lassen, als er sich — zum ersten Mal — der Klaviersonate als kompositorischer Aufgabe stellte.

Zu behaupten, daß Chopin mit dieser seiner ersten Klaviersonate den Anforderungen des Genres nur unzureichend gerecht geworden sei, impliziert jedoch unmittelbar
zwei Fragen, deren eine, ob seine beiden späteren Werke dieser Gattung nicht ebenfalls nur als defiziente Modi eines durch zahllose Beispiele anderer Komponisten und

---

[1] Vgl. gegenüber den zahllosen negativen Urteile die Bilanz Mieczysław Tomaszewskis, *Frédéric Chopin und
seine Zeit*, Laaber 1999, S. 177.

Lehrbücher sanktionierten Schemas zu sehen seien, zunächst zurückstehen mag vor der ungleich gewichtigeren, wer diese Bezugsgröße für die Sonatenkomposition definierte. Offensichtlich sind es die von Adolph Bernhard Marx aus Ludwig van Beethovens Klaviersonaten abgeleiteten Vorgaben, die zum ästhetischen Maßstab genommen werden und deren Inkompatibilität umso mehr zur Abqualifizierung gereicht, als Chopin auch seinen sonst bereits ausgeprägten Ton vermied. Mit diesem Modell, das nur Werke eines bestimmten formalen Zuschnitts für eine Diskussion zuläßt und mit dem mittels solcherart selektierter Sonaten im Sinne der Erfüllung analytisch einlösbarer Stationen und Anhaltspunkte eine Problemgeschichte des Komponierens (re-)konstruiert wird, ist die Individualität eines Werkes wie der *c-Moll-Sonate* op. 4 von Chopin kaum zu fassen. Ob sie ein Beitrag zur Gattungsgeschichte sein kann, wäre auch durch eine minutiöse Analyse zu erweisen, die allerdings stets dem Verdacht ausgesetzt wäre, mit der Intention, ein bislang eher unterschätztes Werk nobilitieren zu wollen, eine Unzahl von Bezügen motivisch-thematischer Konnexe und harmonisch raffinierter Dispositionen zu demonstrieren, die eine ebenso dichte Konstruktion des Werks suggerierte wie sie doch über die ästhetische Dignität wenig besagte[2]. Indizien zu finden, daß ein Werk vielschichtig und konstruktiv ambitioniert sei, gelingt (allzu) leicht und ist doch kaum mehr als das Resultat analytischen Eifers.

Vielversprechender hingegen ist es, zunächst den Platz des Werkes in einer kompositorischen Biographie Chopins zu bestimmen, nicht also zuerst Defizite zu konstatieren, sondern vielmehr die Idee zu rekonstruieren, die dieser *Sonate* zugrundeliegt und ihre ganz spezifische Form bedingt.

Auszugehen ist demnach nicht von dem — gewiß nicht unproblematischen — Versuch, Momente der Sonatenform in der *c-Moll-Sonate* wiederzufinden, sondern von jenen Hinweisen, die das Werk eher beiläufig liefert und mittels deren es — zumindest subjektiv, von Seiten des Komponisten — eben nicht als ein Parergon gesehen werden sollte: dem auffälligen Bach-Zitat zu Beginn und der Widmung an den Lehrer.

Sich an einer solch exponierten Stelle auf ein Werk Johann Sebastian Bachs zu beziehen, war um 1827/28 mindestens ungewöhnlich. Zwar waren die Klavierwerke des Thomaskantors, kaum je gänzlich vergessen, zumindest in Abschriften von Schülern und zunehmend auch Sammlern neben den Komponisten auch den Kennern und Liebhabern stets präsent geblieben, und selbst wenn die Versuche einer Gesamtausgabe der (Klavier-) Werke Bachs, die der Leipziger Verlag Hofmeister & Kühnel mit Unterstützung von Johann Nikolaus Forkel unternahm, glücklos abgebrochen werden mußten, so lagen doch die Hauptwerke — unter ihnen vor allem das *Wohltemperierte Klavier*, die *Chromatische Fantasie und Fuge* (BWV 903) und eben auch die zweistimmigen *Inventionen* und dreistimmigen *Sinfonien* — um 1825 bereits (mehrfach) im Druck vor[3]; daß sie auch den Virtuosen unter den Pianisten ihrer Zeit zum täglichen Studium dienten, ist

---

[2] Vgl. die ungemein weitreichende Analyse von Wojciech Nowik, „Sonata c-moll op. 4 Fryderyka Chopina — pomiędzy akademizmem a prekursorstwem" [Fryderyk Chopins Sonate c-Moll op. 4 — zwischen Akademismus und Vorläufertum], in: *Rocznik Chopinowski* 21 (1995), S. 80–114; ferner Józef Michal Chominski, *Sonaty Chopina*, Kraków 1960.

[3] Vgl. Karen Lehmann, „Die Idee einer Gesamtausgabe. Projekte und Probleme", in: Michael Heinemann und Hans-Joachim Hinrichsen, *Bach und die Nachwelt*, Bd. I: 1750–1850, Laaber 1997, S. 255–299.

allenthalben bezeugt. Chopin macht keine Ausnahme, wenn er auf den disziplinieren-
den Wert des Bach-Spiels rekurriert, zur Erzielung eines gleichmäßigen Anschlages
und der Möglichkeit, einen polyphonen Satz genauestens durchhörbar zu gestalten.
Anhaltspunkte für eine explizite Bach-Rezeption bietet sein Œuvre zudem bekannter-
maßen vielfach: In Anlage und Faktur der *Préludes*, in der Adaption harmonischer Mo-
delle und der konsequenten Linearität zumal in den *Études* (op. 10 und op. 25)[4].
Gleichwohl: Weder waren es Sammlungen von Fugen (wie etwa Antonin Reicha oder
Alexander Klengel sie vorlegten), die Chopins Bach-Rezeption bezeichneten oder als
eine Bach-Hommage anzusehen wären, noch auch geistliche Musik, mit der er an
Werkgruppen des Thomaskantors hätte anschließen wollen. Ebensowenig schrieb Chopin B-A-C-H-Kompositionen. Die Übernahme des Anfangsmotivs aus der *c-moll-
Invention* bleibt singuläres Zitat und suggeriert, eben weil derart demonstrativ an den
Beginn eines „Sonate" betitelten Stückes gerückt, in seinem Bezug auf Bach eine historische Legitimation seines Komponierens — in einer ambitionierten kompositorischen
Gattung, doch an deren Exponenten gewissermaßen vorbei: Chopin sucht eben nicht
die Anknüpfung an Beethoven, sondern vermeidet umgekehrt ganz bewußt die Auseinandersetzung. Ähnlich wie in den *Don Giovanni-Variationen* ein von Beethoven zu höchs-
ter Artifizialität geführtes, sonst eher trivial behandeltes kompositorisches Verfahren
gemeint war, doch deren Hauptvertreter nicht benannt wurde und Mozart mithin als
Surrogat firmiert, ist auch Bach nur Substitut des eigentlichen Orientierungspunktes,
den allerdings die Gattungszuschrift nahelegt. Um Beethoven auszuweichen und den
Schritten des Riesen hinter sich zu entgehen, verfällt Chopin auf ein geschichtlich
früheres Stadium: Hier waren neue Anhaltspunkte für Wege zu finden, die Beethoven
noch nicht beschritten hatte. Die Erkenntnis, in unmittelbarer Nachfolge Beethovens
der Sonatenkomposition keine neuen Aspekte mehr abgewinnen zu können, zumal
auch dessen Spätwerke kaum mehr Lücken anboten, die auszufüllen gewesen wären,
veranlaßte Chopin demnach, die historische Situation vor dieser Überfigur der (Kla-
vier-) Komponisten des frühen 19. Jahrhunderts zu erinnern, um Möglichkeiten zu
finden, die Sonatenform in sein kompositorisches Repertoire aufzunehmen, ohne
sogleich zum Epigonen zu werden. Genau dieselbe Denkfigur, nur mit anderen Vorzeichen, erklärt auch den zunächst wenig einleuchtenden Rekurs auf Bach im Hauptthema: An dessen Œuvre war erfolgreich nicht mit der Komposition von Fugen anzu-
knüpfen — die Beispiele vor allem von Klengel sind in ihren hybriden, monumental-
montrösen Formaten und dem Versuch, *Kunst der Fuge* und *Goldberg-Variationen* in einem
riesenhaften Zyklus noch zu überbieten, beredte Zeugnisse. Ebenso wie das kontrapunktische schien auch das harmonische Potential Bachscher Musik mit den Mitteln
klassisch-romantischer Tonalität schlechterdings nicht mehr zu erweitern. Nicht in der
Negation des barocken Ansatzes durch ein emphatisches Bekenntnis zu künstlerischem
und gesellschaftlichem Fortschritt, wie Antonin Rejcha es mit seinen Fugen und einer
harmonischen Konzeption nach einem neuen System proklamierte, ersah Chopin die

---

[4] Vgl. Walter Wiora, „Chopins Préludes und Études und Bachs Wohltemperiertes Klavier", in: Zofia Lissa
(Hrsg.), *The Book of the First International Musicological Congress Devoted to the Works of Frederick Chopin*, Warszawa
1963, S. 73–81; ferner Detlef Gojowy, *Die Einflüsse Johann Sebastian Bachs auf Frederic Chopin*, Schriftliche
Hausarbeit zur Staatsprüfung für das künstlerische Lehramt, Ms. Berlin-Charlottenburg 1961.

Möglichkeit einer produktiven Auseinandersetzung, die zugleich individuelle Aneignung deren kompositorischer Erfahrungen erlaubte, sondern in einer auf den ersten Blick mutwilligen, zweifelsohne riskanten Kombination genuiner Strukturmomente Bachschen und Beethovenschen Komponierens. Erst die Engführung eines historischen Themas, dessen Design eine polyphone Durchführung nahelegte, nicht aber eine klassische Perioden- und Kontrastbildung begünstigte, mit einem Formmodell, dessen Implikationen „nach" Beethoven (im doppelten Wortsinne) hinlänglich ausgereizt erscheinen, ist für Chopin die Bedingung der Möglichkeit, überhaupt noch ein Werk in diesem Genre zu komponieren — und zugleich, an Bach anzuschließen.

Wie Chopin strukturelle Momente Bachschen Komponierens aufgriff und mit einer klassischen Syntax zu verbinden suchte, zeigt bereits die Anlage des Hauptthemas. Das Motiv der *Invention* Bachs — die ersten anderthalb Takte — ist am Ende rhythmisch profiliert, der aus der scharfen Punktierung gewonnene Gedanke dann sequenziert und kadenziell in der Tonika beschlossen. Das Moment der Imitation, konstitutiv für Bachsche Inventionen, reflektiert die Begleitung, deren Ansatz das Kopfmotiv oktavversetzt imitiert; die chromatisch abwärts geführten Terz-Parallelen erinnern nicht nur in ihrer Linearität und der sinnenfälligen Affinität zum Lamentobaß weitere barocke Momente, sondern vervollständigen zugleich das Total aller zwölf Stufen der Tonleiter bereits in den ersten vier Takten: Kaum merklich ist die harmonische Fülle, die Bachs Musik auszeichnete und vielleicht der wichtigste Parameter war, auf die sich die kompositorische Bach-Rezeption des 19. Jahrhunderts bezog, eingeholt. Dem entspricht, daß auch die Kadenz des vierten Taktes nicht lediglich mit den Hauptstrukturtonstufen argumentiert, sondern in der Integration eines alterierten Akkordes — zugleich Resultat der konsequent chromatisch geführten Linien — die klassische Harmonik durch den Rückgriff auf die polyphone Struktur erweitert und ineins aufgehoben wird.

Der zweite Viertakter des Hauptthemas bietet eine subdominantische Variante des Inventions-Motivs, das jedoch nun nicht mehr imitativ aufgegriffen wird, dessen Initial der kreisenden Wechseltonfigur jedoch als strukturbildendes Element fast unmerklich in der Kadenz befestigt wird. Harmonisch bedarf es der Erweiterung des stets auf die *c-Moll*-Tonika mühelos zu beziehenden Akkord-Repertoires umso weniger, als die reiche Binnenchromatik hinlänglich unterschiedliche Tonstufen und Varianten anspielt und einbezieht. Der achte Takt ist mit der dreifachen Ausprägung des *c-Moll*-Akkordes in verschiedenen Registern die deutlichste Bestätigung der Tonika. Zwei weitere, jeweils wieder vier Takte messende Glieder bilden eine Überleitung, die aus dem zweiten Thementakt entwickelt wird, dessen chromatische Dichte sequenzierend fortsetzt, erneut kurzfristig die führenden Stimmen in Lagen und Händen wechseln läßt und „risoluto" die Dominante halbschlüssig erreicht: Plattform für den Einsatz des Seitenthemas.

Gleichwohl wird die hochgesteckte Erwartung jäh getäuscht. So emphatisch die Vorbereitung, so wenig ist der anschließende Gedanke Ereignis, ja allein Kontrast. Kaum verändert in irgendeinem, auch klanglich konstitutiven Parameter, erweist sich das als Seitenthema eingeführte Gebilde als Derivat lediglich des zweiten Taktes aus dem Eingangsthema, durchaus konsequent in quadratischer Syntax entwickelt und allenfalls im Ausdruck, doch eben nicht harmonisch ein Gegensatz. Die *c-Moll*-Tonika bleibt auch im weiteren verbindlich, bei allen motivisch-melodischen Fortspinnungen, die zunehmend klangsinnlich und immer mehr vom Chopinschen „Ton" geprägt werden und veritable Durchführungsmomente erhalten. So reich die motivische Arbeit und so intensiv zunehmend die chromatische Durchdringung: Die Dominante wird erst in der Schlußgruppe erreicht, und doch sind die dort ausgebildeten Motive zu schwach, um als Seitenthema zu firmieren, zudem auch zu „spät" plaziert im Verlauf der Exposition, um noch in den Prozeß integriert werden zu können.

Freilich wird man den Verlauf dieses ersten Teils der *Sonate* ohne Schwierigkeiten als defizitär beschreiben können, in der unzureichenden Profilierung unterschiedlicher musikalischer Gedanken und deren wirkungsvollen Kontrastierung, an der im dramaturgischen Verlauf zu früh ansetzenden intensiven Verarbeitung einzelner Motive und Thementeile, vor allem aber wohl in der wenig klaren harmonischen Disposition: Zu sehr und zu lange ist die Tonika präsent, Nebenstufen bleiben im chromatisch übersättigten Tonsatz aus, bis auf den Schlußgedanken ist *c-Moll* für alle neu-präsentierten Motive konstitutiv. Diese zumal im Vergleich mit Beethovens Sonaten wenig vorteilhaften Sachverhalte nunmehr als ästhetische Qualität (um-) werten zu sollen, gelingt allenfalls wieder in Hinsicht auf Bach: Die Idee, in der Faktur und der Exemplifizierung des Potentials eines Themas in unterschiedlichen Gestalten Kombinationen und Entwicklungen zu fokussieren und ein autonomes Stück Musik, als das Sonate ihrem Begriff nach firmiert, zu konstituieren, mochte in Bachs *Inventionen* und der dort gezeigten Möglichkeit, aus einem Motiv, das sich selbst begleiten kann, „alles" zu entwickeln, vorgebildet sein. Die Form der Sonate ist mithin nur Außenhalt und die Stationen der Form in Beethovenschem Sinne zu erfüllen nurmehr sekundäres Anliegen. Weniger das Spiel mit den Möglichkeiten von Sonaten-Formen steht im Mittelpunkt des kompositorischen Konzepts als die sukzessive Entfaltung der Implikationen des motivischen Materials.

Dies auch zeigt die Durchführung, die, von *As-Dur* ansetzend, weitere Aspekte des Eingangsthemas vorstellt, immer wieder aber auf wenig verbindliche Spielfiguren zurückgreift, die sich letztlich aus dem Material des Hauptthemas ableiten ließen, deren Konnex indes zu gering ist, um für den Hörer faßlich werden zu können. Erst in der Reprise werden dann explizit andere Tonstufen etabliert: *b-Moll* für die Wiederholung des Hauptthemas, *g-Moll* zur neuerlichen Präsentation des (scheinbaren) Seitenthemas. Spätestens hier wird jedoch erkennbar, wie wenig Chopin sich noch am harmonischen Raster des Sonatenkonzeptes zu orientieren gedachte. Absurd, ihm mangelnde Fähigkeit zur Beherrschung eines harmonischen Prozesses unterstellen zu wollen, wie sie sich in nicht wenigen Werken seiner (heute meist vergessenen) Zeitgenossen finden, abwegig auch, lediglich die Suche nach anderen Klang-Valeurs als Motiv für die ungewöhnliche Tonarten-Disposition annehmen zu wollen. Die Verweigerung des klassischen Schemas muß als Vorsatz, wenn nicht als Programm gewertet werden. Nichts weniger als akademisch — der Vergleich mit „polnischen" Traditionen der Sonatenkomposition von Mirecki, Lessel oder Elsner ist im Ansatz ebenso verfehlt wie die Suche nach Parallelen der Formbildung beim „mittleren" Beethoven — transzendiert Chopin bereits in seinem ersten Beitrag zu dieser Gattung deren konstitutive, ja essentielle Prinzipien. Fast in Umkehrung des traditionellen Verfahrens präsentiert er zunächst motivische Implikationen des thematischen Materials, und erst nach deren Diskussion wird die Möglichkeit visiert, unterschiedliche harmonische Ebenen anzusteuern. Darin aber bezeichnet die Reprise dennoch eine Lösung, allerdings auf einem völlig neuen Niveau. Der Diskurs führt zu einer Profilierung der musikalischen Gedanken, die Synthese beruht in einer deutlichen Gegenüberstellung unterschiedlicher Positionen, nicht deren vordergründigen Vermittlung.

Das aber war dem Lehrer zu zeigen: Denn nur ein Werk, das — sofern es nicht Konventionen erfüllte und darin den gelehrigen Schüler hätte erweisen sollen — eine selbständige Interpretation eines klassischen Konzepts bedeutete, konnte Józef Elsner als Kompositionslehrer gewidmet werden, keines hingegen, das Defizite in der Beherrschung von Form und Metier offenbart hätte. Nur so wird die Widmung verständlich, die nicht frei von Peinlichkeit wäre, sähe das Werk man als unvollkommen an. Es ist zunächst der Versuch, neue Optionen auf dem Gebiet der Sonatenkomposition zu gewinnen, ein Versuch, der nicht zwingend bereits zu ästhetisch befriedigenden Ergebnissen führen mußte, dessen Ansatz allein zukunftsweisend war: Im Rückgriff auf Bach, den Elsner, der Kontrapunktlehrer, Chopin vermittelt hatte.

Hier schließlich wird denn auch der Zeitpunkt der Entstehung bedeutsam. Im Winter nach Beethovens Tod entstanden, bezeichnet Chopins op. 4 den frühesten Ansatz, sich vom Paradigma, das dessen Sonaten etabliert hatten, zu befreien. Unter diesem Vorzeichen aber erhält Chopins erste Klaviersonate eine Bedeutung auch für eine Problemgeschichte des Komponierens. Indem er neue Möglichkeiten visierte, eröffnete er im Rückgriff auf die Geschichte der Sonatenkomposition eine Zukunft. Vielleicht bedurfte es — geschichtsphilosophisch argumentiert — dieses Impulses von außen, von der Peripherie des Musiklebens, unbelastet vom Leipziger Konservatoriumstil, frei von Pariser Moden, doch in einem jugendlichen Überschwang, der ikonoklastisch gegenüber Beethoven und eklektisch im Umgang mit Geschichte und Traditionen des Komponierens sich gerierte. Daß Chopins Initiative — auch in seinen späteren Sonaten — nur bedingt verstanden wurde, zeigt Schumanns Rezension noch der *Trauermarsch-Sonate*, doch wie perspektivenreich dieses Werk sein konnte, läßt Liszts Zitat des initialen verminderten Septintervalls in seiner *h-Moll-Sonate* (deren Zuschnitt dann allerdings ganz andere Dimensionen der formalen Gestaltung eröffnet) mindestens ahnen.

Zugleich, und auch deshalb war die *c-Moll-Sonate* dem Lehrer zu widmen, zeigt Chopins op. 4 eine kompositorische Emanzipation. Den individuellen Tonfall, Synonym des Polnischen in der Musik, hier zu vermeiden heißt nicht, das eigene Ich zu negieren, bedeutet vielmehr eine (ephemere) Distanzierung von seiner Herkunft, um sich als seriöser Komponist zu etablieren[5]. Hier werden Bach strukturell und Beethoven in bezug auf die Formvorgabe zu ideellen Ahnherren. Nur im Verzicht auf das nationale Idiom, dessen Fehlen in diesem Satz zu Unrecht bedauert wird, konnte op. 4 jener Beitrag zur Gattungsdiskussion sein, den Chopin intendierte. Diese Sonate ist somit ein Indiz für das Bemühen Chopins um künstlerische Individualität, und in der scheinbaren Brüchigkeit ihres Kopfsatzes (die anderen, hier unbeachtet gebliebenen Sätze sind durchaus originell, aber weit weniger unmittelbar, etwa im Rekurs auf Händel oder Schubert, von diesem Bemühen getragen[6]) wird dieser Emanzipationsprozeß manifest. So wird sie zum Eckstein seiner kompositorischen Biographie und ihre Widmung zum Zeichen errungener Identität als Komponist.

---

[5] Vgl. Joachim Kaiser, *Chopin und die Sonate*, in: Heinz Klaus Metzger und Rainer Riehn (Hrsg.), *Fryderyk Chopin*, München 1985, S. 10 (=*Musik-Konzepte* 45).
[6] Vgl. W. Nowik, *op. cit.*, S. 90ff.

STRESZCZENIE

BACH — BEETHOVEN I CHOPIN. *I SONATA FORTEPIANOWA* OP. 4 CHOPINA

Żywotność i oddziaływanie muzyki Bacha można wykazać nie tylko w komponowaniu fug, w koncepcji dzieł cyklicznych lub bezpośrednich adaptacji jakiegoś tematu. Takie podejście, wielokrotnie u Chopina konstatowane, oznacza jednak tylko zewnętrzną stronę recepcji Bacha. Na przykładzie *I Sonaty* można zademonstrować jak bogate są wpływy, jakie dzieło Bacha pozostawiło na harmonice, formie, strukturze i pracy tematycznej. Op. 4 Chopina jest przyczynkiem do historii sonaty, a jednocześnie bardzo osobistym *hommage* Chopina dla lipskiego kantora.

ÜBER DIE PIANISTISCHE ERFINDUNG MUSIKALISCHER STRUKTUREN IN CHOPINS *RONDO C-DUR* OP. 73

Hartmuth Kinzler

(OSNABRÜCK)

Betrachtet man die Entwicklung der kompositorischen Fähigkeiten Chopins von ihren Anfängen an, dann zeigt sich, daß im Hinblick auf motivisch-thematische und satztechnische Erfindung aus den Gegebenheiten des Klavierspiels heraus seine zentralen Neuerungen schon früh, d.h. etwa ab Mitte der 20er Jahre, in den Grundzügen vorlagen. Chopins Neuerungen auf dem Gebiet der Form hingegen wurden erst später allgemein deutlich, spätestens mit der Schaffung einer eigenen Gattung, nämlich der der Klavierballade, aber auch durch seine Umformung traditioneller Gattungen u. a. durch die Prinzipien der Formkreuzung[1]. In den Werken der mittleren und späten Phase seines Schaffens überwiegen für die musikalische Erfindung dann eher innermusikalische, gewissermaßen spieltechnikunabhängige Problemstellungen, obwohl er auch dann noch immer wieder auf spieltechnisch Inspiriertes zurückgreift.

Bei der Erfindung musikalischer Strukturen aus dem Geist des Klavierspiels ist zu beachten, daß Chopin quasi autodidaktisch — aufbauend vor allem auf dem eigenen Spiel Bachscher[2], aber auch zeitgenössischer Werke[3] — eine eigene, von der damaligen traditionellen Lehre abweichende Technik des Spielens entwickelt hat, die ihrerseits ebenfalls schon Mitte der 20er Jahre weitgehend abgeschlossen war. Zu diesen Neuerungen gehören:
1. Vor allem eine freiere, „geschmeidige" Stellung der Hände bzw. der Finger[4] — dies ermöglicht insbesondere das gebundene Spiel von Arpeggien in weiter Lage[5] — und

---

[1] Zu diesem Terminus vgl. Zofia Lissa, „Die Formenkreuzung bei Chopin", in: *Book of the First International Musicological Congress devoted to the Works of Frederick Chopin*, Warszawa 1963, hrsg. von ders., S. 207–212.

[2] Nahezu jede der unten aufgeführten spieltechnischen Besonderheiten ergibt sich beispielsweise mehr oder minder direkt aus den Erfordernissen des drei- und mehrstimmigen polyphonen Spiels.

[3] Vgl. etwa Jean-Pierre Armengaud: „Techniques et esthétiques pianistiques entre 1820 et 1830: leurs influence polonaise sur Frédéric Chopin", in: *Pianiści-wirtuozi w Paryżu wokół Chopina* [Le[s] pianistes-virtuoses à Paris autour de Chopin], hrsg. von Irena Poniatowska u. Danièle Pistone, Warszawa 1999 (=*Chopin w kręgu przyjaciół* [*Chopin parmi ses amis*] Bd. V), S. 81 ff.

[4] Zentralbegriff ist hierbei die sogenannte „souplesse". Insbesondere muß die Fingerlinie nicht mehr notwendig als gerade Fortsetzung der Tastenlinie gedacht werden, eine Krümmung der Finger, um eine einheitliche Linie senkrecht zu den Tasten zu erzeugen, ist nicht mehr erforderlich. Seitwärtsbewegungen der Hand aus dem Handgelenk heraus werden ins Bewegungsrepertoire eingeführt. Vgl. dazu etwa Karol Mikuli „Vorwort" zu *Fr. Chopin's Pianoforte-Werke revidirt und mit Fingersatz versehen (zum größten Theil nach des Autors Notierungen)*, Bd. I ff., Leipzig 1879, insbesondere S. III b.

[5] Musterbeispiel hierfür ist die große *C-Dur-Etüde* op. 10, Nr. 1. Vergleichbare Arpeggien in weiter Lage kommen in op. 73 und anderen früheren Werken noch nicht oft vor, sind aber spätestens in der *Ecossaise*

2. neue Prinzipien des Fingersatzes
   - der Daumen kann nunmehr auch auf schwarze Tasten gesetzt werden, wo dies zuvor verpönt war,
   - Einbeziehung des Über- statt des ausschließlichen (Daumen)-Untersetzens[6], verstärkte Einbeziehung des stummen Fingerwechsels
   - sowie das sukzessive Anschlagen nebeneinanderliegender Tasten mit demselben Finger[7].

Für die klavieristisch-kompositorische Erfindung relevant ist ferner:

3. Chopins vertiefte Auseinandersetzung mit dem Umstand, daß der Klavierton im Unterschied zu dem anderer Instrumente nach seinem Anschlagen in seiner Lautstärke rasch abnimmt, wobei aber auch die unterschiedlichen Weiterkling-dauern und Klangcharakteristiken hoher und tiefer Register bedacht werden müssen,
   - dazu — gewissermaßen als Negativdarstellung — gelegentliches hörbares un-gleichzeitiges Beenden gleichzeitig erklingender Töne[8] —,
   - außerdem — bisweilen auch durch die Notation explizit gefordertes[9] — gleichzeitiges Anschlagen von Tönen mit unterschiedlicher Lautstärke in der-selben Hand, und schließlich

4. die kompositorische Auseinandersetzung mit dem Umstand, daß eine Taste auf verschiedene Arten niedergedrückt werden kann — vor allem also die Unterschei-dung von Finger-, Handgelenks- und Unterarmanschlag[10], u. a. eine der Voraus-setzungen für das bei Chopin spätestens seit der *Sonate* op. 4 voll ausgebildete vir-tuose Doppelgriffspiel.

Ebenfalls beachtet werden müßte im vorliegenden Zusammenhang, daß sowohl die Klangcharakteristik als auch die Spieltechnik — etwa im Hinblick auf die Durchhörbarkeit oder den erforderlichen Krafteinsatz — sich natürlich auf die da-maligen Instrumente beziehen. Hierbei sind die Unterschiede zwischen den heutigen Instrumenten und jenen aus den letzten Lebensjahren des Komponisten geringer als die zwischen diesen und den Instrumenten aus der Jugendzeit des Komponisten.

---

op. 72, Nr. 2 — man beachte dort den Originalfingersatz 1–2–4–5 in der zweiten Hälfte von Takt 2 — oder in bestimmten Teilen aus Opus 1 zu finden.

[6] Hier konvergiert die Chopinsche Klaviertechnik am deutlichsten mit Prinzipien der barocken Applika-tur, vgl. Carl Philipp Emanuel Bachs Ausführungen zum „Ueberschlagen", 62. §, in: *Versuch über die wahre Art das Clavier zu spielen, erster Theil*, Berlin 1753, Nachdruck Leipzig 1958, S. 14 f.

[7] Vereinzelt auch das gleichzeitige Anschlagen jener beiden schwarzen Tasten, zwischen denen zwei weiße angeordnet sind, allein mit dem Daumen, vgl. etwa op. 11, 2. Satz, Takt 16 u. 57, jeweils R. H., 3. Viertel.

[8] Aus dem fraglichen zeitlichen Umkreis wäre etwa die Figuration der rechten Hand in Takt 100 f. und 104 f. von Opus 1 zu nennen.

[9] So in den Schlußtakten des *B-Dur-Préludes* op. 28, Nr. 21. Das nach Kenntnis des Verfassers wohl früheste Beispiel für explizit notationsmäßig gefordertes unterschiedlich lautes Anschlagen von Tönen, die mit derselben Hand zu spielen sind, findet sich im 2. Satz von Beethovens *Klaviersonate* op. 27, Nr. 2, im Trio, L. H., Takt 37, 41, 49 u. 53.

[10] Die sog. Schultertechnik spielt bei Chopin noch keine Rolle. Die theoretische Aufarbeitung dieser Techniken in Lehrbüchern des Klavierspiels erfolgte erst später.

Dieser Aspekt bedürfte eigener längerer Ausführungen und wird hier aus Platzgründen nicht entfaltet.

Unter den Gesichtspunkten der Entwicklung des Chopinschen Stils nimmt das *Rondo* op. 73 eine besondere Stellung ein, nicht weil es sich um ein besonders gelungenes und von Chopin auch selbst autorisiertes oder außerordentlich geschätztes Werk[11] handelt, sondern weil es jene Entwicklungsstufe markiert, ab der die Pianistik und ihre generative Wirkung nunmehr voll entfaltet sind, und überdies seine Umarbeitung in ein Werk für zwei Klaviere für die genannten Aspekte pianistischer Erfindung lehrreiche Einsichten ermöglicht[12].

Exkurs I: Bemerkungen zur Großform von op. 73

Die zuvor konstatierte relative Unselbständigkeit des jugendlichen Chopin in Sachen musikalischer Großform — er begann mit der Stütze traditioneller Formen[13], insbesondere mit der der Tanzformen, aber auch von Formen wie der *Variationen*form oder eben der *Rondo*form — bedeutet nicht, daß ein Werk wie das *C-Dur-Rondo* in dieser Hinsicht völlig uninteressant wäre. Dazu — gewissermaßen vorab — einige wenige Stichpunkte[14]. Traditionell wäre — von einer umfänglichen Einleitung abgesehen — die grobe Formgebung in A-B-A-B'-A*, wobei der Strich sich hier darauf bezieht, daß bei der Wiederholung der entsprechende Teil im wesentlichen eine Transposition im Quintabstand beinhaltet — also ein Sonatenelement enthält —, während der Asterisk bei A signalisieren soll, daß der letzte Refrain eine gewisse variierende Veränderung und Verkürzung erfahren hat. Bei genauerer Betrachtung zeigt sich, daß der B- bzw. B'-Teil jeweils in 3 bzw. 4 Teile untergliedert werden kann, und zwar in einen Überleitungsteil (Ü) zwischen Refrain (A) und Couplet (B), das Couplet selbst und einen Rückleitungsteil (R) vom Couplet zum Refrain, wobei beim Überleitungsteil selbst wiederum zwei Teile unterschieden werden können, von denen der zweite durchaus den Charakter eines eigenen Couplets (B¹)[15] hat. Als eine weitere Besonderheit, die eine durchaus originale Chopinsche Formidee darstellt, kann man feststellen, daß vor dem zweiten Überleitungsteil seinerseits ein Abschnitt liegt, der zwar von manchen Autoren als schon zur Überleitung gehörig aufgefaßt wird, jedoch im strengen Sinn als eine an den Refrain anschließende Durchführung (Df) des Refrains angesehen werden sollte — mithin eine weitere Modifizierung der *Rondo*form in Richtung Sonate[16]. Das

---

[11] Immerhin äußerte sich Chopin in seinem Brief vom 9. September 1828 an Tytus Woyciechowski relativ positiv über das Werk, wobei offen bleiben muß, ob er sich dabei nicht möglicherweise primär auf dessen Aufführung gemeinsam mit Maurycy Ernemann bezieht. Ähnliches gilt für einen zweiten Brief an Tytus vom 27. Dezember desselben Jahres.

[12] Auch von op. 1 existiert neben der zweihändigen eine Fassung für 4 Hände, bei der allerdings nicht sicher ist, ob sie auf Chopin selbst zurückgeht.

[13] Als ein Sonderfall erschiene hierbei die monothematische Sonatenform von op. 4; sie muß jedoch vor der Norm dessen gemessen werden, was ihm zur Zeit der Komposition dieses Werkes bekannt war.

[14] Man beachte die — wenn auch minimalen — Differenzen zum Formschema bei Hieronim Feicht, „Ronda Fr. Chopina", in: *Kwartalnik Muzyczny*, 6. Jg. (1948), *H.* 23 (Juli-Sept.), S. 46 (Feicht beginnt dort mit der Taktzählung allerdings erst nach der Einleitung).

[15] Die thematische Gewichtigkeit dieses Teils wird noch dadurch unterstrichen, daß Chopin ihn in der Fassung für zwei Klaviere mit einer zusätzlichen, gänzlich neuen melodischen Gestalt versehen hat — der einzigen derartigen Erweiterung im Rahmen der Bearbeitung zum Duo.

[16] Überspitzt ließe sich formulieren, daß die Leerstelle der zweithemigen Sonatenhauptsatzform in Chopins Jugendwerken von den Rondi ausgefüllt wird, die sich diesem Formmodell annähern.

Formschema könnte somit lauten [17]: A-Ü-B^1-B^2-R-A-(Df)-Ü'-B$^{1'}$-B$^{2'}$-R-A*.

Ein weiterer origineller Formgedanke Chopins ist nun, daß er die latente Zweiteiligkeit seines *Rondos* dadurch noch durchbricht, daß auch der Rückleitungsteil beim zweiten Mal eine Modifizierung erfährt. Sie besteht darin, daß die zweite Rückleitung an der Stelle, wo beim ersten Mal eine kurze Reminiszenz an das Couplet eingefügt ist (Takt 169 ff.), nunmehr eine solche an den Refrain erscheint (Takt 337 ff.).

Daneben — und auch dies gehört nicht zu den Selbstverständlichkeiten der Gattung — gibt es Teile, die in Stellung und Funktion zwar einander entsprechen, aber mehr oder minder unterschiedlich gestaltet sind. Dazu zählt erstens: die Fortsetzung jenes Überleitungsthemas, das als B^1 bezeichnet wurde. Jener Teil Takt 81 bis 86, der in der linken Hand virtuose Sechzehntelfigurationen einführt — dies übrigens ein fester, durchaus pianistischer Bestandteil einer ganzen Reihe von Jugendwerken[18] —, wird bei seiner Wiederholung Takt 273 ff. ersetzt durch einen Abschnitt, der eher eine unmittelbare entwickelnde Fortsetzung des Vorherigen darstellt. Dies ist insofern bemerkenswert, als man den Teil B^1 begreifen kann als einen Formabschnitt, der zwar in der Gestaltung seiner Begleitungsstruktur dem eigentlichen Couplet, dem Teil B^2, entspricht, aber im Auf und Ab seines Melodieumrisses dem Refrainthema selbst ähnelt. Vom *Rondothema* ableitbar wäre aber eben auch dieser beim zweiten Durchgang ersetzte Abschnitt mit der Figuration der linken Hand: das *Rondothema* nämlich weist in den Takten 38 bis 40 bzw. 62 f. eine Melodisierung des Basses auf und auch die dortigen synkopierten Sexten der rechten Hand finden sich in der Gestaltung der rechten Hand von Takt 81 ff. wieder. (Eine ähnliche Streichung einer Passage mit virtuoser linker Hand ist in Takt 329 zu beobachten: dort wäre ein Abschnitt zu erwarten, der den Takten 143 ff. entspricht, statt dessen beginnt hier eine Rückleitung zu dem oben als Reminiszenz bezeichneten Formteil Takt 337 ff.; bemerkenswert auch, daß der zur Reminiszenz führende Abschnitt beim ersten Mal nicht als Rückleitungsmoment, sondern als Steigerungsanlage komponiert ist.)

Zu den substituierten Teilen gehören auch — durchaus auffällig — die zum Couplet hinführenden Brückenabschnitte Takt 99 ff. bzw. 287 f., einschließlich des unmittelbar vorangehenden Formteils[19]. Dies hinwiederum ist insofern bemerkenswert, als es keine großformalen Gründe gibt, weshalb die Teile in Länge und Inhalt unterschiedlich gestaltet werden sollten: die harmonischen Verhältnisse entsprechen einander, es handelt sich jeweils um die Verbindung des dominantischen Auftaktakkordes zur anschließenden, in Moll stehenden Tonika des eigentlichen Couplets (E^7 -> a bzw. H^7 -> e).

---

[17] Zur leichteren Orientierung die Taktzahlen: Takt 1–24 (Einleitung), A: 25–64, Ü: 65–72, B^1: 73–102, B^2: 103–134, R: 135–184, A: 185–220, Df: 221–252, Ü': 253–260, B$^{1'}$: 261–288, B$^{2'}$: 289–320, R: 321–360 (mit „Kadenz") und A*: 361–408 (mit Coda). Selbstverständlich ließe sich das Formschema noch weiter differenzieren, etwa innerhalb von B^1: Takt 73–80 (Thema), 81–86 (Fortführung), 87–98 (Passagen) und 99–102 („Überleitungsbrücke").

[18] Z. B. die dritte der *Variationen* über das Schweizerbub-Thema und — ebenfalls als Nr. 3 — eine der *Variationen* von op. 2, aber auch in den Klavierkonzerten.

[19] Dieser Formteil enthält beim ersten Mal jene Motive, die Hieronim Feicht zur Konstruktion der thematischen Ableitung des Couplethemas verwendete (*op. cit.*, H. 23, S. 50; vgl. Anm. 14). Nicht nur, daß diese Motive beim zweiten Durchgang fehlen, auch sind sie nur in der Fassung für zwei Klaviere vorhanden (z. B. Takt 89a) — Takt 89 beispielsweise ist in der Fassung für ein Klavier, die dem Autor damals allerdings nicht zugänglich war, ohne das Bestimmungsmerkmal einer unmittelbaren Tonwiederholung. Ähnliches gilt auch für die andere von ihm angeführte Beziehung einer motivischen Vorbereitung des Couplets: die Takte 81 f. (von ihm, da er die Einleitung getrennt zählte, als Takt 57 f. bezeichnet); nicht nur, daß dieser Teil — wie oben bereits genannt — an der analogen Stelle fehlt, auch hat er in der Ursprungsfassung anstelle der charakteristischen Tonwiederholung einen Oktavsprung. (Die Fassung mit der Oktave würde übrigens bei einer Oktavverdoppelung, wie sie ja die Duofassung präsentiert, zu Kollisionen der Hände führen.)

Und ein letzter origineller Formgedanke: der Schlußrefrain A* (Takt 361 ff.) hat nicht nur eine von A abweichende Syntax und sogar Harmonik — ihm folgt auch noch als Übergang zur Coda ein Element, das aus dem als Durchführungsabschnitt bezeichneten Formteil stammt (Takt 377 ff.)[20]. Soweit die Bemerkungen zur Form dieses Werkes.

Zurück zum eigentlichen Thema: die Erfindung musikalischer Strukturen vor dem Hintergrund der spezifischen Gegebenheiten des Klaviers und seiner Spielweisen. Bei der Analyse ist dabei ein Wechselspiel der musikalischen und der spieltechnischen Sinnebene, ihr mögliches Ineinanderwirken bei der Genese eines Werkes zu bedenken: So ist beispielsweise eine Passage bestehend aus einem Tonleiterausschnitt[21] — sei es nun eine einfache oder eine in Terzen oder Sexten — zum einen eine bereits für sich selbst stehende, musikalisch in sich mehr oder minder sinnvolle Gestalt, gewissermaßen absolute Musik; zum anderen ist sie ein mehr oder minder kompliziertes spieltechnisches Problem, das sie unter bestimmten Umständen zur funktionalen, sprich: virtuosen Musik macht[22]. Schließlich ist eine Wechselwirkung zu berücksichtigen zwischen den strukturellen Eigenschaften der spieltechnisch erfundenen Gestalten samt ihrer möglichen Ausformungen zu einem größeren Kontext und den Gestaltungsanforderungen der musikalischen Umgebung.

* * *

Ausgangspunkt für die Analyse des Ineinanderwirkens eines solchen pianistisch-musikalischen Denkens sei die Gestaltung des *Rondo*themas von op. 73. Der musikalische Charakter dieses seinerseits als dreiteilige Liedform gestalteten 40taktigen Abschnittes (16 + 16 + 8) ist gattungsgemäß heiter, scherzoartig[23]. Dies gilt auch für die anderen von Chopin in dieser Gattung entworfenen Themen. Ein Vergleich der Haupterfindung des bereits in sich kontrastierend angelegten ersten Viertakters mit dem entsprechenden des *Rondos*, das Chopin als op. 1 veröffentlicht hat, ist für unseren Argumentationszusammenhang aufschlußreich:

---

[20] Vgl. die Ausführungen weiter unten im 2. Exkurs.

[21] Man vergleiche dazu Chopins Bemerkungen zu den spieltechnischen Problemen von Tonleitern in verschiedenen Tonarten — „[...] il est inutile de commencer à apprendre les gammes au piano par celle d'ut, la plus facile pour lire, et la plus difficile pour la main [...]. On commence par [...] si majeur", (*Frédéric Chopin. Esquisses pour une méthode de piano. Textes réunis et présentés par Jean-Jacques Eigeldinger*, Paris 1993 [= Série: *Écrits de musiciens*], S. 66) — und die tatsächlich von ihm verwendeten, wie etwa die beiden großen Leiterpassagen in der spieltechnisch dem *H-Dur* nahestehenden Tonart *E-Dur* am Schluß des letzten Satzes des *e-Moll-Konzertes* und dem des *E-Dur Scherzos* op. 54.

[22] Diese „Dialektik" ist auch auf der einzelwerkübergreifenden Ebene der Stilentwicklung — sowohl innerhalb des Schaffens eines einzelnen Komponisten wie auch zwischen verschiedenen Komponisten — zu beobachten: Der Wunsch, bestimmte Passagen spielen zu können, kann zur Entwicklung neuer Spieltechniken bzw. zur Steigerung bestimmter Fertigkeiten führen, so wie umkehrt die neu entwickelten Techniken die Basis liefern, wiederum andere neue, musikalisch sinnvolle Passagen zu erfinden.

[23] In Takt 27 der zweihändigen Fassung taucht die Bezeichnung „scherzando" explizit auf, „leggiermente e scherz." in Takt 25 der Fassung für zwei Klaviere. Gattungstypisch ist auch der 2/4-Takt (nach einer „maestoso"-Einleitung im 4/4-Takt).

In etwa haben beide Themen für ihren Anfang denselben musikalischen Erfindungskern: eine scherzandoartige — d.h. nicht etwa lyrisch-gangliche — aufsteigende, umfänglichere Tonleiterlinie, deren Ausgangston, die 5. Stufe — gewissermaßen als Startpunkt — doppelschlagartig verziert[24] und gedehnt ist[25]. Die Differenzen hingegen betreffen unmittelbar Klavierspezifisches.

Zielpunkt der Tonleiter ist in beiden Fällen die im Oktavabstand darüberliegende Quinte; die Differenz, daß im Falle des c-Moll-Rondos zwischen dem oberen Grundton, der Terz und der abschließenden Quinte sich Terzintervalle befinden, ist insofern sekundär, als die stufenweise Ausfüllung beider Terzintervalle bei der jeweils zweiten, auch für die späteren Wiederholungen des Refrains obligatorischen Binnenwiederholungen des Themenkopfes in der Paralleltonart auch im c-Moll-Rondo vorkommt. Ebenfalls mit einer Terzausfüllung versehen ist in op. 1 bereits der dritte Thementakt; der zweite ist — wie auch der dritte — lediglich eine Versetzung der Melodie des ersten in die nächsthöhere Oktave. Die dortige stufenweise Ausfüllung leitet eine Bewegungsumkehr der melodischen Linie ein, die ihrerseits in verschlungener Linie vom es³ wieder zur Ausgangslage im Bereich der eingestrichenen Oktave zurückführt.

Diese Bogen- bzw. Zackenform — eine aufsteigende und wiederum abfallende Linie — ist auch das Grundprinzip der Oberstimmengestaltung des Themenanfanges von op. 73, jedoch mit dem Unterschied, daß im einen Falle der Auf- und Abstieg insgesamt 8, im anderen lediglich 4 Takte umfaßt[26]. Auch weist das später komponierte *Rondo* seinerseits bereits nach einem Takt einen Kontrast auf: sein 2. Takt führt zwar noch die Tonleiter weiter, ist aber von andersgeartete Satzstruktur. Die Motivik des Themas von op. 1 ließe sich formal darstellen als a-a-a'-b-c-b'-c'-d (a'), wohingegen die von op. 73 a-b-a*-b*-a-c-c-d lautet. Betrachtet man anstelle der mikroformalen Motivverteilung die tatsächliche rhythmische Binnengestaltung der ersten Takte, so muß man zweifelsfrei konstatieren, daß das Dur-Rondo hierbei sehr viel schlichter gestaltet ist als das vermutlich etwa drei Jahre zuvor entstandene in Moll. Der erste Takt besteht — von den Kleinstichnoten abgesehen — lediglich aus gleich langen Staccato-Noten — Sechzehnteln —, während der Vergleichstakt in op. 1 Achtel, Sechzehntel und Staccato-Achtel aufweist. Aber auch die Rhythmik der absteigenden Linien — Kern ist die Folge punktierter, scherzospezifischer Rhythmen[27], deren „Punktierungen" jedoch als Zweiunddreißigstelpausen gestaltet sind — ist im Falle des früheren Stückes komplexer: innerhalb eines Taktes alterniert er mit anderen rhythmischen Werten, während im späteren — analog zu seinem ersten Takt — jedes Achtel rhythmisch gleich gestaltet ist.

Dieser — relativen — Simplizität der Oberstimmenmelodik von op. 73 ist, um ein gewisses Niveau an Komplexität des musikalischen Verlaufes nicht zu unterschreiten, eine elaboriertere Ebene der Begleitung entgegengestellt. Umgekehrt hat op. 1 in der Tat im Hinblick auf die Begleitung lediglich ein konventionelles (Klavier)-Begleitungsschema: das der (oktavverstärkten) Baßnote auf dem Taktanfang, gefolgt von nachschlagenden,

---

[24] Nicht ohne Bedeutung für die Charakteristik ist, daß in beiden Fällen die untere Nebennote zur 5. Stufe hochalteriert, d.h. ein *fis* anstelle des leitereigenen *f* ist; vgl. auch Takt 217 sowie die linke Hand von Takt 221, 225 und 377, 379 sowie die „Reminiszenz" in Takt 339 (im Takt zuvor entfällt aus Anschlußgründen die 4. Stufe). Diese Leiteralteration kann durchaus als eine Chopinsche Anspielung auf einen Volksmusiktopos gesehen werden.

[25] Beim letzten Auftreten des Refrains, dessen Harmonik gegenüber den vorherigen Formen verändert ist — der zweite Takt verbleibt noch in der Tonika —, ist die erste Note in der Tat ein Achtel wie in op. 1: da der erste Ton des folgenden Taktes harmonisch bedingt nicht mehr ein *f²*, sondern ein *e²* ist, benötigt die Leiter eine Sechzehntelnote weniger, so daß aus dem ersten Ton ein Achtel werden kann.

[26] Während das Thema von op. 73 klar in 2 + 2 gegliedert ist, weist op. 1 durch seinen bereits im dritten Takt erfolgenden Umkehrpunkt eine melodische Asymmetrie auf: 3 + 5 oder 3 + 2 + 2 + 1.

[27] Auch in der *Polonaise* op. 22, Takt 124, trägt ein Abschnitt mit diesem Rhythmus die Bezeichnung „scherzando".

höher liegenden einfachen Akkorden. (An dieser Stelle wurde gewissermaßen noch rein innermusikalisch argumentiert: eine wie auch immer begründete Simplizität auf einer Gestaltungsebene bedingt, daß eine andere kompliziertere Bildungen aufweist.)

Im vorliegenden Zusammenhang einer Analyse der Klavierspezifik der Chopinschen Setzweise im *C-Dur-Rondo* ist aber nicht nur die quasi-polyphone Auflockerung der Begleitung in mehr oder minder verbindliche selbständige horizontale Stimmen von Interesse, sondern speziell die Gestaltung der rechten Hand des Themenbeginns: Sie kontrastiert eine lange — in ihrer Dauer der Baßnote korrespondierende — Haltenote mit einer Staccato-Oberstimme. Diese Entgegensetzung ist die Haupterfindung, eine der zentralen klavierspezifischen musikalischen Ideen des Anfangs von Opus 73, eine Erfindung, die über die Gestaltungsideen des Themas von Opus 1 hinausgeht. (Die Argumentation zur Genese geht hier also davon aus, daß ein pianistischer Erfindungskern vorhanden ist, der eine bestimmte Gestaltung aufweist, was dann seinerseits für die Gestaltung weiterer Bereiche der musikalischen Erfindung Konsequenzen hat.) Folge dieses Kontrastes auf einer zunächst relativ sekundären Ebene, der der Artikulation und Pedalisierung, ist: damit dieser Gegensatz auch zu hören sei, muß zum einen die Staccato-Artikulation deutlich sein, zum anderen darf der Halteton in seinem Fortklingen nicht sogleich von den später erklingenden Tönen der anderen Stimme überdeckt werden. Die Voraussetzungen dazu werden von Chopin in der Tat auch notiert: dieser Takt hat — zumindest im Autograph[28] — kein Pedal, wohl aber der darauffolgende[29] (worauf in anderem Zusammenhang zurückzukommen sein wird); das Fortklingen der unteren Note der rechten Hand wird durch ein Akzentzeichen gesichert.

Diese die spezifische Tongebung des Klaviers berücksichtigende Schreibweise ist aber nicht das einzig pianistisch Erfundene dieses Taktes: der Umstand, daß das e^1 in jedem Falle von der rechten Hand gespielt werden muß, macht — wenn man diese Note wirklich so lange klingen lassen will, wie sie notiert ist[30] — erforderlich, daß für die Oberstimme beim Fingersatz ein Übereinandersetzen der Finger der rechten Außenhand, d.h. der Finger 3, 4 und 5, erfolgt[31]. Dieses Übersetzen bzw. Überschlagen von Fingern der Außenhand ist eine der Besonderheiten der chopinspezifischen Klaviertechnik und -schreibweise: nicht nur ist es — im Kontext einer Chromatik der Oberstimme — die zentrale pianistische Idee der *a-Moll-Etüde* op. 10, Nr. 2[32], sondern

---

[28] Vgl. dazu das Faksimile in der Paderewski-Ausgabe der *Rondi* sowie den dortigen Kommentar zu op. 73 (von der Duo-Fassung hat sich kein Autograph erhalten — auch könnte nicht ohne weiteres im Hinblick auf die Pedalisierung von der einen auf die andere Fassung geschlossen werden).

[29] Somit wäre ex negativo aus der isolierten Pedalangabe dann für die umgebenden Takte das abzuleiten, was Schumann bisweilen explizit mit „senza Ped." bezeichnet hätte, ein Bezeichnung, die nicht zu den Chopinschen Notierungsgewohnheiten gehörte.

[30] Auch in Takt 37 und 61 schrieb Chopin je eine Halbe, vgl. den Kommentar dazu in der Paderewski-Ausgabe.

[31] Möglich sind verschiedene Fingersätze: solche, die den 3. über den 5. Finger setzen und solche, die dies nur mit dem 4. tun (gegebenenfalls dann mehrfach). Auch sind Fingersätze denkbar, die für zwei nebeneinanderliegende Tasten denselben Finger verwenden, und das nicht nur — wie der Vorschlag der Paderewski-Ausgabe lautet — mit dem 2. Finger zwischen dem *fis*[1] und dem *g*[1], sondern auch eventuell mit dem 5. vom e^2 zum *f*[2] des Folgetaktes.

[32] Auch dort herrscht ein „Zwang" zur Außenhandfingersetzung durch gleichzeitig in derselben Hand zu spielende Noten. In der Fassung nach dem Autograph aus der Stiftung Nydahl KKp 119 ist dieser Zwang

es ist vor allem unabdingbar in Verbindung mit einer weiteren chopintypischen Klavierschreibweise, derjenigen der nahezu alle kombinatorischen Möglichkeiten ausschöpfenden Satztechnik der von einer Hand zu spielenden Doppelgriffe[33]. Hiervon leben die Chopinschen Terzen-, Sexten- und Oktavenetüden und die von ihnen ableitbaren Teilabschnitte anderer Stücke[34].

Zwar ist das Fingerübersetzen am Themenbeginn von op. 73 nicht durch die Höhenunterschiede von schwarzen und weißen Tasten begünstigt, wie etwa dann in der genannten *Etüde* durch die Chromatik der Oberstimme, jedoch zeigt der dieses Thema entwickelnde Durchführungsabschnitt (Takt 223 f. und 227 bis 251) durch sein Wandern durch die verschiedenen Tonarten einen quasi „chromatischen" Wechsel von schwarzen und weißen Tasten. Dadurch daß in diesem Abschnitt die Oberstimme oktavverdoppelt ist und das Wechselnotenmotiv bisweilen durch eine Achtelnote mit Tonwiederholung ersetzt wird — hierbei wird dann eine nachschlagende Oktav verlangt –, ist die Spielfigur der rechten Hand praktisch identisch mit jener, die die *Etüde* op. 25, Nr. 9 bestimmt (einschließlich einer Ähnlichkeit in der Begleitung)[35].

Die hier konstatierte prinzipielle Zweistimmigkeit in der Anlage der Oberstimme des Hauptgedankens erfährt ihre Bestätigung auf mindestens fünferlei Weise. Erstens: Der auf das erste Taktpaar folgende dritte Takt mit seinen Scherzandofiguren (R. H., Takt 27) ist in der rechten Hand ebenfalls genuin real zweistimmig: eine Folge von zwei jeweils Doppelgriffen in einer chopintypischen musikalischen Konstellation: die Folge der oberen Töne der Zweiklänge bilden eine „horizontale", d.h. melodisch zusammenhänge Linie, während die jeweils unteren Töne zusammen eine Akkordbrechung umschreiben. Diese Konstellation findet sich in einer Unzahl von Werkabschnitten, am prominentesten vielleicht in der *E-Dur-Etüde* op. 10, Nr. 3 oder in der dritten *Etüde* ohne Opuszahl in *Des-Dur*[36]. Überspitzt könnte man sagen, daß die reale Zweistimmigkeit in der rechten Hand im dritten Thementakt gewissermaßen Folge der Zweistimmigkeit unseres Erfindungskernes ist.

Nebenbei bemerkt: ebenfalls charakteristisch für den Chopinschen Klavierstil und seine bewußte musikalische „Interpretation" der Bewegungsdimensionen der Finger und Hände ist bei diesem Abschnitt die strikte Unterscheidung der Bewegungsform

---

noch stärker: die von Daumen und Zeigefinger zu spielenden Noten haben dort die Dauer von Viertelnoten und müssen quasi legato ausgeführt werden.

[33] Vgl. dazu vom Verfasser *Frédéric Chopin. Über den Zusammenhang von Satztechnik und Klavierspiel*, München u. Salzburg 1977 (= Freiburger Schriften zur Musikwissenschaft; Bd. 9) das Kapitel „Das Viertonmodell", S. 110 ff.

[34] Auch Quartenparallelen, gespielt von einer Hand, sind anzutreffen, jedoch in der Regel in Kombination mit einer weiteren Stimme, d.h. als parallel verschobene Sextakkorde. Schon in einer der frühesten *Polonaisen* findet sich dazu ein Ansatz (KK IVa/5, Takt 57 f.).

[35] Das Tempo der ebenfalls im 2/4-Takt stehenden *Etüde* beträgt Viertel = 116. Vermutlich hat das *Rondo* ein rascheres Tempo als das durch die Übernahme der nichtauthentischen Metronomzahl der Duo-Fassung angezeigte — das Tempo ist wohl eher im Bereich desjenigen der *Etüde* bzw. demjenigen von op. 1 (Viertel = 104) anzusiedeln.

[36] Für diese *Etüde* charakteristisch ist die getrennte Artikulation von der nach oben behalsten Stimme („legato") und derjenigen mit den Hälsen nach unten („staccato"). Auch im *Rondo* findet sich, worauf an späterer Stelle eingegangen wird, bedeutsame getrennte Artikulation.

Finger- bzw. Handgelenksanschlag bei der Bindung der beiden Doppelgriffe, während die Überbrückung der Pause und die Versetzung der Figur durch Unterarmbewegung erfolgt[37].

Zweitens: Ebenfalls zweistimmig — nun aber homorhythmisch — ist die Subdominantform des Themenkopfes, die beim letzten, variierten Auftreten des Refrains zur Anwendung kommt[38] (Takt 365 und 373).

Drittens: Auch die Auftaktfigur vom Ende der Einleitung zum Themenbeginn unterstreicht dessen prinzipielle Zweistimmigkeit: die Sextenfolge e^2–g^1/d^2–f^1, ein Vorhaltsquartsextgebilde, weist mit der direkten Fortsetzung der Dominantseptnote in der nachfolgenden Tonikaterz auf die zentrale Bedeutung dieses Tones hin, ein Verfahren, das Chopin in der Einleitung seines *Mazurek* op. 24, Nr. 4 wieder aufgreift[39]. Eine Besonderheit dieser Überleitungsfigur ist die getrennte Artikulation der Stimmen: die Unterstimme, jene, die in den Halteton führt, ist mit Verzierungsnoten und einer Pause versehen[40]; sie leitet sich motivisch somit vernehmlich aus dem unmittelbar Vorhergehenden ab und bildet eine Brücke zwischen dem Schlußmotiv der Einleitung und dem eigentlichen *Rondo*beginn.

Viertens: der zweite Viertakter des Themas weist eine harmonische Besonderheit auf: er bringt einen Akkord der verdurten dritten Stufe, einen *E-Dur*-Dreiklang, ausgebildet als phrygische Kadenz[41]. Er wird durch eine im Vergleich zum ersten Viertakter andersgeartete Oberstimmenführung erreicht: statt wie beim erstenmal über das e^2 hinaus zum f^2 und g^2 geführt zu werden, wird dieses e^2 übergebunden und die Bewegung umgelenkt. Es bildet sich somit eine Art Oktavrahmen in der rechten Hand aus zwischen dem e^2 der Oberstimme und dem e^1 der unteren: Der Schlußton der

---

[37] Der Terz-Sext-Doppelgriff beim Übergang von Takt 27 nach Takt 28 gehört einerseits noch zur Folge der vorangegangenen Doppelgriffe, ist jedoch im Hinblick auf die vorkommenden Intervalle von diesen unterschieden. Pianistisch bedeutsam ist die Tonwiederholung in der unteren Stimme. Diese wird durch einen Wechselfingersatz erleichtert, den Chopin hier zwar nicht explizit notiert hat, jedoch schrieb er über genau diese Griff-Intervall-Konstellation eine *Etüde*: die *C-Dur-Etüde* op. 10, Nr. 7 (in der Fassung für zwei Klaviere jedoch wird die Tonwiederholung auf die beiden Hände verteilt — mit der Besonderheit von Takt 59a/60a, wo wegen der Oktavverdopplung der thematischen Leitern aus der Wiederholung c^2–c^2 die Folge c^2–a^1 wird.

[38] Die prinzipiell auch in der Tonikaform mögliche homorhythmische Zweistimmigkeit wird in der Fassung für zwei Klaviere tatsächlich realisiert: beim zweiten Refrain in Takt 193b und 217b. Auffällig, daß im Autograph die zweite Stimme in Takt 365 von Chopin ersichtlich erst nachträglich hinzugefügt wurde — das erste a^1 ist dort noch als halbe Note erkennbar stehen geblieben. In Takt 373 wurde die Unterstimme vom Herausgeber ergänzt.

[39] Dasselbe gilt auch für den Anfang der oben erwähnten *Des-Dur-Etüde*, der dritten aus den *Méthode des Méthodes*.

[40] Daß in der Version für zwei Klaviere keine Pause steht, kann eine Änderung des Herausgebers sein: das Autograph ist nicht erhalten. Denkbar aber auch, daß Chopin, da er eine der beiden Stimmen an eben dieser Stelle vom Primo an den Secondo weitergibt und zugleich die überlappende Note in der Ausgangsstimme auf ein Sechzehntel — den Dauernwert der Oberstimme — reduziert, hier eine sich sonst ergebende Folge Achtelnote-zwei Achtelpausen-Achtelnote-Sechzehntelnote-Pause als unpassend empfand, zumal durch die Änderung des Rhythmus ab Takt 16a mit seiner schärferen Punktierung der motivische Bezug eher verunklart würde.

[41] Die Synkopierung der Tenorstimme der linken Hand Takt 30 f. erklärt sich wohl auch aus dem Wunsch, die sonst entstehenden Quintparallelen zu vermeiden.

oberen Stimme, der durch den sforzato-Haken weiterklingende, das *gis*[1] klanglich überlappende Ton, hat dieselbe Tonqualität wie das neue Motiv in der nach unten behalsten Stimme von Takt 32, das mit seinem markierten, zweimal wiederholten *e*[1] eine vernehmliche motivisch Fortsetzung erfährt. Dieses neu eingeführte Motiv wird im wiederholten *g* der linken Hand von Takt 34 imitiert. Es wird somit der Unterstimmenton *e*[1] in Form eines Brückenmotives als musikalisch bedeutsames Ereignis eigens herausgestellt und zudem durch seine Überbindung — mit einem klavierklanglich motivierten Akzentzeichen in Takt 32 versehen — als neuerliche Zweitstimme in Takt 33 dem Hörer vergegenwärtigt.

Es sei hier nicht behauptet, daß die Einführung eines Dreiklangs der dritten Stufe einzig eine weitere musikalische Folge der zweistimmigen, pianistisch gedachten Themenkonzeption sei, wohl aber, daß sie im Zusammenhang damit — wie geschehen — auf der Ebene motivisch-thematischer Beziehungen diskutiert werden kann. Auffällig — gewissermaßen als Hinweis dafür, daß unabhängig von aller Pianistik eine Neigung, im Rahmen des Themas eine dritte Stufe zu schreiben, vorhanden gewesen sein könnte — ist der Umstand, daß auch das Thema von Opus 1 eine Wendung zur dritten Stufe erfuhr, dort allerdings bloß als einfache Tonikaparallele ausgebildet.

Und ein letztes, fünftes, kann im Zusammenhang mit der genuin zweistimmigen Konzeption des Erfindungskernes aus Takt 26 gesehen werden: nicht nur das *Rondo*thema selbst, auch das sogenannte Couplet Takt 103 ff. ist in seiner Grundkonzeption eine der Zweistimmigkeit[42] in der rechten Hand (in Gegenbewegung) — auch hier ein Detail, das in dieselbe Richtung weist: eigentlich unnötigerweise notiert das Autograph die rechte Hand von Takt 104 mit getrennter Behalsung, was in die Druckausgabe, da dies ansonsten an keiner vergleichbaren Stelle mehr der Fall ist, nicht übernommen wurde.

Beispiel 1:

R.H. Takt 103/104

Mehr noch: die variierende Wiederholung des Couplets ab Takt 111 besteht gewissermaßen in der Spiegelung der Zweistimmigkeitskonzeption des *Rondo*themas: lag dort die Stimme mit den langen Notenwerten unten, die bewegliche Stimme oben, so wird hier zu der von Takt 104 ff. übernommenen, sich in gleichmäßigen Achteln bewegenden Oberstimme eine Unterstimme hinzugefügt, die die Unterstimme von Takt 104 ff. in Sechzehntel diminuiert. Interessanterweise werden in der Fassung für zwei Klaviere sowohl die entsprechenden zweistimmigen Partien des Refrains wie auch die des Couplets dann auf die beiden Klaviere aufgeteilt, wodurch ihre spezifische spieltechnische Problematik gewissermaßen aufgehoben ist. Der Typus der — nötigenfalls auch durch stummen Fingerwechsel — gebundenen Achteloberstimme,

---

[42] Faßt man den Abschnitt Takt 44 ff. als reine Überleitung und nicht als ein Seitenthema im engeren Sinne auf, so findet sich hierfür ein Argument in der Beschaffenheit der Satzstruktur: sie ist bloß einstimmige „Melodie" mit Begleitung (die allerdings in der Duo-Fassung um eine Melodie im engeren Sinne bereichert wird, so daß die Figuration der rechten Hand ihrerseits zur Begleitung degradiert wird).

zu der eine in Sechzehnteln in derselben Hand kontrapunktiert, ist auch die Variationsidee der zweiten Variation von Opus 2.

Zum Refrain: Nicht nur die rechte Hand des *Rondo*themas ist aus der Pianistik heraus erfunden, auch die linke ist spezifisch klavieristisch gedacht: Neben der Baßstimme erscheint eine weitere Mittel- bzw. Tenorstimme, die mit ihrem Hinund-herpendeln zwischen g und c^1 ein zusätzliches Gegengewicht zur Schlichtheit der Oberstimme der rechten Hand bildet. Beachtenswert ist, daß bei dem Fortgang des Basses vom c im Takt 25 zum G in Takt 26 die Taste dieses letzteren Tones nicht einen ganzen Takt mit dem Finger gehalten werden kann, da die Mittelstimme dafür zu hoch geführt wird. Daß dennoch das G den ganzen Takt 26 hindurch klingend gedacht wurde, erfährt man aus der Fassung für zwei Klaviere, wo in der Tat die Baßnote als Halbe erscheint. Es ist daher verständlich, daß Chopin hier im Autograph eines der ganz wenigen Pedalzeichen innerhalb dieses Stücke anbringt, und zwar zusätzlich auch noch — ungewöhnlich, da eigentlich selbstverständlich — an der Parallelstelle in Takt 34. (Das Pedal an diesen Stellen steht zudem nicht in Widerspruch zur einer Staccato-Artikulation oder einer durch Pausen getrennten Struktur in den anderen Stimmen, wie es für den vorhergehenden und nachfolgenden Takt im Falle von deren Pedalisierung zuträfe.)

Da für Takt 26 das Pedal quellenmäßig gesichert scheint, bedarf die Doppelbehalsung des Tones g (verbunden mit einem Verlängerungspunkt) einer weiteren Erklärung als der einer bloßen Verlängerungsfunktion bis zum Ende des Taktes. Eine Erklärung hierfür böte das für den Klaviersatz allgemein und für den Chopinschen Klaviersatz im besonderen typische Konzept des sogenannten Fingerpedales[43]: Bei einer Folge von nacheinander erklingenden Tönen werden diese durch Punktierungen und Tonan- und -überbindung in ihren Dauern so lange verlängert, wie sie erklingen würden, wenn man das rechte Pedal gedrückt hielte. Ein dem Takt 26 direkt vergleichbares Beispiel, das seinerseits aber noch konsequenter als dort gehandhabt diese Idee verkörpert[44], ist die linke Hand in der Einleitung zu den *Variationen* op. 12, Takt 7 f. Auch dort ist merkwürdigerweise zusätzlich zum Fingerpedal — gewissermaßen redundant — auch noch das normale rechte Pedal gefordert. Dennoch befriedigt dieses Erklärungskonzept nicht völlig. Vielleicht bildet die Doppelbehalsung des g — tonhöhenmäßig eine Oktavver- und -fortsetzung der Baßstimme — den formalen Niederschlag der Zweistimmigkeitskonzeption der linken Hand, die die Umgebung der Stelle aufweist[45].

---

[43] Bisweilen wird unter „legatissimo" eben dieses Liegenlassen der Töne — vgl. in neuerer Zeit Ligetis Spielanweisungen zu *Continuum* — verstanden.

[44] Das Konzept des Fingerpedales kann in der traditionellen Notenschrift zumeist nur mit erheblichem Zeichenaufwand notiert werden (man betrachte etwa die Arpeggien im letzten Satz von Beethovens *Mondscheinsonate*, Takt 163–166 oder den Mittelteil des langsamen Satzes von Chopins *h-Moll-Sonate*). Dies gilt nicht für andere Notierungssysteme, wie etwa für die in Sequencer-Programmen anzutreffenden Grid- oder Key-Editoren.

[45] Im *Rondo*thema des letzten Satzes von Beethovens *Klaviersonate* op. 31, Nr. 2 ist ebenfalls der zweite Ton einer größeren Akkordbrechung durch eigene Behalsung bis zum Taktende verlängert. Auch diese Stelle ist satztechnisch gesehen pianistisch konzipiert; durch das raschere Tempo ist sie zudem durchaus virtuos und damit eher jener Konzeption nahestehend, die die Figuration der linken Hand des Chopinschen *D-Moll-Préludes* aus op. 28 bildet. Im Unterschied zu den Chopin-Beispielen hat Beethoven die

Es gibt innerhalb unseres *Rondos* aber auch durchaus überzeugende Beispiele für
das Fingerpedal wie etwa das Notenbild der rechten Hand von Takt 38/39 (das Autograph geht mit einer Doppelbehalsung des h^1 in Takt 39, die diesen Ton auch mit
dem zugleich erklingenden f^1 verbindet und ihm somit die Dauer einer Viertelnote
verleiht, sogar noch weiter als das, was die Herausgeber der Paderewski-Ausgabe ins
Notenbild übernommen haben[46]). Bei dieser klaviertypischen Schreibart ist die Anzahl der jeweils zugleich erklingenden horizontalen Stimmen rasch wechselnd, oftmals
ist auch die Zuordnung der Töne zu den einzelnen Stimmen, die das Notenbild suggeriert, hörend kaum mehr nachzuvollziehen[47]. Man mache sich klar, daß derartige
Setzweisen etwa für Streichquartett kaum denkbar wären. Diese — vom Standpunkt
eines strengen Satzes aus gesehene — Inkonsequenz der horizontalen Stimmführung,
läßt sich insgesamt bei der Begleitung des Rondothemas von op. 73 beobachten (das
Rondo Thema von op. 1 hat da keine vergleichbaren Probleme[48]):

So scheint zwar — zumindest im definitiven Notentext — zweifelsfrei zu sein, daß das
e^1 in der Unterstimme der rechten Hand des ersten Thementaktes ins d^1 des folgenden
Taktes geführt wird, wobei zugleich eine Erhöhung der Anzahl der gleichzeitig gespielten Stimmen erfolgt (neu hinzu tritt in diesem Takt die Achtelstimme[49] h^1–a^1–h^1–g^1),
unklar bleibt aber, wie die Linie g, c^1, g — die nach oben behalste Stimme der linken
Hand — fortzusetzen wäre: folgt in Takt 26 ein d^1, das mit jenem für die rechte Hand
notierten d^1 zusammenfiele, aber nicht eigens mit Doppelbehalsung versehen wurde, o-
der wäre in diesem Falle für das erste Achtel im unteren System analog zu Takt 25 eine
Pause zu ergänzen, so daß diese Stimme dann g–d^1–f^1 lauten oder gar nur in das nach
oben behalste kleine g von der Dauer von drei Achteln münden würde, d.h. die Halsrich-
tung für beide Takte für die Stimmenzuordnung wörtlich zu nehmen wäre?
Eigenartigerweise bringt auch die Fassung für zwei Klaviere hier keine völlige Eindeu-
tigkeit, denn die Doppelbehalsung des ersten d^1 in Takt 26b ist möglicherweise nicht
authentisch. Eigenartig und charakteristisch ist ferner, daß gerade an dieser fraglichen
Stelle das Autograph der Fassung für ein Klavier Korrekturen aufweist, die in der ursprüngliche Schicht einen durchaus anders gearteten Verlauf vermuten läßt. (Dazu weiter unten der Exkurs zu Exkurs II.)

Behalsung konsequent gehandhabt: auch die erste Note eines jeden Taktes besitzt dort einen zweiten,
nach unten gerichteten Hals (und ein Sechzehntelfähnchen); eigentlich fehlen bei ihm nur noch Pausen-
zeichen für die obere Stimme auf den jeweils letzten Achteln eines Taktes. Ab Takt 9 — und noch deutlicher in Takt 14 — notiert Beethoven zudem konsequent auch das Fingerpedal. (Vgl. dazu auch die
Ausführungen in der vorigen Anmerkung.)

[46]   Eine in ihrer Funktion ähnliche Doppelbehalsung weist das h der linken Hand von Takt 42 auf — es
ist damit im Autograph zusätzlich mit dem G des Basses — einer Viertelnote — verbunden. Im Sinne des
Fingerpedales ist auch die ebenfalls der Herausgeberentscheidung zum Oper gefallene Notierung des e^1 zu
Beginn des Taktes 37 als halbe Note zu sehen.

[47]   Man denke etwa an den Mittelteil der *Fis-Dur-Nocturne* op. 15, Nr. 2. Gewissermaßen der umgekehrte
Fall sind latente Stimmen, die bei Chopin bisweilen von Herausgebern zu manifesten gemacht wurden.

[48]   Vgl. aber die Varianten des Basses in Takt 8 und 10 wie sie auch der Kommentar der Paderewski-
Ausgabe nachweist: statt der Akkorde g–c^1–es^1 steht etwa im Erstdruck (Warszawa: Brzezina 1825) nur:
c^1–es^1, ein harmonisch nicht unwesentlicher Unterschied, nämlich der zwischen einer Fortführung der
Quartsextakkordwirkung und der eines harmonischen (Teil-) Abschlusses. (Vgl. etwa das Faksimile in:
Chopin in der Heimat. Urkunden und Andenken. Mit einem Vorwort von Jarosław Iwaszkiewicz, hrsg. von Krystyna
Kobylańska, Kraków 1955, S. 73).

[49]   Mit Sechzehntelauftakt in der zweiklavierigen Fassung (Takt 25a/26a).

Bedeutsamer als die eher formale Stimmenzuordnung ist die Frage, wohin das f^1 und das b^1 am Ende des zweiten Thementaktes führen, denn die Anforderungen an den musikalischen Satz sind zu jener Zeit noch nicht so sehr gelockert, als daß eine Dominantsept oder -terz[50] ohne weiteres ins Nichts enden könnte. Zu erwarten wäre ein e^1 und ein c^2 — beide Töne erfahren lediglich eine stellvertretende Lösung durch das e^1 der Oberstimme und das kleine c des Basses[51], d.h. in anderer Oktavlage; die „korrekten" Fortführungen — unter der Voraussetzung des Primates der Außenstimmen — überschritte die Möglichkeiten dessen, was im zweihändigen Klaviersatz unarpeggiert gegriffen werden kann. Selbstverständlich weist die zweiklavierige Fassung jene „richtige" Fortführung auf, auch wenn dadurch wie in Takt 27a/27b zunächst ein quintloser[52], terzverdoppelter Klang entsteht.

Aber nicht nur bei Begleitstimmen, sondern auch bei thematischen Bildungen ist bei Chopin die jeweilige Fortsetzung von horizontalen Stimmen keinesfalls eindeutig bzw. zwischen Notation und auditiver Erfassung eine Diskrepanz zu beobachten. Der zum eigentlichen Hauptthema kontrastierende Viertakter Takt 41 bis 44 weist in der rechten Hand wie das Hauptthema eine zweistimmig notierte Anlage auf. Diese Zweistimmigkeit kann aber nicht gehört werden: man begreift beim Hören in Takt 42 die Oberstimme e^2, d^2, c^2 als unmittelbare Fortsetzung der Unterstimme e^1, g^1 von Takt 41 (ebenso Takt 43/44). Das jeweils weiterklingende c^2 — insbesondere jenes von Takt 40 übergebundene — ist auch bei besonderer Betonung klanglich zu schwach, um sich als Stimmfortsetzung zu behaupten. In der Tat hat Chopin in der zweiklavierigen Fassung einen Stimmenverlauf wie er als sich beim Hören ergebend soeben beschrieben wurde, auch notationsmäßig realisiert[53]. In Takt 41a/42a wird der Anschluß durch einen zusätzlichen Vorschlag noch unterstrichen, im anschließenden Doppeltakt wird diese „neue" Stimme sogar in der linken Hand im Oktavabstand verdoppelt (durch den zusätzlichen übergebunden Achtelauftakt zu Takt 43a bewirkt diese Verdoppelung eine Korrespondenz zu den folgenden Oktavläufen, die durch die alternierende Verteilung auf die beiden Spieler noch unterstrichen wird — eine Korrespondenz, die in der Fassung für ein Klavier keine Entsprechung hat).

Exkurs II: Motivische Bezüge in op. 73

An die Zusammengehörigkeit von Tönen zu einer Stimme lassen sich eine Reihe von Überlegungen zu Motivbezügen anknüpfen, die eher rein musikalischer, denn pianistischer Art sind, gleichwohl aber nicht gänzlich unabhängig vom Spezifischen eines Klaviersatzes. Auffällig ist, daß Chopin innerhalb des Refrainthemas etwas schreibt, was man stilistisch eher weniger mit ihm in Verbindung bringen würde: Die im Hinblick auf

---

[50] Auch wenn auf die Dominantterz zunächst noch ein g^1 folgt, so ändert sich nichts daran, daß auch das auf schwerer Zeit angeschlagene b^1 der Aufwärtsführung bedarf.

[51] Nicht recht verständlich ist, weshalb der Baß in Takt 27b als halbe Note erscheint, während in allen anderen analogen Fällen — Takt 35a, 59b, 187b, 195a — eine Viertelnote mit Pause notiert ist, die ja dem punktierten Achtel der zweihändigen Fassung, das seinerseits keine Pedalverlängerung erfährt, näher steht. Möglicherweise ist dies ein Herausgeberzusatz.

[52] Vgl. dazu den Kritischen Bericht der Paderewski-Ausgabe.

[53] Eine derartige teilweise Realisierung gibt es bereits in der einklavierigen Fassung in der variierten Wiederholung dieser Stelle in Takt 203. Im Autograph ist deutlich erkennbar, daß sie dort eine nachträgliche Hinzufügung darstellt.

die Anzahl der horizontalen Stimmen „unvorbereitet"[54] einsetzende mittlere Stimme der
rechten Hand in Takt 28 f. — die Töne $e^2-d^2-g^1$, die motivisch natürlich eine Entsprechung zur Auftaktfigur von Takt 24/25 sind[55] — erweist sich als Kanon der Oberstimme der linken Hand von Takt 27 f. $e^1-(e^1)-d^1-g$, und zwar im exakten zeitlichen Verhältnis 2 : 1. Interessant, daß das Autograph eine Notierungsweise besitzt, die in die
Paderewski-Ausgabe nicht übernommen wurde, aber Chopins doch wohl eher punktuelle
Kanon-Idee unterstreicht. In der zweiten Hälfte von Takt 28 ist die Behalsungsrichtung
der Töne der linken Hand gerade umgekehrt zu der in der Druckausgabe. Diese suggeriert insbesondere durch die durchgehende Bebalkung eine Oberstimme der linken
Hand, die eine Folge $e^1-d^1-g-d^1$ bildet und den Kanon gewissermaßen als zufällig sich
ergebendes Ereignis erscheinen läßt, während Chopin das g als Viertelnote mit dem Hals
nach oben versieht und somit als den Schlußton des kanonischen Abschnittes verdeut-
licht. Dies ist auch insofern ungewöhnlich, als sich dadurch ein Verlauf der Baßstimme
ergibt, der durchaus als „unnatürlich" bezeichnet werden könnte[56].

Beispiel 2:

Takt 27-29

Exkurs zum Exkurs II

Die These vom Kanon zwischen der Tenorstimme der linken Hand von Takt 27 f.
und zweitobersten Stimme in der rechten Hand von Takt 28 bekommt eine interessante Untermauerung durch die durchstrichene erste Niederschrift des Taktes 26 im
Autograph. Diese Änderung ist insofern recht ungewöhnlich, als gemeinhin anzunehmen wäre, daß gerade beim Hauptthema eines *Rondos* zum Zeitpunkt der Niederschrift seine endgültige Fassung bereits feststünde und Schreibversehen oder ad-hoc-
Änderungen eigentlich auszuschließen seien. Deutet man die Durchstreichungen und
die von Chopin im Anschluß daran vorgenomme Umfunktionierung und Umgestal-
tung bestimmter Zeichen richtig[57], so kann eine ursprüngliche Form der Begleitung[58]

[54] Beim ersten Auftreten dieses Taktes ist das c^2 im Autograph sowohl nach unten behalst als auch nach
oben durch einem gemeinsamen Hals mit dem a^2 verbunden. So gesehen wäre das e^2 nicht „unvorbereitet",
jedoch fehlt diese Doppelbehalsung an allen analogen Stellen, so auch bereits in Takt 36.

[55] Harmonisch ergibt sich insofern eine spezielle Konstellation, als der sog. Chopin-Akkord hier zunächst als Sextakkord der III. Stufe erscheint und erst durch das f^1 auf dem letzten Achtel zur eigentlichen
Ausprägung gelangt, eine Erscheinungsform, die bei Ludwik Bronarski („Les plus 'chopinesque' des
accords de Chopin", in: *Schweizerische Musikzeitung*, 85. Jg. [1945], H. 10 [1. Okt.], S. 382–385, einer
gekürzten Fassung von „Akord chopinowski", in: *Kwartalnik Muzyczny*, 1930/31, H. 12/13, S. 369–380)
keine Erwähnung findet.

[56] Dies vermutlich der Grund für die Herausgeberentscheidung!

[57] Der Auflösungsgrad des Faksimiles im 12. Band der Paderewski-Ausgabe läßt kaum irgendwelche
sicheren Schlüsse zu; bedeutend besser ist die faksimilierte Wiedergabe des gesamten Autographs in
Kobylańska, *op. cit.* (vgl. Anm. 48), S. 142 f.

[58] Auch für die rechte Hand sind Änderungen vorgenommen worden: auf der ersten Zählzeit wurde ein d^2
gestrichen. Nimmt man an, daß die ursprüngliche Konzeption jener des Taktes 362 entsprach, so muß das
d^2 in Takt 26 offenbar anstelle des und nicht etwa zusätzlich zum späteren b^1 gestanden haben. Zu glauben, letzteres — als mit dem c des Basses eine schärfere Dissonanz bildend — hätte wohl erst nach dessen
Änderung zum G geschrieben werden können, ist zumindest voreilig: die erste Zählzeit von Takt 368
bietet eben diese Konstellation.

des oben bereits diskutierten Taktes 26 angenommen werden, die eine direkte Analogie zu Takt 25 darstellt und überdies starke Ähnlichkeit mit der Begleitung des Themas bei seinem letzten variierten Auftreten speziell in Takt 367 *f.* aufweist: die erste Note Takt 26 wäre ein nach unten behaltes *c* (nachträglich durchstrichen, ursprünglich möglicherweise sogar als halbe Note notiert[59]), darüber eine (gestrichene) Achtelpause. Hinzu tritt auf dem zweiten Achtel eine vermutlich ursprünglich von der Baßlinie in der Bebalkung abgesetzte, aus insgesamt drei Achteln bestehende Stimme mit den Tönen *g*, *f¹*, *g*, die ihrerseits einen gemeinsamen Hals nach unten besitzen. Im Unterschied zur Druckausgabe ist hier wie auch in Takt 25 die Achtelstimme der linken ebenso wie dessen Baßnote mit dem Hals nach unten notiert. Dieser letztere Umstand erlaubte es Chopin, für die definitive Fassung, die ja die Baßnote und die folgenden Achtel gemeinsam bebalkt, den neuen Notentext einfach durch eine Verlängerung des Balkens nach vorne herzustellen. Er nahm dabei in Kauf, daß die spätere Baßnote *G* praktisch unmittelbar auf dem Balken zu sitzen kommt. Deutlich als Änderung erkennbar ist die Umwandlung des *f¹*, der Ton des 3. Achtels, ins spätere tieferliegende *d¹*: die relative Lage des gestrichenen Tones zwischen den Notensystemen ist eindeutig[60]; ebenso eindeutig ist die Änderung des letzten Achtels in Takt 26 vom *g* zum *f¹*.

Beispiel 3:

Faßt man den musikalischen Sinn der Änderungen zusammen, so beinhaltet er zum einen eine Änderung des Basses von einer Orgelpunktführung zum Wechsel *c-G-c* und zum anderen eine stärkere Melodisierung der Tenorstimme: letzteres sowohl durch die Ambituserweiterung als auch durch die Verlagerung des höchsten Tones *f¹* von der Taktmitte an dessen Ende. Diese letzte Veränderung aber ist die für uns bedeutsame: die Dominantsept wird durch ihre metrische Verlagerung und die nunmehr durchgehend aufsteigende Linie der linken Hand verstärkt ins Zentrum der Wahrnehmung gerückt, d.h. ihre Auflösung ins *c¹* des Folgetaktes wird zum noch dringlicher erwarteten Ereignis. Diese erwartete Auflösung der Sept, die Tonikaterz, aber ist der Beginn der dann als Kanon geführten Stimme.

Fortsetzung des Exkurs II
Motivisch-thematische Beziehungen finden sich auch zwischen der Einleitung und dem *Rondo*-Thema: Betrachtet man die beiden auf zwei Hände verteilten Oktavläufe der Einleitung im Hinblick auf ihre harmonische Detailbeschaffenheit, so wird deutlich, daß es sich um Töne einer Akkordbrechung handelt, denen jeweils die oberen, leitereigenen Nebennoten vorangestellt sind: In Takt 1 bis 3 ist es die Umschreibung des Tonika-Dreiklanges,

[59] Möglich, daß auch die erste Note in der linken Hand von Takt 27 ursprünglich eine Halbe war, so daß auch dieser Takt eine Entsprechung beim letzten Themenauftritt besäße (Takt 363).

[60] Nicht ebenso eindeutig ist die an die Stelle des *f¹* tretende Note, sie scheint eher ein kleines *h* zu sein als ein *d¹*; an allen späteren analogen Stellen ist dieser Ton jedoch zweifelsfrei das *d¹* der Druckausgabe. Ein *h* brächte überdies eine Leittonverdoppelung mit dem *h¹* der rechten Hand. Ob es sich dabei um ein reines Schreibversehen oder aber eine stehengebliebene (weitere Zwischen-)Fassung — noch ohne die Stimme mit dem *h²* in der rechten Hand — handelt, muß offen bleiben.

in Takt 9 bis 11 die des Dreiklangs der II. Stufe. Bei letzterer — wohl aus Gründen der besseren harmonischen Verständlichkeit — hat Chopin darauf verzichtet, eine bloße Folge von Vorhaltstönen mit unmittelbar folgender Auflösung zu schreiben, sondern er ließ auf einen Vorhaltston dann jeweils drei akkordeigene Töne folgen; dennoch ist übrigens insgesamt die Verdeutlichung der musikalisch-harmonischen Struktur beider Passagen, da es sich um rasche Folgen handelt, ein nicht unbeträchtliches interpretatorisches Problem. Dieselbe harmonische Konstellation aber — lagenversetzte Akkordtöne, die mit Vorhalten versehen sind — ist auch das Bauprinzip der Oberstimme des dritten Thementaktes. Wenn man will, kann man sogar die Variante der II. Stufe der Einleitung noch mit den unteren Tönen der Figur des Themas in Verbindung bringen: in Takt 27 ist die Viertongruppe als abwärtsgeführte Brechung identisch mit jener harmonischen Konstellation.

Eine weitere Beziehung zum selben Takt 27 weist die Figuration der Überleitung Takt 65 ff. auf, auf die in anderem Zusammenhang noch zurückzukommen sein wird: zwar ist hier die Übereinstimmung nicht in der harmonischen Struktur zu finden, wohl aber in der Rhythmik. Die untere Stimme der Figur der rechten Hand besteht aus einer absteigenden *C-Dur* Tonleiter, deren Rhythmisierung nahezu der der rechten Hand des 27. Taktes entspricht. Daß die Dauernverhältnisse dabei sich wie 2 : 1 verhalten, beim Thema hingegen 3 : 1 ist sekundär: in der Fassung für zwei Klaviere macht Chopin diese Stimme explizit, indem er sie zwar zugleich mit der rechts gespielten Figur intervallversetzt in der linken Hand des Spielers erklingen läßt, sie dabei dann aber rhythmisch nicht so notiert, wie es für eine genaue Entsprechung zwischen rechter und linker Hand erforderlich wäre, nämlich mit regulären, d.h. triolierten Sechzehnteln bzw. triolierten Sechzehntelpausen, sondern mit nichttriolierten Sechzehnteln, Zweiunddreißigstelpausen und nachfolgenden Zweiunddreißigstelnoten (Takt 65a/66a und 67b/68b). Daß für die punktierte Stimme eine Angleichung an die Triolen aufführungspraktisch gefordert ist, bedarf wohl kaum einer Erwähnung.

Ein besonderer Fall von motivisch-thematischer Beziehung ist jener, den man bei durchführungsartigen Entwicklungen einer Struktur erwartet: sie ist eine bewußte Beziehung zwischen zwei oder mehr Teilen, d.h. sie soll vom Hörer bewußt nachvollzogen werden und muß vom Komponisten dann auch so komponiert werden, daß dies gewährleistet ist. Eine solche Beziehung wurde zwischen dem *Rondo*thema und der „Durchführung" Takt 219 ff. behauptet[61]. Offenkundig ist diese Beziehung etwa zwischen der Oberstimme der ersten beiden Refrainthema-Takte und der linken Hand der Takte 221/222. Letztere ist die exakte Moll-Version des Refrains, wobei die beiden Viertelnoten f^1 und g^1, die für Takt 222 zu erwarten wären, zwar in Sechzehntel diminuiert sind, aber diese Hauptnoten als wiederholte und mit Wechselnoten versehene klar erkennbar bleiben. (In Takt 377 ff. wird sogar dasselbe in der Dur-Version geboten!)

Aber auch die dieser motivischen Abspaltung beigegebene rechte Hand ist nicht unmotiviert: sie ist — und das ist ein überaus origineller Einfall des Komponisten — ein Derivat der rechten Hand der beiden folgenden Thementakte, d.h. eine Phrase erklingt hier zugleich mit ihrer Gegenphrase. Die Ableitung der rechten Hand wird klar, wenn man als Hauptelement des 3. Thementaktes die abwärts geführte Lagenversetzung der Figur sieht. Weshalb Chopin darauf verzichtete, auch in der Ableitung konsequent in Achteln von der Dezimenlage über die Oktav- und die Quint- zur Terzlage und sodann in den Sekund-

---

[61] Takt 219/220 ist zwar nicht — wie zu erwarten wäre — eine transponierte Entsprechung zu den Takten 27/28, jedoch haben diese beiden Takte einen unmittelbaren Bezug zum vorhergehenden Doppeltakt: Vertauschung des Sechzehntellaufes von der rechten in die linke Hand sowie eine Umkehrung der Bewegungsrichtung des Laufes. Dieser Doppeltakt vermittelt harmonisch zwischen der Ausweichung des Refrains nach *Es-Dur* von Takt 217 f. und der anschließenden *c-Moll*-Passage. Takt 219 selbst ist unmittelbar als eine Art Umkehrung von Takt 221 aufzufassen, während Takt 220 in der rechten Hand ohne eine solche Umkehrung auf Takt 222 bezogen ist. Beide Takte gehören — obwohl modulierend — noch zum Thema, eigentlicher Beginn der „Durchführung" ist Takt 221.

vorhalt der Viertelnoten zu gehen, sondern stattdessen eine rhythmische Verbreiterung des ersten Akkordes in der Dezimenlage und ein dadurch bedingtes Entfallen der Terzlage vornahm, muß offen bleiben. Ob es klangliche Härten, unerwünschte Terzverdoppelungen oder Kollisionen der Hände sind, oder ob es allgemein rhythmische Erwägungen oder gar übergeordnete ästhetische Gesichtspunkte — etwa solche der Dynamik des Verlaufs — waren, die ihn dazu bewogen haben, läßt sich nicht entscheiden. Festzuhalten ist jedenfalls, daß die abwärtsgeführten Akkordumkehrungen im Autograph ohne die Bindebogen des Erstdruckes verblieben sind und in der Fassung für zwei Klaviere die Achtel sogar mit Staccato-Punkten versehen sind, was die Entsprechung noch unterstreicht.

Beispiel 4:

Auch die bereits angesprochene und mit der *Ges-Dur-Etüde* verglichene Spielfigur in Takt 223 f. und später (Achtel, Sekundmotiv bestehend aus 2 Sechzehnteln und Achtelziel- bzw. Anfangston der nachfolgenden Figurenwiederholung) ließe sich aufs Refrainthema beziehen, wie man aus den jeweils zweiten Takten der Themenkopfvariationen 229 f. und 231 f. ersehen könnte, jedoch ist diese Ableitung eher indirekt. Das Motiv selbst aber wird von Chopin in der Duofassung an verschiedener Stelle — eher unvorbereitet — eingeführt: so etwa wird der Baß von Takt 137 (und an analoger Stelle) in Takt 137a/137b mit ihm diminuiert, ebenso werden die ersten Akkorde der rechten Hand Takt 143a, 145a und 147a mit ihm bereichert und schließlich sind die Änderungen der Figuren von Takt 153 ff. in Takt 153a ff. als Einführung dieses Motivbezuges zu sehen.

* * *

Deutlicher noch als bei der Erfindung von thematischen Strukturen ist die Klaviergemäßheit, das Erfinden von Musik „aus der Hand heraus", bei den Passagen und Figuren zu erwarten. Bereits innerhalb des Refrains wird man hier fündig. So findet sich Chopin-Klaviertypisches schon im kontrastierenden Mittelteil des Refrains, unmittelbar bei der zuvor beschriebenen Stelle: so wie der Themenbeginn Takt 25 selber von der unterschiedlichen Artikulation innerhalb der rechten Hand lebt, ist nun in Takt 47 (mit Auftakt) das klaviersatzmäßige Novum der Übereinanderlagerung zweier Läufe mit unterschiedlicher Artikulation: die in parallelen Sexten geführte Passage verlangt für die oberen Töne staccatissimo, für die unteren legatissimo. Diese „Klavieridee" ist so auffällig, daß Robert Schumann in seinem Versuch, ein Stück im Stile Chopins zu schreiben — das „Chopin" betitelte Stück aus seinem *„Carnaval"* op. 9 —, glaubte, diese Setzart in der zweiten Hälfte von Takt 10 unterbringen zu müssen (ein weiterer „Chopinismus" ist der Schumannsche Originalfingersatz 4–5–5–4–5 in der ersten Hälfte dieses Taktes). Daß diese kleine Passage Takt 47 bei Chopin in Beziehung zum *Rondo*thema zu sehen ist, scheint ebenso klar wie ihre Korrespondenz zu Takt 45: der Bezug zum Thema ist dabei einerseits Erweiterung — statt der 8 Sechzehntel von Takt 25 erklingen deren 10 in Takt 47 (zusammen mit dem Auftakt in Takt 46[62]) —, anderseits als Verkürzung — aus den beiden Vierteln von Takt 26 werden in Takt 46 die Achtelakkorde, die noch im korrespondierenden Takt 48 als Schlußfigur der ersten Takthälfte spürbar sind (die Fassung für zwei Spieler hat hier — Takt 48b — sogar noch zusätzlich „richtige" Akkorde). Interessant, weil die Bindung ans Thema noch mehr unterstreichend, daß das Autograph für die Sechzehntel von Takt 45 noch Staccatopunkte vorsieht, die möglicherweise gestrichen wurden — man hätte gern die Gründe erfahren, weshalb die Herausgeber der Paderewski-Ausgabe hier legato als das selbstverständlich Gemeinte ansehen — unglücklicherweise bleibt die Analogstelle (Takt 205 bis 208) im Autograph dann gänzlich, d.h. auch bei der abwärtsgeführten Passage, artikulatorisch unbezeichnet[63].

Auch der Abschnitt, der unmittelbar daran anschließt, ist im Hinblick auf die klaviertechnische Erfindung analysierbar: es handelt sich um einen Abschnitt, der aus einer Folge von rasch und mit einer Hand legato zu spielenden Doppelgriffen besteht — ein chopintypisches Spielproblem. Die dabei von der Oberstimme gespielten Figuren wären von sich aus sogar eher trivial, ihre Neuheit besteht gerade in dieser Zweistimmigkeit.

Die erste Figur in Takt 49 — gewissermaßen eine Mini-Sextenetüde — ist dadurch zusätzlich ausgezeichnet, daß sie durch den Einschub einer Terz das Vierfingermodell erweitert zu einer Figur, die — wie auch die Begleitung der linken — alle fünf Finger in Anspruch nimmt. Dieser spieltechnische Eigenwert ist vermutlich auch der Grund, weshalb Chopin diese von einer Hand zu spielende Zweistimmigkeit bei der Umarbeitung nicht der Bequemlichkeit halber auf beide Klaviere verteilte, sondern diese Stelle (Takt 49b/50a/51b/52a) sogar um eine neue, zusätzliche pianistisch gedachte Figur erweiterte: deren Problem ist die rasche Tonrepetition unter Einsatz des Fingerwechsels.

Zwar ist die rasche Tonrepetition ein bei Chopin — verglichen etwa mit Liszt — eher seltenes Mittel[64], jedoch zeigt auch bereits die Fassung für ein Klavier hierfür ein instruktives Beispiel, nämlich die Brückenfigur unmittelbar zum ersten Couplet Takt 99 bis 102. Instruktiv ist es vor allem im Hinblick auf die Tonhöhen: die Figur, die mit dem Fingersatz 3–2–1 repetiert wird, bringt durch ihre chromatische Versetzung unter Beibehaltung der Fingerfolge auch den Daumen auf schwarze Tasten — diese nicht einfach zu spielende Figur[65] ist bezeichnenderweise eine der ganz wenigen Stel-

---

[62] Im Autograph sind — und dies gilt für die rechte wie für die linke Hand — ursprünglich nur die beiden Auftaktsechzehntel von Takt 46 legato ans erste Sechzehntel von Takt 47 gebunden, sodann herrschte Staccato-Artikulation vor.

[63] Da — wie gezeigt — für die zweiklavierige Fassung durch den neubegründeten Rückbezug auf Takt 43a/44a eine konzeptionelle Änderungen der Stelle vorgenommen wurde, ist ein Schluß von der Artikulationsart von Takt 45 b auf die von Takt 45 nicht automatisch zulässig.

[64] Weitere Beispiele bei Chopin finden sich in op. 5 ab Takt 53 und an analogen Stellen sowie in op. 18, Takt 20 (Takt 273, 277 und 279 sind dort durch die Zusatztöne d^1, die einen Fingerwechsel in der Außenhand erzwingen, technisch noch schwieriger).

[65] Spieltechnisch vergleichbare Stellen sind in op. 2 die 2. Variation oder die Rückleitungsfigur zur Reprise in op. 11, 1. Satz, Takt 479–486.

len des Autographs mit originaler Fingersatzangabe. Sie ist übrigens dadurch erschwert, daß sie gegenüber den Taktschwerpunkten um ein Sechzehntel verschoben ist, d.h. die Betonung liegt jeweils auf dem zweiten Finger, statt auf dem leichter betonbaren 3–1 Wechsel[66].

Ein Beispiel, wo eine chopintypische spieltechnische Problematik bei der Umarbeitung für zwei Klaviere zwar nicht übernommen, aber in eine neue, ebenfalls dem Chopinschen Technikumkreis zugehörige Problematik verwandelt wird, sind die letzten Teile der oben besprochenen Passage, die Takte 52 bis 55. Die spieltechnische Schwierigkeit besteht hier darin, daß die Oberstimme beim Wechsel vom Sext- zur Terzgriff nicht mehr gebunden werden kann. Diese Verbindung — der Staccatopunkt deutet darauf hin — ist mit demselben, dem fünfte Finger zu bewerkstelligen, d.h. hier kommen zum reinen Fingerspiel noch ausgleichende Bewegungen des Handgelenks hinzu. Dennoch ist eine einigermaßen sichere Ausführung dadurch gewährleistet, daß die Unterstimme an der fraglichen Stelle durchaus gebunden werden kann und somit Halt bietet — es wird dabei zwischen beiden Griffen eine Spreizung der Finger nötig.

Bei der Duofassung behält Chopin zwar die wesentlichen musikalischen Elemente bei, streicht aber den die Spiel- und Fingersatzproblematik erzwingenden, als Unteroktave nachschlagenden Einzelton; genauer: er überträgt ihn — da durch den zweiten Spieler die Baßlinie übernommen wird — der nunmehr frei gewordenen linken Hand. Die rechte ist damit wiederum reine Legato-Doppelgriff-Figur geworden.

Auch Beispiele klaviertechnisch erfundener Figuren lassen sich benennen, bei denen die Fassung für die doppelte Anzahl der Hände zwar Erleichterungen brächte, Chopin aber die zusätzlichen Möglichkeiten zur Erfindung einer zusätzlichen Komplizierung nutzt: Es geht um die Spielfigur in der Steigerungsanlage ab Takt 153 ff., rechte Hand und ihre Spiegelung Takt 161 ff., links:

> Die musikalische Struktur, die hier das technische Problem bildet, ist ein Sekundmotiv, das rasch zweimal in derselben Richtung die Oktavlage wechselt. Die spezielle Wahl des Fingersatzes ermöglicht das rasche Spiel dieser Figur: die Sekunde wird nicht von zwei benachbarten Fingern gespielt und dieser Fingersatz oktavversetzt wiederholt, sondern vom Daumen und dem vierten bzw. fünften, so daß der räumliche Abstand zwischen den oktavversetzten Sekunden von der Spanne zwischen Daumen und Außenhand überbrückt wird und für das eigentliche Sekundintervall zwar die ungewöhnliche Fingersetzung 4–1 bzw. 5–1 erforderlich ist[67], die Zusammenziehung der Hand und Seitenbewegung des Handgelenks und die des Unterarms aber einen geschmeidigen Bewegungsablauf garantieren. In der Form für die rechte Hand ist die Virtuosität noch dadurch erhöht, daß das Sekundintervall abwechselnd sowohl von schwarzen zu weißen (Takt 153, 155, 157 und 158) wie auch von weißen zu schwarzen (Takt 154 und 156) Tasten führt[68]. Bei letzterer Erscheinungsform kommt es

---

[66] Auch hier ist die Zerlegung der Bewegungen und Kräfte in ihre Dimensionen anzunehmen: die „Grundlautstärke" der Töne resultiert aus dem Fingeranschlag, die Betonung der Taktschwerpunkte wird durch eine zusätzliche Handgelenksbewegung erreicht.

[67] Natürlich nicht für das erste und letzte Sekundintervall!

[68] Der harmonische Hintergrund sind Sextakkorde, die über einem Orgelpunkt parallel verschoben werden. Es handelt sich dabei um eine Mischung aus chromatischer und diatonischer Parallelverschiebung ähnlich der Einleitung zur *As-Dur-Polonaise* op. 53. Interessanterweise gibt es auch im Hinblick auf die

zum Daumenübersetzen. Dieser Figur vergleichbar, aber nur auf schwarzen Tasten zu spielen, ist ein Ausschnitt aus der *Ges-Dur-Etüde* aus op. 10, Nr. 5, die Takte 45 ff. Ersetzt man übrigens bei dieser Figur das Sekundintervall durch die Prim, d.h. die Tonwiederholung, so erhält man eine musikalisch wie technisch interessante Spielfigur, die in Opus 73 selbst zwar nicht vorkommt, wohl aber bei Chopin an anderer Stelle — etwa in der *As-Dur-Ballade*[69], Takt 169 ff. — und auch bei anderen Klavierkomponisten[70] der Zeit.

In der Fassung, in der es durch den zweiten Spieler ermöglicht wird, die Figur auf zwei Hände zu verteilen, streicht Chopin die jeweils mittlere Sekunde und ersetzt sie durch einen Einzelton. Das Huschen über die Oktaven hinweg ist bei dieser auch rhythmisch leicht geänderten Figur dann noch rascher[71].

Den Abschluß unserer Überlegungen mögen zwei Passagen bilden, bei der die Originalität darin besteht, daß die spieltechnische und die musikalische Struktur in einen gewissen Gegensatz treten.

Gemeint ist — zum ersten — die Passage zu Beginn der Überleitung zum Couplet, die Takte 65 ff. Das Notenbild der rechten Hand suggeriert, daß eine Figur von der Dauer eines Achtels sequenziert wird; die Figur selbst besteht aus einer Doppelgriff-Figur, deren zweiter Griff einer Brechung unterworfen wurde, ein bei Chopin nicht untypisches Ereignis. Bezieht man jedoch die linke Hand mit ein, so zeigt sich, daß die harmonischen Verhältnisse komplizierter sind: sie induziert eine Sequenzierung von Modellen, die die Dauer einer Viertelnote aufweisen. Bezieht man die jeweils zweiten und vierten Achtel auf dieselbe harmonische Funktion wie die zugehörigen ersten und dritten, so werden den jeweils unteren Tönen unterschiedliche harmonische Bedeutungen zugeordnet. Im einen Fall ist der unterste Ton des ersten Doppelgriffes harmonieeigen und der ihm im Sekundabstand nachfolgende Ton ein Durchgang, während in der nächsten Figur eben dieser untere Doppelgriff-Ton einen Vorhalt bzw. vorhaltsartigen Durchgang zum letzten, akkordeigenen Ton der Figur bildet. Die Gesamtharmonik ist dann eine reguläre tonale, über vier Takte sich erstreckende Quintfallsequenz in *a-Moll* vom Typus I, IV, VII, ... V Stufe[72]. Notiert man die Klavierfigur legatissimo, so wird diese harmonische Deutung besser sichtbar.

Harmonik Unterschiede zwischen der einklavierigen und der Duofassung. In der rechten Hand des Soloklaviers bilden die Spitzentöne die gemischt chromatisch-diatonische Linie *d, es, e, fis, g* und *a* (also kein *eis* oder *f*), während die Fassung für zwei Klaviere hier die volle Chromatik *d, es, e, f, fis* und *g* bietet (dies heißt im übrigen nicht, daß auch die restlichen Stimmen der Sextakkorde rein chromatisch verliefen — auch bei einer chromatischen Spitzenlinie wechseln hier Sextakkorde mit unvollständigen Septakkorden). Bei der Wiederholung der Figur mit der vertauschten Anordnung von liegender und bewegter Stimme, Takt 161 ff. bzw. 161a/161b ff. ist die harmonische Grundlage in beiden Fassungen gleich, nämlich mit *d, es, e, eis* (sic!), *fis* und *g*.

[69] Vgl. aber auch die *Etüden* op. 10, Nr. 10, Takt 43 ff. (mit Zusatzton als simultanem Intervall) oder die Grundfigur von op. 25, Nr. 12 (mit Zusatzton als sukzessive Intervall).

[70] Es scheint klar, daß in Orchesterwerken diese Figur nicht übermäßig sinnvoll ist, wohl aber — bei gänzlich anderer Spielproblematik — etwa bei Stücken für virtuose Violine.

[71] Zur Diskussion dieser Veränderung unter motivischem Gesichtspunkt s. o. die Ausführungen im Anschluß an Notenbeispiel 4.

[72] So bereits bei Ludwik Bronarski (*Harmonika Chopina*, Warszawa 1935, S. 196) und im Anschluß daran bei Hieronim Feicht (*op. cit.*, H. 23, S. 49; vgl. Anm. 14).

Beispiel 5:

Ob tatsächlich beim Hören die Verhältnisse so gedeutet werden, ist angesichts des relativ raschen Tempos allerdings fraglich[73]. Der Witz dieser Figur besteht also im Unterschied zwischen der pianistischen Griffweise und ihrer doppelten musikalischen — sprich harmonischen — Sinnebene. Wie bei vielen anderen pianistischen Ideen der Fall, hat Chopin diese Konstellation in einem späteren Werk als Baustein wieder verwendet, nämlich in der Stretta der *Ballade* op. 38, Takt 192 f.

Da diese Figur in op. 73 pianistisch erfunden ist, leuchtet auch ein, daß Chopin sie bei der Umarbeitung nicht auf zwei Hände verteilt hat, wohl aber doppeltaktweise alternierend auf zwei Spieler. Weniger einleuchtend hingegen, weshalb er beim ersten Auftreten der Figur — die frei gewordene Hand muß ja beschäftigt werden — in Takt 65a/66a die Unterstimme durch eine Untersextparallele verdoppelt, im folgenden Doppeltakt 67b/68b nur durch die Unteroktave, bei der Parallelstelle aber in beiden Fällen die klanglich attraktivere erste Art der Koppelung[74].

Zuletzt noch — zum zweiten — eine pianistische Erfindung, die statt mit der Harmonik in Konflikt zu treten, gewissermaßen am Rhythmischen sich reibt. Es geht um eine Passage unmittelbar vor der Brücke zum zweiten Auftreten des Couplets, Takt 285 ff.

Chopin schreibt hier für die rechte Hand eine Akkordbrechungspassage E-Moll/H-Dur, deren Bewegungsumkehr — dies ist nebenbei bemerkt ebenfalls für viele vergleichbare Passagen bei Chopin typisch[75] — nicht mit einem Taktschwerpunkt zusammenfällt, sondern jeweils ein Sechzehntel zuvor. An diesen Umkehrpunkt — die Position der Hand ermöglicht dies bequem[76] — wird eine Oktavverdoppelung des Tones angekoppelt (letztes Triolensechzehntel Takt 285, ferner das sechste sowie das letzte im folgenden Takt), gewissermaßen rhythmisch aufgepfropft, zusätzlich mit einer Doppelgriff-Wendung am Schluß dieser Passage (Takt 286 auf 287). Es wäre vermutlich zu weitgehend zu behaupten, daß diese rhythmische Konstellation

---

[73] Unwahrscheinlich auch die prinzipiell mögliche Auffassung eines harmonischen Rhythmus von der Dauer eines Achtels (I, VI[6/4], IV, II[6/4], VII, V[6/4], III ...).

[74] Daß es sich um ein bloßes Versehen handelt, scheint ausgeschlossen, wohl eher ist eine steigernde Anlage zu vermuten. Nicht nur wird in der Duofassung das *Rondo*thema bei seinem jeweiligen Auftreten im Verlauf des Stückes variierend verändert (die Fassung für ein Klavier tut dies — mit der besprochenen Ausnahme — nicht), auch beim Couplet erfährt die Sechzehntelfigur der Takte 111 ff. zunächst nur eine Oktavverdoppelung in Takt 111a während die Analogstelle 297 ff. in Takt 297a ff. den Satz mit Sextverdoppelungen, Hornquinten und ähnlichem bereichert.

[75] Weitere Beispiele wären die rechte Hand, Takt 221 aus op. 11, 3. Satz, aber auch aus op. 73, Takt 72.

[76] Die Aufpfropfung des *h*[2] bzw. *h*[1] beim *Rondo*thema des dritten Satzes von op. 11, Takt 320 ff. aber ist zusätzliche Schwierigkeit.

nur durch die Ankoppelung an einen durchlaufenden Sechzehntelpuls möglich wäre
— dies gälte wohl eher für eine bestimmte Variation in der *Berceuse*[77] —, aber das Prinzip ist bereits vorhanden. Wirklich systematisch ausgebaut hat dieses Prinzip — die
Spielbarmachung komplizierter Rhythmen durch manuelle Ankopplung an einen
durchlaufenden Puls — erst wieder György Ligeti, der sich auch auf diesen Komponisten explizit beruft[78]. Chopin selbst jedenfalls hat diese Konstellation ins Duo
nicht übernommen: er hat für den Primospieler die Passage der rechten Hand in der
linken im Oktavabstand verdoppelt. Die genannte Aufpfropfung würde zu Kollisionen
zwischen den Händen führen. Für das Spielbarkeitsargument spricht — ex negativo
—, daß die Akkorde, die für den Secondospieler „neu" hinzukomponiert wurden,
nicht off-, sondern on-beat zu spielen sind.

STRESZCZENIE

O PIANISTYCZNYCH INNOWACJACH STRUKTUR MUZYCZNYCH
W *RONDZIE C-DUR* OP. 73 CHOPINA

Już wcześnie Chopin rozwijał specyficzną dla niego, nowatorską technikę gry, której wyrazem były nowe
muzyczne figury i struktury. Wyprowadzenie tych struktur z określonych idei technicznych gry fortepianowej Chopina jest podjęte w szczególny sposób w odniesieniu do *Ronda C-dur*, co pozwala naświetlić na
nowo także kwestię powstania i następstwa obu wersji utworu. Można też przy tym postawić pytania
dotyczące pianistycznych innowacji w *Koncercie e-moll*.

---

[77] Gemeint ist die rechte Hand in Takt 39 ff.; die nach oben behalste Sechzehntelstimme wäre in ihrer
Verschiebung gegenüber dem Taktschwerpunkt ohne die Einbindung in die nach unten behalsten Zwei-
unddreißigsteltriolen wohl kaum rhythmisch exakt zu realisieren.
[78] Allerdings bezieht sich Ligeti selbst auf eine andere Stelle bei Chopin, nämlich auf den Takt 175 f. in
der vierten *Ballade* (György Ligeti im Gespräch mit Denyse Bouliane: „Stilisierte Emotionen. György
Ligeti im Gespräch", in: *MusikTexte*, 1989, H. 28/29 [März], S. 54a).

The Interpretative Musical Form of Chopin's *Nocturne* Op. 27 No. 2

Bertil Wikman
(STOCKHOLM)

The starting point for this paper is some variants of dynamic art in Chopin's *Nocturne* Op. 27 No. 2. The background is a study of textual variants and different renditions of the *Nocturne* from its creation to our own time. The aim is to study interpretative variants from a broader ontological perspective. What do these variants tell us about the conception of the musical work of the time? The investigation is based on Chopin's manuscript, three scores annotated by the composer, about 30 different editions and 70 recordings of the nocturne. To answer such a question, one also has to consider the variants in their historical context, and to study the interpretative ideals as they emerge in theoretical and pedagogical works of the time, in performance directions by Chopin and his contemporaries, and in arrangements and edited scores of music from earlier times.

Since the beginning of the twentieth century, the musical work has very much been regarded as an intentional object. It is studied in a one-way communicational model as a sort of message from the composer to the listener, and it is identified with the composer's intentions, as visible in his notation. The idea is that the composer has strived for a definitive and unchangeable shape, and that when there is a conflict between different sources one has to eliminate the confusion in order to reach the composer's ultimate version. To understand a piece of music is to look at the score; to convey the work to the public is to play what the composer has written. Fidelity to the musical work is tantamount to fidelity to the score.

With our modern concept of the musical work, variants given by the composer are a problem. When there is more than one alternative at hand, one has to choose that which represents the composer's ultimate intentions, and even if one accepts that two variants have the same authenticity practical reasons oblige one to choose between them.

The modern work-concept is said to have emerged at the end of the eighteenth century.[1] From an interpretative point of view, however, the modern 'authentic' musical work emerged rather at the beginning of the twentieth century. In a broader perspective, it can be seen as a reaction towards the musical ideals of the nineteenth century

---

[1] Lydia Goehr, for example, places the emergence of the 'modern' work-concept at the end of the eighteenth century (Lydia Goehr, *The Imaginary Museum of Musical Works. An Essay on the Philosophy of Music*, Oxford 1992).

and the self-indulgence of performers seeking to put their personal stamp on the music.[2] A study of interpreted editions, transcriptions, arrangements, revisions, ossias, different versions of the same piece, interpretative variants and conflicts of academic philological interests[3] suggests that in the nineteenth century the musical work was seen as something quite different to how it was portrayed in the twentieth century.

It had more similarities with the musical work of the baroque era. Music was regarded as a performance art; the performer was sometimes as important as the composer. The musical work was more identified with the meaning of the music than with its notation, and this meaning was associated with an aesthetic ideal that became outmoded in the twentieth century. To perform music was to communicate to the listener the content of music; to understand this content one had to translate it and to bring it into line with the aesthetic ideals of the public.

Trying to understand the music of the nineteenth century using the work-concept of the twentieth century is problematic. Applying a work-concept that developed as a reaction towards that which one wishes study leads to anachronisms. This is clearly evident in the case of Chopin's variants.

According to his contemporaries, Chopin never played his own compositions alike twice, and he often changed his performing directions even in his published scores.[4] This inability to reach a decision or—from a different perspective—this great improvisational ability was a part of the interpretative and compositional process in the nineteenth century. The variants are interesting in many ways. They point to something fundamental in the musical work, not only in older times but also in our day. The ability to adjust the interpretation to the mood, the personal feeling, the acoustics and the instrument, and to find a personal rendition is still valued among musicians in our day.

Our intentional work-concept cannot explain this variability of the musical work in a satisfying way. The fact that one can play a work of music in so many ways indicates that the musical structure is to some extent—and in certain contextual environments an important extent—changeable. The musical work seems to have some autonomy in relation to the composer and the score. The variability is also a part of the personal and stylistic approach to the musical work. The works of some composers are said to have more interpretative variability than the works of others, and Chopin is often seen as one of the most ambiguous composers in this respect.

The problem of the changeable musical work has been discussed from time to time[5], but its ontological implications seem not to have been clarified. Even the

---

[2] Cf. Heinrich Schenker's attack on Hans von Bülow's edition of C. P. E. Bach sonatas in *Ein Beitrag zur Ornamentik, als Einführung zu PH. Em. Bachs Klavierwerken etc.* (Wien 1904) and his own Urtext edition of J. S Bach, *Chromatische Phantasie und Fuge: Kritische Ausgabe* (Wien 1910) and his *Erläuterungsausgaben* of the late Beethoven sonatas Op. 101, 109, 110 and 111 (Wien 1913–15 and 1920).

[3] See, for example, the prefaces to Hans von Bülow's editions of C. P. E. Bach's and Domenico Scarlatti's sonatas.

[4] See, for example, Jean-Jacques Eigeldinger, *Chopin: Pianist and Teacher as Seen by His Pupils*, Eng. transl., Cambridge, 1986, pp. 55–56, pp. 125–126 and p. 198.

[5] See, for example, Jeffrey Kallberg: 'Are Variants a Problem? "Composer's intentions" in Editing Chopin,' *Chopin Studies* 3, Warszawa 1990, pp. 257–268.

variants as such have not been systematically investigated.[6] The paradoxical conclusion is that what constitutes a great problem for the editor of an Urtext is, from the historical and interpretative point of view, a unique possibility to understand what the musical work is about, not only for the performer but also for the composer and the public. Instead of being a problem, the Chopin variants bring us back to the concept of musical work in the first half of the nineteenth century. They can provide a clue to the ambiguity of the musical work and answers to the questions: How is it possible to play music in so many different ways? What gives the musical work its identity in spite of this variability?

Before trying to make a brief summary of this work-concept, I will start by demonstrating—what I hope will provide one possible way of looking at some textual variants in the *Nocturne* Op. 27 No. 2.

* * *

In the *Nocturne D flat major* Op. 27 No. 2 we find some of the more radical interpretative changes in Chopin. As can be seen in three of the annotated scores[7], and as confirmed by a statement from Julius Fontana, Chopin seems to have made a dramatic revision of the interpretation of the entire work. This paper will primarily discuss two authentic variants of the transitional passage between the second and third form section and of the third presentation of the main *bel canto* theme.

In the transitional passage, Chopin originally placed the climax of the growth phase in bar 45, and which he prescribed a *diminuendo* to the return of the theme in bar 46:

Example 1: Bars 45–46 (autograph)

It seems that Chopin's original thought was that the three presentations of the main theme ought to be neutral in a similar way. In the autograph and the three first editions they have similar tempo (the second time 'a tempo' is added) and dynamic shading (the first time is written *dolce* in all sources). Bar 45 features a long *diminuendo* hairpin after the *f (forte)*, and also the word 'diminuendo'. The nuance in bar 46 is not stipulated in the autograph and the first French and German editions, but the English first edition prescribes *dolce*—as on the first occasion.

Of the modern Urtext editions, Henle (Zimmerman) is the only one to have chosen this 'autograph' variant as the authentic one. However, we find it practically in all older editions. Most of the older recordings have also chosen this version—Louis Diemer (1903), Vladimir de Pachman (1925), Raul Koczalski (1928), Simon Barere

[6] See, for example, J.-J. Eigeldinger, *op. cit.*, p. 198.
[7] Three teaching copies owned by Jane Stirling, Camille Dubois-O'Méara and Chopin's sister Luiza Jędrzejewicz.

(1947) and Stefan Askenase (1954) among others. Among more recent recordings, this rendition is more rare, but is chosen, for example, by Livia Rève (1988).

Later[8] Chopin revised this first proposal and made changes to the dynamics in the three preserved teaching copies: in bar 45 he crossed out in pencil the *diminuendo* hairpin and the word *diminuendo*, replacing it with *crescendo*, and at the beginning of bar 46 he added *ff* in the copy of Mme Dubois and *fff* in the copies of Jane Stirling and Mme Jędrzejewicz.

Example 2: Bars 44–46 (Universal Edition)

Of the modern Urtext editions that have chosen these revised dynamics we find the Universal Edition (Ekier) and The National Edition (Ekier) that have chosen *ff* (the Dubois variant) in bar 46, while PMW (Paderewski) has chosen *fff* (Stirling and Jędrzejewicz). Of the older editions Salabert (Cortot) has taken into consideration these annotated scores and chosen *fff*.

In recordings, most modern pianists also play this variant. This can be explained by the fact that the most influential of the modern editions (PMW) has also chosen this model, but might also reflect the fact that musicians often prefer a more dynamically expressive rendition of the form. Several pianists also strengthen the climax at the beginning of bar 46 with an octave in the bass—for example, Lipatti.[9] Among the recordings that are influenced by this variant we find practically all new recordings made after the Second World War.

Why did Chopin change his mind? There are several probable explanations for this. One is that Chopin could have changed his mind and adjusted his performing directions in accordance with the pedagogical situation. Against this proposal, one can argue that the changes are so systematic (even if they differ in details), so radical (from *p* to *ff* and *fff*) and so consistent (in all annotated scores and also the underscored statement from Chopin's friend Juliusz Fontana) that they are not likely to be associated just with the pedagogical situation.

Another explanation is that the changes are due to the principle of «varietas' of the time. To play differently was a part of the interpretative and compositional style of Chopin's time, as can be seen from theoretical and pedagogical treatises.[10] This

---

[8] The time of this revision is probably around 1843–48. For the time when Camille Dubois and Jane Stirling studied with Chopin and for the relationship between Jane Stirling and Chopin's sister, see J.-J. Eigeldinger, *op. cit.*, pp. 164, 180–181, 224–227.

[9] Chopin himself did the same in the subsequent cadence in bars 53 and 54. See The National Edition footnote.

[10] Cf. piano methods and treatises by Kalkbrenner, Hummel, Czerny and Baillot, from Chopin's time, but also from the eighteenth century and up to our own century.

leads, however, to the more problematic question: How is it possible to play radically differently without being arbitrary?

What seem to be two diametrically opposed renditions of bars 44 and 45 are, however—from an interpretative point of view—both natural ways to play these bars. They can be seen as representing two types of intrinsic tendencies in the musical structure. One corresponds to a decreasing energy; one can see Chopin's manuscript and the three first editions as documents confirming this falling intensity curve in bar 45. The other corresponds to an increasing energy; the three annotated scores and Fontana's statement can be understood as four recordings that underline this growing intensity.

The increasing energy of the growth phase in the preceding bars 39 to 44 seems reasonably unambiguous.[11] There are several structural features that suggest an increasing energy and a motion directed towards a climax in bar 45. These include the following:

a) the ornamental intensification in bar 39: 2;
b) the chromatically ascending line in the bass from g sharp to e flat in bars 40 to 45;
c) the recurrent change of harmonies in the right hand;
d) the condensation of the chord shifts in bars 44 and 45—once a bar in bars 39––43, twice a bar in bar 44: 1 and finally on every quarter note in 44: 2 and 45: 1;
e) the ostinato character in the chord shifts due to the joint tones in the chord and the five-fold appoggiatura in octaves on G flat that creates a feeling of motion towards a goal.

The climax of the growth phase is reached in bar 45. However, as the two textual variants suggest, this bar is intrinsically ambiguous. Here you have both increasing and decreasing forces that can be underscored by the performer. In his original interpretative concept, Chopin thought of the bar as a resolution of the tension to the same level as in the first two presentations of the theme. Therefore, he supported the resolution with both a *diminuendo* and a *diminuendo* hairpin.

Example 3: Bars 44–46 (Dubois)

Among the structural properties that decrease the energy, the following should be mentioned:

a) descending movements in sixteenth triplets in the right hand. These movements, already present in bars 42 and 43, can be seen as counteracting the strong growth

---

[11] This does not mean that it necessarily has to be supported with *crescendo* and *stretto*, as found in some editions. There are also pianists who paradoxically highlight the increasing energy with a negative emphasis. Simon Barere (1947), for example, makes a *diminuendo* in bars 29–45.

phase—with the reservation that such counteracting can further increase the energy through its refractoriness.[12]

The ambiguous character of the descending triplets motion can also be seen in the different readings of Chopin's performance directions in the autograph and first editions. The high G flat is underlined with a *fz* every time (except in bar 45). After *fz* is written a *diminuendo* hairpin. The length of this *diminuendo* sign differs. In bars 42 and 44 it is rather short and seems to belong to the G flat and to indicate a type of *fp* emphasizing. In bar 43, however, the *diminuendo* hairpin is longer and seems to belong to the descending movement. The differences can be arbitrary, but the French and English first editions have chosen to reproduce the text according to the autograph.

Example 4: Bars 40–49 (autograph)

Of the modern Urtext editions, Henle has also chosen to reproduce the autograph version. The Universal Edition and National Edition do not make this difference, but feature a rather short *diminuendo* hairpin every time the motion returns. The Paderewski edition has chosen to place the diminuendo sign as an accent sign over the G flat.

b) The resolution of the dominant to the tonic in bar 46 implies a decrease of energy during bar 45. The cadence is one of the ambiguous forces in the music. Its ambiguity is increased by its often complex interaction with other musical elements that underscore or counteract the direction of the cadence. The most common interpretation of the cadence is that the tension curve increases from the tonic through the subdominant to the dominant and then releases to the tonic again. The resolution of the dominant to the tonic can, however, also be seen as a movement directed towards a goal. Particularly at the end of musical works—and not least with Chopin—the cadence has this increasing energy directed towards the last chord.

c) The conclusion of the growth process in bar 45. The ascending movement in the bass from G sharp to E flat in bars 40 to 45 stops and falls down two fifth steps from E flat to A flat and finally to the tonic D flat. Also, the rhythmic chord intensification in bars 44 and 45: 1 stops and the seventh chord is held for three quarters of the bar. At the same time—since the chords disappear—there is a slightly rarer texture in comparison with the preceding bar.

---

[12]   The rhythm can also be seen as having an increasing energy. In bars 42 and 43 it starts (after the appoggiaturas) with a quarter note, then two sixteenth notes and then two pairs of sixteenth triplets which can be seen as a rhythmic *crescendo*.

There are interpretative possibilities that can underscore both tendencies. The performer is not only responsible for deciding which tendencies are to be underlined, but also by what interpretative means—dynamics, rhythmic inflection etc—they can be made credible as sound structures. To achieve a natural transition between the sixteenth triplets and the calm melodic and rhythmic character of the *bel canto* theme in bar 46, there is a need for a rhythmically decreasing motion in bar 45. The performer has to stop the increasing energy in terms of the rhythm. Even if one does not consciously play a *stretto* in bars 40–45,[13] most pianists play at least a slight *accelerando*. To return to a more relaxed tempo in bar 46 one has to bridge the differences in motion energy between bars 44 and 46.

There is a very strong continuation of the accumulated energy in bar 45. The energy of the motion is so strong that whichever version one chooses to play in bar 46—*p dolce* or *fff*—one has to stop the motion with a great *ritardando*. Pianists who continue the *crescendo* do not need the same amount of *ritardando*. If one is going to diminish the energy in dynamics and timbre from the climax in bar 45 and present the theme in a *dolce* character, a still greater decreasing of the motion is demanded. Those pianists who play the third theme softly have to make a greater *ritardando* than others.[14]

Example 5: Bars 44–45 (Universal Edition)

There is also the perhaps more sophisticated possibility—verified by Chopin's performing directions—of regarding bar 45 as an upbeat belonging to the *bel canto* theme. Bar 45 is formally ambiguous and cannot be seen only as a final bar at the end of a growth phase; it is also an increasing force belonging to bar 46. Compare, for example, the *crescendo* and phrasing of the parallel passage in bars 24 and 25 in the autograph and first editions:

Example 6: Bars 25–26 (autograph)

Here, it seems that the theme has a half bar upbeat—a reading confirmed by the *crescendo* in bar 25: 2. Chopin's phrasing is helpful, in spite of being somewhat diffi-

---

[13] Raul Pugno, for example, has also written in *stretto* in bar 44.

[14] Frank La Forge (1912) and Vladimir de Pachman (1916), for example, nearly double the length of the bar.

cult to interpret in the autograph—bar 26 begins on a new system in the score, and it
is therefore not easy to decide if Chopin wishes to continue the phrase into the next
system or if the melodic motion should be divided. But all three first editions feature
one long phrase in the following manner:

Example 7: Bars 25–27 (Schlesinger)

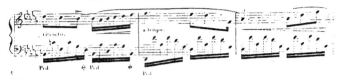

By means of the long phrasing from the second half of bar 25 to the beginning of
bar 27, Chopin has indicated the interpretative possibility of attacking an upbeat to the
theme. This hypothesis is perhaps further supported by the placing of the *ritenuto* sign.
In the autograph, this *ritenuto* starts at the end of bar 24—a little before bar 25 (which
is not abused in any edition). This makes the rounding off of the previous phrase more
clear and opens up the possibility of making a little accelerando in the upbeat to reach
the 'a tempo' in bar 26. This option is put forward by pianists such as Vladimir de
Pachman (1925), and it gives the theme a more dynamic, wave-like curvature from the
start, with an ascending energy in bar 25: 2 and a descending relaxation in bar 26.[15]

In the three annotated scores, Chopin deleted the *crescendo* in bar 25 at the same
time as writing in *pp* at the beginning of bar 26. This can be seen as a reevaluation of
the upbeat character of the theme. The rising inflection no longer belongs to the
theme and its dynamic form, but to the end of the previous concluding phrase. The
presentation of the second theme then starts at the beginning of bar 26.

Example 8: Bars 25–27 (Universal Edition)

The explanation for this change is associated with the reevaluation of the interpretative rendition of the third presentation of the main theme already discussed. Likewise, in bars 25 and 26 we have two different views on the second presentation of the
theme stemming from Chopin's hand.

Example 9: Bars 24–28

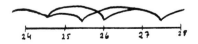

---

[15]   The same point can be made for the first presentation of the theme.

The two phrasings are underscored by the interpretative shaping of form. In the autograph and the three first editions the second half of bar 25 is apprehended as an ascending upbeat to bar 26 through the *crescendo*. The dynamic phrase ranges from bar 25:2 to 27:1.

Example 10: Bars 24–28

Among the editions that have chosen this version we find Henle (Zimmerman) and Salabert (Cortot). Among the pianists who render this variant are Pachman (1925) and Askenase (1956).

In the three annotated scores, Chopin not only crossed out the *crescendo* in bar 25 but also wrote in a *pp* at the beginning of bar 26. This results in a diametrically opposed rendition in comparison to the original idea, with a decrease of energy and a more conclusive character to bar 25:

Example 11: Bars 24–28

This version is presented by the Paderewski Edition, Universal Edition and National Edition. Among the pianists playing this version we find Diemer (1903) and Koczalski (1938). Chopin has, however, made no corresponding changes to the phrasing. There is still a long phrase mark from bar 25:2 to 27:1. This may seem ambiguous. Either the whole phrase is a wave-like sentence (as in illustration 2 above) or bar 25 is the concluding part of the previous section (as in illustration 3 above). To combine the two suggestions—phrasing according to the autograph with a long ascending and descending thematic phrase with the dynamic changes in the annotated scores (deleting of the *crescendo* in bar 25, and placing a *crescendo* at the beginning of bar 26 (as in Salabert, Universal Edition, National Edition) seems contradictive. Against the background of this more sophisticated dynamic view of the form, the choice of the Henle edition to divide the phrase can be questioned (in spite of being supported by the first German edition and the inconclusive phrasing in the autograph).

Example 12: Bars 25–27: 1 (Henle)

The problem is further complicated by the phrasing of the parallel case in bars 45 and 46. Here, the autograph and three first editions feature a *diminuendo* in bar 45 and a divided phrasing between bars 45 and 46.

One answer to the question as to why Chopin gives two alternative variants is the principle of *varietas*. The musical work is then seen as an intrinsic expressive game of forces. In bar 45 there are different latent expressive forces—some of them can be seen as suggesting decreasing energy, some of them increasing energy, and some are more ambiguous and can be interpreted to support both tendencies. In the original concept, Chopin chose to underline the descending character, and the second time the increasing tension inherent in the bar.

* * *

There is also, however, a third, more penetrating, explanation for the changes, especially when one takes account of the fact that the changes undertaken in the two passages under discussion are consistent in all corrected copies, including Fontana's remark. Then we have to take into consideration the two following dynamic variants that are relevant for the changes in bar 45.

In the manuscript and first editions, Chopin originally wrote 'con forza', and a *crescendo* followed by a *diminuendo* hairpin in the fioriture in bar 52.

Example 13: Bars 45–53 Autograph

In the three annotated scores, however, Chopin changed this suggestion, writing *pp* in pencil in bar 50 and deleting in pencil *con forza* in bar 52, and entering in one teaching copy 'del' (*delicatissimo*) and 'dol' (*dolce*—see Example 14).

With the above-mentioned changes in bars 25 to 26 and 45 and 46, one gets a strong feeling that there may be a still more profound explanation for the changes.

Interpretation is seldom regarded as an integral part of the musical work. Performing directions are not often seen as something that affects the form. But interpretative variants need not be seen only as variants. They can also tell us about the form and be a part of the form. In analyses, the relationship between structure and interpretation is mostly a matter of conjecture. Analysis seldom goes into the relationships between structure and interpretation. Even if it is often said that analysis of the structure is important for the performer, one seldom receives any hints as to how the analyses can affect the rendering of a piece. And even more conjectural is the matter of the reverse relationship: if structure affects interpretation, interpretation ought to reflect structure, too.

Example 14: Bars 49–53 (NE)

In some respects, there should be some correspondence between the musical structure and conceivable interpretations. Reasonable interpretations of a work ought to be motivated from the structural point of view. Performances should not be arbitrary—a good interpretation must be firmly grounded in the structure in a reasonable way, and vice versa; a good interpretation represents an defendable analysis of the structure. Interpretations vary, and this indicates that the structure can be seen in many ways. The possibility of offering different interpretations is one way of grasping and displaying the ambiguity of the musical work.

The third explanation for Chopin's interpretative alternatives derives from the following assumption: the changes to performing directions reflect a changing attitude towards the form and structure of the piece.

One of the motives for choosing to study the *Nocturne* Op. 27 no 2 was its romantic ambiguity. The form of this nocturne is rather clear and obvious in its architectonics. The thematic and harmonic patterns cooperate to shape a well-balanced organism, and the borderlines of the formal sections are relatively unambiguous.

It is only when one takes into consideration the expressive inner dynamic curvature of tension and release, and places this on the same level as the melodic and harmonic structuring, that the romantic ambiguity emerges. This complication opens the form to slightly different interpretations.

The most evident borderline between formal sections is in bar 62. The contrast here between the preceding part of the piece and its concluding part—the coda—is so evident that the piece seems to be divided into two pieces. The coda has such a sharply defined expressive character that this, in a way, can be seen as one of the main problems for the performer. The borderline is further underscored by the powerful cadence in bars 59–62.

Fairly evident are the borderlines around the recurrent motif, the theme that constitutes the uniting link in the piece. This theme has a distinctive *bel canto* character. It is divided in time through clear cadences, both in its entrance (in bars 26 and 46) as in its rounding off (in bars 9, 33 and 53).

The dividing of the nocturne into smaller parts is not so self-evident. This observation explains the divergent opinions as to the form of the nocturne. If one considers these parts to be unifying intermissions, the nocturne takes on a rondo-like structure. As regards the musical development—the narrative emotional 'story'—it is more likely a three-part form that emerges. If the form description takes particular account of the ornamentation of the theme and its transformations, a sort of variation form is suggested.[16] At the same time, there is also—as often in Chopin's music—a slight reminiscence of sonata form. This impression is primarily created by the modulations in the middle part of the nocturne—the 'growth phase', developmental in character—and by the material of the second theme (in minor keys!) following the first and third statements of the main theme.

One can thus assign the work to several types of forms. This architectonic ambiguity reflects the breaking up of the classical form types by Chopin—and by the 'romantic' composers—and his search for an individual shaping of form. There follow some reflections on the consequences of a two-part or a three-part division for the interpretation.

In his first suggestions for interpretation, Chopin probably thought of a rendition in accordance with a kind of classical rondo form: the theme is presented roughly in the same character, dynamics and tempo each time it returns. The autograph and the first edition also have fairly uniform dynamics. Even if the theme lacks dynamic markings, one can conclude from the surrounding dynamic that it should be performed softly every time (p?) and with a song-like character (dolce). The material of the second theme functions as rondo episodes.

A similar interpretative rendition of the theme also underlines a three-part form structure. The nocturne can be seen as three dynamic waves with a concluding restful coda. The three waves are constructed around a dynamic climax, and this can be heard as a sort of variation on an expressive dynamic model: at first a song-like theme followed by an increasing growth phase towards a culmination, then a concluding and releasing part that leads to the next presentation of the theme (and the last time to the coda). The theme is presented at the beginning and the conclusion of each dynamic wave. It therefore seems natural that it has a similar and soft character, at least when it begins.

The culmination takes place for the first time after about two-thirds of the length of the first form section. In the following sections, the position of the culmination is moved back by shortening the passage by four bars every time. The idea behind this form conception lies partly in the pleasure of discovery—every time the theme returns it is in its original shape—and partly in the ever-increasing contrast between the culmination parts and the theme—the ever-shorter resolution phase underscoring the enchantment with the recurrent bel canto theme.

Chopin later revised his conception of 'classical' form in favour of a more expressive dynamic form. The key to this transformation lies in the transition and the third presentation of the theme in bar 46. By means of two simple operations the nocturne

---

[16] 'The form is a cross between variations and a three-part monothematic type, where the theme undergoes different ornamental shaping on each occasion, and is changed through different harmonic developments.' ('Formen er en mellemting mellem variation og en 3-delt entematisk type, hvor temaet hver gang får forskellig figureret udformning og aendres gennem afvigende tonal udvikling.') Bengt Johnsson, Chopins klavermusik. I anledning af 100-året for komponistens død, København, 1949, p. 43.

was given not only another character—the 'sentimental character' counter-balanced by a large-scale formal development of a dynamic stature—but also a sort of large-scale chiastic design, in which parts two and three form a dynamic unity (the climax and peripeteia of the work), which is balanced by the introductory first part and the concluding coda.

How can this change in the conception of the third section be explained? The changes effect not only the interpretation, but also the form in its entirety. We have here one of the strongest associations between interpretative performing directions and form conception in Chopin's oeuvre. Yet we have to accept another conception of form—beyond the architectonic and traditional—whereby the form is something that depends on the interpretation and in which the interpretative elements play an important role. The musical work is seen as a sound structure, and form is more about balance in sound and credibility in tension and release than about similarities and contrasts between the melodic/harmonic elements.

The most likely explanation to the changes is that Chopin later changed his mind about the form of the work—and therefore also changed his mind about the 'similarity' of the recurrent theme. From an expressive perspective, the *bel canto* theme has different functions each time it returns. The first time, it has an introductory character; the second time, it functions more or less like a sentimental new beginning after a tension-dialogue part; and the third time it is placed at what can be seen as the dynamic peak of the work. The different functions of the theme are further indicated by the development through which the theme passes: the second time by means of ornamental intensification and the third time by means of the transformation that occurs four bars after the beginning of the theme. One can also claim that the differences in character between the three presentations of the theme are part of the formal essence—the intrinsic meaning of the form. Chopin subsequently became aware of this, and revised his interpretative conception of form. Fontana (according to Kleczyński), describes this change in the following manner:

> [...] the principal theme, which [...] occurs [...] three times (bars 2,26,46), should appear each time with a different strength and a different shade of expression. The first time, for instance, it should be given *piano*, with softness and simplicity; the second time, *pianissimo*—assisted by the second (*una corda*) pedal, which is perfectly justified by the character and the modulation which prepares it; and the third time *forte* and *entirely* contrary to the printing of the text, which directs that it is to be taken *delicately* and *diminuendo*. This was once demonstrated to me by the late Julian Fontana; and it is very logical, for after the entire middle part, which develops itself *crescendo*, the theme resumed for the third time in a feebler manner produces no effect. Why the faulty marking was never rectified in Chopin's lifetime, and why the long (ornamental) passage (bars 51–52) after the return of the theme, has been directed to be played *con forza* instead of *con delicatezza*, I am at a loss to understand.[17]

That Chopin revised his interpretative form conception can be explained by a personal development towards a more expressive dynamic and a more romantic ideal of form. However, there is perhaps also another form-shaping force that can further

[17] Jean Kleczyński, *Chopin's Greater Works*, Engl. transl., London 1896, pp. 38–40, cited in J.-J. Eigeldinger, *op. cit.*, p. 80.

explain the two textual variants—an explanation that we can find if we study the dramatically-opposed changes in performing directions in bars 50 to 55.

That the nocturne—in spite of its classically clear, large-scale form—is a manifestation of a strong dynamic will of form is evident. The work belongs to Chopin's most well-worked-out and meticulously-polished compositions, and this observation is equally valid for the dynamic process—the increasing and decreasing energy of the form. This development takes place in different ways, which explains the apparent changes in expressivity of the form.

The foremost fundamental characteristic of the form of this nocturne is its dynamic, wave-like character. This ever increasing and decreasing tension curve permeates the work, from two-bar phrases to the large-scale form. With regard to the large-scale form, the nocturne features a dynamic motion that is directed towards the latter part of the work. The climax can be placed both at the end of the second and in the third form section, in accordance with the expressive tendencies selected.

The nocturne also has a dramatically-conceptualized 'architecture'. Through the shortening of the B-parts, a gradual condensation takes place, which highlights the musical tension. From this 'expressive architectonic' perspective, the culmination occurs in the third section. The dynamic aspect is strengthened by means of the ornamental intensification that is one of the most evident driving forces. The ever-increasing 'coloratura' runs like a red thread throughout the work, and culminates with the cadence of the third section. From this perspective, the dynamic climax of the work lies in the second part of the third presentation of the theme.

It therefore seems difficult to understand how Chopin could fail to indicate this dynamic development in his original suggestions for interpretation. The expressive forces mentioned here all suggest a musical intensification in the last part of the second and in the third form section. How could he then place a strong *diminuendo* before the third theme presention and destroy the tension that he had already built up?

The explanation to this is a further expressive 'thread' that underlines the classical model of interpretation. Chopin did not miss the dynamic development in his original suggestion for interpretation, but seems to have valued the dynamic forces in a different way. There are several co-existing expressive forces pulling in different directions. Chopin's structural wave-form thinking undoubtedly reaches its climax before the introduction of the third theme, but the ornamental intensification and architectural conception culminates during the third section. And here one finds a further expressive formal process that Chopin wished to put forward.

* * *

To understand Chopin's original suggestions for interpretation we have to describe a further expressive force that is one of his most characteristic features as a creator of form. There is a dimension in the form-shaping that is paradoxically both static and dynamic at the same time. The 'dramaturgical' dimension is motivated both with the static and the dynamic architectonic views of form. It is related to the static view of form by its technical manipulation of the thematic material, and to the dynamic view through the rhetoric emphasizing of the point in the dramaturgical narration. This can be seen as a paradox, but it rather suggests that the borderline between the architectonically static and the expressively dynamic is somewhat construed, at least in this case.

Besides being a sort of grouping of musical motifs and a shaping of tension and release, musical form can also express a development towards a goal—and through this be associated with something other than a static grouping structure or dynamic tension patterns. The form might tell a narrative 'story'. This aspect of form is used in a natural way in program music, but even when such associations are lacking, the inner musical form can be quite evident and blur the borderline between program music and musical narration.

Chopin often narrates a sort of inner musical 'story' in his form-shaping. Many works possess, in this respect, some similarities with the literal, concentrated and sometimes rather precious short story, whose 'raison d'être' is provided by the final point. Considered from this perspective, form emerges as an evolution towards a point, and the design of the work functions as a preparation for this point.

One can find such dramaturgical formal devices not only in the larger works, such as the *Ballades, Barcarole*, and *Polonaise Fantasy*, but also in smaller works, such as *Mazurkas, Waltzes* and not the least the *Etudes*.[18] This is one of the explanations as to why Chopin's works often have such well-balanced forms that even a short mazurka can be received as grand drama. Such a dramaturgical 'narrative' conception of form is to be found in the *D flat Nocturne* in the thematic and harmonic transformation of the third presentation of the *bel canto* theme. The first two times the theme of the nocturne occurs, it has a similar structure, especially its four first bars. The third presentation of the theme is also similar (except for the dynamics discussed above) in the beginning. After the fourth bar, however, a sudden and surprising melodic and harmonic change occurs. In the melody, we unexpectedly find a *C flat* instead of an *A natural*, and in the accompaniment a *D flat* major seventh chord, which highlights the tension and surprise by not moving to *G flat* major/*E flat* minor as before, but remaining unresolved for four bars during the fioritura until the resolution occurs to a *B flat* major seventh chord in bar 53.

The tension in the seventh *C flat* is further underlined when it disappears from the right hand in bar 50, appearing instead in the left hand, where it remains during the rest of the fioriture:

Example 15: Bars 50–51 (Henle)

From a dramaturgical point of view, the very point in the large-scale form may be said to lie in the melodic and harmonic moment of surprise in bar 49 and the subsequent transformation of the last four bars of the *bel canto* theme.

Chopin's original intention seems to have been to highlight the transformation as much as possible. In the autograph, the *C flat* notes are emphasized with both *forte* and

---

[18] Some examples: Op. 10:8, Op. 10:12, Op. 34:1, Op. 41:1.

accent *(fz)*, and in the following fioriture Chopin has prescribed *con forza* and a *crescendo* and *diminuendo* hairpin to bring out the importance of the transformation as much as possible. In order to bring this out in full relief, Chopin at first presents the theme in a low nuance (and, as a consequence, a *diminuendo* in bar 45).

Example 16: Bars 45–53 (autograph)

Thus, Fontana's questioning of Chopin's first suggestion of *diminuendo* in bar 45 and *con forza* in this fioriture might, after all, be reasonably rebutted; the intention is to dynamically underscore the transformation as much as possible.

In the three teaching copies, Chopin chose another interpretative rendition, as early as, the third presentation of the theme. Due to the powerful dynamic with which the theme is presented, he also had to choose another way to underscore the transformation of the theme. The crux of the revised edition, from this dramaturgical point of view, is the difficulty of emphasizing the transformation dynamically. If one has already used strong dynamics at the beginning of the theme, it is impossible to further emphasize the transformation by dynamic means. This dilemma can be seen in the choice in the Jane Stirling and Jędrzejewicz version:

Example 17: Bars 46–49 (Paderewski)

The forte in bar 49—even with an accent—seems to be rather a negative emphasis in comparison with the *fff* in bar 46. Another way to emphasize the surprise in bar 49 is by rhythmical means. In Madame Dubois' copy, Chopin wrote in a stroke before the C flat.[19] According to Eigeldinger, such strokes can 'indicate breaks, of various

---

[19] 'In contrast to the annotated scores of other students or associates, those of Mme Dubois feature oblique strokes (single or double) across the staff, which appear to have been marked with the score on the music stand.' J.-J. Eigeldinger, *op. cit.*, p. 112.

kinds depending on the musical context. Sometimes it means lifting the hand before a change of pattern or a new motive [.....] At other times it is placed over a rest, lengthening it to stress the following note [.....] More often it intervenes before a key note in the musical line, indicating a breath as in a *bel canto* line, implying the wrist movement described Emilie von Gretsch':[20]

Example 18: Bars 47–50 (Dubois)

Chopin's revision, featuring *pp* in bar 50, 'saves' the situation and is an interpretative masterstroke. He then emphasizes the transformation with radical negative dynamics, asking the fioriture to be played *delicatissimo*.

This further suggests that form in Chopin's music is very much a question of balance in sound, dynamic, timbres, texture and rhythmic inflection. As a composer-performer, Chopin was a master of the form as sound structure. His music is thus very much dependent on the performer and his/her sense of form as balance in sound.

The two suggestions for interpretation can be interpreted as two different views on the form of the nocturne. The autograph and the first editions support a rondo-like or three-part divided form, where A1, A2 and A3 make up three dynamically-united sections. Using a graphic presentation of the dynamic curvature, the form could be described in the following manner:

Example 19:

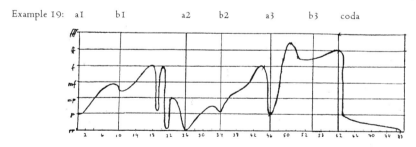

In the teaching copies, A2 and A3 taken together constitute a unity of dynamic form. On a superior level of form, the whole work emerges as a sort of chiastic construction, where the first section of the nocturne is our A1 part, the dynamic wave peak and peripeteia, and our A2 and A3 make up the second section, followed by the concluding and releasing coda. The climax in the first section (A1) occurs after about two-thirds of its length, and the third presentation of the main theme—the emotional climax of the nocturne—similarly occurs after about two-thirds of the total length of the piece, according to a sort of golden-section principle.

---

[20] *Ibidem*, p. 112.

Example 20:   a1   b1   a2   b2   a3   b3   coda

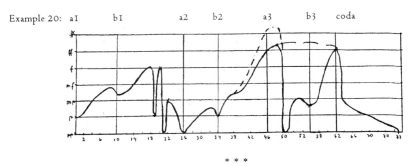

* * *

In several ways, Chopin's variants point to something essential in the musical work. In conclusion, I will try to briefly outline some possible ways of looking at the variants and discuss what they can tell us about the musical work of Chopin's time.

Different professional roles and aesthetic ideals create different attitudes towards the musical work. From a theoretical point of view, the meaning of the work—its form and structure—can be studied in the score in a direct way, without knowledge of performance practice and interpretative aesthetic ideals. The approach is often a-historic and a-contextual, and the identity of the musical work is more or less associated with the most 'objective' parameters of notation—the pitch/time structure. The interpretative elements do not affect the identity of the work in any essential way; they are seen as something outside of the musical work, something that is added to the music when it is performed. The interpretation therefore lacks importance from an ontological perspective.

Musicians and theorists look at the musical work from different angles, which explains why musicians seldom feel at home with the categories of music analysis and why the analysts do well without interpretative renditions of the musical work. Chopin's variants suggest a different musical work-concept to the theorists' intentional object. The variants have an ontological importance. They are not arbitrary, but something that is of fundamental importance to the musical work. The variability was and still is essential to the musical work. If a musical work can be played in many ways, this underscores the fact that the musical structure is variable to a certain, and sometimes crucial, extent.

The musical work seems to have some autonomy in relation to the composer and the score. The variability is also a part of the personal and stylistic properties of the work. The works of some composers are said to be more variable than the works of others, and Chopin is often regarded as one of the most ambiguous composers in this respect.[21]

Our modern work-concept cannot explain this variability in a satisfying way, and it therefore fails to correspond to the musical reality. Questions fundamental for musicians seldom receive satisfying answers: 'How is it possible that a musical work

[21]   'I believe that Chopin's music is open to a wider variety of successful interpretations than that of other great composers, with the possible exception of J. S. Bach, [...].' James Methuen Campbell, *Chopin playing. From the composer to the present day*, London 1981, p. 13.

may be performed in an unlimited number of ways and still retain its identity? How can a work be performed in many ways but at the same time not be identifiable with the different performances?'

We have to search for another conception of the identity of the musical work, one which is necessarily rooted in the musical work 'in use'; I call this concept 'the interpretative musical work'.[22]

One way to explain this variability is to look at the music as a meaningful interpretative language mediated by the performer. From a historic perspective, the musical work is a piece of performance art. The music is primarily a sound structure, and the interpretative elements play an equally important role for the identity of the music work as the pitch/time structure. The performer plays an active role in the reception of the structure, he/she can underline, but also counteract, the immanent expressive processes in the structure.

A definition of the interpretative musical work may read approximately as follows: a performed (1), meaningful (2) sound structure (3) based on the notation of the composer (4) and realized by the performer (5) according to the performing directions of the composer (6) and the performing rules of the tradition (7). If one adopts this definition, the variants can show us what several of the features actually mean.

The variants suggest a musical work that is primarily not a notational structure, but rather a sound structure. The relationship between the score and the sound structure is of fundamental importance and depends on the interpretative conventions of the time, the composer's individual style, and the performer's personal feelings at the moment of interpretation.

The musical work as performance art has to include the interpretative aspect in a meaningful way. The interpretative elements are as important for the identity of the musical work as is the pitch/time structure. They shape the structure, and the form is dependent on dynamics, phrasing, rhythmic variation and timbres. How important the interpretative elements are is a question of aesthetic ideals. In some music that is written in a very idiomatic way—for example, Chopin's music—they are of great importance.

As is shown by Chopin's variants, all types of notational signs may be interpretative, and as they belong to the interpretative net, they can be varied. The borderline between structural and interpretative signs is a matter of aesthetic ideals, and the nineteenth century had quite a different idea of these matters than the twentieth century.

Traditional analysis often fails to look at music as a sound structure, and the interpretative elements do not affect the theorists' approach to the music's structure. The failure of musicologists and analysts to attract the attention of musicians, and vice versa, is partly due to the inherent difficulty in transforming sounds into words, notations, graphics or whatever other means by which one chooses to translate the sound structure.

---

[22] The concept 'interpretative music work' does not indicate that the idea is of interest only to performers. The listener's conception of music is based on performances and interpretative ideals. The interpretation is also rooted in the composer's performance directions. Thus, there is a close link between the views of the composer, the performer and the listener.

To carry out an analysis is to give due importance to the notes and to their connection as sound structures. The performer is a specialist in the field of sound structures—he knows the instrument, its timbres, dynamics and social functions. Paradoxically, one can say that the only way to show that you have really understood a piece of music is to play it.

The variants also tell us about the importance of the performer in the musical work. The performer plays an active part in the mediation of the structure. Interpretation is no passive act, and the relationship between structure and interpretation is no one-way relationship. A performance can underscore, but can also counteract, the expressive processes inherent in the structure. The performer translates the score into a sound world in accordance with the aesthetic ideals, of the time, but as a co-creator he also chooses between different structural alternatives, and 'conveys' the expressive message by giving life to and balancing the expressive forces, thus creating a credible sound structure.

The variants show us the improvisational nature of the musical work as a piece of performance art. Variants were part of the compositional and interpretative ideal of the nineteenth century. The differences between performances are crucial. The rendition should bear the stamp of inspiration and the character of unpremeditated art. The performer should change his rendition according to his frame of mind. To play in different ways from day to day according to mood, acoustics, instrument and concert hall, and to find an interpretation different from those of other musicians, were criteria of performance excellence. It is through the variants that one learns about this improvisational praxis. To ask why Chopin changed his mind is, from a historic perspective rather an odd question.

The variants also inform us about the structural content of the musical work. The word 'variant' does not only mean the expression of the same thing in different ways, implying that it does not matter which expression one chooses. It can also refer to formulations with different meanings. When such is the case, one appears to have not only different renditions, but also different works.

It is in the variants that one can get a glimpse of the musical work as a variable phenomenon; it is the variants which provide a hint of the music as expressive art, and offer us a unique way to study the expressive forces. They explain the ambiguity of the musical work and how this ambiguity is a structurally intrinsic feature thereof. The variants also show how one has apprehended the music, and is therefore a part of reception history.

Finally the variants tell us about the musical work from an ontological perspective. Music as performance art is something different from performances. The musical work possesses an autonomy in relation to its different renditions. Ontologically, the musical work may be described as a kind of game, with different expressive forces apprehended on different levels and in different ways. These forces have their roots in notation and are directed by the interpretative rules that exist at a given time. The musical work is therefore dependant on performance practice and interpretative ideals, and is determined by the performer's manipulation of the expressive forces at the moment of performance. The expressive forces are described in terms of tension/release, intensification/deintensification, growth/decay, expectation/surprise, dynamic motion, different and shifting characters, etc. The expression is partly suggested by the composer's performance directions, but also has its own autonomy. The performance directions can be seen as suggestions, and they do not exhaust the possibilities of expression.

What the composer has indicated is a more or less latent game of forces, and it is the performers' duty to set these forces into motion, taking the composer's performing directions and pertinent aesthetic ideals as a point of departure. However, the performing directions are incomplete, and the expressive forces ambiguous, and it is possible to make choices other than those of the composer. The performer is not only a necessary participant in this process, but is also a co-creator.

Studying variants is a way of looking at the musical work as an expressive game, in which the musical forces compete with each other for prominence. Observing these variants is a way of understanding the music as performance art. A study of the shifting performance directions gives us a clue to Chopin's opinion concerning this game of expressive forces. As a performer, Chopin saw his works from different angles at different times. The alterations can, however, also be regarded as the result of a changing attitude towards the musical work. The form of Chopin's later works is less dependent on a classical model and more associated with an expressive and dynamic conception—the crux of the matter being how musical tension could be built up and released in different ways. Chopin becomes less interested in prescribing in detail how to play his music, and leaves it to the performer to decide on the rendering of details. The scope for the performer becomes more important and the variability greater. This is probably one explanation for the fascination that Chopin's music has for both performers and listeners.

STRESZCZENIE

OBJAŚNIENIA MUZYCZNEJ FORMY *NOKTURNU* CHOPINA OP. 27 NR 2

Z punktu widzenia różnego podejścia do badań tworzą się odmienne postawy wobec muzyki i rozumienia muzycznego sensu. Od strony teoretycznej dzieło muzyczne jest w całej rozciągłości rozpatrywane i analizowane jako struktura wysokościowo-czasowa. Sens dzieła, jego forma i cechy strukturalne wynikają z partytury. Koncepcja formy jest często statyczna i fundamentalne dla muzyków kwestie rzadko dają satysfakcjonujące odpowiedzi. „Jak to jest możliwe, że dzieło muzyczne może być wykonane w nieograniczonej liczbie sposobów i jeszcze zachowuje swą tożsamość? Dlaczego dzieło może być interpretowane na wiele sposobów, a w tym samym czasie nie jest identyczne w tych wszystkich wykonaniach?" Fakt, że można grać muzykę na wiele sposobów implikuje, że muzyczna struktura jest do pewnego stopnia wariabilna i drogą do wyjaśnienia tej wariabilności jest spojrzenie na muzykę tak, jak na język ekspresywny, w którym pośrednikiem jest wykonawca. Dla muzyka dzieło jest sztuką interpretacji. Muzyka jest przecież strukturą dźwiękową i elementy objaśniające odgrywają ważną rolę dla identyczności dzieła jako struktury wysokościowo-czasowej. Interpretator bierze czynny udział w zrozumieniu struktury i może podkreślić, ale i przeciwdziałać procesom ekspresywnym wewnętrz struktury. Wariabilność dzieła muzycznego jest specjalnie interesująca u Chopina. Według współczesnych Chopin nigdy nie grał swoich kompozycji tak samo i często zmieniał szczegóły wykonawcze w publikowanych partyturach. W *Nokturnie Des-dur* odnajdujemy kilka radykalnych wariantów interpretacyjnych, co widać w adnotacjach Chopina na nutach jego uczniów. Studium zmiennych kierunków wykonawczych daje nam klucz do poznania idei Chopina odnośnie do relacji między siłami ekspresji w muzyce. Chopin jako wykonawca nie tylko pokazuje swe dzieło w różny sposób. Zmiany w *Nokturnie* mogą być także traktowane jako rezultat zmieniającej się postawy w stosunku do dzieła. Późne dzieła Chopina są raczej koncepcją dynamiczno-ekspresywnej formy — jak może być budowane muzyczne napięcie, a następnie rozładowane na wiele sposobów. Niekiedy Chopin rewiduje też interpretację swych wcześniejszych dzieł.

Nokturn Des-dur Chopina jest najbardziej zagadkowym dziełem z formalnego punktu widzenia. Analiza około 70 nagrań i 30 edycji tego utworu demonstruje strukturalną wieloznaczność *Nokturnu* i różne ekspresyjne opcje, które w nim tkwią.

Chopin's Polonaises Composed in Warsaw. Between Traditional and Individual Concept of the Genre

Zofia Chechlińska
(Warszawa)

The theme of this paper may seem to require no particular explication. The Warsaw period is, of course, Chopin's first creative period. Every composer starts by mastering existing techniques and practices, and only later develops an individual musical voice. The fact, that his creativity is rooted in tradition is all the more obvious, when a composer begins to work at an early age. Chopin's earliest extant pieces were composed when he was seven, and they were exclusively polonaises.[1] So, it is rather obvious that at this age he could only imitate pieces he already knew. There are nine known polonaises from the Warsaw period, roughly the same number as those from his creative maturity—although they are, of course, on a different level in terms of musical value. The last polonaises completed in Warsaw date from 1829,[2] so from a time at which Chopin's originality as a composer was already evident, even if there are still evident traces of earlier styles, such as the so-called 'brilliant style'. Thus it is obvious that the Warsaw-period polonaises chart the development of the composer's individual style. They form a useful group of works through which to trace this process of individuation as well as to trace the evolution of the polonaise as a genre. In other words, they enable us to determine, which techniques of the pre-Chopin polonaise found their way into Chopin's mature essays in the genre, and to what extent these techniques were adopted and transformed.

At the beginning of the 19th century the polonaise was the most popular dance in Polish music, more common than the mazurka. Hundreds were composed, as separate pieces for piano, for voice and piano and for orchestra. The rhythm of the polonaise was also incorporated into large-scale pieces, such as symphonies, concertos, and chamber music, as well as opera (many arias were based on the polonaise) and sacred music (including the mass). The structure of these polonaises, especially the independent pieces, was more-or-less the same, and it remained very simple, irrespective of the function they played (that is whether for dancing or for listening). For example, polonaises by Ogiński, which, according to the composer, were designed for listening rather than dancing, did not generally differ in structure from orchestral polonaises by Kurpiński, designed for dancing. Polonaises for piano by Polish composers were

---

[1] *Polonaise G Minor* (published in Warsaw, 1817), *Polonaise B-flat Major*.

[2] *Polonaise G-flat Major, Polonaise F Minor* (according to Fontana Op. 71 No. 3).

typical salon pieces, sentimental in character, and with some virtuosic elements, especially in Szymanowska and Deszczyński. They were highly schematized, with predict-
able repetition structures, and simple piano textures. One typical feature was the use
of repeated double notes in the accompaniment, or an alternation of double notes and
single notes in a broken chord pattern. Sometimes, and especially in Ogiński, fanfare
motives are used to contrast with the succeeding sentimental melodic line. The polonaises also had specific endings, underlining dance rhythm and the move from dominant to tonic.

Example 1: Michał Kleofas Ogiński, *Polonaise B-flat Major*, b. 1–16

They usually consisted of three parts in da capo form, sometimes with a truncated
reprise, and with the middle section (labelled as 'trio') either in the tonic minor (in a
major key), or in the relative major or minor or in the dominant. Apart from this
most common design, there were also two-part polonaises, with both parts usually in
the same key or with the second part in parallel key. In those cases the second part
was also labelled as 'trio', at least in the contemporary editions. (It should be noted,
that there are few autograph-manuscripts for these pieces). So, the label 'trio' was
often used in ways that diverge from convention. When a trio is in parallel key, the
ending of the piece is in different mode than the beginning or, the final part of the
trio returns to the main key. However, trio is closed by a typical polonaise ending in
every two-part polonaise, which is not the case in three-part design.

    Two-part polonaises can be found among works in this genre by Maria
Szymanowska, Michał Kleofas Ogiński, Józef Deszczyński and many other Polish
composers of pre-Chopin period. They have some bearing on the form of some of
Chopin's mature polonaises. Each section of the polonaise itself consisted almost
always of an a b a pattern.

Example 2: Michał Kleofas Ogiński, *Polonaise E-flat Major*

At the turn of the 18th and 19th centuries polonaises were very popular all over Europe, composed by composers such as, for instance, Weber, Hummel and Spohr, and earlier—Beethoven. However, for the very young Chopin, the first impulse to compose polonaises came not from these composers, but from the ubiquity of Polish polonaises in the milieu of Warsaw.

Chopin's earliest polonaises (G minor, B-flat major, A-flat major), as Hoesick pointed out are 'as good—no better, no worse—as hundreds of polonaises by Warsaw composers of the time, and entirely in the spirit of the famous Ogiński model'.[3]

It is difficult to determine the form of these three early pieces. Each of them has a second section labelled 'trio', but there is no 'da capo' indication in the extant manuscripts or in the first edition (1817) of the G Minor polonaise. But in all these polonaises the 'trio' ends in the relative key or the dominant. It seems improbable that the child in these his earliest attempts at compositions, could deviate so far from con-

---

[3] Ferdynand Hoesick, *Chopin. Życie i twórczość* [Chopin. Life and Works], vol. I, Kraków 1962, p. 58.

temporary norms as to adopt a two-key scheme. It is also necessary to remember that these manuscripts did not have to be very scrupulously prepared, as they were not treated as *Stichvorlagen*. It may well be, that repetition of the first section was so common that it was not necessary to specify the 'da capo'. In the only extant autograph of the remaining Warsaw-period polonaises, that in F minor, composed in 1829, and published by Fontana as op.71 no 3, there is a clear da capo indication, but the autograph itself comes from a later period, 1836. The autographs of the remaining polonaises from this period are not extant, but posthumous first editions do have da capo indications. We can not exclude the possibility that these indications were added by the publishers to conform to the convention of the time, but this is not very probable. The first editions of these pieces were issued many years after the composer's death, and by different publishers. For the most part they are carelessly made. So it seems doubtful that different publishers, taking little care over the musical text, would have been consistent about this one formal feature.

We can assume with confidence that all Chopin's polonaises from the Warsaw period were in three-part form with a 'trio' as the middle section, a form typical of the dance. Some doubts arise about the form of the first of Chopin's mature polonaises, (composed some time after he left Poland)—Op.[4] no 1 C-sharp Minor.[4] Here, for the first time, Chopin rejects the label 'trio', most often associated with the middle section. The autograph finishes at the end of the second section, which is defined by a clear polonaise ending (cf. Example 3).[5]

At the end of the autograph the composer wrote 'fine', which he usually reserved for the end of the piece in his autographs. The same form of notation is found in all first editions of the piece. Jan Ekier, in his commentary to the polonaises volume in National Edition[6] hypothesised that Chopin might have written the word 'fine' automatically, forgot to add 'da capo', and in the proofs of the first edition simply overlooked the lack of a 'da capo'; or alternatively that he deliberately gave the work a two-part form. However, in the text of the edition he repeats the first section and therefore treats the polonaise as a 'da capo' type. Although we can't exclude the possibility that it might have been an error, it seems very probable that the composer really wanted a two-part form[7] and, that he consciously or not, turned back to the design present in Polish polonaise tradition. In Chopin's early music the first section (or at least the first part of that section) was usually repeated literally at the end of the piece. But in the mid-thirties, when the *Polonaise* was composed, Chopin already rejects the strict formal schemata, and looks for ways for redefining the form. The literal,

---

[4] The Polonaise was composed in 1835.

[5] The last 15 measures are marked by figures in the autograph indicating repetition of appropriate measures of the second part of the piece (according to Chopin's habit); key signature is marked at the beginning of the second part of the *Polonaise*, as Chopin used to do.

[6] Fryderyk Chopin. *National Edition. Polonaises.* Series A, ed. J. Ekier, Kraków 1995, p. 7.

[7] The first to point out that the *Polonaise C-sharp Minor* Op. 26 has an A B form was Gastone Belotti, who broadly discussed the issue; cf. G. Belotti, 'Analiza porównawcza autografu polonezów op. 26 Chopina', in: *Rocznik Chopinowski* [The Comparative Analysis of the Autogrph of Chopin's Polonaises], Vol. 10, Warszawa 1976–77.

Example 3: Chopin, *Polonaise* Op. 26 No. 1, last page of the autograph

mechanical reprise becomes very rare from that time in his music in general. Repeated material was almost always changed, even if the modifications were sometimes very slight. This is certainly why repetitions are written out in the autographs, or some parts of them are indicated by figures or letters. None of the polonaises subsequent to Op. 26 no 1 has a 'da capo' form, although in every case there is a modified reprise, which sometimes has a quite different expressive quality from the opening section. However, this does not exclude the possibility that one way in which Chopin might have redefined the form was by removing the reprise altogether.

In the Warsaw-period polonaises the formal schema acted as a kind of an apriori frame, which 'contained' the musical material. From the early 18thirties, the form rather responded to the needs of the musical material. On the purely musical level, the *Polonaise C-sharp Minor* op. 26 does not give us any arguments to change the two-part form given in the sources. The tonal structure is more-or-less uniform, with the difference only one—of mode—as in two-part polonaises of early 19th century Polish composers. Changes of mode, and ending in a different mode from the beginning was common enough in the 18thirties, not only in Chopin, but in other European composers of the time too. It is also well known that a few years later in Chopin's music it became common to have an ending not only in a different mode, but also in a different key.[8] Thus, Chopin's Warsaw-period polonaises repeat the most familiar

---

[8] Cf. *Scherzo* Op. 31 composed (1837) two years after the *Polonaise*.

formal scheme of the polonaise tradition, whereas the C-sharp minor polonaise evokes a different, less common scheme found in that earlier tradition.

Irrespective of the general form of the whole piece, particular sections of the pre-Chopin polonaise consisted of an a b a design. This design is also typical of all Chopin's Warsaw-period polonaises. Of course, these smaller parts differ from those in Chopin's predecessors, not only in musical worth and technique, but also in length. From the G-sharp minor polonaise onwards, influences from cosmopolitan models, such as polonaises by Weber and Hummel are evident, both in the length of the pieces, and in their piano texture. Moreover, the sentimental melody is gradually replaced by lyrical, richly ornamented melody, especially evident in the polonaises of op. 71. But this does not change the fact, that the a b a design of the smaller sections is preserved consistently in Chopin's polonaises of this time. Only the mature polonaises—those published by the composer himself—break this pattern.

Even here the pattern leaves its trace in Op. 26 and Op. 40 in the tendency for the opening material to return at the end of each section, and in the fact that each section encloses a smaller section, contrasted in melody and harmony.

In the pre-Chopin polonaise, the polonaise itself is often preceded by an introductory paragraph with a decisive rhythmic profile, sometimes with fanfare elements. This contrasts with the polonaise proper (cf. ex. 1). This opposition is of a highly conventional character, and has no particular expressive significance. However, the principle of opposition at the beginning of the piece is also common in Chopin's polonaises, not only in the Warsaw period, but in the later works too. However, the significance of this opposition is quite different in the later works. It becomes in Chopin a powerful agent of expression, with the introductory paragraph increasingly dynamic and tension-building in character. The accumulation of tension is then released in the polonaise section itself. Often it will be released only momentarily, and then built again to a point of maximal intensity. This transformation of function did not occur abruptly, but rather gradually, until at a certain point the change became qualitative. Already in the polonaises op. 71 (especially D minor and B-flat Major) the introductory paragraph is tension-building, while the main polonaise theme provides a release of tension, and at the same time loses its sentimental character (cf. Example 4).

In Op. 26 no 1 the contrast itself is more marked, with the introductory paragraph reaching a higher peak of intensity, and the resolution of tension lasting only for a short time before rebuilding. Thus, Chopin takes from the tradition the general principle of an oppositional introduction and theme, but utterly transforms the function and expressive role of this device (cf. Example 5).

The particular sections of Chopin's Warsaw-period polonaises are brought to a close by formulae characteristic of the genre. But whereas in the earliest polonaises the formula was identical with that used by other Polish composers (cf. Example 1,2), there are changes in the formula from the G-sharp minor polonaise onwards. In particular the first beat replaces the conventional 4 semiquavers with more elaborate patterns using smaller note values, which testifies. to the increasing influence of the 'briliant style' (cf. Example 6).

Example 4: Chopin, a/ *Polonaise B-flat Major*, Op. 71 No. 2, b. 1–12

Example 5: Chopin, *Polonaise C-sharp Minor* Op. 26 No. 1, b. 1–12

Ex. 6. Chopin, *Polonaise G-sharp Minor*, b. 26–27

We can see here gradual attempts to modify the inherited formulas, which will eventually result in their total rejection (as in the *F-sharp Minor Polonaise* op. 44).

Also the accompaniment, and especially the typical repetition of double notes, was taken over by Chopin from the tradition. Here again the similarity is a surface one. Repeated double notes or chords in the pre-Chopin polonaise were a conventional harmony-defining accompaniment only. In Chopin's *B-flat Minor Polonaise* (dedicated to Kolberg; 1826) the number of notes in the chords increased, as did the tessitura. This is even more evident in the *B Major Polonaise* from 1828 (op. 71 no 2). This thickening and widening of texture eventually results in the change of function for the accompaniment. Already in these two polonaises the repeated chords have an expressive and dynamic function in addition to a harmonic one. The repetitions result in an accumulation of energy and this in turn suggests a major change in the character of the dance in Chopin—a gradual change from a conventional genre to a heroic dance poem. In 1820 Kurpiński[9] wrote in 'Tygodnik Muzyczny', that the old Polish polonaise was characterized by a noble joy, whereas the new polonaise was rather melancholic in character. Brodziński, in an essay on Polish national dances published in 1829, said that Polish dances from the first half of the 18th century were magnificent and majestic in character, while later polonaises were sad. Similarly Lelewel underlined the same characteristics when describing the old polonaises. It is quite certain that Chopin was aware of these views, and that this knowledge (connecting the dance with a glorious national past) had some part to play in his rethinking of the polonaise as a genre. This newly defined genre crystallized only some time after Chopin left Poland. It is characterized by a range of devices -- harmonic, melodic and textural—which are unique to the polonaises. 'Massive' chording, extreme dynamic contrasts (the only direct contrast between *ppp* and *fff* appears in the polonaises) and registral extremes are typical. But these new devices were to some extent foreshadowed in the earlier polonaises, even though the larger change of function had not yet been accomplished. In the later Warsaw-period polonaises, there is a gradual accumulation of devices, which eventually coalesce to form nothing less than a redefinition of the genre.

The pre-Chopin polonaises provided the stimulus for Chopin to compose in this genre, in the first place. They also supplied some formulas, formal patterns, and even 'Spielfiguren'—to use Heinrich Besseler's term—which he then developed, transformed, and adopted to completely new ends. In this way traditional characteristics of the polonaise evident at a very early stage in Chopin's music, gradually became superficial and were eventually subsumed by a quite new genre.

---

[9] Karol Kurpiński, 'O tańcu polskim, czyli tzw. polonezie' [On the Polish Dance, or the so called Polonaise], in: *Tygodnik Muzyczny*, 1820 No. 11, p. 42.

STRESZCZENIE

POLONEZY CHOPINA Z OKRESU WARSZWSKIEGO.
MIĘDZY TRADYCYJNĄ A INDYWIDUALNĄ KONCEPCJĄ GATUNKU

Chopin tworzył polonezy od wczesnego dzieciństwa aż do wyjazdu z kraju, kiedy indywidualność kompozytora była już wyraźnie ukształtowana. W utworach tych znajduje więc odbicie proces formowania się indywidualnego stylu kompozytora i poloneza Chopinowskiego jako gatunku.

Wzorem dla pierwszych polonezów Chopina były liczne polonezy powstające w środowisku polskim. Ich budowa i cechy charakterystyczne zostały przez Chopina przejęte, stopniowo coraz bardziej modyfikowane, aż w końcu w późnych polonezach związki genetyczne z pierwowzorami zacierają się zupełnie, bądź zostają odrzucone. Dotyczy to architektoniki całego utworu, budowy poszczególnych jego ustępów, szczegółów struktury, charakterystycznych zwrotów czy figur instrumentalnych, które Chopin rozwija, transformuje w najróżniejszy sposób, nadając im nową funkcję i kształt. W ten sposób tradycyjne cechy polskich polonezów początku XIX wieku, wyraźnie widoczne w bardzo wczesnym okresie twórczości Chopina, stają się impulsem dla nowych, specyficznych dla niego ukształtowań.

CHOPIN AND FOLK MUSIC?[1]

Barbara Milewski
(PRINCETON)

In 1852 there appeared under Franz Liszt's name a seminal monograph, titled *F. Chopin*, which contained the notion that prototypical Polish mazurkas played a role in Chopin's pieces:

> Chopin released the poetic unknown which was only suggested in the original themes of Polish mazurkas. He preserved the rhythm, ennobled the melody, enlarged the proportions, and infused a harmonic chiaroscuro as novel as the subjects it supported—all this in order to paint in these productions (which he loved to hear us call easel pictures) the innumerable and so widely differing emotions that excite the heart while the dance goes on....[2]

The gesture was not an uncommon Romantic conceit; by the mid-nineteenth century, the description of art music in terms of national practice was a familiar topos in music criticism. This is why Liszt went to great lengths to paint the character of the Polish people when they danced the mazurka in their native land:

> [I]t is essential to have seen the mazurka danced in Poland.... There are few more delightful scenes than a ball in that country when, the mazurka once begun, the attention of the entire room, far from obscured by a crowd of persons colliding from opposite directions, is drawn to a single couple, each of equal beauty, darting forth into empty space. And what varied manifestations there are in the turns around the ballroom! Beginning at first with a kind of shy hesitation, the lady tenses like a bird about to take flight. A long glide on one foot alone and she skims like a skater over the ice-smooth floor; she runs like a child and suddenly bounds in the air. Like a goddess of the hunt, with eyes wide open, head erect, and bosom high, she sails in nimble leaps through the air like a boat riding the waves and seems to disport herself in space. Then she re-enters her dainty glide, surveys the spectators, directs a few smiles and words to the most favored, raises her lovely arms to the cavalier coming to rejoin her, and resumes the agile steps that carry her with amazing speed from one end of the ballroom to the other. She glides, she runs, she flies. Exertion colors her cheeks and brightens her glance, bows her figure and slows her pace until, panting and exhausted, she gently sinks and falls into the arms of her partner, who seizes her firmly and raises her for a moment into the air before they finish the intoxicating round.[3]

---

[1] A significantly expanded version of this essay was published as 'Chopin's Mazurkas and the Myth of the Folk,' in: *19th-Century Music*, vol. 23, No. 2, 1999, pp. 113–135.

[2] Franz Liszt, *Frederic Chopin*, (trans. Edward N. Waters), London 1963, p. 69. Much of the material found in the original French edition of 1852 was rearranged and expanded when Breitkopf and Härtel brought out a new edition in 1879. Waters's translation is that of the original 1852 edition.

[3] *Ibidem*, pp. 66–8. Translation slightly modified.

But while Liszt highly colored description of cavaliers and flushed-cheeked Polish
ladies leaping and gliding with abandon was meant to evoke a native source for Chopin's mazurkas, it was never an ethnographic attempt to recover a specific folk practice important to Chopin's music. Rather, positioning Chopin's mazurkas within a
Polish dance music tradition was a way to raise the status of these works, to elevate
the actual material of the music through the suggestive power of Romantic metaphor.
Liszt's image of capering Polish dancers, then, was a transcendental one; it served as a
poetic device that helped him to articulate the musical matter of Chopin's pieces.

Interestingly, though, Liszt's original anecdote assumed a power far greater than
its metaphoric value would suggest.[4] It began to fire the imagination of other Chopin
critics to become the origin of one of the longest-standing myths in Chopin criticism—the myth that Chopin's mazurkas are national works rooted in an authentic
Polish folk music tradition. In this essay, I explore exactly how the idea of an authentic folk source for Chopin's mazurkas took on a life of its own and why it has remained compelling for successive generations of Chopin scholars to the present day.

* * *

It was some twenty years after the appearance of Liszt's publication when critics
began to take the Hungarian composer's Romantic metaphor quite literally. The
national music Liszt spoke of metamorphosed into *folk* music as writers of music history in Poland sought to legitimize their observations in the more class-conscious,
truth-seeking climate of late nineteenth-century positivism. Marceli Antoni Szulc,
who in 1873 wrote the first Polish monograph on Chopin, turned to a rustic scene of
fiddlers playing and robust peasants stomping their feet in the quintessential village
setting of the *karczma*, the Polish country tavern, in order to describe the content of
Chopin's Op. 24, No. 2.

> The second [mazurka of the Op. 24 set], a lively *obertas* [a fast-tempo variant of the ma-
> zurka], is much like a quickly improvised picture of a country tavern scene. Strapping
> young farm-hands and buxom wenches (*dorodne parobczaki i hoże dziewoje*) slowly gather.
> The village musicians play with abandon, pairs of dancers briskly form into circles, and
> the gathered party dances until everyone drops from exhaustion, all the while beating
> out the meter with loud and lively heel stomping and clicking (*chołupce*) itd.; finally the
> jolly sounds quiet, and in the distance only receding footsteps are heard.[5]

Such a metaphor, to be sure, was not unlike Liszt's Polish aristocrats dancing in
ballrooms.[6] But the shift from ballroom to *karczma* was significant. By relocating the

---

[4] Appropriately enough, Liszt may not have been responsible for the original anecdote that fed the myth,
since Princess Caroline Sayn-Wittgenstein, his Polish-born lover, often served as his ghost writer. This
authorial obscurity—authorlessness, even—lends the folk story an even greater mythic quality.

[5] Marceli Antoni Szulc, *Fryderyk Chopin i utwory jego muzyczne* [Fryderyk Chopin and his Musical Works],
1873; reprint, Kraków 1986, p. 188. All translations from Polish are my own unless otherwise indicated.

[6] While Liszt never uses the word 'aristocrats' in his discussion of the mazurka, his choice of the words
'cavalier' and (in this context) 'lady,' not to mention the gallant behavior he describes, suggests something
other than a peasant scene. This is not simply a case of Liszt describing the lower classes from a gentleman's point of view. Even in the 'subjects and impressions' he draws from Chopin's mazurkas—the
'rattling of spurs, the rustling of crepe and gauze beneath the airy lightness of the dance, the murmur of

dance to the countryside, Szulc associated the mazurkas with an image of a pure and simple Polish folk; unadulterated peasants replaced cosmopolitan nobility in order to better illustrate the authentic national content in Chopin's works. Szulc also found mimetic explanations for the 'Polishness' of the music, and in suggesting that certain mazurkas in fact imitated the rasping sounds of village fiddlers, he further blurred the line between the real and the imagined.

Szulc's most dramatic and influential elaboration of Liszt's original trope, however, was in relation to Op. 24, No. 2 and Op. 68, No. 3, two works that he singled out for their elements 'taken directly from folk music.' Szulc was reacting to the sharpened fourth scale degree present in the melodic lines of each of these mazurkas; specifically, to the *B-naturals* in the *F major* section of Op. 24, No. 2, and the *E-naturals* in the *B-flat* section of Op. 68, No. 3.[7] He thus became the first writer to apply a general concept of folk borrowing to specific mazurkas.

Four years later, in 1877, the Polish musician and music critic Maurycy Karasowski came out with his own monograph on Chopin, in German. In it, he reported memoirs and letters that described a young Chopin listening intently to peasant music. Even more brazenly than Szulc, Karasowski extrapolated from these fragmentary accounts that the composer had not only listened to folk songs on a regular basis, but had also internalized them in order to incorporate them—or, in Karasowski's words, 'to idealize them'—in his art music. Recalling Szulc's discussion of direct folk borrowings in Chopin's Op. 24, No. 2 and Op. 68, No. 3 mazurkas, Karasowski suggested that Chopin '*frequently* interwove some especial favourite [folk-song] into his own compositions,' a particularly embellished suggestion that would spark the imagination of subsequent Chopin biographers.[8]

---

fans and the clinking of gold and diamonds'—his description relies on what could only be the accoutrements of the upper classes. See Liszt, *op. cit.*, p. 78.

[7] Szulc writes: 'We namely call attention to the jarring, but nevertheless extremely characteristic, dissonant B natural in the raised seventh harmony of the third part in *F major*. Compare this to the *E* natural in the *B-flat Trio of posthumous* Op. 68, No. 3. This is taken directly from folk music (*żywcem to wyjęte z muzyki ludowej*).' Szulc, *op. cit.*, p. 188.

[8] Moritz Karasowski, *Frédéric Chopin: His Life, Letters, and Works*, (trans. Emily Hill), 2 vols., London 1879, vol. 1, pp. 30–32; emphasis added. Although Karasowski does not often cite his sources, it is clear that most of his knowledge of Chopin's youth derives from not only Chopin's letters but also Kazimierz Władysław Wójcicki's unusual history of Warsaw citizenry, *Cmentarz Powązkowski pod Warszawą* [The Powązkowski cemetery near Warsaw], Warszawa 1855–8; Warszawa 1974. For an interesting discussion of the numerous liberties Karasowski took in his interpretations of the facts of Chopin's life and in his published transcriptions of Chopin's letters, see Krystyna Kobylańska, *Korespondencja Fryderyka Chopina z rodziną* [Chopin's Correspondence with his Family], Warszawa 1972, pp. 9–25. Kobylańska also offers a specific example of a change made by Bronisław Edward Sydow, another editor of Chopin's letters. It concerns one of the few letters in which Chopin discusses listening to folk music. Sydow embellished the now lost letter to read: '*wenches* sang *a familiar song* [my emphasis] in shrill, semi-tonal dissonant voices...' [*dziewki piskliwym semitoniczno-fałszywym głosem znaną piosnkę wyśpiewywały*] whereas Kazimierz Wójcicki, the first author to publish the letter (in 1856), and working with the original in hand, offered this version: 'girls sang in shrill, semi-tonal dissonant voices...' [*dziewczyny piskliwym semitoniczno-fałszywym wyśpiewywały głosem*]. Sydow's transcription constitutes yet another attempt to demonstrate Chopin's 'familiarity' with the folk.

Szulc's discussion of Op. 24, No. 2 eventually found its independent way into two other publications: Ferdynand Hoesick's Chopin monograph of 1910–11, and Leichtentritt's 1921–22 analysis of Chopin's piano pieces. Both authors repeated Szulc's bold contention that the sharpened fourths in the *F major* section of Op. 24, No. 2 were 'taken directly from folk music.'[9] For reasons unknown, analytical interest in Op. 24, No. 2 dwindled soon afterward, whereas Op. 68, No. 3 came under increased scrutiny. In 1939, exercising more restraint than previous writers, Gerald Abraham suggested—rather than asserted—that Op. 68, No. 3 (and Nos. 1 and 2) 'might easily be simple transcriptions of authentic peasant mazurkas.'[10] Abraham offered this supposition in part because he found no element of virtuosity in Chopin's Opus 68. But he had other reasons, too:

> All three possess the characteristics of the folk mazurka: love of the sharpened fourth (opening of No. 2 and the middle section of No. 3), introduction of triplets in the melody (No. 1), play with tiny motives (all three), drone bass (whether stylized into an unobtrusive pedal as in the opening of No. 2 or emphasized in primitive open fifths as in the middle sections of the same piece and of No. 3), the feminine ending of the piece (even if only suggested by the left hand as in No. 2), and of course the characteristic rhythms and melodic patterns of the folk mazurka throughout.[11]

Abraham thus effectively listed the idiosyncratic elements common to any number of classical renderings of European 'folk' music. Ironically, the only characteristic unique to the mazurka that Abraham singled out—the mazurka rhythm—is not at all peculiar to Op. 68. Rather, it appears pervasively throughout all of Chopin's mazurkas. Abraham was generalizing: in effect he claimed that standard features of the mazurka genre as a whole (indeed, common features of 'rustic' music) were both specific to Chopin and the result of direct folk borrowings.[12] Delivered by one of the preeminent scholars of British musicology, this opinion carried significant weight.

It should be further noted that the tendency of music historians to emphasize Chopin's unmediated contact with folk music gave rise to another interesting myth: that of Chopin's knowledge of Jewish folk music. In a letter sent to his parents from Szafarnia in 1824, Chopin recounted playing a piece he referred to as 'The Little Jew' when a Jewish merchant visited the Dziewanowski manor where the young composer was vacationing. Wójcicki, commenting on Chopin's letter in 1855, correctly interpreted this as a *majufes*, a degrading song and dance that Polish Jews were obliged to perform for gentile Poles upon request. In the hands of historians, however, 'The Little Jew' was not only misinterpreted as a title Chopin gave to his Op. 17, No. 4 mazurka, but more absurdly still, the offensive prank became evidence of Chopin's first-hand knowledge of Jewish folk music. See, for example, Ferdynand Hoesick, *Chopin: życie i twórczość* [Chopin: Life and Works] 4 vols., 1910–1; rev edn, Kraków 1962–68), vol. 1, pp. 76, 82; M. Karasowski, *op. cit.*, vol. 1, p. 25; Mieczysław Tomaszewski, *Fryderyk Chopin: A Diary in Images* (trans. Rosemary Hunt), Kraków 1990, pp. 22, 30. Chopin's letter appears in K. Kobylańska, *op. cit.*, pp. 39–40. For an informative and thoughtful study of the *majufes* see, Chone Shmeruk, 'Majufes,' in *The Jews in Poland*, vol. 1, ed. Andrzej K. Paluch, Kraków 1992, pp. 463–74. I am grateful to Michael Steinlauf for bringing this article to my attention.

[9]   F. Hoesick, *op. cit.*, vol. 4, p. 218; Hugo Leichtentritt, *Analyse von Chopins Klavierwerken* 2 vols., Berlin 1921–22, vol. 1, p. 223 .

[10]   Gerald Abraham, *Chopin's Musical Style*, London/New York/Toronto 1939, p. 24.

[11]   *Ibidem*, p. 24.

[12]   Years after Abraham's study appeared, Carl Dahlhaus, in his essay 'Nationalism and Music' claimed that, it is aesthetically legitimate for something that is common to all national music to be interpreted as specifi-

A case in point is Arthur Hedley's 1947 study, *Chopin*, which again isolated Op. 68, No. 3 from the rest of Chopin's mazurkas. Refuting a claim made by Béla Bartók that Chopin probably had no knowledge of authentic Polish folk music, Hedley described Chopin as a national composer who had had actual contact with a rural music practice.[13] He also referred his readers to one of the only three letters in which the composer mentions hearing peasant songs in the countryside.[14] In order to explain the absence of authentic folk themes in the mazurkas, Hedley made three observations: 1) that Chopin was a connoisseur of Polish national music; 2) that Chopin 'chose' not to use folk songs in his works, and; 3) that the folk mazurkas served only as a point of departure for his imagination. Lest his readers be dissatisfied with this gloss, Hedley offered them a small proof: the middle section of Op. 68, No. 3.

> Indeed Chopin became a connoisseur of Polish national music and would not tolerate his less sensitive compatriots' tinkering with it.... Nor did he choose to make *direct* use of folk themes in his own works. Among his sixty Mazurkas very few contain an identifiable folk tune (the *poco più vivo* of Op. 68, No. 3 [1829], is an exception). The mazurs, obereks and kujawiaks (the three main forms of the mazurka) which Chopin heard constantly in his early days were no more than a stimulus to his imagination, a point of departure from which he carried the basic materials to a new level, where they became embodied in a highly civilized art-music without losing anything of their native authenticity.[15]

Two years later, in 1949, the Polish musicologist Zdzisław Jachimecki also identified an 'authentic rustic melody' in the middle section of Op. 68, No. 3:

> In the trio section (*poco più vivo*) of the F major Mazurka written while Chopin was still in Warsaw in 1830 (Op. 68 No. 3), Chopin allowed himself to use an authentic rustic melody—with its primitive range and form, and Lydian mode—above a constantly sounding open-fifth, bass accompaniment.[16]

---

cally national as long as there is collective agreement that certain characteristics are recognized as such: 'Aesthetically it is perfectly legitimate to call bagpipe drones and sharpened fourths typically Polish when they occur in Chopin and typically Norwegian when they occur in Grieg, even if some historians are irritated by the paradox of something which is common to national music generally and yet is felt to be specifically national in the consciousness of the individual nations. Firstly the national coloring does not reside in separate, isolated traits, but in the context in which they are found. Secondly the aesthetic element, the validity, has to be distinguished from the history of the origin and growth, the genesis: if there is a class of people among whom the music is transmitted and who recognize a body of characteristics as specifically national, regardless of the provenance of the separate parts, then those people constitute an aesthetic authority.' This claim is part of Dahlhaus's overarching argument that nationalism in music is primarily the result of the socio-cultural function of music and only secondarily its rhythmic and melodic substance. While Dahlhaus's non-essentialist position is welcome, it is not without problems. Who constitutes 'the consciousness of individual nations?' Who actually speaks for a 'class of people,' and are we willing to grant whomever it may be 'aesthetic authority?' What do we make of an 'aesthetic authority' that resides outside of the nation whose music is in question? Carl Dahlhaus, *Between Romanticism and Modernism: Four Studies in the Music of the Later Nineteenth Century*, (trans. Mary Whittall), München 1974; Berkeley and Los Angeles 1989, p. 95.

[13]   Arthur Hedley, *Chopin*, 1947; reprint, London 1953, p. 166. Compare Benjamin Suchoff, ed., *Béla Bartók Essays*, New York 1976, Lincoln/London 1992, pp. 322–3.

[14]   These letters can be found in K. Kobylańska, *op. cit.*, pp. 36, 38–39, 41–43.

[15]   A. Hedley, *op. cit.*, p. 166, Hedley's emphasis.

[16]   Zdzisław Jachimecki, *Chopin: rys życia i twórczości* [Chopin: Sketch of Life and Works], Warszawa 1949, p. 164.

But he amplified the claim, stating that it was only one example *among many* in which Chopin used authentic motives in his mazurkas.[17] Like Abraham, he pointed to the 'tell-tale' folk elements in Op. 68, No. 3—and in Chopin's other mazurkas—as proof of folk borrowing: the use of an open-fifth bass accompaniment; short, repeating motives in a restricted melodic range; and the appearance of sharpened fourths. Jachimecki's unique contribution, however, was to portray Chopin as a composer with very modern sensibilities, an empirical scholar-composer diligently collecting and studying music of the folk—an image more akin to Bartók, Kodály, or Szymanowski than to his Romantic contemporaries Liszt or Schumann.

> He knew... the most authentic Polish folk music because he drew it straight from its source, without the aid of middlemen... On numerous occasions, in conversations with friends or in his letters, Chopin spoke of his efforts to familiarize himself with folk music and to study thoroughly this folk music's intrinsic features.[18]

By another route, then, Jachimecki, like Hedley, tried to refute Bartók's claim that Chopin had probably not known authentic Polish folk music. The offending claim had come as early as 1921 in Bartók's essay, 'The Relation of Folk Song to the Development of the Art Music of Our Time.' Here Bartók spelled out in no uncertain terms his distaste for imperfect (read: inauthentic) popular art music.

> ... [T]he outcome of this mixture of exoticism and banality is something imperfect, inartistic, in marked contrast to the clarity of real peasant music with which it compares most unfavourably. At all events it is a noteworthy fact that artistic perfection can only be achieved by one of the two extremes: on the one hand by peasant folk in the mass, completely devoid of the culture of the town-dweller, on the other by creative power of an individual genius. The creative impulse of anyone who has the misfortune to be born somewhere between these two extremes leads only to barren, pointless and misshapen works.[19]

Bartók linked up this negative assessment directly with Chopin, first by suggesting that Chopin 'probably had no opportunity of hearing the genuine peasant music at any time,' then by stating directly that, 'Chopin was to a certain extent influenced by the Polish, and Liszt by the Hungarian popular art music.... [So] much that was banal was incorporated by them with much that was exotic that the works concerned were not benefited thereby.'[20] With the publication of Bartók's article in England, Poland, and later the United States, Chopin's music and his image as a national composer came under siege.

Why did Bartók's views on national music become such an important part of the Chopin folk story? At the time of his death in 1945, Bartók was not only considered

---

[17] For the other instances where Jachimecki mentions Chopin's use of folk material in the mazurkas, see *ibidem*, pp. 164, 165, and 167.

[18] *Ibidem*, p. 162.

[19] B. Suchoff, ed., *op. cit.*, p. 322. (How sublimely fortunate for Bartók to have had an appreciation for peasant music *and* the creative power of a genius!)

[20] *Ibidem*, p. 323. Bartók's criticism of Chopin in this essay was not an isolated event. On at least three other occasions Bartók questioned Chopin's knowledge of authentic folk music. It seems that the first criticism appeared in print a year earlier, in 1920, in his essay, 'The Influence of Folk Music on the Art Music of Today.' But it was presumably the 1921 essay reprinted in the Polish music journal *Muzyka* in 1925 to which Jachimecki was reacting.

a major composer, but also recognized for his achievements as a pianist, pedagogue and ethnomusicologist. During his lifetime, he often assumed the role of reporter, critic, reviewer, musicologist and linguist, especially during the earlier part of his career. Most importantly, his writings, published in different languages throughout Europe and in the United States, established him as a prominent expert on folk music and its relationship to national high art music. So influential was he that by the time a collection of his essays appeared in English translation in 1976, its editor, Benjamin Suchoff, characterized Bartók as a 'universal man of music of modern times—a twentieth-century Leonardo' and boldly added 'champion of the musically oppressed' to the already grand list of Bartók's accomplishments.[21]

What was at stake if the great Hungarian composer's view of Chopin's national music went uncontested? Mythology. For nearly a century historians and scholars had tried to demonstrate the Polish content of Chopin's mazurkas and in doing so had come to depend with ever-increasing persistence on the folk influence argument. By calling into question Chopin's direct exposure to the music of Polish peasants, and by underscoring the importance of *authentic* folk music in the creation of national music, Bartók threatened to undermine the folk myth that had been offered as historical truth for so many years. In response, writers like Jachimecki and Hedley scrambled to assemble the 'proof' that would preserve the myth.

Also at stake was Chopin's status as a 'legitimate' national composer. Behind Bartók's criticism that Chopin had no contact with genuine peasant music was a more telling preoccupation with the concept of authenticity and the related ideas of originality and genius, all of which betrayed a more general anxiety of influence divorced from any 'genuine' concerns about the role of folk songs in art music. Chopin had been the first composer to successfully export to the West a national music that was linked in the Romantic imagination with an indigenous practice. It was his music that had set the benchmark for subsequent generations of national composers. Bartók, then, was doing battle with Chopin's legacy. That Bartók's own paradigm of national music was itself highly constructed and idiosyncratic seemed to pass unnoticed; authenticity *à la* Bartók had now become the generally acknowledged proving ground.

Thus by the time Maurice Brown set out in 1960 to create a complete index of Chopin's compositions, he had his work cut out for him. For almost a century the tale of folk-source borrowing had passed from one writer to the next. Along the way, it had become attached first to two mazurkas in particular, Op. 24, No. 2 and Op. 68, No. 3, then most firmly associated with the latter. Yet unluckily for Brown, none of his predecessors had taken the trouble to produce in print the precise folk melody supposedly borrowed by Chopin for the middle section of Op. 68 No. 3. Brown rose to the occasion. In an act of earnest positivism he included a textless Polish folk melody entitled, 'Oj Magdalino,' a tune that would serve as a floating folk trope in music-historical literature for the next thirty years.[22]

---

[21] *Ibidem*, p. v.

[22] Maurice J. E. Brown, *Chopin: An Index of his Works in Chronological Order*, 2d ed., rev., London and Basingstoke 1972, p. 38.

Unfortunately for us, however, Brown did not cite any source for the tune, and it is not to be found in the likeliest places: Kolberg's *Pieśni ludu polskiego* (Songs of the Polish Folk), or Wójcicki's *Pieśni ludu Białochrobatów, Mazurów i Rusi znad Bugu* (Songs of the Białochrobat, Mazur and Ruthenian Folk from the Bug Region).[23] And while Miketta in his comprehensive study on Chopin's mazurkas, *Mazurki Chopina*, suggests that the melody of the middle section of Op. 68, No. 3 resembles one that would be played on a *fujarka* (a peasant flute), he gives no indication that Chopin's melody is a direct folk borrowing.[24] Brown's 'Oj Magdalino,' as the folk source for Chopin's Op. 68, No. 3, then, seems rather mysterious.[25] But even putting aside the question of the tune's origins for a moment, what does this folk tune have in common with the *poco più vivo* section of Op. 68, No. 3? Everything, and yet nothing. While both melodies circle within a range of a fifth, Chopin's also fills out an octave at its phrase endings. And although both melodies consist of two four-measure phrases, 'Oj Magdalino' has two distinct phrases while the *poco più vivo* melody in Op. 68, No. 3 has one phrase that is repeated, its last measure slightly modified for harmonic closure during the repeat. In fact, beyond Chopin's replication (twice) of the melodic fragment in measure 6 of Brown's 'Oj Magdalino,' no direct correlation exists between the tunes. Indeed, 'Oj Magdalino' is so generic that it might bear a resemblance to virtually any simple (rustic) song or song-like melody with repeated motives, a narrow melodic range, and clearly punctuated, four-measure phrases. In the end, Brown's comparison boils down to an isolated measure.

What *does*, however, distinguish 'Oj Magdalino' from any other unremarkable tune is the *hołupiec* gesture found at the end of its first and second phrases and at the beginning of the second phrase. In an *oberek* (a quick tempo variant of the folk *mazur*) this *hołupiec* gesture—a measure of three eighth notes sung or played on the same pitch in 3/8 meter—accompanies the heel stomping of dancers that can mark the beginning or ending of the dance. It is one of the more recognizable features of in-

---

[23] Oskar Kolberg, *Pieśni ludu polskiego*, vol. 1 of *Dzieła wszystkie*, Kraków 1961; Kazimierz Władysław Wójcicki *Pieśni ludu Białochrobatów, Mazurów i Rusi znad Bugu*, 2 vols., Warszawa 1836; reprint. Wrocław 1976. Nor does it appear in the obvious twentieth-century sources: Józef Michał Chomiński and Teresa Dalila Turło, *Katalog dzieł Fryderyka Chopina* [A Catalog of Fryderyk Chopin's Works], Kraków 1990, pp. 116–7; Helena Windakiewiczowa, *Wzory ludowej muzyki polskiej w mazurkach Fryderyka Chopina* [Examples of Polish folk music in Fryderyk Chopin's mazurkas] Wydział Filologiczny—Rozprawy, vol. 61, no. 7, Kraków 1926. I also consulted twentieth-century folk song collections on the chance that 'Oj Magdalino' may have come from a more recent anthology, but was unable to find it in any printed collection of folk songs.

[24] 'Statement C is some sort of folk fife melody. The characteristic Lydian, augmented fourth appears in it. The melody is made up of 5 pitches: b^2-c^3-d^3-e^3-f^3 with endings in which Chopin's 'stylization' expands the scale of this 5-pitch peasant flute to 3 lower pitches—a^2, g^2, f^2—in order to complete an octave scale for this most modest instrument.' Janusz Miketta, *Mazurki Chopina*, Kraków 1949, p. 409.

[25] Of course the fact that the source for 'Oj Magdalino' has not yet been located does not prove that Brown's tune is spurious. But also mysterious in terms of the supposed folk source are the tune's Italian-language tempo marking, 'Tempo di oberek,' and the editorially suggested E-naturals in the first four-measure phrase, not to mention the fact that this 'folk-tune' appears textless. Noteworthy, too, is the fact that Brown provides a 'folk source' for only one other Chopin composition in his index, the popular Polish Christmas carol, *Lulajże Jezuniu*, which has an often noted, but questionable, relationship to Chopin's *Scherzo No. 1 in B minor*, Op. 20.

digenous Polish music because it is inherently dramatic; its three punctuated, repeated notes at the beginning of a dance signal the listeners and dancers to attention,
while at the end of a dance these same repeated notes articulate closure. Such *hołupiec*
gestures are not only a characteristic feature of contemporary Polish folk music, but
also appear in the nineteenth-century dances collected by Kolberg and Wójcicki.

Ironically, Op. 24, No. 2 is the only Chopin mazurka that makes conspicuous use
of this gesture. It first appears in the A section at measures 16 and 20 as a closing
figure, then again in the repetition in measures 48 and 52. Immediately thereafter
(measures 53–56), Chopin uses the *hołupiec* repeatedly—almost parodically—to signal the end of the A section, with the repeating pitch 'c^1' as a pivot tone between C
major and the new key, *D-flat major*, in which Chopin begins the B section, again using
a *hołupiec*. In this new section, Chopin plays up the gesture, repeating it three more
times (at measures 61, 65, and 69, each time repeating the four-measure phrase for
which the *hołupiec* is a beginning), now with a *forte* marking on the first beat as well as
the *staccato* marking and accent on the second and third beats. No less than fourteen
repetitions of this gesture sound by the end of Op. 24, No. 2. If 'Oj Magdalino'
shares an affinity with any of Chopin's mazurkas, it seems to be with this one and not
with Op. 68, No. 3.

But not a single scholar disputed the citation of 'Oj Magdalino.' Instead, it was
integrated into the Op. 68, No. 3 folk story, first by Paul Hamburger in 1966. Here
the tale with all of its layers intact reached its climax. Hamburger attempted to recon-
cile Brown's new finding, the 'proof' that could finally lend the story of folk borrowings some serious weight, with Bartók's pronouncements on national music, authenticity and folklore. Without a trace of irony, he incorporated two contradictory concepts—one intended to prove the folk authenticity of Chopin's mazurkas, the other
their artificiality—into a single narrative.

> Most of Chopin's dances, to be sure, cannot be traced to a single, definite folk-model,
> but arise from a composite recollection of certain types of melodies and rhythms, which
> are then given artistically valid expression in one or more works. In this respect Cho-
> pin's Polish-ness is rather like Dvořák's Czech-ness and Bloch's Jewish-ness: all three
> composers distil national flavours from material that is not strictly folkloristic—in con-
> tradistinction to Bartók, Vaughan Williams, and the Spanish national school who start
> off from genuine folklore. But in a few cases a definite model is found to exist, such as
> the folk-tune 'Oj Magdalino,' which appears in the Poco più vivo of the youthful Ma-
> zurka in F major, op. 68, no. 3 (op. posth.), of 1829.... This example shows why there
> are so few direct references to folklore in Chopin's dances: special contexts as the above
> apart, he felt hemmed in by the primitive rigidity of these melodies *in their entirety*. On
> the other hand, he readily let himself be inspired by their *elements*: the sharpened fourth,
> the drone bass, the sudden triplets, the frequent feminine endings, the repetition of one-
> bar motifs.[26]

Almost 30 years later, in 1992, Op. 68, No. 3 was again invoked as the classic example of folk influence in Chopin's mazurkas, this time by Adrian Thomas:

---

[26] Paul Hamburger, 'Mazurkas, Waltzes, Polonaises,' in: *Frédéric Chopin: Profiles of the Man and the Musician*,
ed. Alan Walker, London 1966, pp. 73–4, Hamburger's emphasis.

> There can be little doubt whence came the inspiration for the trio of the Mazurka in F
> major, Op. 68 No. 3, from 1830.... A fujarka melody over an open fifth drone, it betrays
> its unadorned oberek origins with an insouciant ease.[27]

Brown's folk trope did not disappear either, at least not entirely. A reference to 'Oj
Magdalino,' though not the music, makes its way into one of Thomas's footnotes
intended to demonstrate the 'unadorned oberek origins' of Op. 68, No. 3. Only in
Jim Samson's very recent publication, his 1996 *Chopin*, did Brown's 'Oj Magdalino'
finally float off the page. Its only trace is in Samson's mention of Thomas's description of the Op. 68, No. 3 trio, which Samson uses to make the case for folk influence
in Chopin's music.[28]

Ultimately, however, Op. 68, No. 3 betrays something else: the regular impulse of
writers and scholars to seek out a national or indigenous source for Chopin's mazurkas as a means of understanding both these works and their composer.[29] Perhaps
more importantly, an examination of the writings on Op. 68, No. 3 reveals a change
in interpretations over time. While Liszt's metaphor of dancing Polish cavaliers and
ladies was the first attempt to describe the musical matter of Chopin's mazurkas,
Szulc later replaced Liszt's image with heel-stomping peasants in order to bolster his
claim that folk music, not salon music, determined the national character of these
works. In doing so, Szulc effectively shifted and redefined the idea of what constituted native Polish music. Subsequent writers and musicologists not only maintained
Szulc's argument of folk influence but also came to hear an essential 'folkness' in
Chopin's mazurkas. As a result, they became increasingly convinced of the possibility

---

[27] Adrian Thomas, 'Beyond the Dance,' in: *The Cambridge Companion to Chopin*, ed. Jim Samson, 1992;
reprint, Cambridge 1994, pp. 154–5.

[28] 'As Adrian Thomas has indicated, a passage such as the trio from Op. 68 No. 3 'betrays its unadorned
oberek origins with an insouciant ease'.' Jim Samson, *Chopin*, 1996; 1st American ed., New York 1997,
p. 65.

[29] Aside from the already discussed, music-historical accounts that make this claim, a number of ethno-
musicological, style-classification studies have used nineteenth-century and twentieth-century ethnographic data on Polish folk music to demonstrate a folk influence on Chopin. See, for example, Windakiewiczowa, *Wzory ludowej muzyki polskiej w mazurkach Fryderyka Chopina*; Wiaczysław Paschałow, *Chopin a polska
muzyka ludowa* [Chopin and Polish Folk Music], Kraków 1951; and Jadwiga and Marian Sobiescy, eds.,
Polska muzyka ludowa i jej problemy [Polish Folk Music and its Problems], Kraków 1973. An interesting twist
in the ethnomusicology/Chopin link-up is Ewa Dahlig's article, 'Z badań nad rytmiką polskich tańców
ludowych: mazurek, kujawiak, chodzony a 'mazurki' Chopina,' [Studies on Polish Folk Dance Rhythms:
mazurek, kujawiak, chodzony and Chopin's 'mazurkas'] in *Muzyka*, 3, 1994, pp. 105–130. Here Dahlig argues
that her statistical comparison of Polish folk dance rhythms with rhythms found in Chopin's mazurkas
reveals that the *mazur* elements in Chopin's piano pieces are typical of the stylized mazurka dance and *not*
rooted in the folk *mazur*. But if Dahlig's findings are unremarkable, her approach to the data is not; by
using the same 20th-century folk sources customarily employed by other scholars to show the connection
between Polish folk dances and Chopin's mazurkas, but to opposite ends, Dahlig dramatically calls into
question the 'scientific' legitimacy that such studies claim. On another level, it is interesting to consider
the implications of separating Chopin creation from folk traditions, as Dahlig does, in the context of a
post-Communist Poland. In this respect, it appears as though Communism's fall more than a decade ago
has also brought an end to a certain emphasis on *narodowość*, or 'nationality,' in Polish music scholarship.
Narodowość, as an element of both cultural identity *and* socialist realist aesthetics had sent many scholars
running to the folk to emphasize Polish national distinctness.

of recovering an actual source that the composer presumably had heard in the countryside and had borrowed for his high art creations.

Op. 68, No. 3 became the locus of these evolving interpretations. But the source
that scholars searched for was—and remains—inherently irrecoverable because it in
fact never existed. The essential folkishness that listeners heard in Chopin's mazurkas
was a fictional, mythopoetic folk, animated by stock rustic musical tropes and placed
against the backdrop of a national genre as it was reconceived by Chopin. His was a
construct that had much in common with the folk image created by his Romantic
compatriots. What began, then, with Liszt as a Romantic conceit was expanded over
time into the positivist notion of a specific and identifiable folk source. The longer
that Chopin's mazurkas survived the immediate time and place of their creation, the
more resonant became the tale of folk borrowing until, frustrated by the search, one
scholar eventually came to defend the myth by inventing yet another: an improbable
folk source for Op. 68, No. 3. Positivism had returned to Romanticism. As if in the
spirit of Chopin's own nineteenth-century Romantic project, the interpreters of
Chopin's mazurkas in the twentieth century had created an essential construct, at the
base of which was something fundamentally imaginary.

STRESZCZENIE

CHOPIN I MUZYKA LUDOWA?

Od XIX w. historycy interpretowali mazurki Chopina jako narodowe dzieła tkwiące korzeniami w autentycznej polskiej tradycji muzycznej. Nawet ci, co próbowali oddzielić ściśle polski materiał folkloru w
mazurkach Chopina, wskazywali niezmiennie idiosynkratyczne elementy, wspólne z muzyką stylu
rustykalnego (kwarta lidyjska, kwinty burdonowe i krótkie powtarzane motywy o ograniczonej skali melo-
dycznej). Autorka oświetla po pierwsze pochodzenie tego mitu folklorystycznego i śledzi jego stałą kon-
tynuację w pracach następnych generacji badaczy. Przegląd korespondencji Chopina (często odczytywanej
błędnie, by poświadczyć jej związek z folklorem) i wzięcie pod uwagę kultury muzycznej Warszawy w
pierwszych trzech dekadach XIX w. dały, zdaniem autorki rezultaty. Dowodzi ona, że „narodowy" styl
mazurków Chopina nie był kształtowany bezpośrednio autentycznym folklorem, przejmowanym przez
Chopina w bliskim kontakcie z wiejskim środowiskiem, tzn. z chłopstwem, lecz raczej przez stylizowany
„taniec ludowy" i „ludowe pieśni" asymilowane w polskich narodowych operach, operetkach i wodewilach
takich kompozytorów jak Kurpiński, Elsner oraz przez „ludowe mazurki" fortepianowe, komponowane dla
salonów, np. przez Marię Szymanowską. Przeciwstawiając się konwencjonalnej interpretacji autorka argu-
mentuje, że mazurki chopinowskie są narodowymi dziełami bez istotnej i autentycznej treści ludowej.
Konstrukcje mazurków Chopina, operujące innowacjami formalnymi, melodycznymi fragmentami lub
tylko „śladami" melodii ludowych, pozwalają tym utworom ewokować narodowość polską.

Présentation du « Gran Duo de Robert le Diable composé par F. Chopin et A. Franchomme pour le piano à quatre mains op. 15 » a partir des sources et particulierment d'après l'édition originale de Maurice Schlesinger qui se trouve dans la collection du Musée F. Chopin et G. Sand à Valldemossa

Bożena Schmid-Adamczyk
(Genève)

Après son arrivée à Paris, Chopin assistait fréquemment aux spectacles de l'Opéra à Paris et ces représentations exerçaient sur lui une grande influence, une admiration même. Dans sa lettre adressée à Tytus Woyciechowski Chopin écrit à propos de *Robert le Diable:* « Je doute qu'on ait atteint jamais au théâtre le degré de magnificence auquel est parvenu *Robert le Diable* [...]. C'est le chef-d'oeuvre de l'école nouvelle[1]. La première représentation française de *Robert le Diable* de Giacomo Meyerbeer[2] avait eu lieu le 21 novembre 1831 à Paris. Elle avait emporté un immense succès contribuant à un événement historique.

En 1831, Maurice Schlesinger, éditeur parisien, avait acheté directement de Giacomo Meyerbeer les droits d'auteur de *Robert le Diable*[3]. En se réjouissant de pouvoir exploiter le succès incroyable qu'avait rencontré sa représentation à Paris, il avait commandé chez divers compositeurs parisiens des fantaisies, paraphrases et variations sur le thème de cet opéra. Auparavant, la situation de Maurice Schlesinger était un peu semblable à celle de Frédéric Chopin — lui aussi devait lutter contre toutes sortes de difficultés pour stabiliser sa position sociale et économique.

Selon les propos de F. Chopin, Maurice Schlesinger lui avait demandé de composer sur le thème de *Robert le Diable* ce qui avait probablement marqué le début de leur collaboration[4]. C'est aussi Maurice Schlesinger qui l'avait introduit dans la vie musi-

---

[1] Lettre de F. Chopin à T. Woyciechowski, Paris, 12 déc. 1831, pp. 39–50, in B. Sydow : *Korespondencja Fryderyka Chopina*, t. 1–2, Warszawa 1955, lettre N° 92, t. I, p. 199–204.

[2] Le drame de Meyerbeer met 'un accent singulier sur le combat entre l'homme et les forces du mal en réunissant simultanément les traits caractéristiques pour l'époque romantique et moyenâgeuse. Libretto, l'oeuvre d'Auguste Scribe et Eugène Delavigne présente l'histoire de Robert, le prince de Normandie, amoureux de la princesse sicilienne Isabelle. Le père de Robert — Bertram — dominé par un démon, dégrade la vie de son fils qui, en conséquence, devient un voleur. Robert est prêt à signer un pacte avec le diable, mais au dernier moment apparaît Alice, une jeune fille en kimono, qui le sauve de la domination de son père. Robert peut finalement épouser Isabelle et son père retourne en enfer.

[3] Dans cette même lettre F. Chopin écrit : « ...celui-ci [Schlesinger] m'a conseillé d'écrire des variations sur des thèmes de *Robert*, ce *Robert* qu'il a acheté 24'000 francs à Meyerbeer. » cf. Lettre F. Chopin à T. Woyciechowski, *ibidem*.

[4] Lettre F. Chopin a T. Woyciechowski : *ibidem*.

cale parisienne et renforcé sa position de compositeur. Chopin lui était certainement reconnaissant et pour cette raison s'était laissé tenter par cette première commande. Cette époque coïncidait avec la lutte de Chopin pour son existence, il cherchait à se faire connaître — comme pianiste — plaçant la composition au second plan.

Au début de 1832, F. Chopin avait fait une autre importante connaissance, celle d'Auguste Franchomme. Leur amitié avait fait l'objet d'une étude, sûrement la plus complète à ce jour, de S. Ruhlmann *Chopin-Franchomme*[5]. Rappelons ici seulement quelques faits: ils sont devenus rapidement des amis très proches et leur amitié avait duré jusqu'à la mort de Chopin. A. Franchomme aidait souvent F Chopin dans les difficiles tractations avec les éditeurs ; il était aussi copiste et transcripteur de ses oeuvres ainsi que coauteur du *Gran Duo Concertant* pour violoncelle et piano[6]. Cette composition répondait aux désirs de Maurice Schlesinger qui l'avait édité en 1833.

La vie musicale à Paris, de la première moitié du XIX siècle, réunissait un grand nombre de compositeurs, de célèbres interprètes et pianistes — virtuoses qui improvisaient le plus souvent sur des thèmes des opéras. Pour la plupart, elles ont été notées, puis inscrites comme compositions et finalement éditées. Rien que sur seul *Robert le Diable* de Meyerbeer, il existe un nombre impressionnant des arrangements — non seulement pour piano, mais aussi pour d'autres instruments.

Il est connu que F. Chopin préférait interpréter ses propres oeuvres, en particulier durant les soirées plus intimes avec ses amis de l'élite intellectuelle ou encore dans le milieu aristocratique. Il à gardé une certaine distance à l'égard de ces soirées musicales mais il prenait part aux exécutions d'oeuvres d'autrès compositeurs et cela en toutes sortes d'occasions. Il jouait aussi avec d'autrès pianistes à quatre mains ou même à plusieurs pianos[7]. Il s'adaptait au goût du public, surtout au début de son séjour à paris. Apparemment, le public parisien n'acceptait pas facilement les compositions qui sortaient de leur cadre habituel: leur goût était pour des oeuvres de style brillant.

Les « soirées musicales », caractéristiques de Paris à cette époque, étaient un phénomène très populaire, devenu très rapidement une mode. Les pianistes avaient l'ocasion de démontrer toutes leurs capacités techniques dans la mesure de leur talent.

Le *Gran duo Concertant* pour violoncelle et piano, une sorte de « potpourri », répondait aux existences de ce public, mais malgré son grand succès à l'époque, il ne s'était pas maintenue dans les répertoires des salles de concerts. Il avait même été oubliée, contrairement à d'autrès oeuvres de Chopin et ceci non seulement par les musiciens, mais aussi par les auteurs d'ouvrages relatifs à Frédéric Chopin. Au fil de temps, il avait fait l'objet de plusieurs critiques et finalement avait été considéré comme médiocre. Plus tard, même si le style particulier de F. Chopin était peu prenant, cette composition à quand

---

[5] *Chopin-Franchomme*. t. 2 *Chopin w kręgu przyjaciół* [Chopin parmi les amis], éd. Irena Poniatowska, Warszawa 1996.

[6] S. Ruhlmann, *op. cit.* p. 53–58.

[7] Par example : à mi-mai 1833, F. Chopin jouait avec Amadée de Méreaux à quatre mains les *Variations sur le thème de l'opéra « Herold »*, le 23 mars avec Liszt — la *Sonate* op. 22 de G. Onslow. Le 22 février, au concert de F. Hiller Chopin jouait avec le compositeur le Grand duo pour deux pianos op. 135.

même suscité l'intérêt de Grażyna Michniewicz[8], Sophie Ruhlmann[9] ou de Danuta Jasińska[10] — et celle de Mieczysław Tomaszewski qui l'a jugé « l'un de plus faible[...]: vide, pâle — flattant les goûts du public parisien. »[11].

La version du *Gran duo Concertant* à quatre mains à probablement pour l'origine le duo pour violoncelle et piano. Éditée à Paris en 1839 par Maurice Schlesinger[12], elle faisait partie de la collection d'Arthur Hedley à Londres jusqu'au 1969. Depuis, elle se trouve à Valldemossa, puisque Anne-Marie Boutroux de Ferra avait acheté cette collection afin d'enrichir celle du Musée F. Chopin et G. Sand.

Jusqu'à nos jours, il n'y à pas d'étude traitant ce duo. Nous pouvons donc nous poser la question pourquoi ce duo à quatre mains n'a pas fait l'objet d'une recherche: est-ce parce que le manuscrit autographe est introuvable ou en raison d'un manque de preuves sur l'authenticité de l'auteur (pas de fac-similé, incipit, copie) ou parce que Chopin lui-même n'en à jamais fait mention dans sa correspondance, ne lui à pas donné de numéro d'opus et ne l'a pas inscrit dans son catalogue ou à cause de sa faible valeur artistique ?

Pourtant, il y a bien d'autrès compositions de F. Chopin où le style conventionnel prédomine l'expression individuelle. Les plus caractéristiques de cette époque parisienne, — composé aussi sur commande de Maurice Schlesinger — sont: les « *Variations brillantes* » en *si bémol majeur* op. 12 sur « *Ronde favorite* » (« *Je vends des scapulaires* »), publiées en 1833, en même temps que la partition de l'opéra « *Ludovic* » de Hérold et Halévy. Mieczysław Tomaszewski désigne ce genre de compositions de Chopin par « *courant public* »[13].

Les informations sur ce duo à quatre mains ne sont pas nombreuses, mais il nous paraît nécessaire de citer quelques auteurs. C'est aussi intéressant de signaler qu'ils ne nous donnent pas tojours les mêmes renseignements.

Krystyna Kobalańska[14] mentionne l'autographe de la version pour piano (avec un point d'interrogation) et le considère comme perdu. Elle cite l'information publiée par M. J. E. Brown[15] qu'en 1838 F. Chopin et A. Franchomme ont arrangé le duo pour piano et que cet arrangement avait été publié par Adolphe Maurice Schlesinger

[8]   Grażyna Michniewicz : « Wiolonczela w twórczości F. Chopina » [Le violoncelle dans les oeuvres de Chopin]. *Rocznik Chopinowski*, 1984, N° 16, p. 25–65.

[9]   S. Ruhlmann, *ibidem*.

[10]   Danuta Jasińska, *Styl brillant a muzyka Chopina* [Le style brillant et la musique de Chopin], Poznań 1998.

[11]   Mieczysław Tomaszewski, *Chopin. Człowiek, dzieło, rezonans* [Chopin. L'homme, l'oeuvre, la résonance], Poznań 1998.

[12]   Cette édition est inventoriee sous : Im1(11), N° cat. 138 par Bożena Adamczyk : *Le fonds Chopin de la Chartreuse de Valldemossa et son importance pour la connaissance du musicien*. Thèse de doctorat, Strasbourg, 1979, p. 309. Cette édition est inventoriée sous : Im1(11), N° cat. 138 au Musée F. Chopin et G. Sand à Valldemossa.

[13]   M. Tomaszewski, *op. cit.* p. 180–186.

[14]   Krystyna Kobylańska, *Rękopisy utworów Chopina. Katalog* [Les manuscrits des oeuvres de Chopin], t. 1–2, Kraków 1977.

[15]   Maurice J. E Brown, *An Index of his Works in Chronological Order*, London 1960.

— père à Berlin (P. N. 2338) avec numéro d'opus 15, puis publié à Paris en 1839 par Maurice Schlesinger- fils (P. N. 2799)[16].

Jan Ekier, évoque la question des transcription à quatre mains pourrait être authentique[17]. Lui aussi désigne Maurice Schlesinger à Paris comme éditeur du *Gran duo Concertant* —version à quatre mains[18].

Teresa Dalila Turło et Józef Michał Chomiński, dans leur catalogue, — qui reste la source de références la plus importante des oeuvres de F. Chopin —, nous livrent des renseignements beaucoup plus élaborées et très bien documentées. Ils rappellent l'opinion de J. Ekier que F. Chopin est bien l'auteur de la version pour piano à quatre mains du *Gran Duo Concertant* édité à Paris chez Maurice Schlesinger, en ajoutant que c'est « [...] néanmoins ce qu'on peut constater d'après l'annonce de l'éditeur »[19] et d'après « [...] la manière dont l'annonce de l'édition à été formulée »[20]. Voici la note retrouvée dans le *Revue et Gazette Musicale de Paris*: « *Gran Duo de Robert le Diable*, arrangé à quatre mains par Chopin et Franchomme. Prix: 9 fr. »[21]

Dans le chapitre traitant des transcriptions — particulièrement élaboré — les auteurs ne font aucune mention de l'édition d'Adolphe Maurice Schlesinger, (père de Maurice à Berlin (1838), édition pourtant mentionnée par M. J. E. Brown et K. Kobylańska ! (Est-ce qu'ils ont fait erreur, Brown étant quelquefois imprécis et Kobylańska avançait parfois des informations erronées ?). Par contre, T. D. Turło et J. M. Chomiński indiquent l'édition parisienne de 1839 publiée par Maurice Schlesinger et une autre encore, celle de Brandus — successeur de Maurice Schlesinger — datée de 1848. On y trouve également une mention concernant l'édition de F. Mockwitz[22] publiée à Berlin par Adolphe Maurice Schlesinger[23]. Cette dernière information est donnée d'après A. Hofmeister de 1884[24].

Mieczysław Tomaszewski à publié récemment une remarquable monographie, la plus complète et la mieux documentée touchant à tous les aspects de Chopin. Dans sa liste des oeuvres de Chopin — composées sur commande — et celle des éditions sans numéros d'opus, mentionne seulement la version à quatre mains, éditée à Paris en 1839[25].

Enfin, Krzysztof Grabowski note que l'exemplaire de la transcription de duo à quatre mains se trouve dans la collection du Musée F. Chopin et G. Sand à Valldemossa. Il mentionne qu'il n'a trouvé aucun renseignement concernant d'autres édi-

---

[16] K. Kobylańska, *op. cit.*, p. 362–363.

[17] Jan Ekier, *Wstęp do wydania narodowego dzieł F. Chopina* [L'introduction à l'édition nationale des oeuvres de Chopin], Kraków 1974, p. 93.

[18] *Ibidem*, p. 84.

[19] Józef M. Chomiński, Teresa D. Turło, *Katalog dzieł Fryderyka Chopina*, Kraków 1990, p. 53.

[20] *Ibidem*, p. 80.

[21] *Revue et Gazette Musicale de Paris* de 24 II 1839, N° 8.

[22] Friedrich Mockwitz (1773–1849) — arrangeur de musique pour piano.

[23] J. M. Chomiński, T. D. Turło : *mp, cir.* p. 339.

[24] *Ibidem*, p. 339. A. Hofmeister *Handbuch der musikalischen Literatur oder allgemeines systematisch-geordnetes Verzeichnis der in Deutschland und in den angrenzenden Ländern gedruckten Musikalien auch musikalischen Schriften und Anzeige der Verleger und Preise*, Leipzig 1844–1956.

[25] M. Tomaszewski, *op. cit.* p. 186

tions françaises dans les catalogues de nombreuses bibliothèques. Il ajoute: «... peut-être elles se trouvent dans des collections privées »[26].

Après ce recueil d'informations, certainement toujours incomplètes, il en résulte qu'aucune édition mentionnée par les auteurs cités ci-dessus n'est accessible (à l'exception celle de Valldemossa). On peut même se poser la question si d'autres éditions existaient vraiment pendant ces quelques années qui séparaient l'édition du duo pour violoncelle et piano, de celle à quatre mains ? Cela paraît peu probable, car seul Adolphe Maurice Schlesinger de Berlin avait l'autorisation de son fils d'éditer les oeuvres de F. Chopin et cela concernait particulièrement les compositions commandées par Maurice Schlesinger[27].

L'édition de Brandus (qui était depuis 1846 le successeur de Maurice Schlesinger) datant de 1848, était probablement (pour des raisons purement financières), un renouvellement de celle de son prédécesseur. Il est connu que certaines oeuvres de F. Chopin se vendaient particulièrement bien, notamment celles qui étaient les plus faciles à exécuter. D'autant plus qu'a l'époque le piano était devenu l'instrument le plus populaire et les exécutions à quatre mains les plus répandues.

Après avoir consulté à la Bibliothèque TiFC[28] quelques transcriptions de F. Mockwitz, où le duo en question ne figurait pas, j'ai constaté que toutes les pages de titres de ses arrangements portaient bien le nom de F. Mockwitz, contrairement aux auteurs anonymes ou d'autres, qui étaient parfois publiés sous le nom de Chopin. Par conséquent, la transcription de Mockwitz du duo concertant à quatre mains, si elle existe, n'est pas le même version que l'édition originale de M Schlesinger se trouvant dans la collection de Valldemossa.

Il est fort probable que l'exemplaire de l'édition française de 1839 de Maurice Schlesinger est vraisemblable le seul existant à ce jour et pour le moment reste la seule source de base. J'ai le privilège de la faire connaître afin de susciter l'intérêt qu'elle mérite et qui peut conduire à approfondir et explorer davantage encore ce sujet.

Le duo à quatre mains dont l'introduction est tout aussi brillante, de caractère de bravoure, pleine de virtuosité, garde le même aspect d'improvisation et de légèreté que le duo pour violoncelle et piano. Les parties des deux instruments — violoncelle et piano — sont maintenant reparties entre quatre mains du même instrument. La principale différence entre les deux duo réside dans le changement de la couleur sonore. Le duo à quatre mains est une version simplifiée pour permettre aux non-professionnels de l'exécuter. A cette époque c'était un fait courant de transférer une

[26] Krzysztof Grabowski « Francuskie oryginalne wydania dzieł Fryderyka Chopina » [Les originales éditions françaises des oeuvres de F. Chopin], *Rocznik Chopinowski* 1995, N° 21, p. 134.

[27] C'est A. M. Schlesinger qui a publié *Trois Nouvelles Etudes* composées sur commande de son fils par F. Chopin pour la *Méthode des méthodes de piano*. Ces manuscrits se trouvent dans la collection du Musée F. Chopin et G. Sand à Valldemossa. Cf. B. Adamczyk, *op. cit.*, pp. 14–25.

[28] Je tiens à remercier Mme. Teresa Lewandowska pour son aide précieuse dans ma recherche sur F. Mockwitz à la bibliothèque de TiFC (Société Chopin à Varsovie).

oeuvre originale dans une autre sphère du timbre sonore — probablement dans le but de la populariser[29].

Le duo à quatre mains respecte la même forme, le même style et le même caractère que celui pour violoncelle et piano. On y retrouve exactement les mêmes formules techniques: exploitation des registres, suites chromatiques, arpèges montants et descendants, octaves brisées, suites des sixtes parallèles, progressions en tierces, présences des trémolos et notes de pédale, chromatiques dans figuration.

Tous ces éléments ressortent de la pratique de l'improvisation caractéristique du style brillant.

Il existe toute une série de compositions de F. Chopin dont l'authenticité reste douteuse. Les musicologues souvent ne partagent pas les mêmes avis à ce propos. En ce qui concerne le duo pour violoncelle et piano, il n'y a pas de doute que c'était une composition de F. Chopin et A. Franchomme. Par conséquent, celui à quatre mains pourrait l'être également. Il est évident qu'on ne peut pas le classer parmis des ouvres de grande valeur artistique. Mais pour connaître l'oeuvre intégrale de F. Chopin, il me semble nécessaire de prendre en considération l'ensemble des ses compositions, y compris les oeuvres jugées sans valeur musicale.

Une analyse, plus approfondie, pourrait faire l'objet d'une autre étude. Ce sujet — duo à quatre mains n'a pas été exploré dans tous ces détails, mais il me semble intéressant de communiquer avant tout l'existence de cette édition et de souligner que c'est également à Valldemossa que ce duo à été interprété pour la première fois de notre temps et enregistré sur un CD[30]. Il fallait attendre plus de 150 ans (1839–1995). L'intérêt de ce document est exclusivement lié à la considération de sa valeur historique dans le domaine de l'édition.

---

[29] M. Tomaszewski « Obecność muzyki F. Chopina w twórczości rówieśników i następców » [La présence de la musique de F. Chopin dans les oeuvres des compositeurs de sa génération et des successeurs], in: *Rocznik Chopinowski* 22/23, (1996–97), p. 137.

[30] *Grand Duo de Robert le Diable per a piano a quatre mans. Op. 15.* F. Chopin-A. Franchomme. (Albert Diaz-Xavier Mut), Cel-la F. Chopin-G. Sand, Cartoixa de Valldemossa 1997.

STRESZCZENIE

PREZENTACJA *GRAN DUO DE ROBERT LE DIABLE* F. CHOPINA I A. FRANCHOMME'A NA FORTEPIAN NA
4 RĘCE OP. 15 POCZĄWSZY OD ŹRÓDEŁ, A SZCZEGÓLNIE NA PODSTAWIE WYDANIA ORYGINALNEGO
M. SCHLESINGERA, ZNAJDUJĄCEGO SIĘ W MUZEUM F. CHOPINA I G. SAND W VALDEMOZIE

W 1831 r. wydawca paryski M. Schlesinger wykupił bezpośrednio od Giacomo Meyerbeera prawa autorskie opery *Robert Diabeł*, po czym u różnych kompozytorów w Paryżu zamówił parafrazy i fantazje na tematy z tej opery. Zwrócił się z zamówieniem również do Chopina i prosił o kompozycję opartą na tematach z *Roberta Diabła*.

W 1832 r. Chopin zawarł znajomość z wiolonczelistą Augustem Franchommem, z którym pozostał w przyjaźni do końca życia. Wspólnie skomponowali oni *Gran Duo Concertant* na wiolonczelę i fortepian, oparte na tematach z opery i utwór ten został przez Schlesingera wydany w 1833 r. Improwizacje i parafrazy na tematy znanych oper były wówczas w modzie i duet ten odpowiadał wymaganiom ówczesnej publiczności. *Gran Duo Concertant* było prawdopodobnie dla jego autorów źródłem do powstania wersji *Gran Duo de Robert le Diable* na cztery ręce. Autograf tej wersji jest do tej pory nieznany i niewiele mamy informacji na temat jego powstania. Istnieje natomiast jej oryginalne wydanie francuskie M. Schlesingera z 1839 r. i jest to aktualnie jedyny istniejący egzemplarz przechowywany w Muzeum w Valdemozie. Zasługuje zatem na szczególną uwagę. Utwór ten nie ma wielkiej rangi artystycznej, ale jego charakter i styl są odzwierciedleniem epoki oraz nurtu, do którego Chopin nie przywiązywał wagi, ale mu uległ. Wersja ta ma niewątpliwe znaczenie z punktu widzenia historii wydań chopinowskich, a należy dodać, że na temat tego utworu nie powstało dotychczas żadne opracowanie naukowe.

Ein unbekanntes Autograph von Chopin in dem handschriftlichen Musikalbum von polnischen Komponisten[1]

Maria Sołtys
(Lviv)

Was die vielen Kompositionen von Chopin angeht, so ist man den Autographen bisher nicht auf die Spur gekommen. Dazu gehören (wir beschränken uns nur auf größere Formen) zum Beispiel: drei Rondos (op. 1, op. 5, op. 12), das Konzert e-Moll op. 11, zwei Scherzi (op. 20 und op. 39), die Polonaise fis-Moll op. 44, die Sonate b-Moll op. 35. Wahrscheinlich sind nicht alle von ihnen unwiderbringlich verloren und einige werden noch gefunden werden [...]

Dieses Zitat, das aus Jan Ekiers Einleitung zur Nationalausgabe der Werke von Fryderyk Chopin stammt, wird hier nicht zufällig angeführt. Wir haben nun die Gelegenheit, ein unbekanntes Autograph von Chopin vorzustellen. Es ist ein Fragment aus einem der oben erwähnten Werke.

Das erwähnte Autograph ist in dem Musikalbum polnischer Komponisten enthalten. Außer einem Chopinmanuskript (das an erster Stelle steht), beinhaltet es neun Autographe von polnischen Komponisten: S. Moniuszko, K. Mikuli, W. Sowiński, J. Janotha, J. Nowakowski, M. Madeyski, J. Rozwarowska und F. Guniewicz. Das Autograph von Mikuli ist allerdings keine Originalkomposition, sondern eine vokal-instrumentale Transkription des *Präludiums Fis-Dur* op. Nr. 13 von Chopin.

Das Album hat folgende Geschichte: Im Jahre 1862 bestellte die Fürstin Jadwiga Sapieha, geborene Zamoyska (1806–1890), bei einigen polnischen Komponisten Originalkompositionen oder Bearbeitungen, um daraus ein Album zusammenzustellen. Der Erlös aus diesem Album sollte karitativen Zwecken dienen. Die meisten Autographe datierten vom Mai-Juni 1862. Daher also die Frage: Wie kam das Autograph von Chopin, das aus dem Jahre 1840 stammt, in dieses Album?

Wahrscheinlich besaß Fürstin Sapieha das Manuskript von Chopin in ihren Sammlungen bereits früher und fügte es in das Album später ein, um seinen Wert und Preis dadurch natürlich zu erhöhen.

Das unbekannte Chopin-Autograph ist ein Fragment einer unbetitelten Klavierkomposition in der Tonart *Es-Dur*. Es hat keine Gattungsbezeichnung. Diese Episode, die im Mazurka-Rhythmus und Charakter geschaffen wurde, ist eine dreißigtaktige einteilige Form, die aus vier Abschnitten (*a–a¹–b–c*) besteht. Die Disposition der Tonarten des Ganzen sieht wie folgt aus: *Es–B–f–B–Es*. Wie es zu sehen ist, ist die Komposition tonal geschlossen, sie weist jedoch kein Reprisenprinzip auf. Es ist nicht ausgeschlossen, dass dieses Fragment in der Absicht des Komponisten einen Mazurkasatz

---

[1] Musikalbum befindet sich im privaten Besitz.

bilden sollte. Das besprochene Fragment ist mit dem Mittelteil der *Polonaise fis-Moll* op. 44 deutlich verwandt. Dieser Teil ist als *Tempo di Mazurka* bezeichnet. Um sich vorzustellen, wie die dreißigtaktige Komposition in dem Polonaiseteil, der 119 Takte zählt, benutzt wurde, lohnt es sich, den Bau dieses Teils darzustellen.

Es ist eine Struktur, die aus zwei thematisch verwandten und der Größe nach ähnlichen Fragmenten (A+A$_1$) besteht. Die Disposition der Tonarten des Teils A ist wie folgt: *E–E–h–E–A* und die Disposition der Tonarten A$_1$: *E–H–fis–H–E*. Man sieht, dass der Teil A$_1$ die Transposition des Teils A um eine Quinte nach oben ist. Jeder der Teile (A und A$_1$) setzt sich aus sechs Abschnitten zusammen. Der Teil A besteht aus den Abschnitten n–a–n1–a1–b–c (14–7–13–8–8–8). Die Satzglieder a, a1, b, c sind dem erwähnten Autograph entnommen und die Fragmente n und n1 sind hinzukomponierte, dem Kujawiak eigene Elemente. Die Verbindung der bestehenden Komposition mit neuen Musikgedanken hat ein neues Gebilde ergeben: den Mittelsatz der *Polonaise fis-Moll*. Wie M. Tomaszewski sehr treffend bemerkte, führte die Verbindung des Mazurkateils mit der Polonaise dazu, dass das ritterlich-adlige Idiom mit dem Volksidiom sowie die heroische Expression mit dem Idyllischen verbunden wurden. Dies ist auch der einzige Fall, in dem in einem Werk zwei von dem Komponisten geliebte Tanzarten, Polonaise und Mazurka, vereint sind. In diesen Tänzen spiegelt sich die Nationalität Chopins wider. Nicht zufällig bezeichnete J. Samson dieses Werk als Quintessenz des polnischen Geistes. Bei dieser Gelegenheit konnte man bemerken, dass eine ähnliche, jedoch weniger auffallende Analogie noch in zwei Kompositionen von Chopin, in der *Mazurka fis-Moll* op. 59 Nr. 3 sowie in der *Polonaise-Fantasie* op. 61 zum Vorschein kommt. In der ersten von ihnen hat man Elemente der Polonaise (M. Tomaszewski) bemerkt, in der zweiten hingegen sieht man gewisse Anspielungen auf die Mazurka.

Um jetzt zum Objekt unserer Erwägungen, d. h. zum entdeckten Autograph von Chopin zurückzukehren, muss man es jetzt mit bestimmten Fragmenten des Mittelteils der *Polonaise fis-Moll* in der gedruckten Version vergleichen. Das erlaubt uns, die von dem Komponistem in den Urtext eingeführten Änderungen zu bestimmen. Dieser Vergleich wird auf zwei Stufen gezogen. Zuerst sollte man die Zusammensetzung der Einzelheiten, die für alle Druckausgaben gemeinsam sind, in den Vordergrund stellen. Auf diese Weise zeigen wir das Fehlen dieser Einzelheiten in der Urform, d. h. in Chopins Manuskript auf. Somit werden auch die Änderungen, die der Komponist bei der Umarbeitung der Urform vorgenommen hatte, zum Vorschein kommen. Auf der zweiten Stufe des Vergleichs wird man das Autograph mit den Erstdruckausgaben vergleichen, d. h. mit der französischen Edition Schlesinger (M. S. 3477), die sich auf die Kopie von Fontana stützt und von Chopin korrigiert wurde sowie mit der deutschen Edition Mechetti (Nr. 3577), die auf das Autograph von Chopin basiert, von dem Komponisten jedoch nicht korrigiert wurde.

Davon, dass man von der anfänglichen Tonart abging, war bereits die Rede. Beginnen wir nun mit der ersten Vergleichsstufe. Der Unterschied zwischen dem Autograph und allen Druckausgaben besteht in: 1. melodischen Änderungen; 2. harmonischen Änderungen; 3. Einführung der Linearität; 4. Änderungen des Rhythmus.

Der Komponist führt melodische Änderungen dreimal ein. In allen Fällen stehen sie am Ende einiger Ganzheiten. Im ersten Fall geht es um das Hinzufügen des kurzen Vorschlags im zweiten Taktteil am Ende des Abschnitts a1 (T. 14 = T. 168). Im zweiten Fall geht es um die Änderung der Tonhöhe im ersten Taktteil am Ende des Abschnitts b (T. 22 = T. 176). Im dritten Fall sind drei Tonhöhen geändert worden. Dies gilt für den Abschluss der Urform (T. 30 = T. 184). Diese letzte Änderung ist die wichtigste. Im Manuskript steht sie am Ende der Ganzheit, die von dem Gebrauch der Prime des Tonikadreiklangs in der oberen Stimme unterstrichen ist. Im entsprechenden Fragment der gedruckten Version bildet die Terz des Tonikadreiklangs den Abschluss.

Was die Harmonik anbetrifft, sieht man beim Vergleich des Manuskripts mit den Druckausgaben nur eine geringe Änderung (T. 14 = T. 168); sie besteht darin, dass sich im Manuskript im dritten Taktteil ein Septakkord befindet (*c–e–g–b*), in den Druckausgaben dagegen ein Dreiklang (*fis–ais–cis*). Die übrigen Änderungen betreffen vielmehr die Faktur. In den Druckausgaben sieht man im dritten Taktteil einen Abgang von dem Akkorde (T. 170 = T. 16) sowie von dem Intervall (T. 183 = T. 29) zugunsten der Viertelpausen.

Die Erweiterung der Zahl der Fälle der Linearität ist mit folgenden Änderungen verbunden: mit der Verlängerung der akkordeigenen Töne in diesen Teilen des Musiktextes, in welchen die Wiederholungen der gleichnamigen Klänge schließen und mit dem Hinzufügen von zwei neuen Mittelstimmen (T. 175–176 = T. 21–22). Dieser Fall bedarf jedoch einer Erklärung. Es geht darum, dass der Abschnitt, bei dessen Ende es zur Einführung der Quasipolyphonie kommt, eine zweigliedrige Struktur ist (4+4). In dieser Struktur ist das zweite Glied die Sequenz des ersten. Im Manuskkript, im zweiten Glied ging der Komponist von der im ersten Glied bestehenden Linearität ab. Daraus ergab sich ein Unterschied zwischen ihnen. In der Version, die sich auf den Mittelsatz der Polonaise bezieht, ist die Linearität in beiden Gliedern vorhanden und das trägt dazu bei, dass der ganze Abschnitt fakturmäßig einheitlich ist.

Die meisten Änderungen hat der Komponist in die rhythmische Struktur der Oberstimme der Faktur eingeführt. Diese Änderungen wurden in zwei Bereichen vorgenommen: 1. Das Glätten der ursprünglichen ersten rhythmischen Schärfe; 2. Im Gegenteil: Einführung der rhythmischen Schärfe. Mit dem ersten Fall haben wir sechsmal zu tun (T. 3 A = T. 143 D; T. 9 A = T. 163 D; T. 5–6 A = T. 145–146 D; T. 25–26 A = T. 179–180 D). 3. Den umgekehrten Prozess beobachten wir nur dreimal (T. 18 A = T. 172 D; T. 21–22 A = T. 175–176 D).

Im Laufe der vergleichenden Analyse unter der Berücksichtigung der Erstdrucke, nämlich der französischen Edition (FE) und der deutschen Edition (DE) wurden folgende Fälle festgestellt: 1. Das Autograph stimmt in bestimmten Einzelheiten nur mit der französischen Edition überein (T. 3A = T. 143 FE; T. 9 A = T. 163 FE). Die Schlussfolgerung lautet: da es bekannt ist, dass nur die französische Edition von dem Komponisten korrigiert wurde, kann man feststellen, dass er zu der anfänglichen Version, die vor 1840 entstanden ist, zurückkehrte; 2. Das Autograph stimmt nur mit der DE in der Verzierung überein, in T. 27 A = T. 181 DE. Die Schlussfolgerung lautet hier: während der Korrektur verzichtete der Komponist auf die Verzierung, die sich im neuentdeckten Autograph wie auch bei Mechetti befand; 3. Alle drei Versionen — A, FE und DE sind verschieden, der Unterschied ist hier jedoch nicht

so wesentlich. Dieser Fall bestätigt die Neigung zur Variabilität als eines der wesent-
lichsten Merkmale des schöpferischen Prozesses von Chopin.

Die Art des Autographs

Die nächste Frage, die das gefundene Autograph betrifft, besteht darin, seine Art
aufgrund des gegenwärtigen Systems der Klassifizierung der Manuskripte von Chopin
zu bestimmen. Wie bekannt, erfreuen sich die Manuskripte von Chopin eines großen
Interesses nicht nur in Polen (J. Ekier, K. Kobylańska, W. Nowik, H. Wróblewska-
Straus), sondern auch im romanischen (G. Belotti, J.-J. Eigeldinger) sowie im eng-
lisch-amerikanischen Sprachraum (A. Hedley, J. Kallberg). Infolge der Quellenfor-
schung wurden diverse Vorschläge unterbreitet, was die Klassifizierung und Bewertung der Manuskripte anbelangt. Die von den Forschern angenommenen Kriterien
sind sehr unterschiedlich. Wojciech Nowik z. B., der als erster Forscher gilt, der eine
gewissenhafte Untersuchung der Klassifizierungsmethoden der Autographe von Chopin vornahm, stellte in seinen Beiträgen als erster die semiotische Analyse und die
psychologische Theorie in den Mittelpunkt. Nowik bezeichnet die Manuskripte als

eine Sammlung von zusammengestellten Zeichen. Seine Entschlüsselung ermöglicht
es, den schöpferischen Prozess von Chopin zu erschließen. In seiner Doktorarbeit an
der Warschauer Universität unter dem Titel: „Der schöpferische Prozess von Fryderyk Chopin im Lichte seiner Musikautographen" (1978) teilte er die Manuskripte in
folgende Gruppen: 1. Skizze; 2. Ins Unreine Geschriebenes; 3. Reinschrift; 4. Kopien.
Zu den Merkmalen der Skizzen und des ins Unreine Geschriebenen gehören individuelle graphische Zeichen, die in den ins Reine geschriebenen Handschriften sehr selten
sind.

J. Kallberg zweifelt wiederum daran, dass zwischen den Skizzen und den ins Reine
geschriebenen Handschriften ein Zwischenglied in Form des ins Unreine Geschriebenen bestand. Seine Klassifizierung der Manuskripte von Chopin bezieht sich nicht
nur auf das Äußere, sondern auch auf die von dem Komponisten selbst angegebene
Bestimmung. Kallberg behandelt die Manuskripte funktionell, d. h., dass der Forscher
von einem vierstufigen Modell des schöpferischen Prozesses des Komponisten
spricht: die erste Stufe — am Klavier ohne Noten, die zweite Stufe — Skizzen, die
den Privatnotationen dienten, die dritte Stufe — Manuskripte „für das Publikum",
die für die Verleger, Schüler, Freunde vorgesehen waren, die vierte Stufe — verschiedene Arten von Kopien.[2]

Ein ähnliches System der Qualifizierung der Autographe von Chopin repräsentiert
J. Ekier. Den Ausgangspunkt für seine Untersuchungen bildet der Wert der Manu-
skripte für den Redakteur, der die kritische Ausgabe vorbereitet hat.[3] Ekier teilte die
Autographe der Werke, die der Komponist zu Lebzeiten veröffentlicht hat, in fünf
Gruppen:

1. Skizzen. Sie sind keine unmittelbare Grundlage, können jedoch den endgülti-
gen Text direkt beeinflussen; 2. Reinschriften, deren Struktur nicht endgültig ist [...]
haben einen ähnlichen Wert wie die Skizzen, wenn es um die Festlegung des Textes
geht; 3. Druckreife Reinschriften. Meistens gelten sie als Grundquellen; 4. Fragmente
oder Ganzheiten, die in Alben der Freunde oder Bekannten stehen [...]; 5. Die zwölf
Incipiten der Komposition, die Chopin gegen Lebensende selbst geschrieben hat [...].

Gehen wir nun zum Problem der Einschätzung der einzelnen Systeme der Klassifizierung der Manuskripte von Chopin über, die ein getrenntes Problem sind, und
beschränken wir uns auf die Definition der Art des unbekannten Autographs auf
Grund der Kriterien, die hier, meiner Meinung nach, sehr klar und überzeugend dargestellt wurden.

Im uns interessierenden Objekt sehen wir folgende Merkmale, die für die Bestimmung dieser Art von Bedeutung sind: 1. Das Vorhandensein der Akkoladenklammer
und der Schlüsselung am Anfang der Mehrheit der Liniensysteme (das Fehlen der
Schlüssel sieht man nur am Anfang des letzten, nicht vollständigen Systems der Noten); 2. Das Vorhandensein der Tonartvorzeichnung; 3. Eine sorgfältige Schrift, in
der der Notenkopf vom Notenhals leicht zu unterscheiden ist (in den Skizzen ver-

[2] Jeffrey Kallberg, „O klasifikacji rękopisów Chopina" [Über die Klassifizierung der Chopin's Manu-
skripten], in: *Rocznik Chopinowski*, Nr. 17, 1987, S. 63–96.
[3] Jan Ekier, *Wstęp do Wydania Narodowego Dzieł Fryderyka Chopina* [Einleitung zur Nationalausgabe der Werke
von Fryderyk Chopin], Kraków 1974.

schmelzen oft der Notenkopf und der Notenhals); 4. Eine freie Zeile zwischen den Liniensystemen, die von den Noten ausgefüllt wurden. Solche freien Zeilen sind für Chopins Reinschriften charakteristisch. Der Komponist hat Platz für hinzugefügte Angaben reserviert; 5. Das Manuskript enthält keine nichttraditionellen Zeichen, d. h. Verkürzungen. Die oben aufgezählten Merkmale ermöglichen uns, das uns interessierende Autograph als Reinschrift zu bestimmen.

Außer der sorgfältigen Schrift gibt es im Autograph auch Durchgestrichene Stellen. Die Forscher der Manuskripte von Chopin sind der Meinung, dass die Reinschriften sehr selten von Chopin in kalligraphischer Schrift geschrieben wurden.[4] Außerdem (was Ekier auch bemerkt), machte Chopin manchmal Fehler in seinen eigenen Manuskripten, Z. B. das Auslassen der chromatischen Zeichen sowie auch andere Fehler in der Rechtschreibung. Die Fehler dieser Art sind auch in dem von uns besprochenen Manuskript zu finden. Im T. 6 fehlt das Auflösungszeichen bei dem Übergang von *Es* zu *B-Dur*. Darüberhinaus weist das besprochene Manuskript einige Sondermerkmale auf. Die Art des Schreibens ist nicht einheitlich. Im Anfangsfragment (14 Takte) ist die Schrift sehr sorgfältig, im zweiten Teil (folgende 16 Takte) hingegen ein wenig hastig. Im Autograph fehlen interpretative Angaben. J. Kallberg meint, dass die interpretativen Angaben in den sog. abgelehnten offiziellen Manuskripten nicht stehen. Es kam manchmal vor, dass der Komponist unmittelbar nachdem er zu schreiben angefangen hatte (Reinschrift), die Schlussfolgerung zog, dass das Werk vervollkommnet werden muss. Dann hat er das Manuskript vorläufig beiseite gelegt, um es dann später noch einmal zu bearbeiten. Man kann auch die veränderte Schriftart auf einer Seite des Autographs erklären. Chopin schien die Bearbeitung des Autographs notwendig, also ging er von der sorgfältigen zur etwas hastigen Schreibweise seiner Idee über. In diesem Kontext ist Mieczysław Tomaszewski zu zitieren: Er bemerkte u. a., dass „seine Werke, die einige Jahre lang in der Mappe lagen, plötzlich, meistens in einer neuen, reifen Gestalt vom Autor das Imprimatur bekamen".

Zusammenfassend kann man sagen, dass dieses entdeckte Autograph, dieser Defintion nach eine Reinschrift ist. Diese Defintion kann man jedoch auch präziser formulieren. Es gibt Gründe, um es als Reinschrift in nicht endgültiger Gestalt (Ekier) oder als abgelehntes offizielles Manuskript (Kallberg) zu klassifizieren. Demnach scheint das eindeutige Definieren der Art des entdeckten Autohraphs riskant zu sein. Die Forscher der Chopinmanuskripte sind sich eher darüber einig, dass die Grenzen zwischen den einzelnen Gruppen von Autographen fließend sind.

Die Bedeutung des entdeckten Autographs ist von großer Wichtigkeit. Weder die bis heute veröffentlichten Arbeiten, die den Musikmanuskripten von Chopin gewidmet sind noch die erhaltenen Skizzen lokalisieren das Autograph der *Polonaise fis-Moll* op. 44, dieses im Schaffen von Chopin so bedeutenden Werks.

---

[4] J. Ekier, *op. cit.*, S. 76.

STRESZCZENIE

Nieznany autograf Chopina w rękopiśmiennym Albumie Polskich Kompozytorów

Przedstawiony rękopis jest szkicem kompozycji na fortepian bez tytułu, w tonacji *Es-dur*. Strukturę całości. utworzonej z 4 odcinków — zdań, schematycznie można pokazać jako a+a1+b+c (6+8+8+8). Omawiany szkic zawiera liczne korektury w zapisie nutowym, zwłaszcza w trzecim odcinku (b).

Analiza tekstu muzycznego omawianego rękopisu wykazuje wyraźne pokrewieństwo z fragmentem (drugim) środkowej części (*Tempo di Mazurka*) *Poloneza fis-moll*. Wspomniany fragment *Poloneza* (budowa A+A1; 113 taktów) przebiega w tonacjach krzyżykowych — początkowo w *A-dur* (A, 59 taktów), następnie *E-dur* (A1,64 takty).

Wagę tego nieznanego autografu podnosi fakt, iż żadna z opublikowanych dotychczas prac poświęconych rękopisom Chopina nie lokalizuje przekazów autograficznych *Poloneza fis-moll*, ani też jakichkolwiek szkiców tej kompozycji.

Omawiany autograf jest jedną z pozycji tzw. Albumu Kompozytorów Polskich. Poza autografem Chopina zawiera on jeszcze dziewięć kompozycji, m, in. takich autorów, jak Stanisław Moniuszko (1819–1872), Karol Mikuli (1821–1897), Wojciech Sowiński (1805–1880), Józef Nowakowski (1800–1865). Są to w większości utwory fortepianowe i wokalne, skomponowame specjalnie dla wspomnianego albumu, który powstał z inspiracji księżnej Jadwigi z Zamoyskich Leonowej Sapieżyny (1906–1890) i znajduje się w kolekcji prywatnej. To, że w albumie znalazł się autograf Chopina, można wytłumaczyć w sposób następujący sposób: księżna, będąc w posiadaniu autografu, włączyła go do albumu, pragnąc tym samym podnieść jego znaczenie a zarazem wartość materialną.

AUS DEM REPERTOIRE DES JUNGEN CHOPIN: KLAVIERKONZERT CIS-MOLL OP. 55 VON FERDINAND RIES

Elżbieta Zwolińska
(WARSZAWA)

Während meiner Quellenstudien in dem Hauptarchiv Alter Akten zu Warschau bin ich einmal auf Materialien gestoßen, die in einem bestimmten Grad mit der Frage des Kontextes der Werke Chopins zusammenhängen könnten: unter den Resten der ehemaligen Musikbibliothek der evangelischen St. Trinitatis-Kirche zu Warschau, die im oben genannten Archiv nach dem II. Weltkrieg deponiert wurden[1], sind fast komplett Orchesterstimmen des im Titel genannten *Klavierkonzerts cis-Moll* op. 55 von Ferdinand Ries enthalten. Manche zu seiner Zeit hochgeschätzte Werke von diesem deutschen Komponist und Pianist, Beethovens Schüler, waren in Warschau in den zwanziger und dreißiger Jahren des 19. Jahrhunderts bekannt und gehörten zum Repertoire, auf dem der junge Chopin seine pianistische Fertigkeit und Erfahrung wie auch sein musikalisches Empfinden und seinen Geschmack ausbildete.

Die oben genannten Orchesterstimmen sind zum ersten Mal von Simrock im Jahre 1815 unter der Nummer 1192 veröffentlicht worden[2]. Die in Warschau erhaltenen Blätter[3] sind mit dem Stempel des Hauptarchivs Alter Akten gekennzeichnet[4], es fehlen ihnen leider irgendeine frühere Provenienznotizen. Es soll nicht wundern, daß die Noten eines Klavierkonzerts in der kirchlichen Bibliothek untergebracht waren, weil die Warschauer St. Trinitatis-Kirche des öfteren als Kozertsaal diente und Platz für wichtige musikalische Veranstaltungen bot; in den für uns interessanten Zeiten ist dort als Dirigent u. a. Joseph Elsner aufgetreten; die Funktion des Musikdirektors erfüllte Joseph Jawurek (vel Jaworek). Die erhaltene Musikaliensammlung beinhaltet unterschiedliche Notenmaterialien, u. a. Elsnersche Autographen, handschriftliche Kopien der Werke von Mozart und Haydn; unter den Drucksachen findet man auch Fragmente der Orchesterstimmen des *Klavierkonzerts c-Moll* von Beethoven (Erstdruck — insofern ist das Riessche Werk kein Einzelfall!)[5].

---

[1] Elżbieta Zwolińska, „Über Musik in der evangelisch-augsburgischen St. Trinitatis-Kirche zu Warschau im 19. Jahrhundert" in: *Deutsche Musik im Wegekreuz zwischen Polen und Frankreich*, hrsg. Christoph-Hellmut Mahling und Kristina Pfarr, Tutzing 1996 (*Mainzer Studien zur Musikwissenschaft* Bd. 34), S. 271–286.

[2] *Troisième Concerto pour le Piano Forte Composé et dédié à M. Clementi par Ferdinand Ries op. 55. Bonn chez Simrock* N° *1192 [1815].*

[3] Die folgenden Orchesterstimmen sind in Warschau erhalten: *Alto, Violoncello e Basso, Flauto, Clarinetto 1mo in A, Clarinetto 2do in A, Fagotto 1mo, Fagotto 2do, Tromba 1ma in C♯, Corno 1mo in E, Corno 2do in E, Timpani in C♯.*

[4] Sie sind mit der Signatur 486/17c versehen.

[5] Elżbieta Zwolińska, *op. cit.*, S. 285.

Leider gibt es keinerlei Auskünfte, ob dieses Werk von Ries in einem der Konzerte in der Warschauer evangelischen Kirche vorgetragen wurde[6]. Daß diese Komposition in Warschau bekannt war, wissen wir u.a. aus dem Brief von Chopin vom 20. Oktober 1828 an seinen Freund Tytus Woyciechowski: Chopin erwähnte deren Vortragen in einem Konzertabend im Salon Joseph Kesslers[7], aus dem Brief geht aber nicht hervor, wer damals die Solopartie gespielt hat (war es Kessler? oder vielleicht doch Chopin?). Es ist bekannt, daß auch früher das Warschauer Publikum eine Möglichkeit hatte, manche nicht genau bestimmten Klavierkonzerte von Ries zu hören: im Jahre 1825 — als der Solist ein „Wunderkind" Antoni Leśkiewicz war, und noch früher, im Jahre 1823 — mit Fryderyk Chopin am Klavier. Chopin nahm damals teil an einem Konzert, das am 24. Februar im Saal der Wohltätigkeitsgesellschaft stattfand[8]. Das war das sechste Konzert aus der neunteiligen Abonnementreihe, die vom sogenannten Verwaltungskommitee für Konzertabende veranstaltet wurde. Ein Bericht über dieses Konzert erschien in der Zeitung *Kuryer dla Płci Pięknej*[9]. Bedauerlicherweise enthält dieser Bericht keinerlei Hinweise, die eine volle Identifizierung des Musikstückes ermöglichen würden[10]. Es wäre schwierig, heute irgendeine Beweisstücke zu finden, die eine Vermutung bestätigen würden, daß Chopin damals das Riessche Konzert Op. 55 gespielt hätte. Eine Spur dieser Aufführung könnten die erhaltenen Orchesterstimmen sein, die zu einem späteren Zeitpunkt der Bibliothek der evangelischen Kir-

[6] Hanna Pukińska-Szepietowska, „Życie koncertowe w Warszawie (lata 1800–1830)" [Das Konzertleben in Warschau in den Jahren 1800–1830], in: *Szkice o kulturze muzycznej XIX wieku*, hrsg. Zofia Chechlińska, Bd. I., Warszawa 1973, S. 35–104.

[7] „[...] Freitags veranstaltet Kessler zu Hause kleine Musiksoirees. Alle sammeln sich bei ihm und spielen — ja nichts geplantes, sondern das wird gespielt, was einem gerade einfällt. Am vorletzten Freitag wurde im Quartett das Riessche Konzert cis Moll [gespielt] [...]". In: *Korespondencja Fryderyka Chopina* [Die Korrespondenz Fryderyk Chopins], gesamm. u. bearb. von B. A. Sydow, Bd. I., Warszawa 1955, S. 110. Während der Salonkonzerte in Warschau wurde oft in dieser Zeit die Orchesterbegleitung auf das Streichquartett beschränkt.

[8] Es handelt sich um den Saal im Gebäude des Wohltätigkeitsgesellschaft in der Krakowskie-Przedmieście-Straße (nahe Bednarska-Straße); im Jahre 1822 erschien im *Kuryer Warszawski* [Warschauer Kurier] Nr. 80 vom 4. April eine Kurznachricht, daß dieser Saal der Öffentlichkeit zur Verfügung gestellt wurde: „Gestern wurde der neueingerichtete Saal im Hause der Wohltätigkeitsgesellschaft eröffnet. Er faßt 400 Zuhörer, und sein Gewölbe ist besonders für Konzertzwecke geeignet." Wohltätigkeitskonzerte haben auch in anderen Warschauer Räumen stattgefunden, u. a. im Nationaltheater und in der oben genannten evangelischen St. Trinitatis-Kirche.

[9] *Kuryer dla płci piękney czyli dziennik literaturze, kunsztom, nowosciom i modom poświęcony* [Kurier für das schöne Geschlecht oder die Tageszeitung für Literatur, Kunst, Neuigkeiten und Mode] Nr. 25 vom 26. Februar 1823, S. 124. Über die Wohltätigkeitskonzerte haben auch andere Warschauer Zeitungen berichtet (eine Annonce über das Konzert am 24. Februar erschien in der *Gazeta Warszawska* [Warschauer Zeitung] Nr. 41 vom 17. Februar —, aber ein Bericht über den für uns interessanten Konzertabend wurde nur im *Kurier für das schöne Geschlecht* veröffentlicht.

[10] „Den Abend hat die wunderbare Ouvertüre von Paer eröffnet, der das Klavierkonzert von Ries folgte [...] In unserer Hauptstadt haben wir noch nie einen solchen Virtuosen gehört, der in so jungem Alter die erstaunlichen Schwierigkeiten mühelos und präzise bewältigen würde, das schönste Adagio mit Gefühl und besonderer Präzision spielte; mit einem Wort: dessen Talent ihn in diesem Alter zur absoluten Vollkommenheit führte. Das entzückende Werk von Ries fand eine angemessene Ausführung. Wir brauchen nicht mehr Wien um Herrn List [sic!] zu beneiden, weil unser Herr Chopin ihm gleich kommt, wobei er nicht mehr als 15 Jahre alt [sic!] ist.". *Kuryer...*, op. cit. S. 124.

che zu Warschau übergeben wurden, was um so mehr plausibel ist, daß der schon früher erwähnte Kirchenmusikdirektor Joseph Jawurek nicht nur im Kommitee für Konzertabende wirkte, sondern auch — bekanntlich — das Chopin begleitende Orchester leitete.

Es entsteht natürlich die Frage, welches der acht Riesschen Klavierkonzerte[11] auf dem Programm des Warschauer Musikabends im Februar 1823 hätte stehen können? Es stellt sich heraus, daß nur die zwei ersten Klavierkonzerte in Frage kommen: *Es-Dur* op. 42 und *cis-Moll* op. 55, weil nur diese vor 1823 veröffentlicht wurden[12]. Nach dieser Auswahl[13] könnte man noch das Kriterium der Beliebtheit dieser beiden Musikstücke in Betracht ziehen. Von diesem Gesichtspunkt aus hat das *Konzert cis-Moll* Vorrang — die aus der zweiten Hälfte des 19. Jahrhunderts stammenden Nachdrucke dieses Werkes zeugen davon, daß es noch lange seinen festen Platz im Klavierrepertoire behielt[14].

Ries hat sein Opus 55 während eines Aufenthaltes in Rußland komponiert. Auf der von ihm eigenhändig geschriebenen Partitur ist die Aufschrift „Petersburg 1812" zu lesen[15]. 1813 führte er diese Komposition in einem Konzert in Stockholm aus, wo er sich um die Mitgliedschaft der Königlichen Musikakademie beworben hat. Leider war ihm diese Ausführung nicht allzu gut gelungen, denn — wie wir in der *Allgemeinen Musikalischen Zeitung* lesen: „Ein neues Pianofortekonzert [von Ries] von ihm selbst gespielt, wurde von dem Orchester, das dieser Tonart, *cis-Moll*, freilich nicht gewohnt war, durchfiele falsche Griffe, besonders in einem Tutti des Rondos, entstellt"[16]. Drei Jahre später erschien in derselben Zeitung ein ausführlicher Bericht über dieses Werk, das zu dem Zeitpunkt schon von Simrock veröffentlicht wurde. Ein unbekannter Autor beschrieb detailliert alles, was sowohl die Form, als auch die pianistischen Werte dieses Werkes betraf, und äußerte sich sehr enthusiastisch dazu: „Es ist nicht nur überhaupt ein originelles, an bedeutenden Gedanken keineswegs armes, groß und charaktervoll gehaltenes, herrlich instrumentiertes, und für den Solospieler glänzendes Werk, sondern es bietet auch dies alles eben in der Weise, und auf der Stufe, bis zu welcher diese Gattung seit wenigen Jahren von den geistreichsten Meistern hinausgetrieben worden ist, und von welchen man noch vor etwa vier bis fünf Decennien nicht nur keine Ahnung gehabt hat, sondern welche man damals noch für eben so

---

[11] In der Zeitung (siehe Anm. 10) ist ausdrücklich von einem K o n z e r t die Rede, deshalb berücksichtige ich nicht die *Variationen für Klavier mit Orchester* op. 52 von Ries (1814 erschienen).

[12] *Klavierkonzert cis-Moll* op. 55 ist mit Nummer 3 versehen (siehe Anm. 2.); die früher veröffentlichten Konzerte (das Violinkonzert op. 24 und das Klavierkonzert op. 42) waren nicht nummeriert.

[13] Die Auswahl habe ich anhand der Publikation von Cecil Hill: *Ferdinand Ries. A Thematic Catalogue*, New England (Australien) 1977, gemacht.

[14] *Clavier-Concerte alter und neuer Zeit*, hrsg. von Carl Reinecke (ca 1875); auch: *Les bonnes traditions du pianiste. Sixième volume*, in: Edition Classique, Paris (ohne Datum). Eine Kritik des *Klavierkonzerts cis-Moll* op. 55 erschien in der *Allgemeinen Musikalischen Zeitung* (siehe Anm. 17.); das *Klavierkonzert Es-Dur* op. 42 wurde in dieser Zeitschrift nur in der Anzeige des Kühnelverlags erwähnt.

[15] Staatsbibliothek zu Berlin. Preußischer Kulturbesitz. Musikabteilung. Sign. : Mus. MS. Autogr. F. Ries 78N.

[16] AMZ Jhg. XV 1813, Sp. 321.

unausführbar und chimärisch erklärt haben würde."[17] Obwohl wir heute diese Meinung nicht ganz teilen würden, nichtsdestoweniger ist sie von großer Bedeutung als ein Zeugnis über die ästhetischen Normen und Spielweisen dieser Epoche. Diese Normen galten auch für den jungen Chopin, als er seine künstlerische Persönlichkeit und seine Klavierspielkunst bildete. Für unser Thema ist es günstig, ein Fragment eines Briefes zu zitieren, den Chopin an seinen anderen Freund — Jan Białostocki — schrieb, nachdem er seine Ferien im Dorf Szafarnia verbracht hatte: „[...] es warten auf mich ein Paar Hunderte Notenblätter, die wie Kraut und Rüben auf meinem Klavier herumliegen (wobei Komponisten wie Hummel, Ries oder Kalkbrenner durchzufällige Nachbarschaft mit Pleyel, Hemerleyn und Hoffmayster gedemütigt werden)."[18] In dieser scherzhaften Beschreibung wird Ries nicht nur erwähnt, sondern auch hoch in die Komponistenreihe eingestuft, deren Werke Chopin täglich zur Übung gebrauchte[19].

Eine Frage nach eventuellen Ähnlichkeiten zwischen den frühen Werken Chopins (besonders seinen Klavierkonzerten) und dem Riesschen *Klavierkonzert cis-Moll* scheint unvermeidlich. Nachdem einer meiner Fachkollegen sich das Riessche Konzert angehört hatte, faßte er seine Eindrücke im folgendem Satz zusammen: „Es klingt ja so an einigen Stellen, als ob R i e s Chopins Konzerte hätte nachahmen wollen!"[20] Diese spontane und keineswegs 'wissenschaftliche' Aussage bietet meines Erachtens die beste Antwort auf die Frage nach den Ähnlichkeiten und Zusammenhängen, sowie nach der Legitimität einer solchen Frage an sich[21]. Die allgemeinen Analogien zeigen sich vor allem auf zwei Ebenen: 1° Aufbau des Zyklus; 2° Gestaltung der Solopartie in *stile brillante*. Der Aufbau des Riesschen Konzerts erfolgt nach den klassischen Prinzipien: es besteht aus drei Teilen: *Allegro maestoso*, *Larghetto* und *attacca* gespieltes *Rondo Allegretto*. Im ersten und dritten Teil kommen einige Male Wechsel der Tonartvorzeichen vor: von vier Erhöhungs- auf vier oder fünf Erniedrigungszeichen (auf diese Erscheinung verweist auch Stephen Lindeman in seiner Analyse dieses Werkes in der

---

[17] AMZ Jhg. XVIII 1816, Sp. 526.

[18] *Korespondencja...*, op. cit., S. 56–57.

[19] Im Sommer 1824 hat Chopin in einem Brief an seine Familie gebeten, ihm aus Warschau Riessche Variationen zu vier Hände über ein Thema von Moore zu schicken. (*Korespondencja...*, op. cit., S. 38). In Programmen der Konzerte in Warschau zu dieser Zeit finden wir auch näher unbekannte Klaviervariationen von Ries, die im Jahre 1818 von K. Arnold und im Jahre 1827 von Maria Szymanowska gespielt wurden, und eine unbetitelte Komposition aus dem Repertoire der jugendlichen Brüder Kątski (Hanna Pukińska- Szepietowska, op. cit., S. 76, 88, 89.). Ein Klavierkonzert von Ries hat im Jahre 1825 in Breslau der 10-jährige Józef Krogulski gespielt (Maria Zduniak, *Muzyka i muzycy polscy w dziewiętnastowiecznym Wrocławiu* [Polnische Musik und polnische Musiker in Breslau im 19. Jahrhundert], Wrocław 1984, S. 179).

[20] So hat sich Dr. Paweł Gancarczyk geäußert; es war nach dem Abschlußkonzert des III. Musikfestivals des Polnischen Rundfunks *Chopin 1999 — Quellen und Kontexte* im Lutosławski-Konzertstudio am 29. Mai 1999; die Solopartie hat damals Krzysztof Jabłoński ausgeführt mit der Begleitung des Orchesters *Sinfonia Varsovia*, geleitet von Grzegorz Nowak. In meinen Analysen habe ich auch eine Schallplattenaufnahme des Riesschen Konzerts von Felicja Blumenthal mit dem *Salzburger Kammerorchester* unter der Leitung von Theodor Buschenbauer benutzt.

[21] Eine 'vergleichende' Richtung in der Analyse der Musikwerke wird letztens häufig bezweifelt, siehe z. B.: Tadeusz A. Zieliński „Manowce i pułapki *wpływologii*" [Abwege und Fallen der 'Einflußwissenschaft'] in: *Ruch Muzyczny* 1997 Nr. 22, S. 8–11.

neuesten Veröffentlichung zum Thema der frühromantischen Klavierkonzerte[22]).
Meiner Meinung nach soll das nur als eine Erleichterung des Notenschreibens verstanden werden: es handelt sich um Tonarten *As-Dur* und *Des-Dur*, die enharmonisch
verwandelt, mit Dominante und Dur-Tonika in der *cis-Moll*-Tonart identisch sind
(*nota bene* realisiert Ries in dem ersten Teil des Konzerts eine Kompositionsidee, das
zweite Thema der Klavierpartie in der Dominantentonart zu halten, anstatt die Toni-
kaparalelle — wie in der Orchesterpartie — anzuwenden). Im dritten Teil des Werkes
(Rondo) ändert Ries in einer der Episoden das Hauptmetrum 2/4 auf 6/8, was gewisse Assoziationen mit dem *Klavierkonzert c-Moll* von Beethoven hervorrufen muß. Bei
der Orchesterbesetzung ist die ungewöhnliche Anzahl der Holzblasinstrumente bemerkenswert, die von den klassischen Normen abweicht. Es gibt nur eine Flöte, zwei
Klarinetten und zwei Fagotte (es fehlen Oboen, wodurch das Orchester einen 'weiche-
ren' Klang bekommt)[23]. Das Thema des Riesschen *Rondo* mit der aufsteigenden Melo-
dielinie und Wiederholungen der Motive (siehe Abb. 2.) ähnelt den Themen der Rondos von Chopin. Aber der am meisten charakteristische, für Ries und Chopin
'gemeinsame' Moment ist das Klavierrecitativo mit Tremolo der Streicher im Hintergrund; Ries verwirklichte diese kompositorische Idee im ersten Teil seines Konzerts
cis-Moll (siehe Abb. 3.), bei Chopin wiederum kommt das als berühmte, dramatische
Kulmination im *Larghetto* seines Konzerts f-Moll vor[24]. Meiner Meinung nach kann
man aufgrund dieser Abschnitte die Vermutung bekräftigen, daß das *Klavierkonzert cis-
Moll* op. 55 von Ferdinand Ries im Repertoire Chopins stand (eine Frage, ob bereits
im Jahre 1823 — bleibt offen). Es muß aber zugegeben werden, daß der Vergleich
dieser Fragmente deutlich und im richtigen Ausmaß den Unterschied zwischen Ries
und dem genialen Chopin zum Ausdruck bringt.

Ferdinand Ries und Fryderyk Chopin sind einander in Aachen im Mai 1834 begegnet. Vor diesem Treffen schrieb Ries in einem Brief an Ferdinand Hiller: „Sehr
wird es mich freuen, die Bekanntschaft des Herrn Chopin zu machen, der mir schon
durcheinige vortreffliche Klavierwerke kein Fremdling ist. Schreiben Sie mir nur, was
ich für ihn besorgen soll."[25] Hätte er damals geahnt, daß ihn die nächsten Generatio-
nen nur als einen der „kleinen Meister" einstufen werden, die im Schatten der großen
Komponisten stehen? Für Chopinforscher soll doch Ries, meiner Meinung nach,
erwähnenswert bleiben, weil er — wie gesagt — auch Chopin wegen seiner Werke
„kein Fremdling" war und dadurch sich in den Kontext des Schaffens Chopins ein-
fügt.

[22] Stephen D. Lindeman, *Structural Novelty and Tradition in the Early Romantic Piano Concerto*, New York 1999,
S. 37–38, 305.

[23] Solche Orchesterbesetzung hat Ries auch für drei andere Klavierkonzerte konzipiert: *Es-Dur* op. 42,
D-Dur op. 120 und *g-Moll* op. 177.

[24] Dieses sehr charakteristische Fragment hat mich einst aufmerksam auf die in Warschau anonym
aufbewahrten Orchesterstimmen des Riesschen Werkes gemacht.

[25] Ferdinand Ries: *Briefe und Dokumente*, bearb. von Cecil Hill, Bonn 1982 (*Veröffentlichungen des Stadtarchivs
Bonn* Bd. 27.), S. 627.

Abbildung 1. Ferdinand Ries *Klavierkonzert cis-Moll* op. 55. Partitur (Autogr.), f. 1. (Staatsbibliothek zu Berlin. Preußischer Kulturbesitz. Musikabteilung. Sign. MS. autogr. F. Ries 78N)

Abbildung 2. Ferdinand Ries *Klavierkonzert cis-Moll* op. 55. Erstdruck (Simrock 1815) Partie des Klaviers S. 21. (Aus den Beständen der Biblioteka Jagiellońska zu Kraków)

Abbildung 3. Ferdinand Ries *Klavierkonzert cis-Moll* op. 55. Erstdruck (Simrock 1815) Stimme der Bratsche S. 2, Fragment mit Klavierrecitativo (aus den Beständen des Hauptarchivs der Alten Akten zu Warschau)

STRESZCZENIE

Z REPERTUARU MŁODEGO CHOPINA: *KONCERT FORTEPIANOWY CIS-MOLL* OP. 55 FERDYNANDA RIESA

W Archiwum Głównym Akt Dawnych w Warszawie, w zespole muzykaliów kościoła ewangelickiego Św. Trójcy, zachowały się niemal kompletne głosy orkiestrowe *Koncertu cis-moll* op. 55 Ferdynanda Riesa (pierwodruk Simrocka, nr wydawn. 1192, rok wydania 1815), niemieckiego kompozytorta i pianisty (1784–1838), ucznia Beethovena. Koncert ten, podobnie jak i inne utwory Riesa, należał do repertuaru znanego w Warszawie w czasach Chopina. Trudno dziś na podstawie zachowanych źródeł stwierdzić, czy to właśnie ten, opatrzony numerem trzecim koncert Riesa, wykonał Chopin na muzycznym wieczorze 24 lutego 1823 roku w sali Towarzystwa Dobroczynności (z uwagi na chronologię tylko dwa z ośmiu koncertów fortepianowych Riesa wchodziłyby w rachubę: *Koncert Es-dur* op. 42 oraz wymieniony *Koncert cis-moll* op. 55). Argumentem na poparcie hipotezy, że był to *Koncert cis-moll*, mogłyby być zachowane w bibliotece kościoła ewangelickiego głosy orkiestrowe; wiadomo, że orkiestrą towarzyszącą młodemu Chopinowi dyrygował Józef Jawurek (Jaworek) — dyrektor muzyczny w tym kościele (gdzie niejednokrotnie odbywały się koncerty publiczne). Chopin znał *Koncert cis-moll*, pisał o nim w liście do Tytusa Woyciechowskiego z 28 października 1828 roku, wspominając jeden z wieczorów muzycznych u Józefa Kesslera (z relacji nie wynika jasno, czy grał wówczas Kessler, czy Chopin).

Koncert cis-moll Riesa utrzymywał się dość długo w repertuarze pianistycznym, świadczą o tym przedruki z II połowy XIX wieku. Dyspozycja całości odpowiada wzorom klasycznym (*Allegro maestoso, Larghetto, Rondo Allegretto*), sposób kształtowania partii solowej daje się opisać w kategoriach stylu brillant; w składzie orkiestry zwraca uwagę nietypowa grupa instrumentów dętych drewnianych: tylko 1 flet, 2 klarnety, 3 fagoty (brak obojów, co nadaje orkiestrze inne, bardziej „miękkie" brzmienie). Charakterystycznym momentem jest fortepianowe recitativo na tle tremola smyczków w pierwszej części, nasuwające w oczywisty sposób skojarzenie z dramatyczną kulminacją Chopinowskiego *Larghetta* w jego *Koncercie f-moll* (porównanie tych fragmentów ukazuje dobitnie i we właściwej proporcji różnicę między „małym mistrzem" a genialnym artystą).

SCHUBERT — NOURRIT — CHOPIN

Helena Hryszczyńska
(WARSZAWA)

In seiner Rezension in der NZfM aus dem Jahre 1836 hatte Schumann eine bemerkenswerte Meinung über die Konzerte Chopins geäussert: „Seinen Unterricht aber hatte er bei den Ersten erhalten: bei Beethoven, <u>Schubert</u> und Field. Man könnte sagen, dass der erste seinen Geist in Kühnheit, der zweite (d. h. Schubert) sein Herz in Zartheit und der dritte seine Hand in Fertigkeit bildete"[1].

Auf welchen Voraussetzungen konnte Schumann seine Äusserung gründen? F. Niecks vermerkte, dass während des Aufenthalts des Autors der *Ballade in F-dur* bei Schumann, in Leipzig 1835, ein Gespräch über Schubert geführt wurde, einen der grössten Favoriten von Schumann. Das Gespräch wurde damals von Chopin ergänzt, indem er ein der Werke Schuberts einen nichtidentifizierten Marsch gespielt hatte[2]. So könnte man vermuten, dass der Autor des *Karnevals*, indem er über den Einfluss Schuberts auf Chopin sprach, seine Meinung auf den Inhalt des während dieses Treffens geführten Gesprächs stützte. Er musste überzeugt sein, dass die Musik des Autors von *Moments musicaux* für Chopin nicht nur bekannt war, sondern auch ihm ganz nahe stand. Diese Überzeugung wurde in der Äusserung von A. Gutmann bestätigt, nach dem [wie F. Niecks vermerkte]: „Schubert ein Favorit [auch] von Chopin"[3] war.

Das ist aber eine Seite des Problems. Die andere bildet die übliche Meinung, die im Bewusstsein der Monographen von Chopin existiert, dass Schubert keine Rolle im Leben und Schaffen des Komponisten gespielt habe. F. Niecks stellte sogar folgendes fest, indem er die Äusserung Schumanns kommentierte: „Chopin kannte die Musik von Schubert zu wenig, um von ihr beeinflusst zu werden."[4] Es lohnt sich also nachzuprüfen, wann Chopin auf Schuberts Musik gestossen ist, welche Musikwerke von ihm er gekannt hat und in welchem Verhältnis sie zur Musik Chopins stehen.

1. AUS DER WARSCHAUER PERIODE fehlen jegliche Angaben darüber, dass Chopin schon damals mit den Werken von Schubert im Kontakt stand. Man kann das nur vermuten. Es ist allgemein bekannt, dass der junge Chopin Ende der zwanziger Jahre oft ein Gast von Warschauer Buchhandlungen war. Besonders Brzezina war einer der Buchhändler und

---

[1] Ferdynand Hoesick: *Chopin. Życie i twórczość* [Chopin. Leben und Werke], 4 Bände, Kraków 1962–68, Band II, S. 89.
[2] Frederick Niecks, *F. Chopin as a man and musician*, 2 Bände, II Ausgabe London 1902, Band I, S. 290.
[3] F. Niecks, *op. cit.*, Band II, S. 108–109.
[4] F. Niecks, *op. cit.*, Band II, S. 109.

Herausgeber, den Chopin fast jeden Tag besuchte, um nach neu erschienenen Werken der ausländischen Komponisten zu fragen[5]. Oft verbrachte er dort lange Stunden, indem er interessantere Stücke spielte. Damals brachte man nach Polen neue Editionen aus fast ganz Europa: aus Österreich [Wien], Deutschland [vor allem aus Leipzig], Russland [Sankt Petersburg] und aus Italien [Mailand]. Aus den Anzeigen und Buchhändlerinformationen in der damaligen Presse ist bekannt, dass in Warschau Werke von Mozart, Beethoven, Hummel, Field, Moscheles, Ries, Kalkbrenner zu kaufen waren[6]. Der Name Schuberts erscheint unter den oben genannten nicht, doch nicht alle Namen der damaligen Komponisten mussten in den Presseanzeigen genannt werden.

Die Angaben über den Aufenthalt Chopins in Wien [zweimal: im August 1829 und ab November 1830 bis August 1831] enthalten auch keine sicheren Informationen über diese für uns interessante Relation. Wir erfahren jedoch — obwohl nur am Rande — von den Kontakten Chopins mit Schuberts Werken vom Herausgeber Abbe Stadler, bei dem Chopin die Verspätungsursachen der Auflage des Quartetts von Elsner nachprüfen wollte. Der Herausgeber entschuldigte sich bei Chopin, dass er in letzter Zeit sehr intensiv mit Herausgabe von Schuberts Werken beschäftigt war. Er sagte: „Eine ganze Menge von Schuberts Werken wartet noch auf die Druckerpresse..." [Wien, 29.01.1831][7]. Es sind ja die ersten Jahre nach dem Tode des Komponisten, dessen Name plötzlich bekannt wurde. Es scheint unmöglich zu sein, dass Chopin in Wien auf Schuberts Werke nicht gestossen ist. Während des zweiten Aufenthalts verbrachte Chopin in Wien über acht Monate. Unter den von ihm in dieser Zeit kennengelernten Werken mussten mindestens einige Lieder [*Winterreise*, 1828] und ausserdem: *Divertissement à la hongroise* [1826], *Valses sentimentales* [1825], *Impromptus op. 90* [1827] und *Moments musicaux* [1828] ihren Platz finden. Ganz gewiss waren viele Werke Schuberts in Paris bekannt. Jedoch beschränken sich die Informationen zu diesem Thema nur auf einige Werke, die J. J. Eigeldinger aufgrund der mündlichen Angaben von Chopins Schülern zusammengestellt hatte, und zwar auf.: *Walzer, Ländler, Marsche, Polonaisen,* Klavierbearbeitungen der Lieder und *Divertissement á la hongroise*, „qu'il admirait sans réserve"[8]. Auf dieser Liste gibt es kein Werk von grösserer Bedeutung. Das war schon für F. Niecks erstaunlich, sein Erstaunen teilte auch Eigeldinger. Es fehlt aber nicht an Beweisen, die Schuberts Lieder betreffen.

2. DASS CHOPIN DAS LIEDER-REPETOIRE VON SCHUBERT GEKANNT HAT, verdankte er dem „König der französischen Sänger" Adolf Nourrit. Acht Jahre älter als Chopin, der erste Tenor der Pariser Oper, der Darsteller von besten Titelpartien in solchen Opern wie *Die Stumme aus Portici* von Auber [Masaniello, 1828], *Wilhelm Tell* von Rossini [Arnold, 1828], *Robert der Teufel* von Meyerbeer [Titelpartie. 1831], *Die Jüdin* von

---

[5] Tadeusz Frączyk, *Warszawa młodości Chopina* [Warschau in den Jugendjahren von Chopin], Kraków 1961, S. 285–287.

[6] Vgl. Wojciech Tomaszewski, *Bibliografia warszawskich druków muzycznych 1801–1850* [Bibliographie der Musik-Drucken in Warschau 1801–1850], Warszawa 1992.

[7] Brief an J. Elsner vom 29 I 1831, in: *Korespondencja F. Chopina*, hrsg. Bronisław E. Sydow, Warszawa 1955, Band I, S. 171.

[8] Jean-Jacques Eigeldinger, *Chopin vu par ses élèves*, Neuchatel 1988, S. 97.

Halévy [Eleasar, 1835], *Die Hugenoten* von Meyerbeer [Raul, 1836]. Das waren vor allem dramatische Rollen, oft speziell für Nourrit und mit seiner Mithilfe geschrieben (z.B.: *Wilhelm Tell, Die Jüdin, Die Hugenoten*). Nourrit war die beliebte Stimme von Rossini, Halévy und Meyerbeer, die als die größten Komponisten der Pariser Oper („grand opera") galten[9].

Das Repertoir von Nourrit umfasste 54 Rollen. Er war ohne Zweifel eine der berühmtesten Persönlichkeiten in europäischen Musiktheatern. Seine gründliche Ausbildung, die im Theater verbrachte Kindheit [sein Vater, Louis Nourrit, war ein bekannter Tenor der Pariser Oper], seine sehr schöne Stimme, sorgfältig vorbereitete Interpretationen — alles das machte aus ihm eine faszinierende Persönlichkeit. Seine Devise lautete: „oú il n'y a pas de nuances, il n'y a pas de chant"[10].

Ein äusserst wertvoller Verdienst von Nourrit war die Verbreitung der Lieder Schuberts in Frankreich. Nourrit hatte dem Pariser Publikum diese Lieder in seiner eigenen Übersetzung dargestellt. Zu den beliebtesten und von ihm am häufigsten aufgeführten Liedern gehörten unter anderem: *Les astres (Die Gestirne)*, *Erlkönig*, *Die junge Nonne*, *Ständchen*, *Ave Maria*. Diese Lieder hatte F. J. Fétis unter dem Stichwort *Schubert* in seiner „*Biographie universelle des musiciens*" [Brüssel 1837–44] als die berühmtesten Lieder des Komponisten genannt.

Die Begeisterung Chopins für die Stimme und zugleich für die Persönlichkeit des Sängers wird seit dem Anfang des Aufenthalts Chopins in Paris datiert. Zum ersten Mal hatte er den Sänger in der Titelrolle im „*Robert der Teufel*" von Meyerbeer im Herbst 1831 gehört. „Begeistert für sein Gefühl" — schrieb Chopin an seinen Freund T. Wojciechowski [Dezember 1831][11]. Die Freundschaft zwischen Chopin und Nourrit wurde vielmals in ihren Briefen und Erinnerungen bewiesen. Sie trafen sich oft in Salons der pariser Aristokratie. Ihre Freundschaft fruchtete in gemeinsamen Konzerten am 5. und 26. April 1835. In beiden Konzerten hatte Nourrit Lieder von Schubert gesungen, unter anderem: *Erlkönig* und *Die junge Nonne*, d.h.: „die wunderschönen Melodien Schuberts, seines beliebten Komponisten", wie Jules Janin in seiner Rezension schrieb.[12] Nourrit hatte diese Lieder mit Orchesterbegleitung und mit Liszt am Klavier gesungen. Es besteht eine grosse Wahrscheinlichkeit, dass manchmal auch Chopin ihn beim Singen begleitet hatte. Im Brief vom 13. Dezember 1836 an Józef Brzozowski schrieb Chopin: „Heute habe ich einige Personen bei mir zu Gast — Frau Sand, Liszt, der spielt und Nourrit, der singt"[13].

Einer dieser Abende wurde von F. Liszt in seinem Buch *Chopin* im Jahre 1852 beschrieben. Liszt nennt dort den grossen Sänger „edler Künstler, leidenschaftlich, aber auch aszetisch. [...], der der Kunst mit einem reinen, durch Ehrfurcht erfüllten Elan diente, indem er die Kunst immer als das grösste Heiligtum betrachtete, das so schön

[9]   Francis Rogers, „Adolph Nourrit", in: *Musical Quarterly*, 1939, Januar, S. 13.

[10] Hans Kühner „Nourrit, Adolph", in: *Die Musik in Geschichte und Gegenwart*, Bd. 9, Kassel 1961, Sp. 1720–1722.

[11] *Korespondencja Fryderyka Chopina*, op. cit., Band I, S. 202.

[12] Jules Janin, Rezension aus dem Konzert, in: *Journal des Debats*, 5 IV 1835, zit. nach F. Hoesick, *op. cit.*, Bd. IV, S. 323.

[13] *Korespondencja Fryderyka Chopina*, op. cit., Band I, S. 193.

durch Wahrheitssplendor bestimmt wird"[14]. Einen anderen Abend kennen wir aus der Überlieferung von F. J. Fétis, die in *Le Temps* vom 20. Januar 1835 veröffentlicht wurde. Nourrit hatte damals — in Anwesenheit von Chopin, Hiller und Liszt — unter anderem das Lied *La jeune religieuse* (*Die junge Nonne*) gesungen, „Meisterstück eines tiefen Gefühls, ausgezeichnet von Nourrit empfunden und dargeboten".

Als Beweis für die herzliche Freundschaft beider Künstler könnte vor allem das Spiel Chopins während der Trauermesse nach dem tragischen Tode des Freundes dienen — im April 1839, in Notre Dame du Mont in Marseille. Während der Messe improvisierte er auf der Orgel zum Thema des beliebten Liedes von Schubert *Les Astres* (*Die Gestirne*)[15]. Chopin selbst erinnert an dieses Ereignis nur lakonisch [zweimal] in seinen Briefen an Fontana: „Gestern hatte ich für Nourrit Orgel gespielt...". Umfangreicher hatte diese Improvisation zum Schuberts Thema George Sand beschrieben: „Chopin opferte sich und während der Erhöhung spielte er Orgel; und was für eine Orgel! Ein falsches, grelles Instrument [...]. Jedoch hatte dein Kleiner [die Empfängerin des Briefes war Charlotte Marliani] — daraus allerbeste Tone herausgebracht. Er hatte die am wenigsten scharfen Register gewählt und „*Les Astres*" gespielt, vielleicht nicht so leidenschaftlich und erhaben, wie Nourrit dieses Lied sang, sondern mehr im traurigen und milden Ton, wie ein fernes Echo aus einer anderen Welt"[16]. Die Improvisationen Chopins zum Thema des Liedes „*Les Astres*" wurden auch in der Presse beschrieben. Die Tageszeitung „Le Sud" betonte in der Mitteilung über die Messe das Spiel Chopins, „des berühmten Pianisten", „die traurigen Orgelklänge" und die Einfachheit des Schubertschen Liedes, desselben, das — „wenn es Nourrit sang — so sehr ermutigte" [25 April 1839][17]. Dieses Lied über Sterne wurde sicher wegen seines Themas und Inhalts gewählt. Es ist eine Art der Hymne an den Schöpfer, komponiert von Schubert in Form eines Strophenliedes zum Text einer der andächtigen Oden von Klopstock (Beispiel 1).

Alle hier erwähnten Zeugnisse weisen darauf hin, dass Chopin in die Welt der Schubertschen Lieder dank Nourrit eingeführt wurde und dass sie ihm sehr nahe standen. Es gibt jedoch ein Zeugnis, das diese positive Einstellung Chopins zu Schubert ein bisschen beschränkt. Es handelt sich hier um ein paar Sätze im Liszt-Essay über Chopin. Er schrieb dort: „Indem Chopin einigen Melodien von Schubert grosse Anmut zugesprochen hatte, hörte er andere nicht besonders gern, weil der scharfe Abriss ihrer Kontüre sein Ohr reizte, dort nämlich, wo das Gefühl enthüllt wird, als hörte man — so könnte man sagen — das Geklirr von Knochen in Zangen der Schmerzen...". Von Schubert sprechend — so schreibt Liszt — äusserte Chopin einmal, dass „die Erhabenheit zugrunde gegangen war, im Moment, als Mittelmässigkeit und Plattheit ihren Platz eingenommen hat". [1852][18]. Es ist allgemein bekannt, dass Liszt oft die Zügel seiner Phantasie locker liess, diese Mitteilung klingt jedoch sehr wahrscheinlich.

---

[14] Franz Liszt, *F. Chopin*, Paris 1852, neue Ausgabe in der Übersetzung von M. Traczewska, Kraków 1961, S. 84–85.

[15] *Korespondencja F. Chopina*, *op. cit.*, Band I, S. 347.

[16] F. Hoesick, *op. cit.*, Band IV, S. 350.

[17] F. Hoesick, *op. cit.*, Band II, S. 306–307.

[18] F. Liszt, *op. cit.*, S. 139–140.

Beispiel 1. SCHUBERT — *Die Gestirne* [erste Strophe]

3. Es entsteht nun die Frage, ob die Bekanntschaft mit Schubert irgendeinen Einfluss auf das Schaffen von Chopin gehabt hat.
Künstlerische Verbindungen liessen sich immer spüren. Eine geistige Verwandschaft wurde von Robert Schumann relativ früh bemerkt, und zwar in dem hier schon einmal erwähnten Satz aus der Rezension der Klavierkonzerte, wo Schumann über „das Erbe von Schubert — die Expression der Liebe" schrieb.

Fünf Jahre später hatte der berühmte französische Kritiker Louis Escudier bedeutende Worte gesprochen. Als er die Rezension nach dem Konzert Chopins schrieb, das am 26. April 1841 im Pleyel-Saal stattgefunden hat und in dem zum ersten Mal Präludien aufgeführt wurden, verglich er Chopin mit Schubert: „Wir hatten über Schubert gesprochen und es gibt keine andere Natur, die so viele Analogien mit Chopin besitzt. Der eine schuf fürs Klavier das, was der andere für die menschliche Stimme. Die beiden schöpften aus derselben Quelle die Ideen, die obwohl unterschiedlich, auch melancholisch, leidenschaftlich und anmutsvoll waren"[19].

Intuitives Gefühl gemeinsamer Herkunft beider Schöpfer und ähnlicher innerer Haltung kommt zu Wort in den Aussagen einiger Monographen, Kritiker und Musikwissenschaftler und zwar bei Liszt, Żeleński, Hoesick, Bronarski, Fischer-Dieskau, Lissa, Mycielski, Gaillard, Eigeldinger und Tomaszewski. In diesen Erwägungen wird — auf einem allgemeinen Hintergrund — auf gewisse Ähnlichkeiten des"Tones", der Stimmung und des lyrischen Gefühls hingewiesen, die sowohl Werke Schuberts als auch Chopins kennzeichnen. Zofia Lissa betont auch, indem sie die Besonderheiten der Chopinschen Werke unterstreicht, einerseits sein Ablehnen der Programmideen, die für Schumann und Mendelssohn so charakteristisch waren, andererseits aber „das mit Schubert gemeinsame Streben nach dem lyrischen Ausdruck"[20]. Eigeldinger nennt die Miniaturen von Schubert „assez chopinesque", selbstverständlich „avant la lettre"[21]. Wenn man diese Ähnlichkeiten ausführlicher betrachten möchte, so sollte man sie in drei Bereichen erforschen: 1) in Liedern, 2) in lyrischen Miniaturen und 3) in Klaviersonaten.

Schon L. Bronarski bemerkte Analogien im Lied von Schubert *Die Post* und dem von Chopin *Wojak (Der Krieger)*, das im Sommer 1831 in Wien komponiert wurde. Über die Analogien in den Liedern kann man in Bezug auf die beiden Klaviervorspiele sprechen. In beiden Liedern hat man mit ähnlicher metrorhytmischer Motivik zu tun. Die melodische Linie ahmt den Trompetenklang nach.

Beispiel 2: SCHUBERT — *Die Post* Takt 3–11

---

[19]   F. Hoesick, *op. cit.*, Band II, S. 370.

[20]   Zofia Lissa, *Studia nad twórczością F. Chopina* [Studien über Chopins Schaffen], Kraków 1970, S. 50.

[21]   J.-J. Eigeldinger, *op. cit.*, S. 198.

Beispiel 3: CHOPIN — *Wojak* [Der Krieger] Takt: 9–18

Eine gewisse Nähe der Idiomatik der Schubertschen Lieder kann man auch — wie M. Tomaszewski schreibt — aus drei weiteren „wienerischen" Liedern von Chopin heraushören und zwar: *Piosnka litewska* [Litaunisches Lied], *Smutna rzeka* [Trauriger Fluss] und *Narzeczony* (Der Bräutigam). Deutlich distanzieren sie sich von früheren Lieder, die man „Warschauer Lieder" nennen könnte, die der Gattung *Lied im Volkston* nahe stehen[22]. Die oben genannten drei Werke weisen schon Eigenschaften der frühromantischen Lieder auf. Über eine gewisse, obwohl mässige Wirkung Schuberts kann man auch im Fall der Klavierballaden Chopins reden. Ihr *Erzählton* bzw. *Balladenton* wird von mehreren Faktoren beeinflusst, unter anderem auch durch den Balladenton von Schubert.

Ludwik Bronarski im Jahre 1929 und Paul-André Gaillard 1963 hatten auf einige Werke Chopins aufmerksam gemacht, in denen Reminiszenzen aus Schuberts Werken zum Ausdruck kommen. Das betrifft hauptsächlich die Miniaturen von Chopin, vor allem, aber nicht nur, Walzer und Impromptus. Viele von ihnen kann man ausser Acht lassen, weil sie sich auf eine wenig wesentliche Analogie stützen, z. B. die Reminiszenzen aus dem Lied *Ave Maria* — gefunden im *Präludium As-dur*, op. 28, (T. 26) oder aus dem *Menuett op. 78* — bemerkt von Bronarski[23] in der *Masurka As-dur*, op. 24 Nr. 3, endlich ein Echo des *Ländlers gis-Moll*, op. 171 im *Walzer cis-Moll*, op. 64 oder *Valse senti-*

---

[22]   Mieczysław Tomaszewski, „Filiacje pieśni Chopina z pieśnią ludową, powszechną i artystyczną" [Die Filiationen der Chopins Lieder mit dem Volks-, Gebrauchs- und Kunstlied], in: *Muzyka Chopina na nowo odczytana. Studia i interpretacje* [Chopins Musik neu gelesen. Studien und Interpretationen], Kraków 1996, S. 97–106.

[23]   Ludwik Bronarski, *Szkice chopinowskie*. Kraków 1961, S. 180–181.

mentale Es-Dur, op. 50 — herausgehört von Gaillard[24] in der *Nocturne Es-Dur*, op. 9. Es wäre jedoch ein großer Fehler, die Gemeinsamkeiten in Chopins *Impromptu cis-Moll*, op. 66 [Fontana] und im *Impromptu Es-Dur*, op. 90 von Schubert nicht in Betracht zu ziehen. Von diesen Gemeinsamkeiten sprechen sowohl Bronarski als auch Gaillard. Man kann feststellen, dass einerseits die Form, andererseits der Charakter der melodischen Bewegung [die Arabeske in Art der *moto perpetuo*] Schuberts Provenienz aufweisen.

Beispiel 4: CHOPIN : *Impromptu cis-Moll*, op. 66 (T. 5–8)

Beispiel 5: SCHUBERT: *Impromptu Es-Dur*, op. 90 Nr. 2 [T. 1–8]

Bei der Aufzählung einer ganzen Reihe von möglichen Gemeinsamkeiten bei Chopin und Schubert kommt Paul-André Gaillard zur interessanten Schlussfolgerung: es ist möglich, dass die beiden Komponisten — obwohl in verschiedener Zeit — nach denselben Quellen griffen[25]. Als diese Quellen konnten dienen: einerseits lyrische Miniaturen von Komponisten des tschechischen Sentimentalismus [Tomašek und Voříšek], andererseits — „*Das wohltemperierte Klavier*" von Bach. Sie wurden zur Basis für musikalisches Denken beider Künstler.

Den dritten von oben erwähnten Bereichen bilden die Werke in Sonatenform. Bronarski hatte eine Übereinstimmung bemerkt, die — seiner Meinung nach — den Charakter einer augenscheinlichen Reminiszenz tragen. Es handelt sich um das Finale der *Sonate op. 4* von Chopin (Beispiel 6).

---

[24] Paul-André Gaillard, „Le lyrisme pianistique de Chopin et ses antécédents directs", in: *The Book of the First International Musicological Congress Devoted to the Works of F. Chopin 1960*, ed. Zofia Lissa, Warszawa 1963, S. 297–299.
[25] P. A. Gaillard, *op. cit.*

Nach Bronarski hatte Chopin das Thema aus der Schubertschen „Wanderer-Phantasie" übernommen[26] (Beispiel 7).

Beispiel 6: CHOPIN: *Sonate c-Moll*, op. 4, Finale [T. 1–4]

Beispiel 7: SCHUBERT: *Wanderer-Phantasie C-Dur*, op. 15 [Takt 1–3]

Das Werk von Schubert, geschrieben im Jahre 1822, erschien im nächsten Jahr bei Diabelli. Die Sonate von Chopin entstand im Jahre 1828. Man könnte hier, ähnlich wie Bronarski, noch eine Gemeinsamkeit hinzufügen: den Anfang von *Trio g-Moll*, op. 8. Ähnlich wie die beiden obengenannten Werke besitzt es schnelles Zeitmass und den Charakter, den man als *con fuoco* bestimmen könnte.

Beispiel 8: CHOPIN: *Trio g-Moll*, op. 8 Teil I [Takt 1–4]

---

[26]   L. Bronarski, *op. cit.*, S. 180–181.

In allen drei Werken haben wir mit einem ähnlichen Idiom zu tun, das als *Eröffnungsgeste* bezeichnet werden könnte. Sie hat aber eine frühere Herkunft als diese, die in Schuberts Zeiten zurückgreift: es ist eine Geste mit Beethovenschem Charakter.

In der Schlussfolgerung könnte man also feststellen, dass die Zusammenhänge zwischen Chopin und Schubert zahlreich und vielseitig sind. Nicht alle lassen sich gänzlich erforschen. In vielen Fällen können wir uns nur auf Vermutungen verlassen. Folgendes jedoch scheint sicher zu sein:

1. Dank dem Aufenthalt in Wien und der Freundschaft mit Adolf Nourrit hatte Chopin die Gelegenheit, gewisse Schaffensgebiete des Autors der „*Winterreise*" kennenzulernen und sich anzueignen.
2. Die Vertrautheit Chopins mit der Musik von Schubert zeigte sich in der Musik Chopins in einer Anzahl von entlehnten, bewussten oder unterbewussten Reminiszenzen.
3. Die beiden Komponisten stehen — unabhängig von ihren individuellen Zügen — als die *par excellence* lyrischen Schöpfer sehr nahe zueinander.

STRESZCZENIE

SCHUBERT — NOURRIT — CHOPIN

Relacje pomiędzy tymi trzema postaciami są interesujące, a dotychczas niedostatecznie znane. Zostały zatem przebadane w trzech aspektach. Po pierwsze — jak dalece Chopin miał okazję i możliwość poznania twórczości Schuberta? Co z jego twórczości znał już w Warszawie, z jakimi utworami zetknął się w Wiedniu, a z jakimi w czasie pobytu w Paryżu? Wiadomo, że kompozycje Schuberta dawał do grania swoim uczniom, a niektóre grywał sam w gronie prywatnym.

Po drugie — jaką rolę w bliższym kontakcie Chopina z twórczością Schuberta odegrał Adolph Nourrit? Przyjaźń między nim a Chopinem została zaświadczona wielokrotnie w listach oraz we wspomnieniach przyjaciół. Bywali u siebie, spotykali się w salonach paryskiej arystokracji, w których to Nourrit śpiewał często pieśni Schuberta w obecności Chopina — być może, iż niekiedy również z jego akompaniamentem. Wiemy także, że Chopin wziął udział w mszy żałobnej poświęconej przyjacielowi w Marsylii w 1839 r., improwizując na organach na temat jednej z pieśni Schuberta *Les astres*.

Po trzecie — czy znajomość utworów Schuberta miała jakiś wpływ na twórczość Chopina? Ów rezonans może być rozpatrywany dwupłaszczyznowo: w planie ogólnym, jako problem pokrewieństwa duchowego kompozytorów, należących do podobnej formacji twórczej, oraz w planie jednostkowym, w odniesieniu do poszczególnych utworów, np. zależności, czy tylko pokrewieństwa pieśni *Wojak* Chopina z pieśnią *Die Post* Schuberta.

THE ROMANTIC IDIOM OF MUSICAL DIALOGUE IN CHOPIN'S PIANO CONCERTOS

Anna Nowak
(BYDGOSZCZ)

In the literature on Chopin's piano concertos the problem of his concerto technique appears mainly when the subject of instrumentation is discussed—its sound deficiency, various attempts at a new instrumentation of the concertos or a different set of orchestral instruments.[1] In spite of frequent mentions, the problem of the relationship between soloist and orchestra, i.e. the essence of their cooperation in spite of many mentions has never been discussed thoroughly. This justifies the need to take up and to look more closely at the above mentioned problem, in order to cast a new light on the many failures to create a new version of the orchestral part.

1. The type of concerto technique determining the rules of the soloist-orchestra relationship in Chopin's concertos can be described as a s p e c i a l f o r m o f m u-s i c a l d i a l o g u e between these two entities. The word 'dialogue' is in this context of vital importance. It is ascribed the same meaning that is the essence of a dialogue in literature. Thus a 'musical dialogue' is understood as a set of musical utterances (replies) of a few partners (dialogue participants) connected with each other. These utterances develop according to the main dramatic idea of the composition. 'Musical dialogue' understood in a general and rhetorical way underlies all compositions in which two or more partners cooperate. In this case, the musical narration is given the form of a chain of musical phrases uttered by these partners simultaneously or consecutively.

In the history of the soloist concerto we can find various kinds of musical dialogue, giving rise to two different types of instrumental concerto. The first of these types emphasizes the c o o r d i n a t i o n of differently sounding instrumental parts, i.e. as their combination in such a way as to build the structure of the composition not on an opposition between the soloist and the orchestra, but to treat them rather as complementary elements. The second type emphasizes the o p p o s i t i o n of different instrumental parts in terms of their sound. In this case, the musical narra-

---

[1] Jan Ekier, 'Zagadnienie opracowań akompaniamentów orkiestrowych koncertów Fryderyka Chopina' [The Problem of Elaborations of Orchestral Accompaniments in Frederic Chopins Piano Concertos], *Muzyka* 1952 No. 3–4; Aleksander Frączkiewicz, 'Instrumentacja koncertów Chopina' [The Instrumentation of Chopin's Concertos], *Muzyka* 1952 No. 3–4; Ewald Zimmermann, 'Chopin i orkiestra. Zagadnienie stanu źródeł i autentyczności instrumentacji w koncertach fortepianowych' [Chopin and the Orchestra. Problems of State of Sources and Authenticity of Instrumentation in Piano Concertos], *Rocznik Chopinowski* 19, Warszawa 1990; John Rink, *The Piano Concertos*, Cambridge 1997.

tion must give way to the idea of competition that often turns into a soloist-orchestra conflict.

Both of the above-mentioned types were represented with different frequency in concertos by composers from the seventeenth and eighteenth centuries and led to the establishment of two kinds of nineteenth-century concerto: the virtuoso and the symphonic concerto. As we know, in the virtuoso concertos, which emphasize the solo part with rich virtuoso figurations, sound opposition is preserved by the consecutive appearance of solo and orchestra sections. The idea of building the musical narration through complementary elements is present in this kind of concerto in a modified form in the solo sections. In these parts of a composition the dialogue of voices—although still present—very often turns into a free virtuoso performance by the soloist. The orchestra is not seen as a partner, but forms a background to the soloist. A different situation can be observed in the symphonic concertos: the orchestra is not only of similar importance to the soloist, but even begins to compete with him. Here sound contrasts are emphasized.

2. In terms of the shaping of the piano part and other structural elements, Chopin's concertos have much in common with the traditions of the virtuoso concerto and so they are usually classified. As far as the concerto technique used in them is concerned they display a special kind of musical dialogue that refers to both of the above-mentioned concerto types and employs much more cooperation than opposition of parts. This cooperation can be heard in the solo sections—the longest and most important with regard to the development of dramatic elements in the music. The piano cooperates with different instruments from the orchestra. Complementary musical utterances expressed by the soloist and by instruments—French horns, bassoons, flutes, violins etc.—form a melodic thread that develops the dramatic idea of the composition. However, in the dialogue between all of these instruments the piano plays the most important role as it is almost always present and realises the most complex part. The instruments from the orchestra, taking take up their parts one after another, are ascribed shorter and easier melodic items. These appear as phrases or musical motifs, which emerge from the harmonic background of the orchestra. There appears a dialogue of melodic thoughts, and all the complementary melodic phrases are characterised by a profound melodiousness. Other elements, such as sound oppositions between the soloist and the orchestra, a low and a high sound volume, and the sound of one instrument against that of many instruments, are less important. It is t h e d i a - l o g u e o f t h e m e l o d i c t h o u g h t s that u n d e r l i e s C h o p i n ' s c o n - c e r t o t e c h n i q u e and gives it its idiomatic character. It lends the piano-orchestra relationship the character of an 'intimate partnership,'[2] one that is opposed to the 'external' competition between solo instrument and orchestra which can be found in the piano concertos of Liszt and of many other composers from the nineteenth century. In spite of common opinions that the orchestra mainly forms the harmonic background for the soloist, there are many such dialogues in the soloist's sections, and they

---

[2] Mieczysław Tomaszewski, *Chopin. Człowiek, Dzieło, Rezonans* [Chopin. Man, Work, Resonance], Poznań 1998, p. 529.

are especially abundant in transformations. In example I, we can see these phrases in the orchestral part. In this fragment from the first, developmental, movement of the *Concerto in E-minor*, the figurative part of the piano conducts a dialogue in turn with cantilena phrases of the bassoon and the string instruments.

Example I. F. Chopin *Concerto in E-minor*, first mov., b. 449–456

The issue of the dialogues' suggestiveness and audibility requires here a few words of explanation, as we are dealing with the question of instrumentation as well as of performance practice. When we listen to contemporary performances of Chopin's concertos we tend to focus our attention on their sound disparity. The piano dominates in these dialogues, often forcing the orchestral instruments into the background. Such a situation results from a number of circumstances. Firstly, the complex and virtuoso character of the piano part makes it stand out in comparison with the orchestra. Secondly, the performing tradition emphasizes the soloist's part; indeed, such are the expectations of listeners in relation to all virtuoso compositions.

There is one more important factor that should be kept in mind. When Chopin composed his concertos—at the end of the 1820s—pianos had a different sound power. As we read in M. Tomaszewski's book: 'The instruments of Chopin's epoch were characterised [...] by a lesser volume of sound; the treble sounded longer than in contemporary instruments, whereas bass sounded shorter, but in a more selective way.'[3] The piano that Chopin used to play on had a weaker sound than contemporary Steinways, but one which allowed for much subtlety and enabled the pianist to 'sing' many lyrical melodies. Thus, the relations between the piano part and that of the orchestra were then quite different than they are today, and the dialogue of melodic thoughts between these two parts could consequently be better distinguished.

Musicians who later tried to 'improve' the sound of the orchestra in Chopin's concertos prepared new versions of the orchestral part, taking into account the sound of the orchestra most commonly used in symphonic concertos. In order to gain a better balance between these two parts, the volume of the orchestra was increased. This has led to a fundamental importance in the soloist-orchestra relationship being ascribed to sound contrasts, whereas in fact—as mentioned earlier—these compositions were based on the dialogue of melodies. This seems to be the most probable source of failures with these instrumentations. The changed sound of the orchestra and its new function of competing with the soloist did not agree with Chopin's original idea of cooperation.

It is also worth remembering that the part of the orchestra in Chopin's concertos could be performed by either a symphonic or a chamber orchestra. Reducing or increasing the number of orchestral instruments does not change the sense of the music. This is one more indication that the main idea of these compositions is contained in the dialogue of musical thoughts and not in sound contrasts.

Having concentrated here on the relationship between the piano and the orchestra in the solo sections of the concertos, I have yet to take into consideration the question of the order of the tutti and the solo sections. This order is established according to the rule of sound contrasts. Therefore, as we can see, the idea of competition is also present in Chopin's concertos; however, it appears on a different structural level, i.e. in the basic structure of the form. On this level of formal organization, we can observe the process of an assimilation of classical conventions of form. The basic model of a sonata, rondo or song form is realised by the use of tutti-solo contrasts (the opposition between orchestra and piano). But in the solo sections another process emerges, which leads to a break with this convention. The form of these sections is designed by Chopin in a very individual way.

3. This individual character can best be seen in the middle movements of Chopin's concertos, especially in the *Larghetto* from the *Concerto in F-minor*. In an analogy with

---

[3] *Ibidem*, p.145.

literature, we can call this type of musical narration an 'i n t e r n a l   m o n o l o g u e' o n   t h e   p a r t   o f   t h e   s o l o i s t. This consists in ascribing to the piano the function of leading the musical narration and to the orchestra the function of 'external' harmonic accompaniment. The piano narration consists of many melodic phrases differing in terms of tone colour, dynamics, articulation, movement, etc. The sequence of these phrases has the same dramatic function in the dialogue as the corresponding phrases of instruments in other movements of the concerto. It renders the composition highly expressive, and at the same time very subjective, the more so as it is created by one performer. It is also rich in different forms of expression as the piano gave Chopin the possibility of subtle phrasing. In example 2, which is a fragment of this 'internal monologue' presented by the soloist from the second movement of the *Concerto in F-minor*, the piano part contains a sequence of these phrases, which are separated by breaks.

The narration led by the piano in the *Larghetto*, just as the piano's dialogue with orchestral instruments in other movements of the concertos, consists of complementary melodic phrases and can be treated as a further version of musical dialogue. Its subjective and expressive character would seem to justify the label 'romantic'.

4. The romantic idiom of musical dialogue in Chopin's concertos was far removed from those used by other romantic composers, both Polish and foreign. Among the exceptions is the *Piano Concerto in A-minor* by Robert Schumann, with its lyrical expression of interwoven melodic motifs.

Not until the twentieth century can we observe some attempts to revive Chopin's conception of composing. Among contemporary Polish composers, these relations can best be seen in the *Piano Concerto* by Witold Lutosławski. The third movement of this concerto starts with a piano solo recitative. The soloist's part is divided into three planes two of which converse with each other. Then, the orchestral part is introduced. This reminds listeners of the internal monologue of the soloist from the *Larghetto* from Chopin's *Concerto in F-minor*. This situation is seen in example 3.

Among further followers of Chopin's conception, one can also mention Zygmunt Krauze, with his *First Piano Concerto*, where melodic motifs are developed simultaneously both by the piano and the instruments of the orchestra, or Maurice Ravel, in whose *Concerto in G-major* the idea of plaiting the cantilena theme played by some instruments of the orchestra with piano figurations is inspired by Chopin's *Concerto in E-minor*. However, we must say that such borrowings are rather rare, as the twentieth century saw changes in the language of music, as well as in the aesthetics of sound and the form of the concerto. The kind of musical dialogue introduced in Chopin's concertos, based on cooperation between the melodic voices, very in its poetic character, ought to be an idiomatic one. At its source lies the fact that Chopin, unlike other romantic composers, was able to achieve on the piano a range of lyrical and dramatic categories that others could express by means of a great symphonic orchestra.

Example 2. F. Chopin *Concerto in F-minor*, second mov., b. 44–50

Example 3. W. Lutosławski *Piano Concerto*, third mov., No. 66, 67–69

STRESZCZENIE

ROMANTYCZNY IDIOM MUZYCZNEGO DIALOGU
W KONCERTACH FORTEPIANOWYCH FRYDERYKA CHOPINA

Artykuł podejmuje problem techniki koncertującej w koncertach fortepianowych Fryderyka Chopina, rozważając go w aspekcie gatunkowych determinant koncertu, jego tradycji klasycznej i romantycznej oraz rezonansu w koncertach innych twórców.

Relacje fortepianu i orkiestry w koncertach F. Chopina charakteryzowane są jako forma muzycznego dialogu, który przez analogię do znaczenia terminu „dialog" w literaturze rozumiany jest jako zespół powiązanych wypowiedzi (muzycznych replik) kilku partnerów rozwijanych zgodnie z zamysłem dramaturgicznym dzieła.

Specyfika dialogu muzycznego uobecnionego w solowych sekcjach chopinowskich koncertów polega na komplementarnym uzupełnianiu się melodii fortepianu i instrumentów orkiestrowych. Ów dialog kantylenowych melodii nadaje relacjom fortepian-orkiestra charakter „intymnego partnerstwa", różnego od współzawodniczenia opartego na kontraście brzmieniowym solo-tutti, które w tych utworach wyznaczają plan formalny dzieła.

Idea dialogicznego współdziałania solisty i orkiestry zatraciła swą wyrazistość w późniejszych interpretacjach koncertów Chopina, gdy zmiany konstrukcyjne w fortepianach zwiększyły znacznie wolumen brzmienia tego instrumentu koncertującego. Podejmowane próby zrównoważenia solisty pełniejszym brzmieniem orkiestry (nowe próby instrumentacji koncertów) okazały się nieudane, gdyż zmieniły charakter relacji między solistą i orkiestrą — podkreśliły znaczenie kontrastów brzmieniowych nie zaś „wewnętrznego" w charakterze dialogu muzycznych myśli.

Romantyczny idiom dialogu muzycznego koncertów Chopina znalazł głębszy rezonans dopiero w muzyce XX wieku, m.in. w *Koncercie fortepianowym* W. Lutosławskiego, którego III część rozwija ideę koncertowania zastosowaną w *Larghetto* w *Koncercie f-moll* F. Chopina.

Drukarnia
Uniwersytetu Jagiellońskiego
31-110 Kraków, ul. Czapskich 4